AF137701

Ulrich Matheja

Schlappekicker und Himmelsstürmer
Die Geschichte von Eintracht Frankfurt

Ulrich Matheja

Schlappekicker und Himmelsstürmer

Die Geschichte von Eintracht Frankfurt

VERLAG DIE WERKSTATT

Bibliografische Information der Deutschen Bibliothek

Die Deutsche Bibliothek verzeichnet diese Publikation in der
Deutschen Nationalbibliografie; detaillierte bibliografische Daten
sind im Internet über http://dnb.ddb.de abrufbar.

Copyright © 2020 Verlag Die Werkstatt GmbH
Siekerwall 21, 33602 Bielefeld
www.werkstatt-verlag.de
Alle Rechte vorbehalten
Satz und Gestaltung: Die Werkstatt Medien-Produktion GmbH, Göttingen
Druck und Bindung: CPI, Leck

ISBN 978-3-7307-0519-3

Inhalt

Die Eintracht meisterhaft: Alfred Pfaff präsentiert die Schale, nachdem Kickers Offenbach am 28. Juni 1959 im Endspiel mit 5:3 bezwungen wurde.

Vorwort

1. Auflage 1998   **2. Auflage 2004**   **3. Auflage 2006**   **4. Auflage 2017**

Zeit ist konkret und doch abstrakt. Konkret, weil man sie objektiv messen kann. In Sekunden, Minuten, Stunden, Tagen, Wochen, Jahren. Abstrakt, weil die dadurch entstehenden Zeiträume subjektiv wahrgenommen und unterschiedlichen Ereignissen zugeordnet werden können. So empfand ich als Schüler die Zeit vor den großen Ferien immer als Ewigkeit. Die Ferien selbst waren natürlich viel zu kurz und vergingen wie im Fluge. Und für Fußballfans wird „Zeit" noch mit ganz andere Bedeutungen assoziiert: Spielzeit (auch Saison genannt), Halbzeit, Nachspielzeit. Und in dieser können sich drei Minuten mitunter noch länger und nervenaufreibender anfühlen als seinerzeit das Warten auf die Sommerferien. Seit der letzten Auflage des „Schlappekicker" sind nun drei Jahre vergangen. Für Eintracht-Fans war dieser an sich recht überschaubare Zeitraum gespickt mit vielen emotionalen Höhepunkten.

2017 hatte ich an dieser Stelle geschrieben, dass nach über einem halben Jahrhundert als Eintracht-Fan die positiven Erinnerungen überwiegen. „Selbst wenn es seit 1988 keine Titel mehr zu feiern gab und der Name des Torschützen vom ersten Oberliga-Heimspiel 1945 gegen den 1. FC Nürnberg (1:4) vermutlich nie ermittelt werden kann. Und der Traum eines Rufs »Elfmeter in Rostock!« weiterhin ein Albtraum bleiben wird", wir „aber auch mit Jörg Dahlmanns »Eigentor in Frankfurt!« vom letzten Spieltag 2012/13 gut leben können. Vorerst jedenfalls."

Zumindest da lag ich richtig. Im Mai 2018 fuhren wir erneut nach Berlin – und vollendeten! Danach begaben wir uns auf eine berauschende Reise durch Europa, die erst im Elfmeterschießen an der Stamford Bridge endete. Und auch die Sache mit dem fehlenden Tor 1945 gegen Nürnberg ist inzwischen aufgeklärt. Im Dezember 2019 teilte Sigrid Leonhart Museumsleiter Matthias Thoma per Mail mit, *„dass Ihre Frage bei meinem Besuch des Museums mit Herrn Rudolf Litzinger (geboren 04.02.1927) geklärt worden ist. Sie hatten Herrn Litzinger angesprochen, dass Sie den Torschützen beim Spiel der Eintracht auf dem Rossegerplatz gegen Nürnberg 1:4 im Jahr 1945 suchen. Es ist Herr Adolf Schmidt, den Herr Litzinger als Zuschauer direkt hinter ihm beim ersten und einzigen Tor gesehen hat. Er habe Schuhgröße 48 gehabt.“* Natürlich war Herr Litzinger im Januar 2020 Ehrengast bei der Vorstellung der „Erfolgschronik“ im Eintracht-Museum und erzählte von seinen Erlebnissen aus der Nachkriegszeit.

Er löste das Rätsel um das ominöse Tor: Rudolf Litzinger im Januar 2020 im Gespräch mit Museumsmitarbeiter Axel Hoffmann.

Neue Erkenntnis verdanken wir auch Eintracht-Fan Andreas Eder aus Paderborn, der herausfand, dass ein Teil von Westaustralien einst „Eintracht-Land" hieß. Im Jahr 1616 landete der Holländer Dirk Hartog, der im Auftrag der niederländischen Ostindien-Kompanie die Weltmeere befuhr, an einer unbekannten Küste, die er nach seinem Schiff „Eendracht" benannte. Auf einem um 1700 entstandenen Globus des fränkischen Kupferstechers Johann Christoph Weigel (1661 – 1726), der auf einer früheren Version des Straßburger Kartographen Isaak Habrecht (1589 –

1634) aus dem Jahr 1621 basiert, ist dieses „Landt van Eendracht" sogar als „Terra d'eintracht" bezeichnet. Heute heißt es nach seinem Entdecker „Dirk Hartog Island". Die lokalen Aborigines nennen es „Wirruwana". Mein Dank geht an Heide Wohlschläger von der Internationalen Coronelli-Gesellschaft für Globenkunde in Wien, die mir das Foto vom „Eintracht-Land" zur Verfügung stellte.

Terra d'Eintracht: Eintracht-Land!

Kehren wir nach diesem Exkurs in die Vergangenheit zurück in die Gegenwart, in der das Tragen von Mund-Nase-Masken, Abstandhalten und Bundesliga ohne Zuschauer inzwischen „Normalität" ist. Ich war anfangs überrascht, dass mir der Fußball weniger fehlte, als ich gedacht hatte. Erst mit den Geisterspielen kam Wehmut auf. Denn zu einem Stadionbesuch zählt auch das Treffen mit Freunden vorher und danach. Das fehlte ungemein. Und keiner weiß, wie lange es noch andauert. Schon wird wieder von Spielen mit Zuschauern gesprochen. Aber wie soll das funktionieren? Wen lässt man draußen, wenn die Zahl der Dauerkarteninhaber höher ist als die Zahl der womöglich zugelassenen Plätze? Wenn man auf die öffentlichen Verkehrsmittel verzichten und mit dem Auto kommen soll? Und die Fans im Stadiongelände womöglich über „Einbahnstraßen" auf ihre Plätze geleitet werden? Kann man dann wie gewohnt seine Bratwurst essen und sein Bier trinken? Im Museum fachsimpeln und das Programm auf der Waldtribüne verfolgen? Die „neue Normalität" wird anders aussehen als bisher. Und niemand weiß momentan wie. Aber ein bekannter serbischer Philosoph hat einmal gesagt: „Lebbe geht weiter!" Hoffen wir das Beste.

Nach dem Pokalsieg 2018 hatten wir 2019 im Stadion „120 Jahre Eintracht" gefeiert. Dieses Jahr können wir auf 100 Jahre Riederwald zurückblicken. Und auf die Fusion mit dem 1. FFC Frankfurt, womit die Eintracht jetzt auch in der Frauen-Bundesliga vertreten ist. Erfreulich ist auch die Mitgliederentwicklung. Die Eintracht-Familie hat sich von 45.105 im Jahr 2017 auf 90.552 im Juli 2020 verdoppelt. Leider sind seitdem aber auch wieder einige bekannte Namen und Gesichter von uns gegangen: Lothar Schämer, Christoph Westerthaler, Willi Herbert, Jaroslaw Biernat, Fahrudin Jusufi, Ernst Kudrass und Hans Tillkowski sowie der ehemalige Pressesprecher Manfred Birkholz, in dessen Büro Am Salzhaus man früher seine Dauerkarte abholen konnte. Persönlich sehr stark betroffen haben mich die Nachrichten vom Tod von Klaus Mank an Ostern 2020, dem ehemaligen Jugend-Trainer und Vizepräsidenten und von Fan-Urgestein Michael „Hilde" Hildebrandt, der 2018 wenige Tage vor dem Pokal-Endspiel verstarb. Ihnen und allen anderen, die nun vom großen Adler-Himmel aus zuschauen, gedenken wir mit den Worten von Immanuel Kant: „Wer im Gedächtnis seiner Lieben lebt, der ist nicht tot, der ist nur fern; tot ist nur, wer vergessen wird." Und Eintracht-Fans vergessen nie. Weder die Spieler der Vergangenheit noch die, die ihnen beim Fußballspielen zuschauen durften.

Nicht vergessen möchte ich auch all jene, die mich bei meinen Recherchen unterstützt haben und mit denen ich so manch unvergessliche Fahrt mit der Eintracht erlebt habe. Stellvertretend seien an dieser Stelle genannt Nina Bickel vom e. V., die Crew vom Eintracht-Museum, Jörg Heinisch und die Mitarbeiter von „Fan geht vor" sowie Dr. Othmar Hermann mit seinem schier unendlichen Fundus an Eintracht-Sammelstücken. Mein Dank geht natürlich auch an alle, die mir schon in der Vergangenheit geholfen haben. Sie haben das Fundament geschaffen, auf dem die nun vorliegende fünfte Auflage des „Schlappekickers" aufbaut. Einen tollen Job haben auch wieder die Mitarbeiterinnen und Mitarbeiter des Verlags Die Werkstatt geleistet, die alle Puzzleteile zu dem zusammensetzten, was Sie jetzt in Händen halten. Viel Spaß bei der Lektüre – und hoffentlich auch bald wieder beim Zuschauen im Stadion.

Ulrich Matheja,
im August 2020

PS: Für Korrekturen und Ergänzungen – insbesondere zum Spieler-Abc – bin ich jederzeit dankbar: u.matheja@t-online.de.

Die Wurzeln der Eintracht

Wie der Ball in Frankfurt ins Rollen kam

Die ersten „Fußballer" in Frankfurt spielten in Wahrheit Rugby. Junge Engländer und Amerikaner waren es, die schon um 1876 auf der Körnerwiese dem Ball nachjagten. Sie fungierten als Vorbild für eine ganze Reihe junger Vereinsgründer: Aus der Taufe gehoben wurden bis 1879 etwa der „Football Club Germania" (von Schülern der Wöhler- und Klingerschule), der „Football Club Franconia" (von Schülern des Frankfurter Gymnasiums), die „Arminia", „Constantia", „Teutonia", „Fortuna" und sogar schon eine Eintracht, die sich allerdings lateinisch „Concordia" nannte. 1880 entstand dann der „Fußball-Klub Frankfurt", der einzige dieser Vereine, der heute – unter dem Namen „Sport-Club 1880" – noch existiert.

Sie alle spielten Fußball nach den Regeln der Rugby Union, nach denen die Ballaufnahme mit der Hand sowie das Treten gegen des Gegners Beine erlaubt waren. Dagegen setzte sich das Spiel der Football Association, später kurz „Soccer" genannt, in Frankfurt erst langsam durch. Der erste „richtige" Frankfurter Fußballklub entstand auch gar nicht am Main, sondern an der Spree. Der aus Sachsenhausen stammende Georg Leux gründete am 5. Mai 1885 in Berlin zusammen mit dem späteren Spielwart der Germania, Jean Freyeisen, und dem Ruderer Fritz Bender den „Berliner Fußball-Club Frankfurt". Der BFC Frankfurt gehörte 1891 zu den Gründungsmitgliedern des „Deutschen Fußball- und Cricket-Bundes" und gewann 1898 sogar die Meisterschaft des 1894 gegründeten „Allgemeinen Deutschen Sportbundes", scheint jedoch wenig später eingegangen zu sein, denn im Vereinsverzeichnis des ersten DFB-Jahrbuchs 1904/05 taucht er nicht mehr auf.

In der Zwischenzeit jagte die Frankfurter Jugend jedoch nicht mehr nur dem ovalen Rugby-Ei, sondern auch dem runden Leder nach. Beliebtester Spielplatz war die Hundswiese an der Eschersheimer Landstraße. Ludwig Isenburger beschreibt in seinem 1929 erschienenen Büchlein „Aus der Steinzeit des Frankfurter Fußballs" recht amüsant den Werdegang des jungen Frankfurter Fußballs, obgleich diese Leidenschaft für ihn und seine Genossen ab und zu weniger vergnügliche Folgen hatte. Zerbrochene Fensterscheiben oder Schäden an der Sonntagskleidung waren schon immer ein besonderes Ärgernis für Nachbarn und Eltern gleichermaßen.

Der Berliner Fußball-Club „Frankfurt". Der aus Sachsenhausen stammende Gründer Georg Leux ist ganz rechts zu erkennen.

Isenburger, jüngster Sohn eines Frankfurter Lederhändlers, wurde 1892 vom „Bazillus Fußball" befallen, als der Vater von der Leipziger Herbstmesse einen richtigen Lederball mitbrachte. Zu dieser Zeit wurde Fußball nur von der Spielabteilung des Vergnügungsklubs „Fidelitas" vereinsmäßig betrieben, deren Spielplatz die Hundswiese war. Nachdem sich die „Fidelitas" 1894 nach internen Differenzen aufgelöst hatte, gründeten die übrig gebliebenen Fußball-Enthusiasten am 26. August 1894 einen neuen Klub, den „Frankfurter Fußball-Klub Germania", heute VfL Germania 94. Anfangs kamen den Germanen die guten Verbindungen ihres Kapitäns Ernst Ohly zur in Frankfurt recht zahlreichen Engländerkolonie zugute, doch bald wurde das Spiel auch unter der Frankfurter Jugend immer populärer, so dass eine 2. und 3. Senioren- und eine Schülermannschaft gebildet wurde. Allerdings fehlten in Frankfurt Wettspielgegner, so dass man noch lange nach auswärts reisen musste, so nach Hanau zum „1. FC 1893" (dem ältesten hessischen Fußballklub) und zu „Viktoria 1894" oder nach Mannheim zur „Fußball-Gesellschaft 1896" oder zu „Union 1897", beides Vorläufer des heutigen VfR Mannheim.

Die Germania wurde zur Keimzelle aller nachfolgenden Frankfurter Fußballvereine, denn gegen Ende des Jahrhunderts war ihre Mitgliederzahl so stark gestiegen, dass nicht mehr allen Mitgliedern ein Platz in einer Mannschaft garantiert werden konnte und es zur Gründung weiterer Klubs kam. Der Kickers- und Eintracht-Spieler Fritz Becker, Frankfurts erster Nationalspieler, prägte später den Satz: „Ohne die Germania keine Victoria, keine Kickers, keine Eintracht und kein FSV!" Schon 1898 war in Bornheim der „Fußball-Klub Nordend" entstanden, aus dem dann ein Jahr später der

Fußballsportverein wurde. Am 8. März 1899 schließlich verließ eine Gruppe um Albert Pohlenk, Albert Gerhardt, Hans Schnug und Emil Müller die Germania und gründete den „Frankfurter Fußball-Club Victoria". Kurz darauf entstand mit dem „Frankfurter Fußball-Club von 1899" ein weiterer Verein.

Neue Impulse erhielt der Frankfurter Fußball durch Walther Bensemann (siehe Einwurf), der schon 1896 mit Schülern der Klinger- und Adlerflychtschule auf der Hundswiese gekickt hatte. Bei seinem zweiten Aufenthalt in Frankfurt 1899 sah man ihn immer häufiger dort. Wie bereits in Karlsruhe und Straßburg scheute Bensemann auch in Frankfurt weder Kosten noch Mühe, um seine Schützlinge mit allen notwendigen Fußballutensilien auszustatten. Das schicke Equipement erwies sich als wirksames Mittel der Mitgliederwerbung: Bald sah man immer mehr junge Leute in den weißen Blusen mit rotem Adler und schwarzen Hosen der „Frankfurter Kickers". Am 28. November 1900 schloss sich der Klub mit dem FFC 1899 zum „Frankfurter Fußball-Club 1899 Kickers" zusammen. Mit der Germania, der Victoria und den Kickers auf der Hundswiese, dem FSV und der Hermannia in Bornheim sowie dem 1. Bockenheimer FC 1899 gab es damit zur Jahrhundertwende bereits ein halbes Dutzend Fußballvereine in Frankfurt.

► EINWURF

Walther Bensemann, der Pionier

Walther Bensemann, geboren am 13. Januar 1873, stammte aus einer Berliner Bankiersfamilie. Er besuchte Privatschulen in der Schweiz, wo er von englischen Mitschülern das Fußballspiel kennenlernte und als 14-Jähriger in Montreux seinen ersten Verein gründete. In Karlsruhe rief er 1889 mit dem „International Football Club" den vermutlich ersten süddeutschen Verein ins Leben, der nach den Regeln der Football Association spielte. 1891 war er Mitbegründer des Karlsruher Fußball-Vereins, der mehrfach Süddeutscher Meister und 1910 Deutscher Meister wurde. Nach dem Abitur zog Bensemann als Fußball-Missionar durch Süddeutschland, initiierte zahlreiche Vereinsgründungen und war 1900 an der Gründung des Deutschen Fußball-Bundes beteiligt. Berühmt wurde er in jenen Jahren auch durch die Organisation zahlreicher internationaler Begegnungen. So reiste 1898 erstmals eine deutsche Fußballmannschaft nach Paris, ein Jahr später gastierte auf seine Initiative eine englische Auswahl auf dem Kontinent.

Bensemann schaffte es auf eigene Art, die Vorbehalte gegen den Fußball zu überwinden. In dem Buch „Neue Ausgrabungen aus der Steinzeit des Frankfurter Fußballs" heißt es über ihn: „Mit Walther Bensemann zog ein neuer Sportgeist in unsere Reihen. Was waren das für reizende Dinners im Frankfurter Hof, zu denen eine große Anzahl der damaligen Frankfurter Prominenz geladen war. (…) Jetzt begegnete man auch schon einem größeren Verständnis bei den Eltern. Welche Kämpfe und Überredungen waren vorher mit den Eltern der einzelnen Spieler nötig, wenn unsere Mannschaft auswärts spielen musste."

Auch der Name „Kickers" ist eine Bensemann'sche Idee. In Karlsruhe hatte er im Jahr 1893 erstmals ein Team unter diesem Namen gegründet: die Karlsruher Kickers, die er als eine Art süddeutsche Auswahl verstand und stolz als „Meistermannschaft des Kontinents" bezeichnete. Auch wenn dieser Titel übertrieben war, so erlangten die Karlsruher Kickers in den zwei Jahren ihrer Existenz in der jungen süddeutschen Fußballszene bald einen legendären Ruf. Einige Vereinsgründer – so in Stuttgart und Frankfurt – wählten den glanzvollen Namen, um an den alten Kickers-Ruhm anzuknüpfen.

1920 begründete Bensemann das Fußball-Fachblatt „Der Kicker". Der Kosmopolit genoss international großes Ansehen, wie eine vom französischen FIFA-Präsidenten Jules Rimet angeführte lange Liste von Glückwunschbekundungen im „Kicker" anlässlich seines 60. Geburtstags im Januar 1933 beweist. Wegen seiner jüdischen Abstammung sowie seiner internationalistischen Einstellung drängten die Nationalsozialisten Bensemann bald nach der Machtübernahme aus dem „Kicker"-Verlag. Er zog sich nach Montreux in die Schweiz zurück, wo er am 12. November 1934 starb. Zu den wenigen Zeitungen, die im damaligen NS-Deutschland einen Nachruf veröffentlichten, zählten die „Vereins-Nachrichten" der Frankfurter Eintracht, die anmerkten: „Auch er war in den Gründerjahren der Eintracht für uns ein vorbildlicher Mensch."

Nach dem Krieg geriet sein Name im Lauf der Jahre in Vergessenheit, auch wenn Richard Kirn, selbst ein hervorragender Journalist, Bensemanns „Kicker"-Glossen 1953 als „das Bedeutendste" bezeichnete, „was je ein deutscher Sportjournalist geschrieben hat". Erst seit Juli 2005 erinnert der „Kicker" im Impressum wieder an seinen Begründer und zeichnet seit 2006 das Fachblatt in Zusammenarbeit mit der Deutschen Akademie für Fußballkultur mit dem Walther-Bensemann-Preis Personen aus, die „Herausragendes für den Fußball geleistet haben und dabei auch gegen den Strom schwimmen mussten". 2010 wurde in der Hochschule für jüdische Studien in Heidelberg ein Foyer nach dem Fußball-Pionier benannt.

Der Stammbaum der Eintracht

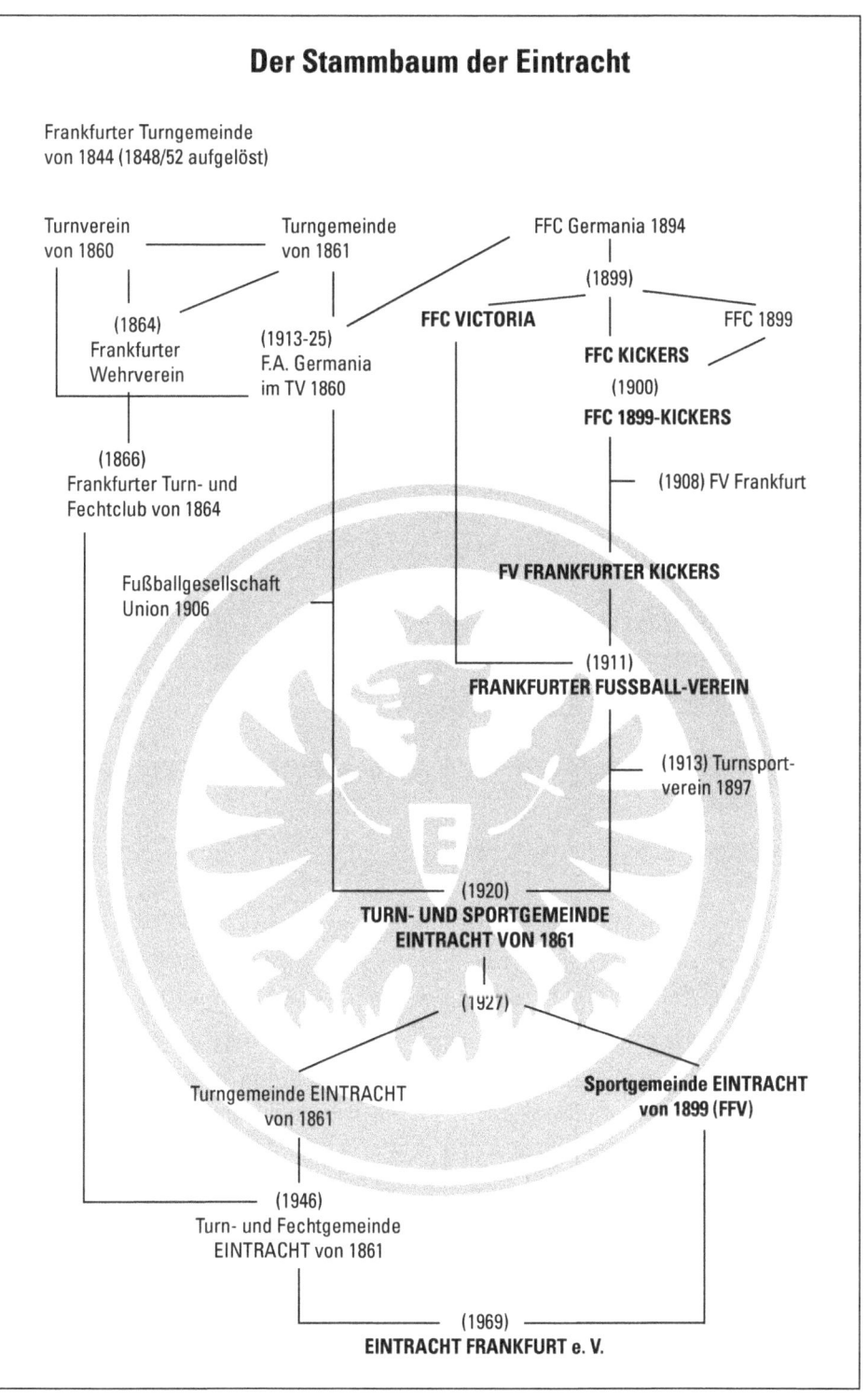

Frankfurter Turngemeinde
von 1844 (1848/52 aufgelöst)

Turnverein
von 1860

Turngemeinde
von 1861

FFC Germania 1894

(1899)

(1864)
Frankfurter
Wehrverein

(1913-25)
F.A. Germania
im TV 1860

FFC VICTORIA

FFC 1899

FFC KICKERS

(1866)
Frankfurter Turn- und
Fechtclub von 1864

(1900)
FFC 1899-KICKERS

(1908) FV Frankfurt

Fußballgesellschaft
Union 1906

FV FRANKFURTER KICKERS

(1911)
FRANKFURTER FUSSBALL-VEREIN

(1913) Turnsport-
verein 1897

(1920)
**TURN- UND SPORTGEMEINDE
EINTRACHT VON 1861**

(1927)

Turngemeinde EINTRACHT
von 1861

**Sportgemeinde EINTRACHT
von 1899 (FFV)**

(1946)
Turn- und Fechtgemeinde
EINTRACHT von 1861

(1969)
EINTRACHT FRANKFURT e. V.

Der „Frankfurter Fußball-Club Victoria"

Gründung des Clubs am 8. März 1899

„Frankfurter Fußball-Club Victoria"

Das Gründungsprotokoll des „Frankfurter Fußball-Club Victoria".

1899 ■ Gründung

Die Gründung des Klubs fand am 8. März 1899 in einer Wirtschaft in der Hohenzollernstraße 14 (der heutigen Düsseldorfer Straße) statt. Im Gründungsprotokoll ist nachzulesen, dass sich die anwesenden 15 Personen einstimmig auf den Namen „Frankfurter Fußball-Club Victoria" einigten. Jeder hatte für Gründung und den Monatsbeitrag für März zwei Mark zu entrichten, für jeden folgenden Monat eine Mark. Für neue Mitglieder betrug die Aufnahmegebühr 1,50 Mark, der Monatsbeitag eine Mark, für Schüler 50 Pfennige. Zum ersten Vorsitzenden wurde Albert Pohlenk gewählt. Auch die Platzfrage konnte rasch geklärt werden. Dank des Entgegenkommens des städtischen Turninspektors Weidenbusch durfte der Klub die Hundswiese benutzen. Als Umkleideraum wurde von der benachbarten Gaststätte „Milchkur" für stolze neun Mark pro Monat eine Scheune angemietet. Als Vereinslokal fungierte das „Schlesinger Eck" in der Großen

Die erste Victoria-Mannschaft 1899.

Gallusstraße 2a, wo man sich jeden Donnerstag Abend traf. Bereits am 19. März 1899 trat Victoria zu ihrem ersten Wettspiel gegen den 1. Bockenheimer FC 1899 an. Der Eintrag von Kapitän Pohlenk in die „Spiel-Berichte des F. F. C. Victoria 1899" lautete:

„‚Victoria' tritt zum ersten mal auf & beginnt ihre Spiele mit einem Gesellschafts-Spiel C/a F. C. Bockenheim, es gelingt ihr auch, über denselben mit 4:1 Goal zu siegen. Die erste Mannschaft ‚Victorias' bestand aus folgenden Mitgliedern: Müller, Birkner, (Baks) Trolliet, Riese, abwechselnd (Goal) Gerhardt, Seubert, Trolliett, (Halves) Reick, Heil, Pohlenk, Schmidt, Schnug. (Forwards) es waren dies die Leute, welche Victorias Farben zum erstenmal auf dem Spielfeld gleich siegreich vertraten." (Mit „Baks" = backs waren Verteidiger gemeint, mit „Halves" die Läufer bzw. Mittelfeldspieler, mit „Forwards" die Stürmer.)

Bis zum 22. September 1899 trug die 1. Mannschaft 16 Spiele aus, von denen zehn gewonnen und sechs verloren wurden. Gegner waren unter anderem der FC Hanau 93 (2:3 und 0:2), Viktoria 94 Hanau (3:2) und die Mannheimer FC Union (0:8 und 2:0). Gegen den 1. Bockenheimer FC 1899 gab es mit 7:1 und 5:0 zwei hohe Siege. Am prestigeträchtigsten war jedoch das 2:1 am 17. September 1899 beim alten Lehrmeister Germania. Die Farben der Victoria vertraten:

▶ Scheiterle; Letsche, Wegmann; Heil, Gerhardt, Müller; Reick, Vesper, Keller, Schnug, Pohlenk.

Obwohl die Victoria selbst noch in den Kinderschuhen steckte, war sie am 28. Januar 1900 einer von 86 Vereinen, die in Leipzig bei der Gründung des „Deutschen Fußball-Bundes" (DFB) dabei waren. Da die Gegner aber noch dünn gesät waren, gab es oft auch nur Übungsspiele untereinander, die aber mit nicht geringerem Eifer ausgetragen wurden und meist erst durch die hereinbrechende Dunkelheit ein Ende fanden. Selbst als die Stadt im Frühjahr die Hundswiese sperrte, damit sich das Gras erholen konnte, beeinträchtigte das die Spielleidenschaft keineswegs, und man wich auf den Griesheimer Exerzierplatz aus. Viel dazugelernt wurde von dem Engländer Cecil Nicholas, der von November 1899 bis Februar 1900 Spielführer war.

Angeregt von den ersten Erfolgen kamen die Frankfurter Vereine Anfang 1900 auf die Idee, ein Wettspiel der gebürtigen Frankfurter gegen die „Eingeplackten" auszutragen. Es fand am Sonntag, dem 4. Februar, auf der Hundswiese statt und brachte einen klaren 3:0-Erfolg der einheimischen Mannschaft. In ihrer Ausgabe vom 6. Februar berichteten die „Frankfurter Nachrichten" unter der Überschrift „Fußball. Assoziation-Wettspiel":

„Vergangenen Sonntag fand ein vom Fußballklub ‚Germania' veranstaltetes Wettspiel statt zwischen einer Ausländermannschaft, welche zum größten Theil aus Engländern bestand, und einer kombinierten Mannschaft geborener Frankfurter aus den Klubs ‚Germania', ‚Frankfurt' u. ‚Viktoria'. Das Spiel begann um 2 Uhr. Kurz nach dem Anstoß konnten die Frankfurter das erste Goal erzielen, welchem bis Schluß des Spieles noch zwei weitere folgten. Die Ausländer vermochten kein einziges Goal zu erringen, so dass die Frankfurter Klubs mit 3:0 Goals trotz der starken Gegnerschaft den Sieg davon trugen."

1900-1903 ■ Die ersten Frankfurter Fußballmeisterschaften

Zu einer Stärkung des Frankfurter Fußballs führte im März 1900 die Gründung des „Frankfurter Associations-Bundes" (FAB) durch Germania, Victoria und 1. Bockenheimer FC 99. Im Herbst wurde erstmals eine Frankfurter Meisterschaft ausgetragen, die am Ende Germania und Victoria mit je fünf Punkten an der Spitze sah. Dabei hatte es die Victoria am 4. November sogar in der Hand gehabt, aus eigener Kraft erster FAB-Meister zu werden. In einem sehr flotten Spiel ging Victoria in der 81. Minute mit 1:0 in Führung, doch konnte Germania zwei Minuten vor Schluss ausgleichen, so dass es am 18. November in Bockenheim zu einem Entscheidungsspiel kam, in dem der Altmeister Germania durch einen Treffer von Billetter kurz nach der Pause knapp mit 1:0 die Oberhand behielt. Nur eine Woche später glückte die Revanche. In einem Spiel um die Süddeutsche Meisterschaft führte Victoria mit 1:0, doch musste das Spiel 14 Minuten vor Schluss wegen Dunkelheit abgebrochen werden. Nachdem der Verband Süddeutscher Fußball-Vereine (VSFV) das Spiel zunächst neu angesetzt hatte, wurde Victoria nach einem erfolgreichen Protest zum Sieger erklärt. In der nächsten Runde schied man dann gegen die Studentenmannschaft des FC Darmstadt aus (1:5).

Trotzdem konnte der Klub mit dem Erreichten mehr als zufrieden sein. In 21 Spielen gab es zwölf Siege, zwei Unentschieden und sieben Niederlagen. Am 21. April 1901 konnte erstmals der FC Hanau 93 geschlagen werden (1:0). Am 5. Mai trugen Victoria und der Offenbacher FC 99 in Aschaffenburg ein Gesellschaftsspiel aus (7:0 für Victoria), das zur Gründung des ersten Aschaffenburger Fußballklubs führte, aus dem sich der heutige SV Viktoria 01 Aschaffenburg entwickelte. Für das Spieljahr 1901/02 konnte Victoria auf zahlreiche Neuzugänge zurückgreifen. Aus Karlsruhe hatten W. Altenhain (KFV) und Firnrohr (Phönix) den Weg an den Main gefunden, aus Pforzheim kam Fels und von der Germania der Schweizer Billeter. Mit diesen Spielern wurde 1901/02 erstmals die FAB-Meisterschaft gewonnen. Auch gegen auswärtige Konkurrenz wurden gute Ergebnisse erzielt. Der FC Darmstadt wurde 8:3, der FC Bonn in Koblenz 3:1 und die TG Wiesbaden 8:1 geschlagen. Selbst ein 2:4 gegen den Karlsruher FV kann als Erfolg bewertet werden, denn der KFV gehörte damals zur Creme des süddeutschen Fußballs. Ein frühes Aus bescherten allerdings wieder die Spiele um die Süddeutsche Meisterschaft. Beim FC Hanau 93 gab es bereits in der 1. Runde eine 0:2-Niederlage. Die „93er" schalteten danach auch 1899-Kickers und Germania 94 aus und mussten sich erst im Endspiel dem Karlsruher FV mit 0:2 beugen.

1902/03 konnte der Erfolg in der FAB-Meisterschaft wiederholt werden. Zum ersten Mal umfasste die Konkurrenz fünf Vereine. Der 1. Bockenheimer FC 99 hatte sich nach der Saison 1901/02 aufgelöst, dafür waren der FSV und Hermannia Frankfurt neu hinzugekommen. Victoria bestritt in dieser Spielzeit 28 Spiele. 18 Siegen standen je fünf Unentschieden und Niederlagen gegenüber. In der Süddeutschen Meisterschaft zog man wieder gegen den FC Hanau 93 den Kürzeren (2:3), nachdem zuvor die Offenbacher Kickers mit 3:0 und Viktoria 94 Hanau mit 2:0 ausgeschaltet worden waren.

1900-1903 ■ Erste Punktspielrunde im Maingau

Auf dem 7. Verbandstag des VSFV in Hanau wurde 1903 eine Änderung des Meisterschaftsmodus beschlossen. Das Verbandsgebiet wurde in zwei Kreise (Nord- und Südkreis) mit sechs Gauen aufgeteilt. Da fast die Hälfte aller süddeutschen Fußballklubs (32 von 65) im Maingau beheimatet waren, wurde dieser in zwei selbstständige Gaue geteilt; zwölf Teams aus Frankfurt und Wiesbaden bildeten den Westmaingau. Von dieser Meisterschaft gab es nur wenig Positives zu berichten. Mit 9:13 Punkten und 29:29 Toren belegte Victoria nur einen enttäuschenden 9. Platz. Lediglich vier Spiele konnten gewonnen werden. Erfreulicher verliefen die Freundschaftsspiele. Kickers Offenbach wurde mit 4:2, der Gießener FC 1900 mit 12:1, Phönix Mannheim gar mit 15:1 geschlagen. Auch Union 97 Mannheim wurde 3:2 besiegt und gegen den FSV mit 4:3 Revanche genommen. Niederlagen gab es bei Hanau 93 (0:2) und zu Hause gegen den Kölner FC 1899 (0:3).

In der FAB-Meisterschaft war gleich das erste Spiel das entscheidende, denn nach einem unglücklichen 0:1 gegen 1899-Kickers war der Pokal nicht mehr zu verteidigen. Zudem wurde mit den Fußball-Göttern und dem Schiedsrichter gehadert, wie Kapitän Michael Pickel in den Spiel-Berichten vermerkte:

„Victoria I musste bei Halbzeit die Führung Kickers I mit 1:0 überlassen. Dann schnürte Victoria die Kickers-Mannschaft vollständig ein und nur durch den Umstand, dass solche mit 10 Backs spielte, gelang es ihr, mit 1:0 zu siegen. Victoria war riesig vom

Pech verfolgt. Sicher, bei ein klein wenig mehr Aufmerksamkeit des Schiedsrichters, Herrn Rahn, hätte ein anderes Resultat zustandekommen müssen, da ein Ball tatsächlich im Kickers-Netz war und außerdem mindestens 1 x 11-Meterstoß zu geben war. Durch dieses Spiel ging Victoria I der Pokal I. Cl., der andernfalls ihr endgültiges Eigentum gewesen wäre, verloren."

Dafür lief es 1904/05 wieder besser. Ohne Punktverlust wurde Victoria erstmals Gaumeister. In der Endrunde um die Nordkreismeisterschaft erwies sich die Konkurrenz vom FC Hanau 93 (0:6) und Union 97 Mannheim (1:3) allerdings noch als zu stark. Auch in der FAB-Meisterschaft ging Victoria wieder leer aus, da gegen den FSV eine 2:0-Pausenführung noch verspielt wurde (2:2). So kam es am 25. Juni 1905 in Hanau zu einem Entscheidungsspiel gegen den FSV. Wieder führte Victoria mit 2:0, doch wieder schafften die Bornheimer den Ausgleich und sicherten sich durch zwei weitere Treffer in der Verlängerung zum ersten Mal den Wanderpokal des FAB.

Das Kopf-an-Kopf-Rennen mit dem FSV wiederholte sich auch 1905/06. Zwar wurde der direkte Vergleich mit 1:2 verloren, doch am Ende standen beide Klubs mit 12:2 Punkten gleichauf. Dank des besseren Torverhältnisses, das Victoria mit 27:6 gegenüber FSV mit 22:12 im Vorteil sah, wurde Victoria erneut Westmaingaumeister. In der sich anschließenden Nordkreismeisterschaft wurde die Mannschaft Vierter im fünfköpfigen Feld. Mit einer Gastspielreise nach Mittelfranken, wo es einen 4:0-Sieg über die SpVgg Fürth und eine 1:3-Niederlage gegen den 1. FC Nürnberg gab, wurde das Spieljahr abgeschlossen. Zu dieser Zeit standen in der 1. Mannschaft:

▶ Fahrenkamp; Mortensen, Zahn; Bürckner, Schnug, Heil; Zindel, M. Pickel, Berk, Freund, Hellbach. Mit Ausnahme von Hellbach (früher Viktoria 89 Berlin) handelte es sich ausnahmslos um Frankfurter „Buwe".

1907-1909 ■ Eigener Sportplatz an der Eschersheimer Landstraße

Während sportlich also alles im Lot war, machte ein ganz anderes Problem den Frankfurter Vereinen zu schaffen: die Sportplatzfrage. Bereits vor Beginn der Meisterschaftsspiele 1904/05 hatten die „Frankfurter Nachrichten" das Problem in einem Artikel angesprochen: „Dass auch das Publikum immer mehr Interesse an dem Fußballsport nimmt, zeigte wieder der Besuch auf der Hundswiese am letzten Sonntag. Es ist nur zu bedauern, dass den Fußballklubs keine besseren, womöglich abgeschlossenen Plätze, wie dies in den meisten anderen Städten schon der Fall ist, zur Verfügung stehen."

Nicht nur wegen des stetig wachsenden Zuschauerinteresses sah sich schließlich auch die Stadt Frankfurt veranlasst, in der Sportplatzfrage tätig zu werden. Bis Mitte 1906 war die Zahl der dem DFB angehörenden Fußballvereine in Frankfurt auf 21 angewachsen. Im Osten und Norden der Stadt entstanden auf städtischem Grund die ersten geschlossenen Fußballplätze. Der „Sportpark Frankfurt" im Ostpark wurde Heimat der Hermannia, die für das Gelände mit einer Holztribüne eine jährliche Pacht von 1.000 Mark an die Stadt zahlte. Insgesamt kostete die Errichtung des Sportparks den Verein

18.000 Mark, womit er sich finanziell übernahm. Als bis 1909 eine Restschuld von 7.600 Mark übrig blieb, die nicht getilgt werden konnte, löste sich der Klub 1910 auf. Nördlich der Hundswiese erhielt Germania 94 ihre Platzanlage. Beide wurden zu Pfingsten 1906 unter Beteiligung ausländischer Gäste feierlich eingeweiht.

Durch den Zuwachs an Vereinen wurde der Maingau vor der Saison 1906/07 erneut geteilt und der Südmaingau eingerichtet. Nach schwachem Start blieb Victoria in der Rückrunde zwar ungeschlagen, mehr als ein ausgeglichenes Punktverhältnis sprang nicht mehr heraus. Dafür wurde mit umso größerem Eifer an der Herrichtung der eigenen Platzanlage an der Eschersheimer Landstraße gearbeitet. Aus diesem Grund ließ sich der Klub auch ins Vereinsregister eintragen und gab Anteilsscheine für die Errichtung des Sportplatzes aus. Der Eröffnung am Ostersonntag, 31. März 1907, sah das Frankfurter Publikum mit großem Interesse entgegen, denn mit dem Gallia Club Paris stellte sich erstmals eine Associations-Mannschaft aus der französischen Hauptstadt in Frankfurt vor. Victorias Aufstellung an diesem Festtag lautete:

▶ Fahrenkamp; Mortensen, Zahn; Schnug, Bürckner, Baumgärtner; Berk, Jockel, Häfner, Freund, Obersberger.

In den Spielberichten wurde vermerkt: „*Das Spiel war trotz der großen Hitze von Anfang bis Ende sehr interessant. Victoria führt bei der Pause 2:0, doch die aus vorzüglichen Einzelspielern zusammengesetzte Gallia-Mannschaft findet sich erst in der zweiten Hälfte zusammen und vermag gleichzuziehen. Victoria erzielt noch ein 3. Tor, das der sonst fehlerfreie & unparteiische Schiedsr. (Ohly, Frankf. Germania) aber nicht gibt. So blieb dieses bedeutendste Spiel des F. F. C. Victoria mit 2:2 unentschieden. Den Gästen muss man zu Gunsten rechnen, dass sie die Nacht über gefahren waren. V. spielte famos.*

Abends fand im Hotel-Restaurant Kyffhäuser ein großer Commers statt, der einen schönen Abschluss nahm. In sportl. wie gesellschaftlicher Beziehung nahmen die Franzosen den besten Eindruck von V. mit, was die Pariser Zeitungen umfangreich dokumentierten."

Kaum hatten die Franzosen die Stadt verlassen, warf das nächste Großereignis seinen Schatten voraus. Am 5. Mai empfing eine Frankfurter Stadtauswahl vor einer großen Zuschauermenge auf dem Hermannia-Platz im Ostpark den amtierenden englischen Ligameister Newcastle United, der mit britischen Internationalen nur so gespickt war. Von der Victoria waren Torhüter Fahrenkamp sowie Zahn und Berk dabei, die Kickers wurden von ihrem Sturmtrio Bertrand, Fritz Becker, Fay vertreten. Newcastle, dem die „Frankfurter Zeitung" in einem 43-zeiligen Bericht „vornehme Ruhe der Überlegenheit" und eine „außerordentlich rasche Kombinationsfähigkeit" attestierte, ging schnell mit 2:0 in Führung, doch konnte Becker noch vor der Pause verkürzen. Der gleiche Spieler erzielte fünf Minuten vor Schluss auch den zweiten Frankfurter Treffer. Trotz „einer gewissen Zaghaftigkeit und Unausgeglichenheit der Technik" stellte das Endergebnis von 2:6 der Frankfurter Mannschaft „ein gutes Zeugnis aus", denn im weiteren Verlauf ihrer Deutschland-Tournee bewiesen die Engländer ihre Klasse: 5:0 bei der Mannheimer FG 96 (Neckargau-Meister), 8:1 beim Freiburger FC (der drei

Wochen später die Deutsche Meisterschaft gewann!) und 7:0 beim Karlsruher FV (mittelbadischer Meister).

Durch die Eingliederung der Wiesbadener Vereine SVW, Germania und FC 01 umfasste der Südmaingau 1907/08 zunächst acht Mannschaften, nach dem Ausscheiden des FC 01 Wiesbaden und der Disqualifikation des FSV kamen jedoch nur sechs Mannschaften ins Schluss-Klassement. Victoria landete punktgleich mit Germania 94 auf dem vierten Rang, elf Punkte hinter Meister FFC Kickers. 1908/09 gab es eine erneute Änderung der Spielklasseneinteilung. Die 15 A-Klassenvereine sowie B-Klassenmeister Germania Bieber wurden in zwei Bezirksligen mit je acht Vereinen zusammengefasst. Nachdem sich schon in den beiden letzten Jahren eine spielerische Stagnation bei der Victoria angedeutet hatte, setzte sich der Abwärtstrend in diesem Spieljahr fort. Die Kickers, aber insbesondere der FSV gaben nun in Frankfurt den Ton an. Von den zwölf Meisterschaftsspielen konnten nur zwei gewonnen werden (5:0 gegen Germania Bieber und 2:1 gegen Hermannia). Mit 7:17 Punkten wurde Victoria nur Sechster, fand aber dennoch Aufnahme in die neue eingleisige Nordkreisliga.

Auch in den Freundschaftsspielen gegen auswärtige Gegner gab es nur wenig zu bejubeln. Am 26. Dezember 1908 unterlag eine kombinierte Victoria/FSV-Mannschaft auf dem Victoria-Platz dem holländischen Klub HFC Haarlem mit 2:4. Das letzte bedeutende Ereignis der Saison sah am 16. Mai 1909 den Auftritt des Süddeutschen und späteren Deutschen Meisters Phönix Karlsruhe, der glatt mit 6:0 gewann. Zum Trost und zum Beweis der Klasse der Karlsruher sei jedoch erwähnt, dass auch Bezirksmeister FSV bei der Eröffnung seines neuen Sportplatzes an der Seckbacher Landstraße am 6. September 1908 gegen Phönix mit 2:7 verloren hatte.

1909-1911 ■ Ein hartes Dasein in der eingleisigen Nordkreisliga

Mit Bildung der neuen Spielklasse wurde die Konkurrenz im Rhein-Main-Gebiet immer größer. Der Liga gehörten im ersten Jahr ihres Bestehens (1909/10) zwölf Vereine an. Davon kamen allein sieben aus Frankfurt. Die alte Hochburg Hanau war mit zwei, Wiesbaden, Offenbach und Bieber mit je einem Klub vertreten. Die Meisterschaft wurde in einer Doppelrunde ausgetragen, was 22 Pflichtspiele für jeden Verein bedeutete. Da die Runde erst Mitte September begann und wegen der Ermittlung des Süddeutschen Meisters bereits im Februar entschieden sein musste, kamen enorme Belastungen auf jeden Klub und seine Spieler zu, zumal zusätzlich noch eine ganze Reihe von Übungs- und Freundschaftsspielen ausgetragen wurde. Andererseits bedeuteten mehr Spiele auch mehr Einnahmen für die Vereine, die diese für die Errichtung und Finanzierung ihrer Platzanlagen benötigten. Fußball hatte aufgehört, nur noch ein Sonntagnachmittagsvergnügen zu sein, wie die Karikatur auf einer zeitgenössischen Postkarte aus Wiesbaden belegt, die die „Meisterschaftshatz 1909/10" darstellt. Es ging inzwischen um Punkte und Pokale und letztendlich auch ums liebe Geld.

Für Victoria verlief die Ligasaison enttäuschend. Zwar konnte man den führenden Klubs Viktoria 94 Hanau, SV Wiesbaden und dem FSV jeweils ein Unentschieden abtrotzen, ins Titelrennen wurde jedoch in keiner Phase eingegriffen. Am Ende sprang mit 19 Punkten Rückstand auf Meister Viktoria 94 Hanau nur der achte Platz heraus. Obwohl die Leistungen auf dem Spielfeld zu wünschen ließen, ging der Klub daran, seinen Sportplatz weiter auszubauen. Durch den Niedergang der Hermannia war deren Sportgelände im Ostpark verwaist. Die Brauerei Henninger hatte die hölzerne Tribüne abtragen und auf ihrem Firmengelände am Sachsenhäuser Berg einlagern lassen. Da der Vorstand gute Verbindungen zur Brauerei hatte, konnte die Tribüne 1910 für 350 Mark erworben und auf dem Victoria-Platz aufgestellt werden. Diese Anstrengungen wurden vom DFB mit der Vergabe des Vorrundenspiels um die Deutsche Meisterschaft zwischen Titelverteidiger Phönix Karlsruhe und dem VfB Leipzig (2:1) belohnt.

Zur gleichen Zeit ließ ein anderes Projekt die Frankfurter Fußballgemeinde aufhorchen. Für die vom 15. Mai bis 15. Juli 1910 auf dem Festhallengelände stattfindende „Internationale Ausstellung für Sport und Spiel" gab es Pläne, ein Stadion zu errichten. Obwohl kein Geringerer als Kronprinz Wilhelm Schirmherr der Veranstaltung war, erwies sich ein Stadionbau als zu teuer. Stattdessen gründeten sportfreudige Bürger und die Festhallengesellschaft die „Arena, Frankfurt a.M., GmbH.", die nordwestlich der Festhalle eine 500-m-Radrennbahn mit einem Rasenplatz im Innenraum errichtete. Der Sportplatz an der Festhalle wurde 1914 Heimat des SC 1880 Frankfurt und in den 20er Jahren des SC Rot-Weiss Frankfurt. Die Arena bot 12.000 Zuschauern Platz und hatte 1.200 Sitzplätze auf einer Logentribüne. Neben Pferde- und Radsport standen auch interessante Rasensportwettkämpfe auf dem Programm. So gab es am 18. Mai einen Rugby-Vergleich zwischen dem FC Frankfurt 1880 und den London Harlequins sowie zwischen dem 21. und 25. Mai vier Fußballspiele.

Glanzpunkt der Veranstaltung war am 22. Mai das Aufeinandertreffen zweier englischer Profiklubs. Vor fast 6.000 Zuschauern – was neuen Besucherrekord für Frankfurt bedeutete – unterlag der Tabellendritte der 1. Divsion, Blackburn Rovers, dem Absteiger FC Chelsea mit 3:5. Das Publikum war von den gezeigten Leistungen sehr beeindruckt: „Der Kampf, den sich die englischen Berufsspieler lieferten, wurde in einem Stil geführt, der für die deutschen Sportverständigen ein Genuss war, und zwar ebensosehr wegen der vollkommenen Lauf- und Schusstechnik und der sicheren Kombination der Spieler als auch wegen ihrer von Grund aus fairen Art und der Oekonomik, mit der jeder Einzelne die für die gegebene Situation anzuwendende Kraft bemaß." („Frankfurter Zeitung" vom 23. Mai 1910)

Wer geglaubt hatte, die Victoria könne solchen Vorbildern nacheifern, sah sich leider getäuscht. Wieder war eine Mammutsaison zu absolvieren, denn mit Germania 94 umfasste die Nordkreisliga 1910/11 sogar 13 Mannschaften. Erneut hatte Victoria mit dem Ausgang der Meisterschaft, die sich der SV Wiesbaden vor dem FSV sicherte, wenig zu tun. Mit 25:23 Punkten landete der Klub genau in der Mitte der Tabelle auf dem siebten Platz. Damit war Victoria hinter dem FSV und den Kickers nur noch die dritte Kraft in Frankfurt, mit 133 Mitgliedern hinter dem FSV (335), Amicitia und 1902 (244), Kickers (214), Bockenheimer FVgg (187) und Germania 94 (143) sogar nurmehr der sechstgrößte Verein. Dies schlug sich auch in der Frankfurter Presse nieder, die kaum noch von Spielen der Victoria berichtete. Zwischen August 1910 und Anfang Mai 1911 finden sich in der „Frankfurter Zeitung" und den „Frankfurter Nachrichten" nur zwei Hinweise über Freundschaftsspiele der Victoria, dagegen neun der Kickers. Zwar besaß Victoria eine schöne Platzanlage, auf der beim Zwischenrundenspiel um den Kronprinzenpokal zwischen Süddeutschland und Berlin (3:1) im November 1910 erneut etwa 5.000 Zuschauer anwesend waren, die spielerisch bessere Mannschaft dagegen hatte der unmittelbare Nachbar Kickers. Nach längeren Beratungen zwischen Vertretern beider Vereine – Albert Pohlenk und Michael Pickel vertraten die Victoria, Arthur Cahn, Rudolf Hetebrügge und Dr. von Goldberger („Gilly") die Kickers – schlossen sich beide Klubs schließlich im Mai 1911 zum „Frankfurter Fußball-Verein" (FFV) zusammen. Die „Frankfurter Nachrichten" hatten bereits am 21. April über die bevorstehende Fusion berichtet und „diese Stärkung des Frankfurter Fußballsports" sehr begrüßt.

Die „Frankfurter Kickers"

Im Gegensatz zur Victoria liegen über die Gründung der Kickers keine schriftlichen Quellen vor. Die anfängliche Bezeichnung „Frankfurter Fußball-Club 1899 – Kickers" verweist auf zwei Vorgängervereine: den FFC 1899 und die Kickers.

Am 8. November 1900 meldete die Zeitschrift „Sport und Wort", dass sich „im Juni laufd. Jahres … in Frankfurt a.M. ein neuer Fußballclub unter dem Namen Frankfurter Kickers konstituiert" habe. Auf der Hauptversammlung am 6. Juli war ein Vorstand mit A. Schmid, Carl Trapp (1. und 2. Vorsitzender), Hermann Hößbacher, A. Wegmann (1. und 2. Kapitän), Theo Streit (Kassierer und Schriftführer) und Carl Krömmelbein (Gerätewart) gebildet worden. Demzufolge hätten die Kickers erst im Jahr 1900 das Licht der Welt erblickt. Dagegen spricht eine Anstecknadel mit der Aufschrift „Fussball Vr. Fr. Kickers", auf der eine „10" sowie das Datum „13.11.09" abgebildet sind. Es liegt nahe, dass mit dieser Nadel an das „Zehnjährige" am 13. November 1909 erinnert wurde. Diese Vermutung wird durch eine Meldung in der „Vereins-Zeitung" vom 1. September 1910 unterstrichen. Dort heißt es: „F. V. Frankfurter Kickers. Der Verein ist im Jahre 1899 gegründet worden und zwar vornehmlich von Sekundanern der Adlerflycht- und der Klingerschule." Damit wäre der Bezug zu Walther Bensemann hergestellt, der 1924 in einer „Kicker"-Glosse erwähnte, „um die Jahrhundertwende … in Frankfurt a. M. fünf Monate als Hauslehrer" tätig gewesen zu sein. Die „Frankfurter Nachrichten" berichten am 26. September 1900 zum ersten Mal über die Kickers, nachdem das „Retourwettspiel" gegen die „Assoziations-Abtheilung des Fußballklubs ‚Frankfurt' … nach scharfem, aber fairen Spiel unentschieden mit 1:1 Goal" geendet hatte. Wenig später heißt es dort in einer Vorankündigung auf ein Freundschaftsspiel bei Viktoria 94 Hanau, dass „die Kickers … gegenwärtig wohl eine der besten Frankfurter Mannschaften besitzen …".

Die Wiege des Frankfurter Fußball-Clubs 1899 lag in Bockenheim. Wie Philip Wolf in seiner 1930 in Anlehnung an Ludwig Isenburger herausgegebenen Broschüre „Neue Ausgrabungen aus der Steinzeit des Frankfurter Fußballs" schildert, war ihm als Jugendlicher von ärztlicher Seite sportliche Betätigung verordnet worden. Da ihm jedoch das notwendige Kleingeld fehlte, um damals etablierte Sportarten wie Rudern oder Hochradfahren zu betreiben, erinnerte er sich an ein Fußballspiel, das anlässlich des Sedanstages am 2. September 1897 zwischen Primanern und Sekundanern der Bockenheimer Realschule auf der Hohemark ausgetragen worden war und in dem er die Vorarbeit zum 1:0-Siegtreffer für die Sekundaner geleistet hatte.

Dem ärztlichen Rat folgend, war Philip Wolf im Sommer 1899 beseelt von dem Gedanken, einen Klub zu gründen, „der in Deutschland in sportlicher und gesellschaftlicher Beziehung an erster Stelle stand und der auch im Ausland einen guten

Ruf genoss". Umgehend wurde in einer Bockenheimer Gaststätte die „Spielgesellschaft" aus der Taufe gehoben. Der Monatsbeitrag wurde auf 50 Pfennig festgesetzt. Nachdem Geld für einen Ball gesammelt und die Torstangen selbst gefertigt waren, ging es hinaus auf die Hundswiese. Dort waren auch Schüler der Klinger- und Adlerflychtschule aktiv, die sich nach und nach dem jungen Verein anschlossen, so dass dieser bald 50 Mitglieder zählte. Erstmals erwähnt wird die Spielgesellschaft in den Spielberichten der Victoria, gegen die am 30. Juli und 20. August 1899 zwei Gesellschaftsspiele ausgetragen wurden, die mit 0:5 und 0:7 verloren gingen. Kurz darauf muss die Umbenennung in „Frankfurter Fußball-Club 1899" vorgenommen worden sein, denn anlässlich eines weiteren Spieles gegen Victoria am 24. September 1899 ist in deren Spielberichten als Gegner der „F. Fußballklub 1899 (früher Spielgesellschaft)" vermerkt. Der FFC 1899 verfügte auch über eine Rugby-Mannschaft und wäre an den internen Differenzen zwischen Rugby- und Association-Verfechtern fast zerbrochen. Eine große Mehrheit unter Führung von Ludwig Gatzert wollte nämlich nur noch dem ovalen Leder nachjagen. Erst in letzter Sekunde konnte ein Kompromiss gefunden und doch noch eine Associations-Abteilung geschaffen werden, die anfangs aus gerade zwei Mitgliedern bestand: Philip Wolf und Paul Schmidt.

1900-1906 ■ Erstmals Frankfurter Meister

Wesentlich besser wird die Quellenlage nach der Fusion des FFC 1899 und der Kickers zum „Frankfurter Fußball-Club 1899 - Kickers" am 28. November 1900. Der neue Verein verfügte über drei Assoziations- und zwei Rugby-Teams. Dass der neue Klub eine schlagkräftige Mannschaft besaß, bewiesen gleich die ersten Spiele. Eine Mannheimer Auswahl wurde mit 6:1 geschlagen, die 2. Mannschaft schlug die 1. Mannschaft des FSV mit 3:0. Am 9. Dezember 1900 sicherte ein Treffer des Fußball-Pioniers Walther Bensemanns den Sieg über Viktoria 94 Hanau. Für die Sensation schlechthin sorgte der neue Fusionsklub eine Woche später in einem Spiel um die Süddeutsche Meisterschaft beim FC Hanau 93. Seit Jahren war es keinem Frankfurter Klub mehr gelungen, die „93er" zu schlagen. 1899-Kickers kam, sah und siegte mit 2:0.

Von den Vorstandswahlen Anfang Februar 1901 berichteten die „Frankfurter Nachrichten" recht ausführlich. 1. Vorsitzender wurde Ludwig Gatzert, Gerätewart Carl Krömmelbein, der Vater von Kurt Krömmelbein, der in den 1950er Jahren Oberligaspieler und 1979/80 Vizepräsident der Eintracht. 1901/02 nahm 1899-Kickers erstmals an der FAB-Meisterschaft teil und wurde hinter Victoria Zweiter. In den Spielen um die Süddeutsche Meisterschaft nahm Hanau 93 mit 5:1 deutlich Revanche für die im Vorjahr erlittene Niederlage. Insgesamt wurden 15 Spiele bestritten, wovon je sieben gewonnen und verloren wurden und eines unentschieden endete. Dabei verdienen vor allem die Erfolge über auswärtige Mannschaften besondere Erwähnung: 2:0 über die Fußball-Abteilung der TG Wiesbaden, 1:0 über den Offenbacher FC 99, 6:2 über den FC Darmstadt und 3:2 über Palatia Ludwigshafen.

Eine der ersten Mannschaften der Frankfurter Kickers.

In der Frankfurter Meisterschaft trug 1899-Kickers 1902/03 nur die beiden Spiele gegen Victoria (0:2 und 2:8) aus, Germania, dem FSV und Hermannia wurden die Punkte kampflos überlassen. Erfolgreicher verliefen die Spiele um die Süddeutsche Meisterschaft. Nach Siegen über Germania Bockenheim (4:2) und Hermannia Frankfurt (3:0) kam erst im Halbfinalspiel der Nordgruppe gegen den FC Darmstadt das Aus (2:3). Einen weiteren Höhepunkt des Spieljahres stellte auch der zusammen mit Germania 94 errungene 5:2-Sieg über eine kombinierte englische Auswahlmannschaft aus Frankfurter, Darmstädter und Wiesbadener Klubs dar.

In der Generalversammlung am 14. August 1903 wurde Theo Streit zum neuen 1. Vorsitzenden gewählt. Ein Kapitän für Rugby wurde nicht mehr erwähnt, dafür ein technischer Beirat in Person des ehemaligen Vorsitzenden Ludwig Gatzert. Infolge der stark angestiegenen Mitgliederzahl wurde beschlossen, *„vom nächsten Sonntag den 30. cr. ab jeden Sonntag vormittag von 9 Uhr an … an der Hundswiese die dritte Mannschaft, sowie die Schüler spielen zu lassen, während der Nachmittag für die erste und zweite reserviert bleibt. Bei zu großer Beteiligung ist vorgesehen, dass sich die überzähligen Anwesenden auch mit Schleuderball, Stoßball, Schlagball, Laufen usw. beschäftigen können."* („Frankfurter Nachrichten" vom 29. August 1903)

In der Westmaingau-Meisterschaft wurde 1899-Kickers hinter Germania 94 Zweiter. Trotz nur drei Punkten Rückstand war der Abstand auf den Meister in Wirklichkeit größer, als es die Zahlen ausdrücken. 1899-Kickers bekam nämlich nachträglich die Punkte aus dem mit 0:5 verlorenen Meisterschaftsspiel gutgeschrieben, da die Germanen den Platz nicht rechtzeitig abgesteckt hatten. In der FAB-Meisterschaft gewannen die Kickers, wie sie sich seit April 1904 der Einfachheit halber nur noch nannten, alle drei Spiele gegen Victoria, Germania Bockenheim und den FSV und wurden erstmals Frankfurter Meister.

Da die Kickers aber keinen eigenen Sportplatz hatten, wurde im Sommer 1904 eine Fusion mit dem FC Frankfurt 1880 erwogen. Dieser hatte gerade eine neue Platzanlage an der Louisa bezogen, klagte jedoch über Mangel an jüngeren Spielern. Auf Vorstandsebene war bereits Einigung in den wichtigsten Fragen erzielt, doch lehnte die General-versammlung des FC 1880 den Zusammenschluss ab. Der FC 1880 ging alleine an die Louisa, die Kickers blieben auf der Hundswiese Nachbar der Germania und Victoria.

1904/05 wurden die Kickers hinter Victoria und Germania Dritter im Westmain-gau. Auf die Verteidigung der FAB-Meisterschaft wurde verzichtet. In den Freund-schaftsspielen standen klaren Niederlagen gegen Germania 94 (1:7) und FC Hanau 93 (1:5) Siege gegen Germania und Amicitia Bockenheim (jeweils mit 4:1) sowie Herman-nia (5:2) gegenüber. Bereits am 7. April 1905 fand eine erneute Generalversammlung statt, auf der Philip Wolf zum 1. Vorsitzenden gewählt wurde. Auch 1905/06 wurde wieder der dritte Platz erreicht. Mit 13:3 Punkten lagen die Kickers nur einen Zähler hinter Victoria und dem FSV, gegen die es mit 0:3 und 1:1 auch die einzigen Punktver-luste gab. In den Freundschaftsspielen wurde „von dem Prinzip ausgehend, dass nur vom besten und stärksten Gegner zu lernen ist", bei den süddeutschen Spitzenmann-schaften Freiburger FC (Ergebnis unbekannt) und Stuttgarter Kickers (1:7) sowie zu Hause gegen den Westdeutschen Meister Kölner FC 99 (1:2) gespielt.

1907 ■ Gau-Meisterschaft und Skandal

1906/07 trugen sich die Kickers als Erste in die Meisterliste des neuen Südmaingaues ein, in der anschließenden Nordkreismeisterschaft langte es jedoch hinter dem FC Hanau 93, der Mannheimer FG 96, dem SV Wiesbaden und vor Pfalz Ludwigshafen und Amicitia Bockenheim nur zum 4. Platz.

Allerdings gerieten die Kickers in dieser Saison in eine schwere finanzielle Krise. Noch auf der Generalversammlung im April 1906 war verkündet worden, dass sich „die Kassenverhältnisse ... im letzten Jahre gebessert haben". Im Frühjahr 1907 stellte sich dann heraus, dass Kassenführer Kühn „die Casse ... seit einem Jahre nicht ordnungs-gemäß verwaltet" hatte. Daraufhin wurde er zur sofortigen Herausgabe sämtlichen Vereinseigentums aufgefordert, aber:

„... außer dem Betrag von 42 Pfennig in einer Blechbüchse war kein Geld vorhan-den. Herr Duntze wird beauftragt, die Sachen zu ordnen & danach eine Aufstellung über das vorhandene resp. nicht vorhandene Clubvermögen anzufertigen. ... Außerdem wird beschlossen, Herrn Kühn abermals einen Einschreibebrief mit der Aufforderung zu senden, das dem Verein gehörige Geld & sonstige evtl. noch in seinem [Kühn's] Besitz befindlichen Clubsachen herauszugeben."

Insgesamt belief sich das vom ehemaligen Kassenführer veruntreute Klubvermö-gen auf ca. 900 Mark. Zwar musste er einen Schuldschein unterzeichnen, ob und wann das unterschlagene Geld zurückgezahlt worden ist, geht aus den vorliegenden Quellen jedoch nicht hervor. Am 6. Dezember 1907 wird das Klubvermögen mit 464,89 Mark beziffert, im Kassenbericht auf der Hauptversammlung am 10. April 1908 ist unter Berücksichtigung der Außenstände in Höhe von 829,05 Mark von einem Barvermögen von 446,93 Mark die Rede.

Trotz dieser internen Schwierigkeiten wurden die Kickers auch 1907/08 wieder überlegen Meister des Südmaingaus. Die Titelverteidigung war zu keiner Zeit in Gefahr und stand spätestens nach dem 5:1-Heimsieg über den schärfsten Verfolger SV Wiesbaden kurz vor Weihnachten 1907 fest. Der höchste Saisonsieg wurde gegen den Tabellenletzten Germania Wiesbaden mit sage und schreibe 22:0 errungen. In der Nordkreis-Endrunde konnte anschließend zwar die Bockenheimer FVgg 10:0 und 9:0 geschlagen werden, doch erwiesen sich die beiden anderen Konkurrenten Hanau 93 (1:2 und 2:8) und Viktoria 97 Mannheim (0:6 und 1:5) als zu stark.

1907/08 ■ Die Sportplatzfrage und Fusionspläne

Nachdem vor der Saison 1906/07 beschlossen wurde, Wettspiele der ersten Mannschaften nur noch auf geschlossenen Plätzen zuzulassen, stellte der 1. Vorsitzende Ludwig Gatzert auf einer Monatsversammlung am 7. September 1906 die Frage: „Wie stellt sich der F. C. F. Kickers zu einem Zusammenschluß mit Germania?" Nachdem dies von den Mitgliedern vehement abgelehnt wurde, trat Gatzert zurück und übergab die Amtsgeschäfte an Heinrich Duntze. Hintergrund war die nach wie vor ungeklärte Platzfrage. Zwar waren bereits am 19. Januar 1906 250 Mark für die „Beteiligung an einem von der Stadt anzulegenden Sportplatz" bewilligt worden, konkrete Ergebnisse gab es aber nicht zu vermelden. Deshalb nahm der Klub im September 1906 Verhandlungen mit dem Nachbarn Germania bezüglich einer Mitbenutzung dessen eingezäunten Platzes auf. Obwohl das Verhältnis zwischen beiden Klubs nicht das beste war, kam es im Dezember 1906 zu einer Übereinkunft unter der Bedingung, dass den Mitgliedern der Germania bei Spielen der Kickers freier Eintritt gewährt wird.

Im Verlauf der Spielzeit 1907/08 war der in Sachen Sportplatzfrage gebildete Ausschuss dann sehr aktiv. Anfang Dezember 1907 fanden Gespräche über einen Zusammenschluss mit dem Fußball-Verein Frankfurt, einer Vereinigung junger Kaufleute, und Übernahme dessen Platzes an der Forsthausstraße statt. Die zur Herrichtung des Platzes benötigten Mittel wurden mit 200 Mark beziffert, die durch freiwillige Spenden von beiden Vereinen aufgebracht werden sollten. Nachdem die Mitglieder diesen Plänen am 10. Januar 1908 einstimmig zugestimmt hatten, wurde der Vereinsname in „Fußball-Verein Frankfurter Kickers" geändert und Herr Hugo vom ehemaligen Fußball-Verein zum 2. Vorsitzenden des neuen Vereins ernannt.

Damit verfügten die Kickers nun neben dem Platz auf der Hundswiese, der nicht aufgegeben werden sollte, über einen zweiten Sportplatz. Mehrkosten entstanden dadurch vorläufig nicht, da die Miete für den Platz an der Forsthausstraße in Höhe von 150 Mark bereits vom ehemaligen Fußball-Verein für das Rechnungsjahr 1907/08 entrichtet worden war. Allerdings war der der Stadt gehörende Platz in einem sehr schlechten Zustand. Da er im Sommer zudem von den Schulen benutzt wurde, wurde versucht, die Stadtgärtnerei zur Herrichtung des Platzes zu gewinnen. An den dabei entstehenden Kosten wollte sich der Verein jedoch beteiligen. Für die Rückspiele der Nordkreismeisterschaft musste daher ein anderer Platz gesucht werden, auf dem höhere Einnahmen erzielt werden konnten.

In dieser Situation überraschte Heinrich Duntze seine Kollegen auf einer Vorstandssitzung am 28. Februar 1908 mit der Nachricht, dass ihm am 25. Februar von der Germania der Zusammenschluss beider Vereine vorgeschlagen worden sei, „um so den Frankfurter Fußballsport durch Schaffung eines großen und spieltüchtigen Vereins zu heben". Von Seiten der Kickers waren verdienstvolle Mitglieder wie Gatzert, Kreuzer, Bertrand und Cahn anwesend, die den Vorschlag positiv aufgenommen und sich bereits auf den Namen „Verein für Rasensport" verständigt hatten. Obwohl es im Kickers-Vorstand Bedenken gegen eine Vereinigung mit dem alten Rivalen gab, entschied man sich am 6. März mit 4:1 Stimmen für die Fusion. In der anschließenden Monatsversammlung wurde das Thema von den 47 anwesenden Mitgliedern leidenschaftlich diskutiert. Das Protokoll dieser Versammlung, die um 22 Uhr eröffnet wurde und bis 1.15 Uhr morgens dauerte, umfasst nicht weniger als 15 Seiten. Die meisten Fragen betrafen finanzielle Dinge, etwa die Zukunft des Platzes an der Forsthausstraße (Herr Duntze verweist auf die langwierigen Verhandlungen mit der Stadt), die Schulden Germanias (Kassenverhältnisse seien günstiger als allgemein angenommen werde, später nennt Herr Gatzert die Summe von 800 Mark), die Miete für den Germania-Platz (jährlich 600 Mark, auf zehn Jahre festgeschrieben). Obwohl der Vorstand immer wieder auf die Vorteile eines Zusammenschlusses hinwies, gab es bei den Mitgliedern erneut große Widerstände. Schließlich waren 17 Mitglieder gegen und nur elf für den geplanten Zusammenschluss mit der Germania.

Auf der eine Woche später stattfindenden außerordentlichen Hauptversammlung wurden die meisten Argumente erneut vorgetragen und diskutiert. Der Vorstand erwähnte den Erfolg der im Jahre 1900 erfolgten Vereinigung von FFC 1899 und FC Kickers und versprach sich vom neuen Großverein mit rund 300 Mitgliedern – die Mitgliederzahl der Kickers wurde mit 130-140, die der Germania mit ca. 165 angegeben – auch eine stärkere Unterstützung in der Platzfrage durch die Behörden.

Ein Argument, das überzeugte: Diesmal sprachen sich bei einer Enthaltung 34 Mitglieder für und 22 gegen eine Vereinigung mit Germania aus. Danach wurde die Versammlung unterbrochen, um den Entscheid der Germania abzuwarten, deren Mitglieder den Zusammenschluss mit den Frankfurter Kickers jedoch mit 28:11 Stimmen ablehnten. (Die Idee eines „VfR Frankfurt" war damit freilich nicht vom Tisch. Im Jahre 1919 schloss sich die Bockenheimer FVgg Germania 01 mit dem FFV Amicitia und 1902 zum „VfR 01 Frankfurt" zusammen, aus dem nach dem Anschluss der Bockenheimer Helvetia 1926 der SC Rot-Weiss Frankfurt hervorging.)

Für den Vorstand bedeutete das Scheitern der Fusion eine schwere Niederlage, weshalb sich viele auf der ordentlichen Hauptversammlung am 10. April 1908 nicht mehr zur Wahl stellten. Neue 1. und 2. Vorsitzende wurden Arthur Cahn und Rudolf Hetebrügge, die schließlich 1911 mit ihren Fusionsplänen mehr Glück haben sollten.

1908-1911 ■ Fritz Becker, Frankfurts erster Nationalspieler

Die Jahre 1904 bis 1908 gehörten zu den erfolgreichsten der Kickers. Den Stamm der damaligen Mannschaft bildeten Fay, Hartmann, Kalkbrenner, Becker und Maeder im Sturm, Emmerich, Max Gwinner und Meyerding in der Läuferreihe, Nissen und Schwalbe in der Verteidigung sowie Förster im Tor. Später kamen Bertrand und Hermann Kreuzer, schließlich Claus, Löffler, Unkel, Karl und Oskar Kreuzer hinzu. Bei einem Spiel in Wiesbaden standen mit Konrad, Karl, Oskar und Hermann sogar vier Kreuzer-Brüder in der Kickers-Elf. Mit Fritz Becker waren die Kickers außerdem beim ersten deutschen Länderspiel am 5. April 1908 in Basel gegen die Schweiz vertreten; der Frankfurter erzielte bei der 3:5-Niederlage zwei Tore für die Nationalelf.

Über die abenteuerlichen Umstände seiner Nominierung berichtete Becker später: *„Nach der Veröffentlichung in der Zeitung habe ich damals über eine Woche lang nichts mehr von meiner Aufstellung für den Länderkampf gehört. Zwei in Frankfurt ansässige Mitglieder des DFB-Vorstandes bzw. des VSFV konnten mir lediglich bestätigen, dass es mit meiner Nominierung zum Länderspiel seine Richtigkeit habe. Endlich kam dann am Donnerstag (am darauf folgenden Sonntag fand das Spiel statt, d. V.) die sehnlichst erwartete Nachricht vom DFB. Ich hatte natürlich gehofft, in diesem Schreiben etwas über einen gemeinsamen Treffpunkt, den Reiseweg, die Fahrkarte usw. zu erfahren. Aber weit gefehlt! (…) Die Situation wurde langsam brenzlig, als auch in den nächsten 24 Stunden keinerlei Nachricht vom DFB eintraf, und ich am Freitagmittag noch nicht wusste, wie ich überhaupt nach Basel kommen sollte. Die Freude, an dem großen Ereignis teilnehmen zu können, wurde allmählich von dem Gedanken verdrängt, dass bei der Sache etwas nicht stimmen könne. (…) Dann kam endlich am Freitagnachmittag, also nicht einmal 24 Stunden vor der Abfahrt des Zuges nach Basel, der Schlussbescheid. Kurz und bündig: Am*

Die erste deutsche Nationalmannschaft mit dem Frankfurter-Kickers-Spieler Fritz Becker (Dritter von links). Er erzielte am 5. April 1908 in Basel gegen die Schweiz das erste deutsche Länderspieltor.

Samstag würde mir an der Bahnsteigsperre (Zug kommt aus Berlin) die Fahrkarte zur Reise nach Basel ausgehändigt. Man kann nicht sagen, dass die Nachricht des DFB sehr ausführlich und eindeutig war. Aber ich habe mich dann doch anweisungsgemäß an der Bahnsteigsperre vor dem Zug, der gegen zwei Uhr aus Berlin kam, aufgebaut. Als das Ein- und Aussteigen der Reisenden vorüber war, stand ich noch immer an der Bahnsteigsperre; nicht wie ein stolzer Nationalspieler, sondern ein beinahe Verzweifelter. (…) Die Rettung brachte schließlich ein älterer Herr, schweißgebadet wie ich, den ich nicht kannte und noch nie in meinem Leben gesehen hatte. Sichtlich erleichtert war er, als ich ihm auf seine Frage: ‚Sind Sie das Beckerche aus Frankfurt?‘ mit ‚Ja‘ antworten konnte. (…) Die Zeit reichte gerade noch aus, mir eine Fahrkarte in die Hand zu drücken und zuzurufen, er säße vorne bei den Berlinern. Ich habe es gerade noch geschafft, dem Ruf des Zugführers: ‚Einsteigen und die Türen schließen!‘ Folge zu leisten.“ (aus: „25 Jahre DFB“)

Nach den Erfolgen der vergangenen Jahre kam der Formrückgang in der Saison 1908/09 etwas überraschend. Der dritte Platz im Bezirk I des Nordkreises hinter dem FSV und Viktoria 94 Hanau reichte aber immerhin zur Qualifikation für die neue eingleisige Nordkreisliga. Zum Saisonabschluss gab es schließlich einen 4:2-Sieg beim ehemaligen Deutschen Meister Freiburger FC.

In der neuen Nordkreis-Mammutliga hatten es die Kickers genau wie Victoria schwer, sich gegen die starke Konkurrenz von Viktoria 94 und Hanau 93, SV Wiesbaden und FSV zu behaupten. Immerhin sprang am Ende aber noch der sechste Platz heraus. Angesichts des Umbruchs in der Mannschaft konnte dies sogar als Erfolg gewertet werden, denn spielerisch konnten die Kickers durchaus mithalten. 1910/11 wurde erneut der sechste Platz erreicht. In diesem Jahr präsentierten die Kickers mit dem Holländer ter Horst auf Rechtsaußen, Band (Karlsruher FV) auf Halbrechts, dem ehemaligen FSV'ler Ph. Hohmann als Mittelstürmer und Neidhardt (Stuttgarter Kickers) auf Halblinks der wachsenden Zuschauergemeinde einen fast komplett neuen Sturm.

Wie groß das Interesse am runden Leder inzwischen in Frankfurt war, kann einem Vorbericht auf das Frankfurter Derby (erstmals so genannt!) zwischen dem FSV und den Kickers in den „Frankfurter Nachrichten“ vom 7. Oktober 1910 entnommen werden: „Dieser Kampf, der alljährlich ungeheure Zuschauermengen herbeilockt, bildet schon seit Wochen den Gesprächsstoff in Fußballkreisen. Wer von den beiden größten Frankfurter Fußballvereinen wird siegen, der Vertreter der schärferen Kampfart, der Sportverein, oder die technisch vollendet und fein spielenden Kickers? … Auf alle Fälle aber wird der Unparteiische mit der größten Strenge und Sachlichkeit vorgehen und Uebergriffe ganz gehörig ahnden… Und an dem gastgebenden Verein, dem Sportverein, ist es, dafür zu sorgen, dass Ruhe und Ordnung auf seinem Platze herrscht und dass er der Begeisterung in ihren Ausartungen bei Freund und Feind gleichmäßig Einhalt gebietet.“

Nach Beendigung der Meisterschaftsspiele gastierten die Kickers über Ostern bei Phönix Karlsruhe (0:1) und Pfeil Nürnberg (2:0). Am 7. Mai schließlich traten Kickers und Victoria erstmals gemeinsam unter der neuen Flagge des Frankfurter Fußball-Vereins (FFV) gegen den Freiburger FC an. Der Weg Richtung „Eintracht“ war beschritten.

Vom Frankfurter Fußball-Verein zur Eintracht

Der Hattrick im Nordkreis

Der erste Vorstand des „Frankfurter Fußball-Verein (Kickers-Victoria)" wurde paritätisch mit Rudolf Hetebrügge (Kickers, 1. Vorsitzender) und Albert Pohlenk (Victoria, 2. Vorsitzender) besetzt. Obwohl die Fusion von den Mitgliederversammlungen beider Vereine mit großer Mehrheit beschlossen worden war, „bedeutete [sie] unter den damaligen Verhältnissen, gelinde gesagt, eine Sensation und gab natürlich Anlass zu den dunkelsten Prophezeiungen aus verschiedenen Lagern – – – Auch einige ‚Ur-Kickers-Viktorianer', die sich nicht so schnelle dem Banne der Partei-Politik entziehen konnten, standen ob dieses ihrem geliebten Verein zugefügten Unglückes blutenden Herzens abseits…" (Michael Pickel, Manuskript „Aus den Jahren 1911 bis 1920")

Als sich aber die sportlichen Belange durchaus positiv entwickelten, kehrten auch die Abtrünnigen schnell ins Vereinsschiff zurück, und es herrschte bald im wahrsten Sinne des Wortes Eintracht. Mit 333 Mitgliedern war der FFV nun nach dem FSV (439) der zweitgrößte Fußballklub in Frankfurt. Im ersten Spiel unter neuem Namen am Sonntag, 7. Mai 1911, blieben

► Charbout-Mollard; Seibel, Claus; Jockel, Dr. von Goldberger, Berger; ter Horst, Dornbusch, Dörr, Becker, Caesar

gegen den Freiburger FC mit 2:0 siegreich. Eine Woche später unterlag „Kickers-Victoria", wie der neue Klub anfänglich in der Presse genannt wurde, bei Phönix Karlsruhe nur knapp mit 0:1. Am Himmelfahrtstag, dem 25. Mai, wurden die englischen Profis von Tottenham Hotspur empfangen, die zuvor in Hamburg und Berlin hohe Siege errungen hatten. Wie schon 1907 beim Gastspiel von Newcastle United kamen die rund 2.000 Zuschauer voll auf ihre Kosten. Obwohl die Londoner auch in Frankfurt deutlich mit 6:0 gewannen, waren „die Mitglieder und Zuschauer sehr befriedigt" („Vereins-Zeitung" vom 1. Juni 1911). Pech hatten die Frankfurter in der 33. Minute, als Jockel und Kirchgarth beim Stand von 0:2 nur das Holz trafen, und in der 80. Minute, als der englische Torwart Joyce einen Becker-Schuss gerade noch auf der Linie abfangen konnte.

Der Sommer wurde genutzt, das Vereinsgefüge weiter zu festigen. Spielführer Dr. von Goldberger, genannt „Gilly", stand vor der keineswegs leichten Aufgabe, aus zwei eher mittelmäßigen Mannschaften eine schlagkräftige Truppe zusammenzuschweißen:

„Ein rühriger Vergnügungs-Ausschuss, sowie die unter Karl Kremers Leitung stehende Gesangs-Abteilung sorgten für Unterhaltung und Feste aller Art und die aus ‚D. U.'-Fußballern bestehende, in einer ewigen Feststimmung befindliche ‚Kerwe-Mannschaft' tat noch das Ihrige. Nicht zuletzt trug die Vereins-Zeitung (Schriftleiter Art. Cahn und Osk. Schneider) viel dazu bei, dass die Harmonie im Verein schnelle Fortschritte machte."

1911/12 ■ Auf Anhieb Nordkreismeister

Vor dem Startschuss zur Meisterschaft 1911/12 am 3. September konnte die neue Mannschaft nur in zwei Freundschaftsspielen gegen den FV Kaiserslautern (2:2) und Phönix Mannheim (1:0) getestet werden. Umso mehr waren die Verantwortlichen daher mit dem Saisonstart zufrieden. Nach acht Spielen war der Sprung an die Tabellenspitze geschafft, die bis Saisonende nur noch zweimal abgegeben wurde. Erst am Heiligabend gab es gegen den FSV die erste Niederlage: Ein Handelfmeter brachte das Tor des Tages. Im Januar geriet die Mannschaft noch einmal in Bedrängnis, als sie im vorentscheidenden Spiel zu Hause gegen den FC Hanau 93 vor 2.000 Zuschauern nicht über ein 3:3 (1:2) hinauskam. Nun folgten drei Auswärtsspiele in Folge. Ausgerechnet bei der vermeintlich leichtesten Aufgabe wurde sofort gepatzt: Beim Neuling SC Bürgel gab es am 28. Januar mit 0:1 überraschend die zweite Saisonniederlage. Dafür wurden bei Viktoria 94 Hanau (2:1) und Kickers Offenbach (3:2) wichtige Siege errungen. Somit hatte es der Fußball-Verein bei drei noch ausstehenden Spielen selbst in der Hand, sich gleich im ersten Jahr seines Bestehens die Nordkreis-Meisterschaft zu sichern.

Mit einem 3:1 gegen Britannia wurde bereits im vorletzten Spiel am 25. Februar alles perfekt gemacht. Am Ende betrug der Vorsprung vor dem FC Hanau 93 und dem FSV Frankfurt vier Punkte. In 22 Meisterschaftsspielen hatte es 15 Siege, fünf Unentschieden und nur zwei Niederlagen bei 50:26 Toren gegeben. Zu den Stützen zählten Torwart Charbout-Mollart, Dr. Claus – einmal als die „Seele der Mannschaft" beschrieben – in der Verteidigung, Spielführer Dr. von Goldberger, der anlässlich seines 350. Spiels für den Klub am 12. November 1911 gegen Kickers Offenbach mit einem Lorbeerkranz geehrt wurde, sowie die Innensturmreihe Dornbusch - Pickel - Becker.

Damit stand zum ersten Mal ein Frankfurter Verein als Vertreter des Nordkreises in der Endrunde um die Süddeutsche Meisterschaft, in der die SpVgg Fürth, der Karlsruher FV und Phönix Mannheim die Gegner waren. Viel Zeit zur Vorbereitung blieb der Mannschaft nicht, denn nur acht Tage nach Abschluss der Nordkreisspiele musste der Fußball-Verein das erste Endrundenspiel gegen die Fürther bestreiten. Vor 2.000 Zuschauern gingen die Gäste aus Franken sehr hart zur Sache. Bereits Mitte der ersten Halbzeit war der Halbrechte Dornbusch so schwer angeschlagen, dass er ins Krankenhaus gebracht werden musste und bis Saisonende ausfiel. Zwar konnte der Fußball-

Verein das Spiel recht ausgeglichen gestalten, das goldene Tor aber erzielten die Gäste nach 70. Minuten durch Burger.

Auch im zweiten Spiel gegen Phönix Mannheim trafen die Stürmer nicht, dafür hielt diesmal die Abwehrreihe, so dass das zweite Heimspiel torlos endete. Bereits zu diesem Zeitpunkt war jedoch klar, dass der Fußball-Verein noch nicht in der Lage war, im Konzert der Großen mitzuhalten. So hatte der Karlsruher FV die Fürther zweimal klar mit 4:1 und 7:2 bezwungen. Beim Rückspiel im Ronhof aber traf der Sturm endlich viermal ins Schwarze, dennoch hatten die Fürther am Ende die Nase mit 5:4 (3:1) vorn. Erst als die Mannschaft schon 1:4 hinten lag, besann sie sich auf ihre Fähigkeiten, doch lief ihr am Ende die Zeit weg. „Noch 10 Minuten länger, und die Gäste hätten vermutlich aufgeholt, wenn nicht gar gesiegt", kommentierte die „Nordbayerische Zeitung".

Anschließend konnte sich der Fußball-Verein selbst von der Klasse des Karlsruher FV überzeugen. In Karlsruhe siegte der KFV souverän 7:0. Das Rückspiel eine Woche später lockte rund 3.000 Zuschauer an, die einen erneuten 7:0-Erfolg des alten und neuen Süddeutschen Meisters sahen. Nach fünf Spielen lautete die ernüchternde Bilanz somit 4:20 Tore und 1:9 Punkte. Für einen versöhnlichen Abschluss sorgte das 1:1 im letzten Spiel beim Vizemeister Phönix Mannheim, der dem KFV immerhin ein Unentschieden abgetrotzt hatte. Die Verantwortlichen konnten mit dem Erreichten dennoch mehr als zufrieden sein, denn nach langen Jahren des Mittelmaßes von Kickers und Victoria gab es wieder eine Mannschaft, die nach Höherem strebte. Leider verließ der Baumeister dieser Mannschaft, Spielführer Dr. von Goldberger, nach dieser Spielzeit aus beruflichen Gründen den Verein. Ein neuer Spielausschuss mit E. Gutsch (Vorsitzender), Fay, ter Horst und Dr. Claus übernahm fortan die Geschicke der Mannschaft.

1912/13 ■ Ein neuer Sportplatz an der Roseggerstraße

In der Sommerpause wurde das neue Vereinsgelände an der Roseggerstraße fertig gestellt. Damit verfügte der Fußball-Verein nun über einen neuen Sportplatz mit Aschenlaufbahn, Reservefeldern, Tribüne und Vereinshaus, für damalige Zeiten eine Musteranlage. Der alte Victoria-Platz wurde von nun an von den unteren Mannschaften genutzt. Da die Ligaklasse auf acht Vereine reduziert wurde, blieb genügend Zeit, die Mannschaft auf die Titelverteidigung vorzubereiten. Höhepunkt war die Einweihung des neuen Platzes am 8. September gegen Quick Den Haag. In folgender Aufstellung erkämpfte der Fußball-Verein ein 2:2 gegen den niederländischen Meister von 1908 und Pokalsieger von 1909, 1910 und 1911:

▶ Neppach; W. Pfeiffer, Claus; Becker, Jockel, Braun; Leissing, Dornbusch, Weicz, K. Pickel, Burckhardt.

Nach dem Teilerfolg gegen Quick Den Haag gab es eine Woche vor dem ersten Punktspiel mit 0:6 beim VfR Mannheim jedoch eine kalte Dusche. Doch wie so oft sollte sich das Sprichwort „Generalprobe misslungen – Premiere gelungen" bewahrheiten. Souverän verteidigte der Fußball-Verein die Nordkreis-Meisterschaft. Die in München erscheinende „Illustrierte Sportzeitung zur Hebung der Volkskraft" schrieb dazu: „Der vorjährige Nordkreismeister: Frankfurter Fußball-Verein zeigte auch in dieser Saison eine große Beständigkeit. Trotzdem verschiedene junge Kräfte in der Elf mitwirkten, verstehen diese den Mangel an Routine und Wettspielpraxis durch großen Eifer und flinkes Ballabgeben zu ersetzen. Hierdurch wird auch logischerweise mehr erzielt, als durch draufgängerisches Einzelspiel. Die Mannschaft spielte nur zweimal unentschieden (gegen Hanau, Viktoria und Kickers, Offenbach), und das Treffen gegen Wiesbadener Sportverein wurde wegen Teilnahme des disqualifizierten ungarischen Spielers Weicz für verloren gerechnet; der Frankfurter F.-V. steht somit mit nur vier Verlustpunkten an der Spitze. Allerdings schwebt wegen des genannten Spielers noch ein Verfahren, so dass es fraglich ist, ob dem Frankfurter F.-V. die Meisterschaft zuerkannt wird. Vom sportlichen Standpunkt aus betrachtet, wäre es zu bedauern, wenn die derzeit beste Elf des Nordkreises des Meistertitels verlustig ginge, aber andererseits dürften Fehler, wie sie gemacht wurden, einer umseitigen Vereinsleitung auch nicht unterlaufen."

Im ersten Saisonspiel gegen den SV Wiesbaden (der Fußball-Verein gewann glatt mit 4:0) war der Neuzugang Fritz Weicz eingesetzt worden. Da jedoch kein Spielerpass seines alten Klubs FFV Amicitia und 1902 vorlag, wurde der Fußball-Verein im November 1912 von der Südmaingaubehörde für vier Monate gesperrt. Dieses Urteil wurde allerdings nach erfolgreichem Einspruch Anfang Dezember von der Nordkreisbehörde wieder aufgehoben. Danach zogen schwarze Wolken auf, die „den Fußball-Horizont im allgemeinen und den von Frankfurt-Bornheim im besonderen stark verdunkelten. Schließlich loderte … ein Kriegsbrand zwischen dem F. F. V. und Fussballsportverein, der leichter entzündet als gelöscht war."

Der Frankfurter Fußball-Verein in ungewohntem Dress: Nordkreismeister 1912/13.

Süddeutsche Meisterschaft 1913: FFV gegen SpVgg Fürth (0:0) auf dem Rosegger-Platz. Im Hintergrund die 1912 fertiggestellte Tribüne.

Wegen unfairen Spiels in der Begegnung FSV - FFV (0:2) am 29. September waren zwei Spieler des FSV nämlich nachträglich vom Vorstand des VSFV für drei Monate gesperrt worden, entgegen besseren Wissens des FFV- und Nordkreis-Vorsitzenden Hetebrügge, wie man beim FSV meinte. Als nun die viermonatige Sperre gegen den Fußball-Verein aufgehoben wurde, richteten mehrere Vereine eine Resolution an den VSFV-Vorstand, die Sperre doch aufrechtzuerhalten. Beim Fußball-Verein vermutete man wiederum den FSV als Drahtzieher dieser Aktion. In dieser vergifteten Atmosphäre trat Hetebrügge von seinem Amt zurück, womit sich die Wogen wieder glätteten. Emil Flasbarth wurde sein Nachfolger. Der Verbandsvorstand bestätigte schließlich den Fußball-Verein als Nordkreis-Meister, lediglich die Punkte aus dem Spiel gegen den SV Wiesbaden wurden ihm aberkannt.

In der Endrunde um die Süddeutsche Meisterschaft gab der Fußball-Verein eine bessere Vorstellung ab als im Vorjahr. Zwar ging das erste Spiel mit 2:3 beim VfR Mannheim verloren, doch am 9. März 1913 genügte ein Dornbusch-Tor zum 1:0-Sieg über die Stuttgarter Kickers. Auch im Rückspiel gegen den VfR Mannheim sah es dann lange Zeit nach einem Erfolg des Fußball-Vereins aus, der bis zur 83. Minute mit 1:0 führte. Dann gelang den Mannheimern nach einem Eckball der keineswegs unverdiente Ausgleich. Das vierte Spiel führte den Fußball-Verein zur SpVgg nach Fürth, wo es knapp fünf Wochen vorher in einem Freundschaftsspiel eine deutliche 2:5-Niederlage gegeben hatte. Doch dieses Mal drehte der Fußball-Verein den Spieß um und siegte auf schwer bespielbarem Platz mit 1:0. Da am gleichen Tag der VfR Mannheim mit 0:5 bei den Stuttgarter Kickers unter die Räder kam, übernahm der Fußball-Verein erstmals die Führung. Zwar kam der FFV im Rückspiel trotz überlegen geführten Spiels nicht über ein 0:0 gegen die Fürther hinaus, hatte aber weiterhin die Chance, aus eigener Kraft erstmals Süddeutscher Meister zu werden. Dafür musste aber im letzten Spiel bei den Stuttgarter Kickers mindestens ein Unentschieden geholt werden.

Allerdings musste der Fußball-Verein dieses Spiel ohne Mittelstürmer Weicz bestreiten, der sich nach dem zweiten Spiel gegen Fürth den Franken angeschlossen hatte. Vor 7.000 Zuschauern, darunter auch Herzog Ulrich von Württemberg, erspielten sich die Stuttgarter Kickers zunächst leichte Vorteile und gingen nach 22 Minuten durch Heilig in Führung. Zwar drängte der Fußball-Verein in der zweiten Halbzeit vehement auf den Ausgleich, doch es sollte nicht sein. Mit dem knappen 1:0-Sieg zogen die Stuttgarter Kickers am Fußball-Verein vorbei und wurden zum zweiten Mal nach 1908 Süddeutscher Meister. Dennoch gebührte der Frankfurter Mannschaft hohes Lob. Bis zum Weggang von Weicz sah die Stammformation folgendermaßen aus:
► Gmelin (der den verletzten Neppach ersetzte); Pfeiffer, Claus; Becker, Jockel, Braun; Leissing, Dornbusch, Weicz (später Schwarze, der vom Karlsruher FV gekommen war), Köllisch, Burckhardt.

1913/14 ■ Historischer Sieg über englische Profis

In der Saison 1913/14 war die Dominanz des Fußball-Vereins im Nordkreis noch deutlicher. Am Ende hatte die Mannschaft neun Punkte Vorsprung vor dem Zweiten, SV Wiesbaden, und holte sich damit die dritte Meisterschaft in Folge. Dabei hatte die Spielzeit gar nicht berauschend begonnen, denn eine Woche vor dem Meisterschaftsstart hatte sich der Fußball-Verein eine deftige 0:9-Schlappe bei der SpVgg Fürth eingehandelt. Auch der Auftakt in die Punktrunde war holprig. Nach dem 2:0 bei den Offenbacher Kickers hatte der Fußball-Verein im zweiten Spiel den FSV zu Gast. Schon zu Zeiten der Victoria und Kickers war die Rivalität mit den Bornheimern groß gewesen, nach der Fusion zum Frankfurter Fußball-Verein und insbesondere nach der Affäre „Hetebrügge/Weicz" nahm diese dann „fast bedrohliche Ausmaße" (Harald Stenger in „80 Jahre FSV") an.

Auch dieses Derby am 21. September 1913 sollte nicht ohne Misstöne bleiben. Die „Frankfurter Zeitung" berichtete: „Wie im Vorjahr, so kam es auch am Sonntag wieder bei dem Ligawettspiel im Nordkreis zwischen Frankfurter Fußballverein gegen Sportverein Frankfurt zu bedauerlichen Zwischenfällen. Bis Halbzeit spielte der Sportverein überlegen und führte mit 2:0. Kurz nach der Pause holte der Fußballverein auf, worauf drei Spieler vom Sportverein unfair spielten, so dass der Schiedsrichter Dr. R. Raßbach-Wiesbaden genötigt war, sie vom Platz zu verweisen. Schließlich siegte der Fußballverein 5:2."

Ebenfalls mit zwei Siegen gestartet war der nächste Gegner, der FC Hanau 93, gegen den der Fußball-Verein noch kein Punktspiel verloren hatte. Doch dieses Mal liefen die „93er" zu großer Form auf und ließen dem FFV mit 4:1 keine Chance. Es sollte allerdings der einzige Ausrutscher bleiben. In den folgenden Spielen wurden nur noch zwei

Punkte – zu Hause 0:0 gegen den SV Wiesbaden und im letzten Spiel 1:1 bei Germania Bieber – abgegeben. Die Liga-Mannschaft hatte zu jener Zeit folgendes Aussehen:

► Gmelin; Dr. Claus, Pfeiffer; Becker, Jockel, Braun; Sand oder Schneider, Dornbusch, Schlüter, Köllisch oder Martin, Burckhardt.

Die guten Leistungen des Fußball-Vereins wurden mit der Berufung von Dr. Claus und Jockel in die süddeutsche Auswahlmannschaft honoriert. In den Endrundenspielen um die Süddeutsche Meisterschaft waren wie im Vorjahr die Stuttgarter Kickers der Stolperstein. Lediglich ein Punkt gegen die Schwaben war zu wenig, um Ostkreismeister SpVgg Fürth zu stoppen. Der spätere Süddeutsche und Deutsche Meister verlor nur sein Auftaktspiel vor 3.000 Zuschauern an der Roseggerstraße mit 1:2. Im Rückspiel führte der Fußball-Verein zur Pause zwar mit 1:0, doch nach dem Seitenwechsel drehten die Fürther auf und schossen einen glatten 5:1-Sieg heraus. Mit 7:5-Punkten wurde der Frankfurter Fußball-Verein erneut Zweiter vor den Stuttgarter Kickers (6:6) und dem abgeschlagenen VfR Mannheim (1:11).

Blieb dem Fußball-Verein die Verbandsmeisterschaft zwar erneut versagt, so konnte dies durch einen unerwarteten Erfolg über den englischen Erstligisten Bradford City (Pokalsieger 1911) mehr als kompensiert werden. Die Engländer hatten auf dem Weg nach Frankfurt bereits die belgische Nationalmannschaft mit 4:0 geschlagen und in Anbetracht ihrer vermeintlichen Überlegenheit anscheinend auch die Begegnung in Frankfurt schon abgehakt. Das aber war ihr Fehler. Die „Frankfurter Zeitung" kommentierte den sensationellen 3:1-Sieg des Fußball-Vereins vom 2. Mai 1913 wie folgt: „Frankfurter Fußballverein schlägt Bradford City. Die englische Berufsspielermannschaft Bradford City absolvierte am Samstag-Abend vor etwa 4.000 Zuschauern ihr ers-

Sieg über englische Profis: Vor dem Spiel gegen Bradford City stellten sich beide Mannschaften dem Fotografen. Die Engländer stehend, der FFV sitzend.

tes Gastspiel auf deutschem Boden gegen den Frankfurter Fußballverein und unterlag wider Erwarten mit 1:3. Im Großen und Ganzen waren die Leistungen gleichwertig, sie ließen, im Vergleich zu dem vor vier Jahren stattgefundenen Wettspiel zwischen dem Frankfurter Verein und den Tottenham Hotspurs, die damals überlegen spielten, erkennen, dass das Associations-Spiel in Deutschland gewaltige Fortschritte gemacht hat. Im Einzelnen zeichnete sich die englische Mannschaft durch gutes Kopfspiel, energisches Stürmen und scharfes Schießen aus, die Frankfurter verstanden es jedoch, den Gegner durch gute Tricks zu täuschen, und sich sehr gut durchzuspielen, sie waren auch im Zusammenspiel etwas besser. Das erste Tor fiel für Frankfurt in der 30. Minute; zwei Minuten später schufen die Engländer den Ausgleich. Nach der Pause beherrschten während zehn Minuten die Engländer die Situation, dann kamen die Frankfurter sehr gut auf, und zwei erfolgreiche Durchbrüche … führten zu dem ungeheuer bejubelten Sieg des Frankfurter Fußballvereins."

Dreifacher Torschütze war Mittelstürmer Rudi Schlüter. Leider wurde die allgemeine Freude durch das Fernbleiben der vollkommen niedergeschlagenen Bradford-Mannschaft vom Bankett etwas gestört, die sich in den folgenden Tagen durch Siege bei den Stuttgarter Kickers (1:0) und Phönix Mannheim (7:0) für die in Frankfurt erlittene Schmach revanchierte.

In diesen Tagen war der Frankfurter Fußball-Verein auf der Höhe seiner noch jungen Entwicklung angelangt und zählte über 800 Mitglieder. Zwölf aktive Mannschaften nahmen am Spielbetrieb teil, dazu kamen zwei Hockey- und eine Cricket-Mannschaft sowie eine Fechtriege. Auch die Leichtathletik, schon bei den Kickers und der Victoria als Ausgleichsport im Sommer betrieben, war eine feste Größe im Verein. Nach dem 1913 erfolgten Anschluss des Turnsportvereins von 1897 zählte sie 100 Aktive.

Seiner nunmehrigen Bedeutung entsprechend hatte sich der Klub, der sich nun offiziell „Frankfurter Fußball-Verein (Kickers-Victoria-Turnsportverein)" nannte, auf einer außerordentlichen Hauptversammlung am 9. Januar 1914 eine neue Satzung gegeben, in der auch seine gesellschaftliche Stellung deutlich wurde. So gab es unter anderem Beitragssätze „für akademische Korporationen" (1,50 Mark monatlich), „für Akademiker (immatrikulierte Mitglieder der Akademie und Universität)" (fünf Mark pro Semester) und „für auswärtige Mitglieder (außerhalb eines Umkreises von 20 km Frankfurts wohnhaft)" (drei Mark jährlich). Im Gegensatz etwa zum FSV, den Bockenheimer Vereinen FFV Amicitia und 1902, FVgg Germania oder der im Gallusviertel beheimateten Britannia war der Fußball-Verein nämlich kein Stadtteilklub. Wie Martin Lothar Müller in seiner Magisterarbeit (1989) über die „Sozialgeschichte des Fußballsports im Raum Frankfurt am Main 1890-1933" ausführt, wohnten „seine Mitglieder und Anhänger … über viele Stadtteile verstreut … Die Mitgliedschaft des FFV war zwar räumlich zersplittert, doch bestand deren soziale Homogenität darin, dass sie sich vor allem aus dem gehobenen Frankfurter Bürgertum zusammensetzte; die Pflege von Prestigesportarten wie Hockey und Cricket sowie die beachtliche Zahl promovierter Akademiker in ihren Reihen sind deutliche Zeichen hierfür."

Erster Weltkrieg und Revolutionswirren

Nach Ausbruch des Ersten Weltkrieges am 28. Juli/1. August 1914 war an eine normale Ligameisterschaft nicht zu denken. Zunächst einmal wurde der gesamte Spielbetrieb bis zum Frühjahr 1915 ausgesetzt, wohl auch, weil allgemein geglaubt und gehofft wurde, dass der Krieg bis Weihnachten beendet sein werde. Auch Zeitzeuge Michael Pickel schrieb in seinem Manuskript: „Wer glaubte im Ernst an einen Krieg von der Dauer, wie wir ihn erleben mussten!" Als dieser sich aber immer länger hinzog, erklang „zuerst leise und zurückhaltend, dann immer lauter, der Ruf nach neuer Betätigung auf dem Spielfeld. Vier Gaue begannen mit der Durchführung von Jugendspielen. Im Übrigen war der Betrieb zunächst beschränkt auf Privatspiele, die in einigen Fällen in Form von Kriegsrunden erledigt wurden. Aus den Einnahmen dieser Spiele wurden damals besonders Kriegswohlfahrtszwecken erhebliche Beträge zugeführt." (aus: „Sechzig Jahre Süddeutscher Fußball-Verband 1897-1957")

Der Frankfurter Fußball-Verein bestritt sein erstes Spiel am 20. September an der Roseggerstraße gegen Viktoria 94 Hanau (3:2). Auch für die Soldaten an der Front war Fußball eine „willkommene Abwechslung", die „von der Armeeleitung gern gefördert" wurde („Frankfurter Zeitung" vom 6.11.1914). Bis Sommer 1915 sind zwölf weitere Spielvereinbarungen des FFV „zugunsten der im Feld stehenden Krieger" bekannt. Im Frühjahr wurde im Nordkreis ein Kriegspokal ausgespielt, den sich der SV Wiesbaden am 25. April vor großer Kulisse durch einen 4:1-Sieg über Kickers Offenbach sicherte. Derweil wurde die Liste der Gefallenen länger und länger. Max Rebenschütz und Alois Braun, zwei der besten Aktiven, waren die ersten Opfer aus den Reihen des Frankfurter Fußball-Vereins. „Viele, allzuviele folgten ihnen nach in unerbittlicher, grausamer Regelmäßigkeit. – Der Krieg kümmerte sich nicht um Sportsleute und nicht um Meister." (aus: „30 Jahre Eintracht")

1914-1916 ■ Alte Ressentiments gegen das „Engländerspiel"

Je länger sich die Kampfhandlungen hinzogen, desto häufiger wurde auch die Zivilbevölkerung in allen Krieg führenden Ländern aufgefordert, durch Teilnahme an militärischen Übungen ihren Beitrag für die Verteidigung des Vaterlandes zu leisten. Am 30. Oktober 1914 forderte ein Erlass des deutschen Kriegsministeriums die Aufstellung von Jugendkompanien. Durch die dazu notwendige Requirierung von Sportplätzen wurde der Spielverkehr weiter stark behindert. Am 5. September 1915 wurde auf dem Platz des Frankfurter Fußball-Vereins im Rahmen der „olympischen Spiele des Frankfurter Verbandes für Turnsport" Handgranatenwerfen (!) als Sportkonkurrenz vorgeführt. Weiteren Schwierigkeiten sahen sich die Fußballer von Seiten einiger lokaler

Behörden und der Deutschen Turnerschaft ausgesetzt, denn schon bald nach Kriegsausbruch lebten alte Vorurteile gegen den „rohen englischen Fußballsport" wieder auf. Dagegen bezog der ehemalige DFB-Vorsitzende Prof. Ferdinand Hueppe im Kriegsjahrbuch des DFB (1915/16) energisch Position:

„Da vernehmen wir nun plötzlich zu unserem großen Erstaunen … mit der Frage: ‚Sollen wir noch englische Spiele spielen?' die Aufforderung, den ‚englischen' Fußball durch den ‚deutschen' Schlagball zu ersetzen, das heißt nichts weiter, als einen Rückschritt von zwanzig Jahren machen. Man sollte doch endlich einmal aufhören, solche Dinge mit bloßen Redensarten zu behandeln, statt einfach zu prüfen, was gut ist und für uns passt und was nicht … Es muss im Gegenteil gefordert werden, dass die Schulen, in denen es noch der Fall ist, ihren Widerstand gegen dieses Spiel aufgeben … Jetzt haben wir im Fußball ein deutsches Nationalspiel, das allen Anforderungen für jetzt und die nächste Zeit in vollem Maße gerecht wird."

Im Kriegsministerium war man sich dessen wohl auch bewusst. Reihenweise wurden Bälle und Fußballutensilien an die Front geschickt, um den Soldaten Abwechslung vom Kriegsalltag zu geben. Trotz großer organisatorischer Probleme – von 59.826 Mitgliedern des Süddeutschen Fußball-Verbandes standen am 1. August 1915 immerhin 41.931 unter Waffen – wurde im Herbst 1915 auf Gauebene wieder mit der Durchführung von Meisterschaftsspielen begonnen. Unangefochten – nur gegen den SV Wiesbaden wurde ein Punkt abgegeben – gewann der Fußball-Verein zuerst die Bezirks- und am 6. Februar 1916 auch die Gaumeisterschaft. Im Entscheidungsspiel konnte Viktoria Neu-Isenburg an der Roseggerstraße glatt mit 4:1 besiegt werden.

Trotz dieses Erfolges steckte der Verein in argen Schwierigkeiten. Die von Schwamm und Sturmschäden angegriffene Tribüne bedurfte dringender Reparaturen. Verhältnismäßig hohen Ausgaben standen aber nur mäßige Einnahmen aus dem Spielbetrieb gegenüber. Zu dieser Zeit übernahm Rudolf Hetebrügge wieder den Vorsitz. Die Kontakte zwischen den Mitgliedern in der Heimat und an der Front wurde mit Hilfe von Rundbriefen aufrecht gehalten, die die Vereinszeitung ersetzten. Insgesamt erschienen sieben solcher Berichte (Dezember 1914, April, Juni und Dezember 1915, Mai und Dezember 1916 sowie August 1917). Im Sommer 1919 gab der Verein eine 22 Seiten starke Broschüre heraus, die hauptsächlich die sportlichen Aktivitäten der Fußball-Abteilung während des Krieges zusammenfasste. 54 Mitglieder kehrten von den Schlachtfeldern Europas nicht mehr in die Heimat zurück.

1916-1918 ■ Kriegsbedingte Krise – die Spieler werden knapp

Am 26. März 1916 begannen die Frühjahrsverbandsspiele um den „Eisernen Fußball" im Südmaingau, die den Fußball-Verein als überlegenen Sieger sahen. Lediglich beim FSV gab es am 7. Mai eine Niederlage (0:2), alle anderen Spiele konnten gewonnen werden. Anders als nach der Herbstrunde folgten nun auch Entscheidungsspiele um die Kreis- und Süddeutsche Meisterschaft. Nachdem der FC Hanau 93 das erste Spiel auf dem FFV-Platz mit 3:1 nach Verlängerung gegen den FFV Amicitia und 1902 gewonnen hatte, fand am 2. Juli auf dem Amicitia-Platz in Bockenheim das „Entscheidungsspiel … um den Eisernen Fußball und gleichzeitig um die Nordkreis-Meisterschaft [statt] … Nicht unerwartet siegte die schnellere, besser zusammengespielte Mannschaft des Fußballklubs Hanau 93 über den Verteidiger des Meistertitels, den Frankfurter Fußballverein, mit 3:1, Halbzeit 1:0." („Frankfurter Zeitung" vom 3. Juli 1916)

Bereits zu dieser Zeit wurde es für den Fußball-Verein immer schwieriger, eine schlagkräftige Mannschaft aufzustellen, da mit der Einberufung der jüngeren Jahrgänge fast die komplette erste Mannschaft im Felde stand und von dort ständig neue Hiobsbotschaften ihren Weg in die Heimat fanden. So war der Ligaspieler Schlüter (1914 Mitglied der Nordkreis-Meistermannschaft) bereits seit Juni 1915 in Galizien vermisst. Anfang September 1916 fiel Alfred Bertrand bei Verdun, und auch Verteidiger Schwind (im Februar noch zweifacher Torschütze im Meisterschafts-Entscheidungsspiel gegen Viktoria Neu-Isenburg) kehrte nicht mehr von der Front zurück.

Obwohl sich die allgemeine Lage zu Beginn der Spielzeit 1916/17 durch Urlaubssperren und Verkehrseinschränkungen noch zuspitzte, wurde eine Meisterschaft in zwei Klassen ausgetragen. Der Fußball-Verein setzte dabei in seinen zehn Begegnungen gegen den FSV, Viktoria Neu-Isenburg, den SV Wiesbaden, Germania 94 und FV Neu-Isenburg nicht weniger als 43 (!) Spieler ein. Einmal musste sogar Torwart Gmelin als Verteidiger aufgeboten werden. Kein Wunder also, dass die Erfolge des Vorjahres nicht wiederholt werden konnten und die Herbstrunde mit sieben Punkten Rückstand auf den Meister FSV beendet wurde. Zu dieser Zeit hatte die Stammformation des Fußball-Vereins folgendes Aussehen:

▶ Torhüter: Stroh oder Roth; Verteidiger: Reußwig, „Lulu" Neureuther, Ph. Hohmann; Läufer: Leiber (aus der Schweiz!), Carmal, Heine, Dietrich; Stürmer: Dornbusch, Debus, Nees, Schönfeld, Knörzer, Freund, Ackermann.

Für den Großteil der Bevölkerung aber waren sportlicher Erfolg oder Misserfolg nur mehr Nebensache. Immer stärker waren die Auswirkungen des Krieges auch in der Heimat zu spüren. Es herrschte ein strenger „Kohlrübenwinter". Die Versorgungslage der Bevölkerung war mangelhaft, militärisch steckte Deutschland in der Sackgasse, immer häufiger wurde die Beendigung des Krieges gefordert. So war es keineswegs verwunderlich, dass der Fußball-Verein auch in der im März 1917 beginnenden Frühjahrsrunde nichts mit dem Ausgang der Meisterschaft zu tun hatte, die sich erneut der FSV sicherte. Dennoch boten die Fußballspiele eine willkommene Abwechslung vom immer trister werdenden Alltag. Wie immer den größten Zuspruch hatte dabei das Derby mit dem FSV am 13. Mai, das der geschwächte Fußball-Verein mit 1:3 verlor. Zwar blieb der FFV auch in der Herbstrunde 1917/18 ohne Sieg gegen den FSV, profitierte aber von zwei Ausrutschern der Bornheimer und sicherte sich somit die Südmaingau-Meisterschaft. In der anschließenden Nordkreis-Endrunde konnte aber das Fehlen wichtiger Stammspieler nicht kompensiert werden. So konnten im ersten Spiel gegen den FFV Amicitia und 1902 zunächst nur acht Spieler aufgeboten werden. Nach einem fragwürdigen Elfmeter, den die Bockenheimer zum 3:0 nutzten, wurde zudem der FFV-Spielführer wegen Reklamierens vom Platz gestellt. Doch damit nicht genug. Zehn Minuten vor Schluss musste auch noch der Torhüter nach einem Zusammenstoß bewusstlos vom Platz getragen werden. Daraufhin wurde das Spiel beim Stand von 0:4 abgebrochen. Im Frühjahr 1918 wurden die Aufstellungsprobleme immer ärger. In dieser Situation war es „dem Eifer und der Unverdrossenheit von Heinr. Berger, Jak. Knöffel, Alb. Sohn und Gebr. Pickel und dem Spielführer L. Neureuther zu danken, dass der schwache Pulsschlag des Vereins- und Spielbetriebes nicht ganz zum Stillstand kam".

Ohne Zweifel: Der Fußball-Verein war auf dem Tiefpunkt angelangt. Beim FV Sprendlingen gab es ein 0:6, bei Viktoria Neu-Isenburg gar eine 1:9-Abfuhr. Dafür konnte dem FSV der einzige Punktverlust zugefügt werden (2:2). Insgesamt sprangen aber nur 4:12 Punkte heraus – nicht viel für die Erfolg gewohnten Anhänger. Es sollten

Novemberrevolution in Frankfurt: Oberbürgermeister Voigt fügt sich dem Matrosenführer Stickelmann. Karikatur von Lino Salini, 1919. Stickelmann war eine zwielichtige Gestalt. Kurz vor Kriegsende zum Tode verurteilt, schließlich zu lebenslanger Festungshaft begnadigt, nutzte er die Revolutionswirren und wurde selbst zum Revolutionär. Mit seiner bis an die Zähne bewaffneten Marinetruppe übte er ein Jahr lang ein regelrechtes Terrorregime in der Stadt aus.

aber auch wieder bessere Zeiten kommen, denn im Sommer kehrten Carl Jockel und weitere Stammspieler aus dem Krieg an die Roseggerstraße zurück. Verstärkt durch diese alten „Ligakämpen" lieferte sich der Fußball-Verein ein spannendes Duell mit dem FSV. Nach zwei torlosen Unentschieden lagen beide am Ende gleichauf, so dass ein Entscheidungsspiel notwendig wurde. Dabei hatte es eine Weile so ausgesehen, als ob der Fußball-Verein am grünen Tisch zu Meisterehren gekommen sei, nachdem die Südmaingaubehörde den FSV Ende Dezember 1918 für drei Monate disqualifiziert hatte und dem Fußball-Verein die Punkte aus dem Meisterschaftsspiel vom 15. Dezember zuerkannt hatte. Dieses Urteil scheint aber später revidiert worden zu sein, obwohl sich dafür kein Hinweis in der Presse findet. An sich kein Wunder, denn in jenen Tagen lieferten nicht die sportlichen, sondern die politischen Ereignisse die Schlagzeilen.

Inzwischen war nämlich der wilhelminische Obrigkeitsstaat zusammengebrochen, hatten sich im ganzen Reich Arbeiter- und Soldatenräte gebildet. Kaiser und Kronprinz dankten am 9.

November ab, am 11. November wurde das Waffenstillstandsabkommen unterzeichnet. Auch in Frankfurt kam es zur „Novemberrevolution". In der Nacht vom 8. auf den 9. November wollten die Unabhängigen Sozialdemokraten ihren Führungsanspruch durch Besetzung der Zeitungsredaktionen und Verhängung der Pressezensur gewaltsam durchsetzen, scheiterten aber an der Entschlossenheit des demokratisch gewählten Soldatenrates. Schließlich etablierte sich ein paritätisch besetzter Arbeiterrat als „die höchste Vertretung der Stadt". Auf dem Römer wurde die rote Fahne aufgezogen, die Kommunalverfassung blieb jedoch in Kraft, und auch die praktische Arbeit der städtischen Behörden wurde nicht behindert. Problematischer war die Aufrechterhaltung der öffentlichen Ordnung, denn zeitweise existierten nebeneinander drei verschiedene Polizeiformationen, die jedoch nicht in der Lage waren, Schwarzmarkt und Lebensmittelschiebereien zu unterbinden. Der Unmut der Bevölkerung, deren Versorgungslage nach wie vor sehr ernst war, entlud sich schließlich in Massenausschreitungen und Plünderungen. Der schwerste Zwischenfall am 31. März 1919 forderte 20 Tote und konnte erst mit Waffengewalt beendet werden, nachdem ein aufgebrachter Mob bei einer Razzia des Marine-Sicherheitsdienstes am Börneplatz die Matrosen und die anrückende Polizei attackierte, über 200 Häftlinge aus dem Untersuchungsgefängnis befreite und zahlreiche Geschäfte der Innenstadt plünderte.

1918/19 ■ Der FFV beteiligt sich am Boykott der Verbandsspiele

Trotz der politischen Wirren liefen die Verbandsspiele auf Kreisebene nahezu ungestört weiter. Der Fußball-Verein zog am 17. November 1918 durch ein 3:0 über Viktoria Neu-Isenburg ins Pokalendspiel des Nordkreises ein, das er am 9. Februar 1919 mit 2:3 gegen Britannia verlor. Angesichts der schwierigen Verkehrsverhältnisse wurden die Spiele um die Süddeutsche Meisterschaft jedoch abgesetzt und stattdessen Frühjahrs-Verbandsspiele ausgeschrieben, deren Ausgang Grundlage für die Spielklasseneinteilung 1919/20 werden sollte. Bei den Großvereinen verspürte man allerdings wenig Lust, gegen Melitia Hanau, FC 06 oder FVgg Groß-Auheim anzutreten und boykottierte diese Runde. Stattdessen ließen Fußball-Verein, FSV, FC Hanau 93, Viktoria 94 Hanau, Kickers Offenbach, Germania Bieber und der SC Bürgel am 16. März die alte Vorkriegs-Liga wieder aufleben.

Zuvor lieferten sich aber der Fußball-Verein und der FSV zwei spannende Entscheidungsspiele um die Südmaingau-Meisterschaft der Herbstrunde. Im ersten Aufeinandertreffen an der Roseggerstraße gab es am 2. März 1919 vor einer stattlichen Zuschauermenge einen Kampf auf Biegen und Brechen, bei dem auf beiden Seiten je ein Akteur des Feldes verwiesen wurde. Müller und Stumpp brachten die Bornheimer mit 2:0 in Führung, doch gelang Jockel noch vor dem Seitenwechsel durch einen Elfmeter der Anschlusstreffer. Nach Dornbuschs Ausgleich blieb es auch trotz zweimaliger Verlängerung beim 2:2, so dass das Spiel nach fast 160 Minuten wegen Einbruch der Dunkelheit abgebrochen werden musste. So standen sich beide Mannschaften

Der Frankfurter Fußball-Verein vor dem Derby mit dem FSV am 17. August 1919. Von links: Pfeiffer, Schneider, Jockel, Becker, Reußwig, Gmelin, Klemm, Neureuther, Knörzer, Imke, Dornbusch.

eine Woche später an der Seckbacher Landstraße erneut gegenüber. Vor rund 2.000 Zuschauern ging diesmal der Fußball-Verein mit 2:0 in Führung, Böttger und Klump konnten jedoch nach der Pause für den Sportverein ausgleichen. Also wieder Verlängerung, die wiederum torlos blieb. Nach den damaligen Regeln wurde bis zur Entscheidung weitergespielt. Schließlich war der Fußball-Verein der Glücklichere und erzielte nach 155 Minuten das „golden goal".

Eine „Verlängerung" gab es auch in der Nordkreis-Endrunde. Nachdem im letzten Spiel durch ein 1:1 gegen den FFV Amicitia und 1902 die Meisterschaft verspielt worden war, legte der Fußball-Verein gegen die Wertung des Spiels erfolgreich Protest ein. So hatte er am 9. Juni also eine zweite Chance, sich doch noch den Meisterlorbeer zu sichern. Doch just für jenen Tag war ein Freundschaftsspiel beim Karlsruher FV abgeschlossen worden. Während die erste Mannschaft in Karlsruhe 1:6 verlor, unterlag die Ersatzmannschaft des FFV gegen Amicitia und 1902 deutlich mit 1:5. „Warum also erst protestieren und dann die Meisterschaft verschenken?", fragte der „FN-Sport". Zu verschenken hatte der Frankfurter Fußball-Verein in jenen Tagen wahrhaftig nichts. Von der Nordkreismeisterschaft konnte man sich nichts kaufen, wohl aber von einer Garantiesumme bei einem auswärtigen Freundschaftsspiel.

Beim FFV waren nämlich schwere Zeiten angebrochen. Die Zinslast des 38.000-Mark-Darlehens für die Errichtung des Sportplatzes an der Roseggerstraße drückte, das Reservespielfeld, im dritten Kriegsjahr auf Veranlassung des Magistrats in Ackerland umgepflügt, musste wieder hergerichtet werden, und schließlich waren an der gesamten Anlage dringende Reparaturarbeiten nötig. Bereits am 19. Mai hatte der „FN-Sport" eine „Eingabe des Frankfurter Fußballvereins" veröffentlicht, in der um „Gewährung einer Beihilfe von 10.000 Mark" gebeten wurde. In den städtischen Akten ist jedoch nichts über diesen Antrag zu finden. Obwohl die Stadt den Sportvereinen am

7. August die unentgeltliche Nutzung der städtischen Sportplätze gewährte, sah sich der FFV gezwungen, auf der Jahresversammlung am 27. August „zur Deckung der horrenden Unkosten, welche uns durch die gründliche Herrichtung unserer Sportstätte (Ausbesserung des Klubhauses, Umzäunung, Tribüne und neue Barriere) erwachsen sind, einen Barzuschuss in Mindesthöhe von Mk. 5,–" zu erheben. Als im Herbst schließlich auch die Frankfurter Turngemeinde von 1861 einen Antrag an die Stadt richtete, sie bei der Herrichtung der von ihr seit 1913 genutzten Fußballfelder zwischen Riederwald und Ostparkstraße finanziell zu unterstützen – am 8. Januar 1920 wurden dafür 5.000 Mark bewilligt –, nahm der FFV Kontakte zur Turngemeinde auf, die schließlich im Mai 1920 in der Fusion zur Eintracht und der Errichtung des Sportplatzes am Riederwald endeten.

Mit der schwierigen Zukunft des Vereins befasste sich diese 1919 erschienene Broschüre.

Auch in der Liga war es nicht das Jahr des Fußball-Vereins. Zwar hatte sich die Mannschaft nach einem schwachen Start steigern können, lag nach Abschluss der Vorrunde sogar mit den Offenbacher Kickers punktgleich in Führung, doch riss danach der Faden. Am Ende landete man mit 10:14 Punkten auf einem enttäuschenden fünften Platz – nur zwei Punkte vor dem Schlusslicht SC Bürgel, aber acht Punkte hinter dem Spitzenduo Kickers Offenbach und Viktoria 94 Hanau, die sich am 16. August im Entscheidungsspiel auf dem FFV-Platz gegenüberstanden. Mit 2:1 sicherten sich die Offenbacher erstmals die Nordkreis-Meisterschaft.

1919/20 ■ Fußball-Boom in der ersten Nachkriegsmeisterschaft

Zu dieser Zeit befand sich der Fußball-Verein schon wieder in der Vorbereitung auf die erste Nachkriegssaison 1919/20, in der nichts mehr so sein sollte wie vor 1914. Nicht nur in Deutschland kam es zu einem wahren Fußball-Boom. Viele junge Männer hatten während ihrer Militärzeit Bekanntschaft mit dem runden Leder gemacht. Der Zulauf zu den Vereinen war beträchtlich, ebenso die Zahl der Neugründungen. Und wer nicht aktiv dabei sein wollte (oder konnte), erschien als Zuschauer. Überall strömten die Massen auf die Sportplätze. So schrieb der Korrespondent des „FN-Sport" anlässlich des Derbys zwischen FSV und Fußball-Verein am 17. August 1919 von einer

„Völkerwanderung" nach Seckbach, „und mancher Neugierige frug mich: ‚Gibt es denn in Seckbach Äpfelwein?' Der Sportplatz war überfüllt und sämtliche Umzäunungen und Ankleide- und Geräteschuppen dienten als Tribünen. Es war ein fußballsportliches Ereignis erster Ordnung …"

Die Zuschauerzahl wurde auf „mehrere tausend Menschen" beziffert. Dabei handelte es sich nicht einmal um ein Meisterschafts-, sondern „nur" um ein Freundschaftsspiel. Der Fußball-Verein hatte sich im Sommer mit Paul Imke von Hannover 96 verstärkt, der als die Neuentdeckung gefeiert wurde. Der FFV spielte an diesem Tag in folgender Besetzung:

▶ Gmelin; Pfeiffer, Reußwig; Schönfeld, Reußsling, Imke; Plock, Winkler, Klemm, Dornbusch, „Lulu" Neureuther.

Klemm brachte den Fußball-Verein unmittelbar vor dem Halbzeitpfiff in Führung, die Hennig per Elfmeter fünf Minuten vor Schluss egalisieren konnte. Gut gerüstet ging es anschließend in die Meisterschaftsspiele. Die Kreiseinteilung, wie sie vor 1914 bestanden hatte, konnte durch die Folgen des Krieges nicht beibehalten werden. Da die linksrheinischen Gebiete einschließlich eines Brückenkopfes um Mainz und Wiesbaden von den Siegermächten besetzt waren, schied der SV Wiesbaden aus dem Nordkreis aus, der in zwei Kreise, Nord- und Südmain, geteilt wurde. Von Anfang an entwickelte sich im Nordmainkreis ein spannender Dreikampf zwischen dem Fußball-Verein, dem FSV und dem durch Fusion von FFV Amicitia und 1902 und Bockenheimer FVgg Germania neu entstandenen VfR 01 Frankfurt, der lange Zeit in Führung lag. Mit einem Punkt Vorsprung auf den FSV ging der FFV am 21. Dezember ins Derby gegen die Bornheimer. Durch einen 1:0-Sieg konnte die Führung ausgebaut werden. Die Entscheidung fiel am 25. Januar 1920. Während der FSV bei Germania 94 mit 1:5 verlor, siegte der Fußball-Verein beim VfR 01. Vor 3.000 Zuschauern hatten Imke und Schneider bis zur Pause eine 2:0-Führung erzielt. Zwar konnten die Bockenheimer zwischenzeitlich ausgleichen, Hohmann und Neureuther per Foulelfmeter sicherten in der Schlussphase jedoch den 4:2-Erfolg. Welche Bedeutung diesem Spiel vom Verband beigemessen wurde, zeigt die Tatsache, dass mit Schiedsrichter Kehm ein Unparteiischer aus München mit der Spielleitung beauftragt wurde.

Zu diesem Zeitpunkt hatte nämlich eine große Protestwelle den Nordmainkreis erschüttert, so dass die Tabellensituation auch für Insider immer verworrener wurde. Da dem Fußball-Verein wegen Einsatzes von Torhüters Gmelin die Punkte aus dem Auftaktsieg beim FC Hanau 93 aberkannt worden waren, war die Meisterschaft noch Anfang März nicht offiziell bestätigt.

„Nördlich des Maines gibt es immer noch keinen Meister. Frankfurter F. V. hat zwar mit 28 Punkten die Führung vor Sportverein mit 26 und V. f. R. mit 24, aber nicht neidlos wird ihm der Meistertitel gegönnt. Vielmehr sind eine selten stattliche Zahl von Protesten gegen die Sieger vom Besiegten angestrengt worden. Um jeden einzelnen Punkt musste die Kreisbehörde in Aktion treten. Man hat sich nachgerade abgewöhnt, zu fragen, wer hat das Spiel gewonnen, sondern wer gewinnt den Protest. Ein-

Fußball und Werbung: Auch 1920 schon gang und gäbe. Faltblatt mit den Aufstellungen zum Freundschaftsspiel FFV gegen die Sportfreunde Stuttgart (1:1) am 29. Februar 1920.

zelne Vereine wissen stets die überzeugendsten Argumente anzuführen, so dass an den Brennpunkten des Fußballverkehrs wütende Redeschlachten geschlagen werden, und der Sport an sich in der Hitze des Gefechts ganz in Vergessenheit gerät. Damit wird aber der ideale Zweck unseres schönen Sports zu nichts… Es darf nicht, wie es in diesem Jahr ganz besonders unschön sich gezeigt hat, dauernd das Lager der Klassengegner durchstöbert werden, ob nicht vielleicht eine Unregelmäßigkeit in bezug auf Meldung oder Spielerlaubnis vorgekommen sein könnte. Auf ganz unbestimmte und unwahrscheinliche Behauptungen hin werden dann Proteste eingelegt. Dass der Behörde damit die ehrenamtliche Arbeit recht sauer wird, ist das weniger Schlimme. Das Unglück für unseren Sport ist der Neid und die Eifersucht… Hier ist es zuletzt so weit gekommen, dass gegen jeden neu übergesiedelten Spieler protestiert wurde, und dadurch die Rechtschaffenheit des betreffenden Vereins in Zweifel gestellt war… Dieses gegenseitige Misstrauen muss unbedingt verschwinden, es ist der größte Krebsschaden." („Fußball" vom 3. März 1920)

Als der Fußball-Verein einen Monat später endlich als Meister bestätigt wurde, hatte er bereits zwei Spiele der Endrunde um die Süddeutsche Meisterschaft bestritten, in deren Verlauf sich der Fußball-Boom der Nachkriegszeit auch in Frankfurt deutlich zeigte. Der Auftakt beim 1. FC Nürnberg verlief für den Fußball-Verein am 14. März weniger erfolgreich. Mit 0:4 gab es eine klare Niederlage gegen den „Club", der am Anfang seiner Erfolgsära stand. Doch weniger die Höhe der Niederlage war erstaunlich, sondern vielmehr, dass die Frankfurter Mannschaft überhaupt nach Nürnberg hatte fahren können.

Nach Ausbruch des „Kapp-Putsches" am 13. März in Berlin war es auch in Frankfurt zu bewaffneten Auseinandersetzungen gekommen, in deren Verlauf 14 Tote und mehr als 100 Verletzte zu beklagen waren. Daraufhin waren am Sonntagmorgen Reichswehrtruppen in die Stadt eingerückt, die Stellung um das Polizeipräsidium und die Eisenbahndirektion bezogen und das Goethe-Gymnasium besetzten. Zwar brach der Putsch binnen weniger Tage infolge eines Generalstreiks zusammen, die Auswirkungen auf den Reiseverkehr blieben jedoch noch eine Zeit lang bestehen. So konnte der 1. FC Nürnberg zum Beispiel nach dem Rückspiel in Frankfurt die Heimreise nicht sofort antreten. Das Gastspiel des „Club" zog am 21. März eine für Frankfurter Verhältnisse neue Rekordzuschauerzahl an. Vor rund 10.000 Menschen an der Roseggerstraße entging der souveräne Nordbayerische Meister nur knapp einer Niederlage. Steinlein hatte zwei Minuten vor Schluss den FFV-Rechtsaußen Brandt im Strafraum regelwidrig zu Fall gebracht, die spätere Nürnberger Torwartlegende Heiner Stuhlfauth konnte Jockels scharf geschossenen Elfmeterball jedoch abwehren. Wenn man bedenkt, dass der Fußball-Verein ab der 70. Minute ohne Mittelstürmer Dornbusch auskommen musste, war es zumindest ein moralischer Sieg. Immerhin sollte es der einzige Verlustpunkt des 1. FC Nürnberg auf seinem Triumphzug zur Süddeutschen und Deutschen Meisterschaft bleiben.

Die nächsten Wochen standen ganz im Zeichen der Besetzung der Stadt durch französisches Militär, das am 6. April nach Frankfurt eingerückt war. Bis zum Abzug am 17. Mai herrschte eine nächtliche Ausgangssperre, und niemand durfte die Stadt ohne Identitätskarte verlassen. Es mutet daher wie ein Wunder an, dass die Endrundenspiele trotzdem fast planmäßig weitergingen. Gegen die Offenbacher Kickers wurden drei Punkte eingefahren. Hinter dem 1. FC Nürnberg und TuSV Waldhof wurde schließlich der dritte Platz in der Nordgruppe belegt.

Bereits am 8. Mai 1920 hatte sich der Frankfurter Fußball-Verein mit der Frankfurter Turngemeinde von 1861 zur „Frankfurter Turn- und Sportgemeinde Eintracht von 1861" zusammengeschlossen, deren erster Vorsitzender Dr. Wilhelm Schöndube von der bisherigen FTG 1861 wurde. Es dauerte allerdings einige Zeit, bis der neue Name „Eintracht" akzeptiert war. Die „Frankfurter Zeitung" verwendete ihn erstmals anlässlich des Endrundenspiels gegen den TuSV Waldhof am 16. Mai (3:4). Schwerer tat sich der „Fußball", der auch im Rückspiel am 30. Mai den „Frankfurter Fußball-Verein" spielen ließ (zweifacher Torschütze beim 0:4 war übrigens der spätere Bundestrainer Sepp Herberger!) und es „nicht nur schade, sondern unverzeihlich" fand, „einen solch ruhmvollen Namen so klanglos fallen zu lassen".

Nun, ganz fallen gelassen wurde er natürlich nicht. Er blieb bis 1969 Bestandteil des Vereinsnamens: zunächst in „Frankfurter Turn- und Sportgemeinde Eintracht (F. F. V.) von 1861", nach der „reinlichen Scheidung" zwischen Turnern und Sportlern 1927 in „Frankfurter Sportgemeinde Eintracht (F. F. V.) von 1899". Letzteren Namen konnte man bis Ende des 80er Jahre noch über den Kassenhäuschen des Riederwaldsportplatzes in der Haenischstraße bewundern, bevor er zusammen mit den Stehkurven und dem Tribünendach den Sanierungsarbeiten zum Opfer fiel.

„Reinliche Scheidung" auch bei der Eintracht

Die deutsche Turnbewegung (von lateinisch *tornare* = drechseln, abrunden) geht auf Friedrich Ludwig Jahn („Turnvater Jahn") zurück. Neben der Beseitigung der napoleonischen Fremdherrschaft hatten sich die deutschen Turner auch die Überwindung der Kleinstaaterei und die Errichtung eines deutschen Nationalstaates auf die Fahnen geschrieben. Damit gerieten sie jedoch in Konflikt mit der auf dem Wiener Kongress 1815 verabschiedeten restaurativen politischen Ordnung sowohl in deren Frühphase (Turnsperre in Preußen von 1819 bis 1842) als auch Spätphase (Vormärz). So wurde die 1844 gegründete „Frankfurter Turngemeinde" 1848 und 1852 zweimal verboten.

Die Politisierung der Turnbewegung zeigt das Beispiel des „Frankfurter Turn-Verein von 1860". Hier stand eine Fraktion, die mit der bestehenden politischen Ordnung konform ging, den Anhängern des Nationalvereins gegenüber, der die „kleindeutsche" Lösung – d.h. die Einigung Deutschlands unter Führung Preußens und ohne Österreich – favorisierte. Die Gegensätze führten schließlich zum Ausschluss der „Großdeutschen" und zur Gründung einer neuen „Frankfurter Turngemeinde" am 22. Januar 1861. Aber auch in dieser blieben innere Spannungen nicht aus. Eine 1862 gebildete Wehrabteilung für „Volksbewaffnung und Volkswehr" verließ 1864 die FTG und gründete mit Dissidenten des FTV 1860 den „Frankfurter Wehrverein", der nach der Annexion der Freien Stadt Frankfurt durch Preußen im Jahre 1866 entwaffnet wurde und sich in „Frankfurter Turn- und Fechtclub" umbenennen musste.

Die 1868 gegründete „Deutsche Turnerschaft" (DT) verfolgte als Dachverband der deutschen Turner die „Förderung des deutschen Turnens als eines Mittels zur körperlichen und sittlichen Kräftigung". Wesentlicher Bestandteil der Turnidee waren Massenveranstaltungen, in der die Gemeinschaft im Mittelpunkt stand. Konkurrenz- und Leistungsdenken waren verpönt. Daraus resultierten Gegensätze zum englischen „Sport", der im letzten Viertel des 19. Jahrhunderts auch in Deutschland immer mehr Anhänger gefunden hatte. Dennoch entstanden vor 1914 in vielen Turnvereinen Sport- und Spielabteilungen, in denen Fußball gespielt wurde.

Obwohl es nach dem Ersten Weltkrieg verstärkt zu Zusammenschlüssen zwischen Turn- und Sportvereinen kam – die Eintracht ist das beste Beispiel –, konnten unterschiedliche Auffassungen über den Zuständigkeitsbereich von DT und des 1917 gebildeten Deutschen Reichsausschusses für Leibesübungen (DRA) nie überbrückt werden. Da in der DT neben Turnen auch andere Sportarten betrieben wurden, kam für den ältesten und größten Sportverband Deutschlands eine Selbstbeschränkung auf einen „Fachverband Turnen" innerhalb des DRA nicht in Frage. Bereits am 14. Dezember 1922 hatte daher der Hauptausschuss der DT die so genannte „reinliche Scheidung" angeordnet: „Abteilungen und Einzelmitglieder unserer Turnvereine, welche auch einem Sportverband angehören, haben dort oder bei der DT auszuscheiden, sobald ihnen die Teilnahme an Veranstaltungen der DT durch den Sportverband verwehrt wird."

Zwar fand diese Anordnung zunächst wenig Beachtung, als jedoch die Sportverbände ab 1924 wieder sportliche Kontakte zu ehemaligen Feindstaaten aufnahmen, verschärfte sich der Konflikt. Das Fass zum Überlaufen brachte im Mai 1925 der Beschluss des DRA, an den Olympischen Spielen 1928 in Amsterdam teilzunehmen. Da die DT „auf Grund ihrer Geschichte und ihrer vaterländischen Wesensart erklärt hatte, dass, solange ein Feind auf deutschem Boden stünde, ihr eine Teilnahme unmöglich wäre", wurde am 18. August 1925 in Detmold „der Beschluss gefasst, aus dem Deutschen Reichsausschuss auszutreten, da die D. T. die Überzeugung gewonnen hat, dass sie ihre besondere turnerische Eigenart im D. R. A. nicht zur Geltung bringen kann" („Deutsche Turn-Zeitung" vom 27. August 1925). Im gleichen Jahr wurde auch erstmals eine eigene Deutsche Fußball-Meisterschaft innerhalb der DT ausgespielt.

Auch an der Eintracht ging der Konflikt nicht spurlos vorbei. Bereits auf der Hauptversammlung vom 14. Februar 1924 wurde die Bildung zweier selbständiger Vereine, der „Turngemeinde" bzw. der „Sportgemeinde" Eintracht von 1861 unter dem Dach des Hauptvereins beschlossen, an dessen Spitze Dr. Wilhelm Schöndube (Stellvertretender Vorsitzender der Turngemeinde) stand. Das Konstrukt mit zwei Vereinen unter einem Dach hielt nicht lange. Nachdem Dr. Schöndube im Herbst 1926 zurücktrat, da „die Trennungsbestimmungen der Verbände … es notwendig [gemacht hatten], die turnerische und sportliche Arbeit weitgehend selbstständig zu machen" (Mitglieder-Mitteilungen vom Januar 1927), wurde auf einer außerordentlichen Generalversammlung am 11. Juni 1927 die Trennung der beiden Stammvereine beschlossen, worauf der ehemalige „Frankfurter Fußball-Verein" den Namen „Frankfurter Sportgemeinde Eintracht (F. F. V.)" annahm.

Obwohl es 1930 zu einer Verständigung zwischen DRA und DT kam, blieb das Schisma in Frankfurt bis Ende der 1960er Jahre bestehen. Nachdem sich 1946 die „Frankfurter Turngemeinde Eintracht" und der „Frankfurter Turn- und Fechtclub" zur „Frankfurter Turn- und Fechtgemeinde Eintracht von 1861" zusammengeschlossen hatten, billigte die ordentliche Mitgliederversammlung der „Sportgemeinde Eintracht" am 8. Dezember 1967 die „Wiedervereinigung" mit Turnern und Fechtern zum neuen Gesamtverein „Eintracht Frankfurt e.V.", die am 10. Oktober 1969 vollzogen wurde. Nach dem Rücktritt des langjährigen Präsidenten Rudolf Gramlich übernahm von 1970 bis 1973 mit Alfred Zellekens wieder ein Turner die Führung des Vereins. Die Fechter verließen allerdings schon 1971 wieder den Klub und schlossen sich dem neugegründeten Universitätsfechtclub Frankfurt an. Nach der Auflösung des UFC im November 2016 kehrten die meisten Mitglieder zur Eintracht zurück.

Der Weg zurück an die Spitze

Aller Anfang ist schwer

Das erste Nachkriegsendspiel um die Deutsche Meisterschaft fand am 13. Juni 1920 in Frankfurt auf dem mit etwa 30.000 Zuschauern hoffnungslos überfüllten Platz an den Sandhöfer Wiesen in Niederrad zwischen dem 1. FC Nürnberg und der SpVgg Fürth statt (2:0). Angesichts des Fußball-Booms (allein im Bereich des Süddeutschen Fußball-Verbandes stieg die Zahl der Vereine von 1.005 mit 170.780 Mitgliedern im Juli 1920 auf 1.640 mit 311.766 Mitgliedern Ende Juni 1921) gab es daher Überlegungen, zur Saison 1920/21 eine süddeutsche Verbandsliga einzuführen, doch prallten die Interessen der Ligaklubs und der kleineren Vereine beim SFV-Verbandstag am 1./2. August heftig aufeinander. So wurde das bestehende Spielsystem mit zehn Kreisligen – auch zum Bedauern der Eintracht – beibehalten, die Verbandsliga blieb ein Wunschtraum.

Nachdem am 1. September vor 4.000 Zuschauern mit einem Freundschaftsspiel gegen Malmö FF (2:1) Abschied vom alten Platz an der Roseggerstraße genommen worden war, wurde bereits eine Woche später der neue Eintracht-Sportplatz am Riederwald feierlich seiner Bestimmung übergeben. Die Ehre, das erste Spiel auf dem neuen Rasen zu bestreiten, hatte übrigens die Cricket-Mannschaft der Eintracht, die am Samstag, 4. September, gegen den Deutschen Meister Sportfreunde Berlin antrat. Tags darauf trennten sich die Eintracht-Fußballer und der Freiburger FC 1:1. Dabei bestritt Fritz Becker sein 850. Wettspiel – erst für die Kickers, dann den FFV und jetzt die Eintracht. Außerdem wirkten in den Reihen der Eintracht zwei Spieler des Deutschen Meisters 1. FC Nürnberg mit: Hans Kalb, der in Frankfurt Zahnmedizin studierte, und Peter Szabo, für den das Spiel der Beginn einer langjährigen Affinität mit der Eintracht und der Stadt Frankfurt werden sollte.

1920/21 ■ Erstmals „Eintracht vom Riederwald"

Natürlich war auch Kickers-„Urvater" Walther Bensemann anwesend, der dem Ereignis im Kicker fast zwei Seiten widmete. Die neue Anlage hatte den Verein rund 300.000 Mark gekostet. Glanzstück der Hauptkampfbahn war die Haupttribüne mit 1.600 überdachten Sitzplätzen. Die Stehterrassen boten Platz für rund 40.000. Um das Spielfeld

Der neue Eintracht-Sportplatz am Riederwald.

zog sich eine 400-m-Aschenbahn, vor der Tribüne gab es eine weitere 120-m-Laufbahn. Dass sich die Investitionen gelohnt hatten, bestätigte sich bereits beim ersten Meisterschaftsheimspiel gegen Germania 94 (3:1), dem rund 7.500 Zuschauer beiwohnten. Leider sind von den Nordkreisspielen nur noch zwei weitere Zuschauerzahlen überliefert: 5.000 gegen Viktoria Aschaffenburg und 10.000 für das letzte Spiel gegen Helvetia, in dem sich die Eintracht erneut die Meisterschaft sicherte. Bevor es aber so weit war, hatten die Sportrichter wieder jede Menge zu tun. Zunächst wurde das 4:1 vom 26. September gegen Helvetia annulliert, da die Bockenheimer ihren Stürmer Wunderlich für das Länderspiel in Österreich hatten abstellen müssen. Dann gab es am 5. Dezember einen Spielabbruch bei Germania Rückingen, nachdem der Schiedsrichter vom Rückinger Linksaußen Gerhardt tätlich angegriffen und Zuschauer auf den Platz eingedrungen waren. Schließlich wurde das 4:0 am 9. Januar 1921 gegen einen überharten VfR 01 Frankfurt teuer erkauft: Nach einem Foul von Bauer musste Szabo verletzt vom Platz getragen werden und fiel für den eine Woche später stattfindenden Schlager bei Germania 94 aus. Vor 16.000 Zuschauern kassierte die Eintracht mit 1:5 zwar ihre höchste Punktspielniederlage, sicherte sich am 20. Februar im neu angesetzten Spiel gegen Helvetia aber erneut die Nordmainmeisterschaft.

In der Süddeutschen Meisterschaft gab es die gleichen Gegner wie im Vorjahr. Nach einem 2:0 zum Auftakt gegen den TuSV Waldhof brachte sich die Mannschaft am 20. März selbst um die Früchte ihrer Arbeit, als sie beim Deutschen Meister 1. FC Nürnberg eine 2:0-Führung verspielte und am Ende mit 2:7 „baden" ging. Dementsprechend fiel die Analyse im „Kicker" aus: „Das, was uns die Frankfurter gezeigt haben, war Fußballkunst und System, wie wir es nur von den besten Vereinen des Kontinents gewöhnt sind… Bis zur 70. Minute war Eintracht seinem großen Gegner mindestens ebenbürtig und dann kam leider die Katastrophe. Sie fielen ihrem eigenen Tempo selbst zum Opfer, denn in den letzten 20 Minuten waren sie einfach fertig, körperlich und psychisch, und darin lag die Schwäche … Sich in fünf Minuten fünf Tore aufbrummen zu lassen, das darf nicht vorkommen …" („Der Kicker" vom 5. April 1921)

Nach einem 4:0 gegen Kickers Offenbach wurde die Runde mit drei Niederlagen in Folge abgeschlossen, so dass am Ende nur der Kassierer zufrieden gewesen sein dürfte, denn die drei Heimspiele hatten 33.000 Zuschauer angelockt. Auch beim Jubiläumsturnier „60 Jahre Turn- und Sportgemeinde Eintracht von 1861 e. V." Anfang Mai zeichnete sich die sportliche Stagnation ab. Nach einem 1:0 über Saarmeister Borussia Neunkirchen gab es eine deutliche 1:6-Abfuhr gegen Wacker München. Noch schlimmer war jedoch die deutliche Niederlage der Jugend-Mannschaft gegen die Würzburger Kickers. „Der Kicker" schimpfte danach: „Muss man denn erst, wenn man bei der Eintracht zu etwas kommen will, austreten, in Groß-Krotzenburg in der ersten C-Mannschaft spielen, um nachher mit Tam-Tam und Jubel nach Frankfurt zurückgeführt zu werden? Es sind da ein paar Leute, die haben eben ein Abonnement auf die Liga für ewige Zeiten. Nachwuchs! Nachwuchs! Meine Herren von der Eintracht, sehen sie sich die Kickersjugend aus Würzburg an. 6:0 ist eine saumäßige Abfuhr, noch schlimmer als das 6:1 gegen Wacker."

1921/22 ■ Von Germania 94 entzaubert

Nachdem die Verantwortlichen die Probleme erkannt hatten, wurde im Sommer 1921 mit dem ehemaligen ungarischen Meisterspieler Dori Kürschner erstmals ein „richtiger" Trainer präsentiert. Außerdem nahmen die Verbandsoberen wieder einmal eine Spielklassenreform in Angriff. Doch statt zu einer Konzentration der Besten kam es

Eintracht Frankfurt: Nordmainmeister 1920/21. Von links: Heinrich Berger (Spielausschuss), Imke, Dornbusch, Szabo, Böttcher, Pfeiffer, Gmelin, Brandt, Jockel, Schönfeld, Köster, Schneider und Fritz Becker (Spielausschuss).

zunächst zu einer Aufblähung von Süddeutschlands Spitzenklasse auf sage und schreibe 160 Vereine, die bis 1924 sukzessive auf 40 Erstligisten in fünf Bezirksligen reduziert wurden. Sportlich und finanziell war diese Entscheidung vor allem für die Großvereine ein Rückschritt, denn Spiele gegen Borussia Frankfurt oder die FG 02 Seckbach waren wenig attraktiv. Selbst das Derby gegen den FSV zog nur 8.000 Interessierte an. Zu überlegen zog die Eintracht ihre Kreise. Mit 13 Siegen und nur einer Niederlage (1:2 beim FSV) wurde die Eintracht souverän Meister in der Abteilung I des Nordmains.

Ähnlich deutlich dominierte Germania 94 die andere Abteilung, so dass es in den Spielen um die Kreismeisterschaft zum Duell mit dem alten Rivalen kam. Nachdem das erste Spiel auf den Sandhöfer Wiesen 2:2 geendet hatte, musste das Rückspiel am Riederwald eine Woche später 18 Minuten vor Schluss wegen eines Schneesturms abgebrochen werden. Im dritten Anlauf am 11. Februar 1922 unterlag die Eintracht, die „zwar technisch vollendetes und schönes Kombinationsspiel" vorführte, „aber solches nicht in Tore umzusetzen" verstand, gegen die „stärkere Kampfmannschaft" der Germania deutlich mit 1:4 (Zitate aus der „Frankfurter Zeitung").

So war der eigentliche Saisonhöhepunkt das Länderspiel gegen die Schweiz am Riederwald. 38.000 Zuschauer, die für eine Einnahme von 350.000 Mark sorgten, bildeten am 26. März 1922 den gewaltigen Rahmen bei einem 2:2-Unentschieden. Die Höhe dieser Summe war allerdings bereits ein erstes Anzeichen der langsam einsetzenden Inflation, die indirekt auch Auswirkungen auf das Kräfteverhältnis im Frankfurter Fußball haben sollte.

Im Schatten des FSV

Die Abteilungsmeisterschaft 1922 sollte für lange Zeit der letzte Titel sein, den die Eintracht-Fußballer bejubeln konnten. Es war die Zeit, in der altbewährte Kräfte wie Fritz Becker, Karl Jockel, Torhüter Wilhelm Gmelin und Paul Imke ihre Fußballschuhe an den berühmten Nagel hingen. Auch Trainer Kürschner hatte den Riederwald wieder in Richtung Nordstern Basel verlassen. Da das Frankfurter Bürgertum an den Folgen der Inflation besonders zu leiden hatte, traf dies auch die Eintracht, die „der" bürgerliche Fußballklub der Stadt war. So spricht die Jubiläumsbroschüre „30 Jahre Eintracht" (1929) von einer „denkbar unerfreulichen" Saison 1924/25, „zu stark litten wir noch unter den Begleiterscheinungen der Inflationszeit". Zu leiden hatte natürlich auch das zahlende Publikum. So mussten im September 1922 Besucher aus Frankfurt 20 Mark Eintritt für das Spiel FC Hanau 93 - Eintracht zahlen. Den Vereinen zerrann das Geld unter den Händen. Am Ende war es nicht einmal das Papier wert, auf dem es gedruckt war.

1922/23 ■ Als Dritter für die Mainbezirksliga qualifiziert

Immerhin brachte die Konzentration auf eine oberste Spielklasse im Nordmainkreis höhere Zuschauerzahlen als im Vorjahr. Die Heimspiele gegen Germania 94 (3:2) und Helvetia Frankfurt (1:2) lockten je 10.000 an den Riederwald, das Derby gegen den FSV (2:3) am 3. Dezember 1922 sogar 12.000. Ein Tor des Bornheimers Waldschmidt drei Minuten vor Schluss beendete die letzten Hoffnungen der Eintracht auf den Titel, den sich der FSV mit zwei Punkten Vorsprung auf Helvetia und vier auf die Eintracht sicherte. Die Qualifikation für die neue Mainbezirksliga stand jedoch nie in Frage.

Nachdem 1921/22 die Spiele um den Süddeutschen Pokal nicht ernst genommen und die so genannte „Schupo"-Mannschaft zu Germania Mörfelden geschickt worden war (und 1:2 verlor), fuhr die Eintracht diesmal mit allen „Kanonen" auf den Bieberer Berg nach Offenbach. Trotz einer zeitweiligen 3:1-Führung hieß es am Ende jedoch 5:6. Aus der Reihe der zahlreichen Freundschaftsspiele ragte das 0:0 gegen den österreichischen Vizemeister Hakoah Wien am Silvestertag 1922 hervor.

1923/24 ■ Außenseiter Bürgel als Stolperstein

Die gute Form konnte auch ins Spieljahr 1923/24 hinübergerettet werden, denn nach einem 2:1-Derbysieg gegen den FSV stand die Eintracht nach vier Spielen an der Tabellenspitze. Allerdings tat sich die Mannschaft gegen „kleinere" Vereine schwer. Während gegen den FSV und Helvetia kein Punkt abgegeben wurde, gab es gegen den FC Hanau 93 und den SC Bürgel zweimal eine „Nullrunde". Gerade auf Bürgel war man in diesem Jahr nicht gut zu sprechen. Ausgangspunkt für die Verstimmung war das Spiel am 4. November 1923 in Bürgel, in dem vier Verletzte zu beklagen waren. Bereits nach drei Minuten hatte der rechte Läufer Egly eine Knieprellung erlitten. Nach 25 Minuten fiel Torhüter Trumpp nach Foulspiel mit Gehirnerschütterung aus, so dass Mittelläufer Kirchheim ins Tor musste. Nachdem in der zweiten Halbzeit mit Klemm und Schönfeld zwei weitere Akteure verletzt ausfielen, brach der Stuttgarter Schiedsrichter Faigle, dem die Eintracht vorwarf, die Härte nicht unterbunden zu haben, das Spiel beim Stand von 2:0 für Bürgel ab. Überhaupt waren die Schärfe der Spiele und mangelhafte Schiedsrichterleistungen ein hochaktuelles Thema. So schrieb „Der Kicker", dass „ein Unparteiischer ... auch in Bürgel nichts durchgehen lassen [darf]. Nun hat die Behörde das Wort, es ist höchste Zeit, sonst ist's zu spät." Am gleichen Spieltag gab es übrigens schwere Schelte für die Spielleiter Spät aus Mannheim (FSV - Kickers Offenbach) und Gerlings aus Nürnberg (SV 99 Offenbach - FC Hanau 93).

Dass nach dem zweiten Sieg über den FSV die Beziehungen zu den Bornheimern – wieder einmal – atmosphärisch gestört waren, trug auch nicht gerade zur allgemeinen Beruhigung bei. Nachdem der Sportverein Anfang Januar 1924 sein vorletztes Meisterschaftsspiel verloren hatte, wiesen er und die Eintracht die gleiche Anzahl von Minuspunkten (acht) auf. Zum Zünglein an der Waage sollte nun ausgerechnet der SC Bürgel werden. Am 13. Januar beendete der FSV mit einem 3:1 in Bürgel sein Punktspielprogramm. Zur gleichen Zeit gewann die Eintracht ihr „Auswärtsspiel" gegen den SV 99 Offenbach am Riederwald mit 3:2; der Platz in Offenbach war total vereist. Dies sorgte für reichlich Verstimmung in Bornheim, denn mit zwei Siegen über Bürgel konnte die Eintracht mit dem FSV gleichziehen und ein Entscheidungsspiel erzwingen. Trotz großer Überlegenheit gelang es der Eintracht jedoch eine Woche später bei strömendem Regen nicht, das Bürgeler Abwehrbollwerk zu knacken. Im Gegenteil: Am Ende hatte die Mannschaft mit 0:2 ihre letzte Meisterschaftschance verspielt und führte „die Zermürbung ihrer Energie auf die gehässigen Zurufe und das Schreien und Johlen eines gewissen Publikumsteils zurück, in dem sie einen großen Prozentsatz Anhänger ihres derzeit stärksten Rivalen erkannt haben will". („Fußball" vom 24. Januar 1924) Die Atmosphäre im Mainbezirk war endgültig vergiftet, als die Eintracht auf die Wiederholung des am 4. November 1923 in Bürgel abgebrochenen Spieles verzichtete.

Erfolgreicher verliefen in diesem Jahr die Pokalspiele. Nach Siegen über Kickers-Viktoria Mühlheim (5:2), die 1923 in die Zweitklassigkeit abgerutschte Germania 94 Frankfurt (2:0), Viktoria Aschaffenburg (2:1) und den SV Darmstadt 98 (3:2) wurde das Viertelfinale erreicht, in dem sich allerdings die Stuttgarter Kickers am Riederwald als geschlossenere Mannschaft zeigten und verdient mit 4:3 die Oberhand behielten.

Durch die Stabilisierung der Währung Ende 1923 konnten endlich auch wieder attraktive ausländische Mannschaften verpflichtet werden. Höhepunkte waren die Gastspiele von West Ham United und Sparta Prag. Besonders der Auftritt der Engländer am 17. Mai 1924 – seit dem Bradford-Spiel zehn Jahre zuvor die ersten Gäste von der Insel in Frankfurt – war eine Meisterleistung der Eintracht-Verantwortlichen, wenn man bedenkt, dass es 1920 gerade die englische „Football Association" gewesen war, die nach dem Ersten Weltkrieg jegliche Fußballkontakte zu den Mittelmächten strikt abgelehnt hatte und deshalb sogar aus der FIFA ausgetreten war. So pries „Der Kicker" vor allem die „gute Pionierarbeit für den deutschen Sport". Vor 10.000 Zuschauern lieferte die Eintracht in der Aufstellung

▶ Trumpp; Grünerwald, Egly; Roth, Kirchheim, Schneider; Weber, Schönfeld, Pfeiffer, Schenk, Österling

„wie immer bei großen Gegnern eines ihrer besten Spiele und setzte den Engländern bewundernswerten Widerstand entgegen. Zeitweise zwang sie den Gegner zur Hergabe seines vollen Könnens. Aus dem Rahmen fielen Trumpp, das Torwächterphänomen, und Pfeiffer, der überragende Sturmführer … Klare Torchancen hatte die Eintracht viermal, zwei davon wurden vor dem leeren Tor in der Aufregung verschossen." („Der Kicker" vom 21. Mai 1924)

Das deutliche 0:4 war fast Nebensache. Am Abend trafen sich beide Mannschaften im Zeil-Casino, wo „eine überaus herzliche Verbindung mit den Gästen geschaffen [wurde]. Als die Musikkapelle ‚God save the King' intonierte …, war der Höhepunkt erreicht."

14 Tage später besiegte eine Kombination Eintracht/FSV die berühmte Prager Sparta mit 3:1. Zwar fehlten bei den Tschechen einige der besten Akteure, die am Olympiaturnier in Paris teilnahmen, dennoch kam das Publikum voll auf die Kosten. Zu dieser Zeit hatte sich das Verhältnis zum Bornheimer Rivalen wieder einigermaßen normalisiert. Im Zusammenhang mit dem Sparta-Spiel sprechen die „Mitglieder-Mitteilungen" der Eintracht vom „befreundeten Nachbarverein". Es wurde sogar ein Silberpokal gestiftet, um den beide Vereine nun jährlich spielen sollten. Mit 4:0 gelang dem Sportverein eine deutliche Revanche für die beiden Meisterschaftsniederlagen.

1924/25 ■ Sportlich und finanziell in höchster Gefahr

Die Kooperation mit dem FSV wurde auch zum Start der Saison 1924/25 fortgesetzt, diesmal mit einem Spiel gegen den DFC Prag (2:4). Angesichts der Feierlichkeiten zum 25-jährigen Bestehen der Fußball-Abteilung unterlag die Eintracht mit 1:4 gegen den Freiburger FC und 0:2 gegen die SpVgg Fürth. Zu diesem Zeitpunkt zählte die Eintracht 2.250 Mitglieder und war damit der fünftgrößte Verein im Bereich des Süddeutschen Fußball-Verbandes. Die Fußball-Abteilung hatte 34 aktive Mannschaften (20 Senioren, zwölf Jugend, zwei Alte Herren) für den Spielbetrieb gemeldet, was Rekord im SFV bedeutete. In sieben weiteren Abteilungen (Turnen, Leichtathletik, Hockey, Boxen, Handball, Tennis, Rugby) wurde unter dem Dach der Eintracht Sport betrieben. Dass die Eintracht auch gesellschaftlich ganz weit oben stand, beweisen einige Namen aus dem Kreise des Ehrenausschusses anlässlich der Jubiläumswoche: Walther Bensemann, Oberbürgermeister Dr. Georg Voigt und Dr. Ivo Schricker, der Vorsitzende des Süddeutschen Fußball-Verbandes.

Bereits in den Jubiläumsspielen war eine gewisse spielerische Stagnation sichtbar geworden, und in den Meisterschaftsspielen ging es weiter bergab. Ende November 1924 standen lediglich zwei Siege zu Buche, und nach dem 1:4 im Derby gegen den FSV fand sich die Eintracht auf dem drittletzten Platz in höchster Abstiegsnot wieder. Die Lage wurde noch dramatischer, denn zwei Runden vor Schluss lag man nur zwei Zähler vor dem VfR 01 Frankfurt, dem Hauptkonkurrenten im Überlebenskampf.

Zu allem Übel hatte sich zu der sportlichen Krise bereits im Sommer eine finanzielle eingestellt. Unmittelbar nach dem West-Ham-Spiel hatte die Stadt Frankfurt von der Eintracht den gesamten Überschuss zuzüglich 7.000 Mark Steuer gefordert, da die Engländer Profis gewesen seien und „eine berufsmäßige Erlustigung des Publikums … mit 40 % vergnügungssteuerpflichtig" sei („Fußball" vom 26. Juli 1924). Mit der gleichen Begründung forderte die Stadt auch Lustbarkeitssteuer aus dem Spiel Eintracht/ FSV - Sparta Prag, obwohl die Tschechen zum Zeitpunkt des Spiels noch keine Profis waren. Für das städtische Rechneiamt war Fußballspielen laut Anklageschrift vom 24. August 1924 jedoch „nur zur Befriedigung der Schaulust und des Vergnügens da und zu Erwerbszwecken".

Zwar appellierte die Sportpresse an die Stadt, nicht zu vergessen, „dass die Eintrachtleute ihren Namen, zur Ehre der Vaterstadt, dem Namen der Stadt Frankfurt, in allen Gauen Deutschlands, im Ausland zu hohen Siegesehren verholfen" hatten. Als jedoch die Gesamtforderung bis Mitte Oktober auf 20.000 Mark angewachsen war und sich die Eintracht außerstande sah zu zahlen, wurden am 26. Oktober die Eintrittsgelder aus dem Spiel gegen den VfR 01 Frankfurt beschlagnahmt. Erst als „der Ruin dieses alten, großen Vereins [bevor]stand, … erinnerte man sich im hohen Magistrat, dass man auch ein Stadtamt für Leibesübungen habe, das eigentlich zur Hebung des Sportes da sei. Auch dachte man an das neue Stadion, das doch ohne unsere Sportler nur als gärtnerische Anlage zu betrachten wäre, und auf einmal konnte man nachgeben! Auch ein hoher Magistrat kann nun einmal nicht mit dem Kopf durch die Wand, selbst wenn er noch so dick ist!" („Fußball" vom 6. Januar 1925)

Auch der sportliche Abstieg konnte in letzter Minute vermieden werden. Dazu wurde Paul Imke reaktiviert, der mit zwei Toren den wichtigen Sieg gegen Helvetia Frankfurt (2:1) sicherte. Noch aber war die Eintracht nicht aus dem Schneider, denn vor dem letzten Spiel beim Vorletzten VfR 01 betrug der Vorsprung auf diesen lediglich zwei Punkte. Sich der Gefahr bewusst, in der sie schwebte, raufte sich die Mannschaft zusammen und ging schon in der ersten Viertelstunde durch Riegel in Führung. Und mehr als ein Eigentor von Verteidiger Grünerwald ließ die Abwehr nicht zu. Der Kelch war gerade noch einmal am Riederwald vorbeigegangen.

Für den Niedergang hatte der „Fußball" bereits am 9. Dezember 1924 Unstimmigkeiten in der Vereinsführung verantwortlich gemacht: „Hier ist furchtbar gefehlt worden… Jeder wollte etwas Besseres wissen, immer wieder wurde die Mannschaft umgestülpt, es herrschte Unzufriedenheit, Unfrieden, bald zeigte der Spielausschuss die harte Faust, dann winkte er wieder mit zarten Pfötchen, wenn er sich nicht mehr

Eröffnungszeremonie bei einem Derby im Waldstadion zwischen Eintracht Frankfurt und dem FSV in den 1920er Jahren. Der FSV gelangte 1925 ins Endspiel um die Deutsche Meisterschaft, wo er dem 1. FC Nürnberg im Frankfurter Stadion 0:1 unterlag.

zu helfen wusste und schließlich wusste niemand mehr aus und ein. Es geht hier wie in der Politik, jetzt soll der alte Pionier des Fußballsportes, Albert Sohn, der Retter in der Not sein. Hoffen wir, dass es ihm noch gelingt, es wäre bitter, wenn einer der größten Vereine Deutschlands zur Bedeutungslosigkeit verurteilt würde. Experimentieren gibt's nicht im Fußballsport, hier heißt es handeln oder verderben!"

Dazu kamen disziplinarische Probleme innerhalb der Mannschaft. Besonders in der Kritik stand der alte Liga-Kämpe und Sturmführer Willy Pfeiffer, der im vorentscheidenden Spiel gegen Helvetia beim Stande von 1:1 wutentbrannt den Platz verlassen hatte und, da er sich nicht ordnungsgemäß abgemeldet hatte, dafür von Schiedsrichter Maier aus Stuttgart des Feldes verwiesen wurde. Sowohl für die „Frankfurter Zeitung" als auch den „Kicker" war er für die Uneinigkeit innerhalb der Mannschaft verantwortlich. Willy Pfeiffer, der schon 1912/13 in der Ligaelf des FFV gestanden hatte, war als Hitzkopf bekannt, und es sollte nicht seine letzte Entgleisung sein. Die Jubiläumsschrift „50 Jahre Eintracht" beschrieb ihn 1949 als „eine jener Erscheinungen, die von Frankfurter Fußballfeldern nicht wegzudenken sind. Er wird immer unvergesslich bleiben, schon wegen seines einzigartigen Temperamentes. Man hatte oft Mühe, es zu dämpfen, auf dem Spielfeld und im Sitzungssaal. Wenn es dabei auch mitunter recht stürmisch zuging, über eine Tatsache war nicht zu streiten. Sobald Willi einmal aus dem Häuschen geriet, war es immer seiner geliebten ‚Eintracht' wegen, für die er sich nun einmal bedingungslos einsetzte." Er tat dies bis 1932 in über 700 Spielen in der ersten Mannschaft, wofür er später zum Ehrenmitglied und Ehrenspielführer ernannt wurde.

Derby-Szenen: Links Eintracht-Stürmer Karoly (weißes Hemd) und Fritz (FSV) beim Kopfballduell, rechts kann Torhüter Trumpp vor dem Bornheimer Wallishausen klären.

Nachdem der Klassenerhalt gesichert war, wurde im März 1925 mit Maurice Parry wieder ein Trainer verpflichtet. Der 16-malige walisische Nationalspieler, der 1906 mit dem FC Liverpool die englische Ligameisterschaft gewonnen hatte, sortierte einige ältere Spieler aus, baute verstärkt auf Nachwuchskräfte und verbesserte durch gezieltes Konditionstraining die physischen Fähigkeiten der Mannschaft.

1925/26 ■ Aufschwung durch den Schweizer Walter Dietrich

Für die Saison 1925/26 zog die Eintracht drei wesentliche Verstärkungen an Land. Von Servette Genf kam der Schweizer Nationalspieler Walter Dietrich, vom Mülheimer SV der gebürtige Offenbacher Franz Schütz und vom FFC Olympia 07 Karl Döpfer. Trotzdem ging der Start in die neue Ligasaison gründlich daneben. Nach fünf Spielen und nur 2:8 Punkten schienen erneut Abstiegssorgen ins Haus zu stehen. In dieser Situation platzte jedoch bei der in den Vorjahren so arg kritisierten Sturmreihe der Knoten. Es gab Kantersieg auf Kantersieg: 4:0 bei Helvetia, 5:0 gegen Union Niederrad, 6:0 gegen Kickers Offenbach, 7:3 gegen Viktoria Aschaffenburg. Mit 40:28 Toren und 14:14 Punkten landete die Eintracht am Ende auf Platz vier. Nur Meister FSV erzielte mehr Treffer (41).

Allerdings konnte Trainer Parry die Früchte seiner Arbeit nicht mehr ernten, da man sich bereits Anfang des Jahres 1926 wieder von ihm getrennt hatte. Die Gründe dafür nannte Ludwig Isenburger in der Vereinszeitung vom Februar 1927, wobei er unterschwellig auch auf aktuelle strukturelle Probleme des deutschen Fußballs hinwies: „Die Arbeitsweise englischer Berufstrainer ist immer darauf eingestellt, die aktive Spielerschaft des Vereins möglichst den ganzen Tag zur Verfügung zu haben. Solange wir in Deutschland keine Berufsspieler haben, bleibt diese erste und wichtigste Forderung englischer Trainer unerfüllbar. Das und die mangelnde Kenntnis der deutschen Sprache hat dem Wirken Maurice Parrys enge Grenzen gesetzt. So mussten wir uns von ihm trennen, wenn auch schweren Herzens, denn Maurice Parry war unstreitig ein ganz großer Könner in seinem Fache."

Walter Dietrich

Nach Parrys Abgang übernahm Walter Dietrich zusammen mit Fritz Egly als Spielertrainer die Führung der Mannschaft. Der Schweizer hatte sich auf Anhieb in die Herzen der Eintracht-Anhänger gespielt und war sozusagen der Prototyp heutiger Megastars, um dessen Person sich eine wahre „Dietrich-Manie" entwickelte.

„Der Schweizer ist das Gesprächsthema der Fußballkreise geworden, besonders der Eintrachtkreise. Man trägt ohne Unterschied des Geschlechts – dank dem Bubikopf fällt's nicht schwer – Dietrichsfiguren, es gibt Schirme, Marke Dietrich, es gibt Schuhe, Form Dietrich, es gibt Pralinen à la Dietrich, es wird bald Zigaretten à la Dietrich geben und die Speisehäuser und Cafés, die Wert auf Fußballkundschaft legen, werden nicht umhin können, eine Schildkrötensuppe à la Dietrich, ein Filetsteak à la etc. oder einen Mazagran à la Dietrich auf ihre Karten zu setzen. […] Dietrichs Spiel ist ein Genuss. Er spielt mit ebenso viel Technik, wie Geist, mit ebenso viel Grazie, wie Kraft, mit ebenso viel Verstand, wie Können. Er ist kurzum ein Prachtspieler und der zweite Schweizer in Frankfurt [Seit Oktober 1924 spielte Robert Pache beim FSV. Auch er war von Servette Genf an den Main gekommen, Anm. d. Verf.], der eine Frankfurter Mannschaft in die Höhe bringen wird. Seine Sturmführung ist formvollendet. Seine Einzelleistungen begeistern. Ich habe viele Mittelstürmer gesehen, Ungarn, Tschechen, usw., aber nachdem was ich bis jetzt zu sehen bekam, muss ich Dietrich als einen der besten bezeichnen." („Der Kicker" vom 27. Oktober 1925)

Walter Dietrich, der bis 1935 bei der Eintracht aktiv war und danach in Frankfurt eine Baufirma besaß, wurde zum Liebling der Massen, ähnlich wie später ein Alfred Pfaff, Jürgen Grabowski oder Jay-Jay Okocha. Unter seiner Regie entwickelte sich die Eintracht zur spielerisch besten Mannschaft des Mainbezirks. Sowohl die Londoner Amateure der Kingstonians (1:1) als auch die französische Presse waren vom Stil der Eintracht sehr angetan, nachdem diese am 30. Mai 1926 Red Star Olympique mit 5:1 abgefertigt hatte. Bei der Rückkehr aus Paris wurden Dietrich und die Mannschaft von mehreren hundert Menschen begeistert auf dem Frankfurter Hauptbahnhof empfangen. Eine Woche später besiegte die Eintracht auch Ajax Amsterdam mit 5:4.

1926/27 ■ Süddeutsche „Trostrunde" und der „Fall Pfeiffer"

Im April 1926 wurde der Eintracht-Angriff durch Bernhard Kellerhoff von Schwarz-Weiß Essen weiter verstärkt. Im Gegensatz zum Vorjahr gelang ein glänzender Start. Vor dem ersten Derby gegen den FSV lag die Eintracht mit 11:1 Punkten gleichauf mit den Offenbacher Kickers. Einen Punkt dahinter folgte der FSV. Wie sehr das Eintracht-Spiel inzwischen auf Walter Dietrich fixiert war, zeigte sich im Derby beim FSV, wo sich der Schweizer Spielmacher schon früh verletzte und auf der Rechtsaußenposition keine Akzente mehr setzen konnte. Prompt gab es mit 2:3 die erste Niederlage. Doch die Eintracht war keineswegs nur eine Auswahl „Dietrich plus zehn". In dieser Saison ging der Stern des jungen Fritz Schaller auf, der im Dezember 1924 vom 1. FC Oberstedten an den Riederwald gekommen war. Nachdem Tabellenführer Kickers Offenbach vor 8.000 Zuschauern am Riederwald mit 2:0 gestürzt worden war, setzte sich die Eintracht auf dem zweiten Platz fest.

Ins Weihnachtsderby gegen den FSV ging die Eintracht mit einem Rückstand von nur zwei Punkten auf die Bornheimer, hätte also bei einem Sieg mit diesen gleichziehen können. Die ganze Woche vor dem Spiel grassierte in der Stadt das „Derbyfieber". 15.000 Zuschauer sahen eine meist überlegene Eintracht-Elf, die es aber nicht verstand, ihr ausgezeichnetes Kombinationsspiel in zählbare Erfolge umzusetzen. Als sich schon fast alle mit einem torlosen Unentschieden abgefunden hatten, erzielte der Schwede Wyk zehn Minuten vor dem Ende aus klarer Abseitsposition noch den Siegtreffer für den FSV. Der zweite Platz, der in diesem Jahr erstmals die Teilnahme an der Trostrunde der Süddeutschen Meisterschaft, der so genannten „Runde der Zweiten", bedeutete, war der Mannschaft jedoch nicht mehr zu nehmen. In diesen Spielen wurde mit 8:8 Punkten hinter dem SV 1860 München (11:5), der zu Hause mit 2:1 besiegt werden konnte, und Karlsruher FV (10:6) und vor dem VfR Mannheim (7:9) und FV Saarbrücken (4:12) der dritte Platz belegt.

Nachdem sich das Verhältnis zum FSV in den letzten drei Jahren wieder halbwegs normalisiert hatte, wurde die Saison am 25. Juni mit einem handfesten Skandal beendet. Das „Freundschaftsspiel" Eintracht - FSV wurde zur „Marneschlacht des Frankfurter Fußballsports" („Der Kicker"). Im Mittelpunkt der Ereignisse stand einmal mehr Heißsporn Willy Pfeiffer, der schon nach dem 0:2 von Brück, dem ein klares Handspiel vorausgegangen war, nur von einem Vorstandsmitglied davon abgehalten werden konnte, das Spiel abzubrechen. Nachdem das Spiel vollends zu einer Holzerei verkommen war, „kam es zu einer Zusammenrottung sämtlicher Spieler in der Mitte des Feldes. Der Schiedsrichter, der Trumpp gerade noch vor einem hals-brecherischen Angriff Wyks befreien musste, eilte heran. Was gesprochen und getan wurde, war von der Presseloge aus nicht zu erkennen. Man hörte lediglich Paches lautes Organ. Plötzlich sah man, dass Pache zusammenstürzte und sich hinaustragen ließ ... Dr. Rothschild [der FSV-Vorsitzende, Anm. d. Verf.] stürzte wild gestikulierend auf den Platz. Mehrere eindringende Zivilisten wurden von Spielern vom Platz gescheucht. Pfeiffer musste gehen.

Eintracht 1926/27: Stehend von links Egly, Kirchheim, Trumpp, Schütz und Zimmer. In der Mitte Kübert, Goldammer und Müller. Vorne Döpfer, Dietrich, Schaller, Kellerhoff und Weber.

Der Schiedsrichter pfiff an und ab und aus und an. Das Publikum gröhlte und vollführte einen ohrenbetäubenden Lärm, wobei die Jugend sich mit besonderer Inbrunst beteiligte." („Der Kicker" vom 28. Juni 1927)

Bei der „Zusammenrottung" im Mittelkreis soll Pache den Eintracht-Choleriker Pfeiffer durch verächtliche Gesten und Worte beleidigt haben, worauf dieser den Schweizer getreten und im Gegenzug Dr. Rothschild die Eintracht als „Lumpenbande" beschimpft haben soll. Nach Spielende rottete sich eine Zuschauermenge vor der Tribüne zusammen und musste von berittener Polizei abgedrängt werden. Ach so, Fußball gespielt wurde auch noch. Der FSV siegte mit 4:0.

Für Willy Pfeiffer hatte der Fall ernste Konsequenzen. Er wurde wegen Tätlichkeit ein Jahr sowie wegen Bedrohung und Auflehnung gegen die Anordnung des Schiedsrichters (er hatte diesem nach seiner Hinausstellung Schläge angedroht!) zusätzlich zwei Monate gesperrt. So ging das eigentlich recht erfolgreiche Spieljahr 1926/27 mit einem Misston zu Ende. Fünfmal hintereinander (von 1923 bis 1927) war der FSV Mainbezirksmeister geworden. Keiner konnte ahnen, dass sich die Eintracht in der bereits am 31. Juli beginnenden Saison 1927/28 daranmachen sollte, diesen Rekord einzustellen.

Vom Schießstand zum Deutsche Bank Park. Die Geschichte des Frankfurter Waldstadions

Nachdem es bereits zu Kaisers Zeiten Pläne für ein Stadion in Frankfurt gegeben hatte, wurden diese nach dem Ersten Weltkrieg wieder aufgegriffen. Gewählt wurde das Areal der Militär-Schießstände in der Nähe des Oberforsthauses, die aufgrund des Versailler Vertrages beseitigt werden mussten. Obwohl der Stadionbau im Rahmen eines Beschäftigungsplans für Arbeitslose durchgeführt werden sollte, konnten Stadt und Reichsregierung keine Einigung über die finanzielle Unterstützung erzielen, so dass die Anfang 1921 begonnenen Erdarbeiten bereits im März wieder eingestellt wurden. Schließlich beschloss der Magistrat am 25. August 1921, das Projekt alleine voranzutreiben. Bis zur Fertigstellung der Gesamtanlage Ende 1927 investierte die Stadt 4,782 Millionen (Gold-) Mark. Durch den Bahnhof „Stadion" (1935 – 2005 „Sportfeld") und die Verlängerung der Straßenbahn wurde die Anlage an den Personennahverkehr angeschlossen. Neben der Hauptkampfbahn mit Tribüne wurden vier weitere Übungsfelder, eine Radrennbahn und ein Reitplatz mit Sprunggarten angelegt.

Schmuckstück war die Tribüne, die leicht geschwungen den das Spielfeld umgebenden Ringwall abschloss. Sie hatte eine Länge von 120 Metern, im Mittelbau eine Höhe von 18 Metern und war mit weißem Muschelkalk verblendet. Der Mittelbau war das Besondere, denn er sollte nicht nur als Zuschauerterrasse dienen, sondern auch als Hintergrund und künstlerische Basis für choreographische Darstellungen. Die Front zum Spielfeld hin erinnerte an ein antikes griechisches Theater. Dadurch sollte, wie Stadtbaurat a. D. Gustav Schaumann 1927 erklärte, „die ideelle Anknüpfung unserer Leibesübungen an die der antiken Welt zum sinnfälligen Ausdruck" gebracht werden. „Wir erleben die jüngste Wiedergeburt von Hellas", freute sich die „Frankfurter Zeitung" über das in Anlehnung an das Athener Dionysostheater konzipierte Bauwerk. Da zum Stadion weiter Freilichtbühne, Waldtheater, Bibliothek, Bildersammlung u. a. m. gehörten, lud Stadiondirektor Eduard Zeiss ins „Gymnasion" ein: „Hier ist Neuland, Ihr Dichter, Ihr Spieler, Ihr Tonkünstler! Kommt zu uns ins Stadion, wir haben auch Platz für Euch!" Immerhin folgte die Bildhauerklasse der Kunstgewerbeschule dem Ruf und richtete in der Tribüne ein Atelier ein. Nachdem die „Bühne" bereits 1938 einer Vortribüne hatte weichen müssen, fielen die letzten antikisierten Teile der Haupttribüne dem Umbau 1953-55 zum Opfer, um Platz für weitere Sitz-

45.000 Zuschauer sahen am 2. März 1930 das erste Länderspiel im Frankfurter Stadion. Deutschland unterlag Italien mit 0:2.

plätze und eine Pressetribüne zu schaffen. Im Zuge des Umbaus für die WM 1974 wurde schließlich die gesamte historische Tribüne abgerissen.

Um das Stadion auszulasten, schloss die am 8. April 1925 gegründete kommunale „Stadion-Betriebs-Gesellschaft m.b.H." einen Vertrag mit der Eintracht, wonach Spiele um die Süddeutsche Meisterschaft und solche, bei denen mehr als 12.000 Zuschauer erwartet wurden, im Stadion durchzuführen seien. 1931 wurden ähnliche Verträge auch mit dem FSV und dem SC Rot-Weiss Frankfurt abgeschlossen. Feierlich eingeweiht wurde das Stadion von Oberbürgermeister Ludwig Landmann am 21. Mai 1925 vor 25.000 Zuschauern mit einem Spiel zwischen einer Mainbezirksauswahl und der argentinischen Mannschaft Boca Juniors (0:2). Am 7. Juni 1925 war das Stadion mit 40.000 Zuschauern erstmals ausverkauft, als sich der 1. FC Nürnberg und der FSV Frankfurt im Endspiel um die deutsche Fußballmeisterschaft gegenüberstanden (der „Club" siegte 1:0 nach Verlängerung). Vom 24. bis 28. Juli war das Stadion Austragungsstätte der 1. Arbeiterolympiade. 1930 sahen 45.000 Zuschauer das erste von inzwischen 24 DFB-Länderspielen. Trotz eines 0:2 gegen Italien lobte „Kicker"-Herausgeber Walther Bensemann die Organistaion: „Bravo Frankfurt! Bravo Zeiss, bravo Polizei, bravo alle!"

Bis in den Zweiten Weltkrieg hinein blieb das Stadion Schauplatz bedeutender Wettkämpfe, zuletzt am 17. Oktober 1943 beim Pokalhalbfinale zwischen dem First Vienna FC und Schalke 04, das die Wiener vor 32.000 Zuschauern mit 6:2 gewannen. Am 1. Mai 1945 wurde das Stadion von den Amerikanern beschlagnahmt und in „Victory Park" umgetauft. Am 13. Juli 1946 rollte beim „Tag der Eintracht" auch wieder der Fußball. Vor 45.000 Zuschauern unterlag die Eintracht dem VfB Stuttgart mit 0:1. 1950 wurde das Gelände an die Stadion-GmbH zurückgegeben. Nachdem das Fassungsvermögen bereits 1938 auf 50.000 erhöht worden war, wurde es zwischen 1953 und 1955 durch Tieferlegung des Spielfeldes noch einmal für 1,5 Millionen Mark (darunter 800.000 Mark Totogelder) auf knapp 90.000 gesteigert. Zum Start der Bundesliga wurde die Gegengerade 1963 komplett mit Sitzplätzen ausgerüstet, so dass fortan 70.739 Plätze (davon 23.239 Sitze) zur Verfügung standen. Für die WM 1974 wurde das Waldstadion 1972/73 vollständig umgebaut. Die alte Haupttribüne musste einem Neubau weichen, die Gegengerade wurde komplett überdacht. Das Fassungsvermögen reduzierte sich dadurch auf 61.146 (30.546 Sitzplätze, davon 20.364 überdacht).

Durch die Beschlüsse von FIFA und UEFA nach den Stadionkatastrophen von Bradford (1985) und Hillsborough (1989), große internationale Turniere und Europapokalspiele nur noch in reinen Sitzplatzstadien zuzulassen, war das Schicksal des Waldstadions in seinem damaligen Zustand besiegelt. Hochtrabende Pläne gab es zunächst viele. So sollte Mitte der 1990er Jahre auf den Übungsplätzen hinter der Haupttribüne ein „Weltstadion" mit 45.000 Sitzplätzen, beweglichem Dach und „Roll-in/Roll-out-Rasen" (inzwischen in der „Arena Auf-Schalke" verwirklicht) entstehen. Als sich dafür aber keine Investoren fanden, vereinbarten Stadt und Eintracht 1998, das alte Stadion in eine reine Fußball-Arena zu verwandeln. Aus dem geplanten Baubeginn 1999 wurde jedoch nichts.

Erst nach dem Zuschlag für die WM-Ausrichtung 2006 in Deutschland kam wieder Bewegung in die Stadionfrage. Nachdem Stadt und Land beträchtliche Mittel zugesagt hatten, wurde im Sommer 2002 mit dem auf 126 Millionen Euro veranschlagten Umbau in eine reine Fußball-Arena begonnen, die für internationale Spiele eine Kapa-

Das Waldstadion, wie es bis 2002 aussah.

zität von 48.500 Sitzplätzen hat. Durch partielle Umwandlung von Sitz- in Stehplätze erhöht sich diese für Bundesligaspiele auf 51.500 (davon 9.300 Stehplätze). Auf zwei Ebenen sind 76 Logen für knapp 1.000 Zuschauer sowie im Unterrang der Haupttribüne 2.200 Business-Seats angeordnet. Mit dem Abriss der Radrennbahn, in die seit 1960 eine Freiluft-Kunsteisbahn integriert war, verschwand ein weiterer Teil der Originalanlage von 1925. Heute befinden sich dort Parkplätze für die Busse der Gästefans.

Zuerst wurden bis Anfang 2003 anstelle der Stehplatz-Kurven zwei Hintertortribünen erstellt. Mit Sprengung des Daches waren Ende Februar auch die Tage der Gegentribüne gezählt. Als Letztes kam die Haupttribüne dran, von der die Fans am 25. Mai mit dem Aufstiegskrimi gegen den SSV Reutlingen Abschied nahmen. Am 12. Mai 2004 konnte Richtfest gefeiert werden. Insgesamt wurden 80.000 Kubikmeter Beton und 12.000 Tonnen Stahl verbaut sowie 250.000 Kubikmeter Erde bewegt. Rund anderthalb Jahre nahm die Konstruktion des Daches mit Videowürfel in Anspruch.

Zur WM 2006 wurde aus dem Waldstadion eine reine Fußball-Arena.

Nach dem „Big Lift", dem Hochfahren des Seiltragwerks, im Juli 2004 folgte die Bespannung mit teflonbeschichtetem Glasfasergewebe. Rechtzeitig zum Confederations Cup 2005, bei dem das Eröffnungs- und das Endspiel in Frankfurt stattfanden, präsentierte sich das altehrwürdige Waldstadion als „Frankfurts größtes Cabrio" und unter neuem Namen. Von 2005 bis 2020 hieß es nämlich offiziell „Commerzbank-Arena". Im Sommer 2020 übernahm die Eintracht das Stadion in Eigenregie, wodurch sich der Klub höhere Vermarktungserlöse erhofft. Auch die Namensrechte liegen fortan bei der Eintracht. So wurde aus der „Commerzbank-Arena" der „Deutsche Bank Park". „Wir übernehmen das Stadion als Dauermieter für die nächsten 15 Jahre und damit quasi auch als Betreiber", erklärte Eintracht-Vorstand Axel Hellmann auf der Mitgliederversammlung am 26. Januar 2020. „Wir zahlen dafür eine Komplettmiete in Höhe von acht Millionen Euro jährlich [, . . .] bekommen dafür [aber] alle Einnahmen: Das

gilt für unsere Spiele, das Catering, die Vermarktung und Konzertveranstaltungen. Das ist ein großer Schritt für uns." (kicker vom 27. Januar 2020)

Bei den Fans sind die Umbenennungen umstritten. Ein Versuch, mit einem möglichen Gewinn bei einer vom „Nordwestkurve e. V." organisierten gemeinsamen Lotto-Aktion bei der Neuvergabe der Namensrechte mitbieten zu können, brachte 2014 allerdings nur 384,20 Euro. Immerhin verzichtete die Commerzbank am 20. Mai 2017 für einen Tag auf ihr Namensrecht, so dass die Eintracht am letzten Spieltag der Saison 2016/17 gegen RB Leipzig im „Waldstadion" antrat. Mehr Erfolg dürfte die „Initiative Stadionausbau" mit ihren Forderungen nach Erhöhung der Kapazität auf 61.000 haben, wobei der Anteil der Stehplätze für Eintracht-Anhänger auf 20.000 (13.000 mehr als bisher) steigen soll. Die Stadt hat im Hinblick auf die EM-Endrunde 2024 in Deutschland den Ausbau zugesichert. Einen neuen Videowürfel könnte es schon zum Start der Saison 2020/21 geben. Außerdem sollen künftig die Vereinsfarben Rot-Schwarz und Weiß das bisherige Dunkelbau ablösen.

Bleibt zu hoffen, dass nach dem Umbau Pannen wie beim Finale des Confederations Cup 2005 (Brasilien – Argentinien 4:1) ausbleiben, als sich bei sintflutartigen Regenfällen aufgrund einer fehlerhaften Verspannung Wasser in einer Mulde des Daches sammelte und sich in Höhe einer Eckfahne ins Stadioninnere ergoss. Als im Oktober 2005 bei ähnlichen Witterungsverhältnissen vor dem Heimspiel gegen Schalke die Technik erneut versagte und erneut Sturzbäche auf den Rasen prasselten, lachte ganz Deutschland über die Frankfurter „Dachschäden". Erinnerungen wurden wach an das WM-Spiel 1974 gegen Polen, das als „Wasserschlacht von Frankfurt" in die Geschichte eingegangen ist. Doch nicht nur Wasser machte den Verantwortlichen in der Vergangenheit zu schaffen. 1978 musste das Länderspiel gegen Ungarn nach einer Stunde abgebrochen werden, weil sich während der Halbzeitpause dichter Nebel über das Stadion gelegt hatte. Trotz aller Pannen in der nun 95-jährigen Geschichte gehört das von den Fans weiterhin liebevoll „Waldstadion" genannte Frankfurter Stadion sicherlich zu den beeindruckendsten Sportstätten Deutschlands. Während des

Blick in die Zukunft. So könnte sich das Stadion in den nächsten 15 Jahren präsentieren.

Confederations Cups 2005 und der WM 2006 traten hier Mannschaften aus allen sechs FIFA-Kontinentalverbänden an.

Neben der Eintracht nutzten auch andere Vereine aus der Region den Komfort der neuen Arena, so der 1. FSV Mainz 05 für seine UEFA-Pokal-Heimspiele 2005/06. Zu Beginn der Saison 2007/08 trug der SV Wehen Wiesbaden vier Zweitligaspiele in Frankfurt aus. 2008/09 und im Zweitliga-Derby gegen die Eintracht 2011 war der FSV Frankfurt zu Gast. Rund 30.000 Fans lockte am 30. Juli 2006 das Spiel um den türkischen Supercup zwischen Besiktas und Galatasaray Istanbul (1:0) an. Auf Zuschauer verzichten musste dagegen die mit einer Platzsperre belegte türkische Nationalmannschaft, die 2006/07 drei ihrer EM-Qualifikationsspiele in Frankfurt austrug. Ein (inzwischen übertroffener) Rekord für Frauenländerspiele in Europa wurde am 22. April 2009 aufgestellt, als 44.825 Zuschauer das 1:1 von Weltmeister Deutschland gegen Brasilien sehen wollten. 2011 wurde das Endspiel der Frauen-WM zwischen Japan und den USA im Frankfurter Stadion ausgetragen.

Doch nicht nur zu König Fußball strömten die Fans ins Stadion. 1966 verteidigte hier Box-Legende Muhammad Ali seinen WM-Titel im Schwergewicht gegen Karl Mildenberger aus Kaiserslautern. Auch American Football hatte im Waldstadion seine Klientel. In der letzten Saison der NFL Europe sahen 2007 im Schnitt 33.043 Fans die Spiele von Frankfurt Galaxy. 44.189 Zuschauer wollten beim „Tag des Handballs" am 6. September 2014 das Bundesligaspiel der Rhein-Neckar Löwen gegen den HSV Hamburg (26:24) sehen, 30.000 das Auftaktspiel der DEL2 am 10. September 2016 zwischen den Löwen Frankfurt und den Kassel Huskies (4:5 in Overtime). Einen nachhaltigen Eindruck hinterließ Pop-Diva Madonna im September 2008, nach deren Auftritt der Rasen so mitgenommen war, dass das folgende Heimspiel der Eintracht gegen den Karlsruher SC verlegt werden musste. 2009 fand das Internationale Deutsche Turnfest mit fast 100.000 Teilnehmern zum fünften Mal in der Mainmetropole – und zum dritten Mal nach 1948 und 1983 auch im Stadion – statt.

Länderspiele im Frankfurter Waldstadion

2.3.1930	Deutschland – Italien	0:2	45.000	
14.1.1934	Deutschland – Ungarn	3:1	38.000	
24.4.1938	Deutschland – Portugal	1:1	54.000	
14.7.1940	Deutschland – Rumänien	9:3	35.000	
21.11.1956	Deutschland – Schweiz	1:3	80.000	
19.3.1958	Deutschland – Spanien	2:0	81.000	
8.3.1961	Deutschland – Belgien	1:0	65.000	
28.9.1963	Deutschland – Türkei	3:0	47.000	
26.3.1969	Deutschland – Wales	1:1	40.000	
13.2.1974	Jugoslawien – Spanien	1:0	62.000	WM-Qualifikation
27.3.1974	Deutschland – Schottland	2:1	60.000	
13.6.1974	Jugoslawien – Brasilien	0:0	62.000	WM-Eröffnungsspiel
18.6.1974	Brasilien – Schottland	0:0	50.000	WM-Vorrunde
22.6.1974	Jugoslawien – Schottland	1:1	60.000	WM-Vorrunde
30.6.1974	Polen – Jugoslawien	2:1	55.000	WM-Zwischenrunde
3.7.1974	Deutschland – Polen	1:0	62.000	WM-Zwischenrunde
17.5.1975	Deutschland – Niederlande	1:1	55.000	
8.3.1978	Deutschland – UdSSR	1:0	54.000	
15.11.1978	Deutschland – Ungarn	0:0	50.000	nach 60 Min. wegen Nebel abgebrochen
13.5.1980	Deutschland – Polen	3:1	35.000	
12.3.1986	Deutschland – Brasilien	2:0	52.000	
14.6.1988	Italien – Spanien	1:0	51.790	EM-Vorrunde
18.6.1988	England – UdSSR	1:3	53.000	EM-Vorrunde
27.3.1991	Deutschland – UdSSR	2:1	30.000	
30.5.1998	Deutschland – Kolumbien	3:1	50.000	
15.6.2005	Deutschland – Australien	4:3	46.466	ConfedCup-Eröffnungsspiel
19.6.2005	Griechenland – Japan	0:1	34.314	ConfedCup-Vorrunde
22.6.2005	Griechenland – Mexiko	0:0	31.285	ConfedCup-Vorrunde
29.6.2005	Brasilien – Argentinien	4:1	45 591	ConfedCup-Endspiel
10.6.2006	England – Paraguay	1:0	48.000	WM-Vorrunde
13.6.2006	Südkorea – Togo	2:1	48.000	WM-Vorrunde
17.6.2006	Portugal – Iran	2:0	48.000	WM-Vorrunde
21.6.2006	Niederlande – Argentinien	0:0	48.000	WM-Vorrunde
1.7.2006	Brasilien – Frankreich	0:1	48.000	WM-Viertelfinale
6.9.2006	Türkei – Malta	2:0	ohne Z.	EM-Qualifikation
11.10.2006	Türkei – Moldawien	5:0	ohne Z.	EM-Qualifikation
28.3.2007	Türkei – Norwegen	2:2	ohne Z.	EM-Qualifikation
21.11.2007	Deutschland – Wales	0:0	49.262	EM-Qualifikation
3.6.2010	Deutschland – Bosnien-Herzegowina	3:1	48.000	
15.8.2012	Deutschland – Argentinien	1:3	48.808	
4.9.2015	Deutschland – Polen	3:1	48.500	EM-Qualifikation
19.11.2019	Deutschland – Nordirland	6:1	42.855	EM-Qualifikation

42 Spiele, davon 24 mit deutscher Beteiligung: 16 Siege, 5 Unentschieden, 3 Niederlagen,
53:25 Tore; 10 WM-Spiele, 1 WM-Qualifikationsspiel, 4 Confederations-Cup-Spiele,
2 EM-Spiele, 6 EM-Qualifikationsspiele

Frauen-Länderspiele:

6.4.2000	Deutschland – Italien	3:0	5.800	EM-Qualifikation
22.4.2009	Deutschland – Brasilien	1:1	44.825	
30.6.2011	Deutschland – Nigeria	1:0	48.817	WM-Gruppenspiel
6.7.2011	Äquatorialguinea – Brasilien	0:3	35.859	WM-Gruppenspiel
13. 7. 2011	Japan – Schweden	3:1	45.434	WM-Halbfinale
17.7.2011	Japan – USA	n.V. 2:2, Elfm. 3:1	48.817	WM-Endspiel

Gastmannschaften aus allen sechs FIFA-Kontinentalverbänden:

Europa: Jugoslawien, Polen, Türkei (je 4x), Italien, Schottland, Spanien, UdSSR (je 3x), England, Griechenland, Niederlande, Portugal, Ungarn, Wales (je 2x), Belgien, Bosnien-Herzegowina, Frankreich, Malta, Moldawien, Nordirland, Norwegen, Rumänien, Schweden, Schweiz (je 1x)
Südamerika: Brasilien (7x), Argentinien (3x), Kolumbien, Paraguay (je 1x)
Ozeanien: Australien (1x)
Asien: Japan (3x), Südkorea, Iran (je 1x)
Nord-/Mittelamerika: Mexiko, USA (je 1x)
Afrika: Äquatorialguinea, Nigeria, Togo (je 1x)

Europapokal-Endspiele:

21.5.1980	Eintracht Frankfurt – Bor. Mönchengladbach	1:0	UEFA-Pokal (Hinspiel 2:3)
23.5.2002	1. FFC Frankfurt – Umea IK	2:0	UEFA-Pokal Frauen
24.5.2008	1. FFC Frankfurt – Umea IK	3:2	UEFA-Pokal Frauen (Hinspiel 1:1)

Endspiele um die Deutsche Meisterschaft:

7.6.1925	1. FC Nürnberg – FSV Frankfurt	n.V. 1:0
13.6.1926	SpVgg Fürth – Hertha BSC	4:1
25.6.1960	Hamburger SV – 1. FC Köln	3:2

Endspiele um den DFB-Pokal:

4.6.1966	Bayern München – Meidericher SV	4:2	
14.6.1969	Bayern München – FC Schalke 04	2:1	
26.6.1976	Hamburger SV – 1. FC Kaiserslautern	2:0	
1.5.1982	SSG Berg. Gladbach – VfL Wildeshausen	6:0	Frauen-Endspiel
1.5.1982	Bayern München – 1. FC Nürnberg	4:2	
31.5.1984	Bayern München – Bor. Mönchengladbach	n.V. 1:1, Elfmeterschießen 7:6	

Spiele um den deutschen Supercup:

28.7.1987	Bayern München – Hamburger SV	2:1
20.7.1988	Eintracht Frankfurt – Werder Bremen	0:2
12.8.2018	Eintracht Frankfurt – Bayern München	0:5

Spiel um den türkischen Supercup:

30.7.2006	Besiktas Istanbul – Galatasaray Istanbul	1:0

Die Macht am Main

Wegen der erneuten Änderung des Spielsystems begann die Meisterschaft 1927/28 bereits am 31. Juli. Durch die Neueinteilung des Verbandsgebietes gab es jetzt vier Bezirke, die je zwei Gruppen umfassten. In der Gruppe Main der Bezirksliga Main-Hessen gingen elf Vereine an den Start. Da künftig neben den acht Gruppenmeistern, die den Süddeutschen Meister ermittelten, auch die Zweit- und Drittplatzierten die Chance hatten, sich über die Trostrunde (die so genannte „Runde der Zweiten und Dritten") für die Endrunde an der Deutschen Meisterschaft zu qualifizieren, standen die Chancen der Eintracht recht günstig. Nachdem zum Auftakt die Offenbacher Kickers bei unerträglicher Hitze mit 2:0 bezwungen wurden, gab es auch in den folgenden acht Spielen keinen Punktverlust, so dass die Eintracht am 2. Oktober mit 18:0 Punkten und 36:6 Toren ins erste Derby mit dem FSV ging.

1927/28 ■ Neue Trainingsmethoden machen sich bezahlt

Da auch die Bornheimer bis dato noch keinen Punkt abgegeben hatten, pilgerten 25.000 Fans an den Riederwald. In einem sehr guten Spiel erzielten Ehmer für die Eintracht und Strehlke für den Sportverein bereits vor der Pause die Tore zum 1:1. Hatte diese Zuschauermenge bereits neuen Punktspielrekord im Mainbezirk bedeutet, so stellte die Kulisse beim Rückspiel vier Wochen später alles bisher Dagewesene in den Schatten: 40.000 sahen im Stadion den ersten Punktspielsieg der Eintracht über den FSV seit dem 16. Dezember 1923. Ehmer in der 40. Minute und Schaller unmittelbar nach der Pause erzielten die Tore zum 2:0. Sowohl „Der Kicker" als auch der „Fußball" lobten die Eintracht in höchsten Tönen. Während der „Fußball" den 30. Oktober 1927 einen „weithin sichtbaren Markstein in der Geschichte des Frankfurter Fußballsports" nannte und die Zuschauerkulisse mit „englischen Verhältnissen" verglich, stellte „Der Kicker" die unter dem neuen Trainer Gustav Wieser – einem 26-maligen österreichischen Nationalspieler – erreichten spieltechnischen Fortschritte in den Vordergrund: „Sieh da! Die weiche, fast verweichlichte Eintracht hat zu kämpfen gelernt ... Eintracht war eine Mannschaft mit der rückhaltgebenden Stärke des gewohnten Zusammenspiels ... Eintracht hat Haltung in großen Spielen bekommen, auch in dem nervenaufreibenden Lokalkampf." („Der Kicker" vom 1. November 1927)

Unterstützt wurde Wieser durch die Leichtathleten Otto Boer und Dr. Friedrich Wilhelm Wichmann, die für die Konditionsarbeit und medizinische Betreuung verantwortlich waren – für damalige Verhältnisse sensationelle Neuerungen. Diese neuen Trainingsmethoden verbesserten nicht nur das Sprint- und Sprungvermögen der Spieler. Wie der Eintracht-Spieler James Müller in einem Interview mit Richard Kirn im

„Fußball" vom 31. Januar 1928 erzählte, lief jeder Spieler die 100 Meter unter 11,2 Sekunden und sprang in Fußballkluft mindestens 1,40 m hoch. Besonders geschätzt wurde die psychologische Arbeit des Arztes Dr. Wichmann, der seine Leute genau kannte: „Jeden einzelnen Spieler. Weiß ihn zu behandeln, weiß Tadel und Ansporn zur rechten Zeit zu geben." Auf dem Spielfeld schlug sich die Arbeit des Trios in folgenden Zahlen nieder: 20 Siege, ein Unentschieden, eine Niederlage (1:2 bei Rot-Weiss Frankfurt), 41:3 Punkte, 94:13 Tore. Fünf Punkte betrug der Vorsprung am Ende auf den Zweiten FSV, gar elf auf den Dritten Rot-Weiss.

Einen Fehlstart gab es allerdings in den Spielen um die Süddeutsche Meisterschaft. Vor 15.000 Zuschauern unterlag die Eintracht am 1. Januar 1928 dem späteren Meister Bayern München mit 0:2. Außerdem wurde Mittelstürmer Ehmer, der in den Punktspielen 34 Tore erzielt hatte, nach einer Tätlichkeit des Feldes verwiesen und für zwei Monate gesperrt. Für ihn rückte Dietrich in die Sturmmitte und sorgte mit dafür, dass der Eintracht-Express wieder in Fahrt kam. Nach einem 1:1 bei den Stuttgarter Kickers gab es fünf Siege in Folge, so dass die Eintracht am 11. März als Tabellenzweiter zum „Spiel der Spiele" nach München reiste. Auf schneebedecktem Boden lagen die Frankfurter schon nach sieben Minuten durch Kissinger und Schaller mit 2:0 vorn, mussten aber kurz vor dem Pausenpfiff den Anschlusstreffer hinnehmen. Und obwohl Dietrich angeschlagen ins Spiel gegangen und Schaller nach einer frühen Verletzung in der zweiten Halbzeit nur noch als Statist auf dem Platz war, hätte die Eintracht das Spiel nach dem Wechsel für sich entscheiden können. So aber nutzte Haringer in der 80. Minute den einzigen Fehler des besten Eintrachtlers, Torhüter Trumpp, zum 2:2-Ausgleich.

Sightseeing anno 1928: Die Eintracht-Mannschaft anlässlich des Endrundenspiels um die Deutsche Meisterschaft vor dem Kölner Dom.

Immerhin hatten die Riederwälder aber den zweiten Platz behauptet und lagen zwei Punkte vor der SpVgg Fürth. Am 1. April hätte gegen die Fürther im Frankfurter Stadion bereits die Vorentscheidung fallen können. Vor 35.000 Zuschauern konnten jedoch zahlreiche gute Chancen nicht genutzt werden, so dass es am Ende 2:3 hieß. Jetzt war die Eintracht auf fremde Mithilfe angewiesen, um noch Zweiter zu werden. Da die Münchner Bayern sich bereits am vorletzten Spieltag mit einem 2:0 im Ronhof die Süddeutsche Meisterschaft sicherten, musste das letzte Heimspiel gegen den SV Waldhof unbedingt gewonnen werden. Doch die Eintracht wäre nicht die Eintracht, wenn sie nicht nach der Devise „Warum einfach, wenn es auch umständlich geht" gehandelt hätte. Nach 29 Minuten war eine komfortable 5:1-Führung herausgeschossen. Dann

aber machten sich die Mannheimer dran, Tor auf Tor aufzuholen: 5:2 in der 44., 5:3 in der 57., 5:4 in der 65. Minute. Damit hatten die Gäste jedoch ihr Pulver verschossen, und die Eintracht war als Süddeutscher Vizemeister erstmals bei der Endrunde um die Deutsche Meisterschaft dabei.

Wegen des Olympischen Fußballturniers in Amsterdam – bei dem die Eintracht durch den Schweizer Internationalen Walter Dietrich vertreten war – wurde die Endrunde erst im Juli ausgetragen. In der Vorbereitung gab es ein Wiedersehen mit West Ham United, das diesmal gegen eine sehr starke Eintracht-Elf nur zu einem schmeichelhaften 2:1-Sieg kam. Am 8. Juli 1928 war es dann so weit: Die Eintracht feierte bei der SpVgg Sülz 07 ihre Premiere in der Endrunde zur Deutschen Meisterschaft. Ohne Spielmacher Dietrich agierte sie vor 35.000 Zuschauern im Müngersdorfer Stadion jedoch zu aufgeregt und überhastet. Zudem verletzte sich Mittelläufer Goldammer bereits nach einer Viertelstunde, wenig später auch Kübert. Swatosch (26.) und Zarges (38.) nutzten dieses Handicap zur 2:0-Führung. Ehmers Anschlusstreffer (42.) ließ noch einmal Hoffnung bei den in einem Sonderzug mitgereisten 700 Eintracht-Anhängern keimen, doch mehr als zwei Holztreffer durch Schaller und Ehmer sprangen nicht heraus. Zehn Minuten vor Schluss stellte der österreichische Alt-Internationale Swatosch den 3:1-Endstand her.

1928/29 ■ Paul Oßwald übernimmt das Kommando

In der Saison 1928/29 bewahrheitete sich einmal mehr die alte Fußball-Weisheit, dass das zweite Jahr eines Höhenflugs schwieriger als das erste ist. Die Eintracht war nun kein unbeschriebenes Blatt mehr. Für den zum aufstrebenden FC Schalke 04 gewechselten Trainer Wieser hatte der erst 23-jährige Paul Oßwald die Kommandobrücke am Riederwald betreten. Oßwald nahm zahlreiche Umstellungen im Mannschaftsgefüge vor, was anfänglich nicht zur Stabilität beitrug. Zum Vergleich: In den 22 Punktspielen 1927/28 waren nur 15 Spieler eingesetzt worden, 1928/29 wurden für 18 Spiele auch 18 Spieler benötigt. Bekanntester Neuling am Riederwald war Nationalspieler Hugo Mantel (Dresdner SC), der sich auf Anhieb einen Stammplatz sicherte.

Wichtig für die erfolgreiche Titelverteidigung war eine spielerischen Steigerung im richtigen Moment. Nach durchwachsenem Start fand sich die Mannschaft und legte eine Serie von sechs Siegen in Folge hin, in deren Verlauf an drei aufeinander folgenden Wochenenden die Hauptkonkurrenten um die vorderen Plätze geschlagen wurden: Zunächst gab es vor 25.000 Zuschauern im Stadion ein 5:2 gegen den FSV, dann ein 3:1 gegen die Offenbacher Kickers und schließlich ein 2:1 bei Rot-Weiss vor 17.000 an der Festhalle. Zwar ging das Rückspiel gegen den FSV (diesmal vor über 30.000 im Stadion) mit 2:4 verloren, am Ende lag die Eintracht jedoch mit 27:9 Punkten zwei Zähler vor den Bornheimern und Union Niederrad.

Zum Auftakt in die süddeutsche Endrunde sahen 20.000 Zuschauer im Stadion ein deutliches 4:0 über den württembergischen Überraschungsmeister Germania Brötzingen. Nur ein Punkt aus den nächsten sieben Begegnungen kostete jedoch die erneute Teilnehme an der Endrunde um die Deutsche Meisterschaft. Da half auch eine eindrucksvolle Serie von sechs Siegen zum Abschluss nichts mehr. Mehr als Platz 4 war nicht mehr drin. Dafür hatte die Eintracht mit 89.000 den zweitbesten Zuschauerzuspruch hinter Bayern München (108.000) und vor dem überlegenen Südmeister 1. FC Nürnberg (65.000) aufzuweisen.

Ein besonderes Ereignis war auch das Länderspiel Deutschland - Schweiz (7:1) am 10. Februar 1929 in Mannheim, in dem mit Franz Schütz zum ersten Mal ein Eintracht-Spieler das Trikot der deutschen Nationalmannschaft tragen durfte. Neben dem gebürtigen Offenbacher, der 1925 aus Köln vom Mülheimer SV an den Riederwald gekommen war, vertraten auch Torhüter Willibald Kreß (Rot-Weiss) und Georg Knöpfle (FSV) die Farben der Stadt Frankfurt, die damit nach Fritz Becker vom Eintracht-Vorgänger Frankfurter Kickers (1908), Georg Wunderlich (Helvetia, 1920) und Fritz Schnürle (Germania 94, 1921) sechs Nationalspieler aus sechs verschiedenen Vereinen vorweisen konnte. Für eine Zeit, in der jährlich nur fünf oder sechs Länderspiele stattfanden, wahrlich keine schlechte Ausbeute.

Paul Oßwald

Paul Oßwald wurde am 4. Februar 1905 im thüringischen Saalfeld geboren, wo er beim VfL 06 mit dem Fußball begann. Während seines Studiums an der Deutschen Hochschule für Leibesübungen in Berlin spielte er für Minerva 93. Auf Empfehlung von Reichstrainer Otto Nerz kam Paul Oßwald 1928 an den Riederwald, wo er zunächst auf Probe arbeitete. Sein erstes Engagement bei der Eintracht dauerte bis 1933. In dieser Zeit holte er zwei Süddeutsche Meisterschaften (1930, 1932) und führte die Mannschaft 1932 ins Endspiel um die Deutsche Meisterschaft.

Nach zwei Jahren beim 1. FSV Mainz 05 kehrte Oßwald 1935 an den Riederwald zurück und wurde 1938 Gaumeister. Danach wurde er zum Leiter des Stadtamtes für Leibesübungen nach Frankenthal berufen und trainierte bis 1941 auch den dortigen VfR. Nach dem Krieg trainierte er ab 1946 die Offenbacher Kickers, mit denen er ebenfalls zweimal Süddeutscher Meister (1949, 1955) wurde und 1950 das Endspiel um die Deutsche Meisterschaft erreichte.

1958 übernahm er zum dritten Mal den Trainerposten bei der Eintracht und feierte im folgenden Jahr seinen größten Erfolg: Deutscher Meister 1959. Pikanterweise gegen seinen Ex-Klub Kickers Offenbach. Schon im Rennen um den Oberliga-Titel hatte man den Rivalen von der anderen Mainseite hinter sich gelassen. Im Endspiel siegte die Eintracht dann im Berliner Olympiastadion mit 5:3 nach Verlängerung. Ein Jahr später führte Oßwald die Riederwälder als erste deutsche Mannschaft ins Finale des Europapokals der Landesmeister (3:7 gegen Real Madrid in Glasgow).

Paul Oßwald war auch der erste Bundesligatrainer der Eintracht, musste aber schon nach vier Spielen wegen einer Mandelentzündung bis Ende 1963 von seinem Assistenten Ivica Horvat vertreten werden. Nach zwei Herzinfarkten kam dann am 16. Januar 1965 das endgültige Aus. 1968 kehrte er noch einmal nach Offenbach zurück, konnte jedoch den Bundesliga-Abstieg der Kickers auch nicht verhindern. Im November 1969 nahm er Abschied von der Trainerbank, sprang aber im September 1975 noch einmal als Nothelfer für den vom DFB gesperrten Otto Rehhagel bei den Kickers ein. Paul Oßwald verstarb am 10. November 1993 im Alter von 88 Jahren in Frankfurt am Main.

1929/30 ■ Zum ersten Mal Süddeutscher Meister

Im Gegensatz zum Vorjahr gab es im Sommer 1929 nur wenig Veränderungen im Ein-tracht-Kader. Lediglich Kissinger hatte den Verein verlassen. Für ihn rückte der Schwei-zer Dietrich wieder auf die linke Halbstürmerposition. Von den Neuzugängen konnte sich der vielseitig verwendbare Bernhard Leis, der aus Kelsterbach an den Riederwald gewechselt war, sofort einen Stammplatz sichern, während Rudolf Gramlich, der nach drei Jahren bei den Sportfreunden Freiberg/Sachsen nach Frankfurt zurückgekehrt war, erst im Oktober 1929 in die Liga-Elf aufrückte. In der Abwehr feierte Veteran Willy Pfeiffer neben Nationalspieler Schütz ein gelungenes Comeback. Behutsam aufgebaut wurde der junge Hans Stubb, der schon 1928 von der SpVgg Ostend 07 gekommen war und Schütz mehr als einmal hervorragend vertrat.

Was die Mannschaft zu leisten imstande war, bewies sie in der Vorbereitung, als sie Westmeister FC Schalke 04 – mit Szepan und Kuzorra – am Riederwald mit 6:1 vom Platz fegte. Nicht ganz so torreich verliefen die meisten Saisonspiele. Nach zwei Unent-schieden bei Germania Bieber und den Offenbacher Kickers gab es zwar zehn Siege in Folge, davon allerdings sechs mit nur einem Tor Vorsprung (vier 1:0). Demgegenüber stand aber auch nur eine einzige Niederlage – am letzten Spieltag mit 2:3 bei Union Niederrad (nach 2:0-Führung). 33:12 Tore und 23:5 Punkte verwiesen am Ende die Konkurrenz von Rot-Weiss, FSV und Union Niederrad abgeschlagen (je 16:12) auf die Plätze zwei bis vier.

Welches Potenzial in dieser Mannschaft steckte, hatte der „Fußball" schon in der Vorrunde erkannt: „Das System der Eintracht ist ein Gemisch von schottischem Kurz-pass und modernem, raumgreifenden Spiele, gewissermaßen das alte System auf die Neuerungen der Abseitsregel und W-Formation eingestellt. Die Entwicklung dieser durchschnittlich noch jungen Mannschaft, die mit gutem Ersatz rechnen kann, bedeu-tet eine ernsthafte Konkurrenz für die Hochburgen Bayerns."

Süddeutscher Meister 1930: Stehend von links: Trainer Oßwald, Rist (Spielausschuss), Mantel, Pfeiffer, Stubb, Schüler, Goldammer, Gramlich, Ehmer, Leis, Buhlmann (Spiel-ausschuss), Schütz, Trumpp. Kniend: Kellerhoff, Dietrich, Trumpler.

In der Endrunde um die Süddeutsche Meisterschaft gelang ein Traumstart. Nach einem 3:2 beim Freiburger FC wurde am 12. Januar 1930 die SpVgg Fürth vor 25.000 Zuschauern im Stadion durch Tore von Trumpler und Ehmer mit 2:1 geschlagen. „Die große Stunde des Frankfurter Fußballsports – Eintracht schlägt den Deutschen Meister" schrieb der „Fußball" im Januar 1930 und fuhr fort: „Eintracht hat heute erstmals eine Bresche in die Vorherrschaft der Nürnberg-Fürther geschlagen. Die Fürther besiegt haben schon andere, auch die Eintracht selbst. Aber es waren doch mehr oder minder Augenblickserfolge. Irgendwie waren damals die Fürther geschwächt. Diesmal sind sie e r s t m a l s i n s t ä r k s t e r A u f s t e l l u n g geschlagen worden! Und was noch mehr heißt: nach vollständig ebenbürtigem Spiel geschlagen worden! Das ist die große Stunde der Eintracht und des Frankfurter Fußballsports."

Selbst die schon fast obligatorische Niederlage bei den Münchner Bayern, die mit 1:5 allerdings recht deftig ausfiel, konnte die Eintracht nicht stoppen. In den verbleibenden zehn Spielen wurde nur noch ein einziger Punkt (1:1 bei der SpVgg Fürth) abgegeben, so dass die erste Süddeutsche Meisterschaft bereits am drittletzten Spieltag unter Dach und Fach war. Mit 24:4 Punkten betrug der Vorsprung auf den Zweiten SpVgg Fürth am Ende sieben Punkte. So deutlich hatte sich bisher noch keine Mannschaft in den Schluss-Spielen durchgesetzt.

Der Aufschwung des Frankfurter Fußballs wurde auch von höherer Stelle honoriert. Am 2. März 1930 fand im Stadion ein Länderspiel gegen Italien (0:2) statt, bei dem vor 45.000 Zuschauern Knöpfle vom FSV und Mantel von der Eintracht mitwirkten. Am 4. Mai gab Hans Stubb in Zürich an der Seite von Franz Schütz sein Debüt in der Nationalmannschaft, die gegen die Schweiz 5:0 siegte. Beim sensationellen 3:3 gegen England eine Woche später in Berlin standen gar drei Eintrachtler in der deutschen Elf: die Verteidiger Schütz und Stubb und der linke Läufer Mantel. Dahinter hütete in beiden Spielen mit Willibald Kreß (Rot-Weiss) ein weiterer Frankfurter das Tor. Auf der Tribüne verfolgte übrigens die gesamte Eintracht-Mannschaft das erste deutsche Länderspiel gegen eine englische Profi-Auswahl.

Leider verliefen die Spiele um die Deutsche Meisterschaft weniger erfolgreich. In der Vorrunde hatte es die Eintracht mit dem West-Dritten VfL Benrath zu tun, der sich vor 15.000 Zuschauern im Stadion als knüppelharter Gegner erwies. So musste in der 42. Minute Schütz verletzt vom Platz getragen werden. Außerdem gab es zwei Platzverweise gegen die Düsseldorfer Vorstädter. Ein Tor von Ehmer in der 75. Minute reichte zum Einzug ins Viertelfinale, in dem die Eintracht auf den vermeintlich schwächsten Gegner, Nordmeister Holstein Kiel, traf. Doch just zu diesem Zeitpunkt drückten die Eintracht Abwehrprobleme. Stubb und Schütz waren angeschlagen, wovon sich Stammkeeper Trumpp anstecken ließ und bei einem Test bei den Stuttgarter Kickers (3:4) einen überaus nervösen Eindruck machte. Also musste der unerfahrene Schüler ran, der vorher lediglich drei Pflichtspiele in der Liga-Mannschaft bestritten hatte. Das Spiel auf dem Berliner Preussen-Platz endete mit einer „Katastrophe des süddeutschen Meisters" („Fußball" vom 3. Juni 1930). Bereits nach 51 Minuten lagen die „Adlerträger" gegen die Kieler „Störche" mit 0:3 zurück, wobei Schüler zweimal schwer patzte. Trumpler konnte mit zwei Toren lediglich für eine Ergebniskosmetik sorgen. Am Ende siegte Holstein mit 4:2 und erreichte schließlich das Endspiel, unterlag dort jedoch Hertha BSC Berlin 4:5.

Auf jeden Fall wurden die Lehren aus der Torhütermisere gezogen. Bereits eine Woche später stand im Freundschaftsspiel beim SC Erfurt (5:0) mit Ludwig Schmitt von der SpVgg Oberrad ein neuer Mann zwischen den Pfosten. Mit ihm kehrte die Sicherheit in die Hintermannschaft zurück. Neu in der Mannschaft auch Halbstürmer August Möbs, der bereits im März vom VfB Friedberg an den Riederwald gekommen war.

1930/31 ■ Die Wirtschaftskrise fordert ihren Tribut

Auch in diesem Jahr gewann die Eintracht die Mainmeisterschaft wieder unangefochten mit fünf Punkten Vorsprung auf Union Niederrad und Rot-Weiss. Diese Dominanz und die einsetzende Wirtschaftskrise schlugen sich jedoch bei den Zuschauerzahlen nieder. So wurden bei den Derbys gegen den FSV, der in dieser Saison eine „Auszeit" genommen hatte, nur noch 12.000 bzw. 15.000 Zuschauer gezählt, die zwei Eintracht-Siege (3:1 und 2:0) sahen.

In den Spielen um die Süddeutsche Meisterschaft erwies sich zunächst das Wetter als härtester Gegner. Nachdem bereits am 25. Januar 1931 das Spiel beim FK Pirmasens ausgefallen war, musste am 22. Februar die Begegnung gegen Bayern München nach 15 Minuten abgebrochen werden, da das Spielfeld im Stadion einer „Matschgrube" glich. Bei der Eintracht war man besonders verärgert, weil auf dem nicht vom Schnee geräumten Platz zuvor (!) bereits das Trostrundenspiel Union Niederrad gegen FV Saarbrücken ausgetragen worden war. Obwohl sich der Riederwaldplatz in bester Verfassung präsentierte, musste aber im Stadion gespielt hatte, wozu sich die Eintracht – wie bereits erwähnt – 1925 vertraglich verpflichtet hatte. Darüber schwelte schon seit längerem ein Streit zwischen den Frankfurter Fußballvereinen (insbesondere der Eintracht) und der Stadt sowie der Stadion-GmbH, der unter dem Schlagwort „Kommunalisierung des Sports" ausgefochten wurde. Den Vereinen war besonders die 15%ige Abgabe von den Brutto-Einnahmen an die Stadion-GmbH ein Dorn im Auge. Ludwig Isenburger bezeichnete den Vertrag deshalb als „Versailler Diktat" („Der Kicker" vom Februar 1931) und sprach von einer „städtische[n] Sport-Diktatur … [, die] es zuwege gebracht [habe], dass die in städtischer Pacht sitzenden Fußballvereine nicht die geringste Spur von Nutznießung behielten, zum mindesten nicht d i e Nutznießung, die den Erbauern bei der Durchführung ihres gemeinnützigen Werkes vorgeschwebt hat."

Es ging – wie so oft – ums liebe Geld. Natürlich waren die Vereine froh, wenn es im Stadion bei einer guten Zuschauerzahl große Einnahmen gab, aber gerade die Eintracht konnte am Riederwald mühelos auch 20-30.000 Zuschauer unterbringen – und das ohne die 15%ige Abgabe. Isenburger selbst hatte kurz vorher folgende Rechnung aufgestellt: „Die führenden Frankfurter Vereine und ihr eintrittzahlender Anhang

Eintracht-Spieler in der Nationalmannschaft

Fritz Becker von den Frankfurter Kickers erzielte 1908 beim 3:5 in der Schweiz das erste Tor der deutschen Länderspielgeschichte. 1934 war Rudi Gramlich beim deutschen WM-Debüt in Italien dabei. 1954 stand Alfred Pfaff im WM-Kader, kam aber nur beim legendären 3:8 gegen Ungarn zum Einsatz. 1974 bildeten Jürgen Grabowski und Bernd Hölzenbein die Flügelzange im WM-Endspiel gegen die Niederlande (2:1). Beim dritten deutschen WM-Triumph 1990 kam Uwe Bein viermal zum Einsatz. Und 1996 wurde Deutschland mit Andreas Köpke im Tor Europameister.

1930 standen beim legendären 3:3 gegen Englands Profis sogar drei Eintracht-Spieler im Team: Franz Schütz und Hans Stubb in der Abwehr, Hugo Mantel als linker Läufer. Das gab es insgesamt achtmal, letztmals am 18. Dezember 1991 in Leverkusen gegen Luxemburg (4:0): Manfred Binz und Andreas Möller in der Startelf, Uwe Bein ab der 70. Minute für Möller. Nach dem Abstieg 1996 kamen nur noch zwei Eintracht-Spieler zu Länderspiel-Ehren. 1999 nahm Horst Heldt am Confederations Cup in Mexiko teil und im Vorfeld der WM 2014 bestritt Sebastian Jung (inzwischen Hannover 96) beim 0:0 gegen Polen in Hamburg 0:0 sein einziges A-Länderspiel. Er ist damit der 30. und letzte Spieler, der als Eintracht-Akteur das Trikot der Nationalmannschaft trug.

Nach dem Pokalsieg 2018 und der Rückkehr von Kevin Trapp, der während seiner Zeit bei Paris Saint-Germain drei Länderspiele bestritten hatte und 2017 in Russland beim Sieg im Confederations Cup dabei gewesen war, stiegen die Aussichten, dass bei der EM 2020 erstmals seit 24 Jahren wieder ein Eintracht-Spieler an einem „großen" Turnier würde teilnehmen können. Die Coronavirus-Pandemie und die Verlegung der EM-Endrunde auf 2021 bereiteten jedoch allen Hoffnungen ein vorläufiges Ende.

Drei Eintracht-Spieler auf dem Weg zum Länderspiel 1932 in Helsinki (4:1): Franz Schütz (links im mittleren Fenster), Hans Stubb (rechtes Fenster) und Rudolf Gramlich (stehend 4. von links).

sind weder im Stadtteil Niederrad noch in Sachsenhausen ansässig und lassen sich nicht durch teure Straßenbahnfahrten den an sich genügend kostspieligen Besuch eines Fußballspiels noch mehr verteuern … Was nutzt es aber, die im Norden und Nordosten der Stadt wohnenden Interessenten nach dem entgegengesetzten Stadtteil zu locken, wenn … damit dem Stadion nicht ein einziger Pfennig übrig bleibt und lediglich dem platzbauenden Verein die Einnahmequote geschmälert wird? Bitte laut vorrechnen zu dürfen: Knapp 6.000 Zuschauer bedeuten eine Kasseneinnahme von etwa 5.000 Mark, von denen das Stadion … 15 Prozent, also 750 Mark erhält." („Der Kicker" vom 3. Februar 1931)

Inklusive des abgebrochenen Bayern-Spiels hatten in der Saison 1930/31 jedoch rund 176.000 Zuschauer die 15 Meisterschaftsspiele der Eintracht besucht, was nach obiger Rechnung rund 138.000 Mark Einnahme bedeutete. Davon wurden nur fünf Spiele im Stadion ausgetragen, die mit rund 86.000 Zuschauern allerdings überdurchschnittlich gut besucht waren. Bei rund 72.000 Mark Einnahmen waren demnach 10.800 Mark an die Stadt abzuführen. Das finanzielle Tauziehen zwischen Stadt und Vereinen ergab sich aus einer gegensätzlichen Interessenlage:

▶ Die Eintracht hatte den Riederwaldsportplatz überwiegend aus eigenen Mitteln finanziert (rund 300.000 Mark), wodurch sie bis Anfang 1927 stark verschuldet war, musste aber jährlich 6.000 Mark Pacht an die Stadt zahlen.

▶ Nur die Stadt war in der Lage, 4,7 Millionen Mark für einen Stadionbau aufzubringen. Folgerichtig war die Stadt stark daran interessiert, dass dort auch möglichst viele Spiele stattfanden.

Trotz aller hitzigen Debatten wurde weiterhin Fußball gespielt. Von Anfang an entwickelte sich ein spannender Dreikampf zwischen der Eintracht, der SpVgg Fürth und Bayern München. Fünf Wochen nach dem Spielabbruch gegen die Bayern stand der Schlager gegen Fürth auf dem Programm. Das Interesse an diesem Spiel war riesengroß, denn die Franken hatten bis dahin erst zwei, die Eintracht vier Punkte abgegeben. Bereits im Vorverkauf konnten 28.000 Karten abgesetzt werden. 35.000 Zuschauer sahen schließlich ein Spiel, das von den Abwehrreihen dominiert wurde. Obwohl die Eintracht in der zweiten Halbzeit leicht überlegen war, kam sie über ein 0:0 nicht hinaus, womit der zweite Platz vor dem FC Bayern gehalten werden konnte.

Die Entscheidung sollte schließlich in den beiden Spielen gegen die Münchner fallen. Je ein Punkt trennte die SpVgg Fürth (17:5) von der Eintracht (16:6) und dem FC Bayern (15:7). Zunächst kam es wie in den Jahren zuvor: Das erste Spiel wurde verloren. Trotz 12:0 Ecken für die Eintracht hieß es am Ende 2:1 für die Münchner. Bereits acht Tage später fand das Rückspiel in Frankfurt statt. 30.000 Zuschauer sahen in der ersten Halbzeit eine starke Bayern-Mannschaft, die nach 30 Minuten durch Bergmayer in Führung ging. Nachdem Ehmer noch vor der Pause der Ausgleich gelungen war (43.), spielte die Eintracht nach dem Wechsel aus einem Guss und kam durch einen Treffer Kellerhoffs in der 79. Minute zu einem knappen, aber verdienten 2:1-Sieg. Da bereits am darauf folgenden Wochenende die Vorrunde der Deutschen Meisterschaft stattfand, herrschte Verwirrung, wer Süddeutschland in der Endrunde vertreten sollte. Statt um die „Deutsche" zu spielen, musste die Eintracht am 10. Mai erst die Eintrittskarte dafür lösen, was mit einem 2:1 über Wormatia Worms auch gelang.

Nur vier Tage später, am Himmelfahrtstag, musste der Südzweite bei Fortuna Düsseldorf antreten. Nachdem Kron vor 40.000 Zuschauern eine Elfmeterchance (15.) ausgelassenn hatte, brachte Hochgesang die Düsseldorfer im Gegenzug in Führung – ebenfalls per Elfmeter. Doch die Eintracht hielt dagegen. Ehmer konnte noch vor der Pause ausgleichen und egalisierte in der zweiten Halbzeit die erneute Fortuna-Führung. 2:2 hieß es nach 90 Minuten. Als auch in der Verlängerung kein weiterer Treffer gefallen war und man sich schon fast mit einem Wiederholungsspiel abgefunden hatte, sorgte in der 120. Minute eine Schaller-Flanke für Verwirrung im Düsseldorfer Strafraum. Bornemann verzuchte zu klären, Albrecht kam zu Hilfe und schoss Ehmer oder Möbs an, von wo der Ball abgefälscht in den Torwinkel sauste. 3:2, Mittelanstoß, Abpfiff, die Eintracht hatte in letzter Sekunde den Sprung ins Viertelfinale geschafft.

Die Ansetzung der Viertelfinalpaarung sorgte für viel Unruhe, denn der Sieger von Düsseldorf hatte bereits drei Tage später beim Hamburger SV anzutreten. Besonders im Lager der Eintracht war man über den DFB verärgert, da man zweimal hintereinander auswärts spielen musste. Zudem hatte die Mannschaft wegen der Verlängerung erst am Freitag aus Düsseldorf nach Frankfurt zurückfahren können und musste sich praktisch ohne Pause auf den Weg nach Altona zu machen. Verlangt wurde das von Spielern, die offiziell alle Amateure waren.

Wie erwartet konnte die Eintracht die Hürde HSV nicht nehmen. Obwohl Schaller in der Startoffensive die Latte traf, führten die Hamburger zur Pause durch Halvorsen mit 1:0. Zwar versuchte die Eintracht in der zweiten Halbzeit, das Blatt noch zu wenden, baute aber verständlicherweise konditionell immer stärker ab, musste in der 70. Minute das 0:2 durch Wollers hinnehmen und schied wie im Vorjahr in der 2. Runde aus. Ihr wahres Können demonstrierte die Mannschaft noch einmal zum Saisonausklang im Derby gegen den FSV. Dieser war seit Weihnachten 1930 ungeschlagen und hatte in dieser Zeit den 1. FC Nürnberg, die SpVgg Fürth und den FC Schalke 04 bezwungen. Am 21. Juni 1931 trauten jedoch 12.000 Zuschauer am Riederwald ihren Augen nicht. Mit 9:1 wurden die favorisierten Bornheimer nach allen Regeln der Fußballkunst auseinander genommen. Der „Fußball" sprach aus, was viele Frankfurter Fußballfreunde dachten: „So wie die Eintracht gegen Fußballsportverein spielte, also ausgeruht, wäre sie Deutscher Meister geworden. Und sie hätte es verdient."

1931/32 ■ Das „deutsche Arsenal" eilt von Sieg zu Sieg

Bevor die Eintracht einen neuen Anlauf unternehmen konnte, gab es eine erneute Reform des Spielsystems. Wieder einmal stand eine süddeutsche Verbandsliga zur Diskussion. Doch wie 1920 wurde der Plan nicht in die Realität umgesetzt. Stattdessen wurden die Bezirksligagruppn auf zehn Vereine aufgestockt und der Modus zur

Ermittlung des Süddeutschen Meisters geändert. Fortan waren alle Gruppenersten und -zweiten für die Endrunde qualifiziert, die in zwei Gruppen ausgetragen wurde.

Durch die Zuteilung des VfL Neu-Isenburg umfasste die Gruppe Main sogar elf Vereine. Doch auch in 20 Ligaspielen war die Eintracht nicht zu stoppen. Erneut gab es nur eine einzige Niederlage (1:2 bei Rot-Weiss), so dass die Meisterschaft mit 35:5 Punkten und 71:18 Toren verteidigt werden konnte. Mit sieben Punkten Rückstand landete der FSV auf dem zweiten Platz. Wie schon im Jahr zuvor endete das Derby am Riederwald mit Zuschauerausschreitungen. Nachdem Dietrich die Eintracht zwei Minuten vor Spielende mit 1:0 in Führung gebracht hatte und den Bornheimern postwendend der Ausgleich gelang, gerieten sich die Anhänger beider Lager in die Haare.

„[Beim Ausgleich] strömt das Publikum ins Feld. Es sind Bornheimer, denn sie heben ihre Mannschaft auf die Schultern. Es sind Bornheimer darunter, die überfallen einen Teil der Eintrachtspieler, treten und schlagen sie. Schütz wird im Gesicht übel zugerichtet, Kron wird niedergetrampelt … Jedenfalls setzte es Streit unter den jubelnden und schimpfenden Zuschauern und es gab blutige Köpfe … Ein halbes Dutzend schwerer beschädigter Personen musste sich verbinden lassen. Nur langsam ebbte die Erregung ab." („Fußball" vom 6. Oktober 1931)

Das Rückspiel im Stadion verlief ohne Zwischenfälle. Mit 6:0 überfuhr die Eintracht am zweiten Weihnachtsfeiertag den Sportverein und sicherte sich die fünfte Mainmeisterschaft in Folge. Auch in der Süddeutschen Meisterschaft setzte sich die Mannschaft souverän an die Spitze und führte zu Ostern die Gruppe Nordwest mit vier Punkten vor dem FSV an. Die Endspielteilnahme schien also sicher, und als die Eintracht auch noch das Jubiläumsturnier von Tennis Borussia Berlin gewann, sprach „Der Kicker" vom „rot-schwarzen Wunder aus Frankfurt a.M.". Für den „Fußball" waren die Riederwälder gar der Favorit auf die Deutsche Meisterschaft. „Ist die Eintracht die deutsche ‚Arsenal'-Elf?", fragte er am 29. März 1932: „Eins hat Eintracht sicher mit Arsenal gemeinsam, der Sturm spielt konsequentes W-Format. Die Außen- und der Mittelstürmer besorgen vorn das Rennen allein. Und Mittelstürmer ist mit Ehmer ein schusskräftiger starker Durchbrecher, wie Lambert beim englischen Meister."

Allein schon der Vergleich mit dem Londoner Nobelklub, der Anfang der 30er Jahre nicht nur das Non-plus-ultra des englischen, sondern des europäischen Fußballs verkörperte, ehrte. Aber Hochmut kommt bekanntlich vor dem Fall. Nur eine Woche nach dem Berliner Turniersieg verlor eine saft- und kraftlose Eintracht-Mannschaft mit 0:2 gegen den FSV, wodurch die Bornheimer bis auf einen Punkt an die Riederwälder herankamen. Auch in Worms patzte die Eintracht. Schon zur Pause lag die Wormatia mit 4:1 in Führung. Zwar konnten Leis und Dietrich im zweiten Abschnitt zwischenzeitlich auf 4:3 verkürzen, am Ende hieß es jedoch 5:3. Damit übernahm der FSV mit 19:9 Punkten die Führung vor der Eintracht (18:8), die nun ihr letztes Heimspiel gegen den FK Pirmasens gewinnen musste, um Gruppensieger zu werden.

Dieses Spiel fand am Riederwald statt, nachdem gegen den FV Saarbrücken, den FSV Mainz 05, Wormatia Worms und den VfL Neckarau zusammen nur 18.500

Zuschauer ins Stadion gepilgert waren. Selbst die Derbys gegen den FSV waren mit 18.000 bzw. 20.000 vergleichsweise schwach besucht, was „Der Kicker" nicht nur auf das „derzeitige Reichs-Einheits-Einkommen von 10,60 Mark die Woche" bei einer „großen Anzahl ständiger Platzbesucher aus früheren Jahren" zurückführte, sondern dafür auch das gesunkene Spielniveau verantwortlich machte: „Den derzeitigen Spielen wohnt nicht mehr die altgewohnte Zugkraft inne." („Der Kicker" vom 5. April 1932)

Für die Mehrzahl der Arbeitslosen war der Besuch eines Fußballspiels ein Luxus, den man sich nicht oft leisten konnte. Ende 1932 zählte die Stadt Frankfurt bei einer Bevölkerungszahl von rund 550.000 knapp 71.000 Arbeitslose, von denen fast die Hälfte keinen Anspruch mehr auf Leistungen aus der Arbeitslosenunterstützung hatte. Ehepaaren aus diesem Personenkreis standen aus der kommunalen Wohlfahrtspflege monatlich durchschnittlich 25,60 Mark für die Ernährung zur Verfügung (91 Pfennige am Tag). Bei Preisen von 38 Pfennigen für 1 kg Schwarzbrot, 10-12 Pfennigen für 1 kg Kartoffeln, 23 Pfennigen für einen Liter Milch und 1,80-2,03 Mark für 1 kg Schweinefleisch bedeuteten 50 Pfennige für eine Straßenbahnfahrt ins Stadion und 50 Pfennige für eine Erwerbslosenkarte zwei Tage ohne Nahrung.

Immerhin kamen zum letzten Spiel 10.000 Zuschauer an den Riederwald. Ein Tor von Leis, der zuvor eine Elfmeterchance ausgelassen hatte, nach 39 Minuten reichte für den Gruppensieg und den Einzug ins Endspiel um die Süddeutsche Meisterschaft. Die Mannschaft wirkte in ihrem 34. Pflichtspiel jedoch abgekämpft und müde. Von einer „Arsenal"-Form war sie jedenfalls meilenweit entfernt. Und im süddeutschen Finale warteten die Münchner Bayern, die sich in der Vergangenheit stets als unbequemer Gegner entpuppt hatten.

1932 ■ Zwei Endspiele gegen Bayern München

Am 1. Mai 1932 erwischte die Eintracht jedoch vor über 50.000 Zuschauern in Stuttgart einen Traumstart. Bereits nach vier Minuten erzielte Dietrich die 1:0-Führung. Das 2:0 durch den Schweizer in der 33. Minute war bereits die Vorentscheidung. Der Mainmeister schien einem sicheren Sieg entgegenzusteuern, als zehn Minuten vor Schluss das Unheil seinen Lauf nahm. Im Mittelpunkt der Emotionen: Schiedsrichter Glöckner aus Pirmasens. Zuerst gab er nach einer Attacke an einem Bayern-Spieler im Strafraum keinen Elfmeter, dann forderten die Bayern-Spieler und -Anhänger einen Handelfmeter – Glöckners Pfiff blieb erneut aus. Und als Schütz kurz darauf ein Handspiel unterlief und Glöckner wieder nicht pfiff, kochte die Volksseele über. Von der Tribüne strömten Bayern-Anhänger aufs Spielfeld und bedrängten den Unparteiischen. Zwar gelang es dem Ordnungsdienst, den Platz wieder zu räumen, doch als das Spiel durch einen Einwurf für die Münchner fortgesetzt werden sollte, wurde Nagelschmitz „der Ball von einem seinem Dialekt nach aus Bayern stammenden Zuschauer aus der Hand geschlagen". Als kurz darauf Haringer Schütz foulte und Glöckner Freistoß für die Eintracht gab, „drangen die ‚Bayern'-Anhänger von der Tribünenseite her mit erhobenen

Endspiel um die Süddeutsche Meisterschaft 1932: Eintracht - Bayern München 2:0. Dietrich (vorn) erzielt per Kopf den Frankfurter Führungstreffer.

Stöcken und einem Stuhl erneut ins Spielfeld, so dass sich der bedrohte Schiedsrichter zum Spielabbruch gezwungen sah". (Zitiert aus der Urteilsbegründung des SFLV, „Der Kicker" vom 21. Juni 1932)

Die zweite Süddeutsche Meisterschaft der Eintracht ging damit fast in den Mühlen der Verbandsjustiz unter. Erst im Juni erklärte der Verband die Eintracht nachträglich zum Sieger und verurteilte den FC Bayern unter Androhung einer Platzsperre im Wiederholungsfall zu einer Geldstrafe. Die Namen der siegreichen Eintracht-Mannschaft: ► Ludwig Schmitt; Schütz, Stubb; Gramlich, Leis, Mantel; Trumpler, Möbs, Ehmer, Dietrich, Kellerhoff. Bis auf Linksaußen Kellerhoff waren es dieselben Akteure, die wenige Wochen später erneut gegen die Bayern antreten sollten.

Zum Auftakt der Spiele um die Deutsche Meisterschaft musste die Eintracht am 8. Mai nach Königsberg reisen, wo sie auf den Baltenmeister Hindenburg Allenstein traf. Obwohl den Spielern eine 24-stündige Bahnfahrt in den Knochen steckte, wurde die erste Hürde souverän mit 6:0 gemeistert. Ehmer (4) und Dietrich (2) hatten das halbe Dutzend bereits nach 53 Minuten herausgeschossen. Im Viertelfinale genoss die Eintracht Heimrecht, nachdem sie in den letzten Jahren fünf von sechs DFB-Endrundenspielen auswärts oder auf neutralem Platz zu bestreiten hatte. Vor 22.000 Zuschauern wurde Tennis Borussia Berlin durch Tore von Ehmer, Schaller, Stubb bei einem Gegentreffer von Handschuhmacher mit 3:1 besiegt. Die Eintracht stand erstmals im Halbfinale. Auch der FC Schalke 04 feierte seine Premiere in der Runde der letzten Vier und lieferte am 29. Mai vor 18.000 Zuschauern in Dresden ein glänzendes Spiel. Ehmer brachte die Eintracht bereits nach neun Minuten in Führung, doch konnte Rothardt in der 35. Minute ausgleichen. In der zweiten Halbzeit besaß die Eintracht dann die besseren Nerven und größere Erfahrung. Ehmers Tor zum 2:1 in der 65. Minute bedeutete den Sieg und den Einzug ins Endspiel um die Deutsche Meisterschaft. Da zur gleichen Stunde in Mannheim Bayern München den 1. FC Nürnberg mit 2:0 schlug, kam es zu einer Neuauflage des süddeutschen Finales am 12. Juni in Nürnberg.

Nicht zuletzt auch wegen der zum Zeitpunkt des Finales noch nicht geklärten Vorfälle von Stuttgart war das Interesse an diesem – erst dritten – rein süddeutschen Endspiel riesengroß. Bereits eine Woche vor dem Spiel waren alle Sitzplätze (Preis vier Mark) restlos vergriffen. Aus Frankfurt wurden über 3.000 Anhänger in der Noris erwartet, aus München machten sich 421 Erwerbslose mit dem Fahrrad (!) auf den Weg ins 180 km entfernte Nürnberg. Die meisten Frankfurter reisten mit offenen Lastwagen in die Frankenmetropole. Im „Kicker" beschrieb Dr. David Rothschild recht anschaulich den „Anmarsch von Frankfurt", auf dem bereits deutlich wurde, dass man sich im Eintracht-Lager bezüglich der Sympathien gehörig verschätzt hatte. Immerhin hatten die Bayern ja den Nürnberger „Club" im Halbfinale besiegt ...

„Wir starten um 5 Uhr früh in der Erwartung, die erwachende Straße im Glanz der entgegenstrahlenden Sonne frei zu finden ... Bis Offenbach schweben wir fast allein die Mainuferstraße aufwärts. Aber die Kickersstadt ist auf den Beinen. Frühbegeisterte umsäumen ... die Straße. Im Wald von Germania Bieber kampieren Gruppen von Sportenthusiasten, Siegeswünsche schreiend. Bald müssen wir einsehen, dass wir uns fast zu spät auf den Weg gemacht haben. Lastwagen auf Lastwagen rollt vor uns her, behängt mit Menschenköpfen; wie reife Trauben taumeln sie hin. Hundert Fähnchen stoßen bei unserer Vorbeifahrt in die duftende Morgenluft. Hipp-Hipp-Hurra! Hanau 93 wird linksmainisch umsegelt. Hinter Seligenstadt die bayerische Grenze. Aber immer noch Mainbezirk. Eintracht noch Trumpf! Bis weit hinter Aschaffenburg der Viktorianer! Heulende Limosinen*

Endspiel um die Deutsche Meisterschaft 1932: Ein Lastwagen mit Eintracht-Fans trifft in Nürnberg ein.

Endspiel um die Deutsche Meisterschaft 1932: Bayern München - Eintracht 2:0. Der Anfang vom Ende: Rohr verwandelt einen Handelfmeter zur Münchner Führung. Fast wäre Torhüter Ludwig Schmitt (vorn) noch an das Leder gekommen.

überfliegen uns, Wagen auf Wagen. Wir haben Mitleid mit den Menschenknäueln, die die Federn platt biegen und wir genießen den unvergleichlichen Sonntagmorgen im behaglichen 50-Kilometer-Tempo ... Enger schieben sich Autos und Räder und Motorwagen ineinander, Exemplare von musealem Wert sind frisch geputzt und lackiert, mit unmöglicher Last. Alles rollt nach Nürnberg. Eine einzige mächtige Korsofahrt von Frankfurt zur Noris. Eine sportliche Mobilmachung, die Ihresgleichen sucht. Kurz vor Würzburg ändern sich die Zurufe ... die Massen werden feindselig ... In Neustadt ein Sprechchor der Jugendlichen: ,Eintracht verliert'. Die ortsansässigen Massen nehmen immer lebhafteren Anteil. In jedem Dorf steigert sich die Aufregung über die preußische Invasion. Plötzlich liegt Frankfurt jenseits des Mains... In Nürnberg ist ein Volksfest. Markt. Tausend Wagen jeder Art. Singende, tänzelnde, siegesfrohe Münchner kochen auf der Straße ab... Nürnberg glaubt an einen Münchner Sieg – !" ("Der Kicker" vom 14. Juni 1932)

Die Eintracht, die vor dem Spiel in Erlangen Quartier bezogen hatte, ging als leichter Favorit ins Endspiel und erlangte vor 55.000 Zuschauern anfangs auch eine leichte Überlegenheit. Beide Mannschaften hatten aber viel Respekt voreinander, so dass es bis zur 34. Minute kaum Torchancen gab. Da brachte die Eintracht-Hintermannschaft den Ball nicht rechtzeitig aus dem Strafraum, und Stubb konnte einen Münchner Gewaltschuss nur mit der Hand auf der Linie abwehren – Elfmeter. Knapp über Ludwig Schmitts linker Faust fand der von Rohr nicht sonderlich platziert getretene Ball den

Weg zur Bayern-Führung ins Eintracht-Netz. In der zweiten Halbzeit steigerten sich die Münchner und erzielten eine Viertelstunde vor Schluss durch Krumm den zweiten und entscheidenden Treffer. Erst danach wachte die Eintracht auf, zu spät.

Das Gesetz der Serie blieb bestehen: Der FC Bayern hatte seinen jährlichen Sieg gegen die Eintracht verdient errungen, weil er sich im Gegensatz zur Eintracht in der Endphase der Meisterschaft kontinuierlich gesteigert hatte, während die Aktionen der Riederwälder immer schwerfälliger wurden. „Das war nicht mehr die Eintracht, die noch vor Monatsfrist ihrem heutigen Bezwinger Tempo und Elan vorschrieb" („Der Kicker" vom 14. Juni 1932).

Trotz der Niederlage wurde die Eintracht-Mannschaft in Frankfurt begeistert empfangen: „Als der Zug einlief, ertönte Musik. Der Bahnhof schwarz von Menschen. Eintrachtfähnchen überall. Donnernde Rufe auf die tapfere Elf. Die Spieler werden auf die Schultern gehoben. Kurz aber kernig ertönt die Ansprache Graf von Beroldingens. Blumen werden überreicht. Der große, offene Omnibus windet sich nur schwer aus dem Gedränge. Es geht zum ‚Palmengarten', zur Feier. Zwei Menschenmauern bilden Spalier die Kaiserstraße hinunter, die Anlagen, der Opernplatz sind voller Fußballenthusiasten, die gekommen sind, der Eintracht ihre Sympathie auszusprechen, bis zum ‚Palmengarten' dauert die ehrende Haltung des Publikums. War das die Rückkehr nach einer Niederlage? Nein! Wenn die Eintracht einen Sieg errungen hat, dann sicher den über die bisher spröden Herzen seiner Mitbürger. Und das will viel heißen. Frankfurt hat neuen Antrieb erhalten…" („Fußball" vom 21. Juni 1932)

1932/33 ■ Frankfurt, eine neue Fußball-Hochburg

Verstärkt durch Willi Tiefel, der im Sommer 1932 von Union Niederrad gekommen war, startete die Eintracht am 31. Juli mit einem 2:0 beim VfL Neu-Isenburg in die neue Mainbezirksmeisterschaft, was am Riederwald nicht unbedingt große Freude auslöste. Der erfolgreiche Vorstoß an die Spitze des deutschen Fußballs hatte bei allen Beteiligten, Offiziellen, Spielern und Anhangern, Hunger auf mehr „großen" Fußball gemacht. Schon unmittelbar nach dem Endspiel hatte Dr. C. E. Laenge die Stimmung beschrieben: „Vor dem Endspiel schon sagten viele Eintrachtler resigniert: ‚Scheußlich! Jetzt spielen wir die großen Endkämpfe, spielen gegen München vor 60.000 Zuschauern … und in sechs Wochen ziehen wir wieder nach Bieber und – o Grausen! – nach Obertshausen!' Spielsystem – – – Die Eintrachtelf hätte unbedingt Geschmack an einer Reichsliga. Die Führung dagegen ist abgeneigt. Man paktiert mit Kartini [1. Vorsitzender des SFLV, Anm. d. Verf.] und der paktiert mit den unteren Klassen. Nicht einmal zur Verbandsliga bringen es die Schwächlinge. Lassen lieber Deutschlands Klassemannschaften auf die Dörfer reisen. Warum dürfen wir nur einmal im Jahre ein Erlebnis wie in Nürnberg haben?! … Warum keine rein deutsche Ligameisterschaft, keine Pokalmeisterschaft? Was würden wir hinter England zurückstehen?" („Fußball" vom 21. Juni 1932)

Die große Hitze tat das Ihrige, das Interesse an den ersten Ligaspielen niedrig zu halten. Zum Derby mit Rot-Weiss fanden am 21. August bei 35 Grad lediglich 2.000 Unentwegte den Weg ins (Fußball-)Stadion – im benachbarten Schwimmstadion dagegen herrschte Hochbetrieb. So wurde der Anstoß eine Woche später gegen die vom Ex-Eintrachtler Willy Pfeiffer trainierte Union Niederrad auf 17.30 Uhr verlegt. Doch auch zu „kühlerer" Stunde bot die Eintracht keine spielerische Offenbarung. Es schien, als hätte die Hitze die Spielfreude eintrocknen lassen. So ging am 18. September auch das erste Derby beim FSV mit 1:3 verloren. Dieses Spiel wurde zusammen mit der Begegnung Union Niederrad - Kickers Offenbach (2:3) als Doppelveranstaltung am Bornheimer Hang ausgetragen, um mehr Zuschauer anzulocken. Durch diese Niederlage rutschte die Eintracht auf den dritten Platz ab.

Die Wende glückte bei Tabellenführer Kickers Offenbach. Dreimal Schaller und einmal Gramlich machten einen 4:2-Sieg auf dem Bieberer Berg und die erste Kickers-Saisonniederlage perfekt, womit die Eintracht zum Ende der Vorrunde nur einen Punkt hinter dem FSV lag. Obwohl in der Rückrunde nur noch drei Punkte abgegeben und selbst das zweite Derby gegen die Bornheimer gewonnen wurde, langte es nicht zur Verteidigung der Mainmeisterschaft, die sich erstmals seit 1927 wieder der FSV sicherte (31:5 Punkte). Mit zwei Punkten Rückstand wurde die Eintracht Zweiter. Damit standen beide Frankfurter Mannschaften in der Endrunde um die Süddeutsche Meisterschaft, in der man am Riederwald auf den ehemaligen Niederräder Willi Lindner setzte, der über Tennis Borussia Berlin zurück an den Main gefunden hatte.

Auch hier war der Start nur mäßig. Nach dem vierten Spiel hatte die Eintracht lediglich drei Punkte eingefahren und lag damit schon sieben Zähler hinter dem Rivalen, der mit 10:0 Zählern eine blütenweiße Weste aufwies. Für Dr. C. E. Laenge war die Krise der Eintracht hauptsächlich eine Führungskrise: „Man kann mit Recht sagen: ‚Ein jeder Verein ist so gut, wie er geleitet wird!' Bei der Eintracht hapert es in der Leitung. Seit Jahren gibt es im Verein verschiedene Strömungen und Richtungen. Die Folge dieser Vereins-Innenpolitik ist, dass für die Mannschaftsaufstellung und Spielerbehandlung nicht immer rein sportliche Erwägungen ausschlaggebend sind. Es werden Spieler übergangen, nur weil sie es nicht verstehen, sich bei gewissen Vorstandsmitgliedern beliebt zu machen, weil sie unabhängig sind und ihre eigenen Wege gehen. Andere Spieler erfreuen sich einer offensichtlichen und oft ungerechtfertigten Protektion, worunter das Mannschaftsgefüge leiden muss. Der Eintracht ist nur damit zu helfen, dass eine Standardelf aufgestellt wird, die auf jeden Fall stehen bleibt und sich einspielen kann!" („Fußball" vom 10. Januar 1933)

In den 18 Ligaspielen waren nicht weniger als 23 Spieler eingesetzt worden, nur Torhüter Ludwig Schmitt und Mittelläufer Bernhard Leis waren immer dabei. 1931/32 dagegen war Trainer Oßwald in allen 39 Pflichtspielen mit nur 19 Akteuren ausgekommen, von denen acht 30 und mehr Spiele bestritten. Nach dem schwachen Auftakt war jedoch bald eine neue Stammformation gefunden, in der noch neun Spieler aus der Nürnberger Endspielmannschaft von 1932 standen. Mit dem zukünftigen Nationalspieler Lindner auf Linksaußen gewann die Mannschaft siebenmal in Folge (u.a. 3:1 beim FSV) und übernahm die Tabellenführung. Selbst nach einem 1:3 bei Wormatia Worms drei Spieltage vor Schluss blieben alle Chancen auf den Gruppensieg gewahrt, doch dazu musste am 9. April 1933 unbedingt der jetzt wieder führende FSV besiegt werden. Vor 25.000 Zuschauern erspielte sich die Eintracht im Stadion auch eine leichte Feldüberlegenheit, doch die Stürmer trafen das Tor nicht. Da sich die Bornheimer mit dem torlosen Remis zufrieden gaben, zog das Publikum enttäuscht von dannen. „Frankfurter Derby ohne Schwung", schrieb „Der Kicker", „kick and rush", meinte der „Fußball". Für den FSV war der Punkt der Grundstein zum Einzug ins Endspiel um die Süddeutsche Meisterschaft.

Als Gruppenzweiter musste die Eintracht in die Qualifikation zur Ermittlung des dritten Südvertreters. Als Erstes

Halbfinale um die Deutsche Meisterschaft 1933: Fortuna Düsseldorf - Eintracht 4:0. Das Programmheft zeigt eine Szene aus dem Vorjahresfinale zwischen Bayern München und der Eintracht.

wurde der süddeutsche Pokalsieger VfB Stuttgart vor nur 7.000 Zuschauern im Frankfurter Stadion durch Tore von Ehmer und Lindner mit 2:0 besiegt. Eine Woche später setzten sich die Riederwälder mit 1:0 (Torschütze Trumpler) in Saarbrücken gegen die SpVgg Fürth durch. Der 30. April 1933 wurde damit zu einem denkwürdigen Tag der Frankfurter Fußballgeschichte. Während sich die Eintracht erneut für die Endrunde qualifizierte, besiegte der FSV im Frankfurter Stadion den TSV München 1860 mit 1:0 und wurde zum ersten (und einzigen) Mal in seiner Geschichte Süddeutscher Meister. Damit standen beide Frankfurter Spitzenklubs – ebenfalls zum ersten und einzigen Mal – in den Schlussspielen um die Deutsche Meisterschaft.

In der ersten Runde musste die Eintracht beim Hamburger SV antreten. Ehmers Führungstreffer nach nur 20 Sekunden brachte die Hanseaten total durcheinander. Zweimal Lindner und Möbs schraubten das Endergebnis schließlich auf 4:1. Im Viertelfinale wurde beim 12:2 (Halbzeit 7:0) gegen den Baltenmeister Hindenburg Allenstein ein Klassenunterschied deutlich. Die Freude des Frankfurter Publikums wurde allerdings durch die Nachricht von der 0:1-Niederlage des FSV gegen den FC Schalke 04 gedämpft. Damit war der Traum eines Frankfurter Endspiels geplatzt. Eine Woche später waren freilich auch die Eintracht-Träume von einer erneuten Endspielteilnahme

Kleider machen Leute: In ihrer Glanzzeit Anfang der 1930er Jahre trat die Eintracht mit ihren schicken Klubjacken auch als modebewusstes Team auf. Von links: Walter Gerth, Hugo Mantel, Rudolf Gramlich, Franz Schütz, Karl Ehmer, Hans Stubb, Ludwig Schmitt, August Möbs, Walter Dietrich, Bernhard Leis, Fritz Schaller.

ausgeträumt. Wie schon 1930 gegen Holstein Kiel brachte der Berliner Preussen-Platz kein Glück. Mit 0:4 zog die Eintracht gegen Fortuna Düsseldorf den Kürzeren. Vor dem Anpfiff dokumentierten beide Mannschaften den neuen Zeitgeist und begrüßten die 30.000 Zuschauer mit Hitlergruß. Trotz leichter Feldvorteile hatte die Eintracht an diesem Tag dem Kombinationsspiel der taktisch besser eingestellten Fortunen wenig entgegenzusetzen, so dass das Endergebnis selbst in dieser Höhe verdient war.

Damit gab es zum ersten Male ein rein westdeutsches Finale, in dem sich Fortuna Düsseldorf mit 3:0 gegen den FC Schalke 04 als erster Westklub den Titel sicherte. Mit diesem Finale wurde eine neue Ära im deutschen Fußball eingeläutet. Die Dominanz der süddeutschen Vereine war beendet. Dafür ging der Stern des Westens und hier insbesondere der des FC Schalke 04 auf. Die selbst ernannte „Fußball-Hochburg" Frankfurt dagegen hatte sich nur ein Jahr lang gegen die gegnerischen Attacken behaupten können.

Die Professionalismusfrage bleibt ungelöst

1925 bekräftigte der DFB in Hannover seine Ablehnung des Berufssports „für alle Zukunft". („Kicker" vom 17. Februar 1925) Auch Spiele gegen ausländische Profimannschaften, insbesondere aus Österreich, Ungarn und der Tschechoslowakei, kamen auf den Index. Wie ihre englischen Amtsbrüder 40 Jahre zuvor, waren die hohen Herren beim DFB von der moralischen Überlegenheit der Amateure überzeugt. „Man glaubte damals, unsere Spieler zu infizieren, wenn man sie mit Berufsspielern zusammenkommen ließe." So nachzulesen in der Jubiläumsschrift „60 Jahre Süddeutscher Fußball-Verband" (1957).

Stattdessen herrschte wie zu Kaisers Zeiten fußballerische „Kleinstaaterei", wurde der Deutsche Meister nicht in einer nationalen Liga, sondern in einer K.-o.-Runde der sieben Landesmeister ausgespielt. Aber selbst bei der Ermittlung der regionalen Meister gab es kein einheitliches System. Eine Verbandsliga (in zwei Gruppen) existierte lediglich in Berlin-Brandenburg, in Norddeutschland wurde ein ähnlicher Versuch nach nur einem Jahr (1920/21) wieder abgebrochen. Im Süden scheiterten derartige Pläne an den Interessen der kleinen Vereine. Der Westen praktizierte von 1922 bis 1926 den „neuen Weg" mit Mammutligen, die über zwei Jahre ohne Auf- und Abstieg spielten. Am chaotischsten ging es in Mitteldeutschland zu, wo es zwischen 1923 und 1933 nicht weniger als 27 (!) „oberste" Spielklassen gab. Wegen der Terminenge mussten die Ligaspiele bereits um Weihnachten/Neujahr beendet sein. Wahrend anschließend lediglich eine Handvoll Klubs die regionalen Landesmeister ermittelten, musste sich der überwiegende Teil der Vereine mit Freundschaftsspielen über Wasser halten.

Dennoch waren Verstöße gegen die Amateurstatuten an der Tagesordnung. Prominentester „Übeltäter" war der spätere Bundestrainer Sepp Herberger, der 1921 für einen Wechsel vom TuSV 1877 Waldhof zu Phönix Mannheim 10.000 Mark Handgeld kassierte, daraufhin zum Berufsspieler erklärt und gesperrt wurde. Die meisten Vereine handelten jedoch nach der Devise: „Erlaubt ist alles, solange man sich nicht erwischen lässt!" Auch die mainischen Spitzenklubs machten dabei keine Ausnahme. Der Ungar Peter Szabo oder der Schweizer Walter Dietrich waren gewiss nicht wegen des guten Apfelweins an den Riederwald gewechselt. Auch der Rivale FSV glich in der Saison 1926/27 einer „Völkerbund-Auswahl": Bretteville war Norweger, Pache Schweizer, Wyk Schwede.

Die Eintracht am 21.5.1933 vor dem Spiel gegen Hindenburg Allenstein (12:2). Von links: Trumpler, Möbs, Lindner, Dietrich, Leis, Mantel, Schmitt, Schütz, Ehmer, Gramlich, Tiefel.

1926 gerieten sich die beiden Klubs in die Haare. Der Nürnberger Spieler Böhm hatte im Sommer eine Anstellung in einer Frankfurter Firma gefunden, in der Eintracht-Ehrenmitglied Arthur Cahn Prokurist war. Sein alter Verein ASV Nürnberg wollte den Spielerpass jedoch nur herausgeben, wenn die Eintracht dessen Schulden in Höhe von 800 Mark gegenüber dem ASV-Vorsitzenden begleiche. Als sich Ende Juli zwei FSV-Mitglieder bereiterklärten, Böhms Außenstände zu übernehmen und der FSV in den Besitz von Böhms Pass gekommen war, erstattete die Eintracht Anzeige. Am 7. November 1926 verurteilte das Verbandsgericht des SFV alle Beteiligten zu Geldstrafen zwischen 100 unf 500 Mark, da die Vermittlung eines Arbeitsplatzes ein unerlaubtes „Wegziehen" eines Spielers gewesen sei. Böhm selbst wurde zum Berufsspieler erklärt und sein Ausschluss aus dem SFV beantragt. Von 1929 bis 1931 spielte er dann aber doch für den SFV.

Spätestens mit dem „Fall Schalke 04" vom August 1930 – als die komplette Mannschaft zu Berufsspielern erklärt und ein Jahr gesperrt wurde – wurde deutlich, dass bei den meisten deutschen Spitzenmannschaften nur noch Scheinamateure aktiv waren.

Daran änderte auch die 1930 vom DFB beschlossene neue Spesenregelung wenig, die Zahlungen bis zu 7,50 Mark für Heim- und bis zu 15 Mark für Auswärtsspiele gestattetc. Dcr „Fußball" sah das Übel weiter in der „Punktejagd der Massenliga ... im Reiche des D.F.B.-Amateurbetriebs" und berichtete von „geheimnisvollen Sitzungen der Spitzenvereine" („Fußball" vom 11. November 1930).

Eine fand am 4. Oktober 1930 statt. Auf der „Würzburger Verschwörung" vom 4. Oktober 1930 beschlossen 21 bedeutende süddeutsche Fußballvereine (darunter auch Eintracht, FSV und Rot-Weiss Frankfurt), sich bei einem Berufsspielerverfahren gegen einen von ihnen solidarisch zu verhalten. Einer Kommission, die mit dem DFB Verhandlungen aufnehmen sollte, gehörte auch der Eintracht-Vorsitzende Graf von Beroldingen an. Doch erst als einige windige Geschäftsleute eine wilde deutsche Profiliga aus dem Boden stampfen wollten, sah sich der DFB zum Handeln veranlasst und erklärte am 26. Oktober, dass er den Berufsfußball kontrollieren und international vertreten wolle und ein Statut vorbereite. Die endgültige Entscheidung treffe jedoch der DFB-Bundestag.

„Begräbnis erster Klasse!"

„10 - Stunden - Debatte — hundertfaches Schweigen!"

„Berufsspielertum mit dem Decknamen Amateurismus!"

„Heuchelei siegt!"

„Der Geld-Schein-Amateurismus sanktioniert!"

„Amateurismus durch Honorierung gerettet!"

„Was sollte überhaupt dieser Bundestag!"

„D.F.B.-Führer stecken die Köpfe in den Sand!"

„Nur noch größere Schwüle!"

„Berufsspieler, die unehrliche Amateure sein müssen!"

„Die Straßenbahn kostet für Richard Hofmann nicht mehr als für den Spieler Schulze III!"

„Gestern noch Sünde, heute erlaubt!"

„Trauerspiel oder Komödie?"

„Gezänk und gegenseitige Anzapfungen statt praktischer Arbeit!"

„Riesenhafte Enttäuschung über das nichtssagende ‚Ergebnis' des Bundestages!"

„Der D.F.B. hat die letzte Gelegenheit zur Regelung verpaßt!"

„Fette ‚Spesen' für Spiele am Ort!"

„Die Dresdner D.F.B.-Tagung wird bei späteren Fußballgeschlechtern Schauder erregen!"

„Der neue Scheinamateur wird den Zerfall des deutschen Fußballsportes beschleunigen!"

Der „Fußball" veröffentlichte am 7. Oktober 1930 ein Liste mit Schlagzeilen großer deutscher Tageszeitungen zum Thema Professionalismus.

Zu den Befürworten des Profifußballs in Deutschland gehörten auch der ehemalige Vorsitzende des FSV, Dr. David Rothschild, und der Frankfurter Stadiondirektor Eduard Zeiss. „Kicker"-Herausgeber Walther Bensemann bemängelte vor allem den Starrsinn der DFB-Funktionäre, denen er vorwarf, „die Fußballgeschichte erst vom Tage ihres Regierungsantritts" zu datieren. Dadurch sei in „der großen deutschen Fußballwelt … das Prinzip eingezogen, dass Weisheit nur wenigen gegeben sei, und zwar immer gerade denen, die am Ruder sind." Die sich im Laufe der Jahre gebildete Elite habe dabei aber „die Erkenntnis des schönen Wortes von La Rochefoucauld [vergessen]: ‚Es ist möglich, eine Zeit lang gescheiter zu sein als alle andern; es ist auch möglich, immer gescheiter zu sein als viele andere; es ist aber nicht möglich, immer gescheiter zu sein als alle andern.'" („Kicker" vom 18. November 1930)

Die DFB-Führung verhielt sich weiterhin zögerlich. Auf dem Bundestag vom 14./15. Oktober 1932 bat der Vorsitzende Felix Linnemann erneut „um die Vollmacht zur Durchführung der notwendigen Maßnahmen" („Kicker" vom 17. Oktober 1932). Selbst als sich der Geschäftsführende Ausschuss für die Legalisierung des Professionalismus ausgesprochen hatte, wurde eine Entscheidung nochmals auf einen außerordentlichen Bundestag am 28. Mai 1933 vertagt. Doch dazu sollte es nicht mehr kommen. Nur acht Tage nach der Berliner Tagung kamen die Nationalsozialisten an die Macht, die ganz andere Pläne verfolgten. Statt von einem Bundestag in Berlin berichtete der „Kicker" in seiner Ausgabe vom 30. Mai 1933 über den „Neuaufbau des deutschen Sports". Bis zur Einführung des Profifußballs und einer Bundesliga sollten noch 30 Jahre vergehen.

Zwischen Krieg und Frieden

Rückschläge in der NS-Zeit

Schon bald nach der Machtergreifung Adolf Hitlers am 30. Januar 1933 wurde deutlich, dass die neuen Machthaber auch eine völlige Neuordnung des deutschen Sportes anstrebten. Im Rahmen der nach dem Reichstagsbrand vom 27. Februar verkündeten Notverordnung „zum Schutz von Volk und Staat" wurde zunächst die kommunistische „Kampfgemeinschaft für Rote Sporteinheit" (Rotsport) zerschlagen, danach der sozialdemokratische Arbeiter-Turn- und Sportbund (ATSB). Am 24. Mai wurde der ungeliebte Deutsche Reichsausschuss für Leibesübungen (DRA) von einem Reichsführerring ersetzt und Anfang 1934 in den Deutschen (ab 1938: Nationalsozialistischen) Reichsbund für Leibesübungen (DRL/NSRL) umgewandelt. Nachdem die DT bereits am 8. April „Marxisten und Juden" aus ihren Reihen ausgeschlossen hatte, folgten wenig später auch die Fußballer. Zu den prominentesten Opfern gehörte Walther Bensemann, der Begründer des „Kicker" und „Ur-Vater" der Frankfurter Kickers. Am 28. März schrieb er, dass er auf Rat seiner Ärzte eine schon mehrfach aufgeschobene Kur antreten wolle. Da aktuell „Besprechungen zwischen den Verbandsführern und der Reichsregierung im Gange sind, bei denen die Sportpresse eine mehr referierende als kritische Aufgabe hat", verabschiedete sich Bensemann bis zum Bundespokal-Endspiel am 23. April. Es sollte ein Abschied für immer werden. Bereits ab der nächsten Ausgabe wurde „Der Kicker" genau wie der „Fußball" für NS-Propaganda benutzt. In der Ausgabe vom 6. Juni 1933 war Bensemanns Name aus dem Impressum verschwunden.

Nachdem die Reihen der dem Regime kritisch gegenüberstehenden Personen gelichtet waren, ging die Gleichschaltung des deutschen Sports weiter. Mit einem Erlass von Hans von Tschammer und Osten, des neuen Reichssportkommissars (ab Juli Reichssportführer), wurden am 24. Mai die bisher regional gegliederten Sportverbände durch 15 Fachverbände ersetzt, die alleine das Recht hatten, Meisterschaften auszutragen. Das war auch das Ende der konfessionellen Sportverbände. Fußball, Rugby und Cricket wurden im Deutschen Fußball-Verband mit Sitz in Berlin zusammengefasst. Während der DFB dem Schein nach bestehen blieb, um die deutsche FIFA-Mitgliedschaft nicht zu gefährden, musste sich der Süddeutsche Fußball- und Leicht-

athletik-Verband am 6. August selbst auflösen. An Stelle der sieben DFB-Landesver-
bände traten 16 Gaue, die mit den politischen Grenzen einer preußischen Provinz oder
eines größeren Bundesstaates übereinzustimmen hatten. Der komplizierte Grenzver-
lauf im Rhein-Main-Gebiet zog große Veränderungen nach sich. So gehörte das politisch bayerische Aschaffenburg nun auch sportlich zum Gau XVI Bayern, Hanau und
Friedberg kamen zum Gau XII Hessen. Der Rest des alten Mainbezirks wurde mit
den südmainischen Gebieten des Volksstaates Hessen, der bayerischen Pfalz und dem
Saargebiet zum Gau XIII – vorläufig „Rheinhessen-Saar" genannt – zusammengefasst.
Statt im Zentrum lag Frankfurt plötzlich nur noch an der Peripherie, was sich auch
bei der Zusammensetzung der Gauligavereine bemerkbar machte: „Nur drei Vereine,
der süddeutsche Meister Fußballsportverein, die berühmte Eintracht und die stets zur
Spitzenklasse zählenden Offenbacher Kickers haben Gnade gefunden. Der erste Rest,
man denke nur an Niederrad und Isenburg, mussten in die zweite Klasse, während
ausgerechnet die beiden Abgestiegenen der letzten Saison, Hanau 93 und Friedberg,
durch den Gau Nordhessen Erstklassigkeit erlangt haben!" (Dr. C. E. Laenge im „Fußball" vom 29. August 1933)

1933/34 ■ Lange Eingewöhnungsphase in neuer Umgebung

Neben den drei mainischen Klubs komplettierten der 1. FSV Mainz 05, Wormatia und
Alemannia-Olympia Worms, Phönix Ludwigshafen, der FK Pirmasens, der 1. FC Kaiserslautern, die Sportfreunde Saarbrücken, Borussia Neunkirchen und der SV Wiesbaden die nun „Südwest" genannte Gauliga, die am 10. September in ihre erste Saison
startete. So spät war schon seit Jahren kein Punktspieljahr mehr eröffnet worden, was
auch auf die Finanzen der Klubs drückte. Bedingt durch Wirtschaftskrise und Arbeits-
losigkeit waren die Zuschauerzahlen der Eintracht von 161.000 bei 14 Heimspielen
(im Schnitt 11.500) in der Saison 1930/31 auf 96.000 bei 17 Heimspielen (im Schnitt
5.647) gesunken. Durch den Fortfall der Endrunde um die Süddeutsche Meisterschaft
winkten nur dem Gaumeister 14 Heimspiele, alle anderen mussten sich mit elf begnügen. Mit rund 5.000 verbuchte die Eintracht 1933/34 den niedrigste Zuschauerschnitt
seit 1925/26 (3.643) und mit Platz 4 ihr schlechtestes Abschneiden seit jenem Jahr.

Obwohl die Mannschaft im Vergleich zu 1932/33 kaum verändert worden war,
wog der Weggang von Trainer Paul Oßwald zum Ligakonkurrenten 1. FSV Mainz
05 umso schwerer. Er wurde durch Willi Spreng, früher FSV und Kickers Offenbach,
ersetzt. Nach einem passablen Start mit zwei Siegen in Neunkirchen (3:2) und gegen
den SV Wiesbaden (3:1) gab es erst einmal eine von oben verordnete Meisterschafts-
pause. Statt zum Derby mit dem FSV musste die Eintracht am 1. Oktober anlässlich
des Erntedankfestes beim „Rheinisch-Westfälischen Sportfest" ein Freundschaftsspiel
gegen den FC Schalke 04 bestreiten (2:1). Eine Woche später gab es im Rahmen der
Saarkundgebung im Stadion eine Doppelveranstaltung mit den Meisterschaftsspielen
FSV gegen Borussia Neunkirchen (3:2) und Eintracht gegen Sportfreunde Saarbrü-

cken (0:0). Die Aktien der Eintracht fielen weiter, als Mittelstürmer Ehmer nach einer Blinddarmoperation für den Rest der Saison ausfiel und aus den nächsten fünf Spielen (davon vier auswärts!) lediglich vier Punkte geholt wurden. Als am 3. Dezember auch noch das nachgeholte Derby gegen den FSV mit 0:2 verloren ging, war die Eintracht auf Platz 7 abgerutscht.

Für positive Schlagzeilen sorgte immerhin Eintracht-Verteidiger Hans Stubb, der am 14. Januar 1934 im Stadion das Kunststück fertig brachte, vor 38.000 Zuschauern im Länderspiel gegen Ungarn (3:1) ein Freistoßtor aus 60 Metern (!) zu erzielen. Schlagzeilen gab es auch um Hugo Mantel, der in Mailand eine pharmazeutische Vertretung übernehmen und sich Ambrosiana-Inter (der Klub musste 1928 auf Druck der Faschisten den Namen des Mailänder Schutzpatrons in den Vereinsnamen aufnehmen) anschließen wollte. Da dies jedoch die Statuten des Italienischen Fußball-Verbandes nicht zuließen, kehrte „Amateur" Mantel schon Ende Februar nach Frankfurt zurück. Zu diesem Zeitpunkt hatte die Eintracht direkten Kontakt zur Abstiegszone. Zwar war sie mit 13:15 Punkten Siebter, lag aber nur einen Zähler vor dem Vorletzten Borussia Neunkirchen. Der „Fußball" sah schon das Schlimmste kommen: „Die Verfallserscheinungen bei der Eintracht sind jetzt so weit, dass an eine Wiederherstellung der alten, schlagkräftigen Mannschaft kaum gedacht werden kann. Es muss vielmehr von Grund auf neu aufgebaut werden. Die alten, seit Jahren kritisierten Regiefehler wirken sich jetzt aus. Wann wird neues Leben aus den Ruinen blühen?! . . . Man hat bei der Eintracht talentierte eigene Kräfte ziehen lassen und klammert sich an fremde, geringwertige Spieler! . . . Es ist vieles nicht zu verstehen." („Fußball" vom 28. Januar 1934)

In dieser Situation rückte Leis auf Halblinks, Schütz kehrte in die Abwehr zurück und Monz wurde neuer Sturmführer. Wie verwandelt fegte die Mannschaft den 1. FC Kaiserslautern mit 6:1 vom Platz und trotzte auch Tabellenführer Kickers Offenbach am Riederwald ein 2:2 ab. Zwar gab es in Mainz mit 3:7 noch einmal einen Ausrutscher, doch wurden aus den letzten fünf Saisonspielen stolze 11:1 Punkte geholt. Beeindruckend vor allem die Kantersiege gegen den FSV (6:1) und Wormatia Worms (6:0). Mit fünf Punkten Rückstand auf Meister Kickers Offenbach wurde die Saison als Vierter beendet.

Da die Punktspiele wegen der anstehenden Gruppenspiele um die Deutsche Meisterschaft und der Weltmeisterschaft in Italien bereits Anfang April beendet waren, gab es bis zur Sommerpause zahlreiche Freundschaftsspiele, in denen die gute Form der Meisterschaftsendphase konserviert werden konnte. Dabei wurde auch der „Graf-Beroldingen-Pokal" mit Spielen gegen den VfB Stuttgart ins Leben gerufen. Egon Graf von Beroldingen war bis 1928 Vorsitzender des VfB. Nach seiner Berufung zum Direktor des Frankfurter Flughafens war er bis zu seinem Tod am 21. Oktober 1933 in gleicher Funktion bei der Eintracht tätig. Sein Nachfolger als „Vereinsführer" wurde Hans Söhngen.

„Schlappekicker", „Juddebube" –
Die Eintracht im Dritten Reich

1933 waren 26.158 der 555.857 Einwohner der Stadt Frankfurt jüdischen Glaubens, die damit die nach Berlin zweitgrößte jüdische Gemeinde Deutschlands beheimatete. Mit 4,7 % war der jüdische Bevölkerungsanteil sogar der höchste aller deutschen Groß-städte (Berlin: 3,8 %). Den Anteil jüdischer Firmen und Unternehmen beziffert Gundi Mohr mit 35 %. Es gab vier jüdische Sportvereine, von denen zwei, der „Sportverein Bar Kochba" (seit 1928) und der „Jüdische Arbeiter-Sportklub" (1930 gegründet), eine Fußball-Abteilung besaßen. Im Großen und Ganzen war die jüdische Bevölkerung Frankfurts jedoch in den gleichen Sportvereinen organisiert wie die nicht-jüdische. Nach Martin Lothar Müller war „die soziale Klassenlage . . . für die Vereinsentschei-dung eines jüdischen Sportlers sicherlich meist wichtiger als die Religionszugehörig-keit". Dass sowohl die Eintracht als auch der Lokalrivale FSV einen verhältnismäßig hohen Anteil jüdischer Funktionäre und Förderer hatten, verweist auf die große Tra-dition jüdischer Bürger in Frankfurt.

Aufgrund dieser Unterstützung galt insbesondere die Eintracht im Volksmund als „Juddeklub". Wie Bert Merz, der ehemalige Sportchef der „Frankfurter Rund-schau", in einer Veranstaltung des Frankfurter Erzählcafés im November 1994 dar-legte, waren Mitte der 1930er Jahre mit Rudi Gramlich, Hugo Mantel, Franz Schütz, Hans Stubb, Karl Ehmer und Willi Lindner sechs der besten Eintrachtspieler – bis auf Ehmer alles Nationalspieler – bei der Firma „J. & C. A. Schneider" angestellt. Das Unternehmen, das täglich bis zu 70.000 Paar Hausschuhe produzierte (in Frankfurt „Schlappe" genannt, daher auch der Begriff „Schlappekicker") und 3.000 Beschäftigte zählte, wurde von den Brüdern Fritz und Lothar Adler sowie Walter Neumann geleitet, die alle jüdischen Glaubens waren. Während Neumann schon bald nach der national-sozialistischen Machtübernahme nach Großbritannien emigrierte, blieben die Gebrü-der Adler bis 1938 in Frankfurt und wanderten nach der Reichspogromnacht in die USA aus. Die Fabrik wurde kurz darauf „arisiert".

Ebenfalls beim „Schlappe-Schneider" angestellt war Hugo Reiss, von 1924 bis 1933 Schatzmeister der Eintracht. Auch er emigrierte 1933 nach Amerika. US-Captain Günter Reis, vom 15. Juni bis 14. Dezember 1946 erster „ordentlicher" Vorsitzender der Eintracht nach dem Zweiten Weltkrieg, war jedoch kein Verwandter. Die Dop-pelausgabe der „Vereins-Nachrichten" vom März/April 1933 enthielt neben einem Bekenntnis zur neuen Reichsregierung auch eine bemerkenswert mutige Würdigung der Verdienste von Hugo Reiss, der „nach vieljähriger aufopfernder Tätigkeit sein Amt niedergelegt" habe und dem eine „ungeheure und vorbildliche Arbeit" bescheinigt wurde.

Am 13. März 1933 gab es in Frankfurt erste Boykottaktionen gegen jüdische Geschäfte, am 28. März wurden die ersten Juden aus dem öffentlichen Dienst entlassen. Im Zuge der am 7. April erlassenen Gesetze „Zur Wiederherstellung des Berufsbeamtentums" und „Über die Zulassung zur Rechtsanwaltschaft" wurde gezielt gegen jüdische Richter und Anwälte vorgegangen. Auch Dr. Paul Blüthenthal war Rechtsanwalt und betrieb mit Josef Keil eine Kanzlei in der Alten Rothofstraße 8. Als er Anfang April 1933 aus der Leichtathletik-Abteilung der Eintracht austrat, drückte diese ihm am 11. April ihr Bedauern darüber aus, „dass Sie infolge der derzeitigen politischen Verhältnisse in unserem geliebten Vaterlande Ihren Austritt erklärt haben". Nach Auflösung der Gemeinschaftskanzlei am 22. Juni 1933 war Dr. Blüthenthal bis 1935 als Syndikus und Wirtschaftsberater tätig und konnte 1939 über die Schweiz nach Chile fliehen, wo er 1947 bei einem tragischen Unfall im Alter von nur 49 Jahren verstarb. Von den 26.158 jüdischen Bürgern der Stadt überlebten nur knapp 100 in Frankfurt. 9.415 waren deportiert und im KZ ermordet worden. Ende 2018 war die Jüdische Gemeinde Frankfurt mit 6.428 Mitgliedern nach München/Oberbayern, Berlin und Düsseldorf die viertgrößte der Bundesrepublik. (Quelle: https://www.zwst.org/de/service/mitgliederstatistik/)

Obwohl bis 1933 bei der Eintracht Juden an exponierter Stelle zu finden waren, gehörte der Klub zu jenen prominenten süddeutschen Vereinen, die am 9. April 1933 in einem Akt vorauseilenden Gehorsams erklärten, sich „freudig und entschieden den von der nationalen Regierung auf dem Gebiete der körperlichen Ertüchtigung verfolgten Besprechungen zur Verfügung" zu stellen, „insbesondere in der Frage der Entfernung der Juden aus den Sportvereinen" („Der Kicker" vom 11. April 1933). Erst zehn Tage später veröffentlichte der DFB eine ähnliche – und nicht einmal so weit gehende – Erklärung: „Der Vorstand des Deutschen Fussballbundes und der Vorstand der Deutschen Sportbehörde halten Angehörige der jüdischen Rasse, ebenso auch Personen, die sich in der marxistischen Bewegung herausgestellt haben, in führenden Stellungen der Landesverbände und Vereine nicht für tragbar" („Der Kicker" vom 19. April 1933). In einem an Herrn W. Hübener in Gießen adressierten Exemplar des „Kicker" sind einige Passagen dieser DFB-Erklärung unterstrichen („jüdische Rasse" . . . „nicht für tragbar"), daneben ist mit Bleistift vermerkt: „oh weh, Eintracht!!!" – ein Beleg, dass die Eintracht in der Öffentlichkeit als „Judenklub" wahrgenommen wurde.

Auch der Gleichschaltung entzog sich die Eintracht nicht. Sie wurde bereits am 21. September 1933 durch Verabschiedung einer „gemäß den Richtlinien des Reichssportführers abgestimmte[n] neue[n] Satzung", der einstimmigen Annahme des Führerprinzips und „Wahl" des bisherigen Vorsitzenden Egon Graf von Beroldingen zum Vereinsführer vollzogen. „Mit einem dreifachen ‚Sieg-Heil!' auf den deutschen Sport, auf die ‚Eintracht' und auf unseren Volkskanzler Adolf Hitler" sowie dem Absingen

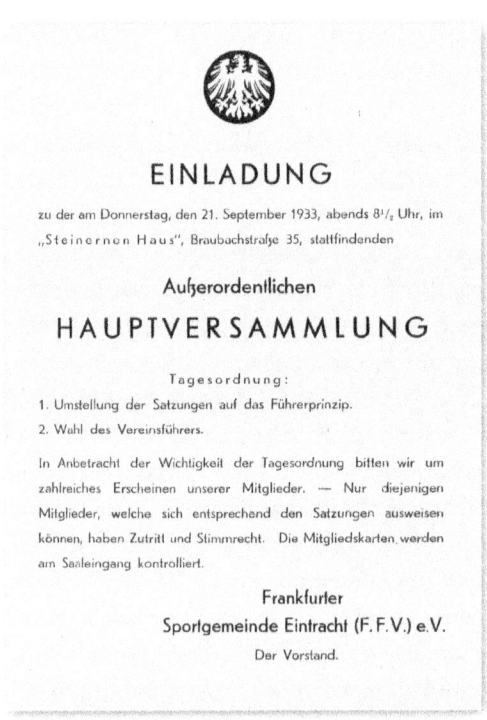

EINLADUNG

zu der am Donnerstag, den 21. September 1933, abends 8½ Uhr, im
„Steinernen Haus", Braubachstraße 35, stattfindenden

Außerordentlichen

HAUPTVERSAMMLUNG

Tagesordnung:

1. Umstellung der Satzungen auf das Führerprinzip.
2. Wahl des Vereinsführers.

In Anbetracht der Wichtigkeit der Tagesordnung bitten wir um
zahlreiches Erscheinen unserer Mitglieder. — Nur diejenigen
Mitglieder, welche sich entsprechend den Satzungen ausweisen
können, haben Zutritt und Stimmrecht. Die Mitgliedskarten werden
am Saaleingang kontrolliert.

Frankfurter
Sportgemeinde Eintracht (F. F. V.) e.V.
Der Vorstand.

**Einladung zur Außerordentlichen Hauptver-
sammlung am 21.9.1933 im Steinernen Haus.**

des Deutschland- und Horst-Wessel-Liedes wurde die Veranstaltung beendet („Vereins-Nachrichten" vom Oktober 1933).

Werner Skrentny nennt in einem Artikel über jüdische Eintracht-Mitglieder einige Opfer der Gleichschaltung: „Vizepräsident Fritz Steffan, der Spielausschuss-Vorsitzende Heinrich Buhlmann im Fußball, Christian Kiefer in der Leichtathletik, Hans Schöning von den Boxern (der 1934 wiederkehrte) und der ‚Boxerfürst‘ genannte Arzt Dr. Cahen-Brach, Weiß von der Rugby-Abteilung, Otto Abel im Tennis, Beitragskassierer Fritz Gehrig. Nun waren dies vermutlich nicht alles Mitglieder jüdischen Glaubens, doch mag auch ein Engagement für sozialistische, liberale, konservative Ideen und deren Parteien ausgereicht haben, um die ‚Säuberung‘ herbeizuführen." Von Karl „Moppel" Alt, der in der 3. Fußball-Mannschaft spielte, berichtet Skrentny, dass er seinem jüdischen Mitspieler Julius „Jule" Lehmann geholfen habe. Für dieses antifaschistische Engagement erhielt Alt 1995 die Johanna-Kirchner-Medaille der Stadt Frankfurt.

Dass bei der Eintracht mit Graf von Beroldingen der bisherige Vorsitzende an der Vereinsspitze blieb, war kein Zufall, denn er galt schon in der Zeit vor 1933 als ein Vereinsführer, „wie ihn der neue Staat wünscht". Im Ersten Weltkrieg Kommandeur einer Fliegerstaffel, habe er „schon vor vielen Jahren der Bewegung sein Interesse [zugewandt], die nun unter dem Volkskanzler Adolf Hitler zum nationalen Aufschwung Deutschlands verhalf. Gerade seine Freundschaft mit Ministerpräsident Göring und dem Reichssportführer von Tschammer und Osten war geeignet, ihn im deutschen Sport weiterhin bahnbrechend an der Spitze zu sehen" („Der Kicker" vom 24. Oktober 1933). In der Nacht vom 20. auf den 21. Oktober starb Graf von Beroldingen nach kurzer Krankheit überraschend. Nachfolger wurde Hans Söhngen, der bereits 1931 der NSDAP beigetreten war. Pathetisch rühmten die „Vereins-Nachrichten" vom Dezember 1933, Söhngen sehe seine „Aufgabe als Führer der Sportgemeinde Eintracht im Sinne des S.A.-Mannes, der sich opferwillig und pflichtbereit unterordnet, der nicht nach Beifall und Kritik fragt, der immer mehr s e i n will als scheinen". Nach einer Affäre wegen angeblicher homosexueller Kontakte musste Söhngen allerdings 1938

Anfang Dezember 1939 nahm Rudi Gramlich an einer Razzia der SS in einem jüdischen Stadtviertel von Krakau teil.

sein Amt niederlegen. Deswegen war er bereits 1937 aus der SA ausgeschlossen und ein Parteiausschlussverfahren eingeleitet worden.

Interessant ist, dass der ehemalige Ligaspieler Willi Pfeiffer von einer Zumutung sprach, „in heutiger Zeit . . . einen Mann als Vereinsführer anzuerkennen, den die SA, die für mich als Nationalsozialist Vorbild in allen Belangen ist, aus ihren Reihen entfernt hat" (Brief Pfeiffers an die Eintracht vom 17. Juli 1938, Institut für Stadtgeschichte). Ob Pfeiffer tatsächlich Nazi war oder nicht, bleibt unklar, denn andererseits schickte er einem alten jüdischen Vereinskameraden vor dessen Ausreise nach Kuba ein mit Datum 20. 4. 1939 signiertes Foto von sich und seinem Sohn. Das Foto ist in Peter Gays Buch „My German Question – Growing Up in Nazi Berlin" abgebildet. Peter Gays Vater Moritz Fröhlich war bis zu seiner Übersiedlung nach Berlin 1922 Mitglied der Eintracht-Leichtathletik-Abteilung. Zu Pfeiffers Verhalten merkte Peter Gay in einem Brief vom 13. Juni 2000 an: „1. [Pfeiffer] war voller Widersprüche – ein guter Nazi und loyal zu seinem alten Freund oder 2. ein Mann, der für sich entschieden hatte, um in Ruhe weiterleben zu können, vorzutäuschen, ein Nazi zu sein. Unter Berücksichtigung der menschlichen Widersprüchlichkeit ist vielleicht Nr. 1 wahr."

Nach dem Rücktritt Söhngens übernahmen mit dem Fußball-Nationalspieler Rudi Gramlich (1908 – 1988) und dem Leichtathleten Dr. Adolf Metzner (1910 – 1978) zwei erfolgreiche Ex-Aktive die Führung des Vereins. Gramlich war 1937 der SS und 1940 der NSDAP beigetreten und ab November 1939 als Mitglied der 8. SS Totenkopfstandarte (SS-TS) „1 Jahr lang in Polen beim Bandeneinsatz". (Zeugnis SS-Junkerschule Bad Tölz, in: „Bild" vom 4. Juni 2018) Ein bereits am 1. August 1945 in der „Frankfurter Rundschau" veröffentlichtes Foto zeigt ihn im Dezember 1939 bei einer Razzia im jüdischen Krakauer Stadtviertel Kazimierz. Ab Mai 1940 spielte er auch für die Fußball-Mannschaft seiner Einheit, die im Juni nach Radom verlegt wurde. („Warschauer Zeitung" vom 15. Juni 1940) Dort hatte die 8. SS-TS bereits Ende März/Anfang April 1940 an einem großangelegten Einsatz zur Partisanenbekämpfung in den ländlichen Regionen des Distrikts teilgenommen, bei dem es zu Massakern an der Zivilbevölkerung gekommen war. Eine Beteiligung Gramlichs an dieser Aktion ist allerdings nicht mit absoluter Sicherheit festzustellen. Ab Februar 1941 war er in Prag Inspekteur für

Leibesübungen. 1947 wurde er in Regensburg in einem Spruchkammerverfahren der Gruppe der Minderbelasteten zugeordnet und zu 10.000 Mark Sühnegeld mit zweijähriger Bewährungsfrist verurteilt („Frankfurter Rundschau" vom 1. August 1945 und 15. November 1947).

Dr. Adolf Metzner war bereits 1933 der SS und 1937 der Partei beigetreten. Während des Krieges diente er ebenfalls in der Waffen-SS. Da Gramlich und er sich nach Kriegsbeginn immer seltener um die Vereinsangelegenheiten kümmern konnten, wurde auf einer Außerordentlichen Hauptversammlung am 20. Mai 1940 Anton Gentil (1900 – 1957), der Leiter der Tennis-Abteilung, zum stellvertretenden Gemeinschaftsführer der Eintracht gewählt und war von 1942 bis Kriegsende kommissarischer Vereinsführer, wofür ihm die „Eintracht-Hefte" vom August 1953 dankten. Gentil war seit 1933 Parteimitglied und wurde nach dem Krieg als Mitläufer zu einer Geldstrafe von 1.000 Mark verurteilt. Nach Wiedergründung der Tennis-Abteilung 1954 war er bis zu seinem Tod erneut deren Abteilungsleiter.

Metzner war ab 1953 Sportarzt und Dozent am Institut für Leibesübungen der Universität Hamburg, verschwieg bei der Bewerbung aber seine SS- und NSDAP-Mitgliedschaft. 1949 wurde er von der Spruchkammer Fritzlar-Homberg als Mitläufer eingestuft und zu einer Geldstrafe von 50 Mark verurteilt. Zu diesem milden Urteil kam es, weil er bei seiner Vernehmung die unverfängliche Bezeichnung „Stabsarzt" statt seines tatsächlichen Ranges „SS-Hauptsturmführer" angegeben hatte. (Gerhard Nestler: Adolf Metzner)

Auch Gramlich machte nach dem Krieg wieder Karriere und war von 1955 bis 1970 erneut Vorsitzender (seit 1966 Präsident) der Eintracht, die ihn 1949 mit der Goldenen Ehrennadel, 1968 mit der Ehrenmitgliedschaft und 1970 mit der Ehrenpräsidentschaft auszeichnete. Sein Engagement in verschiedenen DFB-Gremien wurde 1974 mit der Goldenen Ehrennadel und 1975 mit der Ehrenmitgliedschaft gewürdigt. Sein Sohn Klaus war von 1983 bis 1988 ebenfalls Eintracht-Präsident. Als der amtierende Präsident Peter Fischer am 28. Dezember 2017 in einem Interview mit der FAZ erklärte, „wer die AfD wählt, kann bei uns kein Mitglied sein" und versprach, die Nazi-Vergangenheit des Ehrenpräsidenten Gramlich untersuchen zu lassen, kam neue Dynamik in die Angelegenheit. „Wir haben die Eintracht-Zeit zwischen 1933 und 1945 aufgearbeitet wie kein anderer Bundesliga-Club[.] Aber ehrlich gesagt hat uns [der] Fall Gramlich aus Rücksicht auf noch lebende Angehörige gehemmt." („Frankfurter Rundschau" vom 5. Januar 2018)

Nachdem „Bild" (Frankfurt) kurz nach dem Pokalsieg „Die SS-Akte des toten Eintracht-Präsidenten" präsentierte (4. Juni 2018), wurde das Frankfurter „Fritz Bauer Institut zur Geschichte und Wirkung des Holocaust" mit einem Forschungsprojekt beauftragt, das die Eintracht-Führung im Dritten Reich in Bezug auf ihre jeweilige NS-Belastung durchleuchten sollte. Auf Grundlage dieser Untersuchungen wurde Rudi Gramlich am 26. Januar 2020 nachträglich die Ehrenpräsidentschaft entzogen, da er „die Gewaltherrschaft des Nationalsozialismus billigend in Kauf [nahm]. Dies ist dokumentiert durch die regimekonforme Führung des Vereins, seinen Beitritt zu SS und NSDAP [. . .], und insbesondere durch die Partizipation an den deutschen Terrorregimen in den besetzten Gebieten. Wir sind der Überzeugung, dass die Fakten, die bei der Ernennung zum Ehrenpräsidenten, dem damaligen Zeitgeist folgend, keine Rolle gespielt haben, heute anders bewertet werden müssen. Ein Ehrenpräsident muss, egal was er sportlich Positives für den Verein erreicht hat, auch moralisch und ethisch ein Vorbild sein für die Jugend, die Mitgliedschaft und die Gesellschaft." (Aktuelles aus dem Verein: Die Mitgliederversammlung, 26. Januar 2020) Da die komplette Studie nicht vor November 2020 erscheinen wird, war Projektleiter Maximilian Aigner so freundlich, mir eine Zusammenfassung der wichtigsten Forschungsergebnisse zum Fall Gramlich vorab zur Verfügung zu stellen.

Weiterhin unklar ist, wie sich die aktiven Fußballer mit den neuen Machthabern arrangierten. Nachforschungen im Bundesarchiv in Berlin haben für die erste Mannschaft keine Ergebnisse gebracht. Horst Müller, Autor der Broschüren über die Süddeutschen Meisterschaften 1898 bis 1910, der diese Recherchen für mich durchführte, merkte dazu an, „dass die Spieler einfach nur Fußball spielen wollten" (Brief vom 22. Juli 2002). Dieses Urteil deckt sich mit den Aussagen von Zeitzeugen, die Matthias Thoma in seiner Diplomarbeit (2003) und seinem Buch „Wir waren die Juddebube – Eintracht Frankfurt in der NS-Zeit" (2007) präsentierte. Im Nachhinein muss das Erinnerungsvermögen der Befragten an die Zeit im Dritten Reich generell als unpolitisch eingestuft werden. „Ein Hort des Widerstands war die Eintracht sicherlich nicht", sagte der heutige AG-Vorstand Axel Hellmann bei der Vorstellung von Thomas Buch im Jüdischen Museum Frankfurt.

Das beweisen auch die Jubiläumsschriften nach 1945. In „Es war nicht nur ein Name . . . 50 Jahre »Eintracht« 1899 – 1949" sind in der Übersicht „Unserer Toten" zwar Walther Bensemann, Dr. Paul Blüthenthal und Walter Neumann aufgeführt, „typisch für die Zeit kurz nach dem Krieg" war jedoch „die Art und Weise, wie mit der jüngsten deutschen (Vereins-) Geschichte umgegangen wird. Zwar wird ein ums andere Mal auf den Schrecken des Krieges hingewiesen – die Rolle des Vereins im 1000-jährigen Reich bleibt aber weitestgehend unbeschrieben." (Frank Gotta, http://www.eintracht-archiv.de/buecher/50-jahre.html) Auch zehn Jahre später wurde die Zeit des Nationalsozialismus in „»Eintracht« in aller Welt" nicht hinterfragt. Ebenso wenig im „Eintracht-Report. Dokumentation 75 Jahre Eintracht Frankfurt e. V. 1899 – 1974". Auch hier bleiben verdiente Personen aus der Vereinsgeschichte wie Dr. von Goldberger („Fußballspieler, später in verschiedenen Vorstandsämtern tätig") und Walter Neumann („Förderer des Vereins 1925 – 1933") auf ihre Vereinstätigkeit reduziert, ihr Schicksal im Dritten Reich aber unerwähnt.

Exemplarisch der Fall des jüdischen Richters Karl Maas (1885 – 1955) aus Kaiserslautern, den es in den 1930er Jahren nach Frankfurt verschlagen hatte, wo er nach 1945 Amtsgerichtspräsident wurde und sich auch bei der Eintracht engagierte. Die „Eintracht-Hefte" nannten ihn im April 1955 in einem Nachruf einen Aufrechten, „dem die

Preisgekrönt: Die Recherche und Ausstellung zur Geschichte der Schuhfabrik „J. & C. A. Schneider".

höchste richterliche Tugend, die Gerechtigkeit, verpflichtendes Gesetz ward. Das Schicksal hatte ihm eine Zeitlang ein hartes Los zugeteilt. Aber der in sich geschlossene Mann [...] blieb sich selbst treu in der edlen Gesinnung der Selbstüberwindung." Für über zehn Jahre Ausgrenzung, Demütigung und Verfolgung durch Entfernung aus dem Dienst 1936, „Schutzhaft" im KZ Buchenwald 1938, anschließende Zwangsarbeit und Deportation nach Theresienstadt noch im Februar 1945 sind sowohl „eine Zeitlang" als auch ein „hartes Los" unwürdige Begriffe. 2018 wurde vor seinem Wohnhaus in der Wolfsgangstraße 41 ein Stolperstein verlegt.

Zwar wurde das dunkelste Kapitel der Eintracht-Geschichte bereits 1998 in der ersten Auflage des „Schlappekicker" thematisiert, doch erst die mahnenden Worte von Matthias Thoma, heute Leiter des Eintracht-Museums, fanden Gehör. „Die Eintracht hat mit Hilfe ihrer engagierten Mitglieder die Chance, sich über die sportlichen Erfolge und Misserfolge hinaus ihrer Vergangenheit zu stellen. Sie muss diese nur nutzen." So erhielt die 10. Klasse der Falkschule aus dem Gallusviertel 2008 den Deutschen Fußball-Kulturpreis für ihre Recherchen zur Geschichte der Schuhfabrik „J. & C. A. Schneider" und deren Verbindungen zur Eintracht und zum Stadtteil – insbesondere in der Zeit des Nationalsozialismus. Vor dem Europa-League-Spiel gegen Maccabi Tel Aviv im Herbst 2013 hielt Prof. Moshe Zimmermann von der Hebräischen Universität Jerusalem im Eintracht-Museum einen Vortrag über die Verbindungen der Eintracht zu Tel Aviv und die Sportbeziehungen zwischen Deutschland und Israel. Beim Rückspiel in Tel Aviv besuchten viele Fans auch die Holocaust-Gedenkstätte Yad Vashem. Das Museum unterstützt außerdem die Verlegung von Stolpersteinen zur Erinnerung an jüdische Vereinsmitglieder und arbeitet an einer Sammlung von Kurzbiografien ehemaliger jüdischer Sportler, Funktionäre und Förderer der Eintracht. Das aktuelle Museumsjahrbuch enthält eine überarbeitete Version einer von Julian Feider im Sommersemester 2019 an der Justus-Liebig-Universität Gießen eingereichten Arbeit im Master-Seminar „Blicke hinter die Kulissen der NSDAP-Parteitage in Nürnberg", bei denen auch Eintracht-Athleten oft nur „Statisten in der Propaganda-Show" waren. Höhepunkt des Jahres 2019 war die Vortragsreihe „Frankfurt. Theresienstadt. Eine Spurensuche", die im Oktober mit einer Studienfahrt ins ehemalige Ghetto ihren Abschluss fand. ◾

1934/35 ■ Enttäuschung auf der ganzen Linie

Für die Saison 1934/35 hatte sich die Eintracht mit Stürmer Pettinger aus Magdeburg und dem Kasteler Torhüter Siebel verstärkt. Aufgrund der Vorbereitung herrschte bei Trainer Spreng vorsichtiger Optimismus: „Die Mannschaft befindet sich seit Mitte August im Training… Die zu leistende Trainingsarbeit ist aufopfernd und wird von Trainingsabend zu Trainingsabend gesteigert. Wenn ich erwähne, dass das letzte Training außer der zu leistenden Ballarbeit 12 Starts zu je 40 Meter, Steigerungsläufe, doppeltes Seilspringen, Medizinballarbeit und Hammerschwingen in sich einbezog, so wird jeder Unbeteiligte zu dem Ergebnis kommen, dass für die körperliche Verfassung der Mannschaft genügend Arbeit geleistet wird, welcher Arbeit die Spieler mit vollem Verständnis begegnen." („Vereins-Nachrichten" vom September 1934)

Doch nach dem 1:1 zum Auftakt bei Borussia Neunkirchen geriet das Spielprogramm zur Farce, zahlreiche Verlegungen benachteiligten die Eintracht deutlich. Mitte Oktober hatte sie gerade zwei Spiele absolviert (zum Vergleich: Phönix Ludwigshafen hatte bereits sieben auf dem Konto!) und stand mit nur einem Punkt an vorletzter Stelle. Nach dem 3:3 gegen den FSV am 21. Oktober rutschte sie sogar ans Tabellenende. Zu allem Überfluss handelte sich Stubb dabei wegen Reklamierens auch noch einen Platzverweis ein, so dass für das Main-Derby gegen Kickers Offenbach der Schweizer Walter Dietrich als Verteidiger reaktiviert wurde, der am 28. Oktober 1934 sein 209. und letztes Punktspiel für die Riederwälder bestritt.

Trotz des 2:1-Sieges über den Titelverteidiger tat sich die Eintracht schwer, die hinteren Tabellenregionen zu verlassen. Zum einen sammelten auch die direkten „Rivalen" eifrig Punkte, da 1935 erneut drei Vereine absteigen mussten, zum anderen war die Auswärtsform nicht gerade dazu angetan, den Punktestand zu verbessern. Lediglich sechs Punkte wurden auf Reisen gewonnen, den ersten und einzigen Auswärtssieg gab es erst am 10. März 1935 beim späteren Absteiger Sportfreunde Saarbrücken.

Negativer Höhepunkt war das Spiel bei den Offenbacher Kickers am 6. Januar 1935. Nachdem das Schiedsrichter-Gespann zwei Tätlichkeiten gegen die Eintrachtler Boßler und Möbs übersehen hatte, reklamierte Möbs beim Unparteiischen Müller aus Hanau und wurde des Feldes verwiesen. Als sich wenig später der Offenbacher Stuber nach einer harten Attacke Boßlers ein Bein brach, nahm „das Publikum gegenüber Boßler eine drohende Haltung ein", so dass „der Frankfurter unter polizeilichem Schutz vom Spielfeld geführt" werden musste. Selbst nach dem Schlusspfiff hatten sich die Gemüter noch nicht beruhigt. Beim Verlassen des Spielfeldes musste die Eintracht-Mannschaft „von Offenbacher Spielern, Offenbacher Klubmitgliedern und der Polizei" geschützt werden und anschließend „wegen der drohenden Haltung einiger aufgebrachter Zuschauer den Heimweg auf dem Umweg über Bieber - Heusenstamm antreten" („Frankfurter Zeitung" vom 7. Januar 1935).

Den Rest der Saison konnte man abhaken. Am Ende sprang nur ein siebter Rang heraus – hinter Offenbach, dem FSV und Union Niederrad. Keine Spur mehr von der

„Macht am Main". Auch das Engagement im neuen deutschen Vereins-Pokal, nach seinem Stifter „Tschammer-Pokal" genannt, war kurz. Gegen den Bezirksliga-Meister Opel Rüsselsheim zog die Eintracht vor eigenem Publikum mit 1:3 den Kürzeren. Dass dennoch Substanz in der Mannschaft steckte, bewiesen einige recht erfreuliche Auftritte in Freundschaftsspielen. So schrieb der „Fußball" nach dem 1:0 über Bayernmeister SpVgg Fürth: „Wenn die Eintracht ernst macht … Eins dürfte klar geworden sein: die Eintracht passt nicht in einen Gau XIII mit primitiver Spielart. Hier geht sie zugrunde. Erst bei großen Gegnern, wie Fürth, taut die Elf auf." („Fußball" vom 2. April 1935) Worte, die sich in den kommenden Jahren mehrfach wiederholen sollten. Die „launische Diva" reifte heran.

Auch in der Führungsetage wurde die Diskrepanz zwischen dem vorhandenen Potenzial und den Ergebnissen auf dem Platz erkannt. Trainer Willi Spreng wurde Ende Mai wieder von Paul Oßwald abgelöst. Eine seiner ersten Amtshandlungen war die Wiedereinführung einer Reserve-Mannschaft, in der junge Nachwuchskräfte an die „Liga" herangeführt werden sollten. Aus der Stammelf der Vorsaison schied Lindner (zu Tura Leipzig) aus, Monz, Zipp und Ehmer konnten sich keinen Stammplatz mehr sichern. Für Siebel kehrte Ludwig Schmitt nach einer Knieoperation ins Tor zurück, die Verteidigung wurde durch Albert Conrad vom 1. FC Kaiserslautern verstärkt, im Angriff tauchte Trumpler wieder auf, dazu kamen Josef Weigand (SV Somborn), Friedrich Groß (FG 02 Seckbach) und Adam Schmitt (Hassia Dieburg), der der neue „Mr. Eintracht" werden sollte.

1935/36 ■ Auf der Zielgeraden abgefangen

Schon in der Vorbereitung zeigte sich, dass die Eintracht auf dem richtigen Weg war. Auch der Saisonauftakt verlief viel versprechend, und nach drei Siegen fuhr die Eintracht als Spitzenreiter zum Meister Phönix Ludwigshafen. Da es bereits im Vorjahr knüppelhart zur Sache gegangen war, hatte die Eintracht vorsichtshalber Verbandsaufsicht beantragt, doch blieb bis zur 78. Minute alles ruhig. Trumpler und Möbs hatten die Frankfurter zweimal in Führung gebracht, doch Phönix konnte noch vor der Halbzeit ausgleichen. Als Lindemann die Ludwigshafener zwölf Minuten vor Schluss mit 3:2 in Führung brachte, nahm das Unheil seinen Verlauf. Kurz darauf „führte eine harte Entscheidung des Schiedsrichters zu einem Elfmeterstrafstoß gegen Frankfurt. Der Frankfurter Tormann Koch hielt Lindemanns Schuss, und Leis und Mantel suchten ihren Torhüter gegen den nachsetzenden Lindemann zu decken, und es mag sein, dass Leis dabei etwas zu derb war. Jedenfalls schlug Lindemann den Eintrachtspieler Mantel, so dass der Schiedsrichter Lindemann vom Platz weisen musste. Ehe dieser aber ging, trat er dem völlig unbeteiligten Tiefel von rückwärts, und zur gleichen Zeit wurde der Frankfurter Verteidiger Conrad von einem in das Spielfeld eingedrungenen Zuschauer derart geschlagen, dass er vom Platz getragen werden musste. Mantel und Stubb hatten das Spielfeld bereits verlassen, so dass die Frankfurter den Kampf mit acht

Spielern zu Ende führen mussten. Dass Phönix in dieser Zeit zu einem weiteren Treffer kam, war nicht weiter verwunderlich." („Frankfurter Zeitung" vom 28. Oktober 1935)

Alle Beobachter waren sich eigentlich einig, dass Phönix mit einer Platzsperre zu rechnen habe und das Spiel auf neutralem Platz zu wiederholen sei. Doch weit gefehlt: Leis (Eintracht) wurde für drei, Lindemann und Ulrich (beide Phönix) für je sechs Monate gesperrt, Stubb zu einer einer Geldstrafe verurteilt, Mantel und Conrad verwarnt. Zwar wurde der Phönix-Platz für vier Spiele gesperrt und der Klub mit einer Rüge belegt, die Spielwertung mit 4:2 für Ludwigshafen wurde jedoch bestätigt. Während Union Niederrad, Borussia Neunkirchen und Kickers Offenbach als Nutznießer jeweils zwei Punkte am grünen Tisch zugesprochen bekamen, schaute die Eintracht, die sozusagen zum falschen Zeitpunkt am falschen Ort war, in die Röhre. Zwar legte die Eintracht gegen „das unverständliche Urteil und seine Begründung" („Vereins-Nachrichten" vom Dezember 1935) Berufung beim DFB ein, außer einer Reduzierung der Sperre gegen Leis auf zwei Spiele wurde aber nichts erreicht.

Der Form der Mannschaft kam der ganze Rummel wenig zu Gute. Nach einem 0:4 in Offenbach und 0:0 in Pirmasens fiel die Eintracht auf Platz fünf zurück. Das Derby gegen den FSV (1:0) artete vor 14.000 Zuschauern im Stadion fast zu einem neuen Skandal aus. Diesmal kochten die Wogen der Erregung bei den Bornheimern über, die sich bei Trumplers Siegtor verschaukelt fühlten. Nachdem Ludwig Schmitt Mitte der 2. Halbzeit hart gegen Haderer eingestiegen war, beließ es Schiedsrichter Paulus aus Saarbrücken nämlich bei einer Ermahnung gegen den Eintracht-Torhüter. Während die FSV-Spieler noch lautstark einen Elfmeter reklamierten, nutzte Trumpler die allgemeine Verwirrung zum 1:0 für die Eintracht. Jetzt brach beim FSV-Anhang erst recht ein Sturm der Entrüstung aus, die Bornheimer Spieler bedrängten den Schiedsrichter und konnten von ihren Betreuern nur mit Mühe davon abgebracht werden, das Spiel abzubrechen.

Bei der Eintracht legte dieser Sieg neue Kräfte frei. In den nächsten acht Spielen wurden lediglich zwei Punkte abgegeben, so dass die Mannschaft nach dem 4:1 beim FV Saarbrücken am 9. Februar wieder an der Tabellenspitze stand – und das drei Spiele vor Schluss. Allerdings schienen gerade die Rivalen vom Main der Eintracht die Meisterschaft nicht zu gönnen. Das Heimspiel gegen die Offenbacher Kickers am 16. Februar artete jedenfalls zu einer wilden Treterei aus, wobei Kickers-Linksaußen Stein des Feldes verwiesen wurde. Da zudem auch Gramlich und Trumpler mit Lattenschüssen Pech hatten, kam die Mannschaft über ein 1:1 nicht hinaus.

Was besonders auffiel, war die Schadenfreude, mit der der Punktverlust der Eintracht gefeiert wurde, denn „die Lokalrivalen scheinen allen Ehrgeiz darein zu legen, den Riederwäldern den Weg zur Meisterschaft zu verbauen. Gegen diese Einstellung wäre an sich nichts zu sagen, wenn sie nur sportlichem Ehrgeiz entspränge und mit sportlichen Mitteln ausgetragen würde... Hier aber geht etwas anderes vor. Das ist nicht Härte und Kampf allein, das ist der Zerstörungswille mit allen Mitteln, die zu Gebote stehen, vor allem auch der Unerlaubten... Und die Anhänger taten nicht gut daran zu verraten, dass sie nicht Begeisterung antrieb, sondern Hass... Die fremden

Zuschauer (es waren nicht nur die Offenbacher, sondern noch viel mehr die Bornheimer) stimmten triumphierend den Sprechchor an: ‚Hi, ha, ho, Eintracht ist k.o.!'" („Fußball" vom 18. Februar 1936)

Immerhin hatte es die Eintracht noch in der Hand, in den letzten beiden Spielen gegen die direkten Verfolger Wormatia Worms und FK Pirmasens alles klar zu machen. Da die Eintracht jedoch Gramlich für das Länderspiel in Spanien (2:1 für Deutschland) abstellen musste und eine Woche später das Bundespokal-Endspiel Südwest - Sachsen im Frankfurter Stadion (n.V. 2:2 vor 35.000 Zuschauern) stattfand, kam der FKP nach einem 6:0 über die Offenbacher Kickers am 15. März als Tabellenführer an den Riederwald. Vor 20.000 Zuschauern hätte den Pfälzern bereits ein 0:0 zum Gewinn der Gaumeisterschaft gereicht. Die Rechnung schien auch lange aufzugehen, Torhüter Schaumberger hatte sogar einen Elfmeter meistern können. Doch die Eintracht setzte ab der 70. Minute auf bedingungslose Offensive und beorderte Mittelläufer Tiefel in die vorderste Spitze. Der Mut zum Risiko wurde schließlich zwei Minuten vor Schluss belohnt: Tiefel erzielte das Tor des Tages! Der FKP war damit so gut wie aus dem Rennen, und da Worms zur gleichen Stunde die Offenbacher schlug, stand das nächste Endspiel bevor.

Das Interesse an diesem Spiel war riesengroß. Durch Errichtung einer Nottribüne und Aufbau von 5.000 Sitzplätzen auf der Laufbahn wurde das Fassungsvermögen des Wormser Stadions auf 12-15.000 erweitert. Aus Frankfurt rollte ein Sonderzug heran, insgesamt waren etwa 4.000 Eintracht-Anhänger in die Nibelungenstadt gereist. Die Ausgangslage war klar: Worms musste gewinnen, der Eintracht hätte wegen des besseren Torverhältnisses gegenüber Pirmasens bereits ein 0:0 oder 1:1 gereicht. Nur bei einem Remis von 2:2 und höher wäre Pirmasens der lachende Dritte gewesen. Das Konzept der Eintracht schien auch aufzugehen, Halbzeit 0:0. Nach dem Wechsel stand das Spiel auf des Messers Schneide – bis zur 61. Minute. Ein harmlos vor das Eintracht-Tor geschlagener Ball schien eine sichere Beute von Schmitt zu werden, doch Verteidiger Conrad schlug ohne ersichtlichen Grund den Ball weg – genau vor die Füße eines Wormser Spielers, der so verdutzt war, dass er statt des leeren Tores nur die Latte traf. Den Abpraller setzte Winkler in die Maschen. Von diesem Schock erholte sich die Eintracht nicht mehr. Fünf Minuten später markierte Eckert das 2:0, und als dem Unglücksraben Conrad auch noch ein Eigentor unterlief, war das Rennen gelaufen. 4:1 hieß es am Ende, wodurch die Eintracht sogar noch an die dritte Stelle abrutschte.

Auch im Tschammer-Pokal gab es ein unrühmliches Ende: Gegen den unterklassigen SV Flörsheim kam in der 3. Runde auf Gauebene auf eigenem Platz das Aus (1:2).

Annonce im Programmheft zur Tribünenweihe am 5. September 1937.

Ein weiteres Unglück ereignete sich in den frühen Morgenstunden des 19. Juli 1936, als die Haupttribüne am Riederwald bis auf die Grundmauern abbrannte. Selbst vier Löschzüge der Feuerwehr konnten nichts mehr retten. Mit dem Neubau wurde der ehemalige Ligaspieler Walter Dietrich beauftragt.

Die alte Tribüne am Riederwald – und was nach dem Brand 1936 von ihr blieb.

1936/37 ■ Erneut an Wormatia Worms gescheitert

Auch das Gesicht der Mannschaft änderte sich. Conrad ging zum VfR Mannheim, Trumpler hörte auf, und auch der 31-jährige Leis sollte nur noch ein Punktspiel für die Eintracht bestreiten. Besonders bitter war jedoch der Verlust von Nationalspieler Willi Tiefel, den es zum Berliner SV 92 gezogen hatte – oder besser: der gezogen worden war. Tiefel arbeitete beim „DeFaKa" (Deutsches Familien-Kaufhaus, seit 1934 Bezeichnung des „arisierten" Kaufhauses Wronker) auf der Zeil. Da einige Vorstandsherren in der Berliner Zentrale Mäzene des BSV 92 waren, wurde Tiefel nach Berlin versetzt. Bis 1940 spielte Tiefel für den BSV 92, anschließend beim Brandenburger SC 05, bevor er im September 1941 an der Ostfront fiel.

Kompensiert wurden die Abgänge mit Spielern aus den eigenen Reihen. Der Start in die neue Saison ging gehörig daneben. Mit einer 0:4-Schlappe kehrte man vom Aufsteiger SV Wiesbaden zurück, und auch in den nächsten Wochen zeigte sich die Eintracht unbeständig. In Worms bekam sie von Meister Wormatia mit 5:1 das Fell über die Ohren gezogen. Hinzu kam großes Verletzungspech. Im Derby gegen den FSV (3:2) zog sich Gramlich eine schwere Knieverletzung zu und fiel bis Saisonende aus. Für ihn rückte Dr. Paul Hermann, der im November 1936 aus Stuttgart-Feuerbach an den Riederwald gekommen war, in die Läuferreihe. Da auch der aus Fulda geholte Rechtsaußen Karl Röll spielberechtigt wurde und sich die Gebrüder Hemmerich in den Kreis der Liga-Mannschaft spielten, entspannte sich die Personallage jedoch etwas.

Das Derby gegen den FSV am 25. Oktober (3:2) wurde zum Wendepunkt. „Weniger der Sieg, als das schöne Spiel hoben das Selbstvertrauen von Spielern und Anhängern mächtig", hieß es in den „Vereins-Nachrichten". Nach vier Siegen in Folge stand man punktgleich mit Tabellenführer Kickers Offenbach auf Platz zwei. Selbstbewusst fuhr man zum Tabellenletzten Sportfreunde Saarbrücken, der erst drei Punkte auf dem Konto, hatte. Mit 2:4 gab es jedoch eine unerwartete Niederlage. Dennoch blieb die Eintracht vorne dran und war für den Schlager am 31. Januar 1937 gegen Wormatia Worms gerüstet. 15.000 Zuschauer mussten jedoch nach 55 Minuten beim Stand von 2:2 vorzeitig den Heimweg antreten, da die Gesundheit der Spieler auf dem schneebedeckten und darunter seifenglatten Platz gefährdet war. Als das Spiel am 7. März wiederholt wurde, lag Wormatia mit 24:8 Punkten knapp vor der Eintracht (23:9).

Diesmal waren 17.000 Zuschauer an den Bornheimer Hang gekommen, davon rund 1.500 aus Worms, die ihre Mannschaft zur Pause mit 1:0 in Führung sahen. Die Eintracht wirkte übernervös und nicht in der Lage, das Blatt noch einmal zu wenden. Sogar das Ausgleichstor musste ein Wormser erzielen (Eigentor Winkler). Das sagt eigentlich alles. Obwohl die Lage nach diesem Punktverlust fast aussichtslos schien, zeigte die Eintracht-Mannschaft noch einmal Charakter und siegte am letzten Spieltag mit 2:0 bei den Offenbacher Kickers. Fast hätte es noch zur Sensation gereicht, doch die Wormser holten sich mit einem 0:0 in Pirmasens den noch fehlenden Punkt zur Titelverteidigung.

Der Zieleinlauf hätte knapper nicht ausfallen können. Bei Punktegleichstand (26:10) entschied das bessere Torverhältnis (48:23 gegenüber 48:31) für die Wormatia.

Im Sommer wurde eifrig an der Verstärkung der Mannschaft gebastelt. Mantel, der seit Dezember 1936 nicht mehr gespielt hatte, wurde durch Hermann Lindemann (Kickers Offenbach, vorher FSV) ersetzt. Im Sturm erkämpfte sich das erst 17-jährige Talent Albert Wirsching aus der eigenen Jugend sofort einen Stammplatz. Zwar fiel Möbs nach einer Beinoperation bis Ende März 1938 aus, dafür stand Rudi Gramlich nach seiner Knieverletzung wieder zur Verfügung. Weitere Neuzugänge waren Mittelstürmer Emil Arheilger und Linksaußen Fritz Linken, die ab November spielberechtigt waren.

Im Sommer 1937 stand die Eintracht erstmals in der Schlussrunde des Tschammer-Pokals. Doch wie neun Jahre zuvor bei der Premiere in der „Deutschen" erwies sich die SpVgg Sülz 07 als zu stark und siegte mit 2:0. Allerdings musste die Eintracht auf Röll, Lindemann und Knapp verzichten, die in Paris mit der deutschen Studenten-Auswahl Weltmeister wurden! Am 5. September 1937 ging die einjährige „Diaspora" am Bornheimer Hang zu Ende. Mit einem Freundschaftsspiel gegen Fortuna Düsseldorf (1:5) wurde die neue Haupttribüne vor 10.000 Besuchern eingeweiht. Mit dem Tribünenbau war der Verein an die Grenze seiner finanziellen Möglichkeiten gegangen. Da von der Bausumme in Höhe von 66.000 Mark nur 36.000 Mark aus eigenen Mitteln aufgebracht werden konnten, hatte die Stadt Frankfurt der Eintracht im März 1937 ein Darlehen über den Fehlbetrag von 30.000 Mark bewilligt, das in Monatsraten zu 500 Mark zurückzuzahlen war.

1937/38 ■ Im dritten Anlauf endlich Gaumeister

In der neuen Gauliga-Saison kämpfte sich die Eintracht rasch an die Tabellenspitze. Im Derby gegen den FSV wurde vor 20.000 Zuschauern am Riederwald zwar eine 2:0-Führung verspielt (Ende 2:2), doch 14 Tage später wurde der alte Rivale Wormatia Worms mit 4:0 nach Hause geschickt und beim SV Wiesbaden zwei weitere Punkte eingefahren (1:0). Für das Duell mit dem Zweiten Borussia Neunkirchen wurde folglich Rekordbesuch erwartet. Da im Saargebiet jedoch die Maul- und Klauenseuche ausgebrochen war, wurden sämtliche für den 31. Oktober angesetzten Meisterschaftsspiele verschoben.

Die einwöchige Pause brachte die Mannschaft jedoch aus dem Tritt. Einen Fehler von Torhüter Gorka nutzten die Borussen zum Führungstor. Zwar erspielte sich die Eintracht in der zweiten Halbzeit eine deutliche Überlegenheit, doch mehr als der Ausgleich durch Wirsching gelang nicht. Danach kam es wegen der Maul- und Klauenseuche erneut zu einer längeren Spielpause. Als es am 12. Dezember mit einem 5:3-Heimsieg über den FV Saarbrücken weiterging, stand mit Peuttler ein neuer Torhüter im Eintracht-Gehäuse. Die in diesem Spiel aufgebotene Mannschaft war:
▶ Alois Peuttler – Friedrich Groß, Hans Stubb – Rudi Gramlich, Gottfried Fürbeth, Hermann Lindemann – Karl Röll, Albert Wirsching, Emil Arheilger, Adam Schmitt, Fritz Linken.

Die Einweihung der neuen Tribüne am Riederwald, 5. September 1937.

Diese Elf sollte bis zum Saisonende fast unverändert durchspielen. Lediglich Ehmer und Möbs, der im letzten Spiel beim FV Saarbrücken sein Comeback feierte, wurden noch eingesetzt. Mit einem 3:0 über den FK Pirmasens übernahm die Eintracht eine Woche später wieder die Tabellenführung und holte bis zum 20. März 26:6 Punkte. In diesem Zeitraum gab es lediglich zwei Niederlagen, 2:4 bei den Offenbacher Kickers und 0:2 bei Wormatia Worms. Dabei hatte es am 2. Januar 1938 am Bieberer Berg lange Zeit nach einem weiteren Eintracht-Sieg ausgesehen. Zur Pause lagen die Gäste vom Riederwald verdient mit 2:0 in Führung. „Es sah gar nicht aus wie ein Punktekampf, es war eher ein Trainingsspiel. Die Kickers wirkten völlig verwirrt. Eintracht spielte gelassen und mit einer selbstverständlichen Reife. Sie war schneller am Ball, sie köpfte besser, sie spielte auch sonst mit Kopf, sie dominierte … Die Raketen zischten und die Zuschauer freuten sich an ihrem Zauber. […] Die Frankfurter saßen fröhlich auf der Tribüne und standen schmunzelnd mitten unter den Offenbachern … Alles schien gut zu laufen… Aber bald nach Wiederbeginn … änderten [die Kickers] ihr System … Es gab nur eine Parole: Angriff! Unter diesem begann das Eintrachtgebäude langsam zu erzittern … Und während Eintrachts Nerven zerrissen wie dünne Drähte, spielte sich Offenbach in den Wirbel seiner Wunderform hinein. […] Wir erlebten eine Sensation. Die Eintracht verlor ein Spiel, das offenbar nicht mehr zu verlieren war … Vielhundert Wagen mit traurigen Insassen, vollgepfropfte Omnibusse rollten nach Frankfurt zurück. Ihre Insassen hörten, fassungslos vor Glück, dass auch der Mitrivale Neunkirchen verloren hatte. Plötzlich blühte wieder ein Hoffnungsreis. Zaghaft, aber doch." („Der Kicker" vom 4. Januar 1938)

Dass sich im Verlauf einer Saison jedoch Glück und Pech ausgleichen, zeigte sich zwei Wochen nach dem Offenbacher Debakel im Derby am Bornheimer Hang. 2:1 führte der FSV gegen eine Eintracht, die nur schwer ihr Spiel fand. Nachdem Wirsching in der 65. Minute den Ausgleich erzielt hatte, fiel die Entscheidung innerhalb von nur drei Minuten: 2:3 Wirsching (78.), 2:4, 2:5 Arheilger (79., 80.). Zwei Minuten vor Schluss machte Röll das halbe Dutzend voll.

Bereits in ihrem vorletzten Spiel am 20. März in Neunkirchen hätte die Eintracht alles klarmachen können, denn sie lag mit 26:6 Punkten knapp vor den Borussen (25:9). Die Neunkirchener aber kämpften um ihre letzte Chance – und nutzten sie. Mit 0:3 erlebten die Riederwälder ein ähnliches Debakel wie Anfang des Jahres in Offenbach. Damit übernahmen die Saarländer die Tabellenführung, mussten aber tatenlos zusehen, wie die Eintracht am 27. März 1938 beim FV Saarbrücken ihr Meisterschaftsstück machte. Weder 2.000 Borussen-Fans, die mit einem Sonderzug angereist waren, noch die frühe Führung des FVS nach nur drei Minuten konnten die Frankfurter Mannschaft aus der Bahn bringen. Wirsching und Linken sorgten noch vor der Pause für die Führung. Auch nach dem zwischenzeitlichen Ausgleich zum 2:2 kam keine Panik auf, schließlich hätte selbst ein 4:4 noch gereicht. In der Schlussphase erzielten erneut Linken und Wirsching die Treffer Nr. drei und vier. Die Eintracht war Meister der Gauliga Südwest, ihr erster Titel seit 1932.

Bereits am folgenden Wochenende stand das erste Gruppenspiel der Deutschen Meisterschaft bei der Soldatenelf von Yorck Boyen Insterburg auf dem Programm. Die Ostpreußen hatten nie den Hauch einer Chance und unterlagen mit 1:5. Auch beim Stettiner SC hieß es nach 62 Minuten bereits 6:2 für die Eintracht, der SSC ließ aber nicht locker und kam noch auf 5:6 heran. Da die fünf Gegentore einem Punktverlust gleichkamen, musste im nächsten Spiel beim Hamburger SV mindestens ein Punkt geholt werden. Doch just als es um die Wurst ging, war die Eintracht in der Krise. Auf der Rückreise von Stettin kassierte die Mannschaft bei einem Turnier in Berlin erneut acht Gegentore. Besonders Torhüter Peuttler stand in der Kritik. Der Vorstand reagierte auf das permanente Torhüterproblem und gab Anfang April die Verpflichtung des Rot-Weiss-Keepers Hans Fischer bekannt. Gegen den HSV musste aber Ludwig Schmitt in den Kasten, der seit elf Monaten kein Pflichtspiel mehr bestritten hatte. Vor 25.000 Zuschauern auf dem Victoria-Platz begann die Eintracht zwar technisch sehr versiert, geriet aber bereits nach zehn Minuten in Rückstand und musste bald alle Hoffnungen begraben. 0:3 hieß es nach 45, 0:5 nach 90 Minuten. Mit zwei 5:0-Siegen gegen Stettin und Insterburg wurden zwar die

„Frankfurter Tribut": Karikatur im „Kicker" vom 26. April 1938 nach dem 0:5 beim Hamburger SV.

theoretischen Chancen auf den Gruppensieg gewahrt, die angesichts des Torverhältnisses (HSV 19:2, Eintracht 21:11) aber deutlich gegen Null tendierten. Der Eintracht-Anhang konnte gerade zwölf Minuten träumen, dann hatte Carstens Rölls Führungstreffer aus der 4. Minute egalisiert. Immerhin gab sich die Mannschaft nie auf, steckte sogar einen Rückstand weg und ging am Ende mit 3:2 als Sieger vom Platz.

Auch im Sommer 1938 drehte sich das Personalkarussel bei der Eintracht. Neben Torhüter Fischer konnte Willi Lindner nach drei Jahren Abwesenheit (Tura Leipzig, Reichsbahn-Rot-Weiss) wieder am Riederwald begrüßt werden. Weitere Neuzugänge waren August Groß aus Friedrichshafen, Adolf Schmidt (SpVgg Oberrad) und Ernst Künz (FC Lustenau 07), ein Mitglied des österreichischen Olympia-Teams von 1936. Seine Karriere beendet hatte Torjäger Ehmer. Außerdem deutete sich an, dass über kurz oder lang die erfahrenen Stubb (fast 32), Gramlich und Möbs (beide 30) zu ersetzen waren. Am schwersten wog jedoch der erneute Weggang von Trainer Oßwald, der zum Leiter des Stadtamtes für Leibesübungen in Frankenthal berufen worden war und fortan den dortigen VfR betreute. In dieser Situation wurde ein gravierender Fehler begangen und auf einen Trainer für 1938/39 verzichtet.

1938/39 ■ Ohne Trainer und ohne Konzept in die Krise

Zudem verschloss ein erfolgeicher Start den Blick für die Realität. Nach einem verdienten 4:2-Sieg über den Deutschen Meister Hannover 96 und einem unglücklichen 1:2 im Tschammer-Pokal gegen den TSV München 1860 stand die Eintracht nach drei (Heim-) Siegen an der Spitze der Gauliga. Auch im Derby gegen den als Geheimfavoriten eingestuften FSV schien die Eintracht zur Pause auf der Siegesstraße. Doch innerhalb von nur sieben Minuten machten die Bornheimer vor 25.000 Zuschauern im Stadion – der beste Besuch seit Jahren – aus dem 1:2 ein 4:2. Röll gelang nur noch der Anschlusstreffer zum 4:3. Jetzt begann sich das Fehlen eines Trainers erst richtig auszuwirken. Es folgte eine Zeit des Experimentierens. Einschließlich des Derbys waren 14 Spieler eingesetzt worden, bis zum Ende der Vorrunde waren es bereits 19.

Die 1:6-Niederlage vom 27. November 1938 bei den Offenbacher Kickers stürzte die Eintracht in eine der größten Krisen ihrer Vereinsgeschichte. Schon zur Halbzeit hatte es 0:5 gestanden. Im Mittelpunkt der Kritik stand wieder einmal die konzeptlose Personalpolitik: „Die Eintracht [hatte] wieder einmal eine Überraschung für das staunende Fußballpublikum bereit. Der Wunderknabe Arheilger tauchte plötzlich als Verteidiger auf. Irgend ein Mittel, die Mannschaft umzustellen, findet sich ja bei der Eintracht immer… Seit Jahren wird dort probiert. Aus den ständigen Umstellungen zeigt sich eine Planlosigkeit und Unsicherheit der Mannschaftsführung, die eine ausreichende Erklärung für die sich immer wiederholenden schweren Rückschläge ist … Bei der Eintracht befindet sich gewiss kein schlechtes Spielermaterial … Es fehlt nur noch der richtige Mann …, der daraus eine Elf bildet, der die Saison im Sommer vorbereitet und der keinerlei Unsicherheit aufkommen lässt." („Fußball" vom 29. November 1938)

Eintracht-Torhüter Fischer wehrt einen Angriff von Emrich (Kickers Offenbach) ab und sichert den 2:0-Sieg seiner Elf am Riederwald (1938).

Eintracht gegen Hannover 96 (4:2) am 21. August 1938. Von links: Fischer, Möbs, Arheilger, Fürbeth, Lindemann, Fr. Groß, Wirsching, Röll, Adam Schmitt, Gramlich, Linken. Bis auf Torhüter Fischer war es die gleiche Mannschaft, die Gaumeister wurde.

Die Krise hatte Auswirkungen bis in die höchsten Kreise: Die Vereinsführung um Hans Söhngen trat zurück und wurde bis zur nächsten Generalversammlung von Rudi Gramlich, der kurz zuvor seine aktive Laufbahn beendet hatte, und Dr. Adolf Metzner ersetzt. Auch bei der Mannschaft war eine Reaktion zu spüren. Zwar spielte sie zunächst nicht besser, hielt aber den Kontakt zur Spitze. Und als im Januar der Leichtathlet Otto Boer, der Ende der 20er Jahre bereits unter Paul Oßwald als Konditionstrainer gearbeitet hatte, das Training übernahm, zeigte auch die Formkurve wieder nach oben. Bis zum Schlager am 29. Januar in Worms hatte sich die Eintracht bis auf einen (Minus-) Punkt an den Spitzenreiter aus der Nibelungenstadt herangearbeitet. Doch wie 1936 und 1937 konnte auch 1939 die Hürde Worms nicht genommen werden. Obwohl die Mannschaft einen großen Kampf lieferte und Künz zweimal eine Wormser Führung egalisieren konnte, sorgte Kiefer in der 79. Minute für die Entscheidung zuungunsten der Eintracht. Durch ein 5:7 im letzten Spiel beim FV Saarbrücken fiel die Eintracht am Ende noch hinter den FSV auf den dritten Platz zurück.

Anlässlich des 40-jährigen Vereinsjubiläums wurden dem Publikum vier ausgesprochene Leckerbissen serviert. Als erster Jubiläumsgast stellte sich zu Ostern der Deutsche Pokalsieger Rapid Wien am Riederwald vor (der im Finale den FSV geschlagen hatte!). Der neue Mittelstürmer Edmund Adamkiewicz (zuvor Wilhelmsburger FV 09), Wirsching und Röll legten den „Ostmärkern" drei Ostereier ins Nest – 3:2 für die Eintracht. Am 14. Mai sahen 12.000 Zuschauer eine begeisternde Vorstellung des italienischen Meisters FC Bologna, der mit 6:3 siegte. Zwei Wochen später wurde Sparta Prag, als „Meister des Protektorats" angekündigt, mit 4:0 geschlagen. Zum Abschluss der Jubiläumsspiele stellte sich die AS Rom am Riederwald vor und behielt am 21. Juni mit 3:1 die Oberhand.

40 Jahre Eintracht: Die Mannschaft vom 21. Juni 1939 gegen den AS Rom. Von links Fr. Groß, Trageser, Adamkiewicz, Arheilger, Linken, Wirsching, Räll, Opper, Adam Schmitt, Adolf Schmidt, Kolb. Etwas verhalten zeigen die Spieler den „Hitler-Gruß".

Reichsliga und NS-Sportpolitik

Als 1932/33 die Einführung einer professionell ausgerichteten Bundes-/Reichsliga zur Diskussion stand, war die Eintracht ein sicherer Kandidat. Die Machtübernahme der Nationalsozialisten beendete jedoch zunächst alle diesbezüglichen Überlegungen. Und zwar weniger, weil die Nationalsozialisten den Berufssport generell ablehnten – so gab es im Boxen und Radsport weiterhin Profis –, als vielmehr, weil die Verantwortlichen nun nicht mehr befürchten mussten, sich dieser Frage stellen zu müssen. Damit hinkte Deutschland weiterhin der Entwicklung in Europa hinterher. Spanien hatte bereits 1928 seine „Liga" eingeführt, ein Jahr später folgte Italiens „Serie A". Frankreich startete 1932 seine Profiliga, und 1933 nahm die Schweizer Nationalliga ihren Betrieb auf.

Die Einrichtung von 16 Gauligen war ein halbherziger Kompromiss. Zwar reduzierte sich die Anzahl der obersten Spielklassen in einigen Regionen erheblich, die Gruppenspiele zur Deutschen Meisterschaft machten jedoch deutlich, dass es vielleicht auch anders gegangen wäre, wenn man nur gewollt hätte. So aber wurde die Frage nach einer Reichsliga selbst nach dem Scheitern bei den Olympischen Spielen 1936 in Berlin (0:2 gegen Norwegen) „ohne den Amateurstandpunkt zu untergraben" als „sehr problematisch" angesehen, „wiewohl sie technisch (flugtechnisch) möglich wäre".

„Gewiss würden mit einer Nationalliga mehr hervorragende Vereinsmannschaften in Erscheinung treten, die Klasse von Schalke und Nürnberg stiege möglicherweise auf ein Dutzend an, doch der Nutzen wäre fraglich. Zwischen Hamburg – München, Düsseldorf – Dresden sind die Verkehrswege nicht länger als zwischen Marseille bis Lille oder Turin – Neapel … Aber unsere Gauliga hat sich bewährt; selbst eine gewisse Unausgeglichenheit, wie sie sich aus der landschaftlichen Gliederung der Gaue in der Spielstärke gibt, zeitigte keine Nachteile. Der Gau ist das beste Haus für unsere erste Fußballklasse, mit der weder große Geschäfte noch Spieler-Transaktionen gemacht werden sollen" („Der Kicker" vom 20. Juli 1937).

Das frühe Scheitern bei der WM 1938 in Frankreich bewirkte eine Änderung der Sichtweise. So schrieb Dr. Friedebert Becker im „Kicker" vom 15. August 1939: „Auch im Sport steht über allen Interessen die n a t i o n a l e Aufgabe. So schöne Erfolge die Deutsche Nationalmannschaft auch in den letzten Jahren feierte, wer konnte leugnen, dass die Schlagkraft des großdeutschen Fußballs längst nicht seiner Macht und Größe entspricht… Und wer unbefangen kritisch nach den Ursachen … von Misserfolgen forschte, musste immer wieder zu der Erkenntnis kommen: Der Massenspielbetrieb lässt keine Leistungssteigerung zu …

Warum eilt Italien von Sieg zu Sieg? [Weltmeister 1934, 1938, Olympiasieger 1936, Anm. d. Verf.] Warum ist diese einzigartige Nationalelf schier unschlagbar . . .? Pozzo [der italienische Nationaltrainer, Anm. d. Verf.] hatte es in seinem weithin beachteten Interview mit unserem italienischen Korrespondenten … ausgedrückt: Die deutsche Kraft des Fußballs verzehrt sich im schwelenden Feuer der Masse und Mittelmäßigkeit, die italienische wird immer wieder neu entzündet an dem sprühenden Funken des Kampfes der Elite!"

Starten sollte die Reichsliga bereits 1940 in vier Gruppen Süd, West, Nord und Mitte-Ost. Nach den Tabellenständen des Jahres 1939 hätten die Frankfurter Vereine FSV und Eintracht in der Gruppe West mit Wormatia Worms, CSC 03 Kassel, FC Hanau 93, Hessen Bad Hersfeld, SpVgg Sülz 07, SSV Troisdorf, TuRa Bonn, Fortuna Düsseldorf, Schwarz-Weiß und Rot-Weiss Essen, FC Schalke 04, VfL Bochum und Borussia Dortmund gespielt. Der Beginn des Zweiten Weltkriegs durchkreuzte jedoch alle Planungen bis zum Ende des Krieges. So veröffentlichte der „Kicker" am 21. Januar 1941 neue Pläne für eine Reichsliga in zwei Gruppen Nord und Süd. Startberechtigt sollten alle Gaumeister und -zweiten des Jahres 1939, die Kriegsmeister und -zweiten des Jahres 1941 sowie „hohe Titelinhaber, Deutsche Meister, Pokalsieger, Gruppensieger" sein. Nach diesen Überlegungen wäre die Eintracht wohl nicht mit dabei gewesen, dafür die Lokalrivalen Kickers Offenbach, FSV und Reichsbahn-Rot-Weiss Frankfurt!

Selbst als sich die militärische Niederlage immer deutlicher abzeichnete, wurde weiter von der Reichsliga geträumt. So zitierte der „Kicker-Fußball" am 12. September 1944 das „Neue Wiener Tagblatt": „Nach dem Krieg wird … der Weg zu einer gemeinsamen deutschen Liga gefunden werden müssen, zu einer R e i c h s l i g a , a n d e r e t w a z w a n z i g d e u t s c h e S p i t z e n v e r e i n e teilnehmen werden … Das ist wohl noch ein Zukunftstraum, aber einer, der als der natürlichen Entwicklung entsprechend sicher in Erfüllung gehen wird."

Die aktuelle Entwicklung ging jedoch zunächst unter Aufhebung der Spielklassen zu Stadtrunden. Auch die Durchführungsbestimmungen wurden den Verhältnissen des sechsten Kriegsjahres angepasst: „Wird ein Meisterschaftsspiel durch Feindeinwirkung abgebrochen, dann ist es zu werten, wenn nur noch wenige Minuten Spielzeit ausstehen und das Torverhältnis keinen Zweifel über den Ausgang mehr zulässt … Eintrittsgelder können bei unverschuldetem Abbruch eines Spieles nicht zurückerstattet werden" („Rhein-Mainische Zeitung" vom 9./11. Januar 1945). Allerdings fand die Mehrzahl der angesetzten Spiele gar nicht mehr statt. Trotzdem nahm die Sportführung deren Durchführung sehr ernst und bestrafte über Weihnachten 1944 auch die KSG FSV/Eintracht „wegen unvollständigen Nichtantretens" mit dem Abzug von zwei Punkten.

Der Traum von der großen nationalen Liga überlebte jedoch Kriegsende, Besatzung und die Teilung Deutschlands. Es sollte aber noch bis 1963 dauern, ehe er in Form der Bundesliga in Erfüllung ging. Aus dem ehemaligen Gau Südwest waren mit der Eintracht, dem 1. FC Kaiserslautern und dem 1. FC Saarbrücken (dem früheren FVS) immerhin drei Klubs dabei.

Fußball und totaler Krieg

Ungeachtet der im Sommer 1939 zunehmenden Spannungen zwischen den europäischen Großmächten, ging man bei der Eintracht daran, sich den Herausforderungen des neuen Spieljahres zu stellen. Schließlich sollte ja der Sprung in die neue Reichsliga geschafft werden. Um dieses Ziel zu erreichen, wurde mit dem ehemaligen Spieler Peter Szabo wieder ein richtiger Trainer verpflichtet. Der Ungar, der 1939 Ruch Chorzow zur polnischen Meisterschaft geführt hatte, fand eine Mannschaft vor, in der es im Vergleich zum Vorjahr kaum Veränderungen gegeben hatte. Nachdem durch ein 5:0 beim SV Beuel 06 erstmals die 2. Runde des Tschammer-Pokal auf Reichsebene erreicht worden war, sollte am 27. August der Start zur Gauliga-Meisterschaft 1939/40 erfolgen. Infolge der geheimen Kriegsvorbereitungen wurden aber im gesamten Reich nur zwölf Spiele ausgetragen, davon fünf im Gau Südwest. Die Eintracht kam beim in Bestbesetzung spielenden SV Wiesbaden ohne Röll, Linken (beide bei der Wehrmacht) und Verteidiger Groß zu einem 1:1. Nach dem deutschen Angriff auf Polen am 1. September wurde die Meisterschaft jedoch abgebrochen und durch Stadtmeisterschaften ersetzt.

1939/40 ■ Der Kriegsbeginn wirft alle Planungen über den Haufen

In Frankfurt sollten die Gauligisten Eintracht, FSV und Reichsbahn-Rot-Weiss mit mehreren unterklassigen Vereinen eine Kriegsrunde absolvieren. Besonders die großen Vereine waren von dieser Idee wenig begeistert. Auch die Offenbacher Kickers, die es nur mit unterklassigen Gegnern zu tun hatten, hätten lieber mit den drei Frankfurter Topvereinen, dem FC Hanau 93, Opel Rüsselsheim und dem SV Wiesbaden gespielt, weil dies „einmal spielerischen Nutzen bringen und zum anderen auch in finanzieller Hinsicht ertragreich sein" würde („Der Kicker" vom 19. September 1939). Doch Eigeninitiative war nicht gefragt in diesen Tagen. So startete die Eintracht mit einem 10:1 bei der BSG IG Farben in die Stadtrunde, in der in sechs Spielen nur ein Punkt abgegeben wurde (1:1 gegen den FSV). Da Reichsbahn-Rot-Weiss bei Germania 94 (1:3) und der FSV beim VfL Rödelheim (2:5) patzten, wurde die Eintracht Mitte November vorzeitig zum Sieger erklärt.

Mit dem Pokalspiel gegen den SV Waldhof stand am 19. November das erste überregionale Spiel auf dem Programm. Ohne Mittelstürmer Adamkiewicz, der im Oktober zum Hamburger SV gewechselt war, und ohne Kolb, Lindemann, Arheilger, Adam Schmitt und Röll unterlag die Eintracht vor nur 1.500 Zuschauern den Mannheimer Vorstädtern unglücklich mit 0:1 nach Verlängerung. Eine Woche später erfolgte der Startschuss zur „Kriegsmeisterschaft der Gauklasse". Für diese wurde der Gau Südwest in die Gruppen Mainhessen und Saarpfalz geteilt. Die Gruppe Mainhessen war bis auf den FC Hanau 93 (dafür Union Niederrad) mit jener Liga identisch, die viele bereits als Kriegsrunde hatten sehen wollen. Der Start fiel im wahrsten Sinne des Wortes ins Wasser, denn am 26. November 1939 konnte wegen des schlechten Wetters keines der angesetzten Spiele stattfinden. Da die meisten Spieler zur Wehrmacht eingezogen worden waren, so auch Kolb und Adolf Schmidt, kamen die „Gastspieler" in Mode. Um den Spielbetrieb aufrechtzuerhalten, durften die Vereine am Ort stationierte Soldaten einsetzen. Als Erstes verstärkte der Karlsruher Johannes Herberger, ein Neffe des Reichstrainers, die Riederwälder. Nach einem 1:1 bei Union Niederrad fiel bereits im zweiten Punktspiel die Vorentscheidung im Meisterschaftsrennen. Vor 3.000 Zuschauern unterlag die Eintracht am Riederwald den Offenbacher Kickers mit 1:4. Obwohl im Derby beim FSV (1:0) erstmals Nationalspieler Alfons Moog vom VfL Köln 99 mitwirkte und im Januar mit Albert Resch vom FV Saarbrücken ein weiterer Gastspieler zur Eintracht stieß, hielten die Aufstellungssorgen an. Beim SV Wiesbaden standen am 4. Februar (0:3) mit Heyl und Wirsching nur noch zwei Spieler aus der Stammelf des Jahres 1938/39 auf dem Platz.

Was die Eintracht zu leisten imstande war, wenn sie in Bestbesetzung spielte, zeigte sie im Rückspiel auf dem Bieberer Berg. Mit Adam Schmitt, Friedrich Groß, Künz und Kolb brachte sie den Offenbachern die einzige Saisonniederlage bei. Nachdem Wirsching in der 67. Minute das goldene Tor erzielt hatte, meisterte Torhüter Fischer kurz danach sogar einen Handelfmeter von Novotny. In dieser Phase gingen Eintracht und FSV dazu über, ihre Spiele als Doppelveranstaltungen auszutragen, was sich sofort in höheren Zuschauerzahlen niederschlug. Zum Derby am 10. März kamen 10.000 Fans an den Riederwald – die erste fünfstellige Zuschauerzahl in einem Meisterschaftsspiel seit dem 23. Oktober 1938 (7:1 gegen FV Saarbrücken). Sie sahen eine entfesselt aufspielende Eintracht-Mannschaft, die nach 29 Minuten bereits mit 3:0 in Führung lag. Zwar konnte der FSV noch auf 2:3 verkürzen – die Eintracht baute ihre Siegesserie jedoch weiter aus. Nach 12:0 Punkten in Folge schauten die Fußball-Fans am Main gebannt auf eine weitere Doppelveranstaltung am 24. März, in der sich am Riederwald die Eintracht und der SV Wiesbaden sowie Kickers Offenbach und Union Niederrad gegenüberstanden.

5.000 Zuschauer sahen zunächst einen Sieben-Tore-Krimi, durch den die Eintracht mit 4:3 an die Tabellenspitze vorstieß. 90 Minuten später waren wieder die Offenbacher in Front (1:0) und damit so gut wie Meister – es sei denn, die Kickers würden ihr letztes Spiel beim FSV mit 0:15 verlieren. Mit einem 6:2 am Bornheimer Hang sicherten sich die Offenbacher jedoch den Gruppensieg. Bei der Eintracht war man wegen der widrigen Umstände im ersten Kriegsjahr – in den zwölf Meisterschaftsspielen waren 28 Spieler eingesetzt worden und nur Wirsching war in allen dabei – mit dem zweiten Platz nicht unzufrieden.

Auch während der „Blitzkriege" in Norwegen und im Westen ab April 1940 wurde mit allen Mitteln versucht, den Spielbetrieb aufrechtzuerhalten, obwohl die meisten Aktiven ihr Trikot mit der Uniform getauscht hatten. Von der Eintracht waren zu diesem Zeitpunkt 13 eigene und fünf Gastspieler bei der Wehrmacht. Trainer Szabo war so gezwungen, Nachwuchskräften eine Chance zu geben. Zu den Entdeckungen des ersten Kriegsjahres gehörte der 18-jährige Werner Heilig, der über 400 Spiele für die erste Mannschaft bestreiten sollte. Doch nicht nur auf dem Rasen, auch auf den Rängen machte sich der „Männermangel" bemerkbar. So lockten zwei parallel stattfindende Spiele (Eintracht - FC Hanau 93 5:2 und FSV - Borussia Fulda 3:1) am 14. April 1940 zusammen nur rund 500 Zuschauer an. Am 4. Juni erlebte die Frankfurter Bevölkerung den ersten alliierten Fliegerangriff auf die Stadt. Wegen des Frankreich-Feldzuges wurde praktisch den ganzen Sommer ohne Pause durchgespielt. Am 14. Juli sahen 30.000 Zuschauer im Frankfurter Stadion gegen Rumänien (9:3) das Länderspieldebüt von Fritz Walter und Alfons Moogs erstes Länderspiel als Eintracht-Gastspieler.

1940/41 ■ Der Kölner Alfons Moog als Aushängeschild

Die erste große Bewährungsprobe der Spielzeit 1940/41 war das Tschammer-Pokalspiel gegen Westfalia Herne am 18. August, das mit Mühe 3:2 gewonnen wurde. Durch ein 2:0 bei Rot-Weiß Essen wurde zum ersten Mal das Achtelfinale erreicht, in dem es eine unglückliche Niederlage gegen Fortuna Düsseldorf gab. Im Lager der Eintracht haderte man insbesondere mit Schiedsrichter Bernhard aus Bad Homburg, der der Eintracht

Tschammer-Pokal 1940: Eintracht - Westfalia Herne (3:2). Adolf Schmidt (rechts) erzielt den Siegtreffer in der letzten Spielminute. Nicklas (Herne) und Wirsching schauen gebannt zu.

bei einer 2:1-Führung zwei glasklare Elfmeter verweigerte. Statt auf 3:1 oder 4:1 davon-
zuziehen, mussten die Riederwälder in der 77. Minute den Ausgleich durch Kobierski
hinnehmen. Fünf Minuten später erzielte Pickart den Siegtreffer für die Düsseldorfer
Mannschaft, „die mit Recht ‚Fortuna' heißt, denn so viel Glück gibt es fast nicht" („Vereins-Nachrichten" vom Oktober 1940). In diesem Spiel wirkte erstmals Nationalspieler
Erwin Schädler vom Ulmer FV 94 als Gastspieler mit.

Der Start in die Meisterschaft erfolgte am 15. September, wegen diverser Abstellun-
gen für die Stadt- und Bereichsauswahlen (die Gauliga hieß seit Sommer 1940 „Bereichsklasse") hatte die Eintracht erst drei Spiele absolviert, als andere Vereine, die bereits
die Vorrunde (sieben Spiele) beendet hatten. Ab November musste die Eintracht dann
auch ihren Trainer Peter Szabo mit dem Ligakonkurrenten Reichsbahn-Rot-Weiss teilen. Angesichts dieser personellen Probleme war bei den jeweils in Bestbesetzung spielenden Offenbacher Kickers (2:5) und bei Reichsbahn-Rot-Weiss (1:2) kein Blumentopf
zu gewinnen. Mit 9:5 Punkten nach Ende der Vorrunde waren die Meisterschaftschan-
cen bereits auf ein Minimum gesunken. Am Ende betrug der Vorsprung der Kickers
(27:1 Punkte) sieben Zähler auf Reichsbahn-Rot-Weiss und gar zehn auf die Eintracht.

Zu den Leistungsträgern der zweiten Kriegsmeisterschaft gehörte Nationalspieler
Alfons Moog, der während seiner Frankfurter Zeit sechsmal das Trikot der Nationalmannschaft trug, nach Abschluss der Punktspiele aber wieder zu seinem Stammverein
VfL 99 Köln zurückkehrte. Auf dem Sprung in die Nationalmannschaft standen auch
Ludwig Kolb, der am 9. März 1941 in Stuttgart gegen die Schweiz (4:2) als Ersatzmann
im Kader stand, sowie Heilig und Wirsching, die kurz darauf zu einem Sichtungslehr-
gang nach Berlin eingeladen wurden. Dafür blamierte man sich in den Spielen der
Frankfurter Stadtrunde gegen meist unterklassige Gegner bis auf die Knochen. Auch
im Tschammer-Pokal war bereits auf Bereichsebene Endstation. Während am 22. Juni
mit dem „Unternehmen Barbarossa" der Feldzug gegen die UdSSR begann, unterlag
die Eintracht am Bornheimer Hang dem SV Waldhof mit 1:6.

1941/42 ■ Die alten Haudegen müssen wieder ran

Immer stärker machte sich der Krieg bemerkbar. Mit der Mai-Ausgabe musste die Eintracht wie alle anderen Klubs in Deutschland ihre „Vereins-Nachrichten" aus „wehr-
wirtschaftlichen Gründen" und „vorübergehend" einstellen. Beim Pokalspiel gegen
den FSV (2:0) wurde am 25. Mai auch Trainer Peter Szabo verabschiedet, der zu den
Bornheimern wechselte. Für ihn übernahm Willi Lindner ehrenamtlich das Training
am Riederwald. Kriegsbedingt kam es Anfang Juli 1941 auch zu einer Erweiterung
der Gaugrenzen Richtung Norden. Um die wachsende Zahl der Einberufungen in
die Wehrmacht einigermaßen zu kompensieren, wurden im Sommer 1941 die alten
Haudegen Hermann Lindemann (31), Hans Stubb und Theodor Trumpler (beide 34)
reaktiviert. Auch Alfons Moog kehrte noch einmal kurz nach Frankfurt zurück und
zählte zu den Stützen der Mannschaft, die Vizemeister FC Schalke 04 am 26. Juli ein 1:1

Nie waren sie wertvoller: Im Sommer 1941 kehrten Hermann Lindemann (31, links), Hans Stubb und Theodor Trumpler (beide 34) in die Liga-Mannschaft der Eintracht zurück.

abtrotzte. Nachdem Frankfurt zuvor drei Tage nacheinander von Nachtangriffen heimgesucht worden war, bot das Spiel den 6.000 Zuschauern eine willkommene Abwechslung und nährte Hoffnungen auf ein besseres Abschneiden in der Meisterschaft, zumal wenig später ein weiteres 1:1 bei Meister Kickers Offenbach erzielt werden konnte.

Die Meisterschaftsspiele verloren zunehmend an sportlichem Wert; die Resultate waren oft Zufallsprodukte, weil kaum eine Mannschaft in normaler Besetzung antreten konnte. Entsprechend krass fielen die Ergebnisse oft aus: Einer 1:6-Niederlage gegen Kickers Offenbach folgten Kantersiege gegen den TSV 1860 Hanau (9:1) und SV Wetzlar 05 (11:0). Die dritte Kriegsmeisterschaft geriet vollends zur Farce, als ab 25. Januar 1942 Sportveranstaltungen, bei denen mehr als 50 km in einer Richtung zu reisen war, auf Anordnung des Reichssportführers auf einen späteren Zeitpunkt verschoben wurden, da die Verkehrsmittel für Transporte an die Ostfront benötigt wurden. Erst Anfang März wurden die Restriktionen teilweise wieder aufgehoben.

Die Entscheidung um den Sieg in der Gruppe 1 fiel am 22. März auf dem Bieberer Berg. Nur mit einem Sieg hätte die Eintracht (15:3 Punkte) den Offenbachern (21:1) noch gefährlich werden können. Diesmal verkaufte sich die Eintracht besser als im Dezember. Bis zur Pause konnte die Mannschaft ein 2:2 halten und selbst nach Picards 3:2 drückte sie noch einmal gehörig auf das Kickers-Tor – allerdings vergebens. Als Zweiter wurde immerhin die Qualifikation für die eingleisige Gauliga 1942/43 geschafft. Auch im Sommer 1942 wurde praktisch wieder durchgespielt. Die Auswirkungen des Krieges machten sich jetzt allerdings immer stärker bemerkbar. Seit März wurde ein Frankfurter Gemeinschaftstraining organisiert, das von Peter Szabo geleitet wurde. Von den 27 eingesetzten Eintracht-Akteuren der Spielzeit 1941/42 waren nicht weniger als acht Gastspieler. Andere Vereine waren weniger gut dran. So konnte Union Niederrad am 7. Juni keine Mannschaft stellen, so dass die Eintracht kampflos in die nächste Pokal-Runde einzog.

In der 1. Schlussrunde auf Reichsebene (4:1 gegen die SpVgg Fürth) hatte die Eintracht Glück und konnte auf die Urlauber Fischer (Tor), Kolb und Lindemann zurück-

Die Eintracht im Sommer 1942. Pokalspiel gegen den FC Schalke 04 (0:6) in Kassel. Stehend von links: Röll, During, Ackermann, Lindemann, Adam Schmitt, Friedrich Groß, Kraus, Heilig, Stubb, Lehmann. Vorn Albrecht Bechtold.

greifen. Unter Wert geschlagen wurden die Riederwälder allerdings anschließend vom FC Schalke 04. Am Ende hieß es vor 18.000 Zuschauern in Kassel 0:6, doch bis zur 75. Minute hatte der Deutsche Meister nur 1:0 geführt.

1942/43 ■ Akuter Spielermangel und Abstiegsgefahr

Im Spieljahr 1942/43 wurden die Besetzungsprobleme bei der Eintracht noch größer. Ab September stellte Willi Balles die Mannschaft auf. Insgesamt 46 Spielernamen konnten der Tagespresse für die 18 Meisterschafts- und acht Pokalspiele entnommen werden. Da einige Aufstellungen unvollständig oder gänzlich unbekannt sind, ist davon auszugehen, dass noch mehr Spieler eingesetzt wurden. Von der einstigen Stammelf spielten zeitweise auswärts: Röll (SpVgg Zeitz), Friedrich Groß (Rot-Weiß Oberhausen), Arheilger (Eintracht Braunschweig). Otto Lehmann – selbst Gastspieler vom Freiburger FC – war längere Zeit nach Minsk versetzt. Nur mit Hilfe von Gastspielern – darunter sogar zwei Holländer! – konnte überhaupt noch eine halbwegs passable Mannschaft zusammengestellt werden. Kein Wunder also, dass der Start in die Meisterschaft völlig misslang. Nach zwei Niederlagen stand die Eintracht am Tabellenende. Selbst gegen die so genannten „Kleinen" fiel das Punkten nun schwer. So gelang gegen den SV Darmstadt 98 nach 0:2-Rückstand ein schwer erkämpfter 3:2-Sieg. Ohne Chance war die Mannschaft beim 1:4 auf dem Bieberer Berg. Erst beim Rückspiel vor 6.000 Zuschauern am Riederwald wurde die Abstiegsgefahr gebannt. Eine wie verwandelt auftretende Eintracht-Mannschaft schaffte die Sensation und drehte einen 1:2-Pausenrückstand durch Tore von

Kirchheim und Ganzmann noch zu einem verdienten 3:2-Erfolg um. Außerdem wehrte Torhüter Savelsberg beim Stand von 2:2 einen Offenbacher Elfmeter ab. Mit einem 2:0 über Reichsbahn-Rot-Weiss wurde am 21. Februar der Klassenerhalt endgültig gesichert. Letztlich wurde die Saison als Fünfter beendet, mit 16:20 gab es allerdings zum ersten Mal seit 1924/25 wieder ein negatives Punktekonto.

Im Tschammer-Pokal wurde das Endspiel auf Gauebene erreicht – und wieder hieß der Gegner Offenbacher Kickers. Erneut hatte die Eintracht große Besetzungsprobleme. So begann der linke Läufer Heilig am 8. August vor 6.000 Zuschauern im Stadion zunächst als Torhüter, spielte in der zweiten Halbzeit aber für den verletzten Feth Mittelläufer. Dafür hütete nun der linke Verteidiger Stubb das Tor. Trotzdem lieferte die Eintracht den Kickers einen großen Kampf und unterlag nur denkbar knapp mit 1:2.

1943/44 ■ Eine Katastrophe nach der anderen

Einen Tag nach dem Start in die fünfte Kriegsmeisterschaft (9:2 beim VfL Rödelheim), am 4. Oktober 1943, erlebte Frankfurt die bis dahin heftigsten Luftangriffe. Besonders schwer traf es die Stadt am Abend, als binnen zwei Stunden 4.000 Spreng- und 250.000 Brandbomben abgeworfen wurden. 529 Menschen kamen dabei ums Leben. Fast der gesamte Osten Frankfurts stand in Flammen, darunter auch der Eintracht-Sportplatz am Riederwald, der vollständig zerstört wurde. Wie schon nach dem Tribünenbrand 1936 fand die Eintracht zunächst Unterschlupf auf dem Bornheimer Hang, wo ihr am 7. November vor 3.000 Zuschauern durch Tore von Adam Schmitt (2) und Kraus ein 3:2-Sieg über Meister Kickers Offenbach gelang. Dafür wurden auswärts wertvolle Punkte verspielt. Ein 2:3 im Derby gegen den FSV bedeutete am 5. Dezember bereits das Ende aller Meisterschaftsträume.

Zu diesem Zeitpunkt hatte die Eintracht alle Hebel in Bewegung gesetzt, um auf den alten FFV-Sportplatz an der Roseggerstraße zurückzukehren, der inzwischen von der Stadt an die „KSG (Kampfsportgemeinschaft) der SA" vermietet worden war. Da der Riederwaldplatz völlig zerstört war, wollte ihn die Stadt als Schuttabladeplatz nutzen. Bei ihrem Protest wurde die Eintracht sogar vom stellvertretenden Sportgauführer von Hessen-Nassau, SA-Standartenführer Rieke, unterstützt. Dieser schrieb am 30. November 1943 an den NSRL, dass er sich „als alter Sportler dagegen verwahre, den Eintracht-platz als Schuttplatz zu benutzen". Schließlich schlug Oberbürgermeister Krebs vor, den Platz an der Roseggerstraße „vorübergehend, längstens jedoch bis zur Wiederherstellung der Sportanlage am Riederwald, der Sportgemeinde ,Eintracht' zur Mitbenutzung zu überlassen". Nachdem die Standortführung der SA am 17. Dezember zugestimmt hatte, konnte die Eintracht am 2. Januar 1944 erstmals wieder auf dem „Rosegger" spielen. Gegner war Union Niederrad, und die Eintracht – mit Ex-Nationalspieler Rudi Gramlich (35) auf halblinks – siegte 6:0. Die alte Heimat schien die Mannschaft zu beflügeln. Bis zum 12. März holte die Eintracht 7:1 Punkte und stieß auf Platz drei vor. Überschattet wurde der Aufwärtstrend durch den Tod von Nationalspieler Willi Lindner,

Durch einen Bombenangriff am 4. Oktober 1943 wurde das Stadion am Riederwald fast völlig zerstört. Unversehrt blieb lediglich die berühmte Uhr.

der an der Ostfront fiel, und von Stefan Hemmerich. Auch an der „Heimatfront" waren immer mehr Opfer zu beklagen. Bei einem schweren Luftangriff Anfang Februar 1944 kam der ehemalige Eintracht-Spieler August Möbs ums Leben. Zwischen dem 18. und 24. März wurde schließlich die gesamte Frankfurter Altstadt zerstört.

Obwohl 1.814 Menschen in den Feuerstürmen umkamen und 175.000 obdachlos wurden, hielt die Parteiführung aus propagandistischen Gründen an der Fortsetzung der Fußballspiele und insbesondere der Durchführung der Deutschen Meisterschaft 1944 fest. Für die Eintracht brachte die Saison noch die höchste Niederlage der Vereinsgeschichte. Am 21. Mai 1944 kam sie bei den Offenbacher Kickers mit 0:10 unter die Räder und stand am Ende auf dem 4. Platz.

1944/45 ■ Ein Verein am Ende – Spielgemeinschaft mit dem FSV

Im Sommer 1944 zeichnete sich die militärische Niederlage Deutschlands immer deutlicher ab. Von allen Seiten rückten die Alliierten näher an die Reichsgrenzen heran. In dieser Situation wurden „im Zuge der weiteren Anpassung des deutschen Sports an die Erfordernisse der totalen Kriegführung … die Reichsmeisterschaften und Reichsveranstaltungen eingestellt". Die „körperliche Ertüchtigung des Volkes durch den Sport" ging aber weiter („Der Kicker/Fußball" vom 15. August 1944).

In Frankfurt waren jetzt nur noch lokale Spiele möglich. Am 9. Juli wurde Hans Stubb beim 1:0 gegen Viktoria Eckenheim für sein 500. Spiel im Adler-Trikot geehrt. Zur Durchführung der Meisterschaft 1944/45 wurde der Gau Hessen-Nassau in neun Staffeln mit insgesamt 50 Mannschaften aufgeteilt. Die Eintracht sollte zusammen mit dem FFC Olympia 07, VDM Heddernheim, Viktoria Eckenheim, der SpVgg Neu-Isenburg und Reichsbahn Friedberg spielen, doch standen ihr zum Start am 1. Oktober gegen VDM Heddernheim nur sechs Akteure zur Verfügung. Im gesamten Monat Oktober trat die Eintracht nicht mehr in Aktion, und auch das Spiel am 5. November beim FFC Olympia 07 wurde vorzeitig abgesagt. An diesem Tag fand schließlich wegen eines weiteren Bombenangriffs kein einziges Spiel in Frankfurt statt. Während das Parteiblatt „Rhein-Mainische Zeitung" auf der Titelseite den „Terror" der „Luftgangster über dem Rhein-Main-Gebiet" geißelte, wurde den Lesern im Sportteil schlichtweg mitgeteilt, dass „aus technischen Gründen … gestern der gesamte Sportbetrieb in Hessen-Nassau ruhen" musste.

Daraufhin wurde die Meisterschaft in Frankfurt abgebrochen, eine neue Staffeleinteilung vorgenommen und die Runde vollkommen neu gestartet. Dies geschah ohne Beteiligung der Eintracht, die sich „endgültig zurückzog, da sie keine Mannschaft mehr zusammenbekommt" („Frankfurter Anzeiger" vom 13. November 1944). Da auch der FSV großen Spielermangel zu beklagen hatte, bildeten die beiden Erzrivalen schließlich eine Kriegssportgemeinschaft (KSG), die am 19. November erstmals in Aktion trat. Mit sieben Bornheimern und vier Eintracht-Spielern gab es ein 2:2 gegen Viktoria Eckenheim. Obwohl der sportliche Wert der Spiele sehr gering war, nahm die Sportführung ihre Durchführung sehr ernst. So wurde über Weihnachten eine ganze Anzahl von Spielausfällen überprüft und auch der KSG FSV/Eintracht zwei Punkte „wegen unvollständigen Nichtantretens" (Behördendeutsch für „keine elf Spieler zusammenbekommen") aberkannt. Das letzte Spiel der vereinigten Bornheimer und Riederwälder Mannschaft fand am 7. Januar 1945 in Eckenheim statt; die KSG siegte 16:0. Zehn Spieler sind namentlich bekannt:
▶ Feist; Struth (beide FSV), Hammer; Adolf Schmidt, Lindemann, Schädler (alle Eintracht) sowie im Innensturm Kraus (Eintracht), Rückel und Schuchardt (beide FSV). Außerdem kam Horst Schmidt vom FSV zum Einsatz.

Der letzte Bericht über ein Eintracht-Spiel im „Kicker/Fußball": Eintracht - Kickers Offenbach (2:4) am 6. August 1944.

○ Kickers Offenbach und Eintracht Frankfurt lieferten sich ein sehr wechselvolles Freundschaftsspiel. Die Meisterelf hatte sich die FSV.-Spieler Feucht und Schuchardt sowie Preiß vom VfB. Offenbach „entlehnen" müssen. Novotny brachte Kickers mit 1:0 in Führung, aber Siegler glich postwendend aus. Nach dem Wechsel übernahm Eintracht durch ein Tor von Krauß zunächst zwar die Führung, aber bald übernahm Kickers das Kommando. Kaiser, Harter und Novotny sicherten durch drei Tore ihrer Elf den Sieg.

Zwischen Parolen und Wirklichkeit: Fußball im Krieg

Am 23. Mai 1944 bezeichnete „Der Kicker/Fußball" die Fortsetzung der Spiele um die deutsche Fußball-Meisterschaft als Ausdruck „für den Lebenswillen und die Unbeugsamkeit des deutschen Volkes im fünften Kriegsjahr… Die Welt – auch die Feindseite – erfährt indirekt die K r a f t   d e r   d e u t s c h e n   H e i m a t f r o n t." Zu diesem Zeitpunkt nichts mehr als leere Phrasen. Um weiterhin am Spielbetrieb teilnehmen zu können, waren die Vereine gezwungen, sich zusammenzuschließen, da es nicht mehr genügend Spieler gab. Auch bei der Eintracht herrschte chronischer Spielermangel. Man traf sich am Samstag im Café Hauptwache und schaute, wer gerade mal auf Urlaub war und für den Sonntag zur Verfügung stand. Seit September 1942 war der Spielausschussvorsitzende Willi Balles bei der Eintracht für die Zusammenstellung der Mannschaft zuständig, beruflich Kompaniefeldwebel beim Heimatkraftfahrpark. In dieser Eigenschaft gelang es ihm immer wieder, Spieler freizubekommen oder ihre Rückkehr an die Front zu verzögern.

Alfred Kraus (* 1924, † 2005), Ligaspieler von 1941 bis 1952, hatte 1941 in einem Spiel gegen Hanau 93 (4:1) alle Tore geschossen: Die „Allgemeine Sport-Zeitung" hatte groß darüber berichtet. Diesen Artikel hatte der Spieß bei der Marschkompanie, in der ihn Willi Balles untergebracht hatte, in sein Gesundheitsbuch gelegt. *„Aber das war ein ganz Böser. … bei der nächsten Untersuchung wäre ich wieder kriegsverwendungsfähig geschrieben worden. Aber es gab auch freundliche Menschen, mir hat das einer verraten, der hat gesagt: ‚Pass mal auf, in deinem Buch liegt der Zeitungsartikel von den vier Toren, das kann dir also bitter aufstoßen, sieh, dass du hier die Kurve kratzt.' Das konnte ich ja leider nicht alleine, aber ich war dann bei dieser Marschkompanie beim*

Eintracht wirkte in alter Frische

Eintracht Frankfurt — Hanau 93 4:1

Der ominöse Artikel…

Die B-Jugend-Meistermannschaft der Eintracht 1936. Vorn von links: Wirsching, Krüger, Moritz, August Langer, May, Heider. Dahinter Otto Richter, Strutt, Karl Richter. Hinten zwei Freunde. Es fehlen Jost und Neubert.

Gerichtsoffizier als Schreiber beschäftigt. Das war ein Rechtsanwalt aus Frankfurt, der hat gesagt: ‚Für dich habe ich was Schönes. Beim Stab, beim Bataillon, suchen sie einen Schreiber für den Gerichtsoffizier. Das könntest du doch machen.' Da habe ich gesagt: ‚Aber sofort mache ich das, ganz klar.' Das war in Bonames gelegen, ich habe mich bei dem Hauptmann Kurzius damals vorgestellt, der hat gesagt: ‚Kleiner, du bist mein Mann, so was haben wir gerade gesucht hier.' Da bin ich also versetzt worden, von dieser Marsch-kompanie nach Bonames, zur Stammkompanie. Dort selbst musste ich meinen Laufzettel machen, und der Feldwebel, der meine Papiere vor sich auf dem Tisch liegen hatte, sagte plötzlich: ‚Ich muss mal raus.' Und dann habe ich auf den Tisch geschaut und da lag mein Gesundheitsbuch. Er hatte es aufgeschlagen, darin lag der Artikel aus der Zeitung, wo ich vier Tore geschossen habe. Kraus war jedes Mal rot unterstrichen und links am Rand stand geschrieben: ‚Dieser Mann ist GVH. [„garnisonsverwendungsfähig Heimat", Anm. d. Verf.]' Da habe ich mir den Zeitungsartikel gegriffen, habe ihn schön in die Brusttasche gesteckt – verschwunden war er und wurde nie mehr gesehen. Aber ich habe ihn heute noch." (Zitiert nach: Matthias Thoma, Anhang zur Diplomarbeit, S. 42f.)

Auch andere Spieler hatten Glück und trafen auf „freundliche" Menschen. August Langer (*1921, †2000), Mitglied der B-Jugend-Meistermannschaft 1936, schilderte folgenden Sachverhalt: „Ich war von November 1943 bis Februar 1944 im Lazarett in Frank-furt zur ambulanten Behandlung und konnte daheim in der Wohnung der Eltern in der Fürstenbergstr. wohnen und leben und musste nur jeden Dienstag ins Maingaukranken-haus zur Nachuntersuchung. Wenn ich mit meinem Namen gespielt hätte und es wäre her-ausgekommen (so sagte mir auch Herr Balles), wäre ich sofort wieder an die Front versetzt *worden, in eine Strafkompanie strafversetzt worden, denn ich wäre ja gesund gewesen. Um dem aber zu entgehen, hat mich Balles unter falschem, d. h. einem anderen Namen gemeldet und spielen lassen. Auf dem Spielbogen ist dann allerdings mein Name erschienen, aber nicht in der Zeitung, und das war wichtig. Am 5.12.1943 gegen den FSV 2:3 hatte ich auch unter falschem Namen gespielt. – Dienstag musste ich ins Maingaukrankenhaus zur Visite. Da fragte mich der untersuchende Oberstabsarzt, was ich denn am Sonntag immer unternehmen würde. Ich habe halt einiges geplappert. Er unterbrach mich und sagte mir, er sei Mitglied beim FSV und natürlich auch beim Spiel Eintracht gegen FSV gewesen. Er habe mich erkannt, ich hätte sehr gut gespielt, aber er habe mich denn doch n i c h t erkannt, denn sonst hätte er mich an die Front versetzen müssen, und das habe er nicht machen wollen. Aber in drei bis vier Wochen müsse er mich dann doch k. v. schreiben, und so war es dann auch. Ende Februar 1944 wurde ich wieder als gesund zu meiner Einheit zurückversetzt."* (Brief von August Langer vom 24. März 1999 an den Autor)

August Langer gibt an, neben den drei nachgewiesenen Gauliga-Spielen zehn weitere unter falschem Namen bestritten zu haben, die aber nicht eindeutig zugeordnet werden können. Sicher nicht dabei war er am 27. Februar 1944 beim VfB Offenbach, wie der „Rhein-Mainischen Zeitung" zu entnehmen ist: „Der Eintracht fehlte diesmal eine ganze Reihe ihrer wertvollen Spieler. So vermisste man nicht nur Lindemann, Feth und Langer, also die gesamte Läuferreihe des letzten Sonntags, sondern auch Lampert. Die Mannschaft stand also mit neun Leuten da und musste sich durch einen Jugendlichen, den man in das Tor stellte, sowie einen unter den Zuschauern befindlichen verwundeten Soldaten ergänzen" („Rhein-Mainische Zeitung" vom 28. Februar 1944).

Auch Karl Kraus (*1921, † 2013) kam während eines Fronturlaubs zu zwei Einsätzen in der ersten Mannschaft. „Micki" war 1933 zur Eintracht gekommen. Seine Eltern führten in der Schäfergasse den Laden „Hut- und Mütze-Kraus". Also musste der junge Karl ab 1935 Kürschner, Hut- und Mützenmacher lernen. Im Dezember 1940 wurde er nach Brest in die Bretagne versetzt. *„Als einziger Kürschner in der Einheit wurde ich zum Pelzberater für Generäle, Adjutanten, Divisionspfarrer und Offiziere. Da hatte ich eine schöne Zeit, ich musste immer mit denen im Auto zu den Pelzhandlungen fahren, alles hat gegrüßt, und hinten saß der Rekrut Kraus."* Später verschlug es ihn nach Russland, wo er zweimal verwundet wurde. *„In Russland war es … so, dass man ‚auf Deutsch gesagt' das Glück hatte, verwundet zu werden … Einen geregelten Urlaub wie anfangs gab es aus Russland gar nicht mehr."* Im Lazarett in Wetzlar hatte er dann Glück, dass der dortige Spieß Fußballer suchte. Und so wurde der Obergefreite Kraus zu einem Unteroffizierslehrgang nach Weimar geschickt. *„Da konnte ich dann als Ausbilder bleiben. Aber das war nur aufgrund von persönlicher Sympathie und dem Fußball. Wenn er mich nicht dahingeschickt hätte, wäre ich eine Woche später wieder k. v. gewesen und an die Front geschickt worden."* (Zitiert nach Matthias Thoma: „Wir waren die Juddebube", S. 158.)

Zwei Mannschaftskameraden von August Langer hatten weniger Glück. Otto Richter (Jahrgang 1921) erfroren Ende 1941 in Russland beide Füße, und auch Otto Heider (* 1920, † 2003) kehrte als Invalide aus dem Krieg zurück.

Eintracht in aller Welt

Heimatlos

Als am Morgen des 29. März 1945 Soldaten der 5. US-Division nach Frankfurt einrückten, hatte sich die Einwohnerzahl der Stadt seit der Volkzählung 1939 von 553.464 auf etwa 270.000 halbiert. Über die Hälfte des Wohnraums war zerstört. 4.822 Frankfurter waren im Bombenkrieg umgekommen, 12.701 als Soldaten an der Front gefallen. Obwohl die Stadt zu 85 % zerstört war, ging der Wiederaufbau recht zügig voran. Ende Mai waren zwei Mainbrücken passierbar, und die Straßenbahn verkehrte wieder. Anfang Juni nahm Radio Frankfurt seinen Betrieb wieder auf, am 21. Juni wurde der erste vorläufige Eisenbahn-Fahrplan veröffentlicht. Sport war für die Überlebenden nicht das drängendste Thema: „Sportplätze am Stadtrand sind für den Anbau von Gemüse freigegeben worden", lautete am 17. Mai eine Kurzmeldung in der „Frankfurter Presse". Doch schon am 8. Juli fand in Frankfurt das erste Fußballspiel in der amerikanischen Zone statt. Auf dem Sportplatz der Adlerwerke in Niederrad besiegte der FSV Union Niederrad mit 7:1.

Doch so einfach wie nach dem Ersten Weltkrieg sollte der deutsche Sport nicht wieder zur Normalität übergehen können. Nach dem Gesetz Nr. 52 der alliierten Siegermächte waren „alle Vereine und Verbände, die von der NSDAP betreut wurden, verboten, und ihr Vermögen … beschlagnahmt. Die Auflösung der NSRL-Vereine ist nicht nur eine formelle, sondern jede irgendwie geartete Weiterführung ist nicht statthaft." („Frankfurter Rundschau" vom 29. August 1945)

Da die Amerikaner aber relativ bald auf Selbstverwaltung auf allen Ebenen setzten, wurde im August „im Einvernehmen mit der Militärregierung Frankfurt am Main … ein Komitee, bestehend aus Vertretern der früheren Arbeiter-, bürgerlichen und konfessionellen Sportvereine" gebildet, das die Neuorganisation des Sports vorbereiten sollte. Ende September wurde „mit Genehmigung der obersten alliierten Behörde in Deutschland und der Regierung Hessen … ein Sportverband ins Leben gerufen, der in Gießen seinen Sitz hat. In den einzelnen Ortschaften wird jeweils nur ein Sportverein zugelassen, der sinngemäß alle Sportarten umfaßt. Der Einwohnerzahl entsprechend können in den Städten mehrere Vereine zugelassen werden." („Frankfurter Rundschau" vom 30. September 1945)

Ziel dieses Volkssportverbandes war die Überwindung der sportlichen Zersplitterung, wie sie vor 1933 bestanden hatte, und „kleinlicher Vereinsmeierei". „Der Wegfall traditionsreicher Vereinsnamen mag oft schmerzlich empfunden werden, er war notwendig... Die Frankfurter Sportler sehen in dem Begriff Sportgemeinschaft weniger einen neuen Namen als ein Programm . . ., das die Arbeiter wie die bürgerlichen und katholischen Sportler verbindet." (Otto Großmann in der „Frankfurter Rundschau" vom 22. September 1945)

Bereits am 19. August hatten im Rahmen einer Doppelveranstaltung auf dem Sportplatz an der Roseggerstraße „Sportfreunde Westend - Neu-Isenburg" (1:6) und „Bornheim (früherer FSV) - Kickers Offenbach" (2:1) gespielt. Eine Woche später kam es zum „erstmaligen Auftreten der ehemaligen Eintracht", die sich auf den Sandhöfer Wiesen gegen die SG Niederrad nach einer 3:0-Führung noch mit einem 3:3 zufrieden geben musste. Am 16. September trat die Eintracht bei den Offenbacher Kickers (1:3) erstmals unter der Bezeichnung „SG Frankfurt" an. Wie groß das Interesse am Fußball in den ersten Nachkriegsmonaten war, verdeutlicht die Ankündigung einer Zugverbindung zum nächsten Spiel bei der SG Friedberg (1:2) in der „Frankfurter Rundschau": 12.10 Uhr ab Frankfurt-Hauptbahnhof. Am 7. Oktober kam es zum ersten Nachkriegsderby mit dem FSV an der Roseggerstraße, bei dem beide Klubs wieder unter ihrem Traditionsnamen auftraten. Ein Bornheimer Eigentor, Heilig und Farschon sowie ein Gegentreffer von Schuchardt sorgten für einen 3:1-Erfolg der Eintracht.

Die erste Eintracht-Nachkriegsmannschaft gegen die SG (Union) Niederrad (3:3) am 26. August 1945. Stehend von links: Henkel, Lindemann, Schädler, Heilig, Adolf Schmidt, R. Schmitt, Farschon, Moritz. Vorne Kolb, Fischer, Hammer.

Beide Klubs hatten sich nicht einer der neuen Sportgemeinschaften angeschlossen, deren Stadtmeisterschaft am 14. Oktober begann, sondern „einer süddeutschen Liga …, die sich an die Großvereine wandte und einen stark professionellen Einschlag hat". („Frankfurter Rundschau" vom 13. Oktober 1945)

Die Oberliga Süd war entstanden und nahm am 4. November 1945 mit 16 Vereinen aus der gesamten amerikanischen Zone ihren Spielbetrieb auf.

1945/46 ■ Oberliga-Start am „Rosegger"

Bevor die Eintracht in die Oberliga-Punktspiele startete, fanden sich am 23. Oktober ehemalige Mitglieder zusammen, um die Wiedergründung des Vereins voranzutreiben. Dabei wurde ein provisorischer Vorstand gebildet, Abteilungsleiter berufen (neben der Fußball- wurden die Leichtathletik-, Hockey- und Damen-Handball-Abteilung reaktiviert) und Ausschüsse für die Wiederaufnahme des Sportbetriebes eingesetzt. Kommissarischer 1. Vorsitzender wurde das langjährige Mitglied Christian Kiefer, dem Spielausschuss gehörten Emanuel Rothschild, Ex-Nationalspieler Hans Stubb, Harry Lenz und Karlheinz Trapper an. Geschäftsführer wurde Hermann Lindemann, der auch der neuen Oberliga-Mannschaft angehörte.

Als Nächstes galt es, einen geeigneten Sportplatz zur Austragung der Heimspiele zu finden. Der Riederwald und der Bornheimer Hang standen infolge der Kriegsschäden nicht zur Verfügung, das Stadion war von den Amerikanern beschlagnahmt. So wurde der Platz an der Roseggerstraße zunächst Heimat sowohl der Eintracht als auch des FSV. Allerdings hoffte man bei der Eintracht immer noch, irgendwann an den Riederwald zurückzukehren. Bereits im August/September 1945 finden sich in den städtischen Akten Schriftwechsel „Betr.: Eintrachtsportplatz wegen Wiederherstellung". Zwar wurde Ende August die Auffüllung des Sportplatzes mit Kriegsschutt gestoppt; mit Gründung der „Trümmer-Verwertungs-Gesellschaft m.b.H." (TVG) im Herbst 1945 war das Schicksal des alten Eintracht-Sportplatzes jedoch besiegelt. Am 18. März 1946 teilte Oberbürgermeister Dr. Blaum der Eintracht mit, dass ihr wegen ihres Entgegenkommens bei der Errichtung der TVG „als Ersatz … vorläufig die Sportanlage Eschersheimer Landstr. 320 überlassen" werde. Für die somit heimatlos gewordene Eintracht begann ein über drei Jahre andauernder Papierkrieg mit den städtischen Behörden um die Wiedererrichtung eines eigenen Sportplatzes.

Zum Start in die Oberliga gelang der Eintracht am 4. November 1945 ein 2:2 bei Phönix Karlsruhe. Leider wirkte sich der schwelende Konflikt zwischen dem Süddeutschen Fußball-Verband und dem Sportverband Großhessen, der für die neuen Sportgemeinschaften konkurrierende Ligen geschaffen hatte, auch auf die Berichterstattung aus. Die „Frankfurter Rundschau", die damals einzige in Frankfurt erscheinende Zeitung, vertrat offen die Interessen der Sportgemeinschaften. Dem „Start der Süddeutschen Oberliga" wurden gerade einmal 20 Druckzeilen gewidmet, den SG-Spielen dagegen 92. Zum Gastspiel des Alt-Meisters 1. FC Nürnberg (1:4) war der „Rosegger" eine Woche später mit 9.000 Zuschauern knüppelvoll. „Die erste Halbzeit war noch ziemlich ausgeglichen und endete auch 1:1. Dann erst fanden sich die Nürnberger, die vor allem ausgezeichnete Flügel besaßen, und errangen einen eindeutigen Sieg, der durch die gute Arbeit Henigs nicht noch höher ausfiel", meldete die „Frankfurter Rundschau". Erst im vierten Spiel gelang mit einem 2:1 gegen den VfB Stuttgart der erste Sieg, den Schädler und der erstmals wieder mitwirkende Arheilger sicherstellten. Wie schwer das Leben in der neuen Spielklasse war, sollten die nächsten vier Spiele zeigen, die sämtlich verloren gingen. Besonders bitter dabei die beiden Heimschlappen gegen den FSV (0:6) und Schwaben Augsburg (0:5). Die Eintracht war Tabellenletzter.

Obwohl Ende des Jahres Adam Schmitt aus der Kriegsgefangenschaft zurückkehrte und Anfang Januar mit Liesem (Union Niederrad) und Außenstürmer Csakany (SV Wiesbaden) weitere Verstärkungen zur Eintracht stießen, ging es nur langsam aufwärts. Dabei spielte die Mannschaft oft besser als es ihr Tabellenplatz ausdrückte. Beim 3:3 in Fürth präsentierte sich jedenfalls ein „Tabellenletzter, der Eindruck macht. – Unerklärlich bleibt den 5.000 Besuchern, wieso die Mannschaft am Tabellenende liegt. Sie führten ihnen ein technisch erstklassiges Spiel vor, dem nur der letzte Nachdruck fehlte, sonst hätten sie gar beide Punkte aus dem Ronhof mitgenommen." („Nürnberger Nachrichten" vom 3. Januar 1946)

Der Grund für die Misere lag im Angriff: Nach elf Saisonspielen hatte dieser erst zwölfmal ins Schwarze getroffen. Dafür war die Mannschaft in den nächsten vier Heimspielen nicht wiederzuerkennen: 7:1 Punkte und 20:4 Tore ließen die Eintracht auf Platz 13 klettern. Die Stuttgarter Kickers wurden 6:1, der Karlsruher FV 5:1 und Phönix Karlsruhe gar 8:1 geschlagen. Zu dieser Zeit gab auch der Düsseldorfer Nationalspieler Paul Janes ein kurzes Gastspiel bei der Eintracht. Durch eine weitere Serie im April/Mai wurde das Abstiegsgespenst endgültig vertrieben. Am Ende landete die Eintracht mit 25:35 Punkten und 71:75 Toren auf Platz 11, einen Punkt hinter dem FSV und einen vor den Offenbacher Kickers.

Die erste Oberliga-Saison hatte alle Erwartungen übertroffen – sportlich und finanziell. Die Zuschauer waren nach den Entbehrungen des Krieges in Massen in die Stadien geströmt. Für Frankfurt traf dies nur bedingt zu, denn an der Roseggerstraße konnten schon bei 8.000 Zuschauern viele das Spielgeschehen nur eingeschränkt verfolgen. Zwar war bis März 1946 der Bornheimer Hang wieder notdürftig instandgesetzt, aber auch dieser war zu klein für die ganz großen Spiele und besaß obendrein keinen Rasen. Welches Potenzial Frankfurt nach wie vor zu mobilisieren imstande war, bewiesen am 13. Juli 1946 45.000 Zuschauer beim „Tag der Eintracht", der ersten Nachkriegsveranstaltung im Stadion. Dabei konnte sich der Süddeutsche Meister VfB Stuttgart bei seinem Torhüter Schmidt bedanken, der einen Elfmeter von Wirsching meisterte und so ein 1:0 über die Zeit rettete. Auch organisatorisch wurden weitere Fortschritte gemacht. Auf einer „vorbereitenden Gründungsversammlung" wurde am 15. Juni Günter Reis, ein in Frankfurt geborener Captain der US-Armee, zum 1. Vorsitzenden gewählt. Nach seiner Versetzung übernahm Rudolf Brubacher am 14. Dezember 1946 den Vorsitz.

1946/47 ■ Ein unerwarteter Höhenflug

Ende Juli begannen die Spiele um den „Groß-Hessischen Fußball-Pokal", den die Eintracht am 22. September vor 12.000 Zuschauern am Bornheimer Hang durch Tore von Motsch (2) und Muth mit 3:2 (2:1) gegen Rot-Weiss Frankfurt gewann. Eine Woche später erfolgte der Startschuss in die zweite Oberliga-Saison, die mit einer „Mammutliga" von 20 Vereinen bestritten wurde, da auf Wunsch der amerikanischen Militärregierung die beiden Karlsruher Absteiger, Phönix und KFV, neben den vier Aufsteigern in der obersten Spielklasse verbleiben durften. In Frankfurt gab man sich keinen großen Hoffnungen hin, im ersten Spiel gegen Bayern München erfolgreich zu bestehen. Schließlich hatte die Eintracht seit dem denkwürdigen Endspiel um die Süddeutsche Meisterschaft 1932 nicht mehr gegen die Bayern gewonnen. Vor ausverkauftem Haus strafte die Eintracht an der Roseggerstraße jedoch alle Zweifler Lügen und gewann durch Tore von Muth und Heilig mit 2:1.

Nachdem auch die erste Auswärtshürde beim VfR Mannheim mit 1:0 erfolgreich genommen werden konnte, wechselte die Eintracht zum nächsten Heimspiel gegen Schwaben Augsburg an den Bornheimer Hang. Vor 12.000 Zuschauern sorgte Wirsching mit zwei Treffern für den dritten Sieg in Folge (2:0). Damit gehörte die Eintracht einer fünfköpfigen Gruppe an, die mit je 6:0 Punkten an der Tabellenspitze stand.

Gegen den Tabellenführer 1. FC Nürnberg konnte erstmals das Stadion für ein Oberligaspiel genutzt werden. Dabei präsentierte die Eintracht zwei neue Spieler: Im Tor stand der spätere Weltmeister Toni Turek (TuS Duisburg 48/99), und im Sturm meldete sich mit Edmund Adamkiewicz ein alter Bekannter in Frankfurt zurück. Vor 35.000 Zuschauern brachte Morlock die Franken bereits nach zehn Minuten in Führung, die Adamkiewicz in der 55. Minute egalisierte. Was ihr vor Saisonbeginn kaum jemand zugetraut hatte, wurde jetzt Wirklichkeit: Die Eintracht setzte sich im ersten Tabellendrittel fest. Zwischen dem 22. Dezember 1946 und dem 23. März 1947 blieb sie acht Spiele ungeschlagen. Auch das Heimspiel gegen die Offenbacher Kickers am 20. April fand wieder im Stadion statt, wo 35.000 Zuschauer einen 2:1-Sieg sahen (Tore durch Adamkiewicz und Wirsching). Nach diesem Spiel war die Eintracht Dritter, allerdings bereits zehn Punkte hinter dem späteren Meister 1. FC Nürnberg und fünf hinter dem TSV München 1860.

Abgesehen von einem 0:4-Einbruch beim Tabellenvorletzten 1. FC Bamberg konnte die Eintracht ihre gute Form bis zum Schluss halten und die zweite Oberliga-Saison als Dritter mit 46:30 Punkten beenden. Auch der Zuschauerzuspruch konnte sich sehen lassen. 233.000 Zuschauer bedeuteten einen Schnitt von 12.263, den besten seit der Endrunde um

> **Oberliga Meiſterſchaftſpiel**
> Sportgemeinde Eintracht-Frankfurt
> Frankfurter Stadion
> Sonntag, 1. Dezember 1946, 14 Uhr
> ───
> **Soccer Football Game**
> (Championships)
> Victory Stadium, Sunday, December 1st, 1946
> 1400 hours

Werbung für das „Club"-Spiel am 1. Dezember 1946 im Stadion.

die Süddeutsche Meisterschaft von 1931 (damals 15.428). Außerdem wurde die Eintracht bei einer Umfrage der Stuttgarter Sportwelt von den Oberliga-Schiedsrichtern zur fairsten Mannschaft der Saison erkoren.

Heiße Diskussionen gab es im Sommer 1947 um die „Mammutliga" sowie um die Austragung einer Deutschen Fußball-Meisterschaft. Obwohl eigentlich eine Reduzierung der Oberliga auf 18 Vereine vorgesehen war, wurde auch 1947/48 mit 20 Vereinen gespielt. An der 20er-Liga scheiterte letztlich auch die erste deutsche Nachkriegsmeisterschaft, da der Süddeutsche Meister 1. FC Nürnberg neben organisatorischen Unzulänglichkeiten und der Nichtberücksichtigung der Ostzone monierte, dass „die Vorbedingungen für die Kandidaten bei einer Meisterschaft wenigstens annähernd die gleichen sein müssen". Da er 38 Meisterschaftsspiele „unter schwierigen Bedingungen ausgetragen" habe, die anderen Kandidaten aber „nur einen Bruchteil der genannten Zahl" („Sport" vom 27. August 1947), lehnte er eine Teilnahme ab.

So blieben den Vereinen letztlich nur die „interzonalen" Vergleichskämpfe, bei denen sich auch die Eintracht hervorragend aus der Affäre zog. Am 13. Juli gastierte der französische Zonenmeister 1. FC Kaiserslautern mit vier späteren Weltmeistern (Kohlmeyer, Liebrich und den beiden Walter-Brüdern) im Stadion und wurde vor 40.000 Zuschauern durch Tore von Wirsching, Heilig und zweimal Baas mit 4:3 besiegt. Beim Niedersachsenmeister Werder Bremen gab es zwar ein 0:3, dafür konnte der FC Schalke 04 vor wieder 45.000 Zuschauern im Stadion durch Tore von Heilig und Baas bei einem Gegentreffer von Herbert Burdenski mit 2:1 besiegt werden.

1947/48 ■ Rückfall ins Mittelmaß

Vor dem Start in die Saison 1947/48 gab es einige Änderungen im Eintracht-Kader. Dazu zählte ein Torhüter-Tausch mit der TSG Ulm 1846. Für Turek kam Henig zurück an den Riederwald. Ein schwerer Verlust war der Weggang von Adamkiewicz, der in der Vorsaison 15 Tore erzielt hatte und den es wieder zum Hamburger SV zog. Dennoch waren die Erwartungen in Frankfurt recht hoch, und so wurde das erste Heimspiel gegen den TSV München 1860 im Stadion ausgetragen. Vor 25.000 Zuschauern lag die Eintracht jedoch nach einer Stunde mit 0:3 zurück und konnte durch Gärtner und Willi Kraus lediglich noch auf 2:3 verkürzen. Als auch das zweite Spiel bei der SpVgg Fürth mit 1:2 verloren ging, fand man sich mit der roten Laterne auf Platz 20 wieder. Langsam stabilisierte sich die Form allerdings, und nachdem es in den nächsten acht Spielen nur noch eine Niederlage (1:3 beim VfB Stuttgart) gab, war die Eintracht Anfang Januar 1948 bis auf den neunten Platz vorgerückt. Zu mehr sollte es in diesem Jahr allerdings nicht mehr reichen, denn auch nachdem Trainer Willi Treml am 1. Februar 1948 durch den ehemaligen Spieler Bernhard Kellerhoff (zuvor 1. SC Göttingen 05) abgelöst worden war, pendelte die Mannschaft nur noch zwischen den Rängen acht und zwölf.

Dass die Eintracht immer noch zog, bewiesen auch die Spiele gegen die Offenbacher Kickers (3:5) und den FSV (0:0), die 35.000 bzw. 40.000 Zuschauer ins Stadion

3:5 unterlag die Eintracht den Rivalen aus Offenbach am 6. März 1948 im Stadion. Eine Szene vor dem Offenbacher Tor mit Liesem, Keim, Schepper und Nowotny.

lockten. Einen dritten Zahltag ließ die Währungsreform am 20. Juni 1948 nicht zu. Da an diesem Tag in Hessen Spielverbot herrschte, musste das Spiel gegen den alten und kommenden Süd-Meister 1. FC Nürnberg verlegt werden. Bei der Neuansetzung am 11. Juli hatte die Eintracht erneut Pech, da dem „Club" wegen der Teilnahme an der Endrunde zur Deutschen Meisterschaft mehr Vorbereitungszeit zugestanden wurde. So beendete die Eintracht das Spieljahr 1947/48 erst am 28. August mit einem 3:1 über den ersten deutschen Nachkriegsmeister.

1948/49 ■ Abstiegsängste zum 50-jährigen Jubiläum

Bereits 14 Tage später erfolgte der Start in die Saison 1948/49. In diesen Tagen lebte die Idee einer deutschen Profiliga wieder auf. Zwar wurde ihr in Süddeutschland durch die Einführung des Vertragsspielerstatuts ab 1. August 1948 der Wind aus den Segeln genommen, angesichts der wirtschaftlichen Not waren aber „die Amateurgesetze praktisch aufgehoben und zwar … in allen Klassen. Jeder zahlte eben, so viel er konnte … Gute Spieler in den Städten zeigten plötzlich eine besondere Liebe für die Landvereine, und mit Lebensmitteln ließ sich restlos alles machen" (Hans Dieter Baroth: Anpfiff in Ruinen). Bei der Eintracht zeigten Wirsching und Adolf Schmidt Interesse an einer Profikarriere. Prompt wurden sie aus dem Verein ausgeschlossen. Die offizielle Version lautete zwar „wegen vereinsschädigenden Verhaltens und nicht wegen ihres Übertritts zu den Profi-Fußballern" („Sportmagazin" vom 28. Juli 1948). Da eine süddeutsche Profiliga nicht realisiert werden konnte, wechselten beide zu den Offenbacher Kickers. Da auch Schädler (TSG Ulm 1846) und Liesem (zurück zu Union Niederrad) die Eintracht verlassen hatten, stand Trainer Kellerhoff vor der schwierigen Aufgabe, aus dem verbliebenen Rest und einigen Neuzugängen aus unterklassigen Vereinen eine neue Einheit zu formen. In dieser Situation hatte man Glück, dass mit Ernst Kudras (früher SV Ratibor 03) und Hans Wloka (Vorwärts-Rasensport Gleiwitz) zwei Spieler zur Eintracht stießen, die in den kommenden Jahren bewährte Stammspieler wurden.

Bis dahin war es jedoch noch ein weiter Weg. Nach vier Spielen waren bereits 17 Spieler eingesetzt worden, nach sechs 19. Kein Wunder, dass sich da sportliche Erfolge nicht sofort einstellten. Gegen diese Misere half auch die Ablösung von Trainer Kellerhoff durch den Universitätssportlehrer Walter Hollstein ab 1. Januar 1949 kurzfristig wenig. Das Manko lag im Sturm. In 19 Spielen hatte die Eintracht nur 17 Tore erzielt. Angesichts dieser mageren Ausbeute konnte einem vor dem nächsten Heimspiel gegen die TSG Ulm 1846 angst und bange werden, denn die Ulmer lagen nur zwei Punkte hinter der Eintracht. Durch Tore von Heilig, Baas und Willi Kraus wurde das „Schicksalsspiel" jedoch deutlich mit 3:0 gewonnen. Nach zwei Derby-Pleiten in Offenbach (0:5) und beim FSV (0:2) kam der BC Augsburg zwar noch mal bis auf zwei Zähler heran, doch mit drei (Heim-)Siegen in Folge – darunter einem 1:0 über den späteren Deutschen Meister VfR Mannheim vor 20.000 Zuschauern im Stadion – wurden die Abstiegskandidaten auf Distanz gehalten. Mit einem 2:1 bei den Stuttgarter Kickers wurde der Klassenerhalt drei Spieltage vor Schluss endgültig gesichert. Am Ende lag die Eintracht als 13. vier Punkte vor einem Abstiegslatz.

1949/50 ■ Fast ein Schrecken ohne Ende

Im Sommer 1949 verließ mit Heinz Baas der beste Torschütze 1948/49 (neun Tore) die Eintracht in Richtung Kickers Offenbach. Verstärkung suchte – und fand – man beim FC Rödelheim 02, mit dem ein heftiger Streit um die Wechsel von Hubert Schieth, Alfred Pfaff, Herbert Kesper und Kurt Krömmelbein entbrannte. Der Absteiger wollte nämlich Schieth für vier Monate sperren lassen, „da er sich in der Meisterschaft nur mangelhaft eingesetzt haben soll und Rödelheimer Spieler zum Übertritt zur Eintracht bewegen wollte". („Sportmagazin" vom 29. Juni 1949)

Andererseits forderten die Rödelheimer für die Freigabe von Pfaff, Kesper und Krömmelbein 9.200 Mark. Mitte August wurde Einigung erzielt. Für 5.000 Mark erkaufte sich die Eintracht die sofortige Spielberechtigung von Schieth, Kesper und Krömmelbein. Lediglich der Fall Pfaff zog sich noch bis Mitte September hin, so dass „Don Alfredo" erst im dritten Saisonspiel bei Schwaben Augsburg eingesetzt werden konnte. Weitere Neuzugänge waren Heinz Kaster (FC St. Pauli) – der Vater des Offenbacher und Kölner Bundesligaprofis Dieter (Kaster-)Müller –, Lemm (Schwaben Augsburg) und Schildt (Hamburger SV). Dass Schieth sein Geld wert war, zeigte er erstmals im Spiel gegen den FC Basel anlässlich des 50-jährigen Vereinsjubiläums. Vor 30.000 Zuschauern erzielte der Ex-Rödelheimer im Stadion beim 4:1 über die Schweizer alle Tore und traf eine Woche später beim 3:0 gegen den österreichischen Staatsligisten FC Wien erneut zweimal. Dafür gab es zum Oberliga-Auftakt ein deprimierendes 1:5 beim SV Waldhof und die rote Laterne. Auch gegen den 1. FC Nürnberg drohte eine weitere Pleite. Nach 34 Minuten hieß es vor 30.000 Zuschauern am Bornheimer Hang 0:2. Schieth noch vor der Pause und Willi Kraus 17 Minuten vor Schluss retteten jedoch noch einen Punkt.

Trotz des schwachen Starts geriet Trainer Hollstein nicht in Panik. Bereits nach den Siegen über Basel und Wien hatte er erklärt: „Wir wollen arbeiten und auf solider Basis aufbauen. Gut Ding braucht gute Weil, ich bin kein Hexenmeister. Sprechen wir uns in zwei Jahren wieder. Man soll nichts Unmögliches verlangen, und wir wünschen nicht nur von uns selbst und unseren Freunden, sondern auch von der Presse Geduld. Mit einem zehnten oder elften Tabellenplatz sind wir am Ende der kommenden Saison zufrieden." („Fußball" vom 29. August 1949)

Doch plötzlich schien der Knoten zu platzen. Mit 7:1 Punkten in Folge kletterte die Eintracht auf Platz fünf. Rückschläge gab es wie gewohnt gegen vermeintlich schwächere Gegner. So entführte Neuling Jahn Regensburg mit 2:0 beide Punkte vom Bornheimer Hang. Überhaupt schien der FSV-Platz der Eintracht nicht zu behagen. Nach einem 2:2 im Derby mit dem FSV kündigte der Spielausschussvorsitzende Rudi Gramlich jedenfalls an, dass die Eintracht ihre künftigen Heimspiele im Stadion austragen wolle. „Der harte Boden am Bornheimer Hang behagt den sensiblen Eintracht-Füßen nicht!", kommentierte das „Sportmagazin" am 9. November 1949. Da aber nur 8.000 den Auftritt des Deutschen Meisters VfR Mannheim (1:2) sehen wollten, wurden diese

Pläne schnell wieder ad acta gelegt. Sportlich wechselten sich Höhen und Tiefen in schöner Regelmäßigkeit ab: Den Tabellendritten VfB Stuttgart schoss Willi Kraus im Alleingang vom Platz – 4:0, „Eintrachts bestem Spiel seit Jahren" („Sportmagazin" vom 30. November 1949). Dafür gab es eine Woche später gegen Schlusslicht TSV München 1860 eine peinliche 1:2-Niederlage. Im Verlauf der Rückrunde konnte man sich bis auf den fünften Platz vorarbeiten und von der Teilnahme an der Deutschen Meisterschaft träumen (der Süden durfte 1950 vier Klubs für die Endrunde melden). Vor dem Derby gegen den FSV blieb die Eintracht in sieben Spielen ungeschlagen und lag nur zwei Punkte hinter dem Vierten SV Waldhof.

Kein Wunder, dass die Erwartungen besonders hoch waren. 25.000 waren ins Stadion gepilgert und sahen eine überlegene Eintracht-Mannschaft, die aber nur eine ihrer zahlreichen Chancen durch Schieth zur 1:0-Pausenführung nutzen konnte. Nach dem Wechsel drehte dann der FSV den Spieß um und ging am Ende als 3:1-Sieger vom Platz. Auch im nächsten Spiel gab es eine Niederlage im Stadion. Vor 26.000 Zuschauern gewann Spitzenreiter SpVgg Fürth souverän mit 4:0. Es folgte Niederlage auf Niederlage, und langsam kamen die unteren Tabellenregionen bedrohlich nahe. Trainer Hollstein sah „seine Mannschaft … mit ihren Kräften am Ende" und war froh, „dass zu Beginn der Saison und auf der Mitte des Weges Punkte gesammelt wurden, auf die man kaum zu hoffen gewagt hatte" („Sportmagazin" vom 12. April 1950). Bis Saisonende gab es mit 0:16 Punkten und 3:17 Toren einen Absturz von Platz 5 auf 14. Mit 24:36 Punkten lag die Eintracht nur zwei Zähler vor Absteiger Jahn Regensburg. Sowohl Trainer Hollstein als auch der Spielausschussvorsitzende Rudi Gramlich zogen die Konsequenz und stellten ihre Posten zur Verfügung. Während Hollstein als Verbandstrainer nach Niedersachsen ging, übernahm Willi Balles den Vorsitz im Spielausschuss.

1950/51 ■ Große Erfolge in Spanien und Amerika

Neuer Trainer wurde Kurt Windmann, der zuletzt in der bayerischen Landesliga tätig war. Hauptziel war, nicht wieder zittern zu müssen, denn durch die Eingliederung des SSV Reutlingen und FC Singen 04 aus der aufgelösten französischen Zonenliga Süd umfasste die Oberliga jetzt 18 Mannschaften, aus der 1951 vier Mannschaften in die neue 2. Liga Süd absteigen mussten. Mit 23 Spielern machte sich Windmann an die Bewältigung der Aufgabe. Nachdem sich in den ersten sieben Spielen Licht und Schatten abgewechselt hatten, ging die Eintracht am 15. Oktober als krasser Außenseiter ins Derby beim ungeschlagenen Tabellenführer FSV. Aber „wieder einmal verlor, wie so oft, der Favorit das Derby. Der Tabellenführer, FSV, fand gegen die Eintracht nicht die Form, die ihm die erste Stelle eingebracht hatte, während die ‚Adlerträger' an ihre guten Leistungen der letzten Wochen anknüpften … Dass die Eintracht … einwandfrei und verdient als die bessere Mannschaft gewonnen hat, wird ihr selbst im gegnerischen Lager nicht abgestritten werden können … Das 1:2 ist schmeichelhaft für die Bornheimer, das Ergebnis hätte höher lauten können … Eintracht machte von Beginn an einen frischen, zielstrebigen Eindruck. Sie spielte vor den 30.000 ohne jede Befangenheit, die man früher so oft bei ihr feststellen musste." („Sportmagazin" vom 18. Oktober 1950)

Über Weihnachten begab sich die Eintracht zum ersten Mal seit April 1935 (3:1 bei einer Kombination Racing Straßburg/FC Mülhausen) wieder auf eine Auslandsreise. Diesmal war Spanien das Reiseziel. Das erste Spiel fand am Heiligabend in Madrid gegen den Vorjahresmeister Atletico statt, der sich mit einigen Spielern des Lokalrivalen Real verstärkt hatte. Vor 45.000 Zuschauern ließ sich die Eintracht weder von der Kulisse noch von den klangvollen Namen im Atletico-Sturm (mit dem Marokkaner Ben Barek und dem schwedischen Olympiasieger Carlsson) beeinflussen und konnte dreimal die Führung der Madrilenen durch Willi Kraus und Schieth (2) ausgleichen. Elf Minuten vor Schluss gelang dem jungen Rechtsaußen Reichert auf Vorlage von Schieth sogar der 4:3-Siegtreffer. Mit langem Beifall wurde die Eintracht nach dem Schlusspfiff vom Publikum verabschiedet. Nach einer kleinen Weihnachtsfeier ging es bereits am nächsten Tag weiter nach Sevilla, wo die Eintracht gegen den Tabellenführer FC Sevilla bis zur 62. Minute ein 3:3 halten konnte. Doch innerhalb von sechs Minuten zogen die Spanier auf 5:3 davon, dem die Eintracht diesmal nichts mehr entgegenzusetzen hatte. Der Auftritt der Eintracht hatte

Shakehands vor dem ersten Spiel: Eintracht-Kapitän Adolf Bechtold, Dr. Harry Kraus, der deutsche Konsul in New York, Schiedsrichter Kuttner und der Kapitän der DAFB-Auswahl.

südlich der Pyrenäen enorm beeindruckt. Noch in der dritten Januar-Woche wurde das Spiel bei Atletico in den Madrider Kinos gezeigt. Henig und Pfaff bekamen sogar Angebote aus der spanischen Hauptstadt, blieben der Eintracht jedoch treu.

Weniger erfolgreich verlief dagegen der Start in die Rückrunde. Von der Spanien-Reise geschwächt, gab es an Silvester ein 1:4 beim SSV Reutlingen. Nach fünf weiteren Spielen ohne Sieg betrug der Abstand auf Platz zwei bereits acht Punkte. Im Derby gegen den FSV wurde sogar eine 2:0-Führung verspielt (Ende 2:2), und nach einem 0:3 beim VfR Mannheim wurden Erinnerungen an das Vorjahr wach. Nach 3:13 Punkten wurde die Negativserie schließlich gegen den SV Darmstadt 98 (2:1) beendet. Am Ende landete die Eintracht mit ausgeglichenem Punktekonto auf Platz neun. Kurios: Obwohl sie immer noch über keinen eigenen Platz verfügte, blieb sie in den 17 „Heim"-Spielen am Bornheimer Hang ungeschlagen.

Unmittelbar nach dem Meisterschaftsende wartete auf die Mannschaft das ganz große Abenteuer: Amerika! Angeführt von Trainer Windmann, dem stellvertretenden Vorsitzenden Christian Kiefer und dem Spielausschussvorsitzenden Willi Balles startete die Eintracht am 2. Mai 1951 mit 15 Aktiven zu einer vom Deutsch-Amerikanischen Fußball-Bund (DAFB) organisierten USA-Reise. Dafür hatte man sich sogar extra neue Trikots zugelegt: weiße Hemden mit roten Ärmeln und einem rotem Saum an der Knopfleiste. Zwischen dem 6. und 30. Mai wurden insgesamt acht Spiele bestritten. Nach leichten Siegen gegen eine DAFB-Auswahl (5:2 in New York), die Western New York All Stars (13:1 in Buffalo) und eine Auswahl der Staaten Michigan/Ohio (5:1 in Toledo) gab es im vierten Spiel in St. Louis mit 1:2 die erste Niederlage. Die Eintracht hatte diese Mannschaft schlichtweg unterschätzt und war erst nach dem 0:2 richtig aufgewacht. Für Verwunderung sorgten allerdings die von den Amerikanern praktizierten „fliegenden" Wechsel. Insgesamt setzten die „Zenthoefer" 22 Akteure ein, wobei es manchmal auch vorkam, dass zwölf oder 13 Spieler gleichzeitig auf dem Platz standen.

Nach St. Louis ging es über Milwaukee (5:0 gegen die Midwest All Stars) zurück an die Ostküste, wo die Reise mit drei weiteren Spielen abgeschlossen wurde. Eine deutsch-ungarische Auswahl aus Brooklyn wurde 5:1, eine DAFB-Auswahl aus New Jersey 7:0 geschlagen. Das letzte Spiel gegen Celtic Glasgow endete vor 20.000 Zuschauern im New Yorker „Randalls Island Stadium" allerdings fast mit einem Eklat. Nachdem Wloka die Eintracht schon in der 1. Minute in Führung gebracht hatte, fielen die Schotten nämlich mehr durch übertriebene Härte als durch spielerischen Glanz auf – und siegten noch 3:1.

Die Reise über den großen Teich war dennoch ein voller Erfolg, auch in ihren politischen Begleitumständen. Anders als beim Auftritt des Hamburger SV im Jahr zuvor gab es keine anti-deutschen Demonstrationen. Bei der Rückkehr wurde die Mannschaft am 3. Juni von 5.000 Anhängern auf dem Frankfurter Flughafen begeistert empfangen. Die „Eintracht-Hefte" vom Juli 1951 widmeten dem USA-Trip mehrere Seiten. Trainer Kurt Windmann fasste die Stimmung zusammen: „Wir sind unendlich dankbar für alles, was uns während unseres Aufenthaltes in den Staaten geboten wurde. Wir sind auch überzeugt, dass wir solch ein großes Erlebnis in unserem Leben wahrscheinlich nicht mehr haben werden. Wir werden einige Dinge wieder aus dem Gedächtnis verlieren, aber wir werden nicht vergessen, dass uns die Deutschen in Amerika nach dem Krieg die Hand der Freundschaft gereicht haben. Wir waren in Amerika keine geduldeten Gäste, sondern überall herzlich willkommen. Das wurde auch nach außenhin durch die Empfänge bei den Stadtoberhäuptern dokumentiert. Und weil diese Tatsache gar nicht so selbstverständlich war, wissen wir sie besonders zu schätzen. Dank unseren Gastgebern, Dank unseren amerikanischen Freunden, Dank der Eintracht, die die Reise arrangierte! Uns blieb darum nichts anderes übrig, als uns in USA so zu benehmen, dass der Ehrenpräsident des D. A. F. B., August Steuer, uns zum Abschied zugerufen hat: ‚Bessere Jungs konnte der deutsche Sport nicht herüberschicken.‘"

Berühmte Gäste im Stadion: Box-Idol Max Schmeling stößt das Freundschaftsspiel Eintracht - AC Mailand (1:1) an. Das schwedische Sturmtrio Gunnar Gren, Gunnar Nordahl und Nils Liedholm (von links) schaut interessiert zu.

Die Reise „löste auch eine Welle der Hilfe und Unterstützung für unsere durch den Krieg heimatlos gewordene ‚Eintracht' aus. Durch eine sehr namhafte Spende … wurde der Grundstein zu unserer neuen Tribüne gelegt. Eine bronzene Ehrentafel in der Eingangshalle derselben wird die Erinnerung an die Amerikafahrt für immer verewigen" (60 Jahre Eintracht).

In jenen Zeiten des Kalten Krieges sorgte noch eine weitere Begegnung für Aufsehen: Am 12. August 1951 besiegte die Eintracht im Dresdner Heinz-Steyer-Stadion (der alten DSC-Anlage) vor 20.000 Zuschauern in einem Freundschaftsspiel den DDR-Meister Turbine Erfurt durch Treffer von Reichert und zweimal Schieth mit 3:1.

1951/52 ■ Abschied vom Bornheimer Hang

Nach einem Traumstart mit vier Siegen in Folge stand die Eintracht an der Tabellenspitze. Bis zum Ende der Vorrunde folgten jedoch lediglich zwei weitere doppelte Punktgewinne. Besonders auswärts gelang nichts mehr: Zwischen dem 23. September und 9. Dezember gab es sechs Auswärtsniederlagen in Folge, darunter einige deftige wie 0:4 beim 1. FC Nürnberg, 2:7 beim VfB Mühlburg und 1:4 beim 1. FC Schweinfurt 05. Nach einer schöpferischen Pause über Weihnachten zeigte sich die Eintracht jedoch gut erholt und besiegte den VfR Mannheim am 30. Dezember mit 2:0. Nach einem torlosen Derby beim FSV sowie zwei 2:0-Siegen gegen die Stuttgarter Kickers und bei Schwaben Augsburg war Platz vier erreicht, der bis Saisonende nicht mehr abgegeben werden sollte. In den letzten fünf Heimspielen blieb die Mannschaft ohne Gegentor.

Am 23. März 1952 wurde nach fast sechs Jahren Abschied vom Bornheimer Hang genommen. Über 30.000 Zuschauer sahen dabei einen verdienten 1:0-Erfolg über den Tabellenführer 1. FC Nürnberg.

Im Mai/Juni 1952 standen erstmals seit 1943 wieder Spiele um den Vereinspokal auf dem Programm. Die süddeutschen Vorrundenspiele wurden in Gruppen ausgetragen, in denen die Eintracht Zweiter hinter den Offenbacher Kickers wurde. Zum Saisonausklang zog das Gastspiel des AC Mailand am 17. Mai 30.000 Zuschauer ins Stadion, die vor allem den berühmten schwedischen „Gre-No-Li"-Innensturm bewundern wollten. Der Favorit aus Italien ging auch nach zehn Minuten durch Liedholm in Führung, doch dann kam die Eintracht mächtig auf. Geier glückte in der 36. Minute der Ausgleich, und mit ein bisschen Glück hätte es am Ende beinahe noch einen Eintracht-Sieg gegeben. So aber wurde auch das 1:1 als großer Erfolg gefeiert.

Der Kampf um den „neuen" Riederwald

Bereits zu Beginn der Saison 1946/47 hatte die Eintracht erkennen müssen, dass Ober-
liga-Fußball auf Dauer nicht auf dem „Rosegger" durchgeführt werden konnte. Auch
der Bornheimer Hang war zu dieser Zeit lediglich ein Provisorium. Im Winter 1947/48
erwog man sogar einen Umzug auf den Rot-Weiss-Platz am Brentanobad. Die Nutzung des Stadions lohnte nur bei wirklich großen Spielen, da von den Einnahmen 33 %
Steuer, 10 % Miete an die Stadion-GmbH und 15 % Abgaben an die Besatzungsbehör-
den zu entrichten waren. Immerhin gelang es durch Vermittlung der Stadt, dass die
Amerikaner ab Anfang 1948 auf ihren Anteil verzichteten.

Im Juni 1947 hatte sich die Eintracht an die Stadt gewandt, ihr als Ersatz für den
alten Riederwald einen Sportplatz mit einer Zuschauerkapazität von 10-12.000, einer
400-m-Laufbahn, zwei Reserve-Fußballfeldern, einem Hockeyplatz, vier Tennisfel-
dern und einem Parkplatz herzurichten. Die Eintracht wolle dafür auf eigene Kosten
eine Tribüne mit Umkleideräumen errichten. Bei der Stadt sah man allerdings keinen
Handlungsbedarf, „die weitgehenden Forderungen … zu erfüllen …, weil die Sportgemeinde Eintracht z. Zt. den … Platz an der Roseggerstrasse benutzt". Zwar war man
„der Ansicht, dass der Sportgemeinde Eintracht seitens der Stadt geholfen werden sollte,
aber nur in einem Umfange, wie es unter Würdigung der gesamten derzeitigen Verhältnisse vertreten werden kann" (Aktennotiz des Rechnei-Amtes/Finanzverwaltung an
den Magistrat vom 13. August 1947).

Immerhin gab es am 11. September eine Aussprache mit Vertretern der Stadt, an
der auch Oberbürgermeister Kolb teilnahm. Da die Herrichtung eines neuen Sportplatzes etwa zwei Jahre dauern würde, wollte sich die Stadt bei den Besatzungsbehör-

Das neue Leistungszentrum der Eintracht im Riederwald.

den dafür einsetzen, die Sportanlagen an der Adickes-Allee oder der ehem. IG Farben an der Miquelstraße freizubekommen. Es folgten zahlreiche Verhandlungen und Besprechungen, bei denen immer neue Standorte in Erwägung gezogen wurden. Überlegungen, den „Rosegger" im Sommer 1948 auf ein Fassungsvermögen von 15.000 Plätzen auszubauen, scheiterten, weil die benachbarte Gärtnerei Sinai aufgrund bestehender Pachtverträge nicht gezwungen werden konnte, Gelände dafür abzutreten. Von der Stadt wurde außerdem angeführt, dass die Straßenbahnlinie 23 ohnehin überlastet sei. Das endgültige Aus für den Ausbau des „Rosegger" kam allerdings erst Anfang April 1949. Von nun an verfolgten Stadt und Eintracht gemeinsam das Ziel, den neuen Platz erneut im Riederwald zu errichten. Dagegen meldete zunächst die Ortsgruppe des „TV Naturfreunde" Bedenken an, da dafür Wald abgeholzt werden müsse! Auch der Bezirksvorsteher, die SG Riederwald und der Volks-Bau- und -Sparverein legten Einsprüche ein, Letzterer, weil der neue Sportplatz „den Wohnwert der Riederwaldsiedlung sinken lassen würde".

Bei der Stadt wurden die Einsprüche ernst genommen, und so wurde ab Mai 1949 ein neues Projekt westlich der Pestalozzischule favorisiert. Zur Finanzierung wurden für 1950 und 1951 je 150.000 Mark aus städtischen Mitteln bereitgestellt. Nachdem die Stadtverordnetenversammlung am 29. September zugestimmt hatte, erging am 3. Oktober 1949 der endgültige Magistratsbeschluss. Der neue Sportplatz am Riederwald konnte gebaut werden.

Während die Stadt die Grünanlagen und Zuschauerwälle sowie Laufbahn und Eingangstore herrichtete, blieb der Bau der Tribüne dem Verein in Eigenregie überlassen. Die Planungen wurden vom Architekten Alfred Weber, einem langjährigen Eintracht-Mitglied, ehrenamtlich übernommen. Mit den wegen der ungünstigen Bodenverhältnisse im Riederbruch schwierigen Bauarbeiten wurde im Frühjahr 1952 begonnen. Mit einem Freundschaftsspiel gegen die ägyptische Nationalmannschaft wurde die Anlage am 17. August 1952 feierlich eröffnet.

Doch 1963 kam die Bundesliga, und fortan trug die Eintracht ihre Heimspiele im Waldstadion aus. Der Riederwald wurde nur noch vereinzelt für Pokal-, Intertoto- und Freundschaftsspiele genutzt und ansonsten seinem Schicksal überlassen. Auch die Amateure lockten selten größere Zuschauermassen an. Im November 1977 kamen allerdings mehr als 5.000 Zuschauer zum Hessenliga-Schlager gegen den FC Hanau 93 (1:1). Nur 2.541 Fans wollten dagegen das letzte Pflichtspiel am 4. Oktober 1980 in der 2. Runde des DFB-Pokals gegen den VfB Friedrichshafen (6:0) sehen. Nachdem 1989 das Dach wegen Baufälligkeit komplett abgetragen werden musste, ging es weiter bergab. Immerhin 3.000 Zuschauer kamen am 20. Januar 2007 zu einem Freundschaftsspiel gegen Young Boys Bern (0:0). Da waren die Tage der Anlage längst gezählt. Am 24. Oktober 2008 nahmen mehrere Tausend Fans mit einer großen Pyro-Show Abschied vom „zweiten" Riederwald. Wenig später rückten die Bagger an und machten den Weg frei für das neue Leistungszentrum, das am 3. Dezember 2010 feierlich eröffnet wurde.

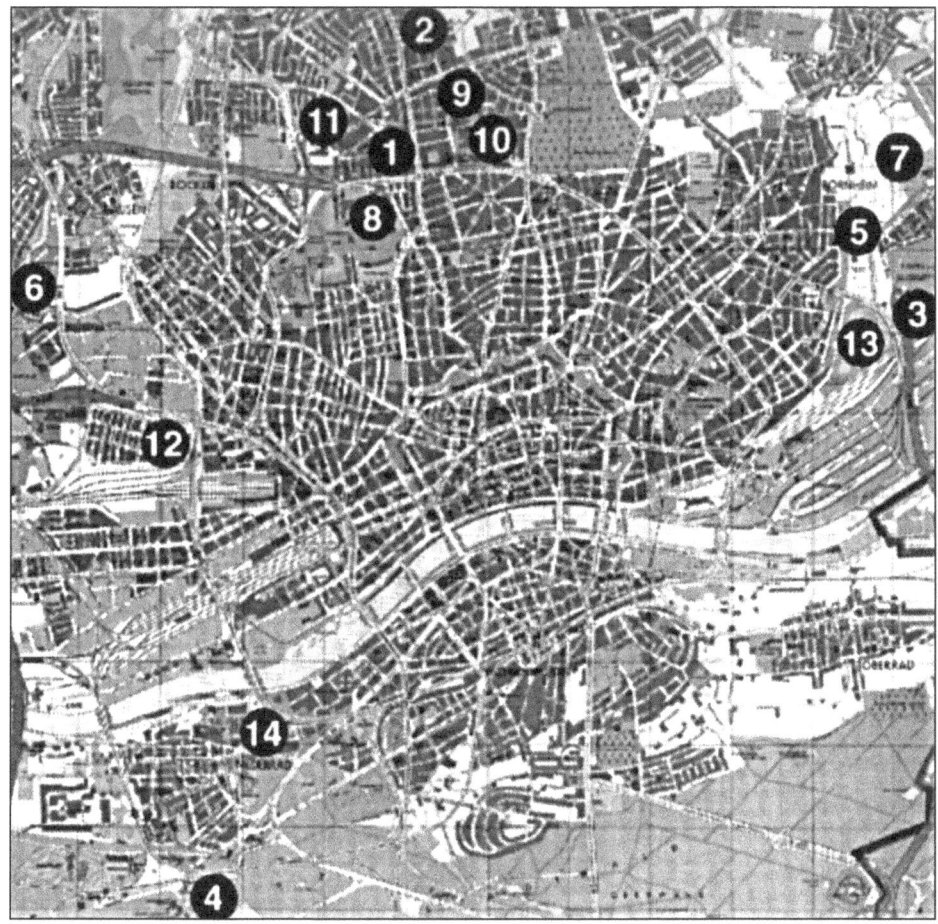

Zug durch die Gemeinde: Spielorte des FFV und der Eintracht.

1 = Hundswiese, hier begannen 1899 Victoria und Kickers; 2 = FFV-Platz an der Roseggerstraße (1911 bis 1920), 1945/46 Schauplatz der Eintracht-Oberligaspiele; 3 = der „alte" Riederwald (1920 bis 1943/44), 1945 bis 1964 von der TVG genutzt; 4 = Stadion (1925 eröffnet), seit 1963 ständiger Austragungsort der Eintracht-Heimspiele; 5 = FSV-Sportplatz am Bornheimer Hang (seit 1931), hier war die Eintracht 1936/37 und von 1946 bis 1952 Gast; 6 = Rot-Weiss-Sportplatz am Brentanobad (seit 1940), hier wurden 1947/48 und 1951/52 einige Heimspiele ausgetragen; 7 = der „neue" Riederwald (eröffnet am 17. August 1952), bis 1963 Schauplatz der Oberliga-Spiele.

Weitere Plätze, die nach dem Zweiten Weltkrieg als Eintracht-Heimstätte zur Diskussion standen: 8 = Gelände der ehemaligen IG Farben, bis 1995 Hauptquartier der US-Streitkräfte, seit 2001 „Campus Westend" der Johann Wolfgang Goethe-Universität; 9 = Bertramswiese; 10 = Sportplatz des SC 1880; 11 = Platenstraße/Ginnheimer Stadtweg (gegenüber dem heutigen Fernmeldeturm); 12 = Bismarck- (jetzt Theodor-Heuss-) Allee/Philipp-Reis-Straße (heute von Messehallen überbaut); 13 = Ostpark; 14 = Sandhöfer Wiesen (von 1913 bis in die 1930er Jahre die Heimat von Germania 94), hier fand 1920 das Endspiel um die Deutsche Meisterschaft zwischen dem 1. FC Nürnberg und der SpVgg Fürth (2:0) statt.

Anschluss an die Spitze

Während im Sommer 1952 mit den Bauarbeiten am Bornheimer Hang begonnen wurde, sah wenige hundert Meter weiter östlich der neue Eintracht-Sportplatz am Riederwald seiner Vollendung entgegen. Zur Unterstützung der Projekte erhielten beide Vereine im Mai von der hessischen Landesregierung je 200.000 Mark. Vor dem Freundschaftsspiel am 17. August gegen die ägyptische Nationalmannschaft übergaben Ministerialdirektor Schuster vom hessischen Innenministerium und Frankfurts Oberbürgermeister Kolb das Gelände offiziell der Eintracht. Anschließend wurde Werner Heilig für sein 750. Spiel im Eintracht-Dress geehrt. Allerdings war die ägyptische Mannschaft nicht gewillt, dem neuen Hausherren Einweihungsgeschenke zu machen. Zwar brachte Schieth die „Riederwälder", wie man sie jetzt wieder zu Recht nennen konnte, vor 20.000 Zuschauern nach einer halben Stunde in Führung, doch siegten die Gäste vom Nil durch Tore von Elfar, Hamza und zweimal El Hamouly mit 4:1.

Die Spannbetonkonstruktion der neuen Tribüne am Riederwald gehörte in den 1950er Jahren zu den modernsten in ganz Europa.

1952/53 ■ Nach 21 Jahren wieder Süddeutscher Meister

Auch das erste Oberliga-Spiel am Riederwald endete 4:1. Diesmal musste jedoch die SpVgg Fürth die Überlegenheit der Eintracht neidlos anerkennen. Die 1:3-Niederlage bei Bayern München eine Woche später konnte leicht verschmerzt werden – es sollte die einzige in der gesamten Vorrunde bleiben. Am 26. September war die Eintracht beim Derby gegen den FSV Gast im eigenen Stadion, denn wegen der Arbeiten am Bornheimer Hang trugen die Bornheimer ihre Heimspiele 1952/53 am Riederwald aus. Es war ein Kampf auf des Messers Schneide. Nachdem Ruppel in der 59. Minute Dziwokis Führungstreffer aus der 11. Minute wettgemacht hatte, drückte der FSV auf den Sieg – und wurde kurz vor Schluss zweimal eiskalt ausgekontert: 1:2 Dokter (87.), 1:3 Dziwoki (88.). Nach einem 2:1 bei den Stuttgarter Kickers übernahm die Eintracht am 19. Oktober erstmals die Tabellenführung.

Über Weihnachten stattete die Eintracht den Ägyptern einen 14-tägigen Gegenbesuch ab, der einem Märchen aus „1001 Nacht" glich: Untergebracht war die Mannschaft nämlich auf dem Nil in einer Luxusjacht von Ex-König Faruk! Auch sportlich konnte sich die Bilanz sehen lassen. Mit je zwei Siegen und Unentschieden kehrte die Eintracht am 29. Dezember aus dem Lande der Pharaonen nach Frankfurt zurück. Bereits zwei Tage später stand ein Nachholspiel gegen den VfB Stuttgart an. Obwohl Dokter, Hesse, Kudras und Pfaff verletzt ausfielen, gelang der „mit Herz und Einsatz" („Kicker") spielenden Mannschaft ein verdienter 1:0-Sieg, den Ebeling vor 35.000 Zuschauern schon nach 25 Minuten herausschoss.

Im Januar nahm die Eintracht dann ihre jährliche Krise und verlor drei Auswärtsspiele in Folge. Und als am 8. Februar das Derby mit dem FSV nur 1:1 endete, war die Tabellenführung vorerst futsch. Mit vier Siegen in Folge konnte sie jedoch zurückerobert werden. Vor dem letzten Heimspiel am 18. April 1953 gegen den Karlsruher SC lag die Eintracht mit 37:19 Punkten einen Zähler vor dem VfB und drei vor dem KSC. Ein Heimsieg hätte also bereits die Qualifikation für die Endrunde zur Deutschen Meisterschaft bedeutet. Doch es sollte noch besser kommen. Während die Eintracht vor 36.000 Zuschauern durch Tore von Pfaff und dreimal Schieth 4:1 gewann, unterlagen die Stuttgarter mit 1:3 bei den Offenbacher Kickers. Damit war die Eintracht zum dritten Mal nach 1930 und 1932 Süddeutscher Meister. Der Vater des Erfolges war zweifellos Trainer Windmann, der bei seinem Amtsantritt 1950 erkannt hatte, dass die Mannschaft mit ihrem traditionellen Stil zu oft in Schönheit gestorben war. Also impfte er die Spielern einen unbändigen Teamgeist ein.

Bereits wenige Tage vor dem entscheidenden Spiel gegen den KSC charakterisierte das „Sportmagazin" die Grundlage des Erfolges wie folgt: „Man müsste vielleicht erstmal das betonen, was die Mannschaft n i c h t besitzt: Sie strahlt nicht den Glanz eines 1. FC Kaiserslautern aus und kann nicht die Erfahrung und Beständigkeit eines VfB Stuttgart in die Waagschale werfen; sie kann sich nicht auf eine jahrzehntelange Erfolgsserie stützen wie etwa ein HSV und ein ‚Club'…, und sie hat vielleicht auch

Eintracht Frankfurt: Süddeutscher Meister 1952/53. Stehend von links: Adolf Bechtold, Dziwoki, Krömmelbein, Schieth, Heilig, Pfaff, Ebeling, Kudras. Vorn von links: Wloka, Henig, Jänisch, Trainer Windmann.

nicht ganz die unverwüstliche Kampfkraft einer Borussia Dortmund. Aber bei dem Stichwort ‚Kampfkraft‘ kommen wir dem Kern der Dinge schon näher … [Die] Eintracht [ist] eine Mannschaft im wahrsten Sinne des Wortes, ein Team ohne Stars. Sie ziehen alle an einem Strick. Und der Trainer weiß, dass die Mannschaft nicht nur aus den elf Spielern besteht, die an diesem Sonntag gerade das Trikot der ‚Ersten‘ angezogen haben.“ („Sportmagazin“ vom 15. April 1953)

Zwar galt die Eintracht in der Deutschen Meisterschaft nur als Außenseiter, denn als Gruppengegner warteten der Südwest-Meister 1. FC Kaiserslautern sowie die West- und Nord-Zweiten 1. FC Köln und Holstein Kiel. Dennoch war das Interesse in Frankfurt riesengroß. Zum Auftakt gegen den 1. FC Köln pilgerten über 50.000 Zuschauer ins Stadion und konnten schon nach wenigen Sekunden die Eintracht-Führung durch Dziwoki bejubeln. Hesse stellte noch vor der Pause den 2:0-Endstand her. Ein Tor von Schieth drei Minuten vor Schluss sicherte bei Holstein Kiel weitere zwei Punkte. Da auch die Lauterer 4:0 Punkte auf dem Konto hatten, hatten die nächsten beiden Spiele bereits vorentscheidende Bedeutung. Das Gastspiel des 1. FC Kaiserslautern sorgte für einen neuen Besucherrekord im Stadion. 68.000 Karten wurden offiziell verkauft, doch stürmten Tausende ohne Karten das Gelände, suchten sich ihren Platz auf der Laufbahn oder dem Tribünendach. Indirekt war dieses Chaos dann auch der letzte Anstoß zum Ausbau des Stadions auf ein Fassungsvermögen von 80.000. Die Eintracht lieferte ein großes Spiel, stand aber am Ende mit leeren Händen da. Mittelläufer Hans Wloka war der Unglücksrabe, der in der 65. Minute einen Schuss von Ottmar Walter unhaltbar für Torhüter Henig zum Tor des Tages abfälschte. Selbst Fritz Walter und Bundestrainer Sepp Herberger sprachen nach dem Spiel von einem glücklichen FCK-Sieg.

Auch im Rückspiel in Ludwigshafen legte die Eintracht los wie die Feuerwehr, doch nach zwei Doppelschlägen in der 6./8. und 19./20. Minute lag sie hoffnungslos mit 0:4 im Rückstand. Selbst eine Elfmeterchance konnte Pfaff (25.) nicht nutzen. An diesem Tag lief alles für die Lauterer, die am Ende mit 5:1 triumphierten und auf dem Wege zu ihrer zweiten Deutschen Meisterschaft waren. Immerhin bewies die Mannschaft Moral und beendete die Gruppenspiele nach einem 4:1 gegen Holstein Kiel und einem 0:0 in Köln als Zweiter. Außerdem wurde die Abwehrreihe Bechtold-Kudras-Kaster bei einer „Kicker"-Umfrage in den acht Endrundestädten fünfmal als „beste Verteidigung" genannt.

1953/54 ■ Hessische Konkurrenz vereitelt Titelverteidigung

Wurde der Gewinn des Süd-Titels 1953 allgemein noch als Überraschung betrachtet, gehörte die Eintracht 1953/54 zum Favoritenkreis der Oberliga. Das Hauptaugenmerk von Trainer Windmann galt im Sommer der Verstärkung des Angriffs. Für den zu Schwarz-Weiß Essen gewechselten Hubert Schieth – der zwischen 1950 und 1953 in 103 Oberligaspielen 45 Tore erzielt hatte – rückten Richard Kreß (vom FV Horas) und der Hattersheimer Hans Weilbächer (von den eigenen Amateuren) in den Oberligakader. Mit Alfons Remlein (TSG Ulm 1846) wurde auch die Abwehr weiter stabilisiert. Alle drei schlugen auf Anhieb ein. Kreß und Weilbächer bestritten 1953/54 alle, Remlein 27 Punktspiele. Überhaupt ließ sich die mannschaftliche Geschlossenheit eindrucksvoll in Zahlen ausdrücken. Von den 20 während der Saison eingesetzten Spielern waren zehn (Torhüter Henig, Kudras, Adolf Bechtold, Remlein, Wloka, Heilig, Dziwoki, Weilbächer, Kreß und Pfaff) mindestens 27-mal dabei!

Der Start ins neue Spieljahr war verheißungsvoll. Nach einem 2:2 bei Viktoria Aschaffenburg gab es sechs Siege in Folge, darunter zwei prestigeträchtige Derby-Erfolge beim FSV (6:0) und gegen die Offenbacher Kickers (2:1). Bereits nach dem vierten Spiel (7:0 gegen die Stuttgarter Kickers) war der zweiten Tabellenplatz erreicht – schlechter sollte es bis Saisonende nicht mehr werden. Am elften Spieltag übernahm die Eintracht erstmals die Führung und wurde mit 24:6 Punkten und 38:12 Toren (bester Sturm, beste Abwehr!) überlegen Herbstmeister.

Doch keiner kann in Frieden leben, wenn der böse Nachbar es nicht will. An drei Januar-Wochenenden hintereinander wurden nämlich gegen die hessische Konkurrenz sechs Punkte verloren: 0:1 bei Hessen Kassel, 1:2 gegen den FSV, 1:2 bei den Offenbacher Kickers. Damit war man Platz 1 zunächst los, der in diesem Jahr besonders wichtig war, da wegen der anstehenden Weltmeisterschaft in der Schweiz nur die fünf Oberligameister und der Deutsche Pokalsieger an der Endrunde um die Deutsche Meisterschaft teilnahmen. Im Süddeutschen Pokal war die Eintracht aber schon im Sommer 1953 ausgeschieden (0:3 bei den Stuttgarter Kickers). Zwar konnte man durch ein verdientes 5:0 über den neuen Spitzenreiter VfB Stuttgart noch einmal den Platz an der Sonne einnehmen, war ihn nach einem 2:5 beim Karlsruher SC aber auch postwendend wieder los. Obwohl die Eintracht in den letzten sechs Spielen ungeschlagen blieb, landete sie am Ende nur auf dem undankbaren zweiten Platz, einen Punkt hinter dem VfB und einen Punkt vor den Offenbachern. Nun hieß es, dem VfB die Daumen drücken, denn die Schwaben hatten auch das DFB-Pokal-Finale erreicht. Und tatsächlich: Das Stuttgarter 1:0 nach Verlängerung über den 1. FC Köln machte die Eintracht zum sechsten Teilnehmer an der Deutschen Meisterschaft.

In der Endrunde hatte es die Eintracht mit zwei Bekannten aus der Vorsaison zu tun: 1. FC Kaiserslautern und 1. FC Köln. Der Modus sah nur je ein Spiel gegeneinander auf neutralem Platz vor. Vor 50.000 in Köln war das Treffen mit den Pfälzern geprägt von dem Duell Alfred Pfaff - Fritz Walter. Beide waren sich an diesem Tag ebenbürtig, aber der Lauterer hatte den entscheidenden Vorteil: Er erzielte in der 81. Minute den einzigen Treffer. Auch gegen den 1. FC Köln fehlte in Ludwigshafen erneut das entscheidende Quentchen Glück. Zudem ging Trainer Windmann das Risiko ein, den angeschlagenen Wloka spielen zu lassen. Bereits nach fünf Minuten machte ihm seine Knieverletzung wieder zu schaffen, nach 15 Minuten musste er vom Platz getragen werden und konnte später nur noch als Statist auf Rechtsaußen umherhumpeln. Zwar ging die Eintracht nach 26 Minuten durch Heilig mit 1:0 in Führung, geriet aber nach Toren von Stollenwerk (31., 40.) und Dörner (50.) bald auf die Verliererstraße. Obwohl praktisch in Unterzahl, steckte die Mannschaft aber nie auf und verkürzte noch einmal durch Weilbächer (55.). Zu mehr langte es nicht mehr, auch nicht vier Minuten vor Schluss, als Remlein einen Elfmeter am Kölner Tor vorbeischoss.

Dafür standen mit Pfaff und Weilbächer zwei Eintracht-Akteure im vorläufigen WM-Aufgebot. Die Reise in die Schweiz machte aber nur Pfaff mit, der beim denkwürdigen 3:8 gegen Ungarn sogar ein Tor erzielte. Einen weiteren Treffer steuerte Richard Herrmann vom Lokalrivalen FSV bei. Beide kehrten im Juli als Weltmeister nach Frankfurt zurück.

1954/55 ■ „Aber die Eintracht ist launisch…"

Im Sommer 1954 gab es einen Wechsel im Eintracht-Gehäuse. Nach sieben Jahren als Nr. 1 zog es den 33-jährigen Helmut Henig noch einmal zur TSG Ulm 1846. Für ihn wurde der zehn Jahre jüngere Amateur-Nationalspieler Egon Loy vom TSV 04 Schwabach verpflichtet. Ebenfalls aus Bayern, und zwar von der SpVgg Weiden, kam Erich Bäumler. Der erste Erfolg konnte bereits in der Vorbereitung auf die neue Oberliga-Saison verbucht werden. Durch ein 1:0 über den FK Pirmasens wurde zum ersten Mal seit 1940 wieder die Pokalrunde der letzten 16 erreicht. Zum Saisonauftakt am 22. August war ein weiterer Meilenstein zu bejubeln: der erste Sieg auf dem Bieberer Berg seit dem

Vier Trümpfe der Eintracht 1954/55: Von links Alfons Remlein, Richard Kreß, Egon Loy und Alfred Pfaff.

18. Februar 1940. Weilbächer erzielte nach 61 Minuten das goldene Tor. Danach ging's erstmal bergab, auch aus dem DFB-Pokal schied die Eintracht beim Altonaer FC 93 mit einem 1:2 aus.

Erneut brachte das Derby gegen den FSV die Wende. Mit 8:2 Punkten standen die Bornheimer an der Tabellenspitze. Bäumlers Tor nach 16 Minuten entschied das Spiel jedoch für die Eintracht, die danach kaum wiederzuerkennen war und bis zum Ende der Vorrunde nur noch zwei Punkte abgab. Nach einem hart umkämpften 4:3 (nach 4:1-Führung) gegen den Überraschungs-Aufsteiger SSV Reutlingen übernahm die Eintracht am 11. Spieltag die Spitze. Vor der Rückrunde betrug der Vorsprung auf den Zweiten Reutlingen vier Punkte. Endlich schien „das Gleichgewicht zwischen Hintermannschaft und Sturm hergestellt". Nachdem die Eintracht in den letzten Jahren hauptsächlich von ihrer starken Abwehr gelebt hatte, war jetzt die „große Wandlung des Eintracht-Angriffs" zu erkennen. Neben dem Regisseur Pfaff fand sich der quirlige Rechtsaußen Richard Kreß immer besser zurecht. Gut eingelebt hatte sich auch „der mit Köpfchen spielende Bäumler". Dazu gesellten sich hoffnungsvolle

Talente aus dem eigenen Nachwuchs wie der bereits im Vorjahr zum Stamm zählende Weilbächer und „nun auch Höfer, der … seinen Weg machen wird" („Kicker" vom 20. Dezember 1954).

Ausgerechnet vor dem schweren Gang zum 1. FC Nürnberg am 30. Januar 1955 jagte aber eine Hiobsbotschaft die andere. Durch Verletzungen, Erkrankungen und Unfälle war der Einsatz des kompletten Innensturms gefährdet. Am Dienstag vor dem Spiel konnte Trainer Windmann gerade noch vier gesunde Akteure zum Training begrüßen. Während der grippegeschwächte Bäumler schließlich doch in Nürnberg dabei war, fiel Weilbächer für drei, Pfaff für zwei Spiele aus. In diesem Zeitraum verlor die Eintracht dreimal in Folge und schoss dabei nur ein Tor (je 0:2 in Nürnberg und gegen Schwaben Augsburg, 1:2 beim FSV). Aus vier Punkten Vorsprung waren zwei Punkte Rückstand auf den neuen Spitzenreiter Kickers Offenbach geworden.

Zwar erholte sich die Mannschaft noch einmal von diesem Rückschlag, die vorher hochgelobte Durchschlagskraft des Sturmes war allerdings dahin. In den nächsten sechs Spielen erzielte die Eintracht nie mehr als einen Treffer. Beim wichtigen Spiel gegen den Karlsruher SC wurden die ersten 20 Minuten nach der Halbzeit regelrecht verschlafen, in der die Badener auf 3:0 davonzogen. Bäumler und Geiger (67., 69.) ließen zwar nochmals Hoffnung aufkommen, doch trotz Powerplay konnte der Ausgleich nicht mehr erzielt werden, der wegen des besseren Torverhältnisses den zweiten Platz bedeutet hätte. So aber stand man am Ende mit leeren Händen da und fiel sogar noch hinter den 1. FC Schweinfurt 05 auf den vierten Platz zurück. Dabei hatte es „diese Mannschaft … in sich, das ‚Beinahe' von 1932 endlich einmal in die Tat umzusetzen. Spielerisch ist sie an manchen Tagen unverwundbar. Aber die Eintracht ist auch launisch und, was noch schlimmer ist, sie hält keine Saison durch. Herbstmeister wird sie mit einer Regelmäßigkeit, die einem zu denken geben sollte … Im Übrigen ist die Spielweise der Eintracht traditionsbedingt. Das Spielerische und Verspielte hat schon den früheren Generationen besonders im Blut gelegen, und wahrscheinlich muss das so sein, dass die Namen wechseln und die Spielart bleibt." („Kicker" vom 16. Mai 1955)

Das Verpassen der Endrunde war diesmal besonders bitter, denn erstmals stand das umgebaute Stadion mit einer Kapazität von 80.000 Plätzen zur Verfügung. Während also der Rivale und Südmeister Kickers Offenbach seine Endrundenspiele in der modernisierten Arena austrug, musste die Eintracht mit der Oberliga-Vergleichsrunde – auch „Totorunde" genannt – Vorlieb nehmen, in der hinter Hannover 96 der zweite Platz belegt wurde. Zu den positiven Erinnerungen an diese ansonsten verkorkste Saison gehören das Länderspieldebüt von Richard Kreß am 19. Dezember 1954 in Portugal (3:0) und Hans Weilbächers einziger Einsatz in der Nationalmannschaft am 28. Mai 1955 gegen Irland (2:1).

Pioniere in Europa: Der Messe-Pokal

Zehn Jahre nach Kriegsende hatte Ernst Thommen, langjähriger Präsident des Schweizerischen Fußball-Verbandes und FIFA-Vizepräsident, die Idee, den internationalen Spielplan zwischen den Weltmeisterschaften durch einen Wettbewerb für Stadtauswahlmannschaften aufzufüllen. Unterstützung fand er bei dem Engländer Stanley Rous und dem Italiener Ottorino Barassi, die ein provisorisches Organisationskomitee bildeten und interessierte Verbände, Vereine und Städte für den 18. April 1955 nach Rheinfelden bei Basel einluden.

Auf diesem Treffen beschlossen die Vertreter von zwölf europäischen Städten, künftig einen „Internationalen Messestädtepokal" auszuspielen. Aus dem geteilten Deutschland waren Frankfurt und Leipzig sowie – nach dem Rückzug von Stockholm – Köln mit dabei. Die Auslosung für die Gruppenspiele führte Frankfurt mit London und Basel zusammen. Zum Auftakt des später kurz „Messe-Pokal" genannten Wettbewerbs besiegte London am 4. Juni 1955 Basel mit 5:0. Die Frankfurter Stadtauswahl trat am 26. Oktober 1955 im Londoner Wembleystadion erstmals in Aktion. Vor 35.000 Zuschauern bestritten ▶ Rado (FSV); Sattler, Magel; Keim (alle Kickers Offenbach), Lurz (FSV), Weber; Kraus, Kaufhold (alle Kickers Offenbach), Kreß, Pfaff (beide Eintracht) und Herrmann (FSV) das erste Europapokalspiel mit deutscher Beteiligung. Trotz einer 2:0-Pausenführung durch Pfaff und Kaufhold unterlagen sie am Ende jedoch mit 2:3.

Das Heimspiel gegen Basel (5:1) fand am 20. Juni 1956 am Bornheimer Hang, das gegen London (1:0) am 27. März 1957 unter Flutlicht am Riederwald statt. Die Chance auf den möglichen Gruppensieg wurde durch die Weigerung der Eintracht und der Offenbacher Kickers vertan, ihre besten Akteure zum Spiel in Basel abzustellen. Eine Kombination FSV/SpVgg Neu-Isenburg war am 12. Juni 1957 ohne Chance und unterlag den Schweizern mit 2:6.

Insgesamt wurden 29 Spieler eingesetzt. Der FSV stellte elf Akteure: Buchenau, Krone, Mayer (je 3 Einsätze), Herrmann, Lurz, Rado (je 2), Hofmann, Leichum, Lidynski, Nold und Wagner (je 1); die Eintracht sieben: Kreß, Pfaff (je 3), Höfer, Wloka (je 2), Bäumler, Schymik, Weilbächer (je 1); die Kickers neun: Kraus (3), Sattler (2), Kaufhold, Keim, Magel, Wade, Weber, Preisendörfer, Zimmermann (je 1) und die SpVgg Neu-Isenburg zwei: Kabatzki und Tilke (je 1).

Nach gewissen Anlaufschwierigkeiten wurde der Wettbewerb immer populärer, insbesondere nachdem er seit 1960/61 jährlich ausgetragen wurde und allmählich Vereinsmannschaften die Stadtauswahlen ersetzten. In 16 Jahren verfolgten über 18 Millionen

Achtbar schlug sich die Rhein-Main-Auswahl gegen Londons Profis. Beim Rückspiel am Riederwald erzielte der Offenbacher Preisendörfer (im Eintracht-Trikot!) das goldene Tor

Zuschauer die 1.039 Spiele. 1971 wurde die Organisation von der UEFA übernommen und der Messe-Pokal zunächst in UEFA-Pokal und 2009 in Europa League umgetauft.

Die Eintracht nahm noch viermal am Messepokal teil. 1964/65 scheiterte sie in der 1. Runde am FC Kilmarnock, 1966/67 gelangte sie über Drumcondra Dublin, Hvidovre Kopenhagen, Ferencvaros Budapest und FC Burnley ins Halbfinale. Dem 3:0-Sieg im Hinspiel gegen Dinamo Zagreb folgte eine 0:4-Niederlage (n. V.) in Zagreb. Ein Jahr später war gegen Nottingham Forest bereits wieder in der 1. Runde Endstation, während 1968/69 immerhin Juventus Turin ausgeschaltet werden konnte. Im Achtelfinale kam dann das Aus gegen Athletic Bilbao.

Am UEFA-Pokal nahm die Eintracht insgesamt zehn Mal teil: 1972/73, 1977/78, 1979/80, 1980/81, 1990/91, 1991/92, 1992/93, 1993/94, 1994/95 und 2006/07. 1980 gelang der größte internationale Erfolg. Nach rein deutschen Endspielen gegen Borussia Mönchengladbach trug sich die Eintracht in die Siegerliste des Wettbewerbs ein. 2013, 2018 und 2019 qualifizierte sich die Eintracht für die Europa League und wurde dabei von Tausenden Fans quer durch Europa begleitet. Im März 2020 wurden die Europapokalwettbewerbe wegen der Coronavirus-Pandemie unterbrochen und erst im August fortgesetzt.

Insgesamt nahm die Eintracht 22-mal an einem Europapokal-Wettbewerb teil (1959/60 am Europapokal der Landesmeister sowie viermal am Europapokal der Pokalsieger). Von 151 Spielen konnten 81 gewonnen werden, 29 endeten unentschieden und 41 gingen verloren. Das Torverhältnis lautet 295:170. Mit dieser Bilanz belegt die Eintracht Platz 10 der Rangliste aller deutschen Europapokal-Teilnehmer.

Zeichen einer neuen Zeit: Flutlicht

Das erste Fußballspiel unter „künstlicher Beleuchtung" wurde 1878 in Sheffield ausgetragen. Anfang der 1930er Jahre ließ Arsenal-Manager Herbert Chapman auf dem Trainingsplatz des Londoner Klubs Flutlicht installieren, doch verbot der englische Fußball-Verband die Benutzung bei offiziellen Spielen. Erst 1956 fand das erste Ligaspiel unter Flutlicht in Portsmouth statt. In Deutschland wurde das erste Flutlicht-Spiel am 1. September 1926 in der Radrennbahn am Pferdeturm in Hannover ausgetragen. 10.000 Zuschauer sahen beim 2:2 zwischen einer Auswahl des norddeutschen Südbezirks und der türkischen Nationalmannschaft einen „glanzvollen Verlauf und die verschwenderische Fülle künstlichen Lichts" beim „erste[n] Fußballspiel im Lampenlicht in Deutschland", zu dem zahlreiche Städte Vertreter entsandt hatten, „um sich von dem Spiel unter künstlichem Licht ein eigenes Bild zu machen" (Stadionmagazin Hannover 96 vom 23. September 2015).

Nach dem Zweiten Weltkrieg sind Flutlichtspiele 1949 in Dresden und 1951 in Stuttgart überliefert. In Frankfurt war es am 4. Juni 1956 so weit. 12.000 Zuschauer sahen am Riederwald ein 2:2 der Eintracht gegen eine britische Armee-Auswahl. Wenig später wurde das erste Derby gegen den FSV (4:3) unter Scheinwerferlicht ausgetragen. Für beide Spiele musste sich die Eintracht die notwendigen Lampen noch in einem Wiesbadener Filmstudio ausleihen! Die erste „moderne" Flutlichtanlage wurde im Juli 1956 auf dem Bieberer Berg in Offenbach ihrer Bestimmung übergeben. Währenddessen errichtete die Eintracht für rund 100.000 Mark eine Anlage, die nicht mit Glühlampen, sondern mit Leuchtstoffröhren ausgerüstet war. Am 18. September 1956 erlebte der Riederwald mit dem Spiel gegen den 1. FC Köln (5:1) seine „richtige" Flutlicht-Premiere.

Andere Städte folgten. Binnen eines Jahres gab es in 15 bundesdeutschen Stadien künstliches Licht, darunter auch beim FSV am Bornheimer Hang. Nicht bei jedem fand der neue Trend Zustimmung. Robert Ludwig sah in den „Nachtspielen ... eine Gefahr für die Jugend" („Sportmagazin" vom 11. Juni 1956). Bei der Eintracht sah man es weitaus nüchterner: „Die großen Vereine sind das Opfer ihrer eigenen Größe geworden; sie müssen einen großen Fußballplatz unterhalten, müssen Angestellte aller Art bezahlen, sind verpflichtet, ihre Vertragsspieler nach den Bestimmungen des Vertragsspielerstatuts zu bezahlen, müssen zahlreiche Abteilungen mit ihren vielen Jugendabteilungen unterhalten, müssen obendrein noch Steuern aller Art aufbringen. Die 1. Fußballmannschaft muss Geld ins Haus bringen. Die Zuschauer sind manchmal überkritisch. Wenn sie enttäuscht werden, bleiben sie kurzerhand vom Fußballplatz; die Zuschauerzahl schwindet ganz erheblich; die Einnahmen stehen in keinem Verhältnis zu den notwendigen Ausgaben … Die Flutlichtspiele müssen helfen. Gewiss, die Vertragsspieler werden wiederum einmal mehr strapaziert. Aber sie helfen der Kasse und sich selbst, helfen dem geplagten Schatzmeister. So werden Flutlichtspiele mit geschickten Paarungen zum Notanker in der Aufregung einer planmäßigen Geschäftsführung" („Sportmagazin" vom 31. Januar 1957).

Bei der Eintracht schien die Rechnung tatsächlich aufzugehen. Ein Flutlichtspiel gegen den 1. FC Kaiserslautern lockte am 16. Oktober 1956 – einem Dienstagabend – 40.000 Fans an den Riederwald, die einen 5:1-Sieg ihrer Lieblinge bewundern konnten. Wenig später präsentierte die Eintracht bei einem Testspiel gegen die Nationalmannschaft (0:1) 26.000 Interessierten ihre neuen „Flutlicht-Trikots" (siehe Foto rechts).

1957 stiftete Ludwig Mohler, der Präsident der Offenbacher Kickers, einen „Flutlicht-Pokal", um den acht Vereine nach Ende der Oberliga-Meisterschaft spielen sollten. Das Schicksal wollte es, dass ausgerechnet die Offenbacher nicht teilnehmen konnten – weil sie sich für die Endrunde um die Deutsche Meisterschaft qualifiziert hatten. Im Halbfinale schied der FSV Frankfurt gegen den FC Schalke 04 aus, die Eintracht siegte zweimal gegen Preußen Münster (2:1 auswärts und 6:3 am Bieberer Berg). Wegen Terminschwierigkeiten fanden die Finalspiele erst zu Beginn der neuen Saison statt und wurden auf recht kuriose Art und Weise entschieden: Nach einem 3:3 auf Schalke trennte man sich am 9. Oktober 1957 am Riederwald torlos 0:0, so dass die Eintracht aufgrund des besseren Eckenverhältnisses (8:6) zum Sieger erklärt wurde!

Doch der Reiz des Neuen war schnell vorbei. Im August 1957 wollten gerade einmal 2.000 Zuschauer die Auftritte der Young Fellows aus Zürich (4:1) und des niederländischen Meisters von 1956, Rapid JC Heerlen (4:2), am Riederwald live erleben. Zwar planten die Offenbacher Kickers für 1958 eine „Flutlicht-Bundesliga", doch von den ursprünglich 20 interessierten Teams sprangen am Ende nicht weniger als sieben wieder ab. Der zweite Flutlicht-Pokal wurde parallel zur Fußball-WM 1958 in Schweden ausgetragen und vom Publikum nicht angenommen. Zum Spiel TuS Neuendorf – Viktoria Köln kamen nur 200 Unentwegte ins Stadion Oberwerth. Die Eintracht scheiterte bereits in den Gruppenspielen an Eintracht Braunschweig und Viktoria 89 Berlin. Zweiter und letzter Flutlicht-Pokalsieger wurden schließlich die Offenbacher Kickers durch ein 5:3 gegen Eintracht Braunschweig.

Mag der Flutlicht-Pokal auch nur ein Intermezzo gewesen sein, das Flutlicht war fortan jedoch nicht mehr wegzudenken. Ohne Flutlicht wäre der Europapokal nie so populär geworden, und ohne Flutlicht hätte es wohl auch nie eine deutsche Bundesliga – das zweite große Reizthema der 1950er Jahre – gegeben. Bei der Gründung 1963 war jedenfalls eine Flutlichtanlage (bzw. die Installierung binnen eines Jahres) zwingend vorgeschrieben.

Flutlicht-Trikots:
Weilbächer (links) und
Pfaff beim Testspiel
gegen die deutsche
Nationalmannschaft.

Eintracht Frankfurt:
Flutlicht-Pokalsieger 1957.
Stehend von links: Adolf
Bechtold, Loy, Schymik,
Pfaff, Höfer, Feigenspan,
Lindner, Meier, Kreß. Vorn
Horvat und Weilbächer.

1955/56 ■ Der Kredit beim Publikum wird verspielt

Im Sommer 1955 kamen Eberhard Schymik (FC Gelnhausen 03) und Eckehard Feigenspan (VfB Friedberg) an den Riederwald. In der Vorbereitung zog sich Torhüter Loy eine schwere Knieverletzung zu, die ihn zu einer halbjährigen Pause zwang. Seinen Platz zwischen den Pfosten übernahm sein bisheriger Stellvertreter Alexander Rothuber. Mit einem 3:0 gegen den TSV München 1860 wurde am 28. August in die neue Oberliga-Saison gestartet. Überraschend traten vier Tage später der 1. Vorsitzend Dr. Anton Keller und der Spielausschussvorsitzende Willi Balles zurück. Auf Beschluss des Restvorstandes und Ältestenrates übernahm Rudi Gramlich zum zweiten Mal nach 1939-42 die Führung des Vereins und sollte sie bis 1970 innehaben. Den Vorsitz im Spielausschuss übernahm Ernst Berger. Auf die Leistungen der Mannschaft hatte der Führungswechsel keine Auswirkungen. Sie gewann auch die nächsten beiden Spiele und schien auf dem besten Wege, bei der Vergabe des Titels erneut ein ernsthaftes Wörtchen mitzureden.

Mit dem Derby beim FSV (0:1) begann am 9. Oktober jedoch eine schwarze Serie, die erst einen Monat später mit einem 0:4 bei den Offenbacher Kickers endete. In fünf Spielen wurde nur ein mageres Pünktchen geholt. Drei erzielten Toren standen 13 Gegentreffer entgegen. In der Tabelle purzelte die Eintracht auf Platz 9, acht Punkte hinter Spitzenreiter Karlsruher SC und nur einen vor dem Vorletzten TSV München 1860. Begleitet wurde die sportliche Talfahrt mit einem Vertrauensverlust beim Publikum. Selbst zum Gastspiel des 1. FC Nürnberg konnten nur 10.000 Zuschauer begrüßt werden, im Derby gegen den FSV waren es nur 8.500 und gegen die Offenbacher Kickers 18.000. Lag der Zuschauerschnitt in den vergangenen drei Spielzeiten stets über 15.000, rutschte er 1955/56 auf alarmierende 9.000 ab. Im Januar 1956 gaben schließlich der Vorstand und Trainer Windmann bekannt, den am Saisonende auslaufenden Vertrag nicht zu verlängern. Als Nachfolger konnte schon im März der Wiener Adolf Patek präsentiert werden, der den KSC 1956 zur Süddeutschen Meisterschaft führen sollte.

Zu diesem Zeitpunkt standen die Aktien der Eintracht so schlecht wie schon lange nicht mehr. Mit nur 23:25 Punkten war sie nach den Offenbachern Kickers, Viktoria Aschaffenburg und dem FSV die schlechteste hessische Oberliga-Mannschaft. Bis zum Saisonende gab es wenig Besserung. Platz 6 (31:29 Punkte) sah am Ende weitaus besser aus, als es über weite Strecken des Spieljahres gewesen war. Da spektakuläre Neuverpflichtungen ausblieben, wurde die Oberliga-Vergleichsrunde dazu genutzt, verstärkt talentierte Nachwuchsspieler zu testen. Besondere Freude machte Hermann Höfer, der im Mai mit der Hessen-Auswahl den Länderpokal gewann und im Herbst im Olympiakader von Melbourne stand.

1956/57 ■ Ein Neubeginn mit dem Wiener Adolf Patek

Der neue Trainer Patek stand im Sommer vor der schweren Aufgabe, aus dem vorhandenen Spielermaterial eine neue schlagkräftige Elf zu formen. Das Spielerkarussell drehte sich am Riederwald erneut nur recht langsam. Von den Stammspielern der letzten Jahre schied nur Remlein (fast 32), der seine Laufbahn beendete, aus. Dagegen konnte Wloka (32), der ebenfalls aufhören wollte, überredet werden, noch ein Jahr dranzuhängen. Von den Neuzugängen setzte sich auf Dauer lediglich Erich Meier (FV Breidenbach) durch, wenn auch noch nicht in der Saison 1956/57. Im Übrigen vertraute Patek den altbewährten Kräften. Sein erster Erfolg war der Gruppensieg in der Totorunde, in der Kantersiege gegen Alemannia Aachen (8:2) und den FK Pirmasens (8:0) gelangen. Der Auftakt in die neue Oberliga-Spielzeit stürzte den Eintracht-Anhang daher in ein Wellental der Gefühle. Nach sieben Spielen hatte die Mannschaft zwar alle drei Auswärtsspiele gewonnen, in vier Heimspielen jedoch nur jämmerliche zwei Punkte (1:1 gegen Jahn Regensburg und die Offenbacher Kickers) eingefahren. „Die Eintracht-Elf hat zwei Gesichter!", schrieb das „Sportmagazin", nachdem es beim Freiburger FC eine 1:7-Abfuhr und gegen Stuttgarter Kickers die dritte Heimniederlage (0:1) gegeben hatte. Zu diesem Spiel hatten gerade einmal 4.000 Zuschauer den Weg an den Riederwald gefunden, die ihrer Enttäuschung bei der Ankündigung des nächsten Heimspiels gegen Bayern München enttäuscht Luft machten: „Ein gellendes, langanhaltendes Pfeifkonzert bildete die Antwort!" („Sportmagazin" vom 5. November 1956)

Auch Routinier Wloka fand kaum noch Worte: „Schlecht spielten wir früher auch hie und da, aber wenigstens ein Tor brachten wir doch irgendwie zustande!" („Kicker" vom 5. November 1956) Schließlich kam auch noch Verletzungspech hinzu. Nachdem sich bereits Kreß in Freiburg ein Bein gebrochen hatte, traf beim 1:0-Sieg bei Schwaben Augsburg Verteidiger Kudras das gleiche Schicksal. Wenig später fiel Rechtsaußen Bäumler nach einer Knieoperation für den Rest der Saison aus, und Torhüter Loy musste sich einer zweiten Meniskusoperation unterziehen. Im neuen Jahr deutete sich jedoch ein leichter Aufwartstrend an. Nachdem die erste Pokalhürde beim 1. FC Pforzheim glatt mit 6:0 genommen wurde, blieb die Mannschaft im Januar in der Meisterschaft ungeschlagen. Beim 3:1 in Regensburg gab der erst 17-jährige Dieter Lindner sein Debüt in der Oberliga-Mannschaft und erzielte auch gleich ein Tor. Nach den Derbys gegen den FSV (4:0 – alle Tore durch Feigenspan!) und in Offenbach (2:2) durfte man sich als „Main-Meister" fühlen, denn die Eintracht war gegen die lokale Konkurrenz in den Punktspielen ohne Niederlage geblieben. Dafür zog sie im Pokal gegen den FSV mit 3:4 den Kürzeren. In einem hochdramatischen Spiel gingen die Bornheimer am Riederwald dreimal in Führung, dreimal gelang Weilbächer, Kreß und Geiger der Ausgleich, bevor Buchenaus Elfmeter in der 82. Minute das Spiel entschied.

Zur Freude des Schatzmeisters drückte sich der sportliche Aufwind auch wieder in höheren Zuschauerzahlen aus. Nachdem die beiden Derbys gegen den FSV jeweils 18.000 angelockt hatten, ging die Eintracht zum Gastspiel gegen den Spitzenreiter

Ein berühmter Gast am Riederwald: Bernd Trautmann (rechts) im Gespräch mit Trainer Patek. In der Mitte Schymik.

1. FC Nürnberg wieder einmal ins Stadion. Zwar behielten die Gäste aus Franken mit 2:1 die Oberhand, 40.000 Zuschauer ließen den Saisonschnitt jedoch wieder in den fünfstelligen Bereich klettern. 10.500 war trotzdem die viertschlechteste Besuchermarke seit Kriegsende. Besonders deutlich wurde das Desinteresse der Eintracht-Fans am Wochenende 11./12. Mai 1957. Während sich samstags am Riederwald gegen den VfB Stuttgart (4:0) nur 6.000 Zuschauer verloren, wollten tags darauf 70.000 im Stadion das Spiel Zweiter gegen Erster, Kickers Offenbach - 1. FC Nürnberg (1:0) sehen. Mit einem 3:1 beim BC Augsburg wurde die Saison mit Anstand als Fünfter beendet.

Für das „Sportmagazin" war die Eintracht nach den dort gezeigten Leistungen sogar eine „Mannschaft mit Zukunft": „Was nämlich die junge Eintracht-Elf vorgeführt hatte, war eine Demonstration hoher Fußballkunst. Diese Mannschaft hat Zukunft, jeder Mann ist schnell und ausdauernd, hat Spielwitz und versteht sich traumwandlerisch sicher mit seinen Nebenleuten! Was uns besonders auffiel, war die überaus moderne, rationelle Spielweise. Wir meinen die aus der Tiefe vorgetragenen, steilen Angriffe, die den schnellen Außen Kreß und Meier und dem spritzigen Mittelstürmer Feigenspan wie auf den Leib zugeschnitten waren." („Sportmagazin" vom 20. Mai 1957)

Einen Vorgeschmack auf die Zukunft gab es bereits im Freundschaftsspiel gegen den FC Arsenal (0:2), in dem erstmals die mit einer FIFA-Sperre belegten Ungarn Janos Hanek, Istvan Sztani und Tibor Lörincz mit einer DFB-Ausnahmegenehmigung mitwirken konnten. Erfolgreicher war eine Kombination Eintracht/FSV gegen Manchester City, das trotz eines Bernd Trautmann im Tor mit 0:2 am Riederwald verlor.

1957/58 ■ Wie Ivica Horvat an den Riederwald kam

Eine Vorstandskrise beim FSV ermöglichte der Eintracht im Sommer 1958 die Verpflichtung des jugoslawischen Nationalspielers Ivica Horvat von Dinamo Zagreb, der eigentlich schon fest am Bornheimer Hang als Neuzugang gehandelt worden war, denn dort war mit Bogdan Cuvaj ein weiterer Jugoslawe Trainer. Dieser wurde auf der Generalversammlung am 23. Juni vom neu gewählten FSV-Vorstand jedoch schwer beleidigt, worauf die Versammlung wegen Tumulten abgebrochen werden musste. Als am 3. Juli die gleichen Mitglieder, die ihn zehn Tage vorher noch gefeiert hatten, die Fronten wechselten und „Cuvaj-raus!"-Rufe zu hören waren, warf er das Handtuch. Mit Cuvaj ging auch Horvat, und zwar zur Eintracht.

Für die Bornheimer jedoch waren „diese beiden Versammlungen die trübsten Stunden der Vereinsgeschichte [und] haben letztlich das weitere Schicksal und den abfallenden Weg des FSV bestimmt... So aber hat die Eintracht über Nacht den großen Ivica Horvat bekommen, der mitgeholfen hat, dass der Weg ins Deutsche Endspiel 1959 glatt gemeistert wurde. So haben die Offenbacher Kickers dann 1958 mit Bogdan Cuvaj den Trainer bekommen, der mit ihrer Mannschaft in das gleiche Endspiel mit der Eintracht in Berlin einzog...

Man stelle sich vor. Horvat im Abwehrzentrum, Firm [ein weiterer Jugoslawe, der nach den Querelen beim FSV zur SpVgg Neu-Isenburg wechselte, Anm. d. Verf.] im Angriffszentrum, dazu ein Trainer Cuvaj, und das im Spieljahr 1957/58. Die Bundesliga wurde erst 1963 eingeführt, und 1962 musste der FSV aus der Oberliga Süd absteigen." (Karl Seeger in „90 Jahre FSV")

Mit der überraschenden Verpflichtung von Horvat hatte die Eintracht im

Ivica Horvat.

Sommer 1957 plötzlich mehr als einen Ersatz für den scheidenden Wloka erhalten, der nach 191 Oberligaspielen endgültig seinen Abschied nahm. Zudem standen mit den drei Ungarn weitere Alternativen zur Verfügung. So rechnete der „Kicker" die Eintracht 1957/58 wieder zum Favoritenkreis in der Oberliga Süd. Die ersten Spiele rechtfertigten den Vorschusslorbeer. Nach sechs Spielen stand die Eintracht mit 10:2 Punkten ungeschlagen an der Spitze. Zwar unterlag sie „bei" den Offenbacher Kickers – vor nur 25.000 Zuschauern im Stadion – mit 0:1, doch nach zwölf weiteren Spielen ohne Niederlage schien Anfang Januar Platz zwei das Mindeste zu sein, was herausspringen sollte. In dieser Zeit bestand sie beim Karlsruher SC (2:2), spielte gegen den Tabellenführer 1. FC Nürnberg (2:1) vor 45.000 Zuschauern im Stadion eine Halbzeit lang überragend und brachte dem FC Schweinfurt 05 die erste Heimniederlage (1:0) der Saison bei. Immer wieder im Zentrum der positiven Kritiken: Ivica Horvat.

Nach dem 2:2 bei der SpVgg Fürth – bei dem Loy erst einen Foulelfmeter und anschließend die Wiederholung hielt! – wurde die Mannschaft in höchsten Tönen gelobt: „Eintracht Frankfurt hat nach dem Krieg noch niemals so überzeugend und beständig aufgespielt wie in dieser Saison. Die Elf stützt sich auf die bisher stärkste Südabwehr (Horvat, Höfer), besitzt mit Weilbächer und Schymik offensivkräftige Außenläufer und einen Sturm, der an Zielstrebigkeit kaum zu übertreffen ist." („Sportmagazin" vom 11. November 1957)

Am 4. Januar 1958 konnte sich ganz Deutschland ein Bild davon machen, denn das – auf Samstag vorverlegte – Oberligaspiel der Eintracht gegen den VfB Stuttgart wurde „original" – wie es damals noch hieß – im Fernsehen übertragen. Dazu musste vorher eigens ein Beschluss des Süddeutschen Fußball-Verbandes, keine Übertragungen von Fußballspielen am Wochentagen zuzulassen, gekippt werden. Wie schon beim Flutlicht, stand die Eintracht auch dem Fernsehen sehr aufgeschlossen gegenüber. Rudi Gramlich im „Sportmagazin": „Die Zeit ist ja nicht stehen geblieben. Damals [beim oben erwähnten Beschluss] steckte Fernsehen noch in den Kinderschuhen, soweit es seine Verbreitung anging. Heute ist es wesentlich anders, und man kann nicht aus vereinsegoistischen Gründen der großen Masse etwas vorenthalten, auf das sie Anspruch hat und für das die Inhaber von Fernsehgeräten schließlich auch Gebühren bezahlen. Im Übrigen bin ich nicht der Ansicht, dass Television dem Fußball Abbruch tut. Ganz im Gegenteil! Das Gleiche hat man behauptet, als die ersten Radio-Sendungen von Fußballspielen aufkamen. Wie sah es in Wirklichkeit aus? Radio führte dem Fußball ungezählte neue Anhänger zu, und mit dem Fernsehen ist es nicht anders – auf weite Sicht gesehen." („Sportmagazin" vom 23. Dezember 1957)

Die Eintracht nutzte die Gunst der Stunde und bot „Millionen Fernsehzuschauern eine Fußballwerbung ersten Ranges" („Kicker" vom 6. Januar 1958). Beim 1:0 gegen den VfB wirkte erstmals auch der Exil-Ungar Istvan Sztani mit. Nach einem 2:0 gegen den FSV übernahm die Eintracht schließlich wieder die Tabellenspitze. Durch ein 3:2 gegen die Offenbacher Kickers konnte der Vorsprung auf den Zweiten 1. FC Nürnberg sogar auf drei Punkte ausgedehnt werden. „Ungarisches Spielfeuer, ungarische

Eleganz, gepaart mit Wiener Charme (Trainer Patek!) brachten die Eintracht an die Tabellenspitze", kommentierte das „Sportmagazin" am 27. Januar 1958. Alles schien auf einen Durchmarsch hinzudeuten, doch beim Tabellenletzten Stuttgarter Kickers kam die Eintracht nicht über ein 0:0 hinaus, und gegen den Drittletzten SSV Reutlingen gab es mit 0:1 die erste Heimniederlage. Also wieder einmal gegen die „Kleinen". Beim TSV München 1860 verlor die Eintracht nicht nur die Punkte (1:2), sondern auch Torhüter Loy wegen Schiedsrichter-Beleidigung – er hatte den Unparteiischen geduzt! Gegen die 14-tägige Sperre wurde erfolgreich Protest eingelegt: Am Sonntagmorgen (!), wenige Stunden vor dem nächsten Heimspiel gegen den Karlsruher SC, wurde die Sperre ausgesetzt und später in eine Geldstrafe in Höhe von 20 Mark umgewandelt.

Mit einem 4:1 gegen den KSC eroberte sich die Eintracht die Tabellenführung zurück, und alles wartete nun gebannt auf den „Kampf der Giganten" am 23. März im Nürnberger Stadion. Vor 52.000 Zuschauern, darunter 1.200 mitgereisten Frankfurtern, gab es eine packende erste Halbzeit mit acht Toren: drei für Nürnberg, fünf für die Eintracht. Nach diesem 5:3-Sieg stand die Eintracht für das „Sportmagazin" „fast mit Sicherheit als der eine Vertreter des Südens für die Endrunde fest". Doch in den letzten beiden Saisonspielen zeigte sich erneut, dass „die Eintracht … für den Endkampf nicht die stählernen Nerven und nicht die innere Sicherheit" hatte („Kicker" vom 8. April 1958). Trotz optischer Überlegenheit unterlag sie der SpVgg Fürth daheim mit 1:2. Damit war man die Tabellenführung wieder los, hatte es aber noch in der Hand, sich wenigstens Platz 2 zu sichern. Und wer weiß, wahrscheinlich hätte es auch geklappt, wenn der letzte Gegner VfR Mannheim oder Bayern München geheißen hätte. So aber ging die Reise zu den bereits seit Wochen als Absteiger feststehenden Regensburgern. Zwar begann die Eintracht wie die Feuerwehr, doch als Pletz Lindners Schuss in letzter Sekunde von der Torlinie kratzte, riss bei den Riederwäldern der Faden, und Käufl brachte den Jahn in der 20. Minute in Führung. Wie unkonzentriert die Eintracht-Mannschaft an diesem Tag war, zeigte sich in der 66. Minute, als Pfaff einen Handelfmeter weit am Tor vorbei schoss. Es blieb beim 0:1, und damit war auch Platz zwei verspielt.

Während Fachleute und Anhänger die Welt nicht mehr verstanden, blieben die Verantwortlichen am Riederwald relativ ruhig und machten Nägel mit Köpfen. Bereits eine Woche nach der Blamage von Regensburg wurde für den zu Bayern München wechselnden Adolf Patek mit Paul Oßwald (Kickers Offenbach) ein neuer Trainer vorgestellt. Selbst das Pokal-Aus beim Süd-Zweitligisten ASV Cham (0:1) wurde schnell abgehakt. Ihre Klasse demonstrierte die Mannschaft in den Spielen gegen den Wiener SC und Borussia Dortmund. Der österreichischer Meister wurde im Stadion mit 6:1 und in Wien mit 5:1 vom Platz gefegt. Gegen den BVB, Deutscher Meister der Jahre 1956 und 1957, hieß es in Frankfurt 4:3 und in Dortmund 1:0. Man konnte also doch noch Fußball spielen. Und wollte – und sollte – es 1958/59 endlich allen zeigen.

Die „launische Diva":
Tradition verpflichtet?

„Diva" – „die Göttliche". Auf keinen Fußballverein trifft der Begriff „launische Diva" besser zu als auf die Frankfurter Eintracht. Die Mannschaft war schon immer in der Lage, ihre Anhänger an guten Tagen mit Kabinettstückchen der gehobenen Klasse zu verwöhnen oder an schlechten zur Weißglut zu bringen. Schon die Frankfurter Kickers galten als „technisch vollendet und fein spielende" Mannschaft („Frankfurter Nachrichten" vom 7. Oktober 1910). Diese Tradition wurde im Frankfurter Fußball-Verein und bei der Eintracht weitergepflegt. Der Ungar Peter Szabo und der Schweizer Walter Dietrich setzten die spielerischen Glanzlichter in den 1920er Jahren, Rudi Gramlich eine Dekade später. Nach dem Krieg verzückten „Don Alfredo" Pfaff und Richard Kreß die Massen, in den 1960ern folgte der „Brasilianer" Wolfgang Solz. Den 1970ern drückten Jürgen Grabowski und Bernd Hölzenbein ihren Stempel auf. Lajos Detari gab der Hausmannskost der 1980er Jahre mit seinem Tor zum Pokalsieg 1988 die kulinarische Würze. Anfang der 1990er zelebrierten Möller, Bein und Yeboah „Fußball 2000". Aber auch ein „Jay Jay" Okocha konnte den Abstieg 1996 nicht verhindern, und trotz eines Maurizio Gaudino drohte im Jahr darauf sogar der Absturz in die Drittklassigkeit.

Wie hatte der „Kicker" am 16. Mai 1955 geschrieben? „Die Spielweise der Eintracht [ist] traditionsbedingt. Das Spielerische und Verspielte hat schon den früheren Generationen besonders im Blut gelegen, und wahrscheinlich muss das so sein, dass die Namen wechseln und die Spielart bleibt."

Arbeiter hatten es dagegen immer schwer, sowohl als Spieler wie auch als Trainer. „Ein Schuss Fußballsportverein" fehle der Eintracht, meinte der „Kicker" nach der verpassten Endrunden-Qualifikation 1955. „Fußball arbeiten" lag den Ballkünstlern vom Riederwald nicht (immer). Roland Weidle wollte man 1971/72 schon in die Wüste schicken, bevor er sich nach der Verletzung von Jürgen Grabowski als Arbeitsbiene entpuppte und zweimal Pokalsieger wurde. Oder Uwe Bindewald, dem die Fans den Spitznamen „Zico" verpassten. Erst nach dem Abstieg 1996 wurde auch er von den Fans als „Kämpfer" akzeptiert. Thomas Zampach wurde im Aufstiegsjahr 1997/98 gar als „Fußball-Gott" gefeiert. Später war es Alex Meier. Passt irgendwie zu den 1970ern, als die Fans zur Melodie „Von den blauen Bergen …" sangen: „Von der Frankfurter Eintracht kommen wir, einen schönen Fußball spielen wir, ja wir spielen wie die Götter, ab und zu auch etwas besser, von der Frankfurter Eintracht kommen wir."

Die Erwartungshaltung war schon immer hoch: Vier Pokalsiege, der UEFA-Pokal, was zählte das letztendlich? Die Meisterschaft, das war's. Doch weder Dragoslav Stepanovic 1992 noch Klaus Toppmöller 1994 konnten die hohen Erwartungen erfüllen. Noch ein Zitat aus dem „Kicker", Jahrgang 1955: „Die Eintracht ist launisch und hält keine Saison durch." Als die Verantwortlichen der Diva jedoch das Divenhafte austreiben wollten und mit Jupp Heynckes 1994 einen auf eiserne Disziplin bauenden Fußball-Lehrer verpflichteten, ging der Schuss nach hinten los.

„Wenn es der Jupp Heynckes nicht schafft, wird die Eintracht das Image von der launischen Diva nie mehr los", sagte Manager Bernd Hölzenbein im Herbst 1994. Ein halbes Jahr später warf Heynckes hin. Sein Fehler: Er hatte die „meuternden" Stars Yeboah und Gaudino aussortiert. „Die Erkenntnis, dass der Verein und ich nicht zueinander passen, ist in jüngster Zeit immer stärker geworden. Zu unterschiedlich sind unsere Auffassungen von professioneller Arbeit", kommentierte er seinen Abgang. Für die Fans ist er seitdem der „Totengräber der Eintracht". Der Weg der Eintracht führte danach in die 2. Bundesliga, Heynckes aber gewann 1998 mit Real Madrid die Champions League und 2013 mit Bayern München das „Triple": Meisterschaft, DFB-Pokal und Champions League. Immerhin hat er inzwischen eingeräumt, bei der Eintracht falsch gehandelt zu haben: „In Frankfurt machte ich den Fehler, Spieler zu suspendieren. Ich hätte es mit einer Geldstrafe regeln sollen. Später hätte ich dafür nie mehr Spieler suspendiert" („Kicker"-Sonderheft „Jupp Heynckes. Als Spieler und als Trainer in der Weltklasse", S. 8).

Bei der Eintracht wurde der Abstieg 1996 zunächst noch „weltmännisch" als Betriebsunfall deklariert. Wie nach der verspielten Meisterschaft 1992 floskelte Trainer Stepanovic „Lebbe geht weiter". Doch „Lebbe in Liga drei" wollten auch die Fans nicht und gingen nach einem blamablen 2:3 gegen den VfB Oldenburg, das die Eintracht 1996/97 auf einem Abstiegsplatz in der 2. Bundesliga überwintern ließ, auf die Barrikaden. Sein Nachfolger Horst Ehrmantraut wurde anfangs müde belächelt. Schließlich hatte er sich ja „nur" in Meppen einen Namen gemacht. Aber Ehrmantraut setzte sein Konzept durch. „Der Star ist die Mannschaft" wurde auch von den Zuschauern akzeptiert. Mit einer Mischung aus Kämpfern (Weber, Zampach) und Technikern (Janßen, Sobotzik), Routiniers (Hubtchev, Epp) und „hungrigen" Spielern (Schur, Gebhardt) kehrte die Eintracht 1998 als Zweitliga-Meister nach zweijähriger Abwesenheit auf die große Bühne Bundesliga zurück.

Dort aber wurden die gleichen Fehler gemacht und mit Gernot Rohr ein Technischer Direktor verpflichtet, der Sitz und Stimme im Vorstand bekam. Doch der gebürtige Mannheimer, der sich in der Nachwuchsarbeit von Girondins Bordeaux einen Namen gemacht hatte, und Ehrmantraut – das passte nicht. Also wurde zuerst der in Ungnade gefallene Trainer gefeuert. Als es mit seinem Nachfolger Reinhold Fanz aber sportlich auch nicht klappte, mussten beide, Technischer Direktor und Fußball-Lehrer, ihren Hut nehmen.

Auch nach dem zweiten Abstieg 2001 wurden große Namen präsentiert: der ehemalige englische Nationalspieler Tony Woodcock als Sportvorstand, der Schweizer Martin Andermatt als neuer Trainer. Beides ging gehörig schief, und am Ende stand die Eintracht ohne Lizenz da. Erst die Verpflichtung von Willi Reimann brachte die Wende zum Besseren. Ähnlich wie Ehrmantraut setzte der Westfale auf Disziplin und ehrliche Arbeit. Die Parallelen zu 1997/98 waren verblüffend. Angesichts leerer Kassen stellte er aus ein paar verbliebenen Routiniers (Bindewald, Nikolov, Schur), einigen Jungen (Jones, Tsoumou-Madza, Streit) und ein paar Ablösefreien (Keller, Bürger) ein Team zusammen, das nichts mit dem Abstieg zu tun haben sollte. Das Ende ist bekannt. In einem Herzschlag-Finale köpfte der waschechte „Frankfurter Bub" Alexander Schur am 25. Mai 2003 die Eintracht in der Nachspielzeit zurück in die Bundesliga und erwarb sich dadurch bei den Fans Kult-Status.

Heribert Bruchhagen und Friedhelm Funkel beschritten nach dem Abstieg 2004 einen ähnlichen Weg: „Mit jungen, deutschsprachigen Spielern, möglichst aus der Region, den Erfolg suchen. Mit diesem Konzept rannte der Verein in der Stadt offene Türen ein: Die Leute gierten förmlich danach, sich wieder mit einer Elf identifizieren zu können, die Fußball nicht nur arbeitete (wie unter Willi Reimann in der Bundesliga), sondern auch spielte. Das Frankfurter Publikum liebt das Filigrane. Den juvenilen Kickern, die sich mit leidenschaftlichem, nicht immer brillantem, aber stets engagiertem Fußball verlorenen Kredit zurückeroberten, wurde … denn auch mancher Fauxpas verziehen. Weil die Leute auf den Rängen spürten, dass dort unten auf der Wiese Sportler rannten, die den Willen hatten, ihr Bestes zu geben. Und es entwickelte sich eine bemerkenswert enge, neue Beziehung zwischen Spielern und Fans" (Thomas Kilchenstein am 23. Mai 2005 in der „Frankfurter Rundschau").

Auch Armin Veh schien auf einem guten Weg, als er mit der Eintracht 2012/13 von der 2. Bundesliga nach Europa durchmarschierte. Als er 2015 zurückkehrte, hatte ihn das Glück jedoch verlassen. Erst Niko Kovac, ebenfalls ein akribischer Arbeiter, konnte den fünften Abstieg verhindern und führte die Eintracht zurück ins internationale Geschäft. Nach dem verlorenen Pokal-Endspiel 2017 zeigte sich die Mannschaft kämpferisch. „Wir werden wiederkommen und vollenden!" Der fünfte Pokalsieg 2018 löste eine Welle der Euphorie aus, auf der die Eintracht durch die Europa League ritt und erst im Halbfinale am späteren Sieger FC Chelsea scheiterte. Allerdings zeigte sich einmal mehr: „Die Eintracht ist launisch und hält keine Saison durch." 2016/17 lag sie lange Zeit auf Kurs Europa League, wurde am Ende aber nur Elfter. 2018 rutschte sie am letzten Spieltag aus den Europa-League-Rängen, was dank des Pokalsiegs aber ohne Konsequenzen blieb. Auch 2019 wurden die Nerven der Fans bis aufs Äußerste strapaziert, der Totalabsturz von Platz 4 auf 8 in den letzten beiden Spielen konnte aber dank Mainzer Schützenhilfe gerade noch abgewendet werden. Nach einer langen Saison wurde als Siebter mit Ach und Krach die Europa-League-Qualifikation erreicht.

Der Weggang der „Büffelherde" Jovic, Haller und Jovic zeigte aber, dass auch in Frankfurt die Bäume nicht in den Himmel wachsen. Überragenden Auftritten wie beim 5:1 gegen Bayern München folgten (zu) viele Niederlagen gegen Klubs aus der unteren Tabellenhälfte, so dass man noch einmal in ernste Abstiegsgefahr kam. Aber wahrscheinlich muss das so sein, dass die Namen wechseln …

Der Durchbruch zur Spitze

Bekanntlich sind aller guten Dinge drei. Ob man am Riederwald bei der dritten Verpflichtung von Paul Oßwald diese Weisheit im Hinterkopf hatte, wissen die Götter.
Fakt ist, dass sie sich bewahrheiten sollte. 1932 hatte Paul Oßwald die Eintracht zum
ersten Mal ins Endspiel um die „Deutsche" geführt. 1938 war er in den Gruppenspielen am Hamburger SV gescheitert. Dass der große Wurf bereits im Jahr eins der dritten
Oßwald-Ära gelingen sollte, war umso schöner, setzte er doch den Feierlichkeiten zum
60-jährigen Bestehen des Vereins die Krone auf.

Doch zunächst sah es gar nicht danach aus, denn die Eintracht hatte im Sommer
1958 mal wieder ein Torhüter-Problem. Egon Loy war seit April mit einer Beinverlet-
zung zum Zuschauen verurteilt. Da der bisherige Reserve-Keeper Karlheinz Lindner
zum VfB Friedberg gewechselt war, hatte Paul Oßwald die Wahl zwischen dem 37-jäh-
rigen Helmut Henig und dem von der SG Dietzenbach verpflichteten Handball-Tor-
wart (!) Helmut Abraham.

1958/59 ■ Ein Triumphzug zur Deutschen Meisterschaft

Der Zufall wollte es, dass Oßwald mit der Eintracht gleich im ersten Spiel zu seinem
Ex-Klub auf den Bieberer Berg musste. Nach einem leistungsgerechten 1:1 waren sich
die Fachleute einig, dass beide Mannschaften in dieser Form erneut zu den Meister-
schaftsanwärtern zählen würden. Während die Offenbacher jedoch den direkten Weg
einschlugen und bereits nach vier Spielen an der Spitze standen, gab es für die Eintracht gleich im ersten Heimspiel einen Rückschlag. Angstgegner SpVgg Fürth entführte nämlich mit einem 1:0 zum vierten Male in Folge beide Punkte vom Riederwald.
Eine Serie von vier Siegen in Folge ließ den Heimpatzer jedoch schnell vergessen. Am
19. Oktober kehrte auch Egon Loy ins Eintracht-Tor zurück. Zwar gab es bei Bayern München eine 1:4-Niederlage, aber was zu diesem Zeitpunkt noch keiner ahnen
konnte: Es war die letzte Niederlage in der laufenden Saison! Bis Jahresende gab es
sechs Siege in Serie. Mit 23:7 Punkten lag die Eintracht am Vorrundenende als Zweiter
drei Punkte hinter den Offenbacher Kickers und einen vor Bayern München.

Kein Wunder, dass die Fußballfreunde in Frankfurt und Umgebung dem Knaller
zum Rückrundenauftakt gegen die Offenbacher Kickers mit Spannung entgegenfie-
berten. Mit 55.000 Zuschauern war das Stadion am 11. Januar gut gefüllt. Auf zehn
Zentimeter hohem Schneeboden ging die Eintracht schon nach fünf Minuten durch
ein Eigentor von Nazarenus I in Führung. Hermann Nuber brachte die Kickers aber
bis zur Pause noch in Front. 2:1 hieß es auch noch acht Minuten vor Schluss. Die
Offenbacher hatten die Rechnung jedoch ohne den Wirt gemacht – und das im wahrs-

ten Sinne des Wortes! In der 82. Minute nämlich platzierte Alfred Pfaff, von Beruf Gastwirt, einen Freistoß zum viel umjubelten Ausgleich unhaltbar ins Dreieck. Eine Woche später wurde in Fürth mit 3:0 Revanche für die Heimniederlage vom August genommen. Selbst zwei Unentschieden gegen den VfB Stuttgart (2:2) und beim TSV München 1860 (1:1) konnten den Eintracht-Express nicht mehr stoppen. Punkt für Punkt verringerte sich der Abstand auf den Tabellenführer von der anderen Mainseite. Zweimal wich die Eintracht noch ins Stadion aus, was mit 50.000 Zuschauern gegen den 1. FC Nürnberg (1:0) und 36.000 gegen Bayern München (0:0) honoriert wurde. Ein Sieg über die Münchner hätte bereits eine Vorentscheidung im Kampf um Platz 2 gebracht, so aber konnte der Tabellendritte FC Bayern wenigstens auf drei Punkten Distanz gehalten werden.

Ihre Meisterschaftsreife und Sturmstärke demonstrierte die Eintracht zunächst in der Fremde. In Berlin wurde der amtierende Meister Tennis Borussia mit 6:0 abserviert, und im Pokalspiel beim Süd-Titelverteidiger Karlsruher SC hieß es sogar 8:0. „Eintracht zeigte modernen Erfolgsfußball und deklassierte die Karlsruher", schwärmte das „Sportmagazin" am 13. April 1959. „So stellen wir uns eine Mannschaft vor, die in den Endrundenspielen Erfolg haben wird. Nicht nur, dass die Frankfurter im Einzelkönnen überlegen waren, sie spielten auch viel moderner und schneller und waren überdies die besseren Athleten. Die ausgefeilte Technik wurde ausnahmslos in den Dienst der Mannschaft gestellt."

Am 26. April war das erste Etappenziel erreicht. Nach einem 2:0 beim 1. FC Schweinfurt 05 war der Eintracht Platz 2 nicht mehr zu nehmen. Acht Tage später gelang der Sprung an die Tabellenspitze. Während es am Riederwald ein ungefährdetes 4:0 gegen den BC Augsburg gab, verloren die Offenbacher Kickers auf dem Bieberer Berg mit 2:3 gegen den TSV München 1860. Nun wollte man sich auch die vierte Süddeutsche Meisterschaft nicht entgehen lassen. Zum letzten Spiel beim VfR Mannheim wurde die Mannschaft von ein paar tausend Anhängern begleitet, für die die Sache von vornherein klar war: „Das letzte Spiel hat es entschieden, wir sind Meister jetzt im Süden", stand auf einem Spruchband. Bereits nach den ersten 45 Minuten war alles klar. Mit dem 3:1 schraubte die Eintracht ihr Punktekonto auf 49:11 und egalisierte den Rekord der Offenbacher – die mit 46:14 Zweiter wurden – aus der Saison 1948/49.

Zum Auftakt der Endrunde um die Deutsche Meisterschaft sorgte die Eintracht in Bremen für einen neuen Zuschauerrekord. 40.000 kamen aus dem Staunen nicht heraus, als die Mannen vom Main den tapferen Werderanern beim 7:2 nicht den Hauch einer Chance ließen. „Schnell, schön, erfolgreich", beschrieb Karl-Heinz Heimann im „Kicker" den Gala-Auftritt der Frankfurter. Kein Wunder, dass zum ersten Heimspiel 81.000 Zuschauer erwartungsvoll ins Stadion pilgerten und auf eine Fortsetzung der Torflut hofften. Der FK Pirmasens leistete jedoch erbitterten Widerstand, ging sogar 1:0 in Führung und konnte das Spiel lange offen halten. Während sich das Fehlen von Alfred Pfaff bemerkbar machte, glänzte der Ungar Istvan Sztani und erzielte zwei Tore zum 3:2-Sieg. Vor dem Spiel gegen den 1. FC Köln hatte Trainer Oßwald erneut Ver-

Kreß erzielte den zweiten Treffer im Endrundenspiel gegen den 1. FC Köln.

letzungspech zu beklagen, denn mit Stinka (Blutvergiftung) und Schymik (Meniskusschaden) fielen beide Außenläufer aus. Dafür war Pfaff wieder an Bord, konnte in einem schwachen Spiel jedoch auch keine Akzente setzen. Beim 2:1-Erfolg gab es ein Wiedersehen mit dem ehemaligen Eintracht-Spieler und Trainer Peter Szabo, der jetzt Coach beim FC war. Allerdings wurde der Erfolg teuer erkauft, denn Stopper Horvat verletzte sich so schwer, dass er nie mehr für die Eintracht spielen konnte. Beim Rückspiel stellte sich eine völlig verwandelte Eintracht-Elf dem Kölner Publikum vor. „Wie englische Profis" („Kicker"-Schlagzeile) traten die Riederwalder auf, die das Spiel zu jeder Zeit kontrollierten und verdient mit 4:2 gewannen. Als nach dem Schlusspfiff die Kunde von der Pirmasenser Niederlage bei Werder Bremen (2:5) die Runde machte, war allen klar: Dank des besseren Torverhältnisses war die Eintracht bereits mit anderthalb Beinen im Endspiel. Während die Frankfurter in den beiden abschließenden Spielen beim FK Pirmasens (6:2) und gegen Werder Bremen (4:2) nichts mehr anbrennen ließen, verlief das Rennen in der anderen Gruppe weitaus spannender.

Hier führten nach vier Spielen die Offenbacher Kickers mit 7:1 Punkten vor dem Hamburger SV. Ein Main-Derby als Endspiel lag also im Bereich des Möglichen. Allerdings sah es am 13. Juni bis zur 87. Minute keineswegs danach aus. Während die Eintracht in Ludwigshafen den FK Pirmasens überrollte, führte Außenseiter Tasmania 1900 Berlin vor 35.000 Zuschauern im Frankfurter Waldstadion drei Minuten vor Schluss mit 2:0 gegen die Offenbacher. Doch dann machten die Kickers das Unmög-

Berlin, Berlin – wir waren in Berlin: Eintracht-Fans klären die Bevölkerung über die Machtverhältnisse am Main auf.

liche möglich: 87. Minute 1:2 Nuber, 88. 2:2 Kraus, 89. 3:2 Preisendörfer. Da der HSV zur gleichen Zeit 1:3 bei Westfalia Herne unterlag, stand die Endspiel-Paarung fest: Eintracht Frankfurt gegen Kickers Offenbach. Für Unverständnis sorgte lediglich der Endspiel-Ort, denn der DFB hatte das Spiel bereits im Januar (!) nach Berlin vergeben. Alles Wenn und Aber half nichts, und so machten sich beide Mannschaften und mehrere tausend Anhänger aus beiden Lagern auf den Weg in die alte Reichshauptstadt.

Unter Leitung von Schiedsrichter Asmussen aus Flensburg standen sich am 28. Juni 1959 folgende 22 Spieler gegenüber:

► Eintracht: Loy; Eigenbrodt, Höfer; Stinka, Lutz, Weilbächer; Kreß, Sztani, Feigenspan, Lindner, Pfaff.

► Offenbach: Zimmermann; Waldmann, Schultheiß; Keim, Lichtl, Wade; Kraus, Nuber, Gast, Kaufhold, Preisendörfer.

Zwar war das Olympiastadion nicht ganz ausverkauft, dafür erlebten die 75.000 Zuschauer einen Fußball-Krimi allerbester Güte. Schon nach 15 Sekunden lag der Ball zum ersten Male im Kickers-Netz. Lindner hatte den Anstoß ausgeführt und zu Kreß gegeben, der überspurtete Schultheis und flankte auf Sztani, der im Strafraum lauerte. Der Eintrachter Führung folgte ein offener Schlagabtausch: 7. Minute 1:1, 14. Minute 2:1 durch Feigenspan, 23. Minute 2:2. Danach hatten sich die Abwehrreihen besser postiert, die Torchancen wurden seltener. Da in den verbleibenden 68 Minuten kein Treffer mehr fiel, ging es in die Verlängerung. Die Vorentscheidung fiel in der 92. Minute durch einen Foulelfmeter (Lichtl an Kreß), den Feigenspan zum 3:2 für die Eintracht verwandelte. (Die Schiedsrichterentscheidung für den Elfmeter sorgte noch jahrzehntelang für Diskussionen zwischen Frankfurtern und Offenbachern.)

In der 107. Minute erhöhte Sztani auf 4:2. Zwar konnte Gast zwei Minuten später noch einmal auf 3:4 verkürzen, doch in der 117. Minute machte Feigenspan den Sack

AMTLICHES PROGRAMM

DFB

Endspiel um die Deutsche Fußballmeisterschaft
Eintracht Frankfurt - Kickers Offenbach
28. Juni 1959 15 Uhr Olympia-Stadion Berlin

Preis
30 Pf

Endspiel als Lokalderby: Eintracht-Stürmer
Feigenspan im Duell mit den Offenbachern
Lichtl und Wadl.

zu: Nach einem Kreß-Solo spazierte er mit dem Ball mutterseelenallein ins Tor – 5:3. Die Eintracht war Deutscher Meister!

Der Jubel im Frankfurter Lager kannte keine Grenzen. Begeisterte Eintracht-Anhänger trugen den zweifachen Torschützen Istvan Sztani auf den Schultern über den Platz. Den größten Triumph seiner Karriere genoss indessen Trainer Paul Oßwald, der im Mittelpunkt der Ovationen stand. In seinem dritten Endspiel nach 1932 und 1950 war ihm endlich der große Wurf gelungen.

Am Montag bereitete man sich in Frankfurt auf den Empfang der Endspiel-Helden vor. Für die Nacht zum Dienstag wurde die Polizeistunde aufgehoben, am Römer sollte Freibier ausgeschenkt werden – was vorzeitig eingestellt werden musste, da die ungestüm drängende Menge mit den Schankburschen ins Gehege kam! Kurz nach 17.10 Uhr landete die Mannschaft auf dem Rhein-Main-Flughafen. Von dort ging es zum Bahnhof Sportfeld, wo ein Sonderzug bereit stand. Gezogen von der „Adenauer-Diesellok" rollte der Zug um 18.40 Uhr im Hauptbahnhof ein, wo er von den anderen Lokomotiven mit lautem Pfeifen begrüßt wurde. Nur mit Mühe konnte die Polizei die vieltausendköpfige Menge in Schranken halten. Die Fahrt auf zwei sechsspännigen Brauereiwagen zunächst zum Römer und anschließend zum Zoo-Gesellschaftshaus glich einem Triumphzug. Wohin man blickte: schwarz-weiße Fahnen. Nach Schätzungen der Polizei waren zwischen 200.000 und 300.000 Menschen auf den Beinen.

Die Entscheidung im Berliner Olympiastadion: Sztani (rechts) erzielt das 4:2. Torwart Zimmermann und Waldmann sind machtlos.

Auch in Offenbach gab es einen großen Bahnhof, allerdings war man dort wegen des Elfmeters nicht gut auf Schiedsrichter Asmussen zu sprechen. Das sowieso seit Urzeiten gespannte Verhältnis der beiden Nachbarstädte wurde arg strapaziert und zur „Revanche" am 25. Juli aufgerufen. An diesem Tag stand nämlich das Viertelfinalspiel um den Süddeutschen Pokal zwischen den Kickers und der Eintracht auf dem Programm, das wegen der Endrunden-Teilnahme beider Mannschaft um zwei Monate

verschoben worden war. Wie „heiß" die Offenbacher auf dieses Spiel waren, zeigte die Tatsache, dass die CDU-Stadtverordneten binnen kürzester Zeit 150 Mark für den Kickers-Spieler gesammelt hatten, der das erste Tor gegen die Eintracht erzielen würde. Um die Situation zu entschärfen und angesichts der zu erwartenden Zuschauermenge untersagte Offenbachs Oberbürgermeister Dietrich jedoch die Austragung des brisanten Spiels auf dem Bieberer Berg. Vor 40.000 Zuschauern gewann die Eintracht daher im Stadion auch die „Endspiel-Revanche" verdient mit 3:1. Zweimal Pfaff, einmal Kreß sowie Nuber zum 1:2 waren die Torschützen. Bei diesem Spiel hatte Stürmerstar Istvan Sztani seinen letzten Auftritt im Eintracht-Trikot; der Ungar wechselte für eine Ablöse von 80.000 Mark zu Standard Lüttich.

Die Meistermannschaft mit der „Salatschüssel": Stehend von links ein Betreuer, Höfer, Stinka, Sztani, Kreß, Pfaff, Trainer Oßwald, Weilbächer, Lutz, der verletzte Schymik, Ersatzspieler A. Bechtold. Kniend Lindner, Loy und Feigenspan. Es fehlt Eigenbrodt.

Nun hatte die Eintracht auch der Pokal-Ehrgeiz gepackt. Im süddeutschen Halbfinale wurde der VfB Stuttgart in einem Wiederholungsspiel am Riederwald mit 5:0 vom Platz gefegt. In diesen Spielen glänzte erstmals der neue Mittelstürmer Erwin Stein, der von der SpVgg Griesheim 02 verpflichtet worden war, um die durch den Weggang von Sztani und Feigenspan (zum TSV München 1860) entstandene Lücke zu schließen. Zwischen den beiden Pokalspielen unternahm die Eintracht eine einwöchige Gastspielreise durch die UdSSR, in deren Verlauf es mit 1:5 beim Erstligisten Moldova Kischinew erstmals wieder eine Niederlage gab. Der Traum vom Double erfüllte sich aber nicht. Am 5. September wurde das süddeutsche Pokal-Endspiel gegen den VfR Mannheim überraschend mit 0:1 verloren. Ein Eigentor von Torhüter Loy bedeutete vor 18.000 Zuschauern in Karlsruhe bereits nach 13 Minuten die Entscheidung.

28. Juni 1959: Eine Stadt im Endspiel-Fieber

Für eine Sonderausgabe des Eintracht-Fanzines „Fan geht vor" stellte Jörg Heinisch im Herbst 1997 aus Frankfurter Tageszeitungen folgenden Erlebnisbericht eines Daheimgebliebenen über den Nachmittag des 28. Juni 1959 zusammen:

„Schon am Eschenheimer Turm und an der Hauptwache hatte ich gemerkt, dass heute Mittag die Taxis knapp in Frankfurt sind. Die Taxifahrer sitzen am Fernseher. Am Halteplatz Konstablerwache steht eines. Ich beginne zu rennen. Aber es wird mir weggeschnappt. Nach sieben Minuten kommt wieder ein Wagen.

In Bornheim besuche ich das Vereinslokal des FSV, den ‚Dicken Fritz'. Als der Ball auf das Eintrachttor zuschießt, dann aber hoch darüberfliegt, schreien die braven FSV-Anhänger erleichtert ‚Hurra'! Immer wieder werfen begeisterte Bornheimer die Arme in die Luft oder klatschen sich krachend auf die Schenkel.

Zehn Minuten später sind wir wieder in der Eintracht-Hochburg. Der ‚Solber-Karl' hat zwei Fernseher aufgestellt. Mit Frauen, kleinen Kindern und Großmüttern sind die Eintrachtleute ins Lokal gerückt. Immer noch 2:2, das macht manche halb wahnsinnig. Sie schreien schrill, wenn es bedrohlich aussieht. Da knallen die Offenbacher das Leder an die Eintrachtlatte. Es ist, als habe man die Menschen geschlagen, sie stöhnen auf. ‚Wer jetzt ein Tor schießt, gewinnt das Spiel', philosophiert ein alter Mann. ‚Das war doch foul!', brüllt ein 30-Jähriger kochend vor Wut, und als der Schiedsrichter nicht pfeift, wirft der Tobende das Bierglas auf den Boden. Niemand kümmert sich um die Scherben.

In diesen Minuten (16:40 Uhr) ist man beim ‚Solber-Karl' zerknirscht. ‚Die Offebacher gewinne des Ding, ich seh's komme, dann häng ich mich uff' – ‚Die Offebacher mache immer so Dutte – Da braucht mehr nimmer zugucke.'

Und dann versteigt sich ein wankelmütiger Eintracht-Mann zu der defätistischen Äußerung: ‚Die Offebacher sinn besser!' Dass sie ihn nicht verhauen haben, war ein Wunder. ‚Bist de närrisch, ich bitt' dich doch, die Offebacher sinn net besser!' Schimpf-

Triumphzug zum Römer: Frankfurt feiert seinen Meister.

kanonen prasseln auf den Armen, der laut gedacht hatte, Kübel von Wut werden über ihn ausgegossen, wie ein geprügelter Hund zieht er ab, aber die Stimmung ist durch ihn doch gerettet, im ‚Solber-Karl' schwören sie, solcherart geschockt, wieder ohne die Spur eines Zweifels auf ihre Eintracht.

Verlängerung. Ich fahre nach Sachsenhausen zur Stippvisite. Als ich den Ostbahnhof passiere, schießt Feigenspan zum 3:2 ein. Aus dem ‚Grauen Bock' taumelt ein Mann, als sei ihm schlecht. Es ist ein Offenbacher, der nicht verstehen kann, dass der Schiedsrichter eben seiner Mannschaft einen Elfmeter versagt hat. ‚Den hätte mer kriehe müsse, den Elfer', wimmert er immer wieder. Im ‚Schwalbennest' am Neuen Wall mache ich Endstation. Hier ist man neutral: ‚Wer gewinnt, ist egal, beide Mannschaften sind gut', das ist die Meinung der Ebbelwei-Geschworenen. Sztani schießt ein zum 4:2. ‚Des hätte die stärkste Fanatiker net gedacht. Jetz isses entschiede.' Doch dann kommt das 4:3. Da zeigt sich, dass die Sachsenhäuser viel für Offenbach übrig haben. Sie jubeln. ‚Siehste, die Offebacher lasse net locker. Nun kommt Offebach.' Aber als die Offenbacher doch nicht kommen, sondern das 5:3 für die Eintracht fällt, jubeln die Sachsenhäuser nicht minder.

Bereits vor dem Spielende wurde der Spezialwein Frankfurter Sportgemeinde Eintracht – Deutscher Meister 1959 ausgeschenkt, auf dessen Etikett die Mannschaftsaufstellung zu lesen war – ein bisschen voreilig vielleicht, aber goldrichtig!"

1959/60 ■ Furore im Europapokal

In der neuen Saison wurde da angeknüpft, wo man in der alten aufgehört hatte. Nach sechs Spielen konnte das Oberliga-Feld wieder von der Spitze aus beobachtet werden. Fünf Siegen stand lediglich eine Niederlage gegenüber: 2:4 beim TSV München 1860, wobei Ekkehard Feigenspan zwei Tore zum Sieg der „Löwen" beisteuerte. Für die erste Punktspielniederlage seit 23 Spielen musste Bayern Hof eine Woche später mit einer 0:11-Abfuhr büßen. Auch im Ablösespiel für Istvan Sztani gab es unter Flutlicht ein deutliches 5:1 über Standard Lüttich. Gut eingeführt hatte sich der neue Sturmführer Erwin Stein, der in den ersten sechs Spielen 13 Tore erzielte, dabei alle vier im Derby beim FSV (4:2). Doch plötzlich geriet der Eintracht-Motor ins Stottern. Vor allem die Abwehr, die nach sieben Spielen bereits 16 Gegentore hatte hinnehmen müssen, bereitete Kopfzerbrechen. Gegen Bayern München kam es dann knüppeldick: Als sich die Mannschaft aufmachte, den 0:1-Pausenrückstand auszugleichen, brach sich erst Eigenbrodt das Wadenbein, dann unterlief Lutz ein Eigentor, und schließlich wurde Kreß nach einer Tätlichkeit vom Platz gestellt.

Es blieb eine wechselhafte Oberligasaison, bei der die Eintracht zwischen Platz 2 und 7 pendelte. Eine tolle kämpferische Leistung wurde im Derby gegen die Offenbacher Kickers gezeigt. Da sich das Verteidigerpaar Lutz-Bechtold im Rückspiel bei Bayern München (0:3) verletzt hatte, Pfaff wegen einer Verletzung ausfiel und die Stürmer Stein und Solz nach einer mehrwöchigen Pause das Training erst wieder aufgenommen hatten, musste Trainer Oßwald die Mannschaft notgedrungen umbauen. In der Abwehr vertraute er dem Duo Schymik-Höfer, zog Weilbächer aus dem Sturmzentrum auf die linke Läufer-Position zurück und setzte im Angriff wieder Stein und Solz ein. Ein Schachzug, der voll aufging: Die favorisierten Kickers wurden vor 30.000 Zuschauern am Riederwald mit 3:2 niedergekämpft. Trotz der zusätzlichen Belastung durch den Europapokal belegte die Eintracht am Ende mit 37:23 Punkten den 3. Platz, acht Zähler hinter Meister Karlsruher SC und zwei hinter dem Rivalen aus Offenbach. Auch im Pokal wurde erneut das Endspiel erreicht.

Die wahren Höhepunkte dieser Saison sah man allerdings auf europäischer Ebene. Nachdem der finnische Meister Kuopio PS zurückgezogen hatte, gab die Eintracht am 7. November 1959 in Bern bei den Young Boys ihr Debüt im Europapokal der Landesmeister. Nach Toren von Weilbächer (17. Minute) und Meier (YB, 26.) stand es 17. Minuten vor Schluss 1:1, als Stein einen Konter zum 1:2 verwertete. Fünf Minuten später erhöhte Bäumler mit einem Handelfmeter auf 3:1, und wieder fünf Minuten später stellte Eintrachts Meier das Endergebnis her (4:1). Im Rückspiel am 25. November, bei dem die neue Flutlicht-Anlage im Stadion eingeweiht wurde, sahen 40.000 Zuschauer einen einzigen Sturmlauf der Eintracht, doch Berns Torhüter Eich ließ sich nur von einem Bäumler-Elfmeter (68.) überwinden. Dank des hohen Hinspiel-Sieges blieb der Ausgleich eine Minute vor Schluss ohne Konsequenzen.

Vor dem Viertelfinal-Hinspiel gegen den Wiener SC am 3. März 1960 war die Eintracht bei den englischen Buchmachern mit 7:1, der Sportclub mit 10:1 notiert. Außerdem hatte man die Wiener 1958 in zwei Freundschaftsspielen sicher mit 6:1 und 5:1 bezwungen. Auch diesmal legte die Eintracht los wie die Feuerwehr, doch am Ende sprang lediglich ein 2:1 durch Tore von Lindner und Meier heraus. Dabei hatte die Eintracht vor 31.000 Zuschauern im Stadion den Gegner klar beherrscht und hätte höher gewinnen müssen. Während die Gäste die knappe Niederlage feierten, ließ man am Riederwald die Köpfe hängen.

Im Rückspiel am 16. März vertraute Trainer Oßwald der Mannschaft, die drei Tage zuvor die Offenbacher Kickers bezwungen hatte. Nur auf einer Position verändert (Pfaff für Solz), lief die Eintracht vor 46.000 Zuschauern im Praterstadion ein. Wie schon im Hinspiel regnete es in Strömen, aber die Frankfurter Spieler zeigten vom Anpfiff an, dass sie mitspielen wollten. In der starken Anfangsviertelstunde wurde lediglich versäumt, ein Tor vorzulegen. Danach kam der Sportclub besser ins Spiel und ging nach einer halben Stunde durch Hof in Führung. Auch nach dem Wechsel begann die Eintracht stark und drückte vehement auf den Ausgleich. In der 60. Minute war es dann so weit: Eine Abwehr von Weilbächer gelangte über Kreß zu Lindner, der Stein mit einem Steilpass in Szene setzte. WSC-Torhüter Szanwald kam aus seinem Tor heraus, doch Stein behielt die Nerven und schoss zum 1:1 ein. Danach baute der Sportclub konditionell stark ab, und das Remis wurde souverän über die Zeit gerettet. Der Jubel war riesengroß: Als erste deutsche Mannschaft hatte Eintracht Frankfurt das Halbfinale im Europapokal der Landesmeister erreicht.

In der Runde der letzten Vier hatte man es mit den Glasgow Rangers zu tun. Aufgrund der Lehren aus dem Spiel gegen den Wiener SC entschied sich die Eintracht, das Hinspiel am 13. April zuerst im Stadion auszutragen. Strotzend vor Selbstbewusstsein gab sich der schottische Rekordmeister bei der Ankunft in Frankfurt: „Manager Scott Sympson meinte auf dem Flugplatz, von Reportern befragt: ‚Eintracht, wer ist das? Platz besichtigen? Warum? Ein Platz ist wie der andere. Dafür haben wir im Spiel genügend Zeit. Ich kenne so viele Felder, sie sind alle gleich. Wir spielen unser Spiel.' Wohlverstanden, das war keine Überheblichkeit. Das war eben der Ausdruck schottischer Auffassung vom Fußball. Der britische Fußball, vor wenigen Jahren noch Lehrmeister, war für sie immer noch zumindest europäische Spitzenklasse. Konservativ wie die Briten nun einmal sind, haben sie, was den Fußball anbelangt, von der Weiterentwicklung auf dem Kontinent zwar Kenntnis genommen, aber keinen Grund gesehen, den eigenen Stil davon etwa beeinflussen zu lassen oder gar zu ändern … Wenn sie also fragten ‚Wer ist die Eintracht', so war das keineswegs überheblich gemeint. Der Deutsche Fußballmeister war ihnen dem Namen nach natürlich bekannt. Aber es war halt eine Mannschaft wie jede andere auch. So wollten sie das verstanden wissen. Wie grausam sollten sie an diesem 13. April aufgeklärt werden." (Erwin Dittberner, Eintrachts Weg nach Glasgow)

Ganz anders der alte Trainerfuchs Paul Oßwald. Er hatte die Rangers beim Entscheidungsspiel gegen Sparta Rotterdam in London beobachtet und hinterher gesagt, dass sich die Reise gelohnt habe. Das Stadion war mit 77.000 Zuschauern bis auf den letzten Platz gefüllt. Ihnen und Millionen vor dem Fernseher stockte bereits nach acht Minuten der Atem, als Kreß im Strafraum gefoult wurde: Elfmeter! Der Gefoulte selbst lief an und schob knapp am linken Pfosten vorbei. Nach 28 Minuten dann doch die Eintracht-Führung durch Stinka. Doch im Gegenzug bereits der Ausgleich. Weilbächer ließ McMillan im Strafraum über die Klinge springen, den fälligen Strafstoß verwandelte Caldow sicher zum 1:1. Mit diesem Ergebnis wurden die Seiten gewechselt.

Was sich danach abspielte, kann wahrscheinlich nur verstehen, wer selbst dabei war. Zunächst machten die Rangers gehörig Druck, und die Eintracht-Abwehr hatte einige brenzlige Situationen zu meistern. Doch dann sorgte ein Doppelschlag von Pfaff für die Vorentscheidung. In der 53. Minute konnte Torhüter Niven einen Stein-Schuss nur abklatschen, Pfaff schob zum 2:1 ein. Drei Minuten später ein Freistoß, wie ihn nur „Don Alfredo" treten konnte: mit Effet um die Mauer – 3:1. Das Stadion war aus dem Häuschen. Doch damit nicht genug. Lindner erhöhte in der 74. und 85. Minute auf 5:1. Inmitten des Tollhauses versuchte ein schottischer Reporter, seinen ungläubigen Kollegen den Spielbericht nach Glasgow durchzutelefonieren: „Five-one. Yes – no, not for Rangers: Eintracht 5, Rangers 1 – o, no! Eintracht 6, Rangers 1!"

Stein hatte in der 86. Minute das Endergebnis erzielt – die Eintracht stand mit einem Bein im Endspiel. Die Fachleute waren sich einig. „Nie spielte Eintracht besser!", schrieb der „Kicker".

Europapokal: Eintracht - Glasgow Rangers (6:1) am 13. April 1960. Lindner (links) hat soeben zum 4:1 eingeköpft. Torhüter Niven kann dem Ball nur noch traurig nachschauen.

Beim Rückspiel am 5. Mai wurde die Eintracht von den 77.000 Zuschauern im nur zu drei Vierteln gefüllten Ibrox Park mit stehenden Ovationen gefeiert. Wenn sich die Rangers keinen großen Illusionen mehr hingegeben hatten – erneut sechs Tore einstecken wollten sie bestimmt nicht. Mit dem 6:3 hatte die Eintracht nicht nur bewiesen, dass der Hinspielerfolg keine Eintagsfliege gewesen war, sie hatte sich auch in die Herzen der schottischen Zuschauer gespielt [Als ich 1976 zum ersten Mal ein Spiel im Ibrox Park sah und auf die Frage, wo ich her sei, antwortete: „Frankfurt, Germany", nickte man mir anerkennend zu: „Ah, Eintracht!". Anm. d. Verf.]. Die Rangers-Spieler waren faire Verlierer und bildeten nach dem Schlusspfiff ein Spalier für die Sieger.

„Ganz einfach, den Rangers wurde von der Eintracht eine Fußball-Lektion allererster Güte erteilt. Die Spieler waren total unvorbereitet auf den präzisen und dynamischen Fußball, der sie im Hinspiel in Deutschland erwartete, und der 6:1-Sieg der Heimmannschaft war keineswegs schmeichelhaft. Den Rangers wurden in jeder Beziehung ihre Grenzen aufgezeigt, und ihnen blieb lediglich die Ehre, das zweite Spiel in Ibrox noch bestreiten zu dürfen." (ins Deutsche übertragen aus: Stephen Halliday, The Official Illustrated History of Rangers)

Zweieinhalb Wochen später, am 18. Mai 1960, gab es ein Wiedersehen mit Glasgow, diesmal aber nicht im Ibrox Park, sondern im Hampden Park, wo das Europapokal-Finale gegen Real Madrid über die Bühne ging. 127.621 Zuschauer füllten das Oval, als die Halbprofis aus Deutschland den viermaligen Cup-Sieger aus Spanien herausforderten. Die Erfolge über die Rangers waren auch bei Real Madrid nicht unbemerkt geblieben, die „Königlichen" hatten Respekt vor der Eintracht und mussten ihr ganzes Können aufbieten, um den Europapokal zum fünften Mal in Folge zu gewinnen. 7:3 hieß es am Ende, doch so deutlich, wie es das nackte Ergebnis ausdrückte, war es beileibe nicht. Die Eintracht hatte ihre Chance – nutzte sie aber nicht.

In den ersten 20 Minuten hätte mehr als der Führungstreffer durch Kreß herausspringen können. „Aus einem raffinierten Effet-Ball von Meier, der vom Innenpfosten noch dazu um Zentimeter an dem bereitstehenden Stein vorbeisprang, aus zwei Kreß-Flanken nach unwiderstehlichen Spurts…, aus einer Pfaff-Vorlage, die Santamaria im letzten Moment mit dem Kopf ablenkte, aus all diesen Chancen hätten … bei etwas Glück noch zwei weitere Treffer entspringen müssen … wir bezweifeln, ob sich dann dieses gewiss einmalige Real in diesen überwältigenden Fußball-Rausch hätte steigern können." („Sportmagazin" vom 23. Mai 1960)

Aber Real konnte. Binnen zwei Minuten machte Di Stefano aus dem 0:1 ein 2:1 (27. und 29. Minute), und als Puskas Sekunden vor dem Halbzeitpfiff auf 3:1 erhöhte, war die Vorentscheidung gefallen. Ein umstrittener Foulelfmeter, von Puskas in der 53. Minute zum 4:1 verwandelt, machte die Sache endgültig klar. Erst jetzt begann Real Madrid zu zaubern, die Eintracht hielt jedoch so gut es ging dagegen, ließ sich nicht willenlos abschlachten, sondern schlug durch Erwin Stein zweimal zurück. Diesmal standen die Eintracht-Spieler nach dem Schlusspfiff Spalier für die siegreiche Real-Mannschaft.

Europapokal 1960: Die Eintracht vor dem Finale gegen Real Madrid. Stehend von links Lindner, Lutz, Höfer, Stein, Pfaff, Meier. Kniend von links Kreß, Weilbächer, Loy, Stinka, Eigenbrodt.

Da keimte Hoffnung: Kreß (links) bringt die Eintracht nach 18 Minuten 1:0 in Führung. Real-Torhüter Dominguez ist ohne Chance.

„Nur mit Kampf geht nichts"

Alfred Pfaff (*16. Juli 1926, †27. Dezember 2008) war in den 1950er und Anfang der 1960er Jahre die Seele des Eintrachtspiels. Gefürchtet waren seine angeschnittenen Frei-stöße, mit denen er so manches wichtige Tor erzielte. Für das Eintracht-Fanzine „Fan geht vor" besuchten Matthias Thoma und Jörg Heinisch „Don Alfredo" 1997 in seinem Gast-hof in Zittenfelden im Odenwald. Bis heute hat das Interview nichts von seiner Aktualität eingebüßt. Es wurde noch angereichert mit Aussagen Pfaffs aus dem Film von Wolfgang Avenarius „Eine Diva wird 100. 100 Jahre Fußball Eintracht Frankfurt" (1999), der im Hessen-Fernsehen zu sehen war. Anlässlich seines 80. Geburtstags wurde Alfred Pfaff 2006 mit dem Hessischen Verdienstorden ausgezeichnet. Seit dem 9. Dezember 2013 heißt die Zufahrt zum Leistungszentrum der Eintracht „Alfred-Pfaff-Straße".

Alfred Pfaff, können Sie sich noch genau an die Endrunde um die Deutsche Meisterschaft und die Europapokalspiele erinnern?

Sicher, das ist ganz klar, dass wenn man solche Erfolge hat, dass man da nichts vergisst.

Ihr erstes Europapokalspiel war aber nicht mit der Eintracht, sondern an der Seite von FSV- und OFC-Spielern für die Frankfurter Stadtauswahl im Messecup gegen London. Wie bewerten Sie diesen Wettbewerb im Nachhinein?

Das war ein sehr guter und auch hochrangiger Wettbewerb. Da haben lauter aus-gesuchte Spieler in den Stadtmannschaften gespielt. Das erste Spiel war ja in London, das war eine große Sache. Erst einmal, dass man mal im Wembley-Stadion gespielt hat, denn dort durfte ja nicht jeder spielen. Das war für uns schon eine große Ehre.

Wie war der Stellenwert damals bei den Zuschauern?

Der Stellenwert war hoch. Überhaupt waren Offenbach, der FSV und die Eintracht ja drei großartige Mannschaften. Die hatten ja alle ihre Fans. Wenn wir dann zusam-men gespielt haben, dann hat das ganze Offenbacher und Frankfurter Fußballvolk hin-ter uns gestanden.

Welche Bedeutung hatten damals die Lokalderbys gegen Offenbach oder den FSV?

Die hatten eine große Bedeutung. Schon Wochen vorher waren da Gespräche in ganz Frankfurt. Da ging es nur noch um die Derbys. Wir hatten einen Fan, der Her-mann Heller von der Großmarkthalle, das war ein Gastronom. Der andere Gastronom war der Pulverkopf vom FSV. Die beiden haben immer Wetten abgeschlossen. Das ging da schon um eine ganze Menge Geld. Die Fans der Eintracht konnten, wenn die Eintracht gewonnen hatte, beim Pulverkopf im FSV-Lokal essen und trinken, so viel sie wollten. Umgekehrt war es genauso. Die letzten Jahre war es halt immer so, dass wir beim Pulverkopf zugeschlagen haben.

Konnten da alle Fans hingehen?

Na ja, die engeren Fans.

Gab es private Kontakte zu den Spielern von Offenbach oder dem FSV, oder war da mehr Rivalität?

Nein, ich z.B. hatte gute Kontakte zum Gerd Kaufhold [Spielführer der Kickers, Anm. d. Red.]. Der hatte ein Tabak- und Süßwarengeschäft und hat mich in meinem Lokal beliefert. Wir waren auch so befreundet. Im Spiel ist das natürlich immer was anderes. Aber danach waren wir immer zusammen und haben auch mal ein Bier zusammen getrunken. Unter den Zuschauern gab es eine größere Rivalität, das war klar.

Alfred Pfaffs größter Erfolg: Deutscher Meister 1959.

Wie war damals die An- und Abreise, war das sehr beschwerlich?

Das Weiteste war ja, wenn wir mal nach Regensburg, Augsburg oder München mussten. Da sind wir halt mit Sonderzügen gefahren. Wir hatten einen Fan, der war bei der Bahn, der Herr Wohlleber. Der hat uns die Züge zusammengestellt. Da sind wir dann mit den Fans hingefahren.

Konnten da alle mitfahren?

Das hat ja auch Geld gekostet, und so viel hatten die Leute ja auch nicht. Das waren immer nur die – sagen wir mal „Guten" –, die auch Geld hatten, die da mitgefahren sind.

Wie viele Eintracht-Fans haben damals im Durchschnitt ein Auswärtsspiel besucht?

Das ist schwer zu sagen. Wenn es mal viele waren, waren es so 200-300. In Berlin beim Endspiel waren dann natürlich ein paar Tausend. Aber bei einem normalen Punktspiel in Regensburg oder Augsburg waren vielleicht 100 mit.

Hat man die wahrgenommen?

Sicher. Es sind ja viele mit dem Auto gefahren, die hat man dort gesehen. Man hat die ja alle persönlich gekannt.

Wie haben die Fans auf sich aufmerksam gemacht?

Die hatten Fahnen dabei.

Sind Sie nach dem Spiel zu den Fans in die Kurve gegangen und haben dort gefeiert?

Nein. Nach dem Spiel ist man z.B. am Riederwald in die Gaststätte gegangen. Dort waren dann auch die Fans gewesen. Wir waren halt damals enger mit den Fans zusammen, was heute nicht mehr so ist. Wenn heute das Spiel aus ist, gehen die ja alle auseinander. Da gibt es keine Kameradschaft mehr.

Gab es damals schon organisierte Fans?

Nein, das hat es damals noch nicht gegeben.

Wie kam es zu dem Namen „Don Alfredo"? Hat das mit dem legendären Spieler Alfredo di Stefano zu tun?

Ja. Wir haben ja 1950 schon bei Atletico Madrid gespielt. Da ist das schon ein bisschen angeklungen. Aber richtig war das dann in Schottland. Deren Präsident hat da immer zu mir „Don Alfredo" gesagt und hat mir den Hartmann verpasst, den „Koks". So ist das dann halt entstanden.

Wie haben Sie die Endrunde zur Deutschen Meisterschaft 1959 erlebt?

Wir sind bis an die Grenzen gegangen. Wir mussten ja tagsüber auch noch arbeiten. Das ist nicht wie heute, die haben ja sonst nichts zu machen. Wir haben den ganzen Tag gearbeitet und sind danach zum Training.

Der Empfang der Frankfurter Bevölkerung nach Berlin damals …

… das war toll. Einmalig. Ich weiß nicht, ob so etwas noch mal kommt. Meine Mutter stand mitten auf der Straße, die konnte nicht mal „Guten Tag" sagen, die ist gar nicht an mich rangekommen. Wir haben auf dem Bierwagen gestanden, sie ist nebenher gelaufen.

Das Endspiel in Glasgow …?

Das war eine große Sache. Bei uns haben da ja schon drei gute Leute gefehlt. Horvat, Feigenspan und Sztani haben ja nicht mehr gespielt. Wenn man drei bei den Madrilenen rausgenommen hätte, weiß ich nicht, wie es ausgegangen wäre. Wir haben ja 1:0 geführt und waren am Drücker. Dann haben die auf die Schnelle zwei, drei Tore gemacht, was leicht zu verhindern gewesen wäre, da haben wir hinten geschlafen. Dadurch sind wir dann unter die Räder gekommen. Die meisten Schotten waren ja auf unserer Seite. Aber das war halt die weltbeste Mannschaft, das muss man zugeben. Die waren schon gut. Obwohl, wenn wir ein bisschen Glück gehabt hätten oder wenigstens der Horvat hinten dringestanden hätte. Aber vom Fußballerischen waren die schon Weltklasse.

Sie haben zum Endspiel für Freunde ein Flugzeug gechartert. Wie kommt man dazu?

Das war von meinem Lokal aus. Da waren ein paar Freunde, die haben gesagt, wir schnappen uns auch ein Flugzeug. Da hab ich dann gesagt, dann fangt mal an. Das haben sie dann auch gemacht.

Gab es damals keine normalen Resultate? 3:7, 6:2, 5:3, 6:3, 4:6 …

Das war nicht so wie heute, da sind noch Tore gefallen. Das war ein ganz anderes System. Die spielen heute mehr nach hinten. Das ist für mich kein schöner Fußball mehr.

Warum sind Sie in Frankfurt geblieben? Oder hatten Sie als Star keine Angebote anderer Vereine?

Doch, ich hatte Angebote, aus Spanien, aus Madrid … Ich hatte viele Angebote. Aber es war ja so: Ins Ausland hätte ich gehen können, aber innerhalb Deutschlands konnte ich nicht wechseln. Da wäre man 18 Monate gesperrt worden. Das war das Sys-

Geadelt auf Schottisch: Beim Bankett schenkte Rangers-Direktor John Williams (rechts) Alfred Pfaff seinen „Koks".

tem, das es bei uns halt gab. Aber ins Ausland hätte ich gehen können. Es war aber so gewesen, ich war drei Jahre in Kriegsgefangenschaft, dann hätte ich gleich 1950 nach Spanien gehen können. Ich bin 1947 erst heimgekommen. Da hatte ich dann wirklich keine Lust.

Und später?

Ja, später! Als wir Deutscher Meister geworden sind, war ich fast schon 34. Da will man dann nicht mehr weit weg. Angebote gab es zwar schon, aber man war mehr heimatverbunden.

Bereuen Sie das?

Nein!

Wo waren Sie in Kriegsgefangenschaft?

Ich war drei Jahre in Le Havre, dort war ich bei der Feuerwehr eingesetzt. Wir hatten schon ein bisschen mehr Freiheiten als die anderen Gefangenen. Die letzten anderthalb Jahre sowieso. Es gab Lagermannschaften, mit denen wir durch Frankreich gefahren sind und in den verschiedenen Städten gegen französische Mannschaften gespielt haben. Das war auch ganz gut organisiert. Wir hatten einen Ami gehabt, der das auch unterstützt hat. Der hat mit den anderen telefoniert. Das hat schon ein bisschen gedauert, bis es so weit kam, dass man rumfahren konnte, aber das ist dann ganz gut gegangen.

In der Nationalmannschaft unter Sepp Herberger waren Sie auch einmal Spielführer. Fritz Walter hat Ihre Position besetzt. Gab es keine andere Position, die Sie hätten spielen können?

Doch, sicher. Auch der Fritz hätte ja eine andere Position spielen können. Das war halt damals so, und was soll man da jetzt im Nachhinein noch viel sagen. Der Fritz war halt da, und da ging nichts dran vorbei. Und der Fritz war halt auch dem Herberger sein „Sohn".

Sie gehörten zum Kader, der 1954 Weltmeister wurde, haben aber nur beim 3:8 gegen Ungarn in der Vorrunde gespielt. Wurde damals, wie manchmal behauptet, mit Absicht nicht die beste Formation aufgestellt?

Ich sage nein, das gibt es nicht. Das sagt man hinterher, weil wir Weltmeister geworden sind, dass das ein Trick war. Aber das war nicht so.

Hat sich Sepp Herberger damals mit der Aufstellung so vertan?

Ich will nicht sagen vertan. Wir haben nicht schlechter gespielt als im Endspiel. Aber die Ungarn haben unheimlich viel Glück gehabt. Jeder Schuss hat gesessen. Wir waren vielleicht hinten nicht so stark. Aber wir haben ja auch drei Tore geschossen.

Die damalige Zeit mit dem Amateurstatus in Deutschland war eng mit dem Leitsatz „Elf Freunde müsst ihr sein" verbunden. War das in der Nationalelf so und auch in Frankfurt?

Das kann man schon sagen. Bei der Eintracht sowieso, und bei der Nationalmannschaft, das war auch eine gute Truppe. Da hat es keine Querelen gegeben oder Neider.

Hatten Sie keine Ambitionen, sich nach Ihrer Laufbahn bei der Eintracht zu engagieren?

Nein, hatte ich nicht. In der heutigen Zeit sowieso nicht, das ist so schwer.

Haben Sie noch Bezug zur Eintracht?

Ja, ich kriege schon noch meine Ehrenkarte, ich gehe aber in letzter Zeit nicht mehr hin. Am Wochenende ist hier viel Betrieb. Was bei der Eintracht los ist, beobachte ich aber schon. Wir treffen uns auch monatlich mit den Spielern von damals, aber das Interesse hat nachgelassen. Man kennt auch keinen der Spieler mehr persönlich. Heute bei dem Fußball halt, weiß ich nicht, was die Trainer da tun – ich bin bei keinem Training mehr dabei – ich weiß nicht, was die alle trainieren. Die können kaum noch einen Eckball reinschlagen. Die kommen halbhoch oder was weiß ich was. Aber Einwürfe können sie 30 Meter, das konnten wir früher nicht. Früher war's auch nicht so – ich wollte mal sagen, so schlimm, wenn man mal verloren hatte. Heute ist das gleich, na, bald Krieg, wenn mal eine Mannschaft verliert. Die jungen Kerle rennen und kämpfen und tun, aber nur mit Kampf geht nichts. Es muss auch das Fußballerische dabei sein, sonst ist schlecht.

1960/61 ■ Nach einer Aufholjagd wieder in der Endrunde

Zu Beginn der Saison 1960/61 unterlag die Eintracht erneut im Finale des Süddeutschen Pokals, diesmal in Mannheim gegen den Süddeutschen Meister Karlsruher SC (1:2). Es war doppelt bitter, denn 1960/61 wurde erstmals der Europapokal der Pokalsieger ausgespielt . . .

Dennoch galt die Eintracht wieder als einer der Favoriten für die neue Oberliga-Saison. Neben Bäumler (zum 1. FSV Mainz 05) schied auch Ivica Horvat als Sportinvalide aus dem Kader aus. Er blieb dem Verein jedoch als Jugend- und Assistenztrainer erhalten. Von den Neuzugängen konnte sich nur Stürmer Ernst Kreuz zeitweilig einen Stammplatz sichern. Kometenhaft war dagegen der Aufstieg des jungen Amateurs Lothar Schämer, der die Linksaußenposition im Sturm eroberte. Die Leistungen der Eintracht wurden auch von Bundestrainer Sepp Herberger honoriert, der nach sechs Jahren Pause wieder auf Richard Kreß zurückgriff. Außerdem feierte Friedel Lutz beim 5:0 in Island sein Länderspieldebüt.

Der Start in die Meisterschaft war durchwachsen. Nur langsam arbeitete man sich an die Spitzengruppe heran und leistete sich Ende November sogar eine überraschende 0:1-Heimniederlage gegen Bayern Hof. Über Weihnachten und Neujahr standen dann die „Wochen der Wahrheit" gegen zwei vor der Eintracht (Vierter) postierte Mannschaften an. Zwar konnten die Offenbacher Kickers (Dritter) vor 35.000 Zuschauern

Qualifikation zur Deutschen Meisterschaft 1961: Gefeiert von den mitgereisten Fans verlassen Eigenbrodt, Kreß, Weilbächer, Torhüter Loy und Stinka (von links) zufrieden den Platz.

im Stadion mit 2:0 geschlagen werden, doch zog sich Mittelstürmer Stein nach bereits vier Minuten eine Zerrung zu, so dass er für die beiden Spiele gegen den Tabellenführer 1. FC Nürnberg ausfiel. Am zweiten Weihnachtstag erlebten 35.000 im Stadion eine schöne Bescherung. Während die junge „Club"-Mannschaft meisterlich aufspielte und souverän 2:0 gewann, wurden bei der Eintracht die zündenden Ideen von Alfred Pfaff vermisst, der seit dem zweiten Spieltag verletzt zuschauen musste. Zwar war „Don Alfredo" am 8. Januar beim Rückspiel in Nürnberg wieder dabei, es sollte jedoch das letzte Oberliga-Spiel des genialen Spielmachers sein. Da dem Eintracht-Sturm ohne Stein erneut die Durchschlagskraft fehlte, ging auch dieses Spiel mit 0:2 verloren.

Erst nach einer Siegesserie mit 15:1 Punkten rückte die Eintracht dann im März auf den zweiten Platz vor, der bis zum Saisonende gehalten werden konnte. Zum Schluss lag die Eintracht drei Punkte vor den Offenbacher Kickers und hatte sich damit für das Ausscheidungsspiel gegen Borussia Neunkirchen qualifiziert. Mit 5:0 wurde der Südwest-Zweite in Ludwigshafen vom Platz gefegt. Plötzlich war Eintracht Frankfurt ein ganz heißer Anwärter auf die Deutsche Meisterschaft.

Bereits im ersten Gruppenspiel wurden die hohen Erwartungen des Eintracht-Anhangs jedoch arg gedämpft. Gegen den 1. FC Saarbrücken sprang im Stadion trotz drückender Überlegenheit nur ein 1:1 heraus. Umso überraschender kam daher das 1:0 bei Borussia Dortmund, das Meier bereits nach einer Viertelstunde erzielt hatte. Eine Minute vor Schluss fiel fast das 2:0, doch Steins Schuss prallte vom Innenpfosten ins Feld zurück. Auch bei Titelverteidiger Hamburger SV schien die Eintracht zur Pause auf der Siegesstraße. Anstatt jedoch nach dem frühen 1:0 durch Meier (5. Minute) die Entscheidung zu suchen, drosselte man das Tempo, was sich nach dem Seitenwechsel bitter rächte. Als der HSV nämlich aus dem 0:1 ein 2:1 gemacht hatte, fehlte der letzte Wille, das Spiel noch umzubiegen. Dafür lief es im Rückspiel eine Woche später genau umgekehrt. Diesmal lag der HSV zur Pause mit 2:1 vorne, doch Meier, Solz und nochmals Meier schossen zwischen der 63. und 75. Minute ein 4:2 heraus, womit die Eintracht wieder die Führung in der Gruppe 1 übernahm.

Vier Tage später hatte es die Eintracht im Heimspiel gegen Borussia Dortmund in der Hand, für eine Vorentscheidung zu sorgen. Eine halbe Stunde lief auch alles nach Plan. Stein hatte nach 19 Minuten die Führung herausgeschossen, und drei Minuten später schien alles klar. Thiemann foulte Stein im Strafraum – Elfmeter. Doch Friedel Lutz schob den Ball flach am linken Pfosten vorbei. Nach 32 Minuten glichen die Borussen durch Aki Schmidt aus und kamen in der 72. Minute zum Siegtor. Nach einem Doppelpass mit Schütz hatte Peters keine Mühe, Loy zu bezwingen. Im Eintracht-Lager war man entsetzt. Statt mit 7:3 Punkten klar Erster war man plötzlich nur Dritter mit 5:5. Aus eigener Kraft war die Endspiel-Teilnahme nicht mehr möglich.

Die Ausgangslage vor dem letzten Spieltag am 18. Juni war kompliziert: Bei einem Sieg in Dortmund war der HSV im Endspiel, bei einem Unentschieden musste die Eintracht in Saarbrücken gewinnen. Bei einem Dortmunder und Frankfurter Sieg würde das Torverhältnis entscheiden. Hier hatte der BVB (12:10) leichte Vorteile vor der Eintracht (8:7). Es wurde ein Herzschlag-Finale, bei dem die Rechenschieber heiß liefen. Zur Pause führte die Eintracht im Ludwigspark mit 1:0, Dortmund mit 2:1 gegen den HSV. Damit hätte die Eintracht im Endspiel gestanden. In der 47. Minute erhöhte Stein auf 2:0, doch in der 56. Minute verkürzte Thiel auf 1:2: Jetzt lag Dortmund mit 1,27:1,25 in Führung. Vier Minuten später das 3:1 durch Meier, jetzt war die Eintracht wieder im Endspiel. 61. Minute: 3:1 für Dortmund, aber immer noch 1,37:1,36 für die Eintracht. 69. Minute: 2:3 in Saarbrücken durch Vollmar, das Eintracht-Torverhältnis sank auf 1,22. Zwischen der 70. und 83. Minute zogen die Borussen schließlich auf 6:2 davon: 1,5:1,22. In der Schlussphase gelangen Lutz und Lindner zwar noch zwei Treffer zum 5:2, was die Eintracht noch einmal auf 1,44 heranbrachte, doch in der 89. Minute die Entscheidung in Dortmund: 7:2 durch Kelbassa – 1,58:1,44; Borussia Dortmund stand im Endspiel. Verletzungen hin, Pfostenschüsse her – das große Ziel Endspiel war in den Heimspielen gegen Saarbrücken und Dortmund verschenkt worden.

Das Gleiche galt auch für den DFB-Pokal, für den sich 1961 erstmals die vier Süd-Halbfinalisten direkt qualifizierten. Am 28. Juli schien die Eintracht gegen den 1. FC Köln nach Toren von Stein und Neuzugang Horn (von Bayern Hof) einem sicheren Sieg entgegenzusteuern. Ein Doppelschlag von Schäfer (69./70. Minute) riss die Riederwälder jedoch aus allen Träumen. In der Verlängerung machte schließlich Christian Müller den Kölner Sieg perfekt.

1961/62 ■ Duell gegen den „Club"

Wie im Vorjahr erwarteten die Experten auch diesmal wieder einen Zweikampf zwischen dem 1. FC Nürnberg, der sich gegen Borussia Dortmund seine achte Deutsche Meisterschaft gesichert hatte, und der Eintracht. Diese legte einen Bombenstart hin und war nach drei Spielen – 6:1 beim TSV München 1860, 5:4 gegen Kickers Offenbach und 3:1 beim SV Waldhof – Tabellenführer. Die Tormaschine lief weiter auf Hochtouren: 5:0 beim FSV, 9:0 gegen den VfR Mannheim, 5:1 gegen Schwaben Augsburg. Ihr (Herbst-) Meisterstück machte die Eintracht am 26. November in Nürnberg. Vor 45.000 Zuschauern (darunter 5.000 Eintracht-Fans) schossen zweimal Schämer und Lindner den „Club" mit 3:0 ab. Ungeschlagen stand die Eintracht mit 26:4 Punkten und 51:16 Toren an der Spitze. Der 1. FC Nürnberg lag bereits fünf, der Dritte TSV München 1860 gar acht Punkte zurück. Auch außerhalb Deutschlands sorgte die Eintracht weiter für Furore. Beim belgischen Meister Standard Lüttich wurde mit 2:0, beim Europapokalsieger Benfica Lissabon und bei den Glasgow Rangers jeweils 3:2 gewonnen. Mit 104.679 Zuschauern wurde dabei anlässlich der Flutlicht-Einweihung im Hampden Park ein neuer Weltrekord für Freundschaftsspiele aufgestellt.

Die erste Niederlage gab es am 17. Dezember im Derby bei den Offenbacher Kickers (0:1). Es war das erste Mal, dass kein Treffer glückte. Nun folgte tatsächlich das erwartete Kopf-an-Kopf-Rennen mit dem „Club". Die Chance auf die dritte Süddeutsche Meisterschaft nach dem Krieg wurde einen Spieltag vor Schluss beim Vorletzten 1. FC Schweinfurt 05 verspielt (0:3). Wieder einmal erwies sich der Sturm nur als laues Lüftchen. Schämer konnte selbst einen Foulelfmeter nicht zum Ehrentor verwerten. Dennoch war das Stadion im letzten Spiel gegen den 1. FC Nürnberg mit 71.000 Zuschauern ausverkauft. Sie sahen ein 2:1 über den alten und neuen Süddeutschen Meister. Am anderen Ende der Tabelle verlor der FSV mit 0:1 bei Bayern Hof und stieg damit in die 2. Liga Süd ab.

Wegen der WM in Chile wurde die Endrunde um die Deutsche Meisterschaft 1962 nur in einer einfachen Runde ausgetragen. Dabei hatte die Eintracht das Glück, den großen Favoriten 1. FC Köln im ersten Spiel im Stadion empfangen zu dürfen. Von Anfang an bestimmten die Frankfurter das Geschehen, erarbeiteten sich Chance um Chance, das Führungstor erzielten jedoch die Kölner durch Habig (32. Minute). Kreß konnte zwar noch vor der Pause ausgleichen (40.), ein Doppelschlag von Thielen unmittelbar nach dem Wechsel brachte jedoch die Entscheidung (46./48.) – 1:3. Im zweiten Spiel überrollte die Eintracht in Stuttgart Südwestmeister FK Pirmasens mit 8:1, durch den gleichzeitigen Sieg des 1. FC Köln über den Hamburger SV (1:0 in Hannover) waren die Chancen auf die Endspiel-Teilnahme dennoch auf den Null-

Endrunde 1962: Eintracht - 1. FC Köln (1:3). Der Ausgleich durch Kreß (links) kurz vor der Pause ließ die Fans noch einmal hoffen.

punkt gesunken, denn wer glaubte schon an einen Kölner Ausrutscher gegen Pirmasens? Mit 10:0 wurden die armen Pfälzer im Müngersdorfer Stadion abgefertigt. Immerhin sicherte sich die Eintracht mit einem 2:1 beim HSV noch den zweiten Platz in ihrer Gruppe.

Für den verpassten Final-Einzug wurde die Mannschaft mit einer einmonatigen Weltreise entschädigt. Im ersten Spiel gab es in Athen ein 0:0 gegen Panathinaikos, den Spitzenreiter der griechischen Liga. Über Kairo, Bombay, Kalkutta und Bangkok ging es weiter nach Kuala Lumpur, wo die Nationalmannschaft von Malaya mit 4:2 besiegt wurde. In Bangkok wurde eine örtliche Auswahlmannschaft 6:1 geschlagen, und auch in Hongkong gab es zwei weitere Siege: 6:1 gegen eine Stadt- und 7:3 gegen eine chinesische Auswahl. Via Tokio und Hawaii ging es weiter nach Amerika. Nach einem 3:2 über eine kalifornische Auswahl in San Francisco gab es im kanadischen Vancouver im sechsten Spiel gegen Sheffield United die erste Niederlage (1:4). Auf dem Weg nach Osten wurden die „Manitoba All-Stars" in Winnipeg mit 6:1 geschlagen, bevor in Toronto das zweite Spiel gegen Sheffield United ausgetragen wurde. Diesmal siegten die Engländer gar mit 4:0. Groß war die Freude, als die Mannschaft im abschließenden Spiel in New York gegen eine Auswahl des DAFB (4:1) von einer stattlichen Zahl Eintracht-Anhänger begrüßt wurde, die eigens den Sprung über den „großen Teich" gemacht hatten, um ihre Lieblinge siegen zu sehen. Nach 33 Tagen kehrte die Eintracht-Expedition am 15. Juni wieder nach Frankfurt zurück.

1962/63 ■ Im Vorfeld der Bundesliga

Die Bundesrepublik war gerade zwei Monate alt, da überraschte das „Sportmagazin" seine Leser am 27. Juli 1949 mit einem Artikel „Deutsche Profi-Liga in Sicht". 1953 fand ein von Dr. Friedebert Becker im „Kicker" vorgestelltes Modell einer zweigeteilten Bundesliga auf dem DFB-Bundestag keine Mehrheit. Vor allem in Süddeutschland stand man solchen Plänen skeptisch bis ablehnend gegenüber: So meinte der Fürther Paul Flicrl, immerhin 2. Vorsitzender des SFV, man habe hier „50 Jahre lang in der bisherigen Form gespielt und sich wohl gefuhlt" („Kicker" vom 3. August 1953). Dennoch wurden die Stimmen zur Einführung einer Bundesliga von Jahr zu Jahr lauter. Nach der WM 1954 in der Schweiz war selbst DFB-Präsident Dr. Peco Bauwens „davon überzeugt, dass durch eine Bundesliga das fußballerische Niveau verbessert werden könne" („Sportmagazin" vom 26. Juli 1954). Dass sie nicht verwirklicht wurde, lag unter anderem auch an der Uneinigkeit der Vereine und Verbände innerhalb des DFB. Erst auf dem Bundestag 1960 in Frankfurt wurde schließlich dem DFB-Vorstand die Führungsaufgabe in dieser Frage zugestanden. Und ein Jahr später wurden in Dortmund Nägel mit Köpfen gemacht. Mit 103:26 Stimmen wurde die Einführung der Bundesliga ab 1963/64 beschlossen.

16 Klubs sollten die Eliteklasse des deutschen Fußballs bilden, je fünf aus dem Süden und Westen, drei aus dem Norden, zwei aus dem Südwesten und der stärkste

Berliner Klub. Von Anfang an deutete sich an, dass sieben Vereine ihr Bundesliga-Ticket schon so gut wie sicher in der Tasche hatten: Eintracht Frankfurt, 1. FC Nürnberg, Hamburger SV, Werder Bremen, 1. FC Köln, FC Schalke 04 und 1. FC Saarbrücken. Bis zum 1. Dezember 1962 hatten sich 46 Vereine beworben, am 11. Januar 1963 sagte die Bundesliga-Kommission „ja" zu neun (den oben genannten sieben Vereinen sowie Borussia Dortmund und Hertha BSC) und „nein" zu 15 Klubs. Blieben also noch 2, die sich Hoffnungen machen konnten.

Die endgültige Entscheidung des DFB sorgte für manchen Härtefall und Empörung bei den betroffenen Vereinen. Besonders in Aachen und Offenbach war man entsetzt. In der Bewertungstabelle des Südens nahmen die Offenbacher Kickers nämlich den fünften Platz ein und wären wohl auch beim Start der Bundesliga dabei gewesen, hätte nicht der über 150 Bewertungspunkte hinter ihnen liegende TSV München 1860 1963 die Süddeutsche Meisterschaft geholt und sich dadurch direkt qualifiziert. Erst fünf Jahre später und nach zwei vergeblichen Anläufen 1966 und 1967 gelang den Kickers der Aufstieg ins deutsche Fußball-Oberhaus.

Die letzte Oberligasaison begann für die Eintracht mit einem Erfolg im DFB-Pokalwettbewerb. Knapp fünf Monate nach seiner schweren Kopfverletzung war im Pokalspiel gegen Tasmania 1900 Berlin (1:0) Friedel Lutz wieder mit von der Partie. Durch ein 2:1 nach Verlängerung beim Deutschen Meister 1. FC Köln zog die Eintracht erstmals in ihrer Vereinsgeschichte ins Halbfinale ein, wo sie allerdings beim 1. FC Nürnberg mit 2:4 den Kürzeren zog.

Im Kampf um die letzte Süddeutsche Meisterschaft gab es beim alten Angstgegner Bayern München einen auch in dieser Höhe verdienten 5:0-Kantersieg, mit dem sich die Eintracht sofort an die Spitze setzte. Torhüter Loy brachte sogar das Kunststück fertig, in drei Spielen hintereinander jeweils einen Elfmeter zu halten, was drei Punkte wert war. Am 22. September gelang ein 5:0-Derbysieg gegen die Offenbacher Kickers, und selbst das überraschende 1:4 bei Bayern Hof änderte zunächst nichts an der Spitzenposition. Obwohl die Eintracht daraufhin neun Spiele ungeschlagen blieb, stand sie zum Jahreswechsel nicht an der Spitze, sondern zwei Punkte hinter dem 1. FC Nürnberg und einen hinter dem TSV München 1860 nur auf Platz 3. Zurückzuführen war dies auf eine Serie von sechs Remis in Folge zwischen dem 14. Oktober und 2. Dezember.

Der weitere Verlauf der Saison ging als unrühmliches Kapitel in die Geschichte der Oberliga Süd ein. Schuld daran waren ein harter Winter und die Statuten des Süddeutschen Fußball-Verbandes. Nachdem bereits das Heimspiel gegen die SpVgg Fürth am 12. Januar 1963 wegen Frost und Eis ausgefallen war, hatte sich die Situation auch 14 Tage später nicht wesentlich entspannt. Diesmal aber bestand der SFV auf der Austragung des Spiels gegen Hessen Kassel. Da jedoch auch der Bornheimer Hang und das Stadion nicht zur Verfügung standen und der Verband wegen des strengen Winters Terminschwierigkeiten befürchtete, sollte die Eintracht auf neutralem Platz antreten. Der Vereinsvorsitzende Rudi Gramlich fiel am Donnerstagnachmittag aus allen Wolken, als ihm Spielleiter Hans Deckert mitteilte, dass dies der Bieberer Berg in Offenbach

Königsgala: Beim 5:2 des FC Santos glänzte Pelé am 11. Mai 1963 im Waldstadion. Hier köpft er zum 2:0 ein. Landerer, Weber und Loy sind ohne Chance.

sei! Zwar entsprach dies durchaus den Statuten („Neutral ist jeder Platz außer dem des Gegners"), wer das Verhältnis Frankfurt/Offenbach jedoch kennt, weiß, dass dies in der Realität nicht der Fall war. Obwohl telegrafisch Protest eingelegt wurde, entschied Deckert: Es wird in Offenbach gespielt – verhandelt wird später!

Wie spät, konnte zu diesem Zeitpunkt kein Mensch ahnen. Und wahrscheinlich wäre die ganze Angelegenheit auch ausgegangen wie das berühmte Hornberger Schießen, hätte sich die Eintracht an diesem 26. Januar 1963 im „Feindesland" nicht eine blamable 0:1-Niederlage gegen die Kasseler geleistet. Vier Wochen später wurde der Protest der Eintracht vom SFV abgelehnt. Weitere vier Wochen später verwarf auch der Rechtsausschuss des SFV die Berufung der Eintracht. Damit schien die Sache eigentlich entschieden, doch Mitte April wurde das Urteil noch einmal überprüft, da sich Verfahrensmängel ergeben hatten. Am 24. April platzte schließlich die Bombe: Eintracht - Kassel wird wiederholt! Und das einen Spieltag vor Saisonende! Beim TSV München 1860 hatte man schon die Süddeutsche Meisterschaft und die Bundesliga-Qualifikation gefeiert. Und auch in Nürnberg wähnte man den zweiten Platz bereits sicher. Am Riederwald aber witterte man plötzlich wieder die ganz große Chance, denn die Mannschaft hatte sechs Siege in Folge eingefahren und schien gegen die bereits abgestiegenen Augsburger Schwaben und Hessen Kassel ungefährdet. Doch statt des erwarteten Kantersieges trauten 12.000 Zuschauer am 28. April ihren Augen nicht, als die wackeren Schwaben durch Lechner und Metzger bei einem Gegentreffer von Kreß mit 2:1 am Riederwald siegten. Da der 1. FC Nürnberg mit 5:1 gegen den 1. FC Schweinfurt 05 gewann, hätte die Eintracht nun schon ein 10:0 gebraucht, um den „Club" noch vom 2. Platz zu verdrängen. Dazu kam es aber nicht mehr, denn der SFV-Vorstand entschied am 2. Mai endgültig, dass das Spiel gegen Hessen Kassel nicht wiederholt würde. Damit endete eine dreimonatige Posse, in der sich der Süddeutsche Fußball-Verband nicht gerade mit Ruhm bekleckert hatte. Wenn auch die Eintracht „moralisch" im Recht gewesen sein mag und vehement für ihre Rechte stritt, so durfte man doch froh sein, dass kein Dritter, in diesem Fall 1860 oder der „Club", zu Schaden kam. Mit 39:21 Punkten belegte die Eintracht am Ende in Platz 4 hinter dem TSV München 1860 (44:16), dem 1. FC Nürnberg (41:19) und Bayern München (40:20).

Zum Spiel Eintracht - Hessen Kassel kam es dennoch. Allerdings im Pokal, aus dem sich die Eintracht am 11. Mai durch ein 1:2 im Auestadion verabschiedete. Entschädigt wurden die enttäuschten Anhänger durch ein zweites Gastspiel des FC Santos, der vor 30.000 Zuschauern im Stadion ein Feuerwerk abbrannte und mit 5:2 siegte. Dem viermaligen Torschützen Pelé gelang dabei in der ersten Halbzeit ein lupenreiner Hattrick.

Mittelmaß in der Bundesliga

Die Jahre 1958 bis 1963 gehörten zu den erfolgreichsten der Eintracht-Vereinsge-
schichte. In der Oberliga nie schlechter als Vierter: einmal Meister, zweimal Zweiter.
Mit Ausnahme der Deutschen Meisterschaft 1959 und dem Einzug ins Europapokal-
Finale 1960 war aber auch deutlich geworden, dass der Eintracht in entscheidenden
Augenblicken oft der letzte Biss oder das letzte Stückchen Konzentration fehlte – eine
Schwäche, die in der neuen Bundesliga leicht ins Auge gehen konnte.

Auch personell musste die Mannschaft verstärkt werden. Von der Meister-Mann-
schaft waren noch sieben Akteure beim Bundesliga-Start dabei. Torhüter Loy (32) und
Kreß (38, der älteste Spieler beim Bundesliga-Start) hatten jedoch die 30 überschritten,
Eigenbrodt (28) und Höfer (29) gingen stark darauf zu. Kein Wunder, dass der Spie-
lermarkt genau beobachtet wurde. Nach den damaligen Bestimmungen durften aber
nur drei neue Spieler verpflichtet werden. Ende Juni waren dies Stürmer Helmut Kraus
(1. FC Schweinfurt 05) und Nationalspieler Horst Trimhold (Schwarz-Weiß Essen).
Nachdem eine Rückkehr von Istvan Sztani geplatzt war, wurde der Österreicher Willi
Huberts von Hungaria New York unter Vertrag genommen.

1963/64 ■ Zu spät auf Touren gekommen

Am Samstag, dem 24. August 1963 fiel schließlich der Startschuss zur Bundesliga.
► Loy; Eigenbrodt, Höfer; Horn, Landerer, Lindner; Kreß, Trimhold, Kraus, Huberts
und Schämer
hießen die ersten Bundesliga-Akteure der Eintracht im Duell mit dem alten Rivalen
1. FC Kaiserslautern. Der überwiegende Teil der 30.000 Zuschauer, davon 5.000 aus der
Pfalz, verließ das Waldstadion enttäuscht. Zwar hatte die Eintracht recht ordentlich
gespielt, dabei aber das Toreschießen vergessen. Durch zwei Foulelfmeter, die von Neumann (38. Minute) zur Lauterer Führung und zwei Minuten später von Schämer zum
Ausgleich verwandelt wurden, stand das Endergebnis (1:1) bereits zur Pause fest. Trotz
eines Eckballverhältnisses von 11:2 gelang es der Eintracht nicht, die Abwehr der „Roten
Teufel" zu knacken. Auch in den nächsten Spielen gab es wenig Erfreuliches zu berichten. Nach drei Niederlagen in Folge fand sich die Eintracht plötzlich auf dem vorletzten Platz wieder. Erst am 21. September gelang mit einem 3:0 gegen Eintracht Braun-

schweig der erste Sieg. Auch Tabellenführer 1. FC Köln konnte im Waldstadion verdient mit 2:1 bezwungen werden. Der Knoten war geplatzt. Nach drei weiteren Spielen ohne Niederlage war das Punktverhältnis ausgeglichen (10:10). Ein Rückschlag musste bei Werder Bremen eingesteckt werden, wo es die dritte Niederlage mit drei Toren Differenz gab (1:4). Daraufhin kehrte Stopper Landerer für den unglücklichen Herbert ins Team zurück. Außerdem wurde im Angriff Trimhold auf Halbrechts durch Kraus ersetzt.

Mit dieser taktischen Änderung konnte ein Platz im Mittelfeld gesichert werden. Mit 16:14 Punkten ging die Eintracht als Siebter in die Weihnachtspause. Insgesamt waren 20 Spieler eingesetzt worden, was Rekord der noch jungen Bundesliga-Geschichte bedeutete. Auch zuschauermäßig war die Rechnung voll aufgegangen: Bei 238.000 Zuschauern lag der Schnitt mit 29.750 mehr als doppelt so hoch wie im letzten Oberliga-Jahr (13.492), weshalb man auch in der Rückrunde weiter im Stadion spielen wollte, da am Riederwald bereits bei 25.000 Zuschauern ein Verkehrschaos drohte.

Recht durchwachsen verlief der Start in die Rückrunde, da aus den ersten drei Spielen lediglich zwei Punkte auf der Habenseite verbucht werden konnten. Das 0:1 beim 1. FC Nürnberg am 25. Januar 1964 war allerdings die letzte Punktspielniederlage der Saison. In den restlichen zwölf Spielen wurden lediglich drei weitere Punkte abgegeben. Einer davon war das 1:1 beim späteren Meister 1. FC Köln, bei dem Kölner Rowdies Schiedsrichter Lutz aus Bremen mit der Fahne des Linienrichters auf den Kopf schlugen, weil dieser FC-Stürmer Müller des Feldes verwiesen hatte! Nach dem 2:1 beim FC Schalke 04 am 21. März war die Eintracht bis auf Platz 3 geklettert, der Rückstand auf Tabellenführer 1. FC Köln war mit sechs (Minus-) Punkten jedoch bereits zu groß. Der höchste Sieg wurde mit 7:0 gegen Werder Bremen registriert. Am Ende wiesen die Eintracht und der Meidericher SV mit je 39:21 das gleiche Punktekonto auf. Dennoch musste sich die Eintracht mit dem 3. Platz zufrieden geben, da die Duisburger das bessere Torverhältnis hatten (MSV 60:36 = 1,66, Eintracht 65:41 = 1,58). Nach dem heute gültigen Subtraktionsverfahren wäre die Eintracht wegen der mehr erzielten Tore Vizemeister gewesen!

Dennoch hätte es noch ein ganz großes Saisonfinale geben können, denn nach Siegen beim VfL Wolfsburg (2:0), gegen Hessen Kassel (6:1), den FC Schalke 04 (2:1) und Hertha BSC (3:1) war erstmals der Einzug ins Pokal-Endspiel geschafft worden, in dem am 13. Juni der TSV München 1860 der Gegner war. Aufgrund der starken Rückrunde galt die Eintracht als Favorit. Im Glutofen des Stuttgarter Neckarstadions wurden die „Löwen" jedoch ihrem Ruf als Favoritentöter vollauf gerecht. Zudem hatte die Eintracht einen rabenschwarzen Tag erwischt. Die Abwehr nervös, das Mittelfeld wirkungslos, der Angriff stumpf. So war gegen die beherzt kämpfenden Münchner nichts auszurichten. Als Kohlars kurz vor der Pause das 1:0 für 1860 erzielte, war das Spiel praktisch gelaufen. Brunnenmeier stellte in der 62. Minute das Endresultat her. Bei der Eintracht war man ratlos.

Auf die Hitze angesprochen, zog Dieter Lindner Vergleiche zu 1959: „Wir waren stehend k.o. Keine Kraft. Nichts da. Ausschlaggebend war, dass die Münchner besser

Einen Schritt zu spät: Eintracht-Kapitän Hermann Höfer kann den Münchner Kohlars im Pokal-Endspiel 1964 nicht am Flanken hindern.

vorbereitet waren. Sie trainierten mittags in der Gluthitze und waren an die hohen Temperaturen gewöhnt. Wir trainierten abends um sechs Uhr. Vor dem Endspiel 1959 gegen die Offenbacher Kickers war mittags um drei Uhr Training angesetzt. Da sahen wir im Spiel anders aus."

Ein weiterer Grund für die schlappe Vorstellung waren die Folgen der Impfungen für die anschließende Reise nach Südafrika. Diese Tournee konnte ansonsten als sportlicher Erfolg verbucht werden. Obwohl einige Spieler Probleme mit der Kühle des südafrikanischen Winters hatten, wurden alle sechs Spiele gegen eine Stadtauswahl von Bloemfontein (6:3), eine Auswahl von Kapstadt (4:1), den Meister Durban Addington FC (2:0), Tabellenführer Johannesburg Highland Parks (2:1), Arcadia United Pretoria (2:0) und eine Auswahl von Südwestafrika in Windhuk (8:0) gewonnen.

1964/65 ■ Zu Hause von allen guten Geistern verlassen

Am 7. Juli kehrte die Mannschaft aus Südafrika zurück. Die Reise war gleichzeitig ein Abschiedsgeschenk für Richard Kreß, der mit 39 Jahren endgültig die Schuhe an den berühmten Nagel hängte. Mit ihm hörte auch Eberhard Schymik auf. Neu an den Riederwald kamen Peter Blusch (Sportfreunde Siegen), Georg Lechner (Schwaben Augsburg) und der Österreicher Hans-Georg Tutschek (1. Wiener Neustädter SC).

Wie 1963 gab es auch im Sommer 1964 gewaltige Schwierigkeiten, die Mannschaft zu einer Einheit zu formen. Dennoch wurde die Eintracht von sechs der 16 Bundesliga-Trainer (Co-Trainer Horvat inklusive) als Mitfavorit genannt. Der Start war auch nicht schlecht. Nachdem gegen den FC Schalke 04 ein 0:2-Pausenrückstand noch ausgeglichen werden konnte, gelang im zweiten Spiel beim TSV München 1860 die Revanche fürs Pokal-Endspiel (1:0). Nun aber begann die „Heimseuche": Die nächsten drei Spiele vor eigenem Publikum gingen sämtlich verloren. Negativer Höhepunkt war das 0:7 gegen den Karlsruher SC am 19. September, bis zum heutigen Tag die höchste Schlappe auf eigenem Platz. Dafür konnten drei der vier Auswärtsspiele gewonnen werden, unter anderem beim Vizemeister Meidericher SV und beim Titelaspiranten Borussia Dortmund (3:1). Die Diskrepanz zwischen Heim- und Auswärtsform hielt vorerst an.

Ein zweiter Heimsieg gelang lediglich im Messepokal gegen den FC Kilmarnock, der durch Tore von Stein, Trimhold und Stinka sicher mit 3:0 bezwungen wurde. Auch im Rückspiel schien nach Huberts' früher Führung (2. Minute) alles nach Plan zu verlaufen – doch diesmal geizten die Schotten nicht mit Toren. Nach einem 2:1 zur Pause stand die Eintracht-Abwehr pausenlos unter Druck, ließ aber bis zur 81. Minute nur einen weiteren Treffer zu. In den letzten neun Minuten brachen jedoch alle Dämme und Kilmarnock erhöhte auf 5:1. Wenn Loy nicht einen Super-Tag erwischt hätte, wäre es vermutlich noch schlimmer gekommen.

Der Start in die Rückrunde ließ die Anhänger noch einmal hoffen. Das neue Jahr begann positiv. Einem 4:1 gegen den TSV München 1860 folgte ein 2:2 beim Überraschungs-Tabellenführer Werder Bremen. Damit schien die Eintracht noch einmal ins Titelrennen eingreifen zu können, denn sie lag jetzt mit 21:15 nur noch zwei Punkte hinter den Bremern. Doch wie gewonnen, so zerronnen. Nach dem Pokalsieg gegen Borussia Neunkirchen (2:1) erlitt Trainer Oßwald einen Herzinfarkt. Unter Leitung seines Assistenten Horvat gab es gegen den Meidericher SV Heimniederlage Nr. 4, der ein 1:3 beim Karlsruher SC und das Pokal-Aus zu Hause gegen den FC Schalke 04 (1:2) folgte. Kein Wunder, dass zum nächsten Heimspiel gegen Hertha BSC nur noch 6.500 Unentwegte den Weg ins Stadion fanden, die immerhin einen 3:0-Sieg der Gastgeber sahen.

Mit vier Niederlagen in Folge wurde die zweite Bundesliga-Saison auf einem enttäuschenden achten Platz beendet. Nach dem 1:2 im letzten Saisonspiel gegen den 1. FC Kaiserslautern war jedenfalls Feuer unter dem Dach: „"Ein Glück, dass die Saison vorbei ist', seufzten die letzten paar tausend Frankfurter Zuschauer, die ihrer Eintracht noch etwas zugetraut hatten … und ins Stadion gezogen waren, um das Pfälzer Abstiegsdrama mitzuerleben. Das Drama aber inszenierte die Eintracht für sich selber und ihren Ruf, der ohnehin … schon arg ramponiert worden ist. Von den vielen schwachen Spielen, die die Frankfurter in der zweiten Saison im Waldstadion bisher geliefert haben, war dies das schwächste… So gewannen die Pfälzer nicht, weil sie zu gut waren, sondern weil die Eintracht einfach miserabel spielte." („Sportmagazin" vom 17. Mai 1965)

Stinksauer war der Spielausschussvorsitzende Ernst Berger, der nach dem Abpfiff ein Donnerwetter in der Kabine losließ: „Ich schäme mich für diese Mannschaft und dieses Spiel!" Keiner konnte sich diese Schwankungen erklären, denn nur knapp drei Wochen zuvor hatte sich die Mannschaft bei einem Turnier in New York noch von ihrer besseren Seite präsentiert und den Turniersieg nach Siegen über Aris Saloniki (1:0) und die New York Ukrainians (2:0) erst im abschließenden Spiel gegen den AC Florenz (0:1) verpasst. Allerdings klang zwischen den Zeilen auch Kritik an der Defensivtaktik von Trainer Horvat durch. So musste der Jugoslawe wieder ins zweite Glied rücken. Dafür wurde mit Elek Schwartz ein Verfechter von technisch anspruchsvollem Fußball verpflichtet. Der im Banat geborene Ungar/Rumäne mit französischem Pass hatte sieben Jahre die niederländische Nationalmannschaft trainiert und zuletzt mit Benfica Lissabon im Endspiel des Europapokals der Landesmeister gestanden. Mit Schwartz kamen drei neue Spieler an den Riederwald, die in den nächsten Jahren ein fester Bestandteil der Eintracht-Mannschaft werden sollten: Torhüter Peter Kunter (Freiburger FC), Verteidiger Karlheinz Wirth (Spfr. Hamborn 07) sowie ein junger Stürmer namens Jürgen Grabowski (FV Biebrich 02). Außerdem kehrte der „verlorene Sohn" Istvan Sztani nach sechs Jahren bei Standard Lüttich nach Frankfurt zurück.

1965/66 ■ Elek Schwartz und das 4-2-4-System

Mit Elek Schwartz zog mehr Professionalität am Riederwald ein. Er führte das Vormittagstraining ein und stellte die Taktik auf das moderne 4-2-4-System um. Allerdings brauchte die Mannschaft eine gewisse Zeit, um die Schwartz'schen Ideen auch auf dem Platz umzusetzen. Zwar waren 52.000 Zuschauer begeistert, als zum Punktspiel-Start ein hochverdientes 2:0 über den Hamburger SV gelang. Dabei bestritt der 21-jährige Jürgen Grabowski sein erstes von insgesamt 441 Bundesliga-Spielen im Eintracht-Trikot. Während der „Kicker" schon einen neuen „Frankfurter Fußballfrühling in Sicht" sah, wurden die Anhänger schnell auf den Boden der Tatsachen zurückgeholt. Bei Bayern München (0:2) war der Angriff mit Ausnahme von Grabowski ein Ausfall, gegen den 1. FC Nürnberg (1:2) war kein Siegeswille zu erkennen, und bei Hannover 96 (1:4) verhinderte Torhüter Kunter eine höhere Niederlage. Im Mittelpunkt der Kritik standen Trainer Schwartz und seine neue Taktik. „Schwartz zwängt Frankfurt in ein Korsett, das nicht passt!" urteilte das „Sportmagazin", und der „Kicker" legte die Finger in die offenen Wunden: „Die technische Begabung vieler Spieler ist unbestritten, was dieser

Elf fehlt, das sind: Spielmacher, Kondition, auch Härte! Man sollte sie im Training in den Boxring schicken, um ihr Bundesligahärte zu geben. Noch ist das 4-2-4 ohne jede Achse!" („Kicker" vom 6. September 1965)

Auch der Vorstand sah sich zum Handeln veranlasst und verdonnerte die Spieler „wegen mangelnden Einsatzes im Spiel gegen den 1. FC Nürnberg" zu je 100 Mark Geldstrafe, die aber nach Protesten der betroffenen Spieler „auf Bewährung" ausgesetzt wurde. Nach einem 6:0 über den 1. FC Kaiserslautern arbeitete sich die Mannschaft langsam wieder nach oben.

Nachdem zwischen den Jahren in Ägypten zwei Siege herausgesprungen waren, gab es zum Auftakt der Rückrunde ein recht glückliches 1:0 beim Hamburger SV, womit man auf Platz 5 vorstieß. Kein Wunder, dass eine Woche später das Waldstadion mit 66.000 Zuschauern randvoll war, als sich der Aufsteiger und Überraschungs-Zweite Bayern München erstmals in der Bundesliga in Frankfurt vorstellte. In einem hochklassigen Spiel trennten sich die alten Rivalen 0:0, obwohl die Eintracht genug Chancen hatte, das Spiel für sich zu entscheiden.

Fast schon traditionell endeten die Spitzenspiele gegen die Meisterschaftsanwärter TSV München 1860 und Borussia Dortmund sowie gegen den designierten Absteiger Borussia Neunkirchen. Die „Löwen" wurden am 26. März vor 44.000 Zuschauern mit 5:2, der frisch gebackene Europapokalsieger BVB am letzten Spieltag vor 65.000 Zuschauern mit 4:1 geschlagen. Bei diesem Spiel war Jung-Nationalspieler Jürgen Grabowski – er hatte Anfang Mai in Irland (4:0) und Nordirland (2:0) seine ersten beiden Länderspiele bestritten – der beste Mann auf dem Platz. Dafür gab es am 23. April eine blamable 1:2-Heimniederlage gegen Neunkirchen, bei der enttäuschte Anhänger sogar ihre Fahnen verbrannten! Mit 38:30 Punkten beendete die Eintracht die dritte Bundesliga-Saison als Siebter. Dass der Name Eintracht aber weiterhin einen guten Klang hatte, zeigte sich in sieben Testspielen gegen Nationalmannschaften, in denen es nur zwei Niederlagen (1:4 in den Niederlanden und 2:4 in Argentinien), aber vier Siege gab, darunter auch ein 3:1 in Buenos Aires gegen den deutschen WM-Gruppengegner Argentinien.

Trotz des halbwegs versöhnlichen Endes hatte die Eintracht im Sommer 1966 zwei spektakuläre Abgänge zu verzeichnen: Für die damalige Rekordablöse von 175.000 Mark wechselten Lutz zu Meister TSV München 1860 und Trimhold für 125.000 Mark zu Borussia Dortmund. Mit Stein und Stinka verließen außerdem zwei verdienstvolle Oberliga-Recken den Riederwald in Richtung SV Darmstadt 98. Der Ungar Sztani, der nicht mehr an seine Glanzzeit von 1959 anknüpfen konnte, wurde eingebürgert, um die Verpflichtung von Fahrudin Jusufi von Partizan Belgrad zu ermöglichen.

Ein neuer Star: In der Saison 1965/66 ging der Stern von Jürgen Grabowski auf.

1966/67 ■ Ein spannendes Duell: Eintracht gegen Eintracht

Während Lutz und Grabowski bei der WM in England weilten, begann für den Rest der Truppe am 20. Juli wieder der Ernst des Lebens. Nach dem Gruppensieg in der Intertoto-Runde rechnete sich Elek Schwartz durchaus Chancen für die kommende Bundesliga-Saison aus, vorausgesetzt, dass „meine Mannschaft nicht mehr so launisch ist". Der Trainer kannte seine Pappenheimer inzwischen. Doch zunächst spielte die Eintracht alles andere als launisch. Nach einem 4:0 gegen den 1. FC Köln war die Eintracht nach zwei Spieltagen mit 4:0 Punkten erstmals Tabellenführer der Bundesliga! Bei Fortuna Düsseldorf gelang sogar ein weiterer Sieg (4:2), wegen des besseren Torquotienten musste man allerdings dem VfB Stuttgart (5:1 gegenüber 10:3) den Vortritt an der Spitze lassen.

Bereits vier Tage später hatte es die Eintracht in der Hand, ihre imponierende Startserie weiter auszubauen. Wegen des WM-Boxkampfes Karl Mildenberger gegen Cassius Clay im Waldstadion war das Heimspiel gegen Eintracht Braunschweig auf Mittwochabend vorgezogen worden. Vor 35.000 Zuschauern begann die Eintracht stürmisch, verstand es aber nicht, gegen die in der Defensive gut eingestellten Niedersachsen entscheidend zu punkten. Grabowski lag bei Schmidt an der Kette, Huberts fehlte das Durchsetzungsvermögen. Braunschweig war bei Kontern stets gefährlich und kam in der 68. Minute nach einer Maas-Flanke durch Gerwien zum goldenen Tor.

Die Saison 1966/67 wurde nicht nur in diesem Spiel ein Duell Eintracht gegen Eintracht. Da sowohl die Frankfurter als auch die Braunschweiger Eintracht die notwendige Konstanz vermissen ließen, begann ein munteres Bäumchen-wechsle-dich-Spiel. Nach einem 1:0 beim 1. FC Nürnberg – dem ersten Bundesliga-Sieg gegen den „Club" – war man noch einmal Erster. Eine bessere Ausgangsposition wurde jedoch bis zum Ende der Vorrunde zu Hause verspielt: 1:3 gegen den Hamburger SV und 3:3 gegen den TSV München 1860 (nach einem 0:3-Rückstand konnte mit einem Kraftakt in den letzten 17 Minuten noch ein Punkt gerettet werden). Damit war die Eintracht sogar auf Platz 4 zurückgefallen.

Dafür verlief der Rückrundenstart genauso erfolgreich wie der Saisonstart. Mit drei Siegen in Folge übernahm die Eintracht am 28. Januar wieder die Spitze. Es sollte das letzte Mal in dieser Saison sein. Innerhalb von einer Woche gab es im Nachholspiel bei Borussia Dortmund ein 1:3 und im Gipfeltreffen bei Eintracht Braunschweig sogar ein glattes 0:3. Den Unterschied zwischen den beiden Eintracht-Teams brachte der spätere Frankfurter Trainer Dettmar Cramer auf den Punkt: „Die Frankfurter Eintracht besitzt zwar die besseren Einzelspieler, Braunschweig aber die viel besser eingespielte Mannschaft. Kampfkraft war schon immer eine Stärke der Braunschweiger. Jetzt kommen ganz hervorragend aufeinander abgestimmte Mannschaftsteile, ein erheblich verbessertes Spielvermögen und ein unbändiger Siegeswille hinzu … Frankfurts bessere Techniker sind dagegen ein Hemmschuh, wenn es gilt, Tore zu schießen." („Kicker" vom 13. Februar 1967)

Uwe Seeler (rechts) zog sich 1965 im Spiel gegen die Eintracht einen Achillessehnen-
riss zu, der beinahe das vorzeitige Ende seiner Karriere bedeutet hätte.

13 Spiele vor Saisonende war damit bereits eine Vorentscheidung gefallen, zumal es
in den folgenden Wochen nicht gelang, die Patzer der Niedersachsen auszunutzen. Fast
„einträchtig" gaben Frankfurter und Braunschweiger zusammen Punkte ab. Besonders
bitter verlief der 29. April. Während die Niedersachsen zu Hause das Derby gegen Hannover 96 verloren (0:1), unterlag die Eintracht dem 1. FC Nürnberg in einem denkwürdigen Spiel gar mit 1:4. Trotz 20:1 Ecken gelang es nicht, diese Überlegenheit in
Tore umzusetzen. Im Gegenteil: Der „Club" konterte die Eintracht klassisch aus. Dazu
kam eine desolate Leistung von Schiedsrichter Seiler aus Schmiden, der den Frankfurtern zwei Elfmeter verweigerte und vor dem 0:4 ein Handspiel des Torschützen Volkert
übersah, was einen Eklat auslöste. Von den Rängen flogen Flaschen und andere Wurf-
geschosse, Zuschauer drangen ins Spielfeld ein, ein dichter Polizeikordon musste das

Spielfeld absperren. Nach dem Spiel belagerte die Menge den Schiedsrichterausgang und warf in der Innenstadt die Scheiben der Nürnberger Bank ein. Sieben Personen wurden festgenommen, die Eintracht später wegen „Vernachlässigung der Platzdiszi-plin" vom DFB zu 1.000 Mark Geldstrafe verurteilt. Außerdem musste ein Zaun um das Spielfeld errichtet werden.

Die Mannschaft steckte aber nicht auf und konnte vier Spieltage vor Schluss noch einmal mit den Braunschweigern gleichziehen. Jetzt aber wurde die Eintracht Opfer ihrer eigenen Terminplanungen, denn in der entscheidenden Phase der Meisterschaft mussten auch noch Spiele im Messe-, Intertoto- und Alpenpokal bestritten werden. Außerdem leistete man sich den Luxus, am 8. Mai zu einem Freundschaftsspiel gegen Cruzeiro Belo Horizonte (4:3) nach Washington zu fliegen! Bei insgesamt 70 Spielen stellte sich daher die Frage, ob die Kräfte ausreichen würden.

Es sollte denn auch nicht sein. Durch ein 0:3 in Bremen, 3:3 gegen Dortmund und 1:2 beim TSV München 1860 wurde am Ende sogar noch der zweite Platz, den man in dieser Spielzeit 22-mal belegt hatte, verspielt. Nur Platz vier, das war nach dem Verlauf der Saison schon enttäuschend. Da half es wenig, dass der Abstand zum Meister Ein-tracht Braunschweig „nur" vier Punkte betrug. Unter dem Strich war die Punktaus-beute mit 39:29 nämlich nur einen Zähler besser als im Vorjahr.

Eine weitere Enttäuschung gab es im Messe-Pokal. Nach Erfolgen über Drumcon-dra Dublin, Hvidovre Kopenhagen, Ferencvaros Budapest und den FC Burnley war das Halbfinale gegen Dinamo Zagreb erreicht worden. Vor nur 10.000 Zuschauern wurden die Jugoslawen vier Tage nach Bundesliga-Ende sicher mit 3:0 geschlagen. Das Endspiel war greifbar nahe. Doch beim Rückspiel war die Mannschaft nicht wiederzuerkennen. Ein Doppelschlag (14./15. Minute) brachte Dinamo schnell in Führung, wovon sich die Eintracht lange nicht erholte. Dennoch schien man den Zwei-Tore-Rückstand über die Zeit retten zu können, da gelang dem völlig frei stehenden Gucmirtl drei Minuten vor Schluss das 3:0. In der Verlängerung erzielte Zagreb durch einen umstrittenen Fou-lelfmeter sogar das 4:0. Der Traum vom Finale war ausgeträumt. Trainer Schwartz ging mit der Mannschaft hart ins Gericht: „Es ist immer dasselbe. Unseren Spielern fehlen in den entscheidenden Auseinandersetzungen die Nerven, weil keiner da ist, an dem sie sich aufrichten können. Diesmal haben nur wenige in unserer Elf eine ausreichende Leistung geboten …, der Sturm war eine einzige Enttäuschung." („Sportmagazin" vom 19. Juni 1967)

Schon nach der Vorrunde hatte der „Kicker" der Eintracht ein Torhüter-Problem – im Verlauf der Saison wurden mit Kunter, Loy und Feghelm drei Keeper eingesetzt! – attestiert, außerdem konnte der Weggang von Lutz nicht richtig kompensiert werden. Jusufi war zwar ein Klassespieler und beim Publikum beliebt, jedoch zu offensiv aus-gerichtet. Zudem fehlte im Sturm ein Vollstrecker, denn Bronnert ließ nach starkem Beginn (elf Tore in zwölf Spielen) genauso stark nach.

Sommerfußball:
Intertoto-Runde und Alpenpokal

Bereits in den 1950er Jahren hatte es in Deutschland eine so genannte „Oberliga-Vergleichsrunde" gegeben, damit auch nach Ende der Meisterschaft attraktive Spiele auf dem Totozettel standen. Nach zwei Jahren wurden die Gruppenspiele aber durch „Pflicht-Freundschaftsspiele" abgelöst. Im Januar 1961 beschloss das Mitropacup-Komitee, im Sommer eine Totorunde mit internationaler Beteiligung auszutragen, die nach dem Schweizer Nationaltrainer Karl Rappan benannt wurde. Die Eintracht nahm erstmals 1965 daran teil und wurde hinter dem PSV Eindhoven und IFK Norrköping und vor dem FC La-Chaux-de-Fonds Gruppendritter.

1966/67 war die Mannschaft erfolgreicher. Zunächst konnte gegen Lanerossi Vicenza, FC La-Chaux-de-Fonds und Feyenoord Rotterdam der Gruppensieg unter Dach und Fach gebracht werden. Anschließend wurde durch Erfolge über den IFK Norrköping und Zaglebie Sosnowitz das Endspiel erreicht. Nachdem am 20. Mai 1967 das erste Spiel bei Inter Bratislava 3:2 gewonnen wurde, fand am 14. Juni das Rückspiel im Waldstadion statt. Vor 10.500 Zuschauern stand es nach 90 Minuten 1:0 für die Slowaken. In der Verlängerung gelang Solz der Ausgleich, womit der letztmals ausgespielte „Rappan-Cup" am Riederwald landete.

Noch einmal (1977) nahm die Eintracht an der Intertoto-Runde teil, wurde aber hinter Inter Bratislava und vor Wacker Innsbruck und dem FC Zürich nur Gruppenzweiter. 1995 wurde der Wettbewerb reformiert und bis 2008 als UEFA-Intertoto-Cup (UI-Cup) ausgetragen, über den sich ab 2006 elf Teams für die 2. Qualifikationsrundes des UEFA-Pokals qualifizieren konnten. 1995 belegte die Eintracht in den Gruppenspielen hinter Vorwärts Steyr und vor Spartak Plovdiv, Iraklis Saloniki und Panerys Vilnius einen zweiten Platz, schied im Achtelfinale bei Girondins Bordeaux aber aus (0:3).

Neben dem „Rappan-Cup" gewann die Eintracht 1967 auch den Alpenpokal. Ursprünglich ein Wettbewerb zwischen Schweizer und italienischen Mannschaften, nahmen in diesem Jahr mit der Eintracht und dem TSV München 1860 erstmals auch zwei deutsche Mannschaften teil. Gleich zu Beginn kam es in Wiesbaden zu einem handfesten Skandal, als das Spiel gegen Turin Calcio wegen Zuschauertumulten abgebrochen werden musste (Wertung 0:0). Siege beim FC Zürich (5:2), gegen den AC Mailand (1:0) und AS Rom (4:2) sowie beim FC Basel (2:1) bedeuteten schließlich den Gesamtsieg. 1968 sprang in den Gruppenspielen ein dritter, 1969 ein vierter Platz heraus.

1967/68 ■ Die Spieler machen, was sie wollen

Die angesprochene Torwart-Krise versuchte man im Sommer mit der überraschenden Verpflichtung von Ex-Nationaltorhüter Hans Tilkowski (Borussia Dortmund) zu lösen. Außerdem kehrte Friedel Lutz, der beim TSV München 1860 nicht glücklich wurde, zur Verstärkung der Abwehr zurück. Ebenfalls zum Bundesliga-Kader stieß ein junger Amateur namens Bernd Hölzenbein. Allerdings standen Lutz wegen einer Achillessehnen-Operation und Blusch wegen eines Platzverweises am Ende der letzten Saison (!) für den Bundesliga-Start beim VfB Stuttgart nicht zur Verfügung. Da auch „Til" im Eintracht-Tor keine gute Figur machte, kehrte man mit einer deftigen 0:4-Packung aus dem Schwabenland zurück.

Es folgte eine Vorrunde mit mehr Tiefen als Höhen, die an das verkorkste zweite Bundesliga-Jahr erinnerte. Zu Hause wurde mit 9:9 (drei Niederlagen!) gerade einmal ein ausgeglichenes Punktekonto erreicht, auswärts gelang lediglich beim MSV Duisburg ein doppelter Punktgewinn. Mit 14:20 Punkten und 24:31 Toren (fünftschlechteste Abwehr) ging man als 14. in die Weihnachtsferien. Auch im Messe-Pokal war das Engagement kurz. Das Ausscheiden gegen Nottingham Forest in der 1. Runde (0:1 in Frankfurt, 0:4 in England) kostete sogar Tilkowski seinen Platz im Eintracht-Tor. Doch auch ein Peter Kunter konnte die bis dato höchste Bundesliga-Auswärtsniederlage beim TSV München 1860 (0:5) nicht verhindern. Beim ersten Rückrundenspiel stand jedenfalls wieder „Til" zwischen den Pfosten.

Zudem häufte sich die Kritik an Trainer Elek Schwartz und seiner Mannschaftsführung. Bereits Anfang November hatte der „Kicker" die Krise bei der Eintracht beleuchtet und war zu der Erkenntnis gekommen: „Die Spieler machen, was sie wol-

Meisterlich beim Meister: Am 3. Februar 1968 brachte die Eintracht dem 1. FC Nürnberg die erste Heimniederlage bei. Willi Huberts (rechts) vollendete zum 2:0-Endstand. Torhüter Wabra und Strehl waren ohne Chance.

len!" So wurde Schwartz vorgeworfen, kein Einzeltraining durchzuführen (Schwartz: „Für Einzeltraining fehlt mir ein zweiter Mann…"), am 4-2-4 ohne Libero festzuhalten („Wir haben keinen, der diese Rolle spielen könnte."), Jusufis Offensivdrang, der Löcher in die Viererkette reißt, nicht zu zügeln („Das ist eben sein Temperament. Aber er bringt den Druck aus der hinteren Reihe.") und zu lasch und zu einfallslos zu trainieren: „Während die Torhüter in die Ecken hechten, ballern sich die Spieler untereinander zu. Rums – bums, hin – her. Immer die gleichen Paare, immer die gleichen Schüsse. Wenn die Torhüter beschäftigt sind, können die Feldspieler machen, was sie wollen." („Kicker" vom 6. November 1967)

Doch zur allgemeinen Überraschung erstarkte die Eintracht und präsentierte sich im Apil mit 18:6 Punkten als die erfolgreichste Mannschaft der Rückrunde! Als Spielverderber erwies sich lediglich der 1. FC Köln. Zuerst machte er allen Pokal-Hoffnungen der Eintracht ein Ende. Nach einem 1:1 nach Verlängerung in Müngersdorf schockte Jendrossek vier Minuten vor dem Ende die 25.000 Zuschauer im Frankfurter Wiederholungsspiel. Auch in der Bundesliga gingen die Kölner nicht gerade zimperlich mit der Eintracht um. Durch das 1:5 wurde schließlich ein besserer Tabellenplatz als der sechste verspielt, denn am Ende standen Köln, Bayern München und die Eintracht punktgleich mit 38:30 Zählern auf den Rängen 4 bis 6.

1968/69 ■ Erich Ribbeck, der jüngste Trainer der Bundesliga

Trotz des Aufschwungs in der Rückrunde waren die Tage von Erek Schwartz in Frankfurt gezählt. Angesichts der leeren Kassen sollte verstärkt auf den eigenen Nachwuchs gebaut werden. Mit dieser Aufgabe wurde mit Erich Ribbeck (31, Rot-Weiß Essen) der jüngste Bundesliga-Coach aller Zeiten beauftragt. Er musste in der kommenden Saison allerdings ohne Blusch (für rund 140.000 Mark zum 1. FC Köln), Friedrich (1. FC Kaiserslautern) und Solz (SV Darmstadt 98) auskommen. Aufgefüllt wurde der Kader mit den eigenen Amateuren Keifler, Nickel und Kalb, die jedoch im Hinblick auf das Olympiaturnier 1972 keine Lizenzspieler wurden.

Kritik aus den eigenen Reihen, „finanzielle Erwägungen hätten diesen Beschluss ausgelöst", wurde entgegengehalten, dass diese „nur in zweiter Linie die Überlegungen des Präsidiums" bestimmt habe. „Vorrangig war dabei die Überzeugung, dass der Zeitpunkt gekommen sei, an dem sich die intensive Nachwuchsarbeit bezahlt machen solle. Seit drei Jahren war die Schulung geeigneter Nachwuchsspieler wichtigster Punkt unserer Mannschaftspolitik. In den vergangenen Jahren waren die jungen Leute noch nicht so weit, entstehende Lücken aufzufüllen… In diesem Jahre aber konnten wir unbedenklich unserem eigenen Nachwuchs den Vorzug geben." (Rudi Gramlich in der neuen Vereinszeitung „Eintracht Frankfurt" vom 17. August 1968)

Da Ribbeck die Eintracht in der abgelaufenen Saison nur zweimal gesehen hatte, gegen Stuttgart und in Köln, also in einem guten und in einem schlechten Spiel, bezog er mit der Mannschaft ein einwöchiges Trainingslager in der Sportschule Grünberg, um den Kader zu sondieren. Im Tor setzte er weiter auf Tilkowski, für den abgewanderten Blusch griff er auf den wiedergenesenen Lutz zurück, Friedrich und Solz wurden durch Bellut und Keifler ersetzt, und im Angriff waren Hölzenbein, Grabowski, Huberts und Nickel zunächst erste Wahl. In den Vorbereitungsspielen zeigte sich vor allem die Deckung gut abgestimmt und ließ nur gegen Partizan Belgrad (3:2) mehr als ein Gegentor zu. Auch das Prestigeduell gegen Bundesliga-Aufsteiger Kickers Offenbach konnte mit 1:0 gewonnen werden.

Zum Saisonauftakt gab es ein 2:0 über den anderen Aufsteiger, Hertha BSC Berlin, womit die Eintracht zusammen mit Bayern München an der Spitze stand. Doch während die Münchner den Platz an der Sonne über 34 Spieltage verteidigen konnten, nahm die Entwicklung am Riederwald eine ganz andere Richtung. Vier sieglose Spiele in Folge brachten den Absturz auf Platz 16. Besonders ärgerlich das 0:1 zu Hause gegen Eintracht Braunschweig, wobei Torhüter Wolter beim Stande von 0:0 einen Foulelfmeter von Schämer parierte. Bis zum Vorrundenende verbesserte sich die Lage nur unwesentlich. Vor allem zu Hause wurden zu viele Punkte abgegeben, so dass am Ende wie im Vorjahr 14:20 Punkte zu Buche standen, die Platz 15 bedeuteten.

In der Rückrunde blieb das Abstiegsgespenst Dauergast. Nach drei Niederlagen in Folge gegen die direkte Konkurrenz (0:2 bei Hertha BSC, 1:2 gegen den 1. FC Köln und 0:1 beim Meister 1. FC Nürnberg) hatte die Eintracht sieben Spiele vor Schluss als 16. mit 22:32 Punkten die meisten Minuszähler der Liga auf dem Konto! Und das eine Woche vor dem Derby gegen die Offenbacher Kickers, die als Elfter zwei Punkte besser dastanden. Vor 60.000 Zuschauern ging die Eintracht am 29. März jedoch hoch motiviert in dieses „Schicksalsspiel" und gewann mit 3:2. Es war der Tag des Jürgen Grabowski, der nur versäumte, nach seinem Tor zum 3:1 (67. Minute) mit einem Elfmeter alles klar zu machen (78.).

Das Zittern ging dennoch weiter, denn durch zahlreiche Nachholspiele spitzte sich die Situation wieder dramatisch zu. Sechs Spieltage vor Schluss und eine Woche vor dem Auswärtsspiel bei Borussia Mönchengladbach stand man wieder auf Platz 16, punktgleich mit dem Vorletzten Kickers Offenbach. Gleiche Ausgangsposition, gleiches Ergebnis – wie gegen die Kickers gab es auch am Bökelberg ein 3:2. In den nächsten beiden Spielen hätte man sich bereits ins Mittelfeld absetzen können, doch sprang gegen Hannover 96 nur ein mageres 0:0 heraus, und in Kaiserslautern wurde ein 2:0-Vorsprung noch leichtfertig vergeben (der Ex-Frankfurter Friedrich traf zweimal zum 2:2-Ausgleich!). Selbst nach dem 3:0 gegen den TSV München 1860 war man mit 30:34 Punkten noch nicht aus dem Schneider. Erst das 4:1 beim Hamburger SV sicherte den Klassenerhalt endgültig. Zum Saisonabschluss gab es dann ein 1:0 über die beste Rückrundenmannschaft FC Schalke 04, womit sogar noch der Sprung auf den 8. Platz geschafft wurde. In den sauren Apfel des Abstiegs mussten der Deutsche Meister (!) 1. FC Nürnberg und der Nachbar aus Offenbach beißen.

War sportlich also noch einmal alles gut gegangen, so hatte sich die wirtschaftliche Situation weiter verschärft. Das Geschäftsjahr 1968 war mit einem Verlust in Höhe von

84.473,76 Mark abgeschlossen worden, die Schulden betrugen weiterhin rund eine Million Mark. Allerdings wollte man nicht noch einmal die gleichen Fehler wie im Vorjahr machen, als man mit Blusch, Friedrich und Solz erfahrene Spieler ziehen ließ. So wurde Grabowski (an dem Bayern München interessiert war) und Jusufi (der mit dem AS St. Etienne liebäugelte) die Freigabe verweigert. Walter Bechtold ließ man allerdings zu den Offenbacher Kickers ziehen. Aus finanziellen Gründen wurde der Kader auf nur noch 19 Spieler (15 Lizenzspieler und vier Amateure) verkleinert.

1969/70 ■ In der Mittelmäßigkeit gefangen

Dass der kleine Kader ein großes Manko werden sollte, zeigte sich bereits in den Vorbereitungsspielen. Bei Bundesliga-Rückkehrer Rot-Weiß Essen (1:2) machte ausgerechnet Amateur Lindemann die beste Figur. Zu allem Überfluss fielen Torhüter Kunter mit einer Lungenentzündung und Huberts mit einer Fußverletzung aus. Weitere kleine Blessuren führten dazu, dass Erich Ribbeck vermehrt auf Akteure der soeben in die Hessenliga aufgestiegenen eigenen Amateure zurückgreifen musste. Problemkind Nr. 1 blieb weiterhin der Angriff, wo Grabowski quasi als „Ein-Mann-Sturm" agierte. Von den vier in den ersten drei Ligaspielen erzielten Toren waren zwei gegnerische Eigentore! Nach vier Spielen und einer 1:2-Heimniederlage gegen Borussia Mönchengladbach stand die Eintracht jedenfalls wieder da, wo sie nicht stehen wollte: auf dem drittletzten Platz.

Von Verletzungen erzwungen, präsentierte Trainer Ribbeck „die jüngste Bundesligamannschaft, die Eintracht Frankfurt besaß. Aber er hat es längst erkennen müssen: Der jüngsten Truppe steht die schwerste Saison bevor, die Eintracht je erlebte. Es ist eine Frage der Zeit, wann diese Mannschaft, die zu viel rennt und zu wenig spielt und zu viele Kämpfer hat, am Ende der Kräfte ist, die diese Kraftakte erfordern. Wer aus diesem Geschäft etwas herausholen will, muss auch etwas hineinstecken. Frankfurt versucht es seit Jahren auf die billige Tour. Es ließ seit Jahren die wenigen Männer ziehen, die noch Tore schießen konnten ... Erfolg im Fußball ist auch eine Frage geschickter Personalpolitik. Wo nichts ist, kann der beste Trainer nichts holen." („kicker-sportmagazin" vom 8. September 1969)

So weit sollte es aber in dieser Saison noch nicht kommen. In den nächsten vier Heimspielen sorgte Horst Heese – der vom Wuppertaler SV gekommene Stürmer war der einzige Neuzugang, der das Prädikat „Verstärkung" verdiente – mit vier Treffern dafür, dass alle acht Punkte am Main blieben. In den restlichen Vorrundenspielen wurde dann allerdings das Mittelmaß zementiert; für Furore sorgte lediglich noch ein 2:1 beim bis dahin zu Hause noch ungeschlagenen Tabellenführer Mönchengladbach. Damit stieß man erstmals auf einen einstelligen Tabellenplatz (8.) vor.

Wegen der WM in Mexiko und des harten Winters mussten die letzten Spiele im wahrsten Sinne des Wortes durchgepeitscht werden. Das Pokal-Achtelfinale wurde sogar auf die Zeit nach der WM verlegt. Bei der Eintracht machte sich der Substanzverlust bemerkbar, und in den letzten beiden Spielen lief nicht mehr viel zusammen:

Mit einem 3:3 gegen Hannover 96 und 1:5 beim Hamburger SV wurde das siebte Bundesliga-Jahr erneut mit ausgeglichenem Punktekonto auf Platz 8 beendet. Während sich Jürgen Grabowski in Richtung Nationalmannschaft und WM-Vorbereitung verabschiedete, absolvierte der Rest der Mannschaft neun Spiele in den USA.

1970/71 ■ Zittern bis zum Ende

Mit Huberts (Austria Wien) und Jusufi (Germania Wiesbaden) gingen zwei langjährige Stammspieler von Bord. Tilkowski und Lindner beendeten ihre aktive Laufbahn. Von den Neuzugängen konnten sich lediglich Reichel (VfB Gießen) und Rohrbach (1. SC Göttingen 05) in die Stammformation spielen. Zunächst schien jedoch alles eine positive Entwicklung zu nehmen. Durch ein 2:0 über den Hamburger SV wurde das Viertelfinale des DFB-Pokals erreicht, in dem das Derby gegen die Offenbacher Kickers eine große Kasse versprach. Da Trinklein gegen den HSV verletzt wurde, betraute Erich Ribbeck Hölzenbein gegen die Kickers mit dem Libero-Posten – ein Schuss, der nach hinten losging. Nicht nur, dass Hölzenbein dabei eine schlechte Figur machte, er fehlte auch in der Offensive. Vor 50.000 Zuschauern war das Spiel bereits nach 21 Minuten entschieden: Schäfer (8.), H. Schmidt (19.) und Winkler (21.) sorgten für ein deprimierendes 0:3. So sehr sich die Eintracht auch mühte – an diesem Abend lief nichts zusammen. Zu allem Unglück wurde Bernd Nickel nach einer Attacke von H. Kremers auch noch so schwer verletzt, dass er für den Bundesliga-Auftakt ausfiel.

Als erster Gast kam der Hamburger SV ins Waldstadion. Anders aber als im Pokalspiel blieben die Frankfurter Spitzen diesmal stumpf, und der HSV entführte mit einem 0:0 einen Punkt. Nach einem 2:1 bei Hannover 96 wurde gegen Neuling Arminia Bielefeld (1:1) die Chance vergeben, an die Spitze vorzustoßen. Trainer Ribbeck war sichtlich enttäuscht und meinte sarkastisch: „Was soll's. Wir haben ja noch drei Punkte Vorsprung vor dem Schlusslicht …" („kicker-sportmagazin" vom 31. August 1970)

Immerhin war man ja noch Sechster. Wenn der gute Erich aber geahnt hätte, was auf ihn zukommen würde, hätte er wohl geschwiegen. Beim 1. FC Kaiserslautern (0:2) und gegen Bayern München (0:1) wurde erneut deutlich, dass der Eintracht-Sturm nur ein Lüftchen war. Zwar brachte die Mannschaft das Kunststück fertig, mit einem Tor aus drei Spielen vier Punkte zu holen, damit war das Pulver allerdings bereits verschossen. In den nächsten (torlosen) Spielen wurde nur ein Punkt erreicht, und beim VfB Stuttgart konnte eine 1:0-Führung nicht über die letzten fünf Minuten gerettet werden (1:2). Nach einem 1:3 zu Hause gegen Hertha BSC Berlin war die Eintracht Vorletzter. Da auch in den letzten vier Vorrundenspielen dreimal kein Treffer gelang, ging die Eintracht mit der roten Laterne ins neue Jahr. Unterbrochen wurde die Tristesse lediglich durch das 3:0 im Derby gegen die wiederaufgestiegenen Offenbacher Kickers. Mit lediglich neun erzielten Toren waren elf Punkte gesammelt worden. „Jetzt rächen sich die Sünden der Vergangenheit", schrieb das „kicker-sportmagazin". „Die Radikalkur totaler Verjüngung war ein Schnitt ins eigene Fleisch."

Zu allem Überfluss hatte Torhüter Dr. Kunter im November auf der Heimfahrt vom Training einen schweren Autounfall und fiel bis Mitte März aus. Wie also sollte der Patient Eintracht noch zu retten sein? Als erstes wurde Dieter Lindner reaktiviert, der sein Comeback im Freundschaftsderby beim FSV gab, wo endlich einmal Tore geschossen wurden: Das 8:2 machte Mut vor dem Spiel beim Hamburger SV. Als Weiteres wurde ein „Krisenrat" gebildet, dem auch der ehemalige Spielausschussvorsitzende Ernst Berger angehörte. Berger formulierte auch ganz klar, wie man sich noch retten wollte: „Beim HSV müssen wir nicht gewinnen, aber gegen Hannover unbedingt!" Also: Heimspiele gewinnen und auswärts hilft der liebe Gott.

In Hamburg half er noch nicht. Obwohl die Eintracht durchaus gefallen konnte, verlor sie mit 0:3. Erich Ribbeck drückte es so aus: „Vielleicht sind wir nicht primitiv genug, um uns konsequent mauernd auswärts aus der Affäre zu ziehen." Gegen Hannover 96 begannen am 30. Januar im Waldstadion die „Überlebenskämpfe". Und endlich hatte die Eintracht auch das Glück des Tüchtigen. Sieben Minuten vor Schluss erzielte Nickel das umjubelte Siegtor zum 2:1. In Bielefeld ließ Ribbeck dann erstmals „primitiv" spielen. Doch sein Rezept, ein 0:0 zu ermauern, ging nur 84 Minuten auf. Dann traf Roggensack zum Tor des Tages. Dafür hatte die Eintracht ihre Heimstärke wiedergefunden. Nur gegen den 1. FC Köln gab es keinen Sieg (1:4 im Pokal, 1:1 in der

Tor des Monats Mai 1971: Nach einer Flanke von Bernd Hölzenbein brachte Nickel die Eintracht auf dem Bieberer Berg mit einem Traumtor in Führung. Die Eintracht gewann das Abstiegsduell mit 2:0.

Bundesliga). Auch fürs Torverhältnis wurde jetzt einiges getan: 5:0 gegen Rot-Weiß Oberhausen, 5:2 gegen Eintracht Braunschweig. Doch die Auswärtsschwäche brachte die Mannschaft nicht entscheidend weiter. Außerdem häuften sich jetzt auch die überraschenden Ergebnisse der Mitgefährdeten: Schalke - Bielefeld 0:1, Bielefeld - Köln 1:0, Oberhausen - Schalke 4:1, Köln - Oberhausen 2:4. Was viele schon dachten, sollte wenig später Gewissheit werden: Einige Spiele waren manipuliert worden. Der Bundesliga-Skandal nahm seinen Lauf.

Für die Eintracht wurde es also noch einmal eng. Zwei Spiele vor Saisonende hatte sie als 15. zwei Punkte Vorsprung vor dem Vorletzten Rot-Weiß Oberhausen, der nächste Gegner Kickers Offenbach sogar drei. Ein Unentschieden auf dem Bieberer hätte nach Meinung der Experten den Klassenerhalt für beide hessischen Bundesligisten bedeutet. Die Kickers hätten 80.000 Karten an den Mann bringen können, so groß war das Interesse. Doch der Bieberer Berg fasste nur 31.500. Schon die ganze Woche über gab es verbale Scharmützel. Ordnungsdienst und Polizei waren auf alles vorbereitet. Es ging aber alles gut – zumindest aus Frankfurter Sicht: Durch Nickels Seitfallzieher (17. Minute) und Hölzenbeins Kopfballtorpedo (62.) schien die Eintracht gerettet. Doch Erich Ribbeck hob warnend den Zeigefinger: „Warum soll nicht am Samstag Offenbach in Köln, Oberhausen in Braunschweig und gar Bielefeld in Berlin gewinnen?" Er sollte nicht ganz Unrecht haben.

Der Nachmittag des 5. Juni 1971 war nichts für Herzkranke. Noch wurden der Meister und der zweite Absteiger gesucht. Bis zur Pause hielt die Eintracht gegen Borussia Mönchengladbach ein 1:1. Braunschweig führte gegen Oberhausen, bei Hertha stand's 0:0, die Kickers aber führten 2:1 in Köln. Mitte der zweiten Halbzeit stieg die Spannung. In der 70. Minute schoss Köppel Gladbach in Führung. Dann machte die Nachricht vom Oberhausener Ausgleich und der Bielefelder Führung in Berlin die Runde. Wie stand's in Köln? 2:2. Als die Gladbacher binnen elf Minuten auf 4:1 davonzogen, stand der Eintracht das Wasser plötzlich wieder bis zum Hals. Die wildesten Gerüchte kursierten – doch keiner wusste Genaues. Während die Borussen-Fans nach dem Schlusspfiff den Platz stürmten, herrschte beim Eintracht-Anhang weiterhin Ungewissheit. Wie ist das Spiel in Köln ausgegangen? Schließlich erlöste der Stadionsprecher die gequälte Menge: „Liebe Gladbacher Fans! Wir können Ihre Freude über die zweite Deutsche Meisterschaft verstehen. Aber bitte verlassen Sie den Rasen – die Eintracht braucht ihn für die nächste Bundesliga-Saison!"

Ein Aufschrei ging durchs Rund, das die 65.000 in ein schwarz-weißes Fahnenmeer verwandelten. Endlich sickerte auch das Ergebnis aus Köln durch: Die Kickers hatten 2:4 verloren und mussten absteigen! Und so langsam wurde auch dem letzten Eintracht-Fan klar: Bei einem Unentschieden vor Wochenfrist in Offenbach hätte es die Eintracht erwischt. Während es Erich Ribbeck immer noch nicht fassen konnte („Wenn ich an einige Ergebnisse denke, wird's mir unheimlich"), meinte sein alter Lehrmeister Hennes Weisweiler: „In diesem Spiel gab es zwei Sieger und nur ergebnismäßig einen Verlierer. Wir sind Meister – und die Eintracht bleibt oben!"

Deutschlands Stolz:
der „Grabi" und der „Holz"

Nach Sicherung des Klassenerhaltes stand man am Riederwald am Scheideweg: Sollte der 1968 begonnene Sparkurs fortgesetzt werden, oder sollte wieder in Spieler, die den Verein weiterbringen konnten, investiert werden? Obwohl auch 1970 eine Unterdeckung von rund 185.000 Mark entstanden war, entschied man sich für den zweiten Weg, da die Lizenzspielerabteilung – nicht zuletzt aufgrund des durch den Abstiegskampf von 18.151 auf 23.075 gestiegenen Zuschauerschnitts – rund 290.000 Mark Gewinn eingespielt hatte. Investiert wurde vornehmlich in neue Stürmer. Vom 1. FC Köln kam der Österreicher Thomas Parits und von Eskisehirspor Ender Konca. Ihn hatte Kapitän Grabowski, der zum mannschaftsdienlichsten Spieler der Saison 1970/71 gewählt worden war, nach den EM-Qualifikationsspielen gegen die Türkei in höchsten Tönen empfohlen.

1971/72 ■ Ein unerwarteter Höhenflug

Doch Konca fiel die Umstellung auf die Bundesliga schwer. Das wurde auch zum Auftakt beim Hamburger SV deutlich, wo er ein Totalausfall war und die Eintracht an einem „Tag des offenen Tores" mit 1:5 den Kürzeren zog. Damit stand man auf Anhieb wieder dort, wo man unbedingt nicht mehr stehen wollte: auf einem Abstiegsplatz. Zum Glück konnte die Heimstärke aus der letzten Saison in die neue hinübergerettet werden: In den 17 Heimspielen blieb die Eintracht 1971/72 im Waldstadion ungeschlagen und gab nur drei Punkte ab. Aber auswärts war es weiterhin wie verhext. Nur ein Beispiel für die Berg- und Talfahrt der Vorrunde: 4:0 über Geheimfavorit Werder Bremen („Millionenelf"), 1:3 beim späteren Absteiger Borussia Dortmund, 2:0 über den verlustpunktfreien Tabellenführer FC Schalke 04, 0:1 bei Aufsteiger Fortuna Düsseldorf (in der 85. Minute!). Der Anhang war in zwei Lager gespalten. Die einen forderten, an alte Eintracht-Traditionen anzuknüpfen und auch auswärts das Spiel zu machen. Mit der Defensiv-Taktik hätte man ja bereits in der letzten Saison wenig Erfolg gehabt und in den Schlussminuten noch manchen Punkt verloren. Auf der anderen Seite standen die Mahner, die auf die Niederlagen in Hamburg oder Dortmund verwiesen. Zu ihnen gehörte auch Trainer Ribbeck, der auswärts weiter auf „kontrollierte Offensive" setzte, wie es Otto Rehhagel 20 Jahre später ausdrücken sollte.

Immerhin konnte die Vorrunde zum ersten Mal seit 1966/67 mit einem positiven Punktekonto (19:15) abgeschlossen werden. Ein herber Schlag war allerdings die schwere Verletzung von Jürgen Grabowski, der mit einem Gelenkkapselriss und einer schweren Bänderdehnung am linken Fuß mehrere Wochen ausfallen sollte. Spätestens seit der WM 1970 („bester Einwechselspieler der Welt") und dem Abstiegskampf war der „Grabi" nämlich der Kopf der Eintracht. An seiner Seite entwickelten sich aber auch Hölzenbein und Nickel zu weiteren Korsettstangen.

Seinen Platz auf dem rechten Flügel nahm zum Rückrundenauftakt Roland Weidle ein, den man in der Vorrunde schon als Fehleinkauf wieder abschieben wollte. Bald aber war der im Sommer 1971 vom VfB Stuttgart gekommene Dauerläufer ein weiterer unverzichtbarer Bestandteil der Mannschaft, der bis 1978 in 198 Bundesligaspielen das Eintracht-Trikot tragen sollte. Mit einem 4:0 über den Hamburger SV gelang nicht nur die Revanche für die Hinspielniederlage, sondern erstmals auch der Sprung auf den 5. Platz. Die Eintracht auf UEFA-Pokal-Kurs? Zunächst schien die weiterhin schwache Auswärtsform das größte Handicap. Da aber zu Hause weiter gesiegt wurde, pendelte man stets zwischen den Plätzen 5 und 8. Mitte Februar feierte schließlich auch Jürgen Grabowski sein Comeback im Pokalspiel gegen Borussia Mönchengladbach (3:2). Da das Hinspiel – 1971/72 und 1972/73 wurde der DFB-Pokal mit Hin- und Rückspielen ausgetragen – jedoch mit 1:3 verloren gegangen war, schied man erneut in der 2. Runde aus.

Dem „Grabi" klebte in dieser Saison jedoch das Pech sprichwörtlich an den Füßen. Keine 14 Tage nach dem Spiel gegen Gladbach knickte er im Heimspiel gegen Fortuna Düsseldorf (4:2) nach 54 Minuten um und zog sich die gleiche Verletzung wie im Dezember zu – diesmal allerdings am rechten Fuß. Aber auch ohne ihren Kapitän holte die Mannschaft in den nächsten Spielen zwei wichtige Auswärtspunkte. Da auch beim 1. FC Kaiserslautern eine weiterer Punktgewinn gelang, setzte man sich auf Platz 5 fest. Dieser geriet nur noch einmal, nach einem 3:6 beim späteren Meister Bayern München drei Spieltage vor Schluss, in Gefahr. Nach der EM-Endrunde in Belgien, bei der Jürgen Grabowski dabei war und Dr. Kunter als dritter Torhüter zu Hause auf Abruf bereitstand, wurde gegen Hannover 96 (3:1) zunächst Abschied von der alten Haupttribüne genommen, die für die WM 1974 einem Neubau weichen musste. Ein Fernschuss von Bernd Nickel machte vier Tage später beim MSV Duisburg in der 76. Minute alles klar: Eintracht Frankfurt war im UEFA-Pokal 1972/73 dabei, wo mit dem FC Liverpool ein attraktiver Gegner zugelost wurde.

Die zusätzlichen Einnahmen konnte man sehr gut gebrauchen, denn die Saison 1972/73 drohte finanziell recht heikel zu werden. Zwar konnte auf der Hauptversammlung erstmals seit Jahren wieder ein Gewinn (4.144 Mark!) vermeldet werden, durch die Umbauarbeiten für die WM 1974 passten jetzt aber nur noch 40.000 Zuschauer in die „Baustelle Waldstadion". Außerdem begann die neue Bundesliga-Saison wegen der Olympischen Spiele in München erst am 16. September. Bei den Neuverpflichtungen wurde, nachdem das Sturmproblem mit 71 erzielten Toren (viertbester Angriff) gelöst schien, Wert darauf gelegt, die Abwehr zu stabilisieren (nur vier Vereine hatten mehr als 61 Gegentore kassiert). Von Rot-Weiß Oberhausen kam Uwe Kliemann, vom FC Singen 04 Amateur-Nationaltorhüter Günter Wienhold und vom FC Dossenheim ein 17-jähriger DFB-Auswahlspieler namens Karl-Heinz Körbel.

1972/73 ■ Der Absturz des Geheimfavoriten

Der lang ersehnte Auftritt der Eintracht im UEFA-Pokal währte nur kurz. Beim FC Liverpool nahm das Unheil in der 13. Minute seinen Lauf, als Kevin Keegan die Engländer aus klarer Abseitsposition in Führung brachte. Zehn Minuten vor Schluss stellte Hughes das Endergebnis her. Ohne die angeschlagenen Grabowski, Parits, Rohrbach und Lutz bot die Eintracht im Rückspiel vor 18.000 Zuschauern zwar eine große kämpferische Leistung, schied aber durch ein 0:0 aus dem Wettbewerb aus.

Zu diesem Zeitpunkt waren die ersten Spiele in der Bundesliga absolviert, in die die Eintracht als „Geheimfavorit" gestartet war. Anfangs lief auch fast alles nach Wunsch, und nach fünf Spielen war man mit 7:3 Punkten Dritter. Die Erfolgsserie schien auch das Derby bei den Offenbacher Kickers zu überleben, denn fünf Minuten vor Schluss führte die Eintracht mit 2:1. In einem furiosen Endspurt raubte Erwin Kostedde jedoch den Frankfurtern mit zwei Toren noch den sicher geglaubten Sieg. Und das eine Woche vor dem Gastspiel des Deutschen Meisters Bayern München. Da Thomas Parits zu einem Länderspiel Österreichs abgestellt werden musste (andernfalls wären 20.000 Mark Konventionalstrafe fällig gewesen!), entschied sich Trainer Ribbeck zu einem „Spiel mit dem Feuer": Er beorderte Heese, der in Offenbach in der Abwehr gespielt hatte, wieder in die Sturmmitte und übertrug die Bewachung von Gerd Müller dem 17-jährigen Debütanten Karl-Heinz Körbel. Ribbecks Schachzug ging zur Überraschung aller voll auf. Müller machte nur einen Stich gegen Körbel, aber da stand es schon 2:0 für die Eintracht. Mit diesem 2:1-Sieg war der Abstand zum Tabellenführer FC Bayern wieder auf zwei Punkte geschrumpft – und nun ging es zum Schlusslicht Rot-Weiß Oberhausen. Was sollte da schon passieren?

Dieses Spiel wurde aber wegweisend für den Rest der Saison. Die Eintracht konnte nur 20 Minuten überzeugen. Nachdem Parits vier „Hundertprozentige" versiebt hatte, bat er in der Halbzeitpause entnervt um seine Auswechslung. Danach kam es, wie es kommen musste: RWO wurde stärker und stärker und ging am Ende sogar als verdienter 1:0-Sieger vom Platz. Die Niederlage wirkte sich katastrophal auf die Besuchszahlen der nächsten Heimspiele aus: Gegen Bremen und Hertha verloren sich nur noch jeweils 7.000 Unentwegte im Stadion, gegen Schalke gar nur 6.000. Damit war klar, dass der angestrebte Zuschauerschnitt von 22.000 nie und nimmer erreicht werden konnte. Da dringend Geld benötigt wurde, wurde Horst Heese Mitte Dezember für 170.000 Mark an den abstiegsbedrohten Hamburger SV verkauft. Dagegen war im Pokal keine große Kasse zu machen. Im DFB-Pokal schied man bereits in der 2. Runde gegen Eintracht Braunschweig aus. Im Ligapokal wurde zwar über den Regionalligisten Fortuna Köln das Halbfinale erreicht, doch war dort Borussia Mönchengladbach Endstation. Immerhin gab es beim Rückspiel in Frankfurt mit 12.000 Zuschauern endlich mal wieder eine fünfstellige Zuschauerzahl, nachdem gegen Fortuna Köln mit 1.500 der absolute Tiefpunkt erreicht worden war.

Nachdem es zum Rückrundenauftakt beim Hamburger SV mit 1:3 die siebte Auswärtsniederlage in Folge gab – der Ex-Eintrachtler Heese sorgte vier Minuten vor Schluss für die endgültige Entscheidung –, beschloss Gert Trinklein, sich bis zum ersten Auswärtssieg nicht mehr zu rasieren. Während bei den Fans bereits die ersten Witze die Runde machten („An was erkennt man im Sommer Gert Trinklein?" – „An seinem bis zum Boden reichenden Vollbart."), gelang gleich im nächsten Spiel beim 1. FC Kaiserslautern ein Sieg (1:0). Sofort kamen zum Gastspiel des Überraschungszweiten Fortuna Düsseldorf 20.0000 Zuschauer ins Waldstadion, die ein 2:1 der Eintracht feiern konnten. Zumindest der UEFA-Pokal schien jetzt wieder möglich. Doch drei Niederlagen in Folge ließen auch diese Träume schnell wieder platzen. Besonders die 0:3-Heimschlappe gegen die Offenbacher Kickers lag den Fans schwer im Magen. Zum ersten Mal seit 1949/50 (!) war den Kickers wieder das „Double" im Derby gelungen. 38.000 Zuschauer sorgten gleichzeitig für den letzten Zahltag, denn zu den letzten sechs Heimspielen sollten zusammen nur noch rund 50.000 kommen. Sie erlebten reichlich Magerkost. Und da man auswärts weiterhin ein gern gesehener Gast war (nach dem Sieg in Lautern gab es erneut fünf Niederlagen in Folge), dümpelte das einst stolze Flaggschiff Eintracht vor sich hin. Am Ende landete man mit 34:34 Punkten einen Zähler hinter den Offenbachern auf dem 8. Platz.

1973/74 ■ Mit neuem Trainer zum Pokalsieg

Bereits im Februar hatte sich ein Trainertausch mit dem 1. FC Kaiserslautern angedeutet. Nach fünf Jahren verließ Erich Ribbeck den Riederwald Richtung Betzenberg, dafür kam Dietrich Weise aus der Pfalz an den Main. Auch an der Vereinsspitze gab es Veränderungen. Dem Turner Zellekens folgte Achaz von Thümen, Kanzler der Frankfurter Universität, im Präsidentenamt. Neuer Vizepräsident wurde der ehemalige Spielausschussvorsitzende Ernst Berger. Wenig Veränderungen gab es im Spielerkader. Mit Lutz, Schämer und Wirth schieden drei ältere Semester aus. Außerdem zog es Ender Konca, der in Frankfurt nie den Durchbruch geschafft hatte, zurück in die Türkei. Einziger neuer Mann an Bord war Abwehrspieler Hans-Joachim Andree (Borussia Dortmund). Das Attribut „Geheimfavorit" war die Eintracht jedenfalls los. Stattdessen war sie bald ein ganz heißer Titelanwärter.

Dabei hatte Weise nur eine taktische Veränderung vorgenommen: Rohrbach spielte wieder auf dem linken Flügel. Aber, so Weise, „die spielerisch schon immer starke Eintracht hat jetzt auch das Kämpfen gelernt". Neun Spiele blieb sie vom Start weg ungeschlagen und ließ sich auch durch Rückstände nicht vom Weg abbringen. Sechsmal geriet die Mannschaft in den diesen neun Spielen in Rückstand – blieb aber bei 15:3

Punkten ungeschlagen! Unvergessen bleibt der Krimi am 25. August 1973 gegen den VfB Stuttgart. Zwischen der 60. und 65. Minute gingen die Schwaben mit 3:0 in Führung. Während die ersten Zuschauer bereits enttäuscht von dannen zogen, krempelte die Eintracht die Ärmel hoch: 67. 1:3 durch Nickel, 73. 2:3 durch Weidle, 83. Ausgleich durch Hölzenbein. Und als „Holz" zwei Minuten später zum 4:3 einschoss, waren die Stimmbänder der 32.000 endgültig ramponiert. Als auch beim Meister Bayern München nach einem 0:2-Rückstand noch ein 2:2 gelang, waren auch die letzten Zweifler überzeugt. „So kann Frankfurt Meister werden", schrieb das „kicker-sportmagazin". Während der vieltausendköpfige Anhang auf dem Oktoberfest bereits das Lied von der „Frankfurter Eintracht, die ewig Deutscher Meister sein soll" anstimmte, trat Dietrich Weise auf die Euphoriebremse. Zu Recht, denn es sollten noch empfindliche Rückschläge kommen. Bei Rot-Weiß Essen wurde der Nimbus der Ungeschlagenheit eingebüßt (3:6), und bei den Offenbacher Kickers gab es die dritte Derby-Niederlage in Folge (2:5). Dennoch ging das spannende Kopf-an-Kopf-Rennen mit Bayern München und Borussia Mönchengladbach weiter.

Der Aufschwung schlug sich auch in der Kasse nieder. Zum Heimspiel gegen Borussia Mönchengladbach standen am 22. September erstmals wieder über 50.000 Plätze zur Verfügung. Und da die Schlager gegen Bayern München und Kickers Offenbach

Zwei Eintrachtspieler als Weltmeister: der „Grabi" (hinten, 2. von links) und der „Holz" (vorn, 3. von rechts).

erst in der Rückrunde stattfanden, konnte der Zuschauerschnitt gegenüber der Saison 1972/73 fast verdoppelt werden. Im Schnitt pilgerten 25.237 Fans ins renovierte Waldstadion, das jetzt zwei überdachte Tribünen hatte, auf denen rund 30.000 Zuschauer Platz fanden. Auch beim DFB war man auf die „neue" Eintracht aufmerksam geworden. Am 10. Oktober 1973 gab Bernd Hölzenbein beim 4:0 über Österreich in Hannover sein Länderspieldebüt. Neun Monate später wurde Deutschland mit der Frankfurter „Flügelzange" Grabowski-Hölzenbein Weltmeister.

Doch in der Rückrunde kam der Eintracht-Motor ins Stottern. Während man zu Hause bei 30:4 Punkten erneut ungeschlagen blieb, gelang in der gesamten Rückrunde kein Auswärtssieg mehr. Nach den Heimunentschieden gegen Kickers Offenbach (2:2) und Bayern München (1:1) verabschiedete man sich im März aus dem Rennen um die Deutsche Meisterschaft. Dafür lief es im DFB-Pokal umso besser. Mit einem 4:3 nach Verlängerung über den 1. FC Köln wurde das Halbfinale gegen Bayern München erreicht. Da auch die Offenbacher Kickers in der Runde der letzten Vier standen, lag wie 1959 ein Main-Finale im Bereich des Möglichen. Zwei Elfmeter sorgten schließlich dafür, dass es nicht dazu kam. Während die Kickers am Gründonnerstag beim HSV durch einen Elfmeter verloren, der keiner war (Krobbach war vor dem Strafraum gefoult worden), behielt drei Tage später Jürgen Kalb in der 90. Minute beim Stand von 2:2 die Nerven und bezwang Sepp Maier. Damit stand die Eintracht nach zehn Jahren wieder im DFB-Pokal-Endspiel.

Auch in der Bundesliga gab es ein versöhnliches Ende. Ein Sieg mit zwei Toren Differenz hätte am letzten Spieltag sogar noch den dritten Platz bedeutet. So aber wurde eine überaus erfolgreiche Saison mit 41:27 Punkten als Vierter beendet. Es war nicht nur die beste Platzierung seit 1967, sondern auch die höchste Punktausbeute seit Bundesliga-Bestehen. Wehmut löste nur der Weggang von Uwe Kliemann aus, der als gebürtiger Berliner bei einem Angebot von Hertha BSC nicht „Nein" sagen konnte. Dafür brachte der Transfer 700.000 Mark in die Kassen. Da das Pokalendspiel wegen der WM erst im August ausgetragen wurde, stand der „Funkturm" genau wie Thomas Parits (zum FC Granada) dafür nicht mehr zur Verfügung.

Zum Pokalfinale gegen den HSV – zugleich Saisonauftakt – wurde die Mannschaft umgebaut. Das Abwehrzentrum wurde mit Trinklein und Körbel neu besetzt, Beverungen (vom FC Schalke 04) rückte neben Grabowski und Nickel ins Mittelfeld, und im Angriff war Lorenz (von Rapid Wien) mehr als eine Alternative. Auch die Fans hatten lange auf so ein Ereignis gewartet. Das Kontingent von 20.000 Eintrittskarten war im Handumdrehen vergriffen. Über alle möglichen Kanäle wurden weitere Tickets organisiert, so dass das Düsseldorfer Rheinstadion am 17. August fest in Frankfurter Hand war. Unter Leitung von Schiedsrichter Weyland aus Oberhausen begann die Eintracht mit
▶ Dr. Kunter; Reichel, Trinklein, Körbel, Kalb; Beverungen, Nickel, Weidle; Grabowski, Hölzenbein, Rohrbach.

„Grabi" also doch im Sturm. Das erste Tor erzielte jedoch ein Abwehrspieler. In der 40. Minute startete Trinklein von der Mittellinie einen Alleingang, wurde nicht

Der erste Pokalsieg 1974: Eintracht-Kapitän Jürgen Grabowski (links im HSV-Trikot) präsentiert unter dem Beifall der Mannschaft (von links Kraus, H. Müller, Kalb, Trinklein, Weidle und Nickel) den „Pott".

angegriffen, marschierte weiter und weiter und zog schließlich aus zwölf Metern ab – die Eintracht führte 1:0. Nach der Pause war das Spiel verteilt, bis Björnmose eine Viertelstunde vor Schluss der Ausgleich glückte. Jetzt schien die Eintracht Opfer ihres eigenen Tempos zu werden. Dr. Kunter hatte Schwerstarbeit zu verrichten. Die Abwehr wankte, aber sie fiel nicht. Als spielentscheidend erwies sich schließlich, dass die Frankfurter auch in der Verlängerung meist einen Tick schneller schalteten als die Hamburger. In der 96. Minute führte Nickel einen Freistoß blitzschnell aus, und Hölzenbein spitzelte das Leder über den herausstürzenden Torhüter Kargus zum 2:1 ins Netz. Die endgültige Entscheidung fiel schließlich in der 115. Minute durch einen Konter. Hölzenbein zog rechts auf und davon, und seine Flanke verwandelte der in der Mitte mitgeeilte Kraus mit einem Kopfball-Torpedo zum 3:1. Der Jubel kannte keine Grenzen – auch auf der Tribüne, wo Uwe Kliemann, den die Eintracht extra eingeladen hatte, mitfeierte.

1974/75 ■ Eine Saison der Superlative

Der Pokalsieg bildete den Auftakt der Feierlichkeiten zum 75. Geburtstag der Eintracht. In Frankfurt war natürlich die Hölle los, und die Fans badeten wonnetrunken im Gerechtigkeitsbrunnen vor dem Römer. Einzig Dietrich Weise blieb besonnen. Zwar wollte auch er, „den Bayern das Leben schwer machen", warnte aber gleichzeitig vor zu großer Euphorie: „Ohne Bereitschaft zum Kampf ist unser Können nicht ausreichend, um vorne mitspielen zu können!" Seine mahnenden Worte sollten sich sehr schnell bestätigen, denn nach einem Startsieg in Bremen (3:0) wurde in den folgenden zwei Heimspielen gegen Borussia Mönchengladbach (1:1) und den Hamburger SV (1:3) nur ein Punkt geholt. Diesmal konterte der HSV die Eintracht aus und schaffte somit die „Revanche" für das Pokalendspiel.

Dann aber platzte im Angriff endlich der Knoten: Mit vier Siegen in Folge bei 21:4 Toren (darunter ein 9:1 gegen Rot-Weiß Essen) stürmte die Eintracht an die Tabellenspitze. Die offensive Spielweise kam zwar bei den Zuschauern gut an, übertünchte aber auch manche Schwäche in der Defensive. Schon in der ersten Europapokalrunde wurde beim AS Monaco ein 2:0-Vorsprung verspielt (2:2). Gegen Dynamo Kiew kam es noch schlimmer. Bis acht Minuten vor Schluss stand es 2:1, dann schlugen die Ukrainer zweimal zu. Mit einem 1:2 im Rückspiel schied die Eintracht aus dem Europapokal aus. Auch in der Bundesliga lief längst nicht mehr alles rund. Eine Serie von vier Spielen ohne Sieg kulminierte in einem 5:5 gegen den VfB Stuttgart, bei dem sich die Abwehr erneut schwer blamierte, denn bis zur 84. Minute hatte die Eintracht noch 5:3 geführt! Während in diesem Spiel der vom Wuppertaler SV geholte Willi Neuberger sein Debüt im Eintracht-Trikot gab, war es der Anfang vom Ende für Dr. Kunter, der von sich aus um eine schöpferische Pause bat und das Tor für Günter Wienhold räumte.

Dennoch blieben die Chancen auf die Meisterschaft bis Anfang April intakt. Nach dem 2:0 über Bayern München am 5. April betrug der Rückstand auf die Gladbacher vier Punkte. Einen Monat später war der Traum jedoch ausgeträumt. Im Derby bei den Offenbacher Kickers und zu Hause gegen Hertha BSC wurde jeweils eine 1:0-Pausenführung verspielt. Zweimal 1:2, Meisterschaft ade! Da sah es im Pokal umso besser aus. Vier Tage vor der Niederlage gegen die Berliner wurde durch ein 3:1 nach Verlängerung gegen Rot-Weiß Essen der erneute Einzug ins DFB-Pokalendspiel geschafft. Damit war die Qualifikation für einen europäischen Wettbewerb bereits gesichert, denn nach der damals gültigen Regelung wurde der unterlegene Pokalfinalist als vierter DFB-Vertreter für den UEFA-Pokal gemeldet. Danach spielte die Mannschaft wie befreit auf und hätte sich fast noch die Vizemeisterschaft gesichert, wenn Neuberger im letzten Spiel in Braunschweig (0:2) nicht nach 26 Minuten die Chance eines Handelfmeters vergeben hätte. Trotz des dritten Platzes konnte man am Riederwald mit dem Erreichten dennoch sehr zufrieden sein: Platz 3 – die beste Platzierung seit 1964; 43:25 Punkte – neuer Rekord; 89:49 Tore – bester Angriff der Bundesliga. Dazu erneut im Pokalendspiel – was wollte man mehr?

DFB-Pokalfinale 21. Juni 1975 in Hannover. Die Mannschaftsführer Detlef Pirsig und Jürgen Grabowski tauschen die Wimpel.

Die Entscheidung: Karl-Heinz Körbel (links) knallt den Ball an Michael Bella und dem Torhüter Dietmar Linders vorbei zum goldenen Tor ins Duisburger Netz.

Ausgerechnet vor dem Pokalfinale hatte Jürgen Grabowski große Probleme im Oberschenkel. Doch schaffte es die medizinische Abteilung am Riederwald, dass der 21. Juni 1975 zum „großen Tag des Jürgen Grabowski" (Schlagzeile im „kicker-sportmagazin") wurde. Nur auf drei Positionen gegenüber dem Vorjahresfinale verändert (Wienhold für Dr. Kunter im Tor, Neuberger für Kalb in der Abwehr und Lorenz für den verletzten Rohrbach im Sturm), bestimmte die Eintracht vor 43.000 Zuschauern im Niedersachsenstadion von Hannover von Anfang an das Geschehen. Doch der MSV Duisburg wehrte sich tapfer. Dann entpuppte sich Petrus als Eintracht-Fan und ließ kurz nach Beginn der zweiten Halbzeit einen heftigen Gewitterregen niederprasseln, der den Akteuren neue Kraft geben zu schien. Besonders einem: Karl-Heinz Körbel, der in der 57. Minute nach einem Abpraller am schnellsten schaltete und das 1:0 erzielte. Zwar ließ der MSV nichts unversucht, doch noch zum Ausgleich zu kommen, am Ende waren sich jedoch alle Beteiligten einig, dass mit der Eintracht die moderner spielende Mannschaft gewonnen hatte. Zweimal Pokalsieger in Folge, das hatten vorher nur der Dresdner SC (1940/41), der Karlsruher SC (1955/56) und Bayern München (1966/67) geschafft.

„Wir wollten mit dem Sieg über Duisburg vor allem uns selbst beweisen, dass der Pokalgewinn über Hamburg im vergangenen Jahr keine Eintagsfliege war", meinte Jürgen Grabowski nach dem Sieg. Und Vizepräsident Ernst Berger sprach sogleich die Ziele für 1975/76 an: „Die Eintracht will um die Meisterschaft mitspielen und zumindest eine ähnliche Tabellenposition behaupten wie in der abgelaufenen Saison. Sie will den gerade gewonnenen Pokal ein drittes Mal verteidigen. Und sie will im Europacup eine wesentlich bessere Rolle spielen als im vergangenen Jahr." („kicker-sportmagazin" vom 26. Juni 1975)

1975/76 ■ Beim Tanz auf drei Hochzeiten ausgerutscht

Zur Realisierung der hoch gesteckten Ziele wurde der Kader im Sommer 1975 mit Mittelfeldspieler Krobbach (Hamburger SV) und Torjäger Rüdiger Wenzel (FC St. Pauli) verstärkt. Doch wie schon nach dem ersten Pokalgewinn tat sich die Eintracht erneut schwer, den Erwartungen gerecht zu werden. Besonders in den Heimspielen gegen die Aufsteiger Karlsruher SC (0:2) und Bayer Uerdingen (3:1 nach 0:1-Pausenrückstand) war wenig Meisterliches zu sehen. Doch langsam fing sich die Mannschaft und stand nach fünf Spielen mit 7:3 Punkten auf Platz 4 – einen Zähler hinter Meister Borussia Mönchengladbach. Richtungsweisend sollte erneut das Derby auf dem Bieberer Berg sein. Die Offenbacher Kickers waren nach drei Niederlagen mit vier Toren Differenz innerhalb von acht Tagen auf den letzten Platz abgerutscht. Während bei den Eintracht-Fans der Witz von der „neuen" Telefonnummer der Kickers-Geschäftsstelle (26 04 15, entsprechend den Ergebnissen) die Runde machte, stand in Offenbach Trainer Otto Rehhagel im Zentrum der Kritik. Bei einer weiteren Niederlage schien seine Ablösung beschlossene Sache. Doch trotz mahnender Worte von Trainer Weise und Kapitän Grabowski („Am Samstag spielt nicht der Tabellenletzte gegen den Vierten, sondern Kickers gegen Eintracht") kam es wie in der Vorsaison: Die Eintracht unterlag mit 1:2!

Die Emotionen kochten wie immer hoch. Schon nach sechs Minuten sah Ritschel nach einem Foul an Grabowski Rot. Kurz darauf fiel Skala verletzt aus. Die Eintracht erspielte sich zwar eine optische Überlegenheit, verstand es aber nicht, sie in Tore umzusetzen. Zum Matchwinner wurde Sigi Held. Sekunden vor dem Halbzeitpfiff wurde er elfmeterreif gelegt: Hickersberger verwandelte vom Punkt zum 1:0. Und als sich Krobbach zwei Minuten vor Schluss vom Ex-Nationalspieler verladen ließ, stand es 2:0. Dazwischen immer das gleiche Bild: Eintracht überlegen, aber mangelhaft im Abschluss. Hölzenbeins Tor in der Schlussminute war nur noch Ergebniskosmetik. Die Eintracht hatte wieder einmal ein Spiel verloren, das sie nicht verlieren durfte. Otto Rehhagel brachte der Erfolg allerdings wenig Glück. Wegen eines Vorfalls aus dem Spiel im April – er soll Theiss aufgefordert haben „Hau dem Hölzenbein in die Knochen" – wurde er vom DFB für zwei Monate gesperrt und Anfang Dezember entlassen.

Bei der Eintracht, die zwischenzeitlich auf Platz 15 abgerutscht war, vollzog sich die Wende zum Besseren schließlich im Europapokal. Nach zwei leichten Siegen (5:1, 6:2) gegen den nordirischen Vertreter FC Coleraine gelang dem in dieser Phase arg gescholtenen Bernd Hölzenbein der große Coup: Er erzielte beide Tore zum 2:1-Sieg bei Atletico Madrid. Das Rückspiel am 5. November fand unter großen Sicherheitsvorkehrungen statt. Da sich der im Sterben liegende Diktator Franco hartnäckig weigerte, zum Tode verurteilte ETA-Mitglieder zu begnadigen, durften aus Angst vor antifranquistischen Demonstrationen keine Fahnen und Transparente mit ins Stadion genommen werden. Ein Tor von Reichel in der 88. Minute bedeutete den Einzug ins Viertelfinale.

Mit dem Sieg über Atletico Madrid schien der Knoten geplatzt, und die nächsten beiden Heimspiele wurden überzeugend mit 6:0 gewonnen – gegen den VfL Bochum und Europapokalsieger Bayern München! Besonders gegen die Bayern spielte die Mannschaft wie im Rausch. In der ersten Halbzeit fielen die Tore im Zehn-Minuten-Takt. 5:0 stand es beim Seitenwechsel. Kein Wunder, dass Jürgen Grabowski Sepp Maier aufzog: „Sag' mal, was geht denn so in dir vor? Du hast ja in der ersten Halbzeit noch keinen Ball in der Hand gehabt … vor der Linie?" – „Oh mei. Das hab' ich auch noch nicht erlebt. Das hat ja nur so geknallt." Im zweiten Abschnitt besserte sich der Maier-Sepp und musste nur noch einmal hinter sich greifen, allerdings wieder nach einem „Knaller": Nach einer Stunde verwandelte Bernd Nickel einen Eckball direkt!

Der Höhenflug der Eintracht, die endlich wieder einen 1:0-Derbysieg gegen die Offenbacher Kickers schaffte und nun einen UEFA-Platz ansteuerte, wurde am 13. März jedoch nach 14 Spielminuten empfindlich gestört. Bei einem Luftkampf mit dem Gladbacher Jensen brach sich Torhüter Wienhold den Knöchel. Zwar blieben die Chancen auf Platz 5 trotz des 2:4 auf dem Bökelberg intakt, der Schock im Frankfurter Lager saß jedoch tief, denn Dr. Kunter hatte seit November 1974 nur ein Pflichtspiel (im Europapokal in Coleraine) bestritten. Nachdem im Europapokal gegen Sturm Graz zweimal gewonnen werden konnte, konzentrierte sich alles auf die Halbfinalspiele gegen West

Ham United. Das Hinspiel im Waldstadion gewann die Eintracht vor 50.000 Zuschauern mit 2:1. Bereits nach neun Minuten hatte Paddon eine Unsicherheit der Frankfurter Abwehr zur Führung genutzt. Neuberger (29.) und Kraus (47.) konnten den Spieß jedoch umdrehen. Die größte Chance zu einem dritten Eintracht-Treffer vereitelte Paddon in der 69. Minute, als er einen Nickel-Schuss von der Torlinie kratzte.

So blieb die bange Frage, ob der knappe Vorsprung für das Rückspiel reichen würde. Im regenüberfluteten Upton Park wartete Dietrich Weise mit einer taktischen Überraschung auf: Er ließ den kopfballstarken Stürmer Bernd Lorenz Vorstopper spielen. 49 Minuten lang ging sein Konzept auf. Zwar rollte Angriff auf Angriff auf das von Dr. Kunter gehütete Eintracht-Tor, doch die Abwehr stand sicher. Erst nach Brookings Führungstor wurde die Eintracht offensiver, hatte aber in der 56. Minute Pech, als der Schweizer Schiedsrichter Hungerbühler ein Handspiel im englischen Strafraum übersah. Da die Eintracht unbedingt ein Tor erzielen musste, lief sie West Ham ins offene Messer. In der 68. und 77. Minute erhöhten Robson und Brooking auf 3:0. Zu spät (87.) gelang Beverungen der Ehrentreffer.

Am Ende der Saison stand die Eintracht mit leeren Händen da. Im DFB-Pokal war man schon im Januar bei Hertha BSC ausgeschieden, und nach der Niederlage im Europapokal lief auch in der Bundesliga nur noch wenig zusammen. Nach 2:6 Punkten

Schla(m)massel im Upton Park: Mit vereinten Kräften können McDowell und Lampard (am Boden) vor Eintracht-Mittelstürmer Rüdiger Wenzel klären. Die Eintracht schied mit 1:3 bei West Ham United aus dem Europapokal der Pokalsieger aus.

aus den nächsten vier Spielen zog auch Dietrich Weise die Konsequenz und bat darum, zum Saisonende aus seinem Vertrag entlassen zu werden.

Während Weise jedoch bei Fortuna Düsseldorf schnell ein neues Betätigungsfeld fand, tat man sich am Riederwald schwer, einen geeigneten Nachfolger zu finden. Große Namen wurden an der Gerüchteküche gehandelt: Istvan Sztani und Ivica Horvat. Wunschkandidat von Präsident von Thümen war Dettmar Cramer, der Bayern München gerade zum dritten Europapokal-Triumph in Folge geführt hatte. Umso überraschender wurde eine 1b-Lösung präsentiert: Neuer Cheftrainer wurde der bisherige Weise-Assistent Hans-Dieter Roos. Hinter vorgehaltener Hand wurde allerdings bereits gemunkelt, dass dies nur eine Zwischenlösung sei und Roos lediglich als Platzhalter für einen „großen Namen" in der Saison 1977/78 fungiere.

1976/77 ■ Gyula Lorant und die Super-Serie

Unter diesen Voraussetzungen standen die Planungen für die neue Saison unter keinem guten Stern. Nachdem es schon Weise nicht gelungen war, Stars wie Beer (Hertha BSC), Franke (Eintracht Braunschweig) oder Dietz (MSV Duisburg) an den Main zu lotsen, biss auch Roos bei den Bochumern Tenhagen, Kaczor und Eggeling auf Granit. Die Eintracht konnte und wollte bei den steigenden Transfersummen – im Sommer wechselte der Belgier Van Gool als erster Spieler für eine siebenstellige Ablösesumme in die Bundesliga – nicht mitpokern. Durch rückläufige Zuschauerzahlen (1975/76 lag der Schnitt nur noch bei 20.619), die entgangene Europopokal-Teilnahme und das Fehlen eines Trikotsponsors fehlte eine runde Million in der Kasse. So gab es mit Stürmer Egon Bihn (Kickers Offenbach) nur einen Neuzugang. Bei Bedarf wollte man jedoch bis Jahresende noch auf dem Transfermarkt tätig werden.

Der Bedarf stellte sich früher ein als erwartet: Neuberger (Oberschenkelzerrung), Hölzenbein (Muskelanriss im Oberschenkel), Nickel (Fersenprellung und Oberschenkelzerrung), Trinklein (zwei verstauchte Finger) und Beverungen (Leistenzerrung) waren Dauergäste auf der Krankenstation. Auch auf dem Rasen lief es mehr schlecht als recht. Nach sechs Spielen standen 6:0 Heimpunkten 0:6 Auswärtszähler gegenüber. Im Oktober verschlechterte sich die Situation zusehends. Das 1:3 zu Hause gegen Meister Borussia Mönchengladbach war der Auftakt einer Serie von 1:11 Punkten. Zu allem Unglück zog sich Egon Bihn ausgerechnet im Freundschaftsderby bei den Offenbacher Kickers (3:1) einen Muskelfaserriss zu und fiel wochenlang aus. Da half auch die Verpflichtung des jugoslawischen Nationalspielers Dragoslav Stepanovic zunächst wenig. Nach dem 1:4 gegen Wiederaufsteiger Borussia Dortmund am 6. November wurde schließlich die Notbremse gezogen. Angesichts von 7:17 Punkten und Tabellenplatz 16 waren die Tage von Trainer Roos gezählt. Sein Nachfolger wurde der als „Schleifer" gefürchtete Gyula Lorant, der sich aber zur Überraschung der Kiebitze am Riederwald lammfromm gab. „Ich weiß, dass ich als harter Trainer verschrien bin. Doch ich bin ein Kamerad, wenn die Mannschaft mitzieht", erklärte der Ungar bei seinem Amtsan-

Gegensätzliche Charaktere: Der ungarische Trainer Gyula Lorant, als harter Hund und Polterer verschrien, und Präsident Achaz von Thümen, der ehemalige Kanzler der Frankfurter Universität.

tritt ganz diplomatisch. Und die Mannschaft sollte mitziehen …

Bis zum ersten Spiel in Bremen (1:2) konnte aber selbst Lorant noch keine Wunder vollbringen. Angesichts von zwei Punkten Rückstand auf einen Nichtabstiegsplatz waren erst einmal vier Punkte aus den aufeinander folgenden Heimspielen gegen den 1. FC Kaiserslautern und Rot-Weiß Essen Pflicht. Nachdem diese zur Erleichterung aller eingefahren wurden, skandierten die Fans bereits „Bayern, wir kommen!" Und sie sollten Recht haben. Die Eintracht trumpfte beim Tabellenzweiten groß auf und gewann mit 3:0. Während sich Lorant recht zugeknöpft zeigte, verriet Jubilar Hölzenbein – er erzielte per Elfmeter sein 100. Bundesligator – das Geheimnis des unerwarteten Erfolgs: „Der Trainer hat's eben geschafft, uns von der Mann- auf die Raumdeckung umzustellen."

Damit war die Eintracht zwar noch nicht aus dem Schneider, setzte sich aber bis zum Vorrundenende vier Punkte vom Drittletzten Tennis Borussia Berlin ab. Inzwischen hatte sich Lorant auch ein Bild von den Stärken und Schwächen der Mannschaft gemacht und die Marschroute ausgegeben, „dass ab jetzt im Training mit neuen Übungsformen die von mir erkannten individuellen Fehler ausgebügelt und neue Fertigkeiten entwickelt werden müssen" („kicker-sportmagazin" vom 6. Januar 1977). Einer muss besonders gut zugehört haben: Rüdiger Wenzel. In der gesamten Vorrunde waren dem Stürmer lediglich vier Tore gelungen. Am 29. Januar 1977 brauchte er dafür gerade einmal 76 Minuten. Damit war ein 4:0 gegen den 1. FC Köln perfekt. Von diesem Moment an schaute am Riederwald niemand mehr zurück.

Mit einem 3:1 beim Meister Mönchengladbach wurde die Erfolgsserie unter Gyula Lorant auf 19:3 Punkte ausgebaut, und der Abstand auf die Borussen war auf fünf Punkte zusammengeschrumpft. Zwar erklärte Gladbachs Keeper Kleff: „Eintracht Frankfurt ist die zur Zeit beste Bundesliga-Mannschaft!" („kicker-sportmagazin" vom 14. März 1977), am Riederwald konzentrierte man sich jedoch zunächst nur auf die UEFA-Pokal-Plätze. Drei Tage später stieß man durch ein 1:1 im Nachholspiel bei Tennis Borussia zum ersten Mal auf den fünften, Anfang April sogar auf den vierten Platz vor. Und dabei sollte es bleiben. Mit 42:26 Punkten und zwei Zählern Rückstand auf Titelverteidiger Borussia Mönchengladbach ging die Eintracht als Vierter durchs Ziel. Das war die zweitbeste Punktausbeute in 14 Jahren Bundesliga. Zudem war man mit 86 Toren zum dritten Mal in Folge die angriffstärkste Mannschaft und in 21 Spielen hintereinander ungeschlagen geblieben (35:7 Punkte): ein neuer Bundesliga-Rekord!

1977/78 ■ Der Trainertausch Lorant/Cramer

Schon unmittelbar nach dem letzten Saisonspiel in Düsseldorf (2:1) zeigte sich, dass Lorant doch nicht so lammfromm war, wie er sich bei seinem Einstand präsentiert hatte. Er wollte den totalen Erfolg, und dem hatten sich alle unterzuordnen, auch die Stars. Da die Eintracht im Sommer an der Intertoto-Runde teilnahm, war bereits am 23. Juni Trainingsauftakt am Riederwald. Daran sollten auch die mit der A- (Hölzenbein) und B-Nationalmannschaft (Körbel, Koitka, Kraus, Reichel und Wenzel) in Amerika weilenden Spieler teilnehmen, wenn sie nicht mindestens in drei Spielen eingesetzt würden. Als Erster ging Bernd Hölzenbein auf Konfrontationskurs: „Das sehe ich nicht ein. Nach unserer Rückkehr mit der Nationalmannschaft [am 18. Juni, Anm. d. Verf.] mache ich auf jeden Fall mindestens eine Woche Urlaub. Ursprünglich waren mir von Herrn Lorant sogar fast zwei Wochen zugesichert worden." („kicker-sportmagazin" vom 26. Mai 1977) Nicht nur in diesem Punkt musste Lorant nachgeben.

Auch bei der Verlängerung seines Kontraktes gab es Nebengeräusche. Es war ein offenes Geheimnis, dass Präsident Achaz von Thümen und Gyula Lorant nicht auf einer Wellenlänge lagen, denn der Ungar war ein „Berger-Mann". Vizepräsident Berger aber hatte auf der Jahreshauptversammlung im Juni gegen Achaz von Thümen kandidiert und war mit Pauken und Trompeten durchgefallen. Zum neuen „Vize" wurde der ehemalige Torhüter Dr. Peter Kunter gewählt. Eine der ersten Amtshandlungen des neuen Präsidiums war die Anstellung eines Managers. „Hauptgeschäftsführer" lautete die offizielle Bezeichnung für Dr. Joseph Wolf. „Vorschlag- und Mitspracherecht in der Investitionspolitik, Entwicklung von Richtlinien zur Talentsuche sowie Anlaufstelle für die Lizenzspieler", umschrieb der neue Mann selbst sein Tätigkeitsfeld. Reibereien mit dem Trainer waren damit vorgezeichnet: „Die Spieler müssen mit allen ihren Problemen und Wünschen zu mir kommen. Ich muss immer wissen, was mit jedem Einzelnen los ist", war Lorants Devise.

Ohne die Nationalspieler erfolgte am 25. Juni der Auftakt in die Intertoto-Runde gegen den CSSR-Vizemeister Inter Bratislava (2:2). Erst im zweiten Spiel bei Wacker Innsbruck (1:1) waren Hölzenbein & Co. wieder mit von der Partie. Nicht beim Rückspiel gegen die Österreicher dabei war Neuzugang Lothar Skala, denn die Eintracht-Verantwortlichen hatten vergessen, für ihn eine Spielgenehmigung für die Intertoto-Runde zu beantragen! Auch in Sachen Öffentlichkeitsarbeit trat der Hauptgeschäftsführer in ein Fettnäpfchen nach dem anderen. Das Waldstadion habe zu wenig Sitzplätze, der Bahnhof Sportfeld müsse näher ans Stadion verlegt werden. Außerdem forderte er neue Brücken über den Main, damit die Fans schneller ins Stadion kämen. Und überhaupt: „Die Hälfte des Stadions muss wieder abgerissen werden!" Damit war er seiner Zeit sicher voraus, doch drei Jahre nach der WM 1974 stand so etwas natürlich nicht zur Diskussion. Bei den Kommunalpolitikern hatte Dr. Wolf jedenfalls mächtig Kredit verspielt. Verspielt hatte die Mannschaft auch bald den Gruppensieg in der Intertoto-Runde. Da half selbst ein beachtliches 5:2 beim Gruppensieger Inter Bratislava zum Abschluss nicht.

Gyula Lorant war es aber egal, denn für ihn zählte nur die Bundesliga: „Wir haben nur ein Ziel – Meister zu werden. Dafür arbeiten wir, trainieren wir, wenn es sein muss auch nachts; dafür schwitzen wir, wenn es sein muss, sogar Blut. Das kann klappen oder nicht, auf jeden Fall wollen wir alles versuchen. Es kommt darauf an, wie wir in den ersten fünf Spielen abschneiden. Alles kann im August schon in die Hose gehen." („kicker-sportmagazin" vom 4. August 1977)

Genau so sollte es kommen. Bereits im zweiten Saisonspiel beendete der Schalker Helmut Kremers in der 87. Minute den erhofften Siegeszug, nachdem zuvor ein 0:2-Rückstand aufgeholt worden war. Fünf Tage später setzte der Hamburger SV noch einen drauf und konterte die Eintracht in der Schlussphase aus – 0:2. Statt Tabellenführer war man nur 13. Zwar gelang eine Aufholjagd, die die Mannschaft nach acht Spieltagen bis auf den zweiten Platz klettern ließ, doch irgendwie lief der Eintracht-Motor nicht rund. Nur mit Mühe war die 2. Runde des DFB-Pokals bei TuS Schloß Neuhaus überstanden worden. Mit 2:0 hatten die wackeren Amateure aus Westfalen bereits geführt, bevor Wenzel und Neuberger die Verlängerung erzwangen. Erst im Wiederholungsspiel setzte sich der Favorit deutlich durch (4:0). Auch Lorant wurde immer dünnhäutiger. Nach der Niederlage bei Hertha BSC (0:2) bezichtigte er Schiedsrichter Hennig aus Duisburg, der Eintracht nicht nur das Unentschieden, sondern sogar den Sieg geraubt zu haben. „Sogar Einwürfe und Eckbälle hat er uns weggenommen." („kicker-sportmagazin" vom 5. September 1977)

Genauso schnell, wie man sich an die Tabellenspitze herangearbeitet hatte, war man auch wieder abgestürzt. Nach einem 0:3 in Bremen stand die Eintracht am 12. November mit 15:15 Punkten auf Platz 11, sechs Punkte hinter Tabellenführer 1. FC Köln und vier Punkte vor einem Abstiegsplatz. Da Gyula Lorant nach der Niederlage offiziell das „Aus" in Sachen Meisterschaft erklärt hatte, stand er vor den beiden Heimspielen gegen Bayern München schwer unter Druck. Das Los wollte es nämlich, dass die ebenfalls angeschlagenen Münchner vier Tage vor dem Bundesligaspiel auch in der 3. Runde des UEFA-Pokals im Waldstadion antreten mussten. Die Eintracht kannte kein Pardon und fertigte die Bayern zweimal mit 4:0 ab. Damit schien der Kopf des Trainers eigentlich gerettet, und Bernd Hölzenbein blickte wieder optimistisch in die Zukunft: „Es läuft wieder. Wenn wir am nächsten Samstag in Braunschweig nicht verlieren, haben wir vieles wieder gut gemacht." („kicker-sportmagazin" vom 28. November 1977)

Die beiden 0:4-Klatschen hatten aber auch Auswirkungen beim FC Bayern. Nach dem zweiten Spiel in Frankfurt wurde Trainer Cramer gefeuert. Sein Nachfolger wurde – Gyula Lorant! Im Gegenzug verpflichtete die Eintracht Dettmar Cramer. Die Mannschaft war ob des merkwürdigen Trainertausches wie vor den Kopf geschlagen, und Kapitän Jürgen Grabowski kündigte harte Worte an. Beim Spiel in Braunschweig (1:1) stand die Eintracht noch ohne Trainer da. Während Lorant die Bayern beim 4:2 gegen den 1. FC Kaiserslautern bereits coachte, fungierte Jürgen Grabowski in Braunschweig und im Rückspiel bei den Bayern (2:1) als „Interimstrainer". Ein hohes Lob bekam er von Vizepräsident Dr. Kunter ausgesprochen: „Ich weiß, dass er zur Zeit sauer auf mich ist. Doch ich ziehe den Hut vor ihm, wie großartig er sich in dieser Angelegenheit verhalten hat. Er war gerade in diesen Tagen ein echter Mannschaftsführer." („kicker-sportmagazin" vom 8. Dezember 1977)

Beim 0:0 in Saarbrücken saß Dettmar Cramer erstmals auf der Eintracht-Trainerbank. Zur allgemeinen Überraschung schien die Mannschaft den ganzen Trubel recht gut verdaut zu haben und blieb in der „Nach-Lorant-Ära" fünf Spiele ungeschlagen, womit sie sich auf den vierten Platz vorschob. Doch ausgerechnet als der Anschluss nach oben wiederhergestellt war, leistete man sich drei Niederlagen in Folge. Besonders bitter das 0:5 zu Hause gegen Hertha BSC, bei dem erstmals „Cramer raus"-Rufe zu hören waren. Die Verunsicherung bei der Mannschaft kam deutlich zum Vorschein: „Bei Herrn Cramer sitzen wir eine halbe Stunde lang vor der Tafel und staunen, was er uns alles in Wir-Form über den Fußball im Besonderen erzählen kann. Der Ich-Mensch Lorant machte uns mit fünf Worten, mal sanft, mal brutal, klar, dass wir auf dem Spielfeld kämpfen und zusammenhalten müssen", beschrieb ein unbekannt bleibender Spieler die Stimmung im Team („kicker-sportmagazin" vom 2. Februar 1978).

Das Wechselbad der Gefühle ging weiter. Plötzlich gab es wieder drei (Heim-) Siege in Folge, denen eine Niederlage beim Tabellenletzten FC St. Pauli (3:5) und das Aus im Viertelfinale des UEFA-Pokals bei Grasshoppers Zürich (0:1 nach 3:2 im Hinspiel) folgte. Am Ende fiel die Eintracht hinter den MSV Duisburg auf den undankbaren 7. Platz zurück, womit eine UEFA-Pokalteilnahme knapp verfehlt wurde.

Das Scheitern im Kampf um einen internationalen Wettbewerb brachte auch die Personalplanungen für 1978/79 mächtig durcheinander. Bereits im Februar hatte Dettmar Cramer Verstärkungen gefordert, „um die Leistungsträger Grabowski, Nickel, Neuberger und Hölzenbein zu entlasten und im mit fortschreitendem Alter immer bedrohlicher werdenden Verletzungsfall zu ersetzen" („kicker-sportmagazin" vom 13. April 1978). Von dem angesprochenen Trio war nur Nickel noch unter 30. Erneut wurde mit großen Namen spekuliert: Tenhagen (VfL Bochum), Worm (MSV Duisburg), Hrubesch (Rot-Weiß Essen), Pezzey (Wacker Innsbruck). Nach dem Verpassen des UEFA-Pokal-Platzes stand schließlich auch Trainer Cramer zur Diskussion, der beim verwöhnten Frankfurter Publikum nicht ankam. Während sich Bernd Hölzenbein Richtung WM in Argentinien verabschiedete, versuchte man am Riederwald zu retten, was zu retten war.

Als Erstes konnte der Vertrag mit Werner Lorant (1. FC Saarbrücken) unter Dach und Fach gebracht werden. Im letzten Moment vom Haken sprang Horst Hrubesch. Plötzlich zeigte auch der Hamburger SV starkes Interesse an dem Essener Stürmer. Da aber in der Eintracht-Kasse angesichts von im Raum stehenden 750-900.000 Mark Ablöse für Pezzey Ebbe herrschte, entließ ihn die Eintracht für eine Garantiesumme von 250.000 Mark aus einem Ablösespiel aus dem Vorvertrag. Auch der Pezzey-Transfer ging nicht reibungslos über die Bühne, denn durch die WM war der Marktwert des Österreichers gestiegen.

Hinter den Kulissen hatten inzwischen Jürgen Grabowski und Dr. Peter Kunter große Geschütze aufgefahren. Nachdem sich der „Vize" Einmischungen des Kapitäns in die Vereinspolitik verbeten hatte, drohte „Grabi" mit dem Ende seiner Karriere! Der Machtkampf war kurz, aber heftig und endete mit einer Niederlage von Dr. Kunter. Grabowski unterschrieb einen neuen Zweijahresvertrag, dem „Doc" dagegen wurde sein ehemaliger Mitspieler Dieter Lindner „zur Entlastung bei der Betreuung der Lizenzspielermannschaft" zur Seite gestellt. Nach dem gescheiterten Experiment mit dem „Hauptgeschäftsführer" Dr. Wolf wurde mit Udo Klug, dem ehemaligen Trainer der Eintracht-Amateure, ein „richtiger" Manager verpflichtet. Seine erste Tat war die überraschende Verpflichtung des Schweizer Nationalspielers Rudolf „Ruedi" Elsener, der in Frankfurt seit den UEFA-Pokal-Spielen gegen die Grasshoppers kein Unbekannter war. Als nächstes wurde die Trainerfrage gelöst. Nach langem Überlegen entschloss sich Dettmar Cramer, die Option für eine Vertragsverlängerung nicht wahrzunehmen und zum 30. Juni 1978 zu gehen. Umgehend präsentierte Manager Klug mit dem bisherigen Duisburger Coach Otto Knefler einen Nachfolger. Damit war der vereinsinternen Opposition vorerst der Wind aus den Segeln genommen. Nachdem diese sich auf der Jahreshauptversammlung Ende Juni noch bedeckt gehalten hatte, scheiterte sie auf einer außerordentlichen Mitgliederversammlung am 7. September mit dem Versuch, Präsident von Thümen und „Vize" Dr. Kunter zu stürzen, mit 226:370 Stimmen.

1978/79 ■ Trotz großer Namen nur das Minimalziel erreicht

Die Arbeit des neuen Managers trug schnell weitere Früchte. So wurden Krobbach (für 250.000 Mark an Arminia Bielefeld) und Trinklein (für zwei Ablösespiele und 50 Prozent Beteiligung bei einem Weiterverkauf an Kickers Offenbach) transferiert, der Ausrüstervertrag mit adidas zu verbesserten Konditionen (135.000 statt bisher 20.000 Mark jährlich) um fünf Jahre verlängert und mit dem Kamerahersteller Minolta ein neuer Trikotsponsor gefunden, der künftig eine halbe Million pro Saison zahlte. Drei Tage vor dem ersten Saisonspiel beim FC Schalke 04 unterschrieb Pezzey endlich einen Zweijahresvertrag. Für ihn musste Dragoslav Stepanovic den zweiten Nicht-EG-Ausländer-Platz räumen. Versüßt wurde dem Serben der Abschied in Richtung Wormatia Worms angeblich mit 100.000 Mark.

Die langfristige Planung geriet in Gefahr, als Otto Knefler am 23. September auf der Rückfahrt vom Pokalspiel in Bremen (3:2) mit dem Auto schwer verunglückte und im Dezember aus gesundheitlichen Gründen das Handtuch werfen musste. Acht Jahre später, im Oktober 1986, starb er an den Spätfolgen dieses Unfalls. Übergangsweise wurde die Mannschaft von Manager Klug trainiert, der nach langem Suchen am 8. Januar 1979 einen neuen Coach präsentierte: Nachdem eine Verpflichtung Ernst Happels aus finanziellen Gründen scheiterte, hieß der neue Mann Friedel Rausch. Die Vorgaben an ihn waren klar: „Wir müssen uns für den UEFA-Pokal qualifizieren. Ansonsten würden wir nicht erreichen, was wir uns vorgenommen haben," verkündete Udo Klug.

Rauschs Startbilanz konnte sich sehen lassen. In den ersten sieben Rückrundenspielen blieb die Eintracht unbesiegt und hatte sich auf dem vierten Platz festgesetzt.

Mit einem 1:2 zu Hause gegen den VfB Stuttgart verlor man allerdings nicht nur zwei Punkte, sondern auch noch Bernd Hölzenbein durch Platzverweis. Dann ging es Schlag auf Schlag: 1:4 bei Hertha BSC, 1:4 gegen den 1. FC Köln und 0:2 im Derby beim abgeschlagenen Tabellenletzten SV Darmstadt 98 – innerhalb von nur 14 Tagen hatte man nicht nur den Anschluss nach oben verspielt, auch die so dringend benötigte UEFA-Pokal-Teilnahme war jetzt höchst gefährdet. Allerdings fing sich die Mannschaft wieder, schied im DFB-Pokal erst im Halbfinale aus (1:2 gegen Hertha BSC) und erreichte durch ein 2:0 am letzten Spieltag beim MSV Duisburg wenigstens das Minimalziel, die Qualifikation für den UEFA-Pokal.

Die Freude über den doch noch versöhnlichen Saisonausgang war nicht nur beim nach Duisburg mitgereisten Anhang groß. Auch innerhalb des Vereins war Ruhe eingekehrt und die noch vor Jahresfrist lautstarke Opposition verstummt. Dennoch gab es zwei Änderungen. Für Dr. Peter Kunter und Gerhard Jakobi, der acht Jahre Schatzmeister gewesen war, wurden der ehemalige Oberligaspieler Kurt Krömmelbein und Joachim Erbs ins Präsidium gewählt. Auch Manager Klug konnte aufatmen und „den kontinuierlichen Übergang in die achtziger Jahre personell einleiten". Im Klartext bedeutete dies, dass man stärker auf den Nachwuchs setzte. Mit Klaus Funk (VfB Stuttgart) wurde ein neuer Torhüter verpflichtet. Außerdem kamen Stefan Lottermann (Kickers Offenbach), Horst Ehrmantraut (FC Homburg) und Harald Karger (FC Burgsolms) an den Riederwald. Ein „fertiger" Spieler sollte nur für den Sturm verpflichtet werden. Als der Transfer des Engländers Ray Clarke (Ajax Amsterdam) aber scheiterte, wurde der Südkoreaner Bum-kun Cha, der Ende 1978 ein Kurzgastspiel beim SV Darmstadt 98 gegeben hatte, an den Riederwald geholt.

1979/80 ■ „Goldener Schuss" im UEFA-Pokal

In der neuen Saison sollte bei zwei 3:2-Heimsiegen gegen das Spitzenduo Hamburger SV und Bayern München der Stern von Harald Karger aufgehen. Gegen den HSV erzielte er zwei Tore, gegen die Bayern gelang ihm der Siegtreffer, nachdem die Münchner schon mit 2:0 geführt hatten. Da neben „Schädel-Harry" auch der Koreaner Cha ein Volltreffer war, der einige wichtige Siege sicherte, lag die Eintracht am Ende der Vorrunde mit 20:14 Punkten als Fünfter mit vier Punkten Abstand auf Tabellenführer Bayern München recht gut im Rennen. Manager Udo Klug jedenfalls war zum Jahreswechsel optimistisch: „Wir wollen in dieser Saison etwas machen, was noch keinem anderen gelungen ist. Wir wollen nicht nur das Double gewinnen, sondern dreifach triumphieren: in der Meisterschaft, im DFB-Pokal und im UEFA-Cup." („kicker-sportmagazin" vom 3. Januar 1980)

Doch nun begann das Elend des Bruno Pezzey. Kaum war seine zehnwöchige Sperre aufgrund eines „Fernseh-Urteils" – er hatte Anfang September den Leverkuser Jürgen Gelsdorf mit einem Faustschlag in den Unterleib getroffen – abgelaufen, zog er sich auf einer Reise an die Elfenbeinküste eine schwere Darmerkrankung zu und fiel für drei Spiele aus. Auch sein Comeback dauerte nicht lange. Bereits in seinem zweiten

Fanprotest gegen die Trennung von Trainer Friedel Rausch: Beim 0:1 gegen den VfL Bochum blieb der Block G leer.

Spiel in Leverkusen (!) sah er die Rote Karte und wurde erneut für sechs Spiele gesperrt. Eine Woche nach dem Pokal-Aus in Stuttgart (2:3 nach einer 2:0-Pausenführung!) verabschiedete man sich so aus dem Titelrennen. Immerhin konnte der Anschluss an die UEFA-Pokal-Plätze gehalten werden – bis zum 15. März 1980.

Vier Tage vor dem Viertelfinal-Rückspiel im UEFA-Pokal bei Zbrojovka Brünn zog sich Kapitän Jürgen Grabowski im Bundesliga-Spiel gegen Borussia Mönchengladbach (5:2) nach einem Foul des jungen Lothar Matthäus eine schwere Verletzung des linken Mittelfußknochens zu, die das vorzeitige Ende seiner glanzvollen Karriere bedeutete. Ohne „Grabi" gab es 0:10 Punkte in Folge, womit man sich den Abstiegsrängen bis auf drei Punkte näherte. Überraschend gab das Präsidium wenig später die Trennung von Trainer Friedel Rausch zum Saisonende und die Verpflichtung von Lothar Buchmann bekannt. Das brachte das Fass zum Überlaufen, so dass es gegen den VfL Bochum (0:1) zu massiven Fan-Protesten kam. Im völlig verwaisten „Block G", in dem sonst die Treuesten der Treuen standen, hing lediglich ein Transparent mit der Aufschrift „So weit führt Eure Personalpolitik". Immerhin riss sich die Mannschaft noch einmal zusammen und beendete die Saison mit 32:36 Punkten als Neunter. Aber wen interessierte das am Ende noch? Seit dem 21. Mai lag die Eintracht-Fangemeinde nämlich im UEFA-Pokal-Rausch – und das im wahrsten Sinne des Wortes.

Nach hart umkämpften Runden gegen den FC Aberdeen und Dinamo Bukarest wartete in der dritten Runde des europäischen Wettbewerbs mit dem früheren Europa- und Weltpokal-Sieger Feyenoord Rotterdam ein ganz dicker Brocken, der seit 36 Meisterschaftsspielen ungeschlagen war! Ältere Zuschauer müssen sich am Abend jenes 28. November 1979 knapp 20 Jahre zurückversetzt gefühlt haben, denn die Eintracht – in ungewohnten grünen Trikots! – brannte wie seinerzeit gegen die Glasgow Rangers ein Feuerwerk allererster Klasse ab. Cha eröffnete den Torreigen (20. Minute), dem Nickel zehn Minuten später das 2:0 folgen ließ. Allerdings verletzte sich „Dr. Hammer" kurz darauf und musste durch Lottermann ersetzt werden. Dieser sorgte schließlich für die Entscheidung. Erst spielte er Verteidiger Helmut Müller mustergültig frei – 3:0 (50.), dann stoppte er eine Flanke von Cha mit der Brust und knallte den abtropfenden Ball volley ins Tor (58.). Stafleu gelang zwei Minuten vor dem Ende lediglich der (vermeidbare) Ehrentreffer. Trotz des 1:4-Rückstands war das Stadion „De Kuip" beim Rückspiel mit 65.000 Zuschauern bis auf den letzten Platz gefüllt. Torhüter Funk war der Turm in der (Abwehr-)Schlacht. Er musste nicht nur bei den Angriffen der Feyenoord-Stürmer auf der Hut sein, sondern auch vor den fanatischen niederländischen Fans, die seinen Strafraum zusätzlich mit zahllosen Wurfgeschossen bombardierten. Mehr als ein Tor von Peters in der Nachspielzeit gelang Feyenoord aber nicht. Die Eintracht stand im Viertelfinale.

Da insgesamt fünf Bundesligisten die Runde der letzten Acht erreicht hatten, war man zufrieden, mit Zbrojovka Brünn einen der drei nicht-deutschen Klubs zugelost bekommen zu haben. Das Hinspiel am 5. März war wie erwähnt Jürgen Grabowskis letzter Auftritt in einem internationalen Spiel. Ohne die angeschlagenen Hölzenbein und Cha legte die Eintracht erneut ein 4:1 vor, mit dem man gelassen in die mährische Hauptstadt fahren konnte. Zwar gelang Horny, der schon im Waldstadion den zwischenzeitlichen Ausgleich markiert hatte, eine frühe Führung (10. Minute), die Karger jedoch schon kurz darauf egalisierte (17.). Angefeuert von über 500 Fans aus der DDR, zeigte die Eintracht eine geschlossene Mannschaftsleistung und kam 13 Minuten vor Schluss zum 2:1. Zwei Patzer in den Schlussminuten (88. und 90.) nutzte der CSSR-Meister von 1978 aber noch zum glücklichen Sieg.

Im Halbfinale war die Bundesliga schließlich unter sich. Das Los führte die Eintracht mit dem schwersten Brocken, Tabellenführer Bayern München, zusammen. Einen Vorgeschmack bekam die Mannschaft bereits einen Tag nach der Auslosung, als ein Eigentor von Lorant die 0:2-Niederlage im Olympiastadion einleitete. Genauso unglücklich verlief zweieinhalb Wochen später auch das Hinspiel im UEFA-Pokal-Halbfinale. 50 Minuten hatte die von Pezzey glänzend organisierte Eintracht-Abwehr den stumpfen Bayern-Sturm im Griff. Erst der zur Pause für Oblak eingewechselte Janzon entwickelte mehr Druck. Folgerichtig verwandelte Dieter Hoeneß eine Janzon-Flanke zur Münchner Führung. Ein von Breitner verwandelter Foulelfmeter brachte in der 76. Minute den 2:0-Endstand. Angesichts der katastrophalen Form in der Bundesliga schien das bereits das Aus zu bedeuten. Drei Tage nach dem 3:5 gegen Kaiserslautern präsentierte sich jedoch eine völlig verwandelte Eintracht-Mannschaft den 50.000 Zuschauern im Waldstadion. Eine halbe Stunde lang war das Spiel von der Taktik geprägt. Während sich die Bayern damit begnügten, ihren Hinspiel-Vorsprung zu verteidigen, fürchtete Friedel Rausch ein schnelles Gegentor. Nachdem Pezzey die Eintracht jedoch in Führung geschossen hatte (31.), entwickelte sich ein lebhafteres Spiel. In den letzten zehn Minuten wurden schließlich alle taktischen Anweisungen über Bord geworfen, die Eintracht drückte auf das zweite Tor und wurde drei Minuten vor Schluss belohnt: Pezzey köpfte eine Nickel-Ecke am zaudernden Junghans vorbei zum 2:0 ein – Verlängerung! In dieser gab es einen offenen Schlagabtausch. 103. Minute: 3:0 durch Karger. Damit wäre die Eintracht im Endspiel gewesen. Zwei Minuten später: 3:1 durch Dremmler, jetzt hatten die Bayern die Nase vorn. Wiederum zwei Minuten später: 4:1 durch Karger, Eintracht wieder im Finale. Die letzten Zweifel beseitigte Lorant in der 118. Minute, als er einen Foulelfmeter zum viel umjubelten 5:1 verwandelte. Nach 20 Jahren stand Eintracht Frankfurt wieder in einem Europapokal-Finale.

Endspielgegner war Titelverteidiger Borussia Mönchengladbach. Bis auf Grabowski und Helmut Müller hatte Trainer Rausch beim Hinspiel auf dem Bökelberg alle Akteure an Bord. Mit dabei war auch der 19-jährige Fred Schaub. „Vielleicht bringe ich ihn als Joker", meinte Rausch. „Man weiß ja nie, wie das Spiel läuft." Nun, es lief zunächst hervorragend, und Schaub wurde – noch – nicht gebraucht. „Schädel-Harry" Karger brachte die Eintracht in der 37. Minute per Kopf in Führung, doch Kulik konnte unmittelbar vor dem Pausenpfiff ausgleichen. Auch in der zweiten Halbzeit präsentierte sich die Eintracht als bessere Mannschaft und ging nach 71 Minuten durch Hölzenbein erneut in Führung. Aber wie schon in Brünn konnte das 2:1 nicht über die Runden gerettet werden. Als Lothar Matthäus in der 77. Minute ausglich, rissen sich die Borussen noch einmal zusammen und kamen zwei Minuten vor Schluss noch zum schmeichelhaften 3:2 durch Kulik.

Im Rückspiel musste die Eintracht auf Karger verzichten, der sich in Gladbach einen Innenbandschaden zugezogen hatte. Für ihn beorderte Friedel Rausch Norbert Nachtweih in den Angriff, Fred Schaub nahm auf der Bank Platz. Von Anfang an bestimmte die Eintracht das Spiel, doch wurden die meisten Angriffe eine leichte Beute der dicht gestaffelten Gladbacher Abwehr. Andererseits blieben die Borussen mit ihren Kontern stets gefährlich. Die Entscheidung fiel schließlich durch die Wechseltaktik der beiden Trainer. Während Jupp Heynckes Stürmer Calle Del'Haye 68 Minuten auf der Bank schmoren ließ, hatte Friedel Rausch das richtige Näschen und wechselte 13 Minuten vor Schluss Schaub für Nachtweih ein. Während Del'Haye aber zu spät eingriff, kam Schaub genau zum richtigen Zeitpunkt. Kaum vier Minuten auf dem Platz, erzielte er in der 81. Minute das goldene Tor. Fast auf den Tag 20 Jahre nach dem Endspiel von Glasgow (3:7 gegen Real Madrid) war die Eintracht endlich Europapokalsieger!

Im Mittelpunkt der Ovationen standen Torschütze Fred Schaub und der scheidende Kapitän Jürgen Grabowski, der nach dem Schlusspfiff spontan von den Spielern auf die Schultern gehoben wurde. Es war „Grabis" letzter großer Auftritt (sein Abschiedsspiel ein halbes Jahr später einmal ausgenommen) an dem Ort, an dem er die Fans 15 Jahre mit seinen Tricks begeistert hatte. Der damalige Frankfurter Oberbürgermeister Walter Wallmann sprach auf der anschließenden Siegesfeier das aus, was die 60.000 im Stadion und Millionen an den Bildschirmen empfanden: „Als Ihre Kameraden Sie auf die Schultern hoben, als sie Ihnen den Pokal überreichten, war das ein Augenblick von Freude und Trauer zugleich. Sie sind das Symbol dieser Eintracht." („kicker-sportmagazin" vom 27. Mai 1980)

In der Tat – der „Mr. Eintracht" war von Bord gegangen. Er selbst nahm es mit gemischten Gefühlen hin: „Das eine Auge lacht, das andere weint."

Auftakt zum deutsch-deutschen UEFA-Pokalfinale: Die Spielführer Christian Kulik und Bernd Hölzenbein tauschen die Wimpel.

Er kam, sah und traf: Nach Zuspiel von Karl-Heinz Körbel erzielte Fred Schaub das goldene Tor. Gladbachs Keeper Wolfgang Kneib hatte keine Chance.

Das Ende einer großen Karriere: Nach dem UEFA-Pokal-Sieg 1980 trugen Torschütze Fred Schaub (links) und Ersatz-Torhüter Klaus Funk Jürgen Grabowski auf den Schultern durchs Waldstadion.

1980/81 ■ Noch ein Pokaltriumph

Trotz des UEFA-Pokal-Siegs gab es im Sommer 1980 eine Menge ungelöster Probleme. Da war zum einen die Frage, wer im „Jahr 1 nach Grabi" die Position des abgetretenen Kapitäns übernehmen sollte. Auch im Sturm gab es Probleme. Die Zukunft von Harald Karger war wegen der im Finale gegen Gladbach zugezogenen Verletzung ungewiss. Neueinkauf Norbert Hönnscheidt war nach einem Platzverweis in seinem letzten Spiel für die FVgg Kastel (einem Pokalspiel auf Kreisebene!) gesperrt. Einen Ringtausch gab es in der Abwehr. Für Horst Ehrmantraut kam Michael Sziedat vom Bundesliga-Absteiger Hertha BSC an den Riederwald. Ein großes Fragezeichen gab es auch um den neuen Trainer Lothar Buchmann, denn der Schatten des bei den Fans sehr beliebten Friedel Rausch hing als schwere Hypothek in der Luft. Sogar auf der Jahreshauptversammlung hatte das Präsidium schwere Kritik wegen des Trainerwechsels einstecken müssen.

Viel Wirbel gab es im dritten Spiel bei Bayer Leverkusen (1:2), wo der Koreaner Cha nach einem Foul von Jürgen Gelsdorf einen Bruch des Querfortsatzes am zweiten Lendenwirbel sowie eine Nieren- und Wirbelsäulenprellung erlitt. Eintracht-Arzt Dr.

Josef Runzheimer nannte die Attacke von Gelsdorf „schwere Körperverletzung", und Manager Klug wollte gar eine „Methode" erkannt haben, „wie dieser Mann ausgeschaltet werden soll". Von Seiten des Vereins wurde sogar eine Zivilklage erwogen, doch für den gläubigen Christen Bum-kun Cha war Rache kein Thema. Schließlich hatten die Eintracht und Cha Glück im Unglück. Nur fünf Wochen nach dem tragischen Zwischenfall stand der Koreaner wieder erfolgreich im Eintracht-Sturm. In der Bundesliga gab es drei Siege in Folge, und im UEFA-Pokal steuerte der Koreaner beim 3:0 gegen Schachtjor Donezk zwei Tore zum Einzug in die 2. Runde bei.

Dennoch sollte der europäische Wettbewerb für den UEFA-Pokalverteidiger zur großen Enttäuschung werden. Nachdem in der 2. Runde der FC Utrecht ausgeschaltet worden war, brannte die Eintracht am 26. November 1980 gegen den FC Sochaux eine Stunde lang ein Feuerwerk ab. Als Nachtweih nach 62 Minuten das 4:0 erzielte, schien die Sache gelaufen. Selbst das 4:1 durch Genghini konnte man noch gelassen hinnehmen. Als Pezzey jedoch zwei Minuten vor Schluss ein unglückliches Eigentor unterlief, sah plötzlich alles anders aus. Da auch in der Liga nur noch wenig zusammenlief, brach vor dem Rückspiel das große Zittern aus. Auf dem schneebedeckten Platz neben den Peugeot-Werken wurde die Eintracht schließlich „gejagt wie die Schneehasen" („kicker-sportmagazin" vom 11. Dezember 1980). Zu keinem Zeitpunkt fand die Mannschaft ein probates Mittel gegen die beherzt kämpfenden Franzosen. Genghini (16.) und Revelli (44.) sorgten schon in der ersten Halbzeit für die Entscheidung. Im ganzen Spiel hatte die Eintracht nur eine Chance, als Pezzey nach 20 Minuten an die Latte köpfte. Während das Präsidium, Trainer Buchmann und die Spieler die Welt nicht mehr verstanden, bewies Manager Klug Galgenhumor und überraschte die Frankfurter Journalisten nach dem Spiel mit dem Satz: „Dann müssen wir eben den DFB-Pokal holen!"

Weiterer Ärger braute sich Anfang Januar zusammen, als Bernd Hölzenbein ankündigte, den Verein nach der Saison Richtung Amerika zu verlassen. Damit drohte der Eintracht nach dem Abgang von Jürgen Grabowski der Verlust des zweiten Weltmeisters. Mit den übrigen Spitzenkräften (Neuberger, Nickel, Cha, Körbel) konnte dagegen frühzeitig Einigung über Vertragsverlängerungen erzielt werden, wobei man allerdings bis an die Grenze der finanziellen Machbarkeit gehen musste. Aus diesem Grund sollte der Bundesliga-Kader für 1981/82 auch von 22 auf nur noch 17 oder 18 Lizenzspieler verkleinert werden.

Auch auf dem Spielfeld stellten sich wieder Erfolge ein, obwohl eine gewisse spielerische Stagnation nicht zu übersehen war. Den Grund hierfür nannte der Ex-Frankfurter Wolfgang Kraus, der beim 5:0 gegen den FC Schalke 04 auf der Tribüne saß: „Die meisten Spieler bei der Eintracht zeigen zu wenig Risikobereitschaft. Nur Nickel versucht etwas Überraschendes und Außergewöhnliches. Zum Glück … ist auch noch ein Bruno Pezzey da. Doch die meisten der anderen Spieler spielen inzwischen zu schablonenhaft. Die Eintracht ist eine Mannschaft geworden, die als höchstes Ziel noch die UEFA-Pokal-Qualifikation erreichen kann. Mehr ist nicht drin." („kicker-sportmagazin" vom 29. Januar 1981)

Als Tabellenfünfter schaffte die Mannschaft tatsächlich dieses Ziel – und sie machte sich daran, des Managers Vorgabe im DFB-Pokal zu erfüllen. Mit zwei Heimsiegen über den VfB Stuttgart (2:1) und Hertha BSC Berlin (1:0) wurde der Einzug ins Pokalendspiel geschafft. Ein Mann ragte dabei besonders heraus: Kapitän Bernd Hölzenbein, der sich am 11. April beim 4:0 über den 1. FC Köln mit zwei Toren vom Frankfurter Publikum verabschiedete. Seit er Anfang Februar einen Vertrag bei den Ft. Lauderdale Strikers in der amerikanischen Profiliga unterschrieben hatte, spielte er wie befreit auf. Belohnt werden sollte „Holz" schließlich am 2. Mai 1981 im Stuttgarter Neckarstadion.

Anders als 1974 und 1975 ging die Eintracht 1981 nicht unbedingt als Favorit ins DFB-Pokalendspiel, denn bei der „Generalprobe" hatte es zweieinhalb Wochen zuvor beim 1. FC Kaiserslautern eine 0:2-Niederlage gegeben. Vor allem vor dem Kraftpaket Hans-Peter Briegel hatte man im Eintracht-Lager viel Respekt. Nur Bernd Hölzenbein war überzeugt, dass die Eintracht das Finale gegen Lautern gewinnen würde: „Auf einem neutralen Platz werden wir uns nicht so ängstlich verstecken, dynamischer sein als heute." („kicker-sportmagazin" vom 16. April 1981).

In der Tat waren beide Mannschaften nicht wiederzuerkennen. Die Eintracht in der Besetzung

▶ Pahl; Sziedat, Pezzey, Körbel, Neuberger; Lorant, Nachtweih, Borchers, Nickel; Hölzenbein, Cha

zeigte spielerisch mehr, und so konnte der 1. FC Kaiserslautern das Spiel nur 39 Minuten offen gestalten. Dann sorgte ein Doppelschlag für die Vorentscheidung. Zuerst erzielte Neuberger mit einem sehenswerten Volleyschuss unhaltbar für Hellström das 1:0. Der Jubel im Eintracht-Lager war noch nicht abgeebbt, da gelang Nachtweih ein Traumpass auf Ronald Borchers, der überlegt zum 2:0 vollendete. Von diesem Schlag erholte sich Kaiserslautern nicht mehr. Lediglich Briegel erreichte Normalform, konnte aber das 3:0 durch seinen Gegenspieler Cha nach 64 Minuten auch nicht verhindern. Geyes Tor in der 90. Minute war lediglich Ergebniskosmetik – die Eintracht war zum dritten Mal DFB-Pokalsieger.

Einen „Triumph der Spielkunst" nannte das „kicker-sportmagazin" den Finalsieg der Frankfurter. Für Bernd Hölzenbein war das Endspiel zugleich das letzte Spiel im Eintracht-Dress. Sechsmal hatte er in 14 Jahren ein Finale erreicht und davon fünf gewonnen: das WM-Finale 1974, die DFB-Pokal-Endspiele 1974, 1975 und 1981 sowie die UEFA-Pokal-Endspiele 1980. „Und wenn statt Hoeneß Sie den Elfmeter gegen die CSSR getreten hätten, hätten Sie auch das Europameisterschaftsfinale 1976 gewonnen", sagte ihm der ebenfalls scheidende Präsident Achaz von Thümen. Hölzenbein blieb auch in der Stunde seines letztes Triumphes bescheiden wie immer: „Ich danke meinen Kameraden. Sie hatten mir versprochen, zu meinem Abschied alles zu geben. Und sie haben Wort gehalten."

48 Stunden später saß er mit seiner Familie im Flieger nach Florida. „Deutschlands Stolz, der Grabi und der Holz" war Vergangenheit.

Zum Abschied den dritten Pokalsieg: Stolz präsentiert Kapitän Bernd Hölzenbein nach dem Finalsieg 1981 den „Pott". Mit ihm freuen sich Neuberger, Nickel, Pezzey, Lorant und Cha (von links). Es war nach 15 Jahren das letzte Spiel von „Holz" im Eintracht-Trikot.

Der erste Streich: Neuberger schießt volley ein, der Kaiserslauterer Torhüter Hellström ist geschlagen.

Eintracht-Trikots: Was sind unsere Farben? Rot-Schwarz-Weiß!

Die Gründungsväter des FFC Victoria legten die Spielkleidung mit „roten Blusen, weißem Gürtel und schwarzer Hose" fest. Am 27. September 1903 wurden beim Kölner FC 1899 erstmals schwarz-rot längsgestreifte Trikots getragen. Für die Frankfurter Kickers sind in den Anfangsjahren „weiße Blusen mit rotem Adler und schwarze Hosen" überliefert. Nach der Vereinigung zum Frankfurter Fußball-Verein wurden auch die Farben übernommen. In der Satzung vom 9. Januar 1914 waren sie im § II mit „Schwarz-weiß-rot" angegeben. Das waren die Farben des Kaiserreichs, das 1871 die 1866 gewählte Flagge des Norddeutschen Bundes übernommen hatte, einer Kombination des Schwarz-Weiß Preußens und des Weiß-Rot der Hansestädte. Nach dem verlorenen Weltkrieg wählte die Weimarer Republik die bereits 1848 von der Frankfurter Nationalversammlung verabschiedete Farbkombination Schwarz-Rot-Gold. Schwarz-Weiß-Rot wurde in der Folgezeit zum Symbol der politischen Rechten. 1935 machten die Nationalsozialisten die schwarz-weiß-rote Hakenkreuzflagge zum alleinigen Symbol des Deutschen Reiches.

Wie alles begann: Der FFC Victoria (links) präsentierte sich 1903 beim Kölner FC 1899 erstmals in schwarz-rot längsgestreiften Trikots.

Gewöhnungsbe-dürftig: Anfang der 1920er Jahre lief die Eintracht in gelb-rot gestreiften Trikots auf.

Bis zum Zusammenschluss mit der Turngemeinde von 1861 spielte der FFV hauptsächlich in weißen Hemden mit Adler und schwarzen Hosen. In dieser Farb-kombination wurde am 1. September 1920 gegen Malmö FF auch Abschied vom alten Rosegger-Platz genommen. Danach wurde es bunt. Zum Ligaspiel gegen den FC Hanau 93 lief die Eintracht im Februar 1921 in gelb-roten Trikots und schwarzer Hose auf, was nicht überall auf Gegenliebe stieß. „Der Kicker" fragte jedenfalls, „ob es keine schönere Farbe gibt" als „orange-schwarz" mit „grell-roten Strümpfen". Mitte der 1920er Jahre kehrte die Eintracht dann aber zu weißen oder schwarz-rot längsge-streiften Hemden zurück. In diesen wurde auch das Endspiel um die Deutsche Meis-terschaft 1932 bestritten. Jahrzehntelang waren die gestreiften Trikots das Markenzei-chen der Eintracht. Geändert hatte sich im Verlauf der Jahre lediglich die Breite der Streifen. Von 1987 bis Anfang der 1990er Jahre waren sie sogar diagonal angeordnet, damit der Schriftzug des Trikotsponsors „Hoechst" besser zur Geltung kam. Von 1971 bis 1973 gab es die wohl „revolutionärste" Version: schwarze Hemden mit dünnen weinroten (!) Streifen und weinroten Hosen. Diese Kluft erlebte 2003/04 und 2015/16 eine Renaissance (allerdings ohne Weinrot). Eine hervorragende Dokumentation der Eintracht-Trikots in der Nr. 126 von „Fan geht vor" (August 2004) veröffentlicht, die man online auch unter www.eintracht-archiv.de (dann dem Thread „Trikots" folgen) bewundern kann. In der Ausgabe 276/277 (August/September 2019) stellte „Fgv" die Sammlung von Gunther Schrage vor, der 800 Trikots sein eigen nennen darf (www.eintrachttrikots.de).

Da Schwarz-Weiß-Rot nach dem Zeiten Weltkrieg diskreditiert war, wurden die Vereinsfarben der Eintracht fortan mit „Schwarz-Weiß" angegeben. Rot blieb aber ein fester Bestandteil der Trikots. In den 1950er Jahren gab es Variationen weißer Hemden mit roten Ärmeln oder einem roten Knopfsaum. Mit diesen Trikots wurde 1959 das Endspiel um die Deutsche Meisterschaft gewonnen. Außerdem gab es spezielle „Flutlicht-Trikots": rot-weiß quergestreift oder rot mit weißen Ärmeln. Letztere erlangten im Europapokal 1959/60 Berühmtheit. Unter Dietrich Weise feierten die schwarzweißen Trikots 1973 ein Revival: mit einem Schriftzug „EINTRACHT FRANKFURT" auf dem Rücken. 1976/77 spielte man in englischen „Admiral"-Trikots: ganz in Weiß mit dünnen schwarzen Streifen, die bogenförmig über Brust und Hosen liefen. Auch von 2016 bis 2019 setzte der Klub auf schwarz-weiß. 2016/17 trug die Eintracht zum ersten Mal schwarz-weiß längsgestreifte Trikots, 2017/18 ging man zunächst ganz in Weiß mit dünnen schwarzen Nadelstreifen und 2018/19 ganz in schwarz an den Start. 2019/20 waren mit rot-schwarz-weiß längsgestreiften Trikots erstmals alle Vereinsfarben auf der Spielkleidung vertreten und zur Saison 2020/21 wird mit der schattierten Silhouette des Römers an „unsere Momente" in und vor dem Frankfurter Wahrzeichen erinnert. Eigentlich logisch, dass auch die Präsentation des neuen Trikots im Kaisersaal des Römers stattfand.

Beim DFB-Pokalendspiel 1974 trat die Eintracht erstmals mit Trikotwerbung auf. Seitdem warben 14 Unternehmen auf der Brust der Eintracht-Fußballer. Vereinzelt versuchten die Sponsoren sogar Einfluss auf die Trikotfarbe zu nehmen. Das Hoechst-Tochterunternehmen „Infotec" hätte am liebsten orange-farbene Trikots

Ab 1974 spielte auch die Eintracht mit Werbung auf den Trikots. Dafür musste ein genauer Antrag beim DFB gestellt werden. (Der Autor dankt Manfred Birkholz, ehemaliger Pressesprecher der Eintracht, der diesen Antrag zur Verfügung stellte.)

Das gelb-blaue Tretrapak-Trikot:
Ralf Weber auf einem Sammelbild.

gesehen. Mehr als weiße Auswärtstrikots mit orangen Bündchen und adidas-Streifen ließ man jedoch nicht zu. Wesentlich mehr Einfluss nahm die Firma „Tetra Pak". Nicht nur, dass das Firmenlogo ins Trikot integriert wurde, auf offiziellen Mannschaftsfotos war die Mannschaft nun auch in gelben Hemden und blauen Hosen zu sehen! Experimentiert wurde aber schon früher. Im Flutlichtspiel gegen den TSV München 1860 am 23. Mai 1969 (3:0) präsentierte sich die Ein-

Das „Henninger"-Trikot: Kapitän Jürgen Grabowski nach dem 2:1 gegen Bayern München am 3. März 1970 mit Gerd Müller und Rainer Ohlhauser.

tracht den 17.000 Zuschauern „wie Bienen wimmelnd und auch mit gelben Hemden und schwarzen Hosen so ausschauend" („Bild am Sonntag" vom 25. Mai 1969). Ein Jahr später lief man in einigen Spielen in hellblauen Hemden und dunkelblauen Hosen auf. Da die Henninger-Brauerei der Eintracht im Februar 1970 ein Pony mit dem passenden Namen „Schöppche" als Maskottchen gestiftet hatte, hatte die neue Spielkleidung schnell die Bezeichnung „Henninger-Trikots" weg.

Natürlich darf auch der Apfelwein nicht fehlen. Bei der „Melange in orange" 2013 in Bordeaux lief die Eintracht im türkisfarbenen „Gerippten" auf. 2019 votierten über 10.000 Mitglieder für ein goldenes Ausweichtrikot „mit dezent bedruckter Geripptes-Applikation auf der linken Seite". 2008 war der Wunsch der Fans allerdings nicht umgesetzt worden. Mit großer Mehrheit hatten diese für weiße Hemden mit einem

DFB-Pokalfinale 2006: Eintracht Frankfurt tritt im schwarz-weißen Traditionstrikot an – diesmal leider erfolglos. Hinten von links: Stefan Lexa, Alexandar Vasoski, Marko Rehmer, Benjamin Huggel, Alexander Meier, Ioannis Amanatidis. Vorn von links: Marco Russ, Benjamin Köhler, Oka Nikolov, Patrick Ochs, Christoph Spycher.

großen schwarzen Kreuz gestimmt. Da Inter Mailand wegen eines ähnlichen Designs, das dem Mailänder Stadtwappen entnommen war, anlässlich eines Champions-League-Spiels bei Fenerbahce Istanbul wegen „Verletzung der Gefühle von Muslimen" verklagt worden war, bekam der Klub aber kalte Füße.

Am erfolgreichsten schnitt die Eintracht in Schwarz-Weiß ab. Nicht nur die Meisterschaft 1959, sondern auch alle fünf Pokalsiege wurden in weißen Hemden und schwarzen Hosen errungen. Wenig Glück brachten bisher dagegen die traditionellen schwarz-roten Streifen: Nach 1932 gingen auch das DFB-Pokal-Endspiel 1964 und das Meisterschaftsfinale 1992 in Rostock verloren. Seit der außerordentlichen Jahreshauptversammlung vom 28. April 1996 sind die Vereinsfarben der Eintracht in § 2, Absatz 1 mit „rot-schwarz-weiß" festgelegt. Ein Antrag, auch

Das Trikot der Saison 2020/21

die Spielkleidung mit „rot-schwarz" in der Satzung festzulegen, wurde zurückgezogen und kam nicht zur Abstimmung.

Änderungen musste im Laufe der Jahre auch der Adler über sich ergehen lassen. Beim Frankfurter FV hatte er seinen Platz noch groß auf der Brustmitte. Bei der Eintracht wurde er nicht nur kleiner, sondern 1980 auch noch modernisiert. Unter den Fans gab es jedoch im Vorfeld des 100-jährigen Jubiläums Bestrebungen, sowohl den „Traditions-Adler" als auch die schwarz-roten Trikots wiederzubeleben. Schließlich spielte auch Ausrüster Puma mit: Zum 100. Geburtstag trat die Eintracht am 14. März 1999 gegen Hertha BSC wieder in schwarz-rot gestreiften Trikots mit Schnürung am Hals und altem Adler auf der Brust an. In diesem Dress wurde schließlich in einem fulminanten Endspurt auch der kaum noch für möglich gehaltene Klassenerhalt geschafft. Der Relaunch 2017 ging auch am Adler nicht spurlos vorbei, der nun nicht mehr in Rot, sondern in Schwarz auf den Hemden zu sehen war. Der schönste und größte Adler ist seit der Saison 2005/06 jedoch bei den Heimspielen im Stadion zu bewundern: Attila, ein Steinadler aus dem Hanauer Wildpark „Alte Fasanerie Klein-Auheim", ist das Maskottchen der Eintracht.

Die Trikotsponsoren und Ausrüster

Saison	Trikotsponsor	Branche	Betrag in Euro*	Ausrüster
1974/75	Remington	Elektrogeräte	175 000	adidas
1975/76	Remington	Elektrogeräte	175 000	adidas/Admiral
1976/77	—	—	—	Admiral/adidas
1977/78	Samson[1]	Tabak	125 000	Admiral/adidas
1978/79	Minolta	Kameras/Kopierer	250 000	adidas/erima
1979/80	Minolta	Kameras/Kopierer	275 000	adidas/erima
1980/81	Minolta	Kameras/Kopierer	300 000	adidas/erima
1981/82	Infotec	Kopierer/Telekopierer	375 000	adidas/erima
1982/83	Infotec	Kopierer/Telekopierer	375 000	adidas
1983/84	Infotec	Kopierer/Telekopierer	250 000	adidas
1984/85	Portas	Türen & Küchen	300 000	adidas
1985/86	Portas	Türen & Küchen	300 000	adidas
1986/87	Hoechst	Chemie	325 000	adidas
1987/88	Hoechst	Chemie	325 000	Puma
1988/89	Hoechst	Chemie	350 000	Puma
1989/90	Hoechst	Chemie	350 000	Puma
1990/91	Hoechst	Chemie	0,35 – 0,5 Mio.[2]	Puma
1991/92	Samsung	Elektrogeräte	1 000 000	Puma
1992/93	Samsung	Elektrogeräte	1 000 000	Puma
1993/94	Tetra Pak	Verpackungen	1 000 000	Puma
1994/95	Tetra Pak	Verpackungen	1 000 000	Puma
1995/96	Tetra Pak	Verpackungen	1 250 000	Puma
1996/97	Mitsubishi Motors	Autos	650 000	Puma
1997/98	Mitsubishi Motors	Autos	650 000	Puma
1998/99	VIAG-Interkom	Telekommunikation	3 000 000	Puma
1999/00	VIAG-Interkom	Telekommunikation	3 000 000	Puma
2000/01	Genion[3]	Telekommunikation	3 000 000	Puma/Fila[4]
2001/02	Fraport	Flughafen	1 500 000	Fila
2002/03	Fraport	Flughafen	1 500 000	Fila
2003/04	Fraport	Flughafen	2 500 000	Jako
2004/05	Fraport	Flughafen	2 000 000	Jako
2005/06	Fraport	Flughafen	2 500 000	Jako
2006/07	Fraport	Flughafen	4 000 000	Jako
2007/08	Fraport	Flughafen	4 500 000	Jako
2008/09	Fraport	Flughafen	5 000 000	Jako
2009/10	Fraport	Flughafen	5 000 000	Jako
2010/11	Fraport	Flughafen	5 000 000	Jako
2011/12	Fraport	Flughafen	3 000 000	Jako
2012/13	Krombacher	Bier	5 500 000	Jako
2013/14	Alfa Romeo	Autos	6 000 000	Jako
2014/15	Alfa Romeo	Autos	6 000 000	Nike
2015/16	Alfa Romeo	Autos	6 000 000	Nike
2016/17	Krombacher	Bier	5 500 000	Nike
2017/18	Indeed	Internet-Jobportal	7 000 000	Nike
2018/19	Indeed	Internet-Jobportal	7 000 000	Nike
2019/20	Indeed	Internet-Jobportal	8 000 000	Nike

*) = Umrechnung DM/Euro 2:1, offizieller Wechselkurs: 1,95583:1 | 1) = ab 9. September 1977
2) = abhängig vom Abschneiden im UEFA-Pokal | 3) = von VIAG-Interkom | 4) = ab 9. Februar 2001

Der Kampf ums Überleben

Nicht nur bei der Mannschaft gab es eine Zäsur, denn in der Führungsetage des Vereins tobte ein schmutziger Wahlkampf um die Nachfolge von Präsident Achaz von Thümen und Vizepräsident Dieter Lindner. Schlecht war es auch um die Finanzen gestellt. Trotz des UEFA-Pokal-Sieges hatte es 1980 einen Verlust von 724.369 Mark gegeben. Da sich die Kosten der Lizenzspielerabteilung im gleichen Zeitraum um eine Million auf 5,778 Millionen Mark erhöht hatten, bedeutete dies unter dem Strich Schulden in Höhe von vier bis fünf Millionen Mark. Als Präsidentschaftskandidat wurde von den Vereinsgremien Axel Schander, Kaufmann, Tennis-Funktionär und ehemaliger Karnevalsprinz, ins Rennen geschickt. Seine größten Widersacher waren der Tischtennis-Abteilungsleiter Jupp Schlaf und Wirtschaftsberater Wolfgang Zenker, die als Wahlgeschenk die Verpflichtung des Schalker Nationalstürmers Klaus Fischer in Aussicht stellten. Viereinhalb Stunden wurde auf der Jahreshauptversammlung schmutzige Wäsche gewaschen. Höhepunkt war der Auftritt des Mitgliedes Stein, der die Versammelten beschwor: „Liebe Frankfurter, denkt an die Zukunft und wählt keine Idioten!" Mit 338:307 machte schließlich Schander das Rennen. Neuer Vizepräsident wurde Hermann Höfer, neuer Schatzmeister Dieter Bartl, der aber Ende Juli die Brocken wieder hinschmiss und durch Peter Heinz ersetzt wurde.

Die neuen Chefs setzten Akzente. Am 9. Juni wurde Manager Klug ohne irgendwelche Vorwarnungen fristlos gekündigt. Als offizelle Erklärung des Vereins wurden „unterschiedliche Auffassungen über die Führung der Geschäfte" genannt, die wahren Gründe wurden bis heute nicht genannt. Es zeichnete sich aber schnell ab, dass einige peinliche Fehler zur Demission Klugs führten. So soll ein falsches Wort in den Spielerverträgen den Verein eine sechsstellige Summe gekostet zu haben. Statt einer Erfolgsprämie „für einen Titel *oder* das Erreichen eines UEFA-Pokal-Platzes" stand dort *und*. So war neben der Pokalprämie auch eine Prämie für den fünften Platz fällig. Weiteren Anlass zur Spekulation gab die Tatsache, dass Klug, dessen Vertrag noch bis 1983 lief, eine Abfindung in sechsstelliger Höhe erhielt. Wenn die Gründe für eine fristlose Kündigung so schwerwiegend waren, warum dann eine Abfindung? Manches deutet darauf hin, dass Klugs Schweigen „erkauft" wurde.

1981/82 ■ Die finanzielle Lage spitzt sich zu

Mit dem heutigen Bundestrainer Joachim Löw (VfB Stuttgart) wurde ein neuer Mann
für die Offensivabteilung verpflichtet. Weitere spektakuläre Transfers ließ die ange-
spannte finanzielle Situation nicht zu. Mit den beiden U18-Europameistern Ralf Falkenmayer (eigener Nachwuchs) und Holger Anthes (FSV Frankfurt) wurden allerdings zwei Investitionen für die Zukunft getätigt. An die Zukunft glaubten auch die
Fans, deren Erwartungen durch den Pokalsieg gesteigert wurden, was sich auch in einer
15%-igen Steigerung im Dauerkartenverkauf niederschlug.

Die Hoffnungen richteten sich vor allem auf den Europapokal-Wettbewerb. Doch
dort wäre beinahe schon die 1. Runde die letzte gewesen. Nach einem 2:0 in Frankfurt benötigte man bei PAOK Saloniki sogar ein Elfmeterschießen zum Einzug in
die nächste Runde. Zum „Helden von Toumba" wurde dabei Torhüter Jürgen Pahl.
Nachdem Lorant, Körbel, Trapp, Nachtweih und Pezzey ihre Elfmeter verwandelt hatten, meisterte Pahl den Schuss von Dimopoulos. Damit bewahrte er die Eintracht vor
„schlimmen Folgen", wie Präsident Schander hinterher erklärte. „Wir benötigen aus
dem Europapokal mindestens eine Million Mark an Einnahmen."

Wie schlecht es inzwischen um den Verein stand, kam in der Woche vor dem Pokal-
spiel bei Fortuna Düsseldorf ans Tageslicht. „Eintracht Frankfurt droht die Pleite",
stand in großen Lettern auf der Titelseite des „kicker-sportmagazin" (8. Oktober 1981).
Unter der Woche flog man sogar nach Israel, weil es dort 35.000 Mark Gage für ein
Freundschaftsspiel gegen die Nationalmannschaft gab. Ohne den verletzten Borchers
und den gesperrten Nachtweih kam im Rheinstadion jedoch mit 1:3 das Aus für den
Pokalverteidiger. Auch im Europapokal folgte bei SKA Rostow eine 0:1-Niederlage.
Das Rückspiel entwickelte sich zu einem richtigen Schicksalsspiel, denn angesichts
der immer prekärer werdenden finanziellen Situation – inzwischen wurde von sechs
Millionen Mark Schulden gesprochen – gab es wilde Gerüchte um einen möglichen
Transfer von Bruno Pezzey zu Bayern München. Am Montag vor dem Rückspiel gegen
Rostow erklärte Präsident Schander den Österreicher jedoch für unverkäuflich. Beim
Spiel selbst waren die Ränge voll mit Pezzey-Sympathie-Plakaten. Trotz des 2:0-Sie-
ges war man im Eintracht-Lager stinksauer – auf Holger Obermann vom Hessischen
Rundfunk. In seinem TV-Kommentar war nämlich öfter von den sechs Millionen Mark
Schulden und „Pezzeys letztem Spiel im Eintracht-Dress" die Rede als vom Geschehen
auf dem grünen Rasen.

Anfang April 1982 machte sich in Frankfurt Ratlosigkeit breit. In der Bundesliga
lag die Eintracht mit 26:28 Punkten als Elfter acht Minuspunkte hinter einem UEFA-
Pokal-Platz. Da man auch im Europapokal der Pokalsieger im Viertelfinale knapp an
Tottenham Hotspur scheiterte (0:2 in London, 2:1 in Frankfurt), war man von einer
Teilnahme an einem internationalen Wettbewerb meilenweit entfernt. Nur über den
Europapokal aber war das Geld aufzutreiben, um die Mannschaft auch in der nächsten
Saison attraktiv zu gestalten. Zwar wollte Willi Neuberger (35) noch ein Jahr dranhän-

gen, bei Pezzey und Borchers dagegen sah es nicht so gut aus. Der AC Florenz hatte 3,5 Millionen Mark für den Österreicher geboten, doch die Eintracht pokerte hoch. „Ronnie" dagegen wollte den Klub verlassen, wenn Pezzey verkauft würde. Auch nach einem neuen Trainer hielt man Ausschau, und intern stand das Präsidium unter schwerem Beschuss. Der eigene Verwaltungsrat, der Schander und Höfer erst vor zehn Monaten ins Amt gedrängt hatte, forderte nun den Rücktritt!

„Nicht das Präsidium, sondern die durch die Satzung festgeschriebene Machtposition des Verwaltungsrates ist das eigentliche Grundübel", schrieb das „kicker-sportmagazin" am 19. April 1982. Da alle Ausgaben über 100.000 Mark von diesem Gremium abgesegnet werden mussten, konnte die Arbeit des Präsidiums jederzeit blockiert werden. Dass der Schuldenstand der Eintracht trotz seiner „Kontrollfunktion" Schwindel erregende Höhen erreicht hatte, hatten die Herren des Verwaltungsrates aber trotzdem nicht verhindert. So stand der Eintracht einmal mehr eine Zerreißprobe bevor. Auch in der Trainerfrage gab es wenig Bewegung. Dietrich Weise wurde vom DFB nicht freigegeben, Hennes Weisweiler zog das finanziell lukrativere Angebot der Grasshoppers Zürich vor, Branko Zebec wurde vom Verwaltungsrat wegen seines Alkoholproblems abgelehnt, und der Tscheche Vaclav Jazek besaß keine DFB-Lizenz. So wurde schließlich Anfang Mai mit dem Österreicher Helmut Senekowitsch lediglich eine 1b-Lösung präsentiert. Auch aus den „Pezzey-Millionen" wurde nichts. Mitte April zogen die Italiener ihre Offerte zurück. Wie der Verbleib des Österreichers ohne eine Teilnahme am Europapapokal aber ein weiteres Jahr finanziert werden sollte, wusste am Riederwald niemand.

Nun tobte die Schlammschlacht hinter den Kulissen umso heftiger. Die Stimmung vor der Jahreshauptversammlung am 18. Mai war explosiv. Am 13. Mai ging das Präsidium in die Offensive und warf dem Verwaltungsrat vor, jahrelang Bilanzmanipulationen geduldet oder stillschweigend übersehen zu haben. In dieser Schmierenkomödie bezogen die Fans eindeutig Partei für Axel Schander, der aber auf der Jahreshauptversammlung einen klassischen Pyrrhus-Sieg errang. Nachdem der Antrag des Verwaltungsrates auf Abwahl des Präsidiums mit 298:155 Stimmen abgeschmettert worden war, traten der komplette Verwaltungsrat, Vizepräsident Höfer und Schatzmeister Heinz zurück. Der Präsident hatte die Schlacht gewonnen, aber keine Soldaten mehr. Zudem war die Lizenz in höchster Gefahr, denn bis Ende Juni mussten 1,5 Millionen Mark Kaution beim DFB hinterlegt werden. Das Ein-Mann-Präsidium Schander war aber handlungsunfähig. Bis zur Fortsetzung der Jahreshauptversammlung am 27. Mai präsentierte Schander mit Wolfgang Zenker und Wolfgang Knispel jedoch zwei Kandidaten für die Komplettierung der Führungsriege. Außerdem gelang ihm ein spektakulärer Coup: Für 100.000 Mark Gage flog die Eintracht zu einem Testspiel gegen WM-Teilnehmer Kuwait nach Casablanca und siegte mit 2:1.

Dennoch malte der neue „Vize" Zenker ein düsteres Bild an die Wand: In den nächsten zwei Monaten mussten drei Millionen Mark aufgetrieben werden, um den Spielbetrieb für die kommende Saison zu sichern. Während in Spanien die Weltmeisterschaft begann, lief am Riederwald die Rettungsaktion für die Eintracht auf Hochtouren. Der Transfer von Nachtweih zu Bayern München brachte 1,7 Millionen Mark in die leeren Kassen. Durch eine 20%-ige Steigerung im Dauerkartenverkauf konnte eine weitere Million verbucht werden. Einige Spieler verzichteten auf einen Teil ihrer Prämien, dazu kamen zahlreiche Spenden und Bürgschaften. Am 29. Juni kam „grünes Licht" aus der DFB-Zentrale hinter dem Waldstadion: Die Lizenz für 1982/83 war erteilt!

1982/83 ■ Finanzskandal und Ausverkauf

Angesichts der angespannten finanziellen Situation waren auf dem Transfermarkt keine großen Sprünge möglich. Mit Ralf Sievers (Lüneburger SK) und Martin Trieb (FC Augsburg) wurden zwei Talente verpflichtet, die im Herbst 1981 in Australien U19-Weltmeister geworden waren. Dazu kam aus der „Konkursmasse" des TSV München 1860 Uwe Schreml. Obwohl von den Stammspielern nur Nachtweih den Verein verlassen hatte, war der neue Coach Helmut Senekowitsch davon überzeugt, in dieser Saison kleinere Brötchen backen zu müssen.

Die „1b-Lösung" entpuppte sich als die erwartete Fehlbesetzung. Schon nach dem fünften Saisonspiel (0:1 gegen den VfL Bochum) war die Eintracht auf den 17. Platz zurückgefallen – und die Tage von Helmut Senekowitsch gezählt. Am Freitag vor dem Spiel bei Bayern München (0:4) wurde er entlassen, in München saß Assistent Uli Meyer auf der Bank, und tags darauf wurde – der Monate zuvor vom alten Verwaltungsrat geschmähte – Branko Zebec als Nachfolger vorgestellt. Mit ihm kam wenigstens die Heimstärke zurück: Von den 14 Heimspielen unter seiner Regie wurden zehn gewonnen, drei endeten unentschieden und nur eines – das letzte gegen Werder Bremen (0:1) – wurde verloren. Auswärts sah es allerdings so schlimm wie noch nie aus: Lediglich vier magere Punkte (ein Sieg, zwei Unentschieden) sprangen in der gesamten Saison heraus. Damit war man natürlich im Rennen um einen UEFA-Pokal-Platz vollkommen chancenlos.

Ein Grund für die Inkonstanz mag der von Branko Zebec in Angriff genommene Umbau der Mannschaft gewesen sein. Neben dem Ex-Bochumer Jupp Kaczor (Feyenoord Rotterdam) wurde im November mit Thomas Kroth (vom 1. FC Köln) auch eine Verstärkung fürs Mittelfeld geholt. Dafür wurde Routinier Werner Lorant an den FC Schalke 04 abgegeben. Außerdem führte Zebec mit Uwe Müller, Mike Kahlhofen und Thomas Berthold drei Spieler, die im Sommer 1982 mit der Eintracht Deutscher A-Jugend-Meister geworden waren, an den Bundesliga-Kader heran. Dies war auch dringend notwendig. Zwar hatte sich die finanzielle Situation bis zum Jahresende ein wenig entspannt, doch waren weitere Einsparungen nicht zu umgehen. Im Klartext bedeutete dies die Reduzierung der Gehälter oder den Verkauf der Leistungsträger wie Cha, Körbel, Nickel oder Pezzey. Der Tanz auf dem Drahtseil begann und trug auch nicht gerade zur Stärkung der Moral bei. Immerhin konnten bereits im Februar 1983 die Weichen endgültig Richtung Klassenerhalt gestellt werden: Der einzige Auswärtssieg (2:1 beim VfL Bochum) und das anschließende 1:0 gegen Bayern München brachten sieben Punkte zwischen die Eintracht und die Abstiegsplätze. Während sich die Mannschaft also anschickte, die Saison mit Anstand zu beenden, wurde der Verein von einem riesigen Finanzskandal bis auf die Grundfeste erschüttert.

Ausgelöst wurde er von einem Pfändungsbeschluss in Höhe von 200.000 Mark gegen Eintracht-Stürmer Bum-kun Cha. Wie viele seiner Mitspieler hatte der Koreaner 1980 von Wolfgang Zenker zwei Häuser nach dem so genannten „Bauherrenmodell" erworben und sich damit finanziell übernommen. Zenker, Repräsentant einer großen Immobilien-Gruppe und seit Sommer 1982 Vizepräsident der Eintracht, wurde eine Interessenkollision vorgeworfen. Umgehend traten Präsident Schander, „Vize" Zenker und Schatzmeister Knispel zurück und erklärten, auf der drei Tage später stattfindenden Jahreshauptversammlung nicht mehr zu kandidieren. Damit war Eintracht Frankfurt führungslos. Als „Notvorstand" übernahmen die Beiratsmitglieder Günter Herold (Leiter der Eissport-Abteilung), der ehemalige Schatzmeister Karl Hohmann, das ehemalige Vorstandsmitglied Heinrich Stocke und die Leichtathletin und spätere Sportdozentin der Stadt Frankfurt, Sylvia Schenk, kommissarisch die Geschäfte. Bis zum 30. Mai begab man sich wieder einmal auf Kandidatensuche.

Mit Dr. Klaus Gramlich wurde der Sohn des ehemaligen Nationalspielers und langjährigen Vorsitzenden an die Spitze gewählt. In einer Kampfabstimmung unterlag Wolfgang Zenker dem „Nobody" Dr. Harald Böhm mit 216:263 Stimmen. Wiedergewählt wurde dagegen Schatzmeister Knispel, ein Vertreter eines rigorosen Sparkurses. Während noch mit möglichen Interessenten um die Ablösesummen für Cha (schließlich für eine Million Mark zu Bayer Leverkusen) und Pezzey (für 1,25 Millionen Mark zu Werder Bremen) gepokert wurde, konnten die notwendigen Bürgschaften in Höhe von 2,9 Millionen für die neue Lizenz aufgetrieben werden. Nach dem Abgang von insgesamt zehn Spielern war allerdings klar, dass es 1983/84 nicht nur gewaltige finanzielle, sondern auch sportliche Probleme geben würde.

1983/84 ■ Mit den „jungen Wilden" im Abstiegskampf

In dieser Situation hatte der Verein allerdings das große Glück, Deutschlands beste Jugend zu haben. Die B-Jugend war 1980, die A-Jugend 1982 und 1983 Deutscher Meister geworden. Aus diesen drei Mannschaften sollten in naher Zukunft immerhin 14 Spieler auch in der Bundesliga das Trikot der Eintracht tragen. Die Transfererlöse in Höhe von rund 2,4 Millionen Mark wurden fast komplett in neue Spieler investiert, von denen allerdings nur der Schwede Jan Svensson (IFK Norrköping) voll einschlug. Fruck (MSV Duisburg) war immerhin Stammspieler, Eymold (Hessen Kassel) und Mattern (SV Darmstadt 98) konnten nicht überzeugen, und der hoch gelobte Jürgen Mohr (Hertha BSC) sollte erst in der Endphase der Saison zur erhofften Verstärkung werden. Mit dieser Mischung aus wenigen Routiniers, einigen Hungrigen und vielen

Youngsters ging die Eintracht in ihre 21. Bundesliga-Saison, die die bislang schwerste der Vereinsgeschichte werden sollte.

War der Start in die Saison 1982/83 schon katastrophal gewesen, so stellte der in die Saison 1983/84 (fast) alles bisher Dagewesene in den Schatten. Erst am fünften Spieltag gelang der erste Sieg (3:0 gegen Fortuna Düsseldorf). Da stand man mit 4:6 Punkten noch auf Platz 11. Auch im Pokal hatte man sich bei den Amateuren des 1. SC Göttingen 05 (2:4) bis auf die Knochen blamiert. Zum Knackpunkt wurde das Derby auf dem Bieberer Berg, wo die Eintracht teilweise mit zehn gegen zwölf spielte. Uwe Bein hatte die Offenbacher in der 27. Minute mit einem Handelfmeter in Führung gebracht. Danach drängte die Eintracht mit aller Macht auf den Ausgleich, scheiterte aber entweder an der vielbeinigen Kickers-Abwehr oder an Schiedsrichter Hontheim aus Trier, der die Stimmung mit zahlreichen unerklärlichen Entscheidungen weiter anheizte, ein herrliches Freistoßtor von Falkenmayer nicht gab (Ball noch nicht freigegeben!) und zudem in der 71. Minute Sziedat vom Platz stellte. Dennoch ließ die Mannschaft nicht locker und kam zwei Minuten vor dem Ende durch Sievers zum längst verdienten Ausgleich. Doch während der Anhang auf den Tribünen noch jubelte, versetzte Kutzop der Eintracht den „Todesstoß": 1:2 – wieder wurde ein Derby verloren, das man eigentlich nicht verlieren durfte.

Was folgte, war kurz, aber schmerzhaft: Ein Eigentor von Youngster Kraaz bei Eintracht Braunschweig (3:4) besiegelte den Absturz ans Tabellenende. Nach zwei weiteren Niederlagen musste der glücklose Branko Zebec seinen Stuhl räumen. Aber auch A-Jugend-Erfolgscoach Klaus Mank und das Eintracht-Idol Jürgen Grabowski konnten den weiteren Niedergang nicht stoppen. Nach einem 0:7 in Köln – der höchsten Bundesliga-Auswärtsniederlage aller Zeiten – wurden Nägel mit Köpfen gemacht: Vom 1. FC Kaiserslautern kehrte Dietrich Weise an den Riederwald zurück. Sein Einstand konnte sich mit einem 0:0 gegen Bayern München durchaus sehen lassen, ein Sieg gelang jedoch bis zum Ende der Vorrunde nicht mehr. Nur 9:25 Punkte – sogar 1970/71 waren es zwei mehr gewesen – waren verbucht worden. Immerhin war die rote Laterne aber an den 1. FC Nürnberg abgegeben worden.

Mit Dietrich Weise kehrte das Kämpferische zurück. Es wurde wieder um jeden Ball gefochten. So auch in Leverkusen, wo man schnell mit 0:2 zurücklag, nach Svenssons Anschlusstor (57.) aber vehement auf den Ausgleich drängte und sprichwörtlich in letzter Sekunde durch Uwe Müller belohnt wurde. Im folgenden Derby gegen Kickers Offenbach wurde wie schon im Hinspiel Michael Kutzop zum „Spieler des Spiels". Allerdings nicht als strahlender, sondern als tragischer Held, denn Sekunden vor dem Halbzeitpfiff brachte er die Eintracht mit einem Eigentor in Führung. „Kutzop, wir danken dir", sang der G-Block die ganze Pause durch. Auch Sziedat sorgte für Parallelen zum Vorspiel und flog in der 70. Minute wegen wiederholten Foulspiels vom Platz. Der Schwede Svensson und Mattern sorgten schließlich für ein klares 3:0, mit dem die Eintracht an den Kickers vorbei auf Platz 16 zog. Mit einem überraschenden 3:2 in Bremen (dem ersten Auswärtssieg seit einem Jahr) konnte der drittletzte

Der Meistermacher: Ralf Falkenmayer verwandelt am 19. Mai 1984 einen Foulelfmeter zum 2:0 beim Hamburger SV. Uli Stein (Nr. 1) ist machtlos. Damit machte der Abstiegskandidat Eintracht eine Woche nach dem 2:2 in Stuttgart den VfB zum Deutschen Meister.

Platz stabilisiert werden. Alle Versuche, auch noch den sicheren 15. Platz zu erreichen, wurden durch Heimniederlagen gegen Eintracht Braunschweig (1:2) und den 1. FC Köln (0:2) leichtfertig vertan. Nach drei Niederlagen in Folge geriet sogar der Relegationsplatz 16 noch einmal in Gefahr, denn vor dem „Schicksalsspiel" gegen den 1. FC Nürnberg waren die Offenbacher Kickers wieder bis auf einen Punkt an die Eintracht herangekommen.

17.000 Zuschauer sahen ein Drama, wie es auch der beste Regisseur nicht hätte inszenieren können. Zum tragischen Helden wurde diesmal Karl-Heinz Körbel, der die Eintracht schon nach fünf Minuten mit 1:0 in Führung gebracht hatte. Als Abramczik in der 69. Minute ausglich, machte sich Ernüchterung im weiten Rund breit. Sollte der „Club" ausgerechnet im Waldstadion seinen ersten (!) Auswärtspunkt holen? Er sollte nicht, denn der „treue Charly" brachte die Eintracht in der 81. Minute wieder in Führung. Doch schon 60 Sekunden später blankes Entsetzen: Nach einem Zweikampf zwischen Sievers und Abramczik fiel der Nürnberger so unglücklich auf Körbels Standbein, dass dieser sich das Schien- und Wadenbein brach! Aber auch zu zehnt nahm die Mannschaft das Herz in die Hand. In der 86. Minute hätte Falkenmayer mit einem Foulelfmeter bereits alles klar machen können, doch in der Schlussminute sorgte Thomas Berthold mit dem viel umjubelten 3:1 für die Erlösung.

Überlegener Sieg im Relegationsspiel beim MSV Duisburg: Fünfmal musste MSV-Keeper Macherey hinter sich greifen.

Damit waren die Weichen gestellt für das Erreichen der Relegationsrunde, in der als Zweitliga-Dritter der MSV Duisburg auf die Eintracht wartete. Das erste Spiel an der Wedau wurde zu einem „halben" Heimspiel, denn tausende Eintracht-Fans hatten sich auf den Weg in den Westen gemacht. Auch der verletzte Karl-Heinz Körbel fieberte auf der Bank mit. Während des gesamten Spiel hatte die Eintracht aber nur zwei brenzlige Situationen zu überstehen. Einmal nach Svenssons Führungstor (23.), als der Schiedsrichter ein MSV-Tor von Wohlfarth wegen Foulspiels nicht gab (51.), und das zweite Mal in der 72. Minute, als Pahl einen Foulelfmeter von Steininger parierte. Da aber stand es bereits 3:0 für die Eintracht – U. Müller (53.), Falkenmayer (68.) – , die danach nicht mehr zu halten war und durch Tobollik (78.) und Krämer (80.) sogar auf 5:0 erhöhte. Trotz des hohen Sieges kamen 45.000 Zuschauer zum Rückspiel ins Stadion, die trotz eines wenig erbaulichen Spiels (1:1) hochzufrieden nach Hause gingen. Es machte wieder Spaß, sich mit der Mannschaft zu identifizieren. Zehn Jahre nach dem ersten DFB-Pokalsieg hatte Dietrich Weise dem Frankfurter Fußball erneut einen Adrenalinstoß verpasst.

1984/85 ■ Auch die „Mannschaft der Zukunft" nur Durchschnitt

Während die Fans euphorisch auf Wolke 7 schwebten und dies ihren Mitmenschen lautstark mitteilten – zu dieser Zeit avancierte der Rodgau-Monotones-Tiel „Erbarme, zu spät! Die Hesse komme!" zum Lieblings-Song der Eintracht-Fangemeinde –, blieb Dietrich Weise auf dem Teppich. Den Klassenerhalt gesichert zu haben, war eine Sache; darauf aufzubauen und die Mannschaft wieder in höhere Gefilde zu führen, eine andere. Zumal wegen der nach wie vor gespannten finanziellen Situation auf spektakuläre Neueinkäufe verzichtet werden musste. Mit Torhüter Hans-Jürgen Gundelach wurde lediglich ein Spieler aus dem eigenen Nachwuchs in den Profikader aufgenommen. Dagegen verließen mit Borchers (im Oktober 1984 zu Arminia Bielefeld) und Sziedat (zurück zu Hertha BSC) zwei weitere Spieler der Pokalsieger-Mannschaft von 1981 den Verein. Die Zukunft sollte der Jugend gehören.

Die „jungen Wilden" schlugen sich am Anfang auch gar nicht schlecht und erreichten im Verlauf der Hinrunde einmal sogar Platz 4. Zudem konnten sich gleich mehrere Eintracht-Spieler für DFB-Auswahlteams empfehlen: Falkenmayer, Berthold, Kroth in der A-Nationalmannschaft, Kraaz, U. Müller, Berthold, Kroth, Gundelach und Krämer in der U21.

Um sich in der Bundesliga zu behaupten, fehlte jedoch eine ordnende Hand, wie es sie früher in Gestalt von Grabowski, Hölzenbein und Nickel gegeben hatte. Auf Dauer vermochten weder Kroth, Mohr und Trieb dem Eintracht-Spiel entscheidende Impulse zu geben. So dümpelte die Eintracht bald im Mittelfeld vor sich hin, nie in ernster Abstiegsgefahr, aber auch nie ernsthaft in den Kampf um einen UEFA-Pokal-Platz verwickelt. Besonders auswärts war sie wieder ein gern gesehener Gast: Lediglich in Schalke gelang ein Sieg (3:1), ansonsten sprangen lediglich sechs Unentschieden heraus. Fern der Heimat endeten auch alle Pokal-Träume. Allerdings benötigte Borussia Mönchengladbach eine Verlängerung, um am Ende mit 4:2 die Nase vorn zu haben.

1985/86 ■ Nur zwei Tore vor der Relegation

Im Sommer verließ neben Kroth (zum Hamburger SV) und Mohr (zum Aufsteiger 1. FC Saarbrücken) auch Cezary Tobollik den Verein. Der schlitzohrige Pole hatte nach einigen spektakulären Auftritten zu hoch gepokert und wechselte schließlich zum Zweitliga-Aufsteiger Viktoria Aschaffenburg. Für ihn wurde Uwe Bühler vom Karlsruher SC verpflichtet, der allerdings nur 15 Bundesligaspiele mitmachen sollte und 1987 Sportinvalide wurde. Sowohl als Verstärkung für die Defensive als auch die Offensive erwies sich sein KSC-Kollege Klaus Theiss, der mit sieben Toren bester Eintracht-Torschütze 1985/86 wurde.

Damit ist bereits angedeutet, wo es am meisten mangelte: im Sturm. Mit nur 35 Toren unterbot die Eintracht ihren bisherigen Minus-Rekord aus der Saison 1970/71 (39). Bester Angreifer war Holger Friz (fünf Tore), der 1983 mit der A-Jugend Deutscher Meister war. Selbst Nachbesserungen während der Saison, Dieter Kitzmann (1. FC Kaiserslautern) und David Mitchell, der erste Australier in der Bundesliga, änderten daran wenig. Nur zweimal gelangen mehr als zwei Tore (je 3:0 gegen den Hamburger SV und FC Schalke 04), dafür gab es mit 14 Unentschieden (davon acht 1:1) einen neuen Vereinsrekord seit Bundesliga-Bestehen. Der erste Saisonsieg gelang zwar in der Fremde, doch sollte es nach dem 1:0 bei Fortuna Düsseldorf am 20. August 1985 zwei Jahre und fünf Tage – oder 34 Spiele (!) – dauern, bis auswärts wieder ein doppelter Punktgewinn gelang. Auch im Waldstadion waren Siege Mangelware. Erst am neunten Spieltag gelang der erste (1:0 gegen Bayer Leverkusen). Dafür leistete man sich den Luxus, gegen die beiden Absteiger Hannover 96 und 1. FC Saarbrücken jeweils mit 1:3 zu verlieren. Vor allem die Niederlage gegen die Saarländer stieß bitter auf, denn der beste Akteur auf dem Platz war mit Jürgen Mohr der Mann, der seine Fähigkeiten im Eintracht-Trikot selten unter Beweis stellte.

Am Ende wurde es ganz knapp. Bei Punktgleichheit mit Borussia Dortmund rettete die Eintracht nur eine um zwei Treffer bessere Tordifferenz vor der Relegation. Längst vergangen geglaubte Zeiten waren zurückgekehrt. Die „Mannschaft der Zukunft" war nach nur zwei Jahren bereits wieder Vergangenheit, der Kredit beim Publikum verspielt: Nur 15.744 Zuschauer im Schnitt hatten die Heimspiele besucht, die schlechteste Bilanz seit 1972/73 (damals wegen des Stadionumbaus nur 13.714).

1986/87 ■ Die sportliche Talfahrt geht weiter

Hoffnung auf eine bessere Zukunft versprach erneut die A-Jugend, die zum dritten Mal Deutscher Meister wurde. Ihr Bester, Andreas Möller, rückte sofort in den Bundesliga-Kader auf. Da man aber inzwischen zu der Überzeugung gekommen war, dass Jugend allein den Verein nicht weiterbrachte, wurden der polnische WM-Stürmer Wlodzimierz Smolarek (Widzew Lodz) und der Ex-Eintrachtler Wolfgang Kraus (FC Zürich) verpflichtet. Im Gegenzug verließen Svensson (zurück zum IFK Norrköping) und Trieb (SV Waldhof Mannheim) den Riederwald.

Der Start in die neue Saison war grandios. Nach einem 5:0 gegen Fortuna Düsseldorf war die Eintracht Tabellenführer. Nachdem auch die nächsten beiden Spiele ohne Gegentor überstanden wurden, schien die Fußballwelt am Main wieder in Ordnung. Acht Spiele ohne Sieg ließen die Mannschaft jedoch wieder in die Anonymität des Tabellen-Mittelfeldes abrutschen. Dazu gab es Ärger mit dem DFB um die Abstellung von Andreas Möller für die U18-EM in Jugoslawien. Ausgerechnet der frühere DFB-Trainer Dietrich Weise vertrat nun die Ansicht, dass das Wohl des Verbandes dem des Vereins unterzuordnen sei. Der DFB sah dies natürlich anders und sperrte Möller für das Bundesligaspiel am 11. Oktober 1986, womit am Ende alle Beteiligten als Verlierer dastanden: die Eintracht, die beim 0:0 gegen Bayern München auf ihren Jungstar verzichten musste, der DFB, der ohne Möller im Halbfinale gegen die DDR ausschied, und schließlich der Spieler selbst, der auf ein großes sportliches Ereignis verzichten musste.

Ein Bild in Eintracht: Trainer Dietrich Weise und die Neuen für 1986/87. Andreas Möller, Wolfgang Kraus, Reinhold Jessl und Volker Münn (von links). Anfang Dezember spielte zuerst „Scheppe" Kraus keine Rolle mehr in Weises Überlegungen, kurz darauf war Weise nicht mehr Trainer am Riederwald.

Bald stand weiterer Ärger ins Haus, diesmal zwischen dem Trainer und Wolfgang Kraus. Der „Scheppe" war nämlich mit der Intention zurückgeholt worden, ab 1987/88 als Manager zu arbeiten. Darüber war Weise, der schon bei seinem ersten Engagement in den 70er Jahren nichts von einem Manager hatte wissen wollen, verärgert. Gaben ihm damals allerdings die Erfolge recht, so war die Eintracht jetzt nur noch Mittelmaß. Zur Eskalation kam es nach der 0:1-Heimniederlage gegen den FC Schalke 04, der ersten in 23 Jahren Bundesliga überhaupt. Er wolle zukünftig auf den Spieler Kraus verzichten; da er wegen der vierten Gelben Karte ohnehin für das nächste Spiel gesperrt sei, „habe man den Schnitt gezogen", erklärte Weise im „kicker-sportmagazin" vom 1. Dezember 1986.

Zwei Tage später der nächste Schnitt: Weise war nicht mehr Trainer am Riederwald. Die Erklärung des Präsidiums war dürftig: „Das ist wie ein Mosaik, wie ein Puzzle. Irgendwann fällt der letzte Stein." Schon eine Woche später wurde mit Karl-Heinz Feldkamp (Bayer Uerdingen) der neue Trainer für 1987/88 präsentiert. Bis dahin sollte Co-Trainer Timo Zahnleiter das leckgeschlagene Schiff wieder auf Vordermann bringen, was aber nicht gelang. Dass die Eintracht nicht erneut in ernste Schwierigkeiten kam, hatte sie lediglich der Tatsache zu verdanken, dass es in dieser Saison mit dem FC Homburg, Fortuna Düsseldorf und Blau-Weiß 90 drei noch schlechtere Mannschaften gab. Mit nur 25:43 Punkten – der schlechtesten Ausbeute in 24 Jahren Bundesliga – wurde die Saison 1986/87, die so glanzvoll begonnen hatte, erneut als Viertletzter beendet. Wie tief man wieder gesunken war, zeigte sich vor dem letzten Heimspiel gegen Borussia Dortmund (0:4): Als Pahl, Berthold, Falkenmayer und Theiss ofiziell verabschiedet werden sollten, verweigerten sie den Blumenstrauß und Händedruck von Präsident Dr. Gramlich. „Blumen sollen Herzlichkeit zeigen", so Torhüter Pahl, „aber Herzlichkeit gibt es in diesem Verein nicht mehr." („kicker-sportmagazin" vom 18. Juni 1987)

1987/88 ■ Zum vierten Mal Pokalsieger

Im Sommer 1987 wurde bei der Eintracht der große Schnitt gemacht. Nach Jahren des Kleckerns wurde wieder geklotzt. Für rund 4,5 Millionen Mark wurden neun Spieler abgegeben, dafür zehn neue für knapp 6,3 Millionen geholt. Der Hauptteil davon, nämlich 3,6 Millionen, wurde in den ungarischen Mittelfeld-Akrobaten Lajos Detari von Honved Budapest investiert, der dem Team zu einem neuen Höhenflug verhelfen sollte. Die zusammengewürfelte Mannschaft tat sich jedoch mit dem von Karl-Heinz Feldkamp verordneten Offensivfußball schwer. Zudem kam Lajos Detari, zu dessen Bundesliga-Debüt beim 1. FC Kaiserslautern (2:2) sogar der berühmte Ferenc Puskas angereist war, nur langsam auf Touren. Doch nicht nur dem Ungarn wehte ein rauer Wind ins Gesicht: drei Spiele und drei Niederlagen (ohne eigenen Torerfolg!) später hatte die Eintracht die rote Laterne in der Hand. Zwar fing sich die Mannschaft langsam wieder, aber nicht ohne Rückschläge wie dem 2:5 beim FC Homburg, nach dem Torhüter Gundelach ins Kreuzfeuer der Kritik geriet. Aber erst sechs Wochen später reagierte „Kalli" Feldkamp und holte den beim Hamburger SV beurlaubten Uli Stein.

Etwas über drei Monate nach seinem Faustschlag im Supercup gegen Jürgen Wegmann (Bayern München) feierte der Ex-Nationalspieler ein viel umjubeltes Comeback im Waldstadion. Auf Anhieb wurden drei Spiele in Folge gewonnen, womit die Eintracht auf Platz 7 kletterte. Doch kaum war das Torhüterproblem gelöst, da braute sich ein neues zusammen. Beim Pokalsieg in Düsseldorf (1:0) hatte Trainer Feldkamp Andreas Möller ausgewechselt und vor laufenden Fernsehkameras kritisiert. Für Möller und seinen Freund und Berater – und Eintracht-Jugendtrainer! – Klaus Gerster ein Grund für einen sofortigen Wechsel zu Borussia Dortmund, der der Eintracht 2,4 Millionen Mark Ablöse einbrachte.

Die Ligasaison war gelaufen – immerhin Neunter war die Eintracht am Ende –, doch dafür war man im DFB-Pokal erfolgreicher. Auf dem Weg ins Endspiel hatte es am 13. April im Halbfinale bei Werder Bremen einen wahren „Pokal-Krimi" gegeben, denn der Deutsche Meister in spe zog ein Powerplay auf, dass einem angst und bange werden konnte. Ein Uli Stein in Superform und ein Klasse-Konter, der von Frank Schulz verwertet wurde, ließen die Eintracht das Weserstadion als 1:0-Sieger verlassen.

Im Finale von Berlin war die Eintracht in der Aufstellung
► Stein; Binz; Schlindwein, Körbel; Kostner, Sievers, Schulz, Detari, Roth; Friz, Smolarek leicht favorisiert, tat sich gegen die kompakte Deckung des VfL Bochum allerdings schwer. In der zweiten Halbzeit hatte die vorher viel zu passiv agierende Mannschaft in der Schwüle des Olympiastadions jedoch mehr zuzusetzen, so dass VfL-Keeper Zumdick immer mehr in den Blickpunkt des Geschehens rückte. Auf Seiten der Eintracht setzte Lajos Detari nun die Akzente und sorgte in der 81. Minute auch für die Entscheidung. Nach einem Foul des späteren Eintrachtlers Epp zirkelte der Ungar den fälligen Freistoß über die Bochumer Mauer und unhaltbar für Zumdick ins Dreieck. 1:0 – damit war die Eintracht zum vierten Mal in ihrer Geschichte DFB-Pokalsieger. Für

Der vierte Pokalsieg, 1988: Trainer Karl-Heinz Feldkamp (rechts) und Torschütze Lajos Detari mit dem Pokal. Sechs Wochen später war der Ungar nicht mehr in Frankfurt, weitere zwei Monate später auch Feldkamp nicht mehr. Die Eintracht stand vor einem Scherbenhaufen.

zwei Spieler war es ein besonderer Tag: Eintracht-Kapitän Karl-Heinz Körbel war bei allen vier Erfolgen seit 1974 dabei, und für Uli Stein war es nach dem Erfolg mit dem HSV 1987 der zweite Pokalsieg binnen Jahresfrist.

Das Pokalfinale war der Höhepunkt der Saison, aber auch der Schlusspunkt der Siegermannschaft. Während man bei der Eintracht noch das Ende der sieben mageren Jahre feierte und von neuen Taten im Europapokal träumte, nahmen die Spekulationen über die Zukunft ihres ungarischen Spielmachers Lajos Detari zu. Mitte Juli platzte die Bombe: Detari wechselte zu Olympiakos Piräus, das sich den Transfer 1,4 Milliarden Drachmen (16 Millionen Mark) kosten ließ. Zehn Tage vor dem Start in die neue Saison hatte die Eintracht ihren wichtigsten Spieler verloren.

Über den Verbleib der Detari-Millionen gab es bald wilde Spekulationen. Schon am 10. Januar 1988 hatte „Bild am Sonntag" berichtet, dass in den 3,6 Milllionen Mark, die die Eintracht 1987 nach Ungarn überwiesen hatte, bereits 1,5 Millionen Mark Gehalt enthalten gewesen seien (auf vier Jahre verteilt) und die Transferrechte des Spielers nicht von der Eintracht erworben worden waren. Das bestätigte Detari 2009 gegenüber dem Magazin „11 Freunde": „Da war auch viel Politik im Spiel. Ich war ja nicht einmal definitiv verkauft nach Frankfurt, sondern nur vom Verband ausgeliehen." So wanderten auch die 16 Millionen Mark, die Olympiakos zahlte, nicht gänzlich aufs Konto der Eintracht. „Das war ein super Geschäft für den ungarischen Verband und den Sportminister, die sagten: ‚Wir möchten, dass Du nach Griechenland gehst.'" (www.11freunde.de/interview/lajos-detari-ueber-seine-karriere, aufgerufen am 19. August 2017). Im „Eintracht-Magazin" Nr. 16 erklärte Präsident Dr. Klaus Gramlich im Sommer 1988, dass „über zehn Millionen netto aus dem Transfer von Detari nach Piräus für Eintracht Frankfurt erzielt" wurden. Ob in der Summe die eingesparten Gehälter für drei Jahre in Höhe von 1,125 Millionen enthalten waren, ist spekulativ. Wenn man in Betracht zieht, dass bis zum Weggang von Detari bereits 1,5 Millionen Mark für neue Spieler ausgegeben worden waren, mit Hobday, Bakalorz und Eckstein nachgerüstet wurde (5,65 Millionen), in der Saison 1988/89 drei Trainer im Amt waren, für den fristlos entlassenen Manager Kraus eine Abfindung in der Größenordnung von 200.000 Mark gezahlt wurde („Frankfurter Neue Presse" vom 22. Februar 1989) und Gelder in die vom Lizenzentzug bedrohte Eishockey-Abteilung flossen, kann man sich ausrechnen, was von den Detari-Millionen übrig blieb.

1988/89 ■ Der „treue Charly" rettet „Zwietracht Zankfurt"

Da auch Smolarek den Verein verlassen hatte (zu Feyenoord Rotterdam), war guter Rat teuer. Die Neuzugänge Gründel (Hamburger SV), Heidenreich (TSV München 1860) und Studer (FC St. Pauli) waren als Ergänzung zu Detari verpflichtet worden, sollten nun aber Regie im Mittelfeld führen. Für die Eintracht war plötzlich wieder die „Stunde null" angebrochen. Das zeigte sich bereits im Supercup-Spiel gegen Werder Bremen, das mit 0:2 verloren wurde. Versuche, Wolfram Wuttke vom 1. FC Kaiserslautern zu verpflichten, scheiterten an der Ablöse-Forderung der Pfälzer. Statt um einen UEFA-Pokal-Platz spielte die Eintracht von Anfang an gegen den Abstieg. Noch nie zuvor war die Eintracht mit drei Niederlagen in Folge gestartet. Nach der 1:2-Heimpleite gegen Aufsteiger Stuttgarter Kickers tobte das Publikum und forderte „Vorstand raus".

Derweil bemühte man sich, schnellstmöglich einen Detari-Ersatz zu besorgen. Unzählige Namen kursierten in der Gerüchteküche: Thomas von Heesen (Hamburger SV), der Nigerianer Okwaraji, der Australier Magetic und der Pole Dziekanowski. Geholt wurde schließlich der Engländer Peter Hobday (Hannover 96, 1,5 Millionen Mark). Ihm folgten Dirk Bakalorz (Borussia Mönchengladbach, 780.000 Mark) und im Oktober Dieter Eckstein (1. FC Nürnberg, 3,5 Millionen Mark). Zu diesem Zeitpunkt steckte der Karren allerdings schon tief im Dreck. Nachdem sich Karl-Heinz Feldkamp wegen eines Kompetenzgerangels zwischen Präsidium, Manager und Trainer beim geplanten Dziekanowski-Transfer düpiert fühlte und sich wegen eines Bandscheibenschadens krankgemeldet hatte, gelang unter Assistent Timo Zahnleiter der erste Sieg (1:0 gegen den 1. FC Köln). Doch auch er konnte die sportliche Talfahrt nicht stoppen. Nach einer 0:1-Niederlage beim VfL Bochum zogen die Verantwortlichen die Notbremse: Tags darauf wurde Pal Csernai als neuer Trainer verpflichtet, am Montag Manager Kraus entlassen, am Dienstag Einigung mit Feldkamp über eine Vertragsauflösung erzielt. Zwei Wochen später kehrte der ehemalige Spieler Jürgen Friedrich als neuer Manager nach Frankfurt zurück.

Wie „beliebt" der alte Manager war, belegt eine Postkarte, die Armin Kraaz, im Sommer 1988 mit 23 Jahren frustriert zum Oberligisten Rot-Weiss Frankfurt gewechselt, „Scheppe" Kraus nach dessen Entlassung schickte: „Servus Wolfgang, viel Glück, dumme Sprüche und eine Boulevard-Zeitung sind nicht die einzigen Voraussetzungen für eine Manager-Karriere. Dazu gehören auch Format, Ehrlichkeit und Anstand. Endlich hat es einmal nicht die Falschen getroffen. Mit einer gewissen Genugtuung grüßt Dich Armin Kraaz" („kicker-sportmagazin" vom 29. September 1988).

Mit Format, Ehrlichkeit und Anstand war es allerdings auch bei der Eintracht nicht mehr weit her. So wurde Kraus die Kündigung durch ein offenes Toilettenfenster seines Hauses zugestellt, dann gab es – nach drei Niederlagen in Folge – wüste Beschimpfungen gegen Trainer Csernai. Besonders beim Europapokalspiel bei Sakaryaspor in der Türkei (3:1) wurde er von einem Teil der mitgereisten Fans während des gesamten Spiels mit Sprechchören wie „Wir sind Frankfurter und du nicht!" bedacht. Hoch her ging es auch bei der Jahreshauptversammlung am 14. November 1988, die zur bislang schwärzesten Stunde der Vereinsgeschichte ausartete. Bevor mit Dr. Joseph Wolf, dem ehemaligen Hauptgeschäftsführer, und Weltmeister Bernd Hölzenbein ein neuer Präsident und Vizepräsident gewählt wurden, hatte ein erzürntes Mitglied einen Ordner, der ihn nach Ablauf der Redezeit vom Mikrofon wegziehen wollte, mit einem Faustschlag in die Blumendekoration befördert.

„Befördern" wollte man auch gleich wieder den neuen Präsidenten. Unmittelbar nach seiner Wahl regte sich die Opposition, die ihn bei der Fortsetzung der Versammlung am 29. November gleich wieder abwählen wollte. Doch dazu kam es gar nicht mehr. Nach nur neun Tagen gab Dr. Wolf „zum Wohle und im Interesse von Eintracht Frankfurt" auf. Sein Nachfolger wurde der Devisenmakler Matthias Ohms, der der Eintracht 1983 mit einer Millionen-Bürgschaft schon einmal die Lizenz gerettet hatte. Schatzmeister blieb Wolfgang Knispel. Mit Jürgen Grabowski und Dieter Lindner kehrten zudem zwei ehemalige Spieler in den Verwaltungsrat zurück. Spätestens nach dem Spiel gegen Hannover (1:0) war jedem klar, dass Csernai als Trainer nicht mehr tragbar war. Während der gesamten 90 Minuten wurde er vom Publikum mit Schmäh- und Hohnrufen bedacht. Am 12. Dezember waren die Tage des Ungarn gezählt, am 18. hielt sein Nachfolger Jörg Berger Einzug, der vom SC Freiburg losgeeist wurde. Nur wenn alle an einem Strang ziehen würden, Mannschaft, Management und Vorstand, sei die schwere Aufgabe, die ihn erwarte, lösbar: „Wir müssen ein Gemeinschaftswerk vollbringen. Ich bin überzeugt, wir schaffen es."

Doch die Wende ließ auf sich warten. Im März verabschiedete man sich gegen den belgischen Titelverteidiger KV Mechelen aus dem Europapokal. Nach einem 0:1 beim SV Waldhof Mannheim fiel die Eintracht am 8. April wieder auf den drittletzten Platz zurück und sollte diesen bis zum Saisonende nicht mehr abgeben.

Allerdings wurde es am letzten Spieltag noch einmal äußerst knapp. Die Rechnung war einfach: Da sich Bayern München die Meisterfeier gegen Bochum (26:40 Punkte) nicht verderben lassen wollte, die Stuttgarter Kickers (24:42) und der 1. FC Nürnberg (26:40) direkt aufeinandertrafen, wäre die Eintracht (25:43) mit einem Sieg bei den bereits abgestiegenen Hannoveranern gerettet gewesen. Vor 12.000 Zuschauern – davon mindestens zwei Drittel Eintracht-Fans – präsentierte sich die Mannschaft am

Das Zittern geht weiter: Nach einem 1:1 beim Absteiger Hannover 96 verpasst die Eintracht am 17. Juni 1989 den direkten Klassenerhalt und muss in die Relegation. Carsten Surmann tröstet den niedergeschlagenen Dieter Eckstein (Nr. 11).

17. Juni in der ersten Halbzeit aber saft- und kraftlos und lag durch ein Tor von Siggi Reich mit 0:1 zurück. Um 16.49 Uhr wurde es dann auf einmal ganz eng: Die Stuttgarter Kickers waren gegen den „Club" in Führung gegangen. Damit war die Eintracht Vorletzter. Zwölf Minuten später sorgte Karl-Heinz Körbel jedoch für die Erlösung. Er traf im Übrigen ins gleiche Tor wie fast auf den Tag genau 13 Jahre zuvor beim zweiten Frankfurter Pokalsieg. Damit löste der „treue Charly" sein Versprechen ein: „Solange ich spiele, steigt die Eintracht nicht ab."

Und so kam es auch. Im ersten Relegationsspiel gegen den 1. FC Saarbrücken präsentierte sich eine kämpferische Eintracht, die durch Tore von Andersen und Binz verdient mit 2:0 gewann. Die bange Frage war jedoch, ob der Zwei-Tore-Vorsprung für das Rückspiel reichen würde. Er sollte, aber wie! Bereits nach zehn Minuten hatte Anthony Yeboah zum 1:0 für die Saarländer getroffen, denen sich danach gute Chancen zum zweiten Tor boten. Es war einmal mehr Frank Schulz, der die Eintracht nach 51 Minuten mit einem Freistoßtor zurück ins Spiel brachte. Der 1. FCS resignierte aber nicht, und als Yeboah nach 76 Minuten die erneute Führung gelang, hatte die Eintracht noch manch brenzlige Situation zu überstehen. Sie wankte zwar, fiel aber nicht. Den 5.000 Eintracht-Fans war's letztendlich egal. Trotz der 1:2-Niederlage war Eintracht Frankfurt auch 1989/90 Bundesligist.

Die Fans: Von der Euphorie in Europa in die Tristesse der Geisterspiele

„Stellt Euch vor, es ist Fußball – und keiner geht hin!" Dieser flapsige Spruch wurde im März 2020 bittere Realität. Nicht nur bei der Eintracht, sondern weltweit. Die Cornonavirus-Pandemie sorgte erst für die Einstellung des Ligabetriebs, nach dem Re-Start der Bundesliga Mitte Mai für Geisterspiele ohne Zuschauer. Für jeden regelmäßigen Stadionbesucher die Höchststrafe. Auch Spieler, Trainer und Offizielle mussten sich erst an die neue Situation gewöhnen, die eher der Atmosphäre eines Tests in der Saisonvorbereitung glich als „richtigem" Fußball, zu dem die Fans gehören wie das berühmte Salz in der Suppe. Schon Desmond Morris schrieb 1981 in seinem Buch „The Soccer Tribe" (deutsch „Das Spiel: Faszination und Ritual des Fußballs"): „Jeder Anhänger weiß genug über die technischen Details des Sports, um sich irgendein Fußballspiel im Fernsehen anzuschauen, aber sein Herz ist immer bei einer bestimmten

Gähnende Leere in der Commerzbank-Arena. Nur 6.300 Zuschauer sahen nach einer einem DFB-Urteil das Pokalspiel gegen den FC Ingolstadt 04 am 25. Oktober 2016.

Mannschaft und die Stammeszugehörigkeit zu seinem Heimverein geht über alle anderen Überlegungen hinaus. Selbst wenn seine Mannschaft schlecht spielt und eine Reihe von Niederlagen erleidet, bleibt die Loyalität des wahren Fans unerschütterlich. Er mag jammern oder murren, aber er lässt sie nicht im Stich. Er hat gelernt, dass kein Team, so brillant es auch sein mag, alle seine Spiele gewinnen kann, und er wartet auf die guten Zeiten, die sicher kommen müssen."

Bei der Eintracht kamen sie nach langen Jahren der Entbehrung 2018 mit dem fünften Pokalsieg und der anschließenden Euphorie in der Europa League, wo Tausende Fans überall für ausgelassene Stimmung sorgten – aber leider auch das eine ohne andere Mal über die Stränge schlugen. Dabei waren die Eintracht-Fans seit dem Abstieg 2011 gebrannte Kinder. Durch das Spruchband „Deutscher Randalemeister 2011" musste ganz Deutschland denken, dass die Frankfurter Fanszene nur aus einem Haufen Krawallmacher, Chaoten und unverbesserlicher Idioten besteht. Seitdem gab es sechs Heimspiele mit einem „Zuschauerteilausschluss", wie es im DFB-Deutsch heißt: 2011 gegen den FC St. Pauli, 2012 gegen Bayer Leverkusen, 2015/16 gegen den VfB Stuttgart und 2016/17 gegen den FC Schalke 04, gegen Bayern München und im Pokalspiel gegen

den FC Ingolstadt 04. Außerdem erhielten Eintracht-Fans für das Auswärtsspiel am 30. April 2016 in Darmstadt (offiziell) keine Karten. Dazu kamen saftige Geldstrafen, die inzwischen die Millionengrenze weit überschritten haben dürften.

Auch beim ersten Europa-League-Spiel 2018/19 waren die Eintracht-Fans ausgesperrt, da Olympique Marseille von der UEFA zu einem Spiel ohne Zuschauer verdonnert worden war. Nach den Vorfällen von Guimaraes im Oktober 2019, wo sich Heim- und Gästefans mit Sitzschalen bewarfen, reagierte die UEFA mit einem Gästefanausschluss für die Spiele bei Standard Lüttich und beim FC Arsenal – auch wenn viele Eintracht-Fans doch irgendwie den Weg ins „Emirates" fanden. Das englische Fanzine „When Saturday Comes" stellte jedenfalls bewundernd fest, „that a home team's been outsung by fans who weren't even there."

Trotzreaktion in London: Nach dem Halbfinal-Aus beim FC Chelsea am 9. Mai 2019 trösteten die Fans die Mannschaft und intonierten die Klub-Hymne „Im Herzen von Europa".

Nun kann man über Sinn und Unsinn von Konventionalstrafen streiten. Der DFB hat sie abgeschafft, die UEFA nicht. Aber die Eintracht spielte seit den Vorfällen von Rom und Mailand unter Bewährung. Das ist Fakt. Auch wenn Lazio-Fans provoziert hatten und die Polizei nicht unbedingt deeskalierend aufgetreten war, rechtfertigt das nicht das Werfen von Böllern auf andere Fans, Polizisten und Ordner. Die Mehrheit der Eintracht-Fans machte ihrem Unmut auch durch Sprechchöre „Und Ihr wollt Eintracht Frankfurt sein?" Luft. Als in Mailand erneut ein paar Unverbesserliche zündelten, war die Stimmung bei den meisten der rund 15.000 mitgereisten Fans auf dem Nullpunkt, drohte doch schon damals ein Totalausschluss für das nächste Spiel bei Benfica Lissabon. Die Vorfälle von San Siro sorgten aber auch für Reaktionen innerhalb der Fanszene. Nachfolgend eine verkürzt aber sinngemäß wiedergegebene Meinung:

„Nach dem Treffen in der Louisa, bei dem noch einmal klargestellt wurde, dass allen klar ist, was durch die Bewährung auf dem Spiel steht, hätte ich niemals damit gerechnet, dass überhaupt Pyro gezündet wird. Nach den ersten Fackeln konnte man bereits merken, dass im direkten Umfeld die Stimmung umschlug Richtung Ablehnung. Als aber die erste Leuchtspur ins Dach geschossen wurde und anschließend Richtung Unterrang geflogen ist, waren nicht nur Pfiffe aus anderen Blöcken zu hören, sondern wurden die ersten Hasstiraden ausgetauscht und der Support kurz eingestellt. Auch wenn die Leuchtspur nicht bewusst in den Unterrang geschossen wurde, war das einfach nur dumm. [...] Als gegen Ende weitere Fackeln gezündet wurden, obwohl klar war, dass der Bogen bereits überspannt war, hat es das Fass zum Überlaufen gebracht. [...] Als unmittelbarer Augenzeuge kann ich vergewissern, dass nicht nur bei der übrigen Fanszene blankes Entsetzen herrschte, sondern auch bei vielen Einzelnen der UF. Rückblickend hat das Geschehene die Stimmung negativ beeinflusst, die Euphorie so was von gedämpft und nicht nur am Donnerstag einen Riss in die Fanszene reingebracht. Ich frage mich, was da im Kopf eines Menschen abgeht, beim Einzug ins Viertelfinale des Europapokals eine Leuchtspur abzuschießen? Wird wohl unergründet bleiben. Selbst wenn wir nochmal mit einem blauen Auge davon kommen, ist es an der Zeit, dass die führenden Köpfe der aktiven Szene die richtigen Schlüsse ziehen. Unbeugsam zu sein ist eine gerade Haltung, die die UF auszeichnet. Das unterstütze ich. Aber ab einem gewissen Punkt muss man einfach das große Ganze sehen. Wenn es einige Wenige gibt, die der gesamten Fanszene einen Bärendienst erweisen, dann gehören diese Leute aus der Gruppe ausgeschlossen, weil unzurechnungsfähig."

Der Adler als Eintracht-Wappentier steht im Mittelpunkt vieler Fan-Inszenierungen. Seit 2005 begleitet „Attila" den Klub als leibhaftiges Maskottchen.

Die Ultras kündigten „interne Konsequenzen" an und übernahmen die Verantwortung. Der Nordwestenkurve-Rat hielt es für „nicht entschuldbar, dass sich einige Personen nicht an Absprachen und Verhaltensregeln unse-

Randalemeister 2011? Auch 1926/27 (unten) wurde schon über Zuschauerprobleme diskutiert.

Vorschläge zur Zuschauerfrage, die wir gerne allen Polizeidirektionen des Kontinents zur Verfügung stellen.

Vielleicht verstärke man die Polizeimannschaften, pro Zuschauer ein Schutzmann, oder noch mehr!

Kein neues Phänomen: Randalierende Frankfurter „Fans" beim Spiel gegen Nürnberg 1967 im Waldstadion und 2011 nach dem Spiel gegen Köln.

rer Kurve halten", sah andererseits aber auch „mehr als ein Signal, dass die Gruppe Ultras Frankfurt 97 gestern klar und unmissverständlich Stellung zu den Vorkommnissen bezogen hat." Und tatsächlich schien der angekündigte Selbstreinigungsprozess zu funktionieren. Beim unglücklichen Aus im Elfmeterschießen bei Chelsea liefen die Fans noch einmal zu Höchstform auf, verharrten minutenlang auf ihren Plätzen, trösteten die Mannschaft und sangen mit ihr zusammen „Im Herzen von Europa". Das war Gänsehaut pur!

Schon nach dem Pokalspiel in Magdeburg 2016, als aus dem Frankfurter Block Raketen flogen, sprach die Fan- und Förderabteilung von einem „absoluten Tiefpunkt" und einem „endgültigen Bruch mit allem, was bisher Konsens war. Was in Magdeburg geschehen ist, war einfach nur noch kriminell, nicht entschuldbar, nicht tolerierbar, und mit allem, was wir und die gesamte Frankfurter Fanszene seit Jahren unter schützenswerter Fankultur verstehen, nicht im Geringsten vereinbar." Auch der Fanclubverband und die Ultras distanzierten sich von den Vorkommnissen. Eine ähnlich deutliche Stellungnahme nach dem Guimaraes-Urteil blieb leider aus. Natürlich kann man über die Strukturen großer Verbände (ob DFB, UEFA oder FIFA) streiten, aber im Fußball gelten Regeln. Sowohl auf dem Rasen als auch auf den Rängen. Die Eintracht hatte nach Mailand die dunkelgelbe Karte bekommen. Die UEFA konnte also gar nicht anders, als die nach den Vorfällen von Rom verhängte Bewährung aufzuheben und eine härtere Strafe auszusprechen. Auch wenn 99 Prozent der Fans sich nichts hatten zuschulden kommen lassen. Nehmen wir den Faden von oben wieder auf: „Wenn es einige Wenige gibt, die der gesamten Fanszene einen Bärendienst erweisen, dann gehören diese Leute aus der Gruppe ausgeschlossen, weil unzurechnungsfähig." Darüber hätten sich im Vorfeld alle klar sein müssen.

Dabei hat die Frankfurter Fankurve oft bewiesen, dass sie eine der besten im Land ist. Sie ist „laut, kreativ, reiselustig und [steht] fast immer bedingungslos hinter der Mannschaft", schrieb der heutige Vizepräsident des e. V., Stefan Minden, 2011 in der „Diva". Mit über 50.000 lag der Zuschauerschnitt vor der Saisonunterbrechung im März 2020 so hoch wie noch niemals zuvor. Der durch das „Sommermärchen" 2006 angestoßene Zuschauer-Boom stößt aber mittlerweile an Grenzen. Günstige Eintrittskarten sind Mangelware, Stehplatzdauerkarten wertvoll und immer ausverkauft. Kein Vergleich zu früheren Zeiten, als die Eintracht zwar oft in der Spitze mitmischte, aber nicht gerade zu den Zuschauer-Hochburgen zählte. Es waren aber auch andere Zeiten. Damals war die Fahne das wichtigste Erkennungszeichen eines Fans. Beim Einlaufen der Mannschaften, bei jedem Tor und nach dem Spiel wurde sie geschwenkt. Zwar gibt es auch heute Fahnen, sie gehören aber zum „Support" und werden meist während des gesamten Spiels geschwenkt. Manchmal sehr zum Leidwesen anderer Fans.

Weitgehend aus der Mode gekommen ist dagegen die „Fan-Kutte". Sie war in der Vor-Merchandising-Zeit fast die einzige Möglichkeit, die Verbundenheit zum Verein auf der Kleidung auszudrücken. Die Fan-Kluft konnte einen bei Auswärtsspielen aber auch gehörig in Schwierigkeiten bringen und in manchen Stadien war es angebracht,

„zivil" aufzutreten. Denn „Problemfans" sind so alt wie das Spiel. Schon 1911 wurde Amicitia Bockenheim nach Tumulten für zwei Jahre disqualifiziert. 1922 hatte der Eintracht-Ordnungsdienst große Mühe, „mit Stöcken bewaffnete Hanauer Zivilisten in Schach zu halten" („Der Kicker" vom 23. Oktober 1922). Ein „Freundschaftsspiel" gegen den FSV ging 1927 als „Marneschlacht des Frankfurter Fußballsports" in die Geschichte ein und 1931 umsäumten „20.000 teilweise zügellose Menschen . . . das Spielfeld" am Riederwald. Als die Eintracht in der 88. Minute in Führung ging und der FSV postwendend ausglich, „setzte es Streit unter den jubelnden und schimpfenden Zuschauern und es gab blutige Köpfe." („Fußball" vom 6. Oktober 1931)

Beim Endrundenspiel um die Deutsche Meisterschaft 1953 gegen den 1. FC Kaiserslautern rissen tausende Fans ohne Karten Zäune ein, stürmten die Laufbahn und erklommen sogar das Stadiondach. 1959 wurde Schiedsrichter Riegg (Augsburg) von aufgebrachten Zuschauern tätlich angegriffen, als er der Eintracht gegen den SSV Reutlingen (2:2) einen Elfmeter verweigerte. Die Eintracht wurde zu 500 Mark Geldstrafe verurteilt, der Übeltäter erhielt drei Jahre Stadionverbot. Auch nach Gründung der Bundesliga fielen Eintracht-Fans mehrmals aus der Rolle. So 1967 gegen den 1. FC Nürnberg (1:4) und 1971 im Pokal in Schweinfurt. „Die Eintracht täte gut daran, sich einmal in aller Form von solchen Freunden zu distanzieren", schrieb die „Frankfurter Neue Presse" am 6. Dezember 1971. Die Anfang der 1970er Jahre entstandenen Fan-Clubs versuchten, dem entgegenzusteuern und gewaltbereite Fans in den Griff zu bekommen. Natürlich organisierten sich bald auch Gruppen, die auf „Randale" aus waren. Die Polizei reagierte mit verstärkter Präsenz. Während „Kuttenträger" gegen Videoüberwachung und mehr Zäune im „Block G" demonstrierten, zogen sich gewaltbereite Fans in andere Blöcke zurück oder wurden mit Stadionverboten belegt. Einen schweren Stand hatten von der Polizei eingesetzte „Kontaktbeamte", die sozusagen als Sozialarbeiter vor Ort tätig sein sollten. Von den meisten Fans (friedlich oder gewaltbereit) als „Spitzel" gemieden, musste einer sogar am eigenen Leib erfahren, wie rau die Fan-Welt sein konnte. Bei seiner ersten Auswärtsfahrt musste der in Zivil mitreisende Frankfurter Polizist einen Schlagstockhieb eines uniformierten Bochumer Kollegen einstecken.

Denn nicht immer gehen die Aggressionen von den Fans aus. Jüngstes Beispiel ist der Eklat beim Europa-League-Spiel gegen Schachtar Donezk am 21. Februar 2019, als nach einem Interview von Präsident Peter Fischer auf DAZN – „Wenn ich sage, dass das Stadion morgen brennt, dann brennt das morgen. Und zwar so, dass ihr (der Sender, Anm. d. Autors) kaputt geht, weil ihr so viel Licht habt und das Spiel für euch etwas neblig wird.") – die Polizei vor dem Spiel die Kurve durchsuchte, wobei es zu Rangeleien mit Fans und anschließend zum Abbau der geplanten Choreographie kam. „Völlig überzogen", nannte Georg Leppert den Polizeieinsatz, der sogar den Landtag beschäftigte. „Die Annahme, ein (in der Tat sehr unglückliches) Interview eines Vereinspräsidenten könne dazu führen, dass im Stadion massiv Pyrotechnik gezündet wird, ist absurd. So absurd, dass der Verdacht naheliegt, die Polizei habe nur auf

einen Vorwand gewartet, um die Kurve durchsuchen zu können." („Frankfurter Rundschau" vom 23./24. Februar 2019) Eintracht-Vorstand Axel Hellmann hielt den Einsatz für „rechtsstaatlich bedenklich" und die Eintracht kündigte „eine anwaltliche Untersuchung des Polizeieinsatzes" an. Kritisiert wurde neben Innenminister Peter Beuth, der „über die einzelnen Maßnahmen nicht informiert gewesen sein" wollte auch das außerordentlich harte Vorgehen der Beamten. Einem dabei verletzten Fan wurden im Februar 2020 vom Landgericht Frankfurt Schadenersatz und Schmerzensgeld zugesprochen.

Dabei ist unbestritten, dass es nicht ohne Polizeipräsenz geht. Es sind halt auch genügend Leute unterwegs, für die ein Fußballspiel zweitrangig ist. Allerdings belegten die von der Zentralen Informationsstelle Sporteinsätze (ZIS) in ihrem Jahresbericht 2018/19 vorgelegten Zahlen, dass sowohl die Zahl der eingeleiteten Strafverfahren (von 6.921 auf 6.289) als auch die Zahl verletzter Personen rückläufig war (von 1.213 auf 1.127). Zugenommen hatte dagegen die Zahl der Verletzungen durch Pyrotechnik (von 63 auf 163) und durch „polizeilichen Reizstoff" (von 143 auf 183). Zahlen, die angesichts der Debatte über eine finanzielle Beteiligung der Profivereine an den Kosten der Polizeieinsätze zu denken geben. So weist Stefan Minden darauf hin, „dass einerseits die Polizei ihre Einsätze und die jeweilige Gefahrenlage eher überbetont, während andererseits der DFB sich, um auch auf der politischen Ebene das Ansinnen einer Kostenbeteiligung zurückzuweisen, veranlasst sieht, ein besonders energisches Einschreiten gegen Gewalt zu zeigen". Und mittendrin steht der Fan, insbesondere der Stehplatzfan. Niemand möchte reine Sitzplatzstadien wie in England, Sondergesetze gegen Fußball-Fans wie in Italien oder die Aussperrung von Auswärtsfans wie in Griechenland oder Argentinien.

Gewahrsam, Stadion-
verbote, Meldeauflagen:
Frankfurter Fans machen
deutlich, was sie aus Liebe
zu ihrem Verein alles auf
sich nehmen.

Kein Wunder, dass sich Vorurteile gegen Fans über Jahre verfestigt haben. Als Antwort skandieren diese „Fußballfans sind keine Verbrecher". Das bewiesen während der Coronavirus-Pandemie 2020 viele Fan- und Ultragruppen in ganz Deutschland. Sie riefen zu Spendenaktionen und Nachbarschaftshilfe auf, zeigten ihre Anerkennung für Ärzte und das Pfleger in den Krankenhäusern, sprachen dem Personal in Supermärkten auf Spruchbändern ihren Dank aus und demonstrierten Solidarität mit befreundeten Gruppierungen. Der Ultra-Zusammenschluss „Fanszenen Deutschlands" forderte aber auch ein generelles Umdenken, erinnerte an die gesellschaftliche Verantwortung des Fußballs und lehnte Geisterspiele ab: „Ein System, in das in den letzten Jahren Geldsummen jenseits der Vorstellungskraft vieler Menschen geflossen sind, steht innerhalb eines Monats vor dem Kollaps. Der Erhalt der Strukturen ist vollkommen vom Fluss der Fernsehgelder abhängig, die Vereine existieren nur noch in totaler Abhängigkeit von den Rechteinhabern." (www.faszination-fankurve. de am 16. April 2020) In Frankfurt rief der Nordwestkurve-Rat dazu auf, „aus der Corona-Krise [zu] lernen: Wir brauchen ein neues Fußballsystem!" (nachzulesen in „Fan geht vor", Ausgabe S1 vom Mai 2020)

Während Vereine, DFL und DFB auf die Wiederaufnahme des Spielbetriebs hinarbeiteten, wuchs die Angst vor „Zusammenrottungen" von Fans vor den Stadien.

„Pyro"-Aktion 2015 gegen Schalke: In die aus Holz und durchsichtiger Folie bestehendern Buchstaben wurde roter Rauch eingelassen. Der Schriftzug FRANKFURT war Teil einer großen Choreographie in der Nordwestkurve.

Bergamo gibt nicht auf! Die Ultras demonstrierten ihre Solidarität mit der Stadt in der Lombardei, die zu den stärksten von der Pandemie betroffenen Orten Italiens zählt.

Diese Meinung vertraten bei eine Erhebung von FanQ immerhin 79 % der Befragten („kicker" vom 23. April 2020). Das Fachblatt sah sogar die Gefahr, dass „radikale Fans … bei einem … feststehenden Abstieg eines Vereins über diesen Weg ein Ende der Geisterspiele und einen Abbruch der Saison bewirken könnten." Für die „FAZ" stand dagegen fest, dass die Ultras „Geisterspiele stören" wollten (faz.net vom 25. April 2020). Auch das Sicherheits- und Hygienekonzept der DFL sah vor, dass sich auch im Stadionaußengelände keine Fans aufhalten dürfen. Einen passenden Kommentar über diese „perfide Phantomdiskussion" schrieb Nicole Selmer in der Mai-Ausgabe des Wiener Fußball-Magazins „ballesterer": „»Geisterspiele stören die Ultras« ist nicht dasselbe wie »Die Ultras stören Geisterspiele«. Ersteres stimmt, für Letzteres gibt es nicht den leisesten Hinweis." Und genau so kam es.

Doch was nach Corona kommt, kann niemand sagen. Nach dem Guimaraes-Urteil stand für die Eintracht vor allem die Frage im Vordergrund, „wie wir unser aller Ziel, gemeinsam sportliche Festtage in europäischen Klubwettbewerben feiern zu dürfen, zukünftig wirksamer vor dem Fehlverhalten Weniger schützen können." Doch werden wir wieder „normale" Zeiten erleben wie 2018/19, als die Choreographien der Nordwestkurve Kultstatus erreichten? Werden auch weiterhin <u>alle</u> Fans geschlossen hinter der Eintracht stehen oder werden sich einige vom Profifußball abwenden? Und wird es möglich sein, dass sich der „bemerkenswerte Imagetransfer vom übel beleumundeten »Randalemeister« zum deutschen Vorzeigeklub in der Europa League" („Frankfurter Neue Presse" vom 11. April 2019) fortsetzt? Selbst dieses Lob kommt nicht ohne Bezug auf die dunkle Vergangenheit aus. Schade eigentlich.

Erfolg macht blind

1989/90 ■ Mit Hessen zurück an die Spitze

Nachdem „Atze" Friedrich am 18. Mai gekündigt hatte, wurde die Manager-Position bei der Eintracht nicht neu besetzt. Dafür kümmerte sich Vizepräsident Bernd Hölzenbein jetzt verstärkt um die sportlichen Belange.

Als Erstes gab es einen erneuten Schnitt, bereits den dritten nach 1983 und 1987. Das neue Konzept hieß „Mit Hessen zurück an die Spitze". Vor allem die neue Mittelfeld-Achse mit Uwe Bein (Hamburger SV, offensiv) und Ralf Falkenmayer (von Bayer Leverkusen zurück, defensiv) machte den Unterschied zur Zittersaison 1988/89 aus. Da auch der schon als Fehleinkauf abgestempelte Norweger Jörn Andersen seine Ladehemmung ablegte und auf einmal am Fließband traf, kletterte die Eintracht zur Überraschung aller Experten und zur großen Freude der wieder zahlreich ins Stadion strömenden Fans am 3. Spieltag an die Tabellenspitze. Nur einmal stand man in der Vorrunde nicht auf einem UEFA-Pokal-Platz. Die Torausbeute hatte sich mit 34 im Vergleich zu acht in der Vorrunde 1988/89 mehr als vervierfacht! Punktemäßig hatte man mit 28:14 nach 21 Spielen bereits zwei Zähler mehr auf der Habenseite als in der ganzen vorangegangenen Saison. Tabellenführer Bayern München lag nur einen Zähler vor der Eintracht.

Mit einem 5:1 gegen den VfB Stuttgart blieb man den Bayern auch im Frühjahr 1990 dicht auf den Fersen, so dass das Spiel am 17. März bereits als vorweggenommenes Finale galt. Vor 70.000 Zuschauern im Olympiastadion (darunter über 20.000 Eintracht-Fans!) brannte die Eintracht in der ersten Halbzeit ein wahres Feuerwerk ab und hätte durchaus 3:0 führen können. Mit Glück und Cleverness hielten die Bayern jedoch ihr Tor sauber und kamen schließlich sogar zu einem schmeichelhaften Sieg. Nach 58 Minuten nutzte Strunz ein Missverständnis zwischen Stein und Andersen zum einzigen Treffer des Spiels. Damit setzten sich die Münchner vier Punkte ab, was bei der Eintracht einen Knacks hinterließ. Mit einem 0:3 gegen Bayer Leverkusen verabschiedete man sich aus dem Meisterschaftsrennen. Nachdem die UEFA-Pokal-Qualifikation bereits drei Spieltage vor Schluss gesichert worden war, gelang am Ende durch ein 3:1 gegen Vizemeister 1. FC Köln sogar noch der Sprung auf den dritten Platz. Außerdem wurde mit Jörn Andersen (18 Tore) erstmals ein Eintracht-Spieler und erstmals ein ausländischer Profi überhaupt Bundesliga-Torschützenkönig.

1990/91 ■ Ein Jahr der verpassten Möglichkeiten

Bereits nach der unglücklichen Niederlage von München hatte Vizepräsident Bernd Hölzenbein trotzig verkündet: „Nächste Saison jagen wir die Bayern erst richtig!" Schon vorher hatte der Weltmeister von 1974 Zeichen gesetzt: Seit Februar war die Rückkehr von Andreas Möller aus Dortmund an den Main perfekt, im März wurden die Verträge mit Binz, Körbel und Stein verlängert. Lediglich Andersen ging von Bord. Er hatte auf Italien spekuliert, doch als sich ein Wechsel zum FC Genua 93 zerschlug, hatte die Eintracht bereits den Ghanaer Anthony Yeboah vom 1. FC Saarbrücken verpflichtet.

Mit dem Anspruch der neuen „Macht am Main" waren aber auch gewaltige finanzielle Anstrengungen notwendig. Allein für Möller mussten 4,35 Millionen, für Yeboah 1,2 Millionen Mark auf den Tisch geblättert werden. Außerdem wurde das Gehaltsgefüge gewaltig erhöht, denn anders waren die Stars nicht zu halten. Allein war diese Aufgabe nicht zu bewältigen – die Detari-Millionen waren im Abstiegskampf 1988/89 aufgezehrt worden. Da auch Trikot-Sponsor Hoechst AG nicht bereit war, entscheidend über sein bisheriges Engagement (700.000 Mark jährlich) hinauszugehen, musste der Möller-Transfer mit Hilfe privater Sponsoren finanziert werden. So steuerten Präsident Ohms und Börsenmakler Wolfgang Steubing, Präsident des Oberligisten Rot-Weiss Frankfurt, jeweils eine halbe Million hinzu. Während die Mannschaft sportlich aufgerüstet wurde, begann finanziell freilich der berühmte „Tanz auf der Rasierklinge", denn im Vergleich zur Vorsaison war der Etat von 8,2 auf 12,9 Millionen Mark gesteigert worden – und sollte sich bis zum Abstiegsjahr 1995/96 noch einmal verdoppeln. Auf Dauer war diese teure Mannschaft nur zu halten, wenn sich umgehend sportliche Erfolge einstellen würden, auf nationaler wie auf internationaler Ebene.

Doch gerade auf internationalem Parkett blamierte sich die Millionen-Truppe gleich bei ihrem ersten Auftritt bis auf die Knochen. In Kopenhagen präsentierte sich die Eintracht wie ein Zweitligist und unterlag Bröndby IF sang- und klanglos mit 0:5. Zwar rehabilitierte sich die Mannschaft im Rückspiel (4:1), in der Bundesliga dagegen wurde entscheidend an Boden verloren. Statt mit einem Sieg bei Aufsteiger SG Wattenscheid 09 an die Spitze vorzustoßen, fiel man hinter das Duo 1. FC Kaiserslautern und Bayern München auf den dritten Platz zurück. Als im Oktober lediglich ein Sieg gelang, kam es zur Zerreißprobe. Nach der 1:4-Heimniederlage gegen Bayern München ging Uli Stein in der Kabine zuerst auf Andreas Möller, dann auf Anthony Yeboah und schließlich auf Trainer Berger los: „Soll ich den Möller auf die Tribüne setzen, oder machen Sie das? Aber Sie machen ja hier überhaupt nichts mehr, was spielen Sie eigentlich für eine Rolle?" („kicker-sportmagazin" vom 1. November 1990)

Während die Sache für Stein mit einer Abmahnung endete, standen Andreas Möller und sein Berater Klaus Gerster weiterhin im Kreuzfeuer der Kritik. Gerster war nämlich im Sommer mit Möller aus Dortmund an den Riederwald zurückgekehrt und hatte dort einen Vierjahresvertrag als Manager erhalten. Dies empfand nicht nur Trainer Berger als unglückliche Konstellation, auch Teile der Mannschaft monierten,

Trainer Jörg Berger mit den Neuzugängen 1989/90. Stehend von links Heide, Falkenmayer, Bein und Sippel, vorne Klein und Conrad. Alle erlernten ihr Fußball-Abc im Hessenland.

dass der „schwarze Abt" zusammen mit Möller und Binz die Vereinspolitik aushecke. Stärker noch als beim Wechsel Möllers nach Dortmund im Winter 1987/88 war ein Interessenkonflikt deutlich. Einige behaupteten gar, „Gerster wolle Stein, Bein und Gründel aus der Mannschaft drücken, um freies Feld für Möller, die eigenen Interessen und die eigene Position zu schaffen" („kicker-sportmagazin" vom 1. November 1990). Zwischen diesen Gruppen stand Trainer Berger und sollte schließlich daran aufgerieben werden.

Trotz der internen Probleme konnte der Anschluss an die Spitze bis zum Ende der Vorrunde gehalten werden. Beim 4:3 gegen den 1. FC Kaiserslautern Anfang März schoss sich Andi Möller mit drei Toren endlich den Frust von der Seele. Doch ein wirklicher Befreiungsschlag für die Eintracht war das nicht. Zwar wurde durch ein 3:1 über die SG Wattenscheid 09 das Halbfinale des DFB-Pokals erreicht, in der Bundesliga geriet dagegen der fünfte Platz in ernste Gefahr. Ohne die Qualifikation für einen internationalen Wettbewerb aber drohte das vorschnelle Ende der „Macht am Main". Schon im Dezember nämlich hatte Bernd Hölzenbein angekündigt, notfalls Spieler zu verkaufen, um den Verein nicht ins finanzielle Verderben zu führen. Den großen Knall gab es schließlich am 13. April 1991: Nach einer 0:6-Heimniederlage gegen den Hamburger SV kam es zur Trennung von Trainer Jörg Berger. Was auf den ersten Blick die logische Folge des sportlichen Desasters zu sein schien, hatte in Wirklichkeit jedoch tiefere Gründe. Nach einer Präsidiumssitzung soll Manager Gerster der Mannschaft mitgeteilt haben, dass die Position des Trainers nicht mehr sicher sei. „Wenn so etwas in der Mannschaft bekannt wird, dann gibt man ihr ein Alibi. So haben einige Spieler denn auch gespielt. Für mich kommt daher diese Niederlage nicht überraschend." („kicker-sportmagazin" vom 15. April 1991) Mit diesen Worten redete sich Berger auf der Pressekonferenz um den eigenen Kopf. Die Mannschaft ging auf Distanz zum Coach, das Präsidium (Präsident Ohms: „Es kann nicht sein, dass ein Angestellter des Vereins öffentlich über alle anderen Angestellten herfällt.") sogar noch einen Schritt weiter.

Keine 24 Stunden später präsentierte Bernd Hölzenbein mit dem ehemaligen Eintracht-Spieler Dragoslav Stepanovic den neuen Trainer. Mit drei Siegen zum Einstand brachte „Stepi" die Eintracht wieder auf UEFA-Pokal-Kurs. Dabei hatte der Jugoslawe gar nicht so viel verändert. Bein und Möller bekamen alle Freiheiten in der Offensive. Binz kehrte wieder auf die Libero-Position zurück und Körbel spielte wieder Mann-

Der letzte Akt des „treuen Charly": Schiedsrichter Prengel aus Düsseldorf zeigt Karl-Heinz Körbel beim FC St. Pauli die vierte Gelbe Karte der Saison. Damit war die Karriere des Bundesliga-Rekordspielers nach 602 Einsätzen beendet.

decker. Zwar wurde der Einzug ins Pokal-Endspiel gegen Werder Bremen verpasst – nach einem 2:2 nach Verlängerung unterlag man an der Weser mit 3:6 –, dafür wurde das UEFA-Pokal-„Endspiel" gegen den VfB Stuttgart gewonnen. Nach einem glatten 4:0 gegen die Schwaben wurde die Saison immerhin noch als Vierter abgeschlossen. Ein langes Gesicht machte lediglich Kapitän „Charly" Körbel, der beim FC St. Pauli (1:1) die vierte Gelbe Karte gesehen hatte und so seine Karriere als Bundesliga-Rekordspieler (602 Einsätze) nicht im heimischen Waldstadion beenden konnte.

1991/92 ■ „Fußball 2000" – bis zum Finale in Rostock

Obwohl wegen der Integration zweier Ost-Mannschaften die Bundesliga für ein Jahr auf 20 Vereine aufgestockt wurde, vertraute man im Wesentlichen der Vorjahresmannschaft. Eine Alternative für den Angriff sollte Edgar Schmitt sein, der für „Stepis" Ex-Klub Eintracht Trier 36 Tore in der Oberliga Südwest erzielt hatte. Außerdem wurde Mitte September Jörn Andersen von Fortuna Düsseldorf zurückgeholt, so dass die Eintracht über die wohl hochkarätigste Offensivabteilung der Liga verfügte. Dies musste als Erster (Wieder-) Aufsteiger FC Schalke 04 erfahren, der mit einer 5:0-Packung zurück nach Gelsenkirchen geschickt wurde. Doch nur mit berauschendem Fußball allein war noch niemand Deutscher Meister geworden. Erst als der „Fußball 2000" auch die notwendigen Punkte einbrachte, konnte sich die Eintracht an der Spitze festsetzen. Nach einem 6:3 beim MSV Duisburg am 16. Spieltag standen bereits 40 Tore zu Buche, je 20 zu Hause und auswärts. Zwar schied man erneut im UEFA-Pokal gegen den Außenseiter KAA Gent aus (0:0 in Belgien, 0:1 zu Hause), dafür wurde die Eintracht erstmals Bundesliga-Herbstmeister. Überwintert wurde jedoch nur auf Platz 2, nachdem man in Schalke eine Minute vor Schluss einen Foulelfmeter zum Ausgleich hinnehmen musste (1:1).

Auch nach der Winterpause kam die Mannschaft nur langsam aus den Startlöchern. Im Umfeld gab es Spekulationen um einen Transfer von Andi Möller nach Italien (Atalanta Bergamo, Juventus Turin), intern Spannungen zwischen Trainer Stepanovic und den „Rebellen" Kruse, Studer und Gründel. Als aus den ersten drei Begegnungen des neuen Jahres nur zwei Punkte heraussprangen und man drei Punkte hinter Borussia Dortmund auf Platz 4 zurückfiel, schien das Thema Meisterschaft wieder einmal vorzeitig abgehakt. Mit dem Frühling kam aber auch die Form wieder. Im März gab es vier Siege in Folge und ein 2:2 in Dortmund. Mit einem 1:1 gegen den VfB Stuttgart eroberte sich die Eintracht schließlich wieder die Tabellenführung.

Allerdings lief das Eintracht-Spiel längst nicht mehr so rund, was sich auch in der Trefferquote niederschlug: 43 Toren in der Vorrunde folgten nur 33 in der Rückrunde. Und je länger es dauerte, bis der Angriff das entscheidende zweite oder dritte Tor nachlegte, desto anfälliger wurde die Abwehr. Beispiel Wattenscheid: 1:0 nach 15 Minuten, Ausgleich in der 83. Noch schlimmer das letzte Heimspiel gegen Werder Bremen. Wieder ein frühes 1:0 (20.), doch mit einem Doppelschlag in der 77. und 79. Minute drehten die nach ihrem Europapokalsieg geschwächten Bremer den Spieß um. Lähmendes

Entsetzen machte sich unter den 46.000 Zuschauern breit. Zwar gelang Yeboah umgehend der Ausgleich, zum Sieg langte es aber nicht mehr – auch weil Schiedsrichter Löwer aus Unna der Eintracht in der Schlussphase einen Foulelfmeter (Eilts an Bein) verweigerte. So ging das Spitzentrio Eintracht, VfB und BVB punktgleich (50:24) in die letzte und alles entscheidende Runde.

Von der Papierform hatte die Eintracht beim designierten Absteiger Hansa Rostock die leichteste Aufgabe. Dank der besten Tordifferenz hätte ein Sieg den Titel bedeutet. Für die Fans, die zu Tausenden ins Ostseestadion gepilgert waren, gab es da keinen Zweifel. Sie wunderten sich allerdings, warum Trainer Stepanovic die Mannschaft, die zuletzt 7:1 Punkte geholt hatte, veränderte. Für Routinier Gründel kam Frank Möller ins Team, und im Sturm erhielt der Ex-Rostocker Kruse, der in der Rückrunde nur zu drei Kurzeinsätzen gekommen war, den Vorzug. Während Kruse diesen Schachzug mit seinem Tor zum 1:1 noch rechtfertigte, bleibt bis heute unerklärlich, warum die Mannschaft fast eine Stunde mehr reagierte als selbst agierte. Im Mittelfeld ging Andreas Möller völlig unter, und im Sturm mangelte es Yeboah an Durchsetzungskraft. Erst nach dem Rostocker Führungstreffer (65.) und Kruses Ausleich zwei Minuten später wachte die Eintracht auf und zog ein Powerplay auf – der erlösende Führungstreffer wollte aber nicht fallen. In der 77. Minute verweigerte Schiedsrichter Berg aus Konz der Eintracht einen klaren Elfmeter, als Ralf Weber allein vor Torhüter Hoffmann zum

Die Entscheidung von Rostock: Stefan Böger zieht Ralf Weber von hinten die Beine weg, doch der Elfmeterpfiff bleibt aus.

Andreas Möller – hier im Zweikampf mit einem Abwehrspieler von Hansa Rostock – geriet nach dem verpatzten Meisterschaftsfinale in die Kritik.

Torschuss ausholte und ihm Böger von hinten die Beine wegzog. Und als kurz vor Schluss der eingewechselte Edgar Schmitt nur den Innenpfosten traf, kam es, wie es kommen musste: Nach einem Befreiungsschlag überlief Böger die aufgerückte Eintracht-Deckung und erzielte das 2:1 für Hansa. Wieder einmal stand die Eintracht mit leeren Händen da, doch so nah dran war sie dem Titel in 29 Jahren Bundesliga noch nie gewesen. Was ihr im Gegensatz zur Meistermannschaft von 1959 aber fehlte, waren mannschaftliche Geschlossenheit und Teamgeist.

Im Mittelpunkt der Kritik stand einmal mehr Andreas Möller, der in den entscheidenden Wochen mehr mit sich selbst beschäftigt schien als mit der Eintracht und der Meisterschaft. So war kurz vor dem Finale in Rostock durchgesickert, dass er im Falle des Titelgewinns 200.000 Mark Prämie erhalten sollte (die Mannschaft nur 50.000 je Spieler). Außerdem hatte er am Sonntag nach dem Spiel gegen Bremen Einigung über seinen Wechsel zu Juventus Turin erzielt. Mit Möller verließ auch sein Freund Klaus Gerster den Riederwald: Ihm wurde zwei Tage nach der Pleite von Rostock fristlos gekündigt.

1992/93 ■ Auch „Stepi" mit seinem Latein am Ende

Obwohl die Eintracht durch den Möller-Transfer 3,8 Millionen Mark Ablöse erhielt, waren ihr in punkto Neueinkäufen die Hände gebunden, da die Hausbank, die Bank für Gemeinwirtschaft, den Kreditrahmen von bisher 8,5 auf fünf Millionen Mark senkte. Zwar forderte die Eintracht von Möller wegen der vorzeitigen Auflösung des Vertrages weitere fünf Millionen Mark, doch sollte dieser Fall die Gerichte noch zweieinhalb Jahre beschäftigen. Erst im Dezember 1994 einigten sich beide Parteien auf einen Kompromiss, der Möller zur Zahlung von knapp 2,6 Millionen Mark verpflichtete. Außerdem durfte die Eintracht rund 600.000 Mark behalten, die nach Möllers Transfer zu Juventus auf einem Sperrkonto eingefroren waren.

Viel bewegt, aber Vertrauen verloren: Trainer Stepanovic.

Da sich der als Möller-Nachfolger geholte Ex-Gladbacher Uwe Rahn in der Vorbereitung verletzte, grub Trainer Stepanovic den fast 35-jährigen Rudi Bommer aus, der seine Profikarriere eigentlich schon 1988 beendet und vier Jahre bei Viktoria Aschaffenburg in der Oberliga gespielt hatte. Wie schon in den letzten Jahren gelang der Eintracht auch 19992/93 ein Super-Start mit elf Spielen ohne Niederlage. Dass es dennoch nicht zum Platz ganz oben reichte, war auf eine Reihe teilweise unnötiger Unentschieden zurückzuführen (3:3 in Gladbach und 1:1 gegen Saarbrücken in letzter Sekunde). Dafür entdeckte Stepanovic in der eigenen Amateurmannschaft einen jungen Nigerianer namens Augustine Okocha, der auf Anhieb den Sprung zum Stammspieler schaffte. Selbst ein deutliches 1:4 beim Karlsruher SC ließ die Eintracht weiter auf Tuchfühlung zum Spitzenreiter Bayern München bleiben. Mit nur einem Punkt Rückstand wurde die Vorrunde als Zweiter beendet. Außerdem wurde beim KSC nach Verlängerung (1:1) und Elfmeterschießen der Sprung ins Halbfinale des DFB-Pokals geschafft. Dafür gab es wieder ein frühes Aus im UEFA-Pokal, wo nach einem Rekord-Sieg gegen Widzew Lodz (9:0) in der 2. Runde das Aus gegen Galatasaray Istanbul kam (0:0 und 0:1).

Bereits Anfang Januar erklärte Trainer Stepanovic, dass für ihn am Saisonende Schluss in Frankfurt sei. Auch die Zukunft von Bein, Stein und Yeboah, die um besser dotierte Verträge pokerten, war lange ungewiss. Der Form der Mannschaft schien dies nichts anhaben zu können, so dass es am 6. März im Münchner Olympiastadion zum großen Showdown kam: FC Bayern (29:9 Punkte) gegen Eintracht (28:10). Mit Michael Anicic (für den verletzten Yeboah) und dem Brasilianer Alessandro da Silva (nach 61 Minuten für Okocha eingewechselt) gaben dabei zwei Amateure ihr Bundesliga-Debüt. An ihnen lag es aber am wenigsten, dass das Spiel mit 0:1 verloren wurde.

Ihm lagen nicht wenige Fans als „Zeugen Yeboahs" zu Füßen: Der ghanaische Stürmer Anthony Yeboah wurde 1993 und 1994 Bundesliga-Torschützenkönig.

Wie schon 1990 war das Spiel in München der Wendepunkt. Nach zwei weiteren Niederlagen war die Eintracht aus dem Titelrennen ausgeschieden. Dafür stand der Trainer im Kreuzfeuer der Kritik – und das drei Tage vor dem Pokal-Halbfinale gegen Bayer Leverkusen, „Stepis" neuem Klub!

Was sich schon bei den Niederlagen in Dortmund (0:3) und gegen Mönchengladbach (1:3) angedeutet hatte, setzte sich auch gegen Leverkusen fort. Nach der schnellen Bayer-Führung durch Thom (6.) erspielte sich die Eintracht zwar eine optische Überlegenheit, ein Doppelschlag von Kirsten und Thom (72./75.) beendete jedoch alle Frankfurter Pokalträume – und „Stepis" Engagement nach fast genau zwei Jahren am Riederwald. Er hatte viel bewegt in Frankfurt, sich dabei aber auch abgenutzt. Spätestens seit den geplatzten Vertragsgesprächen kurz vor Weihnachten wusste er, dass er nicht mehr das volle Vertrauen des Präsidiums – Ausnahme Bernd Hölzenbein – genoss.

Doch auch mit seinem Nachfolger, Ex-Eintracht-Idol Horst Heese, geriet die UEFA-Pokal-Qualifikation noch einmal in Gefahr. Zwar hatte die Eintracht beim Tabellenletzten Uerdingen in Krefeld mit 5:2 gewonnen, doch war Trainer Heese dabei ein folgenschwerer Lapsus unterlaufen: Nach einer Verletzung des als „Fußball-Deutscher" geltenden Jugoslawen Komljenovic hatte er den Slowaken Penksa eingewechselt – und damit neben Zchadadse (Georgien), Okocha (Nigeria) und Yeboah (Ghana) einen Ausländer zu viel auf dem Platz. Zwar wurde der Irrtum sofort bemerkt und Penksa nach drei Minuten durch Anicic („fußballdeutscher" Jugoslawe) ersetzt, doch kannten die Statuten des DFB keine Gnade: Das Spiel wurde mit 2:0 Toren und Punkten für Uerdingen gewertet. Die endgültige Qualifikation für den UEFA-Pokal wurde aber im folgenden Heimspiel gegen den 1. FC Kaiserslautern (3:0) unter Dach und Fach gebracht. Durch ein abschließendes 1:0 beim Hamburger SV wurde die Saison schließlich als Dritter beendet.

1993/94 ■ Hochmut kommt vor dem Fall

Nachdem es auch im dritten Anlauf nicht mit der Meisterschaft geklappt hatte, wurde für 1993/94 noch einmal kräftig investiert. Bereits Ende April war man sich mit dem Polen Jan Furtok (für 2,1 Millionen Mark vom Hamburger SV) einig. Mitte Juni wurde mit Klaus Toppmöller der neue Trainer präsentiert und kurz darauf mit Maurizio Gaudino (VfB Stuttgart/drei Millionen) ein weiterer hochkarätiger Name. Finanziell möglich wurden diese Transfers durch die Verkäufe von Edgar Schmitt (Karlsruher SC), Axel Kruse (VfB Stuttgart) und Stefan Studer (SG Wattenscheid 09) für zusammen rund 3,1 Millionen Mark sowie die Abgabe einiger Spieler aus dem zweiten Glied. Da sich auch der vom Oberligisten Hessen Kassel geholte Mittelfeldspieler Mirko Dickhaut in der Vorbereitung als brauchbare Alternative entpuppte, ging man selbstbewusst wie noch nie in eine neue Punktspielsaison: „Die Eintracht war zuletzt zweimal Dritter. Daher kann der Anspruch, Meister werden wollen, nicht zu hoch sein. Auch als Trainer strebe ich nach hohen Zielen. Und das kann in Frankfurt nur heißen: Her mit dem Titel!" (Trainer Toppmöller im „kicker-sportmagazin" vom 5. August 1993)

Beim Start in Mönchengladbach jedenfalls zeigte die Mannschaft Fußball vom Feinsten und gewann auch in der Höhe verdient mit 4:0. Mit einem 5:1 beim 1. FC Nürnberg übernahm sie am 4. Spieltag die Tabellenführung und eilte von Sieg zu Sieg. Nach elf Spielen standen 20:2 Punkte auf dem Konto, und die Eintracht war drauf und dran, den Startrekord der Münchner Bayern aus der Saison 1980/81 (22:2) zu egalisieren. Allerdings waren dabei beim auf Hochtouren laufenden Eintracht-Motor doch einige Fehlzündungen aufgetreten, die das Tempo gehörig bremsten. Es begann mit der schweren Knieverletzung von Anthony Yeboah im Spiel gegen Dynamo Dresden (3:2), nach der der Ghanaer, der zuvor in sieben Spielen neun Tore erzielt hatte, für den Rest der Vorrunde ausfiel, und fand seine Fortsetzung beim blamablen 1:2 im UEFA-Pokal gegen Dynamo Moskau, nachdem es in Russland noch einen 6:0-Triumph gegeben hatte.

Jubel-Vierer: Mit einem 2:2 bei Bayer Leverkusen verteidigte die Eintracht ihre Tabellenführung. Von links: Gaudino, Komljenovic, Furtok, Yeboah.

So schien die erste Niederlage (0:1 beim MSV Duisburg) auch wie eine Erlösung zu wirken. „Irgendwann musste es kommen. Es war nicht zu erwarten, dass wir ohne Niederlage durch die Saison kommen", meinte Torhüter Uli Stein. Zunächst schien es auch, als ob die Mannschaft die Niederlage wegstecken könnte. Bereits nach 15 Spielen war die Herbstmeisterschaft unter Dach und Fach. Durch das eigene 2:0 gegen Borussia Dortmund und das 0:2 der Bayern beim 1. FC Nürnberg betrug der Vorsprung auf die zweitplatzierten Münchner bereits fünf Punkte. Da die Eintracht auch im UEFA-Pokal gegen Dnjepr Dnejpropetrowsk weitergekommen war, die Bayern dagegen gegen Norwich City ausgeschieden waren, ließ sich Trainer Toppmöller zu der Aussage „Bye, bye – Bayern" hinreißen.

Doch Hochmut kommt bekanntlich vor dem Fall. Nachdem der Eintracht bis dahin das Spielglück, das man braucht, um Meister zu werden, hold war, schien sie nun von allen guten Geistern verlassen: 0:3 in Hamburg (und Bänderriss von Weber), 0:3 gegen Köln, 0:3 gegen Gladbach, 0:1 in Bremen – die fünf Punkte Vorsprung waren verspielt und die Tabellenführung futsch. Hoffnung machte allerdings der Einzug ins UEFA-Pokal-Viertelfinale durch zwei 1:0-Siege über Deportivo La Coruña. Zudem glaubte Trainer Klaus Toppmöller, dass mit der Genesung von Yeboah auch die Sturmmisere beendet sei. Doch die Gründe für die Krise lagen tiefer. Solange die Mannschaft auf der Erfolgswelle schwamm, hatte sie sich als Einheit präsentiert. Jetzt aber zeigte sich, dass die Chemie innerhalb des Teams nicht stimmte. Bein spielte seit seinem Rücktritt aus der Nationalmannschaft Ende September sehr schwankend, Furtok hatte nach starkem Beginn ebenso stark nachgelassen und Gaudino und Okocha ließen Mängel in der Defensivarbeit erkennen.

Zwar hatte Toppmöller bei seinem Amtsantritt angekündigt, bei Querelen rigoros durchzugreifen. Doch nur Kapitän Uli Stein monierte immer wieder, dass einige Spieler selbstkritischer mit ihren Leistungen und Fehlern umgehen sollten, was für zusätzlichen Zündstoff sorgte. „In erster Linie muss der Trainer nach den Ursachen gefragt werden", sagte Vizepräsident Bernd Hölzenbein nach der Niederlage in Bremen. Viereinhalb Jahre später wurde „Holz" deutlicher. Angesprochen auf den Teamgeist der Aufstiegsmannschaft 1998 meinte er: „Hätten die Spieler zu meiner Zeit als Vizepräsident und Manager nur zehn Prozent dieses Zusammenhaltes bewiesen, wären wir zweimal Deutscher Meister geworden. Damals herrschten Neid und Missgunst." („kicker-sportmagazin" vom 12. Juni 1998)

Der Start ins Jahr 1994 war genauso miserabel wie der Ausklang 1993. Nach nur 1:5 Punkten aus den ersten drei Spielen stand die Eintracht nicht einmal mehr auf einem UEFA-Pokal-Platz. Selbst die Verpflichtung von Thomas Doll (Lazio Rom) für das Mittelfeld hatte wenig neue Impulse gebracht. „Bye, bye, Eintracht", hallte es nun von der Konkurrenz zurück. Im März schied die Eintracht im Viertelfinale des UEFA-Pokals im Elfmeterschießen gegen Austria Salzburg aus, und in der Bundesliga wurde aus dem Traum von der Meisterschaft ein einziger Albtraum. Es begann am 2. April mit einer 0:1-Niederlage beim Tabellenletzten (wo auch sonst!) VfB Leipzig, setzte sich mit einer 1:2-Heimniederlage gegen den MSV Duisburg fort (Siegtor in der 89. Minute!) und kulminierte nach der 1:2-Niederlage bei Bayern München mit dem Abgang von Uli Stein und Trainer Toppmöller. Schon nach der Blamage von Leipzig hatte Uli Stein die Kapitänsbinde abgegeben und einen radikalen Schnitt gefordert. Toppmöller reagierte und setzte gegen Duisburg Binz und Furtok auf die Tribüne. Doch auch das konnte seinen Kopf nicht mehr retten. Nachdem sich die Mannschaft durch die Niederlage in München endgültig aus dem Kreis der Titelanwärter gespielt hatte, wurde Uli Stein fristlos entlassen. „Es ging nicht allein um die Worte der letzten Wochen", erklärte Präsident Ohms. „Die Strömungen aus der Mannschaft haben

Uli Steins Abrechnung, 1993 erschienen, wurde als Buch ein Bestseller – und brachte dem Autor einigen Ärger.

uns erschrocken. Der Schmelztiegel ist übergelaufen." Mit dem Torhüter, der sechs-einhalb Jahre bei der Eintracht zwischen den Pfosten gestanden hatte, musste auch Klaus Toppmöller gehen. „Der Trainer hat die Negativ-Tendenz in der Mannschaft nicht erkannt und aufgefangen. Und er hat seine Position mit der Uli Steins ver-knüpft", begründete Präsident Ohms diesen Schritt.

Jetzt galt es, wenigstens die UEFA-Pokal-Qualifikation zu retten. Richten sollte es der bisherige Co-Trainer Karl-Heinz Körbel. Der „treue Charly" tat, wie ihm gehei-ßen, holte aus den letzten vier Spielen 5:3 Punkte und damit das begehrte UEFA-Pokal-Ticket. Unmittelbar nach dem letzten Spiel wurde bereits an der Zukunft gebastelt. Von Werder Bremen wurde Thorsten Legat verpflichtet (für 2,5 Millionen Mark), vom 1. FC Nürnberg kam Torhüter Andreas Köpke (für eine Million) und vom 1. FC Köln Stephan Paßlack (für 600.000 Mark). Dafür wechselte Uwe Bein ablösefrei zu den Urawa Red Diamonds in die japanische J-League. Keine Freigabe erhielt dagegen Maurizio Gaudino, an dem der 1. FC Kaiserslautern starkes Interesse gezeigt hatte. Nicht allein die geforderten acht Millionen Mark Ablöse, sondern auch das Veto des neuen Trainers Jupp Heynckes ließen den Deal schließlich platzen. In dessen Plänen spielte „Mauri" nämlich eine entscheidende Rolle.

1994/95 ■ Das große Missverständnis mit Jupp Heynckes

Mit Jupp Heynckes glaubten die Verantwortlichen endlich jenen Mann gefunden zu haben, der der Eintracht den Schlendrian austreibt. Zwar gehörte die Mannschaft nicht mehr zu den unbedingten Titelanwärtern, doch wurde zumindest mit einem UEFA-Pokal-Platz geliebäugelt. „Dass wir uns als Einheit präsentieren, attraktiven Fußball spielen und unter den ersten drei bis vier Mannschaften mitspielen", nannte Heynckes als Saisonziele. Genau in umgekehrter Reihenfolge mussten sie jedoch zu den Akten gelegt werden. Dem Anspruch, oben mitspielen zu wollen, konnte man von Anfang nicht gerecht werden. Erst am letzten Spieltag wurde erstmalig ein einstelliger Tabel-lenplatz (der 9.) erreicht. Attraktiven Fußball bot die Mannschaft nur beim 4:1 über den späteren Deutschen Meister Borussia Dortmund Anfang September. Von seiner Einschätzung, die Eintracht sei eine „sehr disziplinierte und arbeitswillige" Mann-schaft, musste Heynckes schließlich Anfang Dezember Abschied nehmen.

Besonders vermisst wurde der Mann, der mit seinen „tödlichen Pässen" die Ein-tracht in die Spitze der Liga geführt hatte: Uwe Bein. Er saß bei der deprimierenden 0:3-Niederlage gegen Uerdingen auf der Tribüne und „hatte nie den Eindruck, dass da etwas passiert". Hohn und Spott musste dafür der Mann über sich ergehen lassen, der seine Nachfolge im Trikot mit der Nr. 10 übernommen hatte: Thorsten Legat. Dabei musste es allen schon von vornherein klar gewesen sein, dass er kein Spielmacher war. Da auch Okocha lediglich mit seinen Tricks begeisterte und Gaudino seit dem geplatz-ten Wechsel zu Kaiserslautern nur noch mit halbem Herzen bei der Sache zu sein schien, klaffte im Mittelfeld ein großes Loch, so dass Torjäger Anthony Yeboah in der

Dezember-Revolutionäre: Maurizio Gaudino, Jay-Jay Okocha und Anthony Yeboah (von links) wurden Anfang Dezember 1994 von Trainer Jupp Heynckes aus dem Kader geworfen.

Spitze alleine gelassen war. Als zudem Jupp Heynckes dem Ghanaer „Schwierigkeiten, sich zu artikulieren" vorhielt, war eine weitere Lunte gelegt.

Die Explosion erfolgte schließlich am 2. Dezember. Im Abschlusstraining vor dem Spiel gegen den Hamburger SV legten Yebaoh, Gaudino und Okocha eine derart lasche Berufsauffassung an den Tag, dass sie Heynckes zu einem Straftraining verdonnerte. Dies nahmen die drei zum Anlass, am nächsten Tag nicht gegen den HSV anzutreten: Gaudino, weil er sich „körperlich und mental kaputt", Okocha, weil er sich „von den eigenen Mitspielern kritisiert" fühlte. Doch damit bissen die „Rebellen" bei Heynckes auf Granit. „Wer von sieben bis 17 Uhr an der Drehbank steht oder auf dem Bau arbeitet und dafür nur ein Prozent der Spielergehälter verdient, hat für diese Situation kein Verständnis", erklärte der Coach. Das kam beim Publikum (zunächst) an. Und als mit einer beispiellosen kämpferischen Leistung der HSV 2:0 geschlagen wurde, gab es sogar „Heynckes, Heynckes"-Rufe von den Tribünen. Während Okocha „begnadigt" und wieder in den Kader aufgenommen wurde, wurde Gaudino noch vor Weihnachten an Manchester City ausgeliehen und Yeboah im Januar an Leeds United verkauft.

Zwar hatte sich Heynckes mit seiner kompromisslosen Haltung gegen die drei „Meuterer" durchgesetzt, das schlingernde Schiff Eintracht konnte er jedoch nicht in ruhigere Gewässer steuern. Nach einer deutlichen 0:3-Niederlage zum Rückrundenauftakt in Köln stand selbst er unter Druck. Trotz vier Spielen ohne Niederlage und zwei respektablen Auftritten im UEFA-Pokal gegen Juventus Turin (1:1, 0:3) trat die Mannschaft spielerisch auf der Stelle. Nach einer 0:3-Demontage zu Hause gegen den FC Schalke 04 warf Heynckes am 2. April schließlich die Brocken hin.

„Die Trennung zum jetzigen Zeitpunkt habe ich vollzogen, um dem Verein die Möglichkeit zu geben, die dringend notwendigen personellen Verstärkungen der Bundesligamannschaft allein nach seinen Vorstellungen zu realisieren. Ich bedaure, dass aus meiner Sicht die Trennung von der Eintracht unvermeidbar war. Doch die Erkenntnis, dass der Verein und ich nicht zueinander passen, ist in jüngster Zeit immer stärker geworden. Zu unterschiedlich sind unsere Auffassungen von professioneller Arbeit und dem Aufbau einer Spitzenmannschaft, der in Frankfurt erforderlich ist." (Heynckes im „kicker-sportmagazin" vom 3. April 1995)

Obwohl Heynckes auf eine Abfindung verzichtete, war er für die Fans fortan der Buhmann. „Fehlende Durchschlagskraft im Sturm", hatte er zuletzt bemängelt. Da verziehen ihm die Fans nicht, dass er Publikumsliebling Anthony Yeboah aussortiert hatte. Eine Strafe zur Abschreckung ja, aber gleich ganz weg, das mochten die Fans, die ihm vier Monate vorher noch Beifall gezollt hatten, jetzt nicht mehr mittragen. Doch man tut Jupp Heynckes sicherlich Unrecht, ihn zum „Totengräber der Eintracht" zu stempeln. Im Gegenteil: Vielleicht war er der Erste – und Einzige? –, der erkannt hatte, dass sich die Eintracht im Sinkflug befand und eine düstere Zukunft vor sich hatte. Wenn man sich die Wortwahl seiner Erklärung einmal genauer anschaut, erhärtet sich diese Vermutung.

Wie im Vorjahr übernahm Karl-Heinz Körbel das Training und schaffte am Ende mit einem einstelligen Tabellenplatz die Qualifikation für den UI-Cup. Mit 33:35 wies die Eintracht aber erstmals seit 1988/89 wieder ein negatives Punktekonto auf. Dass es überhaupt so viele wurden, war einem Lapsus der Münchner Bayern zu verdanken, die bei ihrem 5:2-Sieg im Waldstadion in der Schlussphase einen Vertragsamateur zu viel einsetzten und das Spiel nachträglich mit 0:2 verloren.

Das „Mädchen für alles": 1954 kam Toni Hübler (hier zwischen Präsident Matthias Ohms und Manager Bernd Hölzenbein) als Gärtner an den Riederwald und erlebte dort 24 Trainer. Ende 1994 ging der Zeugwart nach über 40 Dienstjahren in den verdienten Ruhestand. Hübler starb am 21. September 2016 im Alter von 87 Jahren.

1995/96 ■ Ende mit Schrecken oder Schrecken ohne Ende?

Nach dem gescheiterten Versuch mit einem international renommierten Trainer setzte man im Sommer 1995 auf die hausinterne Lösung. „Charly" Körbel blieb Chef am Riederwald, Rudi Bommer wurde zum Assistenten befördert, war aber weiterhin aktiver Spieler. Auch auf dem Transfermarkt gab es hektische Betriebsamkeit: Rainer Rauffmann (SV Meppen) und der Schwede Johnny Ekström (Dynamo Dresden) sollten das Sturmproblem lösen, Markus Schupp (Bayern München) und Domenico Sbordone (FC Augsburg) dem Mittelfeld zu neuem Glanz verhelfen, Dirk Böhme (1. FC Nürnberg) und René Beuchel (Dynamo Dresden) die Abwehr verstärken. Zudem kehrte Maurizio Gaudino aus England zurück, verabschiedete sich jedoch nach nur 68 Minuten im Eintracht-Trikot im September wieder in Richtung Mexiko.

Zu diesem Zeitpunkt war die Eintracht Fünfter, und die Fans träumten vom UEFA-Pokal. Doch hinter den Kulissen brodelte es. Körbel drohte gar mit Rücktritt, als Gerüchte über Geheimverhandlungen mit 1860-Coach Werner Lorant aufkamen. Diese wurden zwar von beiden Seiten dementiert, doch der „treue Charly" war sensibilisiert: „Ich werde noch mehr die Augen und Ohren aufhalten. Für mich erhebt sich die Frage, was erst passiert, wenn wir zwei Spiele verlieren sollten?" Sie sollte schneller gestellt werden, als es allen – Präsidium, Trainer, Mannschaft und Fans – lieb sein konnte. Nach nur einem Punktgewinn aus fünf Spielen stand die Eintracht in der Bundesliga auf dem drittletzten Platz und war beim TSV München 1860 mit Pauken und Trompeten aus dem Pokal geflogen (1:5).

Spätestens jetzt stellte sich heraus, dass im Sommer für fast fünf Millionen Mark mehr Masse als Klasse eingekauft worden war. Rauffmann und Ekström trafen in der gesamten Saison zusammen nur siebenmal, Schupp konnte im Mittelfeld wenig Akzente setzen. Also wurde nachgebessert. Der Kroate Ivica Mornar wurde für 500.000 Mark von Hajduk Split ausgeliehen, doch bester Torschütze der Saison wurde der von den eigenen Amateuren geholte Matthias Hagner (zehn Tore). Torhüter Köpke forderte angesichts von 23 Gegentoren zwei neue Abwehrspieler, was Manager Hölzenbein auf die Palme brachte („nicht zu finanzieren"). Derweil stand Körbel im Regen. Vier Spiele ohne Niederlage retteten jedoch (vorerst) seinen Kopf. Ihre beste Saisonleistung lieferte die Mannschaft beim 4:1 gegen Tabellenführer Bayern München. Eine 1:5-Abfuhr beim Hamburger SV zum Vorrundenende ließ das gerade erst wieder erlangte Selbstvertrauen jedoch wie ein Kartenhaus einstürzen.

Zur Stabilisierung der mit 33 Gegentoren schwächsten Abwehr der Liga wurde der Australier Ned Zelic von den Queens Park Rangers geholt. Im Präsidium wurde unterdessen laut über einen Trainerwechsel nachgedacht. Spekulationen über eine Rückkehr von Dragoslav Stepanovic dementierte Manager Hölzenbein jedoch: „Solange ich bei der Eintracht bin, kommt Stepi nicht zurück." Zehn Wochen später war er doch da.

Der freie Fall begann im März. Als gegen den SC Freiburg ein Heimspiel verloren ging (0:1), das zu gewinnen keiner verdient hatte, richtete sich der Fan-Protest gegen

Himmelhoch jauchzend...: Beuchel, Hagner, Komljenovic, Rauffmann, Dickhaut, Binz, Köpke, Schupp und Okocha (von links) nach dem 4:1 gegen Tabellenführer Bayern München am 4. November 1995.

die Führung. „Vorstand raus" und „Hölzenbein raus", schallte es von den Rängen. „Körbel büßt für die Sünden der Vergangenheit", schrieb das „kicker-sportmagazin" und verwies auf die schon zwei Jahre zuvor aufgedeckten Mängel: „Selbstüberschätzung, schlechte Einkaufspolitik, falsche ‚Ausländer-Politik', zu hohe Gehalts-Struktur, schwache Führungs-Struktur, Sündenbock-Strategie, Blauäugigkeit, Nervenschwäche, Hinterhältigkeit und Intriganten-Spiele." So nahm das Elend seinen Lauf. Gegen Bayer Leverkusen konnte eine in der 89. Minute durch einen Doll-Elfmeter erzielte Führung nicht über die Zeit gerettet werden, in Dortmund folgte eine 0:6-Abfuhr, und nach einem 0:2 gegen Borussia Mönchengladbach war man mit dem Latein am Ende. Die Eintracht stand neun Spieltage vor Saisonende auf einem Abstiegsplatz.

Unmittelbar nach dem Schlusspfiff war Körbel seinen Job los, keine halbe Stunde später der neue Mann bekannt: Dragoslav Stepanovic. Doch auch der zigarillorauchende Serbe konnte das Steuer nicht mehr rumreißen. Unter seiner Regie gab es nur noch fünf mickrige Punkte. Angezählt wurde die Mannschaft am 1. Mai in Köln: 0:3. Der K.o. folgte drei Tage später im Waldstadion: Nach einem weiteren 0:3 gegen den FC Schalke 04 war Eintracht Frankfurt zum ersten Mal in seiner 97-jährigen Vereinsgeschichte zweitklassig. Es war gleichzeitig das Ende der Ära Ohms. Als der Präsi-

... zu Tode betrübt: Dickhaut (Nr. 14), Flick (18), Dworschak und Zelic (30) nach dem 1:4 gegen den Hamburger SV am 18. Mai 1996. Eintracht Frankfurt war nach 97 Jahren nur noch zweitklassig.

dent nach dem Abstieg die Vertrauensfrage stellte, nahm der – all die Jahre tatenlos zusehende – Verwaltungsrat den Ball auf und entzog Ohms das Vertrauen. Mit Ohms ging auch Schatzmeister Joachim Erbs. Lediglich „Vize" Peter Röder blieb einstweilen noch im Amt, ebenso Manager Hölzenbein und Trainer Stepanovic. Zwei Wochen später war das Kapitel Bundesliga in Frankfurt nach 33 Jahren beendet. Wie es am Riederwald in Zukunft weitergehen sollte, wussten zu diesem Zeitpunkt nicht einmal die Fußballgötter.

Vom Sorgenkind zum Musterschüler: Die wirtschaftliche Entwicklung der Eintracht

Keinen Pfennig Schulden

H. HOFFMANN: Dabei baut die Eintracht seit Jahren ständig neue Anlagen!

Kein Aprilscherz: Bei Einführung der Bundesliga 1963 war die Eintracht schuldenfrei!
(Schlagzeige im „Sportmagazin" vom 20. Mai 1963)

Das in vielen Sprachen und in verschiedenen Abwandlungen bekannte Sprichwort „Geld regiert die Welt" dient dem Ausdruck der negativen Beurteilung der großen Rolle, die Geld auf unserer Welt spielt. Es betont die enge Verknüpfung zwischen Macht und Reichtum, deren kausaler Zusammenhang nicht eindeutig ist. Sind die Mächtigen reich oder die Reichen mächtig? Die Antwort: Beides, wenn man sich einmal anschaut, wie Geld und Reichtum auf der Welt verteilt sind. […] Aller Macht des Geldes zum Trotz, ist Reichtum aber nicht das höchste Ziel der Menschen. Weil man das Wichtigste, Glück, Zufriedenheit und Gesundheit, eben nicht (allein) mit Geld kaufen kann. (Laura Stina Maciejczyk, Geld regiert die Welt, https://link.springer.com/chapter/10.1007/978-3-662-50381-2_7)

Auch im Fußball nicht, wo die Corona-Krise auf brutalste Weise offenlegte, wie die gegenseitige Abhängigkeit von Fußball und Geld Dimensionen erreicht hat, die vor Jahren noch undenkbar schienen. Mit Fußball lässt sich Geld verdienen. Davon profitieren Vereine, Spieler, Funktionäre. Aber man braucht auch Geld, um Fußball spielen zu können. Nur so wird verständlich, dass der Profifußball mit Macht auf einen baldigen Re-Start drängte. Aber schon in der 3. Liga herrschen andere Verhältnisse, da vielen Vereine die finanziellen Mittel zum Umsetzung von Sicherheits- und Hygienekonzepten wie bei der DFL fehlen. Ganz zu schweigen von den Regionalligen oder dem Amateurfußball, wo es praktisch keine Alternative zum Abbruch der Saison gab.

Und es ist nicht abzusehen, wann und wie der Fußball wieder zur Normalität zurückkehren kann. Das brachte sogar den Ehrenpräsidenten des FC Bayern München zum Nachdenken: „Was ist in einem halben Jahr? Können wir dann mit Zuschauern spielen, denn der Fußball braucht natürlich Zuschauer im Stadion. Und wenn das nicht möglich ist, … können eigentlich nur Vereine richtig überleben, die so ein dickes Polster haben wie der FC Bayern." (Uli Hoeneß am 31. Mai 2020 im Radiosender Bayern 1; https://www.faz.net/aktuell/sport/fussball/bundesliga/fc-bayern-sorge-bei-uli-hoeness-wegen-corona-geisterspielen-16793827.html)

Fragen, die man sich auch bei der Eintracht stellen muss, wo man nach den Erfolgen der letzten Jahre große Pläne für die Zukunft hat. Doch lassen sich die durch die Übernahme des Stadions erhofften Mehreinnahmen überhaupt realisieren? 30 bis 35 Millionen Euro müssen für das neue „Profi-Camp" und die Digitalisierung des Stadions aufgewendet werden. Zwar wird trotz der gegenwärtig angespannten Lage an den Plänen festgehalten, „einige Projekte könnten jedoch etwas nach hinten verschoben werden." („kicker" vom 30. April 2020) Eine Situation, die an die Gründung der Bundesliga 1963 erinnert. Auch damals war die Eintracht schuldenfrei. Die Deutsche Meisterschaft 1959, die Erfolge im Europapokal sowie zwei weitere Teilnahmen an der Endrunde um die Deutsche Meisterschaft hatten viel Geld in die Vereinskasse gespült. Doch schon im zweiten Bundesliga-Jahr 1964/65 gab es durch einen Zuschauereinbruch von 26.561 auf 22.561 pro Spiel Mindereinnahmen von rund 700.000 Mark und rote Zahlen. Das Geschäftsjahr 1966 konnte „nur durch außergewöhnliche Einnahmen im Zusammenhang mit einigen Spielerwechseln [175.000 Mark für Lutz zum TSV München 1860, 125.000 Mark für Trimhold zu Borussia Dortmund, Anm. d. Verf.]" mit einem Überschuss von 56.972,30 Mark abgeschlossen werden („Eintracht-Hefte" von Oktober-Dezember 1967). 1967 standen Ausgaben in Höhe von 3,8 Millionen Mark lediglich 3,5 Millionen Mark Einnahmen gegenüber, womit sich das Defizit um 273.499 Mark auf rund eine Million Mark erhöhte („Sportmagazin" vom 11. und 15. Juli 1968). Beschleunigt wurde der wirtschaftliche Niedergang durch das weitere Absinken des Zuschauerschnitts bis 1970 auf 18.151.

1970 spitzte sich die Situation bei der Eintracht dramatisch zu. Nachdem auch das Geschäftsjahr 1968 einen Verlust von 84.473,76 Mark ergeben hatte, stellte sich im Vorfeld der Jahreshauptversammlung heraus, dass der Schuldenstand 1969 auf rund 1,8 Millionen Mark angewachsen war. Vor allem die Unterhaltung des Riederwalds geriet mit jährlich 250.000 Mark zum Riesenklotz am Bein. Rudi Gramlich malte düstere Bilder: „Wenn die Stadt uns nicht hilft, müssen wir unter Umständen die Lizenz an den DFB zurückgeben – dann hat Frankfurt eben keinen Bundesligaverein mehr!" Es waren seine letzten Worte als Eintracht-Präsident. Da die Stadt eine finanzielle Unterstützung von „personellen Änderungen" abhängig machte, wurde Gramlich zum Ehrenpräsidenten „befördert" und die Leitung des Hauptvereins dem bisherigen Vizepräsidenten Albert Zellekens übertragen. Einer Unterdeckung von rund 185.000 Mark im Jahr 1970 konnte dadurch kompensiert werden, da die Lizenzspielerabteilung 1970/71 – nicht zuletzt aufgrund des durch den Abstiegskampf auf 23.075 gestiegenen Zuschauerschnitts – rund 290.000 Mark Gewinn eingespielt hatte. 1972 konnte auf der

Hauptversammlung erstmals seit Jahren wieder ein Gewinn (4.144 Mark!) vermeldet werden. Das war natürlich nur ein Tropfen auf den heißen Stein.

Die Weise-Ära gehörte zu den erfolgreichsten der Vereinsgeschichte, doch kostete die Mannschaft um Grabowski, Hölzenbein und Nickel auch viel Geld. 1976 betrug das Loch in der Kasse wegen rückläufiger Zuschauerzahlen (nur noch 20.619), der verpassten Europapokal-Teilnahme und dem Fehlen eines Trikotsponsors rund eine Million Mark. Selbst der Gewinn des UEFA-Pokals 1980 brachte keine Besserung. Die Kosten für die Lizenzspielerabteilung waren auf 5,778 Millionen Mark gestiegen, was unter dem Strich Schulden in Höhe von vier bis fünf Millionen Mark bedeutete. 1981/82 nahm die Finanzkrise beängstigende Formen an. „Eintracht Frankfurt droht die Pleite", stand in großen Lettern auf der Titelseite des „Kicker" vom 8. Oktober 1981. Inzwischen wurde der Schuldenstand auf rund sechs Millionen geschätzt und ein Eingreifen des DFB gefordert. Für den Ligaausschuss bestand aber „kein Anlass, in dieser Saison einzugreifen. Es handelt sich um rein interne Dinge der Eintracht", erklärte der Vorsitzende Wilhelm Neudecker.

Geklärt wurden diese „rein internen Dinge" in einer Schlammschlacht hinter den Kulissen, an deren Ende man die Lizenz mit Ach und Krach erteilt bekam. Doch 1983 war ein großer Schnitt unausweichlich, der fast zum Abstieg aus der Bundesliga geführt hätte! Unter der Präsidentschaft von Dr. Klaus Gramlich und Matthias Ohms gelang eine kurzfristige finanzielle Konsolidierung, zumal es Anfang der 1990er Jahre auch sportlich wieder gut lief. Als aber der ganz große Wurf – sprich: die Meisterschaft – nicht gelang und im UEFA-Pokal drei Jahre hintereinander spätestens in Runde 2 Endstation war, ging es ans Eingemachte. Um Anthony Yeboah in Frankfurt zu halten, wurden Handgelder am Fiskus vorbeigemogelt, weshalb Ex-Vizepräsident Bernd Hölzenbein im Februar 2001 zu sieben Monaten auf Bewährung, der ehemalige Schatzmeister Wolfgang Knispel zu 15 Monaten auf Bewährung und eine Geldbuße in Höhe von 100.000 Mark verurteilt wurden.

Nach dem Abstieg 1996 war es dem neuen Schatzmeister Gaetano Patella zu verdanken, dass sich die finanzielle Situation allmählich wieder entspannte. Doch als 1999 nach der Rettung in letzter Sekunde nicht mehr gekleckert, sondern geklotzt wurde, ging der Schuss erneut nach hinten los. Nach einem vom neuen Schatzmeister Rainer Leben im Januar 2000 durchgeführten Kassensturz stand die Eintracht abermals vor dem finanziellen Kollaps. Zwar war die Auslagerung der Profi-Abteilung auf der Jahreshauptversammlung Ende Januar von den Mitgliedern abgesegnet worden, doch einen unterschriftsreifen Vertrag mit der International Management Group (IMG) ließ Leben am 10. März in letzter Sekunde platzen, was das Verhältnis zur Stadt erheblich belastete. Der Sportausschussvorsitzende Hans Busch (SPD) sprach sich nämlich dagegen aus, dass „die Eintracht noch einmal in irgendeiner Art und Weise mit Steuergeldern subventioniert" wird („Frankfurter Rundschau" vom 11. März 2000).

Während es am Riederwald an allen Ecken und Enden brannte, schien Leben seine Rolle als Oberfeuerwehrmann zu genießen. In der Stadionzeitung vom 12. April verkündete er jedenfalls, die „Grundlage für ein erfolgreiches zweites Jahrhundert [zu] legen", da das Präsidium „wichtige Meilensteine zur Modernisierung unseres Vereins erreicht" habe. Auch seien „die Wirtschaftszahlen unseres Vereins nicht mehr mit denen vom 31. Januar 2000 zu vergleichen", da es gelungen sei, „viele Zusagen, mit der unsere Mitglieder und Fans große Hoffnungen verbunden haben, wirklich zu realisieren. In den nächsten Tagen werden wir die für die langfristige wirtschaftliche Sanierung unseres Vereins unabdingbar notwendigen Kapitalgesellschaften gründen und damit eine wesentliche Voraussetzung für eine Beteiligung eines geeigneten Investors geschaffen haben."

Tatsächlich war es Leben gelungen, durch Umwandlung eines Darlehens des Sportrechtevermarkters ISPR in Höhe von 13 Millionen Mark in einen „einmaligen, nicht rückzahlbaren Zuschuss" das Eigenkapital der Eintracht rückwirkend zum 31. Dezember 1999 von 5,1 Millionen Mark Minus auf 7,9 Millionen Plus zu steigern. Und obwohl noch immer kein strategischer Partner in Sicht war, der die für die Lizenz benötigten Millionen zur Verfügung stellte, sah der Schatzmeister die Sanierung der Eintracht als abgeschlossen an. Die Mitglieder stünden nun vor der Wahl: „Wollen sie arm bleiben oder reich werden?" Als Leben aber der Forderung des Verwaltungsrats nicht nachkam, ihn detailliert über Verhandlungen mit möglichen Investoren zu unterrichten, trat er am 9. Mai zurück, da der Vorwurf im Raum stand, er habe vor der Jahreshauptversammlung Informationen zurückgehalten und so zum Rücktritt von Präsident Heller beigetragen. Neuer „starker Mann" wurde der Vorsitzende des Verwaltungsrats, Bernd Ehinger, der nun offiziell als „Präsidiumssprecher" auftrat. Da bis zum 31. Mai beim DFB ein Nachweis vorliegen musste, wie eine ausgewiesene Deckungslücke in Höhe von 19,19 Millionen Mark geschlossen werde sollte, blieb den Mitgliedern am 28. Mai praktisch keine andere Wahl, als der Ausgliederung der Lizenzspielerabteilung als „Eintracht Frankfurt Fußball AG" und dem Einstieg von Investor Octagon zuzustimmen. Mit 50 Millionen Mark erwarben die Amerikaner 49,9 Prozent der AG-Anteile. Die Eintracht schien plötzlich im Geld zu schwimmen.

Doch so schnell, wie man zu den Millionen gekommen war, so schnell waren sie auch wieder ausgegeben. Das erste Jahr der neuen Fußball AG endete mit dem zweiten Abstieg der Vereinsgeschichte. Dabei waren 37 Millionen Mark für neue Spieler, den Umzug in teure Büroräume im Westend und einen aufgeblähten Verwaltungsapparat förmlich aus dem Fenster geworfen worden. Das Wort von der „Geldvernichtungsmaschine" machte die Runde. Das Ende des Liedes ist bekannt: Nach dem verpassten Wiederaufstieg brauchte man im April 2002 erneut frisches Geld. Ein Deal mit der ungarischen Holding Fotex, der man von Octagon im Februar kostenlos zurückgegebenen 15 Prozent der AG-Anteile für 7,5 Millionen Euro weiterverkaufen wollte, platzte, obwohl der Fotex-Vorstandsvorsitzende Gabor Varszegi am 5. Mai schon mal vorsorglich zum neuen Vorstandsvorsitzenden gekürt worden war. Am 31. Mai war sein Engagement wieder beendet. „Er habe das Risiko nicht gescheut, aber ... nicht wie Octagon enden" wollen („Frankfurter Neue Presse" vom 1. Juni 2002).

Schockiert: Trainer Willi Reimann (links) und der Aufsichtsratsvorsitzende Volker Sparmann nach dem vorübergehenden Lizenzentzug im Juni 2002.

Als am 12. Juni auch die Landesbank Schleswig-Holstein als Investor absprang, fehlten der Eintracht rund acht Millionen Euro. Während am 17. Juni die Bagger mit dem Abriss des alten Waldstadions begannen, machten sich der Aufsichtsratsvorsitzende Volker Sparmann auf den Weg in die DFL-Zentrale, um die Lizenzunterlagen abzugeben. Das Engagement der städtischen Beteiligungsgesellschaften Fraport, RMV, Messe und Mainova, durch das man „bei der DFL 12,3 anstelle der nur geforderten 11,5 Millionen Euro vorgezeigt" habe, war für FSV-Manager Bernd Reisig Beleg eines „volkseigenen Betriebs Eintracht". Doch zwei Tage später fielen die Eintracht-Verantwortlichen aus allen Wolken. Da „eine der zu erbringenden Bankgarantien nicht den Anforderungen der Liga für die Erteilung der Lizenz" entspräche und „die Finanzierung des Spielbetriebs in Frage stelle", verweigerte die DFL der Eintracht die Lizenz für die Zweitliga-Saison 2002/03. Die Eintracht zog umgehend vor das Ständige Neutrale Schiedsgericht, da „mit der Abgabe der … Lizenzunterlagen am Montag alle Bedingungen erfüllt [worden seien]. Nach der Abgabe am Montag äußerte die Hessische Landesbank (HELABA) im Zusammenhang mit einer bereits gestellten Bankgarantie zusätzliche Wünsche, die bei der DFL zu Irritationen führten. Diese dürfen jedoch auf die formale und materielle Erfüllung der Bedingungen keinen Einfluss haben." („Frankfurter Rundschau" vom 20. Juni 2002) Am 3. Juli 2002 schloss sich das Schiedsgericht der Argumentation der Eintracht an. Damit war die Lizenz gerettet. Der überraschende Aufstieg 2003 setzte dann weitere Energien frei. Gewissermaßen herrschte eine Parallelität zwischen dem Umbau des Stadions und der Wandlung der Eintracht zum Besseren. Selbst der Abstieg 2004 konnte diesen Trend nicht brem-

Das neue „Profi-Camp" der Eintracht.

sen. Dazu gehörte auch die Verpflichtung von Heribert Bruchhagen. Dem neuen Vorstandsvorsitzenden gelang es mit Dr. Thomas Pröckl und Heiko Beeck, das einstige Sorgenkind zu einem Musterschüler zu verwandeln. 2005 und 2006 erhielt die Eintracht die Lizenz ohne jegliche Auflagen.

Auch beim Publikum konnte verspielter Kredit zurückgewonnen werden: 2005/06 überstieg der Zuschauerschnitt erstmals die 40.000-Marke. Das Erreichen des Pokal-Endspiels und der Einzug in den UEFA-Pokal weckten bei den Fans neue Träume, die sich langfristig aber nicht erfüllten. Sportlich trat man auf der Stelle und musste 2011 sogar zum vierten Mal absteigen. Auch auf dem Transfermarkt wurde oft unglücklich agiert, nachdem man von der Politik mit jungen deutschen Spielern aus der Region abgerückt war und (viel) Geld in die Hand genommen hatte. Angesichts der weltweit steigenden Transfersummen und Gehälter war man daher immer öfter angewiesen, Spieler auf Leihbasis zu verpflichten, was die Fluktuation erhöhte und nahezu jedes Jahr einen Totalumbau der Mannschaft notwendig machte.

Dies setzte sich ab 2016 auch unter dem neuen Vorstandsvorsitzenden Fredi Bobic fort, der aber bei Transfers ein überaus glückliches Händchen hatte. Und da sich auch die sportliche Bilanz wieder sehen lassen konnte, durchbrachen die Umsatzzahlen durch den Einzug ins Pokal-Endspiel 2017, den Pokalsieg 2018 und das Erreichen des Halbfinales der Europa League 2019 die 200-Millionen-Euro-Marke, erbrachten die Transfers von Luka Jovic zu Real Madrid und Sebastien Haller zu West Ham United etwa 110 Millionen. In der Rangliste der Fernsehtabelle kletterte die Eintracht von Platz 13 auf 7. Das versetze den Klub in die Lage, Spieler zu verpflichten, „die uns auch gehören", erklärte Marketing-Vorstand Axel Hellmann 2019 in der „Erfolgschronik". „Für die Gesamtstrategie der Eintracht sind wir damit jetzt drei Schritte weiter als noch vor zwei, drei Jahren." Doch das war vor Corona. Bleibt zu hoffen, dass Fredi Bobic und der damalige Aufsichtsratsvorsitzende Wolfgang Steubing am Ende recht behalten: „Wir machen keine verrückten Dinge und überdrehen finanziell nicht."

Auf der Suche nach sich selbst

Anders als bei Mitabsteiger 1. FC Kaiserslautern, wo der Sturz in die Zweitklassigkeit sportlich und administrativ neue Energien freisetzte, fehlte es in Frankfurt an Konzepten und Perspektiven. Allein mit dem Abtritt von Ohms war wenig gewonnen. Zum Interimspräsidenten wurde mit Dieter Lindner ausgerechnet der Vorsitzende jenes Gremiums berufen, der das finanzielle Chaos eigentlich hätte verhindern müssen: der Verwaltungsrat.

Der heutige Aufsichtsratsvorsitzende und ehemalige Verwaltungsrat Wolfgang Steubing fuhr daher schweres Geschütz auf: „Um den Verein überhaupt noch zu retten und ihn bei den bevorstehenden Spielerverkäufen nicht erpressbar zu machen, benötigt er kurzfristig Risiko-Kapital. Dies allerdings kann kein Unternehmen zur Verfügung stellen, solange in den Gremien der Eintracht Personen entscheiden, die schon mit einst vorhandenem Kapital nicht umgehen konnten." („kicker-sportmagazin" vom 9. Mai 1996)

1996/97 ■ Ein langsames Erwachen

Doch Alternativen schienen nicht in Sicht. Jürgen Grabowski, den die Fans als die ideale Integrationsfigur ansahen, lehnte dankend ab. Kein Wunder, denn die Aufgaben, die auf die neue Führung zukamen, waren gewaltig. Binnen Jahresfrist hatte sich ein Schuldenberg von über zehn Millionen Mark aufgetürmt. Um wenigstens die Voraussetzungen für die Erteilung der Zweitliga-Lizenz zu erfüllen, gingen 13 Akteure von Bord und erbrachten den vom DFB geforderten Transferüberschuss von 7,5 Millionen Mark. Dem standen – mit Ausnahme von Rückkehrer Gaudino – nur „Billig-Einkäufe" gegenüber. Außerdem wurde der fast 39-jährige „Oldie" Bommer wieder reaktiviert. Die Frage war, wie sich diese kurzfristig zusammengemischte Truppe in der neuen Umgebung zurechtfinden würde.

Wider Erwarten löste der Abstieg bei den Fans eine Trotzreaktion aus. Zu den ersten beiden Heimspielen gegen den FSV Zwickau (2:1) und Fortuna Köln (3:1) kamen über 40.000 Zuschauer, die einen ungeahnten Höhenflug ihrer Lieblinge erlebten: Nach vier Spielen war die Eintracht Tabellenführer. Doch Trainer Stepanovic warnte vor zu großen Erwartungen und verwies darauf, dass man erst nach zehn Spielen wisse, wo die Mannschaft wirklich stehe. Er sollte Recht behalten. Der Absturz begann

Die neue Füh-
rung: Präsident
Rolf Heller, Vize-
präsident Peter
Lämmerhirdt und
Schatzmeister
Gaetano Patella
(von links). Nicht
auf dem Foto
Hans-Joachim
Schroeder.

mit einem 1:6 im Pokal beim SV Meppen. Nur drei Punkte aus den nächsten sieben Spielen (darunter drei 0:1-Heimniederlagen in Folge!) ließen die Eintracht auf Platz 13 abrutschen. Der Rückstand auf einen Aufstiegsrang betrug bereits sieben, der Vorsprung auf einen Abstiegsrang nur noch drei Punkte.

Dafür wurde am 2. Oktober mit Hans-Joachim Otto und dem Duo Rolf Heller/ Hans-Joachim Schroeder ein neues Präsidium vorgestellt, das am 20. Oktober durch Schatzmeister Bernd Thate komplettiert wurde. Eine Woche später konnte auch die Mannschaft die Negativserie mit einem 2:1 bei Hertha BSC stoppen. Doch innerhalb von drei Tagen herrschte erneut Chaos. Erst gab es gegen den VfB Leipzig trotz einer 2:1-Führung drei Minuten vor Schluss noch eine Niederlage. Am Montag darauf durchsuchte die Steuerfahndung im Zusammenhang mit einem Verfahren gegen Anthony Yeboah aus dem Jahre 1993 die Büroräume am Riederwald. 24 Stunden später, am 5. November 1996, gaben Präsident Otto und Schatzmeister Thate auf. Die Eintracht war wieder führungslos.

Am 11. November, allerdings erst um 17.38 Uhr, wurde Rolf Heller zum neuen Präsidenten gekürt, Dr. Peter Lämmerhirdt und Gaetano Patella zum Vizepräsidenten und Schatzmeister. Dagegen wurde der Ende November auslaufende Vertrag mit Bernd Hölzenbein nicht verlängert, so dass der Weltmeister von 1974 nach acht Jahren als Vizepräsident und Manager von Bord ging. Auch „Stepis" Tage als Trainer waren bald gezählt. Obwohl vor dem letzten Vorrundenspiel der Kader mit Petr Hubtchev (Hamburger SV) und Olaf Janßen (1. FC Köln) noch einmal aufgerüstet wurde, gab es eine blamable 2:3-Heimniederlage gegen den Tabellenletzten VfB Oldenburg. Sieben Monate nach dem Bundesliga-Abstieg stand die Eintracht erneut auf einem Abstiegsplatz. Noch in der Kabine wurde Stepanovic entlassen, und die Spieler mussten unter Polizeischutz aus dem Stadion gebracht werden. „Nehmen, nehmen und nichts geben", schallte es ihnen von den aufgebrachten Fans hinterher.

Mit dem ehemaligen Eintracht-Spieler Horst Ehrmantraut (zuletzt SV Meppen) wurde noch vor Weihnachten der Nachfolger präsentiert, der zunächst „ganz ruhig bleiben" und sich „schnell ein Bild von der Mannschaft und ihren Möglichkeiten verschaffen" wolle. Dass er dabei keine faulen Kompromisse einging, musste als erster Rudi Bommer erfahren, der selbst Hoffnungen gehegt hatte, neuer Cheftrainer zu werden. Er warf er dem Präsidium schlechten Stil vor und trat als Co-Trainer zurück. Als er schließlich gegen Jena nicht eingewechselt wurde und Ehrmantraut ihn als „Möchtegern-Trainer" bezeichnete, endete das Kapitel Bommer im April 1997 nach fast fünf Jahren mit einem faden Beigeschmack.

Horst Ehrmantraut ging unbeirrt seinen Weg. Den Klassenerhalt schaffen mit einer Mannschaft, die er nicht zusammengestellt hatte, war seine Aufgabe. Um dies zu erreichen, mussten alle am gleichen Strang ziehen. Wer dies nicht wollte oder konnte, hatte bei ihm nichts mehr zu suchen. So wurden auch die für die Winterpause anstehenden Vertragsverhandlungen vorerst verschoben. Erst wenn die Mannschaft „geistig und körperlich auf Vordermann gebracht" worden sei, sollten Gespräche stattfinden. Der Weg dahin war lang und dornenreich. Punkt für Punkt wurde gesammelt, und trotz zweier Rückschläge in Uerdingen (0:3) und Wolfsburg (1:4) kamen kurzfristig sogar noch einmal Aufstiegshoffnungen auf. Mehr als der siebte Platz war am Ende aber nicht drin.

Langfristig wichtig war jedoch, dass im letzten Heimspiel gegen den 1. FC Kaiserslautern (0:0) Ralf Weber nach fast zwei Jahren sein Comeback feierte. Es war gleichzeitig das letzte Spiel von Maurizio Gaudino, der mit Tränen in den Augen Richtung FC Basel verabschiedet wurde. Mit „Mauri" verließen auch Dickhaut (VfL Bochum), Komljenovic (MSV Duisburg), Ekström (IFK Göteborg), Becker (VfB Stuttgart), Roth (FSV Frankfurt) und Bommer (Trainer beim VfR Mannheim) den Verein. Von der Mannschaft, die einst um die Deutsche Meisterschaft gespielt hatte, waren mit Weber und Bindewald gerade noch zwei Akteure übrig geblieben. Gefüllt wurden die Lücken mit zwölf Neuen, die zusammen nicht mehr als 625.000 Mark Ablöse kosteten. Mit Thomas Sobotzik (FC St. Pauli) und Dirk Wolf (Borussia Mönchengladbach) waren zwei Spieler dabei, die schon einmal das Adler-Trikot getragen hatten.

Dank der Arbeit von Schatzmeister Gaetano Patella konnte der Schuldenstand von 17 auf 6,8 Millionen Mark gesenkt werden. Ihren Teil dazu beigetragen hatten auch die Fans, die, wie Präsident Heller bemerkte, „den Verein eigentlich gerettet haben. Im Herbst vergangenen Jahres hat jeder gesagt, der Verein ist tot. Die Fans haben mit ihrem Rückhalt nach draußen dokumentiert: Da ist noch was da. Es lohnt sich auch, in den Verein zu investieren. Die ganzen Sponsoren und auch die Banken und all das, was sich im Umfeld des Vereins bewegt, es orientiert sich natürlich daran, wie so ein Verein nach innen und nach außen lebt. Und da haben die Fans einen ganz wichtigen Beitrag geleistet."

1997/98 ■ Ein Mann setzt sich durch

Die Konsolidierung unter Ehrmantraut war die erste Phase eines Drei-Stufen-Plans zur Rückkehr ins Fußball-Oberhaus. „In der jetzt vor uns liegenden zweiten Phase wollen wir mindestens im ersten Tabellendrittel mitspielen und die Mannschaft so stabilisieren, dass wir spätestens im Jubiläumsjahr 1999 die Rückkehr in die Bundesliga erreichen", schrieb Heller im Stadionprogramm für das erste Punktspiel gegen Fortuna Düsseldorf am 25. Juli 1997. Mit fünf Siegen in Folge gelang der beste Saisonstart einer Eintracht-Mannschaft seit dem Kriegsjahr 1941/42! Und anders als im Vorjahr steckte die Mannschaft auch Rückschläge weg. Den ersten gleich im sechsten Spiel beim SC Freiburg (0:0), als sich Stürmer Urs Güntensperger einen Kreuzbandriss im linken Knie zuzog. Insbesondere beim glanzvollen Pokalsieg gegen den Bundesligisten Werder Bremen (3:0) wurde die Wandlung der Mannschaft aus „einem Team von Verkannten und Verbannten [in] eine verschworene Einheit" sichtbar („kicker-sportmagazin" vom 25. September 1997). Zwar kam auch diesmal wieder die seit Jahren gefürchtete Herbstkrise mit sechs Spielen ohne Sieg, schlechter als auf Platz Fünf rutschte die Eintracht aber nie ab.

Das 1:2 in Fürth Anfang November war Tief- und Wendepunkt zugleich. Es sollte für lange Zeit die letzte Niederlage sein. Doch zunächst ging es nur mühsam aufwärts. Bestrebungen, Maurizio Gaudino aus der Schweiz zurückzuholen, scheiterten am Veto der Mannschaft. Statt „Mauri" kam Ansgar Brinkmann vom niedersächsischen Oberligisten BV Cloppenburg. Mit ihm gelang zum Vorrundenende ein 2:1-Erfolg bei Fortuna Köln, mit dem die Eintracht auf einen Aufstiegsplatz zurückkehrte. Psychologisch ein großer Vorteil, denn ähnlich wie vor Jahresfrist, als nach der Pleite gegen Oldenburg jedem die Augen aufgingen, zeigte sich nun, dass der Aufstieg machbar war, wenn alle nur daran glaubten und darauf hinarbeiteten.

Auf der Jahreshauptversammlung am 26. Januar 1998 wurde auch ein Schlussstrich unter die Vergangenheit gezogen wurde und das ehemalige Präsidium Ohms/Röder/Erbs entlastet, obwohl die eingesetzte Untersuchungskommission bei Ohms 27.500 Mark an zweifelhaften Rechnungen ausgemacht hatte. Der Start in die Rückrunde war mit einem Unentschieden und fünf Siegen eine Kopie des Saisonstarts. Besonders wertvoll waren die Erfolge bei Tabellenführer 1. FC Nürnberg (1:0) und gegen den Dritten SC Freiburg (2:0), mit dem die Eintracht wieder die Spitzenposition übernahm und nur noch zweimal abgeben sollte. Nach einem kleinen Durchhänger im Frühjahr war es dann am Montag, 25. Mai, so weit: Vor 33.000 Zuschauern langte im Waldstadion ein 2:2 gegen den 1. FSV Mainz 05. Mit einem 4:2 gegen Fortuna Köln wurde im letzten Saisonspiel auch noch die Zweitliga-Meisterschaft unter Dach und Fach gebracht. Vor, während und nach dem Spiel wurden die Mannschaft und Trainer Ehrmantraut von den 41.300 Zuschauern begeistert gefeiert.

Ohne Zweifel war Horst Ehrmantraut der Vater des Erfolgs. Anfangs mit Skepsis empfangen, hatte er es geschafft, der Eintracht ein neues Gesicht zu geben. „Ich wollte weg von diesem Image der Eintracht, nur Fußball zu zelebrieren, nur schönspielen und relativ bescheiden ausgerichtet auf Erfolg", sagte er am Abend nach dem Spiel gegen Fortuna Köln im „Sportkalender" von HR3. Gleichzeitig blieb er aber auch in der Stunde seines größten Erfolgs als Trainer bescheiden und lobte den Zusammenhalt der Mannschaft: „Die Jungs haben einen derartigen Teamgeist, ich glaube, das gibt es in Deutschland in der Bundesliga und der 2. Liga nicht nochmal. Was diese Mannschaft verkörpert, auf dem Platz leistet, ist gigantisch."

1998/99 ■ Das Herzschlag-Finale

Die Rückkehr in die Erstklassigkeit löste in Frankfurt eine Welle der Euphorie aus. Bereits am 19. Februar 1998 war der Vertrag mit Ehrmantraut um ein Jahr verlängert worden. Auch die Leistungsträger konnten langfristig an den Klub gebunden werden. Zudem schlugen Mittelfeldspieler Bernd Schneider (Carl Zeiss Jena) und der chinesische Stürmer Yang Chen (Guoan Peking) voll ein. Außerdem brachte der neue Trikotsponsor VIAG Interkom rund sechs Millionen Mark in die Kassen.

Doch zunächst musste in der neuen alten Umgebung kräftig Lehrgeld gezahlt werden, was nach fünf Spielen den letzten Tabellenplatz bedeutete. Erst im sechsten Versuch gelang am 27. September der erste Sieg. Am Abend der Bundestagswahl, die nach 16 Jahren das Ende der „Ära Kohl" bedeutete und erstmals in der Geschichte der Bundesrepublik eine rot-grüne Regierung an die Macht brachte (mit Eintracht-Fan Joschka Fischer als Außenminister!), besiegte die Eintracht vor 24.000 Zuschauern

Nach dem Wiederaufstieg wurde er noch auf den Thron gehoben, sechs Monate später davongejagt: Horst Ehrmantraut.

im Waldstadion Mitaufsteiger 1. FC Nürnberg mit 3:2. Auch die Verpflichtung von Gernot Rohr, der 21 Jahre lang als Spieler, Jugendkoordinator und Trainer bei Girondins Bordeaux tätig gewesen war, als Technischer Direktor wurde als Investition in die Zukunft gesehen, die sich Horst Ehrmantraut wie folgt vorstellte: „Wir wollen eine neue Eintracht strukturieren, dazu gehört, dass ich zwei, drei Jahre Zeit bekomme. Der Aufstieg kam sehr früh, wir haben letztes Jahr 15 Spieler integriert, müssen dieses Jahr wieder sechs, sieben, acht Spieler integrieren, in die Mannschaft einbinden, das braucht seine Zeit." (Ehrmantraut im HR3-Sportkalender vom 7. Juni 1998)

Doch diese Zeit bekam er nicht. Nach zwei Niederlagen in Folge gegen Bayer Leverkusen (2:3 nach 2:0-Pausenführung) und in Wolfsburg (0:2) schienen des Trainers Tage gezählt, zumal der nächste Gegner im Waldstadion Bayern München hieß. Doch wie schon zu Zeiten eines „Charly" Körbel raufte sich die Mannschaft gegen den schier übermächtigen Gegner zusammen und brachte dem Rekordmeister dank eines Sobotzik-Treffers mit 1:0 die erste Saisonniederlage bei. Als die Mannschaft drei weitere Spiele ungeschlagen blieb und auf Platz 11 kletterte, schien Ehrmantrauts Position gesichert. Doch sicher ist bei der Eintracht wohl nur, dass eben nichts sicher ist. Drei Niederlagen in Folge lösten in der Führungsetage Panik aus. Auch die zwischenzeitliche Verpflichtung der Norweger Tore Pedersen (Blackburn Rovers) und Jan-Åge Fjørtoft (FC Barnsley) konnte den Trainer nicht retten. Obwohl die Mannschaft auf Platz 14 stand, musste Ehrmantraut gehen. „Sportlicher Misserfolg in den letzten Spielen" und „öffentliche Kritik an allen Mitgliedern des Präsidiums" wurde ihm vorgeworfen. Interimstrainer Bernhard Lippert konnte zumindest den Nichtabstiegsplatz halten. Als er nach zwei Spielen das Kommando an Reinhold Fanz (von Hannover 96) abgab, stand die Eintracht einen Punkt vor Hansa Rostock auf Platz 15.

In der Öffentlichkeit stieß die Demission Ehrmantrauts auf Unverständnis. Im Mittelpunkt der Kritik stand Gernot Rohr, den man als Drahtzieher bei der Ablösung des beliebten Trainers sah. So hatte ihn „Sport-Bild" bereits am 2. Dezember einen „eiskalten Killer" mit dem „Auftrag, Ehrmantraut wegzumobben" genannt: „Statt den Trainer zu unterstützen, begann Rohr ... die Demontage." Rohr selbst verstand seinen Job dahingehend, „im Interesse des Vereins eine delikate, diplomatische Aufgabe zu erfüllen". Auch der ehemalige Eintracht-Trainer Dietrich Weise sah den neuen Manager „in einer unglücklichen Rolle", denn innerhalb kürzester Zeit hatte der eloquente Deutsch-Franzose mit Sitz und Stimme im Präsidium eine enorme Machtposition im Verein eingenommen. Entstanden war das nun von Rohr ausgefüllte Machtvakuum in der Vereinsführung durch den Teil-Rückzug von Präsident Heller aus der sportlichen Führung. Während sich Heller wieder verstärkt seinem Job bei der AOK Thüringen widmete, wurde Rohr zum starken Mann bei der Eintracht – und zwar auf Kosten des Trainers.

Aber auch mit neuem Trainer kam die Eintracht nicht vom Fleck. So setzte Fanz im ersten Spiel nach der Winterpause beim TSV München 1860 (1:4) mit dem neu verpflichteten Marokkaner Bounoua (Stuttgarter Kickers), Amstätter und Gerster auf drei

Das Wunder wird wahr: Fjørtofts Übersteiger auf dem Weg zum 5:1 gegen Kaiserslautern.

Debütanten. Gegen den abgeschlagenen Tabellenletzten Borussia Mönchengladbach (0:0) erspielte sich die Mannschaft vor eigenem Publikum keine einzige Torchance! In Leverkusen (1:3) verzichtete Fanz praktisch auf einen Sturm, und selbst beim ersten Sieg am Ostersonntag gegen den VfL Bochum (1:0) überraschte er alle Experten mit seiner Wechseltaktik: Als Yang nach nur neun Minuten verletzt ausschied, brachte er den völlig überforderten A-Junioren Zinnow, der nach weniger als einer Stunde Platz für Joker Fjørtoft machen musste – der prompt den Siegtreffer erzielte. Als nach drei weiteren Niederlagen in Folge der Absturz auf den vorletzten Platz perfekt war (mit vier Punkten Rückstand auf das rettende Ufer), zog das Präsidium erneut die Reißleine und setzte Trainer und Manager vor die Tür. Das Unmögliche möglich zu machen – sprich: Klassenerhalt – sollte ein in Frankfurt nicht ganz Unbekannter: Jörg Berger, der die Eintracht 1989 schon einmal vor dem Absturz in die Zweitklassigkeit bewahrt hatte.

Als aber bei Bergers Comeback im Waldstadion gegen den Abstiegskonkurrenten Hansa Rostock nur ein schmeichelhaftes 2:2 heraussprang (Westerthaler hatte Sekunden vor Schluss für den Ausgleich gesorgt), schien der Abstieg besiegelt, zumal auch im nächsten Heimspiel gegen den Hamburger SV eine 2:0-Führung in den Schluss-

Sekunden verspielt wurde. Mit Tränen in den Augen verabschiedeten sich Kapitän Ralf Weber und die Mannschaft von der Fankurve. Denn wie sollte man in nur noch vier Spielen vier Punkte aufholen? Dazu musste man selbst alle Spiele gewinnen und auf Patzer der Mitgefährdeten hoffen. Das mit den eigenen Siegen klappte: 2:1 in Bremen, 2:0 gegen Dortmund und 3:2 auf Schalke (nach 0:2-Rückstand), doch die Konkurrenz schlief nicht: Rostock punktete weiterhin, der 1. FC Nürnberg schlug sogar die bereits als Meister feststehenden Münchner Bayern, und Werder Bremen verabschiedete sich nach dem Trainertausch Magath/Schaaf mit drei Siegen binnen elf Tagen aus der Abstiegszone, in die plötzlich der VfB Stuttgart und der SC Freiburg geschliddert waren. Vor dem letzten Spieltag gab es somit folgende Konstellation: 12. Nürnberg (37 Punkte), 13. Stuttgart (36), 14. Freiburg (36), 15. Rostock (35), 16. Eintracht (34). Doch die Hoffnung stirbt bekanntlich zuletzt.

Der Nachmittag des 29. Mai 1999 wird als einer der außergewöhnlichsten in die Bundesliga-Geschichte eingehen. Bei Halbzeit sah es schlecht für die Eintracht aus, denn es stand nur 0:0 gegen Kaiserslautern. Dagegen war der VfB Stuttgart aus dem Schneider: 1:0 gegen Bremen. Auch die weiteren Resultate verursachten Kopfschmerzen: Rostock führte 1:0 in Bochum, und das 0:2 der Nürnberger gegen Freiburg passte auch nicht ins Konzept, da der „Club" (noch) eine um drei Tore bessere Tordifferenz hatte. Yangs Führungstreffer (46. Minute) gegen Lautern lies aber neue Hoffnung im bis auf den letzten Platz gefüllten Stadion aufkommen. Dann überschlugen sich die Ereignisse. 16.56 Uhr: Schjönberg gleicht in Frankfurt per Handelfmeter aus. 16.58: Sobotzik bringt die Eintracht wieder in Führung. 16.59: Ausgleich in Bochum, jetzt war Rostock weg vom Fenster. 17.02: 2:1 für Bochum, Jubelstürme im Waldstadion. 17.05: Ausgleich in Bochum, aber noch reicht es nicht für Rostock. 17.07: Gebhardt erzielt das 3:1 für die Eintracht. 17.10: Schneider erhöht auf 4:1 – die Eintracht damit vor Rostock und Nürnberg. Die Stimmung nähert sich dem Siedepunkt. 17.11: 3:2 für Rostock, Nürnberg plötzlich auf einem Abstiegsrang. 17.12: Der „Club" verkürzt auf 1:2, jetzt die Eintracht wieder Drittletzter. 17.16: Fjørtoft erzielt das 5:1, das Stadion tobt. 17.17: Der Nürnberger Baumann trifft das leere Tor nicht. Wenig später Schlusspfiff im Frankenstadion, kurz darauf in Frankfurt, dann in Bochum. Das Unmögliche war geschafft: Die Eintracht blieb in Liga eins, weil sie bei gleicher Punktzahl (37) und gleicher Tordifferenz (minus 10) vier Tore mehr erzielt hatte (44:54 zu 40:50). Das Herzschlagfinale war vorbei – Jubel in Frankfurt, Trauer in Franken.

Im Mittelpunkt der Ovationen stand Jörg Berger, der „Feuerwehrmann der Liga", der neben zweimal Frankfurt auch schon den 1. FC Köln und den FC Schalke 04 gerettet hatte. „Was aber ist das Geheimnis dieses graumelierten Mannes mit der tiefen, sonoren Stimme, stets braun gebrannt und immer chic gewandet?", fragte Thomas Kilchenstein in der „Frankfurter Rundschau" am Montag nach dem Spiel. Der unter Reinhold Fanz arg gescholtene Jan-Åge Fjørtoft formulierte es, nachdem er mit Oberbürgermeisterin Petra Roth eine flotte Sohle auf den grünen Rasen gelegt hatte, auf seine ihm eigene Weise: „Jörg Berger hätte sogar die Titanic gerettet."

1999/2000 ■ Von einer Krise in die nächste

Der gefeierte Trainer blieb nüchtern, denn er wusste: „Die größten Fehler werden in der Stunde des größten Erfolgs gemacht." Und so schien, kaum dass sich die Wogen der Emotion etwas geglättet hatten, erneut Tristesse am Riederwald einzuziehen. Bernd Schneider hatte seinen Abgang zu Bayer Leverkusen (für zwei Millionen Mark Ablöse) schon im März angekündigt. Kaum eine Woche nach Saisonende verabschiedete sich mit Thomas Sobotzik der zweite offensive Mittelfeldspieler ablösefrei Richtung Kaiserslautern, und auch Ansgar Brinkmann ging für eine Million Mark zum Zweitligisten Tennis Borussia Berlin. Dafür wurde bei den Neuverpflichtungen diesmal allerdings nicht gekleckert sondern geklotzt: Für 2,5 Millionen Mark kam Horst Heldt vom TSV München 1860, vom Karlsruher SC der Kongolese Rolf-Christel Guié-Mien (vier Millionen plus eine weitere an seinen früheren Klub Inter Brazzaville), aus dem ungarischen Debrecen wurde Tibor Dombi für 150.000 Mark ausgeliehen – alles Nationalspieler. Getoppt wurde alles noch durch die Verpflichtung des Togolesen Bachirou Salou (Borussia Dortmund) für die Vereinsrekordablöse von sieben Millionen Mark! Abgeschlossen wurden die Personalplanungen mit dem Transfer von Torsten Kracht vom Bundesliga-Absteiger VfL Bochum (1,2 Millionen Mark).

Zunächst schien der finanzielle Kraftakt aufzugehen. Nach Siegen gegen Unterhaching (3:0) und in Freiburg (3:2 nach 0:2-Rückstand) war die Eintracht Tabellenführer. Doch wie gewonnen, so zerronnen. Zum Knackpunkt wurde das Spiel gegen Meister Bayern München. Nach Salous 1:0 (20.) hätte Fjørtoft in der 52. Minute alles klar machen können, doch Kahn hielt den Elfmeter des Norwegers. Als dann der Bayern-Keeper verletzt ausschied (56.), Ersatzmann Dreher nach nur acht Minuten das gleiche Schicksal traf und mit Tarnat ein Feldspieler ins Bayern-Tor musste, schien alles gelaufen. Doch plötzlich ging ein Ruck durch die Bayern-Mannschaft, und am Ende hatte die Eintracht ein Spiel verloren (1:2), das eigentlich nicht verloren werden durfte. Danach lief nichts mehr zusammen. Nach sieben Punkten aus den ersten drei Spielen, aber nur vier Punkten aus den folgenden 14 war auch Berger mit seinem Latein Ende und musste gehen.

Mit acht Punkten Rückstand auf den 15., SSV Ulm 1846, ging es in die Weihnachtsferien. Selbst die größten Optimisten gaben keinen Pfifferling mehr für die Mannschaft, die sich in der Vorrunde zu oft saft- und kraftlos gezeigt hatte. Doch bereits am zweiten Weihnachtstag präsentierte Präsident Heller einen neuen Trainer, dem neben dem Prädikat „Retter" auch der des „Schleifers" anhaftete: Felix Magath. „Quälix", wie er bald am Main genannt wurde, verkündete sogleich, wie er seinen bisher „härtesten Job" meistern wollte: „Für den Klassenerhalt müssen alle arbeiten – Tag und Nacht!" Gyula Lorant ließ grüßen! Als erstes baute Magath die Abwehr um. Im Tor musste Nikolov dem von Leverkusen geholten Dirk Heinen weichen. Außerdem reaktivierte er den fast 36-jährigen Hubtchev, der zuletzt nur noch bei den Amateuren in der Oberliga gespielt hatte. Statt des Technikers Janßen sollte fortan ein klassischer

Gegen die Bayern riss der Faden. Bachirou Salou im Zweikampf mit Samuel Osei Kuffour.

Ausputzer der Abwehr neue Sicherheit verschaffen. In der Offensive sollten Thomas Reichenberger (Bayer Leverkusen) und der bereits Mitte Dezember aus Kaiserslautern zurückgekehrte Thomas Sobotzik Akzente setzen.

Überschattet wurde die Vorbereitung jedoch von Vorstandsquerelen. Bereits Ende September war Schatzmeister Gaetano Patella ausgebootet worden. Ein von seinem Nachfolger Rainer Leben durchgeführter Kassensturz bescherte der Eintracht im Januar neben der sportlichen auch eine finanzielle Krise ersten Grades. Der 43-jährige Unternehmensberater rechnete nämlich bis zum 30. Juni mit einem Anwachsen des Schuldenberges auf 13 Millionen Mark. Außerdem hatte der Verein mit seiner Transferpolitik gegen DFB-Auflagen verstoßen! Statt genehmigter 20,15 Millionen Mark für Personalkosten ergab die Hochrechnung bis Saisonende einen Betrag von 28,88 Millionen. Und im Bereich „Kapital ohne Spielerwerte" drohte statt 5,35 Millionen eine Unterdeckung von 23,61 Millionen Mark! Die Eintracht stand vor dem Konkurs. Wenn überhaupt, war eine Rettung nur durch Fremdkapital möglich, wofür die Auslagerung der Lizenzspieler-Abteilung aus dem Verein „Eintracht Frankfurt e. V." in eine zu gründende Kapitalgesellschaft – der späteren „Eintracht Frankfurt Fußball AG" – notwendig war.

Im Mittelpunkt der Kritik stand Präsident Rolf Heller, der auf der Jahreshauptversammlung am 31. Januar zurücktrat, nachdem sich der Verwaltungsrat unter Führung von Bernd Ehinger tags zuvor gegen ihn ausgesprochen hatte. „Nach dreieinhalb Jahren Dauerstress fehlt mir die Kraft, die Eintracht aus der sportlichen und wirtschaftlichen Krise zu führen", erklärte er den 861 anwesenden Mitgliedern, die ihn mit großem Applaus verabschiedeten. Da eine unter dem Banner „Eintracht 2000" angetretene Oppositionsgruppe kein schlüssiges Konzept vorweisen konnte, waren Rainer Leben und Bernd Ehinger die Sieger des Abends. Mit der Offenlegung der Finanzen machte sich die Eintracht in der Liga und der Öffentlichkeit wenig neue Freunde. Empört wurden vom DFB sofortige Konsequenzen bis hin zum Lizenzentzug gefordert. Während etwaige Sanktionen wie ein Damokles-Schwert über dem Riederwald hingen – erst Mitte April wurde der Verein mit dem Anzug von zwei Punkten und 500.000 Mark Geldstrafe belegt –, begann für Felix Magath die „mission impossible". Nach einer Auftaktniederlage in Unterhaching (0:1) folgten drei Siege in Serie, und bis Mitte März war der Rückstand auf Platz 15 auf einen Punkt (vor dem Punktabzug) geschrumpft. Profitieren konnte die Eintracht vom Einbruch des Aufsteigers SSV Ulm 1846, der nach einem 1:9-Heimdebakel am 18. März gegen Bayer Leverkusen aus den nächsten sieben Spielen lediglich zwei Punkte holte. Am 29. Spieltag stand die Eintracht erstmals seit Anfang Dezember nicht mehr auf einem Abstiegsplatz. Fundament des Aufschwungs war die wieder gewonnene Heimstärke. Unter Magath wurden von 27 möglichen Heimpunkten 23 eingefahren. Nach drei Auswärtsniederlagen in Folge war der Vorsprung auf den 16. Platz jedoch wieder auf einen Punkt (nach Punktabzug) zusammengeschmolzen, so dass es am letzten Spieltag erneut zu einem Schicksalsspiel im Waldstadion kam – diesmal gegen den direkten Konkurrenten SSV Ulm 1846.

Anders als im Vorjahr, als man nur gewinnen konnte, gab es diesmal kein Feuerwerk. Die Angst, doch noch alles zu verlieren, lähmte die Akteure im schwarz-roten Trikot. So stand das Spiel lange auf des Messers Schneide, ehe ein von Horst Heldt in der Schlussminute verwandelter Elfmeter für Klarheit sorgte. Jan-Åge Fjørtoft war's egal. Unter Anspielung auf seinen Kommentar vom Vorjahr meinte er: „Ich weiß nicht, ob Magath wie Berger die Titanic gerettet hätte. Auf jeden Fall wären alle Überlebenden sehr fit gewesen." Trainer und Mannschaft hatten also ihre Hausaufgaben gemacht. Nach langem Hin und Her konnte schließlich mit Octagon auch der lang gesuchte „strategische Partner" präsentiert werden, der mit 50 Millionen Mark die Lizenz für die Bundesliga-Saison 2000/01 finanziell absicherte.

2000/01 ■ Es fährt ein Zug nach Nirgendwo …

Wie im Vorjahr startete die Eintracht mit einem 3:0 über die SpVgg Unterhaching. Zu Hause war man weiterhin eine Macht und gab in den ersten sechs Heimspielen nur gegen Borussia Dortmund (1:1) einen Punkt ab. Auswärts hatte sich dagegen nur wenig verändert: Einem Unentschieden bei Werder Bremen standen fünf Niederlagen gegenüber. Dazu flog man mit 1:6 bei den Amateuren des VfB Stuttgart bereits in der 1. Runde aus dem DFB-Pokal, so dass das „kicker-sportmagazin" seine Leser am 28. August fragte: „Stürzt Frankfurt jetzt ab?", was 55,8 Prozent bejahten. Dennoch

Nur selten gab es in der Saison 2000/01 Grund zum Jubeln (unten: Fjørtoft nach dem 1:1 gegen den HSV). Auch Friedel Rausch wusste bald, was die Stunde geschlagen hatte: Abstieg.

war man Mitte November mit 17 Punkten aus zwölf Spielen Neunter. Wendepunkt zum Schlechten wurde ausgerechnet der größte Erfolg der letzten Jahre: ein Sieg bei Meister Bayern München, dem ersten in einem Bundesligaspiel seit Dezember 1976! Damit stand man plötzlich auf Platz 5. Doch die Höhenluft bekam den Adlern nicht. Gegen Hertha BSC gab es nach 15 Spielen mit 0:4 wieder eine Heimniederlage. Es sollte noch schlimmer kommen: Vier weitere Niederlagen in Folge dazu bedeuteten den Absturz auf Platz 15 und warf Fragen über die Zukunft von Felix Magath auf.

Im neuen Jahr ging's munter weiter. In den Testspielen gab es gegen die Stuttgarter Kickers (1:4), den 1. FSV Mainz 05 (1:3) und SSV Reutlingen (1:2) alarmierende Ergebnisse. Und als die Eintracht im ersten Meisterschaftsspiel zu Hause vom 1. FC Köln mit 1:5 das Fell über die Ohren gezogen bekam, waren die Tage von Magath gezählt. Vorläufig übernahm Sportdirektor Rolf Dohmen das Training, der aus den nächsten drei Spielen sieben Punkte holte und damit vier Punkte Abstand auf einen Abstiegsplatz erarbeitete. Doch nach nur zwei Punkten aus den folgenden fünf Spielen musste Dohmen Platz für Friedel Rausch machen. Zu diesem Zeitpunkt war die Eintracht 15. Aber auch der Vater des UEFA-Pokal-Sieges von 1980 schaffte die Wende zum Besseren nicht. Stattdessen gab es vier weitere Niederlagen in Folge und den Absturz auf Platz 17. Derweil hatte Felix Magath den VfB Stuttgart aus der Gefahrenzone geführt …

Am 12. Mai war es dann so weit: Mit einem 0:3 beim VfL Wolfsburg verabschiedete sich die Eintracht zum zweiten Mal nach 1996 aus dem Fußball-Oberhaus. Bei der Suche nach den Ursachen für den Abstieg kam Klaus Veit zu dem Schluss, dass „seit rund 30 Monaten fast kontinuierlich auf dieses ‚Ziel' hingearbeitet" wurde. „Sieben Trainer in gerade einmal zweieinhalb Jahren, da wundert es nicht, dass … auf dem Spielfeld meist nur Chaos herrschte. … Ehrmantrauts Fehler: eine schwache Vereinsführung. – Lipperts Fehler: Er hatte keine Zeit, welche zu machen. – Fanz' Fehler: absolute Ahnungslosigkeit. – Bergers Fehler: Selbstüberschätzung und Bequemlichkeit. – Magaths Fehler: selbstüberschätzende Menschenverachtung. – Dohmens Fehler: fehlende Trainererfahrung und damit fehlende Akzeptanz. – Rauschs Fehler: Naiv glaubte er an das Unmögliche. – Geht das Chaos also weiter?" („Frankfurter Neue Presse" vom 14. Mai 2001) Es sollte.

2001/02 ■ Das Team der Ahnungslosen

Von einer „Saisonplanung" zu sprechen, wäre zu viel des Lobes. Noch vor dem letzten Saisonspiel gegen den VfB Stuttgart (2:1) wurde der unglückliche Sportdirektor Rolf Dohmen entlassen. Seine Position sollte künftig der gerade als Trainer gescheiterte Friedel Rausch übernehmen. Als neuer Coach wurde der Schweizer Martin Andermatt präsentiert. Doch schon Anfang Juli trat Rausch zurück und verabschiedete sich wieder Richtung Schweiz. Der Grund: die Verpflichtung des ehemaligen englischen Nationalspielers Tony Woodcock als Sportvorstand der Fußball AG. „Wenn man stets in der ersten Reihe gestanden hat, will man mit 61 Jahren nicht plötzlich die zweite Geige spielen. Die zweite Reihe ist nichts für mich", begründete Rausch seinen Entschluss. Auch personell sah es nicht rosig aus. Mit Fjørtoft (bereits im März nach Norwegen), Heldt, Kracht, Kutschera und Sobotzik verließen fünf Stammspieler den Verein. Aufgefüllt wurden die Lücken mit dem Albaner Ervin Skela (Waldhof Mannheim) und eigenen Nachwuchskräften wie Preuß, Gemiti, Jones und Streit.

Dennoch gelang ein passabler Saisonstart, der die Eintracht nach fünf Spielen an der Tabellenspitze sah. Selbst Rückschläge wie die Heimniederlagen gegen Arminia Bielefeld (0:2), die SpVgg Greuther Fürth (1:4) und LR Ahlen (1:2) ließen den Kontakt zur Spitzengruppe bis zum Ende der Vorrunde nicht abreißen. Und als der Pole Pawel Kryszalowicz (13 Tore bis Weihnachten) das Tor nicht mehr traf, gelang dem Mazedonier Sasa Ciric ein bemerkenswertes Comeback (zehn Tore in der Rückrunde). Doch es wurde auch immer deutlicher, dass der „zweite Anzug" nicht passte. Und da klar war, dass am Saisonende weitere Stammkräfte wie Rada, Wimmer, Preuß und Yang aus finanziellen Gründen nicht zu halten waren, färbte dies auf die Moral der Mannschaft ab, die nach der Winterpause nur noch ein Schatten ihrer selbst war. So wurde der Abstand zu den Aufstiegsrängen immer größer. Anfang März, neun Spieltage vor Saisonende, wurde Andermatt vom bisherigen Co-Trainer Armin Kraaz abgelöst. Doch auch der ehemalige Eintracht-Profi konnte nichts mehr ausrichten. Erwähnenswert war lediglich der überraschende Sieg beim souveränen Tabellenführer Hannover 96 (2:1), der aber durch Randale eines Teils der mitgereisten Fans überschattet wurde. So waren am 5. Mai alle froh, als eine völlig verkorkste Saison mit einem 1:1 gegen den SV Babelsberg 03 zu Ende ging.

2002/03 ■ Wo ein Willi ist, ist auch ein Weg

Anfang Juni wurde mit Willi Reimann, dem ehemaligen Profi von Hannover 96 und des Hamburger SV, der neuer Trainer vorgestellt. Gleichzeitig wurde der Vertrag mit dem Sportvorstand der AG, Tony Woodcock, aufgelöst. Wegen der ungeklärten Lizenz-Situation waren dem neuen Coach in Sachen Spielerverpflichtungen allerdings die Hände gebunden, da man nicht wusste, welcher Spielklasse man 2002/03 angehören würde. Dennoch konnten noch vor Abgabe der Lizenzunterlagen mit Sven Günther (1. FC Schweinfurt 05), Henning Bürger (FC St. Pauli) und David Montero (Waldhof Mannheim) drei Neuzugänge präsentiert werden. Dazu kamen die brasilianischen Nachwuchsspieler Franciel Hengemühle und Matheus Vivian. Die zwischenzeitliche Lizenzverweigerung brachte aber erst mal alle weiteren Planungen zum Stillstand, da Reimann klargemacht hatte, für die Regionalliga nicht zur Verfügung zu stehen. Da das DFB-Schiedsgericht erst am 3. Juli über die Lizenz der Eintracht beriet, wurde der Trainingsbeginn kurzerhand verschoben. Zu diesem Zeitpunkt hatte man 14 Profis unter Vertrag! Selbst nach dem positiven Schiedsspruch dauerte es noch fast zwei Wochen, bis die Eintracht die Lizenz auch wirklich in Händen hatte.

Beim Aufstiegskonkurrenten Mainz 05 kassierte die Eintracht eine Niederlage – Liga 1 schien in weite Ferne gerückt. Hier Jermaine Jones im Zweikampf mit dem Mainzer Abel.

Doch nicht nur in Sachen Lizenz bewiesen die Verantwortlichen, dass sie solide Arbeit leisteten. Wie ein Puzzle nahm das neue Eintracht-Team Gestalt an: Dino Toppmöller (VfL Bochum), der gebürtige Frankfurter Bakary Diakité (vom niederländischen Ehrendivisionär De Graafschap), der Kongolose Jean-Clotaire Tsoumou-Madza (vom Nordost-Oberligisten OFC Neugersdorf) und Jens Keller (1. FC Köln). Auch die Fans demonstrierten ihr Vertrauen in Willi Reimann und seine Mannschaft. Bei einer Umfrage des Eintracht-Internet-Teams gingen drei Viertel der Eintracht-Fans von einem positiven Saisonverlauf aus. Lediglich 5,9 % befürchteten den Abstieg und 18,0 % einen Abstiegskampf. 23,2 % trauten der Mannschaft zu, „gut mitzuspielen", 23,7 % erwarteten einen Platz im gesicherten Mittelfeld, und immerhin 29,2 % träumten vom Aufstieg.

Der Start konnte sich sehen lassen: Mit drei Siegen setzte sich die Eintracht in der Spitzengruppe fest. Selbst eine Heimniederlage gegen Aufsteiger Wacker Burghausen (0:2) und eine desolate Vorstellung bei Alemannia Aachen (0:1) ließen den Kontakt nach oben nie abreißen. Bei der „Baustelle Eintracht" herrschte nach langer Zeit wieder „große Aufbruchsstimmung" („kicker-sportmagazin" vom 9. September 2002). So ging die Eintracht als Tabellenzweiter in die Winterpause. Trotz aller Widrigkeiten kam das Ganze für Willi Reimann nicht ganz überraschend: „Wir haben ganz hart und fleißig gearbeitet. Das Ganze ist kein Zufall. … Wir hatten anfangs große Schwierigkeiten, das fing damit an, dass wegen der Lizenzierungsgeschichte niemand wusste, wann das Training beginnt, wir hatten Verletzungen. Wir wussten nicht, wer kommt, wer bleibt. Es gab Änderungskündigungen. Die Vorbereitungszeit lief nicht optimal. Trotzdem haben sich die Neuverpflichtungen gleich wohl gefühlt. Ich kann der Mannschaft nur ein Kompliment machen. Die Schwierigkeiten haben uns zusammengeschweißt." („Frankfurter Rundschau" vom 18. Dezember 2002)

Das klang wie Ehrmantraut anno '98. Und in der Tat waren manche Parallelen nicht von der Hand zu weisen. Auch Reimann legte viel Wert auf harte Arbeit und Disziplin. Und wie beim ersten Wiederaufstieg stimmte auch die Mischung: Reimann hatte aus Alteingesessenen wie Nikolov, Bindewald und Schur, ein paar Erfahrenen wie Keller und Bürger sowie einer Hand voll „hungriger" Spieler wie Tsoumou-Madza, Montero und Streit eine Einheit geformt, die durch dick und dünn ging. Dennoch waren Zweifel angebracht, ob die Eintracht angesichts der dünnen Spielerdecke in der Lage war, auf dem hohen Niveau weiterzuspielen, zumal Anfang Januar der bis dato beste Torschütze Guié-Mien den Klub Richtung Aufstiegskonkurrent SC Freiburg verließ. Doch auch hier hatte Reimann ein goldenes Händchen, denn mit Markus Beierle (Hansa Rostock) wurde ein Stürmer verpflichtet, der zwar nur sechs Tore erzielte, aber durch seine Spielweise Platz für die Leute in der zweiten Reihe schuf. Insbesondere Ervin Skela wusste diese Chance zu nutzen.

Schwierigkeiten gab es zudem in den Heimspielen, wo in sieben Begegnungen bis Ostern nur zwei Siege gelangen und man den 1. FC Köln und den SC Freiburg enteilen sah. So entwickelte sich ein spannender Zweikampf mit dem 1. FSV Mainz 05 um den dritten Aufstiegsplatz. Während das Umfeld schon wieder von der Bundesliga träumte, blieb Reimann auf dem Teppich. Den verdutzten Journalisten präsentierte er vor dem Heimspiel gegen den VfB Lübeck im April – das mit dem zweiten Rückrunden-Heimsieg endete (3:1) – einen Stapel Pressemitteilungen vom Juli 2002. „Genüsslich las der Coach … einige Passagen daraus vor, hatte doch kaum einer der Medienvertreter den Hessen zugetraut, dass sie nach dem Lizenztheater ein ernsthaftes Wörtchen um den Erstligaaufstieg mitspielen würden." („Frankfurter Rundschau" vom 12. Juni 2003)

Vor dem Schlager beim 1. FSV Mainz 05 lag die Eintracht mit 53 Punkten dank der um einen Treffer besseren Tordifferenz auf Platz 3. Ein Punktgewinn bei den Rheinhessen hätte die Ausgangsposition also gefestigt. Lange Zeit sah es auch so aus, als könne die Eintracht zum vierten Mal einen Punkt vom Bruchweg entführen. Beierle hatte in der 30. Minute zuerst die Eintracht und in der 67. Minute dann per Eigentor die Mainzer in Führung gebracht. Nach Schurs Ausgleich (74.) schienen sich beide Teams bereits mit einem Unentschieden abgefunden zu haben, als das Unglück seinen Lauf nahm. Einen 20-Meter-Schuss von Babatz konnte Nikolov nur abklatschen – genau vor die Füße von Auer: 3:2! Bei nun drei Punkten Rückstand und nur noch drei Spielen schien das Thema Aufstieg durch zu sein. Die Eintracht gab aber nicht auf und konzentrierte sich, wie von Willi Reimann gefordert, auf ihre eigenen Spiele. Nach einem 4:1 über Waldhof Mannheim hatte sie die Nase wieder vorn, denn die Mainzer mussten erst am Montagabend in Ahlen antreten. Dort lagen sie kurz vor Schluss mit 3:2 in Führung. Doch dann überschlugen sich die Ereignisse: 90. Minute Ausgleich und in der Nachspielzeit das 4:3 für Ahlen.

Die Eintracht stand wieder vor den „Null-Fünfern" – allerdings nur als Vierter, denn auf den 3. Platz hatte sich heimlich, still und leise die SpVgg Greuther Fürth geschlichen. Während die Fürther aber am vorletzten Spieltag beim 2:2 gegen die vom Ex-Eintrachtler Rudi Bommer betreuten Burghausener patzten, gewann die Eintracht vor 10.398 Zuschauern (davon bestimmt drei Viertel Eintracht-Fans!) in Oberhausen mit 2:0, und Mainz besiegte den VfB Lübeck mit 5:1. Die Ausgangsposition vor dem letzten Spieltag war damit folgende: 3. Eintracht, 59 Punkte, Tordifferenz +23; 4. Mainz, 59 Punkte, Tordifferenz +22; 5. Fürth, 57 Punkte. Köln und Freiburg standen bereits als Aufsteiger fest.

Der 25. Mai 2003 hatte Parallelen mit dem legendären 29. Mai 1999, als Fjørtofts Übersteiger gegen den 1. FC Kaiserslautern den Klassenerhalt sicherte. Und ähnlich wie damals gab es auch diesmal „eine Chronologie des nackten Irrsinns" („Frankfurter Rundschau" vom 26. Mai 2003). Zur Halbzeit führte die Eintracht mit 3:1 gegen den designierten Absteiger SSV Reutlingen, Mainz durch zwei Auer-Tore mit 2:0 bei Eintracht Braunschweig – die Eintracht hatte also die Nase vorn. Zwei Minuten nach dem Wiederanpfiff erhöhte Auer auf 3:0 – Eintracht und Mainz punkt- und torgleich, Mainz aber dank der mehr erzielten Tore im Vorteil! Doch es sollte noch schlimmer kommen: Innerhalb von drei Minuten kassierte die Eintracht den Ausgleich, und als kurz darauf Auer in Braunschweig auf 4:0 erhöhte, hatten die 25.000 im Frankfurter Waldstadion den Aufstieg abgehakt: Wer glaubte schon ernsthaft daran, dass die Eintracht noch vier Tore schießen würde?

Und so plätscherte das Spiel vor sich hin, bis zehn Minuten vor Schluss auf einmal die Kunde aus Braunschweig kam: nur noch 1:4 und die dortige Eintracht am Drücker! Plötzlich ging ein Ruck durch die Mannen in Schwarz-Rot. Diakité gelang sieben Minuten vor Schluss das 4:3 und auch die Fans wachten wieder auf. Nach dem Treffer von Diakité in der 90. Minute zum 5:3 fehlte nur noch ein Tor. Da in Braunschweig bereits Schluss war, mussten die Mainzer auf dem Bildschirm live miterleben, was sich in Frankfurt in der dritten Minute der Nachspielzeit ereignete: Nach einer Ecke schlug Bürger den Ball von links in den Strafraum, und im allgemeinen Getümmel erwischte Alexander Schur die Kugel. Reutlingens Keeper Hollerieth hatte zwar noch die Fingerspitzen dran, aber irgendwie fand der Ball den Weg ins Netz – 6:3, die Eintracht war wieder in der Bundesliga! Der Bockenheimer „Bub" schilderte die Situation wie folgt: „Ich hatte Schiedsrichter Strampe gefragt, wie lange noch zu spielen ist, nachdem uns von der Bank angezeigt wurde, dass wir noch ein Tor brauchen. ‚Drei Minuten', hat er gesagt. Dann bin ich zum langen Pfosten gelaufen, und irgendwie ist der Ball dorthin gelangt und ich habe ihn halt gut erwischt." („Frankfurter Rundschau" vom 26. Mai 2003)

Während die Mainzer ihr Schicksal kaum fassen konnten, glich das Stadion einem Tollhaus. Trainer Reimann schwärmte: „Das war ein unglaublich packendes Finale,

wie es wohl nur alle hundert Jahre vorkommt. Das werde ich mein Lebtag nicht vergessen. Einfach grandios. Dieser Aufstieg bedeutet mir sehr, sehr viel, weil er aus einer sehr schwierigen Situation zu Saisonbeginn heraus gekommen ist. Jetzt werden wir uns zusammensetzen und über die Zukunft reden. Ich will das vollenden, was ich angefangen habe." ("Frankfurter Allgemeine Zeitung" vom 26. Mai 2003)

Sonntag, 25. Mai 2003, 16:48 Uhr: Alexander Schur erzielt das 6:3, Eintracht Frankfurt ist wieder erstklassig! An der Seitenauslinie wird der Torschütze von Trainer Willi Reimann herzlich umarmt.

Alexander Schur:
Ein Star zum Anfassen

Stars hat es bei der Eintracht schon zuhauf gegeben. Und meist waren sie sogar Nationalspieler. So wie Fritz Becker, der als erster Frankfurter 1908 das Trikot der deutschen Nationalmannschaft trug. Oder in den 1920er Jahren der Schweizer Olympia-Teilnehmer Walter Dietrich. Den 1930ern drückte Rudi Gramlich den Stempel auf. Nach dem Krieg folgten Alfred Pfaff und Richard Kress. Und als die Bundesliga laufen lernte, verzückte der Jugoslawe Fahrudin Jusufi mit heruntergerollten Stutzen die Fans. Weltmeisterlich wurde es in den 1970ern mit Jürgen Grabowski und Bernd Hölzenbein. Danach begann die Zeit des Karl-Heinz Körbel. Mit 602 Einsätzen ist der „treue Charly" immer noch Rekordspieler der Bundesliga. Anfang der 1990er zelebrierten Uwe Bein, Andreas Möller, Uli Stein und Anthony Yeboah „Fußball 2000".

All diese Akteure prägten das Bild der Eintracht als Mannschaft, die technisch versierten Fußball spielte. Doch dann kam 1996. Der Abstieg. Aus war es mit der Schönspielerei. In Liga 2 war Kämpfen angesagt. Und andere Typen. Einer war „Zico" Bindewald, der letzte Mohikaner aus dem Team, das 1992 fast Meister geworden wäre. Ein anderer war Alexander Schur, der 1995 vom FSV Frankfurt an den Riederwald gekommen und 1996 mit den Amateuren aus der Regionalliga Süd abgestiegen war. Für den gebürtigen Frankfurter, der sein Fußball-Einmaleins beim VfR Bockenheim und bei Rot-Weiss Frankfurt erlernt hat, war die Stunde null die große Chance. Er kam, sah und nutzte sie. Zehn Jahre stand er seinen Mann, und wenn es etwas zu feiern gab, wusste man nie so recht, auf welcher Seite des Zauns sich eigentlich die Fankurve befand. Ein Kreuzbandriss im Spiel bei Erzgebirge Aue leitete im April 2005 das Ende seiner ProfiKarriere ein. Nach 113 Bundesliga- (11 Tore) und 124 Zweitliga-Spielen (12 Tore) verabschiedete er sich im Mai 2006 vom großen Fußball und machte seinen Trainerschein. 2007 kehrte er als Nachwuchstrainer an den Riederwald zurück, war von 2012 bis 2014 für die „Zweite" verantwortlich und anschließend bis Februar 2018 Nachwuchs-Cheftrainer. Seit 2008 betreibt er in Hofheim eine Fußballschule und ist weiterhin in der Traditionsmannschaft der Eintracht aktiv. 2016 erschien „Alex Schur.24". In dieser „Geschichte einer Legende" beschreibt Oliver Zils Schurs Weg „vom Fan zum Kapitän".

Von Unterhaching nach Porto

2003/04 ■ Heribert Bruchhagen übernimmt das Kommando

Wer geglaubt hatte, nach dem Aufstieg herrsche allgemein Friede, Freude, Eierkuchen, sah sich schnell getäuscht. Viele offene Fragen warteten auf eine Antwort. So galt es, für den zum 30. Juni ausscheidenden Vorstandsvorsitzenden Volker Sparmann einen geeigneten Nachfolger zu finden. Weitere Problempunkte: die Manager-Frage und die Suche nach einem Stadionbetreiber und Investor. In Sachen Vorstandschef versuchte man zunächst die große Lösung: Wolfgang Holzhäuser, der Geschäftsführer von Bayer Leverkusen, sollte Sparmann-Nachfolger werden. Obwohl der ehemalige DFB-Funktionär der Eintracht Interesse signalisierte, platzte der Deal in der Nacht zum 12. Juni, da Bayer Holzhäuser nicht vorzeitig aus dem Vertrag entlassen wollte. Zu eskalieren drohte auch ein Kompetenz-Streit zwischen Trainer Reimann und dem Aufsichtsratsvorsitzenden Jürgen Neppe, bei dem es um die Bewertung der Neuverpflichtungen ging: „Herr Neppe hat in Personalfragen nicht reinzureden, … denn er hat ein anderes Aufgabengebiet" („Frankfurter Rundschau" vom 11. Juni 2003). Für diese Äußerung sollte Reimann mit einer Abmahnung belegt werden, doch da zog Sparmann nicht mit, der selbst ins Kreuzfeuer der Kritik geriet. Nicht einmal vier Wochen nach dem Aufstieg übte man sich wieder in längst vergessenen Grabenkämpfen. Am 7. August trat Neppe schließlich zurück. Kurz zuvor war bereits der langjährige Leiter der Fußball-Amateurabteilung, Jürgen Tschauder, zurückgetreten, da sich der „Verein nicht nach vorne bewege" („Frankfurter Neue Presse" vom 4. August 2003).

Kaum hatte Neppe seinen Sessel geräumt, da wurde Heribert Bruchhagen hoch gehandelt. Doch während der DFL-Geschäftsführer noch über das Angebot nachdachte, präsentierte die Eintracht am 8. August mit dem 60-jährigen Wirtschaftsexperten Dr. Peter Schuster einen neuen Vorstandsvorsitzenden. Gleichzeitig rückte der bisherige Aufsichtsratsvorsitzende Heiko Beeck in den Vorstand auf. Dessen vakanten Posten übernahm Herbert Becker, ein Vertreter des Hauptsponsors Fraport. Ihr Hauptauftrag sollte die Suche nach einem Manager sein. Doch genau darüber stolperte Schuster. Er wollte nämlich Bernd Hölzenbein als „Projektleiter Nichtabstieg" verpflichten. Dabei traten jedoch unüberbrückbare Differenzen zwischen dem Weltmeister von 1974 und dem neuen „starken Mann" zu Tage.

Keiner hörte auf sein Kommando: Auch Kapitän und Routinier Uwe Bindewald war im Abstiegskampf 2003/04 oft mit seinem Latein am Ende.

Zudem stellte der Vereinsboss sich mit merkwürdigen Kommentaren gegenüber der Frankfurter Sportpresse selbst in Abseits. Über den Fußball im Allgemeinen philosophierte er: „Der Job, den ich zur Zeit mache, ist ein Kinderspiel gegen das, was ich früher getan habe" („Frankfurter Rundschau" vom 25. August 2003). Und über Fußballspieler im Speziellen wusste er: „In so ein Fußballerhirn kriegen Sie so etwas nicht hinein" („Frankfurter Neue Presse" vom 23. August 2003). Das kam nicht gut an. „Schuster, bleib bei deinen Leisten. Aber bleib nicht Eintracht-Chef!", kommentierte die „Frankfurter Neue Presse" (23. August). Die „Frankfurter Rundschau" berief sich am gleichen Tag auf Stimmen aus dem Aufsichtsrat, dass „das Binnenklima… durch die unerträgliche Arroganz und Selbstüberschätzung von Schuster erheblich vergiftet" sei. Und die „Frankfurter Allgemeine Zeitung" setzte noch einen drauf: „Er sagt jedem, als ehemaliger Hoechst-Manager sei er ein Mann der Wirtschaft. Dabei hat man manchmal das Gefühl, er käme gerade aus der Wirtschaft, wenn man ihm so zuhört" (24. August).

Vier Tage später war die „Ära Schuster" wieder beendet. Und schließlich gelang es den Verantwortlichen doch noch, Heribert Bruchhagen von der DFL hinüber ins Waldstadion zu lotsen. Am 11. November 2003 unterschrieb der Westfale einen bis Sommer 2007 datierten Vertrag und nahm am 1. Dezember seine Arbeit auf.

Zu diesem Zeitpunkt steckte die Eintracht bereits tief im Abstiegsstrudel. Dass man es schwer haben würde, war von Anfang an bekannt. Der Aufstieg war letztlich zu unverhofft gekommen und hatte die ursprünglichen Planungen überholt. Die bereits verpflichteten Neuzugänge Nico Frommer (SSV Reutlingen), Jurica Puljiz

(Hajduk Split), Markus Kreuz (1. FC Köln) und Mehmet Dragusha (Eintracht Trier) waren wohl eher im Hinblick auf eine weitere Zweitliga-Saison geholt worden. Zu diesem Quartett gesellten sich schließlich noch Torhüter Markus Pröll (1. FC Köln), Geri Cipi (KAA Gent), Du-Ri Cha (Arminia Bielefeld) und Stefan Lexa (zuletzt CD Teneriffa). Lediglich für Cipi mussten 125.000 Euro nach Belgien überwiesen werden. Alle anderen kamen ablösefrei oder wie im Fall Cha auf Leihbasis an den Main. Den Verein verlassen hatten Streit (VfL Wolfsburg), Diakité (OGC Nizza), Vivian (Gremio Porto Alegre), Wenczel (FC Augsburg), Branco (VfB Stuttgart), Kryszalowicz (Amica Wronki) und Toppmöller (Erzgebirge Aue).

Nach der Aufstiegssensation fehlten die Zeit und vor allem die nötigen Gelder für größere personelle Verstärkungen. Dennoch konnten vor Schließung der Transferliste am 31. August noch drei neue Spieler an Land gezogen werden. Zunächst kehrte Christoph Preuß auf Leihbasis von Bayer Leverkusen nach Frankfurt zurück. Ablösefrei konnte auch der Brasilianer Christian Maicon Hening, genannt Chris, vom FC St. Pauli verpflichtet werden. Die Sensation schlechthin war jedoch die Rückkehr des inzwischen 36 Jahre alten Andreas Möller, der seine Karriere beim FC Schalke 04 im Sommer eigentlich schon beendet hatte. Besonders sein Engagement löste in Fan-Kreisen kontroverse Reaktionen aus. Immerhin gelang bei seinem Debüt im fünften Saisonspiel der erste Sieg (2:0 bei Borussia Mönchengladbach). Zu den wenigen Höhepunkten der Startphase gehörte noch das Pokal-Derby bei den Offenbacher Kickers, wo man im Elfmeterschießen eine Runde weiterkam.

Die Hoffnung schwindet: Nach einem 0:1 in Wolfsburg am viertletzten Spieltag lassen Markus Kreuz, Stefan Lexa und Ingo Hertzsch die Köpfe hängen. VfL-Keeper Simon Jentzsch (Nr. 29) hilft Markus Beierle auf die Beine.

Nach einer 2:3-Heimniederlage gegen den Hamburger SV ging die Eintracht als Tabellenletzter in die Winterpause. Da der Rückstand aufs rettende Ufer aber nur drei Punkte betrug, war noch nicht alles verloren. Kurz vor dem Rückrundenstart gegen Bayern München wurde man dann noch einmal auf dem Transfermarkt aktiv und verpflichtete mit Ioannis Amanatidis (für 200.000 Euro vom VfB Stuttgart) und Ingo Hertzsch (von Bayer Leverkusen ausgeliehen) einen Stürmer und einen Abwehrspieler, die beide hervorragend einschlugen. Aus den ersten sieben Rückrundenspielen holte die Eintracht 14 Punkte. Nur beim 1. FC Kaiserslautern gab es eine unglückliche Niederlage, die umso ärgerlicher war, da das 0:1 erst in der zweiten Minute der Nachspielzeit fiel. Nach einem 3:0 über den FC Schalke 04 stand die Eintracht am 13. März auf Platz 13. Da hatte Andreas Möller gerade sein Engagement in Frankfurt wieder beendet. Nach zwei Muskelfaserrissen wurde er nach der Winterpause von Trainer Reimann nur noch zweimal in den Schlussminuten eingewechselt. Dafür wurde dem Coach die Demontage eines großen Spielers vorgeworfen, was dieser aber energisch bestritt. Zwar wurde die Verpflichtung Möllers im Nachhinein als großes Missverständnis eingestuft, Reimanns Ansehen hatte dabei jedoch Kratzer abbekommen.

Den totalen Crash erlebte er dann im nächsten Auswärtsspiel am 20. März bei Borussia Dortmund (0:2). Nach einer Ampelkarte gegen Henning Bürger (39. Minute) war Reimann so aufgebracht, dass er gegen Thorsten Schriever handgreiflich wurde und den vierten Unparteiischen zweimal derbe wegschubste. Dafür drohte dem Fußball-Lehrer nun im Höchstfall eine zweijährige Sperre. Für die Eintracht reichten jedoch auch die fünf Spiele Innenraumverbot, die Reimann vom DFB aufgebrummt bekam. Vier weitere Niederlagen in Folge bedeuteten den Absturz auf den vorletzten Platz. Bei vier Punkten Rückstand und nur noch fünf Spielen war das eigentlich schon der K.o. Doch die Hoffnung stirbt bekanntlich zuletzt. Vor dem letzten Spieltag keimte wieder ein Funken Hoffnung, und tausende Eintracht-Fans pilgerten nach Hamburg, um nach 1999 und 2000 ein drittes Wunder im Abstiegskampf zu erleben. Doch als nach nur sechs Minuten die Nachricht von der Lauterer Führung gegen Dortmund die Anzeigetafel erhellte, war alles nur noch graue Theorie. Zwar gelang Amanatidis in der 26. Minute das Führungstor, doch alles Hoffen und Bangen sollte nicht helfen. Kaiserslautern rettete ein 1:1 über die Zeit, und nach einer 1:2-Niederlage war die Eintracht zum dritten Mal nach 1996 und 2001 abgestiegen.

Während die Mannschaft nach Frankfurt zurückkehrte, fuhr Trainer Reimann direkt von Hamburg aus in den Urlaub, was von vielen Seiten als „Flucht" gewertet wurde. Selbst Vorstandschef Heribert Bruchhagen sprach von „keiner klugen Entscheidung von Herrn Reimann" („Frankfurter Rundschau" vom 25. Mai 2004). Drei Tage später wurde die Trennung vollzogen, wofür Bruchhagen eigens in Reimanns Feriendomizil auf Sylt flog. „Nach allen Vorkommnissen war das die einzige Lösung", sagte Bruchhagen, attestierte dem Ex-Trainer jedoch auch „große Verdienste" für den Klub („Frankfurter Rundschau" vom 28. Mai 2005).

2004/05 ■ Geduld zahlt sich aus

Kaum war Reimann weg, da brodelte bereits die Gerüchteküche: Rolf Rangnick, zuletzt bei Hannover 96 in Ungnade gefallen, und Michael Hanke, langjähriger Assistent von Ottmar Hitzfeld bei Borussia Dortmund und Bayern München, wurden schnell als mögliche Nachfolger gehandelt. Während sich das Trainerkarussell noch drehte, sprang ein Spieler nach dem anderen vom sinkenden Schiff. Amanatidis und Hertzsch zogen ablösefrei zum 1.FC Kaiserslautern, und auch Ervin Skela verspürte wenig Lust, in der 2. Bundesliga für die Eintracht die Schuhe zu schnüren; er heuerte schließlich bei Arminia Bielefeld an. Der von Leverkusen ausgeliehene Preuß verabschiedete sich Richtung VfL Bochum. Keine Verträge mehr bekamen „Zico" Bindewald (zum 1.FC Eschborn), Bürger (Rot-Weiß Erfurt) und Günther (Erzgebirge Aue). Dem standen mit Arie van Lent von Borussia Mönchengladbach und den eigenen Nachwuchsleuten Christopher Reinhard und Marco Russ erst drei Neuzugänge gegenüber. Kein Wunder also, dass Trainer-Kandidat Rangnick der Eintracht Anfang Juni einen Korb gab. Als Grund nannte er die fehlende Aufstiegsperspektive: „Mit dem Geld, das mir für Neuzugänge zur Verfügung gestanden hätte, wäre es kaum möglich gewesen, den direkten Wiederaufstieg zu realisieren." („Frankfurter Neue Presse" vom 8. Juni 2004) Nachdem auch Ex-Hertha-Trainer Jürgen Röber eine Anfrage abschlägig beschieden hatte, wurden mit Eugen Hach, Hansi Flick, Frank Pagelsdorf und Friedhelm Funkel schnell neue Namen gehandelt.

Heribert Bruchhagen hatte zu dieser Zeit drei Baustellen offen, denn neben der Trainerfrage galt es auch noch, weitere Verstärkungen an Land zu ziehen und das Thema Stadionbetreiber zu einem guten Ende zu führen. Alle drei Probleme löste er binnen weniger Tage. Nur drei Tage nach Rangnicks Absage wurde mit Friedhelm Funkel der neue Trainer präsentiert und tags drauf ein langfristiger Vertrag mit der Neu-Isenburger HSG-Gruppe (Holzmann Service Gesellschaft) und dem Hamburger Rechtevermarkter Sportfive (ehemals UFA) über Betrieb und Vermarktung des neuen Waldstadions abgesegnet. Und auch auf dem Transfermarkt konnten Erfolge verbucht werden: Markus Weißenberger und Torben Hoffmann kamen ablösefrei vom Mitabsteiger TSV München 1860, Benjamin Köhler für 150.000 Euro vom Zweitliga-Aufsteiger Rot-Weiss Essen, Christian Lenze für 50.000 Euro vom VfL Osnabrück, Markus Husterer für 150.000 Euro vom VfB Stuttgart. Vom HSV wurde Alexander Meier ausgeliehen, und von den Bayern-Amateuren kehrte Patrick Ochs zurück nach Frankfurt.

Die Entscheidung für Funkel mag letztendlich auch den neuen Geist widerspiegeln, der seit einiger Zeit bei der Eintracht eingezogen war. Man gehörte halt nicht mehr zur Belletage des deutschen Fußballs, und mit großen Namen allein war kein Blumentopf mehr zu gewinnen. Ehrliche Arbeit war gefragt, und in dieser Beziehung eilte Friedhelm Funkel ein guter Ruf voraus: Bereits viermal hatte der 51-Jährige, der von 1975 bis 1983 für Bayer Uerdingen und den 1.FC Kaiserslautern 320 Bundesligaspiele bestritten hatte, eine Mannschaft als Trainer in die Bundesliga geführt: 1992 und 1994

Bayer Uerdingen, 1996 den MSV Duisburg und 2003 den 1.FC Köln. Aus diesem letzten Engagement im Oberhaus ergab sich allerdings sogleich ein Problem, denn Markus Pröll, Jens Keller und Markus Kreuz waren beim FC von Funkel einst aussortiert worden. Während Pröll und Keller die Herausforderung annahmen, beteiligte sich Kreuz mit 25.000 Euro an der Ablösesumme und ging für 150.000 Euro zum Zweitliga-Aufsteiger Rot-Weiß Erfurt.

Zum weitaus größeren Problem wurde der „Fall Chris", der sich plötzlich weigerte, auch in der 2. Bundesliga für die Eintracht zu spielen. Er hatte nämlich in Brasilien einen weiteren Vertrag beim unterklassigen Klub Prudentopolis EC unterschrieben, worauf sein Berater Joao Ituarte (gleichzeitig Präsident von Prudentopolis!) Forderungen an die Eintracht stellte. Es entwickelte sich eine Räuberpistole, die letztlich nur einen Verlierer hatte: Chris. Anfang Dezember 2004 wurde der Brasilianer nämlich von der FIFA für vier Monate gesperrt. Bei Zahlung von 300.000 Dollar (225.000 Euro) würde die Sperre aufgehoben. Zwar legte die Eintracht Einspruch beim Internationalen Sportgerichtshof CAS ein, doch dieser bestätigte im Sommer 2005 weitgehend das FIFA-Urteil. Immerhin konnten sich Spieler und Verein auf ein Finanzierungsmodell einigen, das es Chris ermöglichte, auch 2005/06 für die Eintracht zu spielen.

Doch zunächst galt es, aus der Zweitliga-Saison 2004/05 das Beste zu machen. Zum Auftakt gelang am Aachener Tivoli zwar ein 1:1, der erste Punktgewinn der Eintracht überhaupt bei Alemannia Aachen, doch so richtig rund lief es nicht. Dieser Trend setzte sich auch im Oktober fort. Nach vier Niederlagen in Folge (1:2 gegen den TSV München 1860, 1:2 bei der SpVgg Greuther Fürth, 2:3 gegen LR Ahlen und 0:2 bei der SpVgg Unterhaching) war die Eintracht auf Platz 14 abgerutscht, elf Punkte von einem Aufstiegsplatz entfernt und nur drei Punkte vor dem Schlusslicht Rot-Weiß Oberhausen. Zum Glück blieben in dieser Situation alle Verantwortlichen ruhig und besonnen. „Ich bin nicht ratlos, ich bin enttäuscht", meinte Heribert Bruchhagen und fügte an: „Wir haben genug Qualität, um da unten rauszukommen." („Frankfurter Rundschau" vom 1. November 2004) Was zu diesem Zeitpunkt wie eine Durchhalteparole klang, sollte sich letztendlich als das richtige Rezept erweisen. Und da bei Arie van Lent jetzt auch der Knoten platzte, blieb die Mannschaft bis zur Winterpause in sechs Spielen ungeschlagen. Nach einem 3:0 bei Wacker Burghausen, dem ersten Auswärtssieg der Saison, wurde auf Platz 5 überwintert, acht Punkte hinter dem Dritten aus Fürth.

Allerdings hatte die Eintracht den Vorteil, in der Rückrunde noch alle vier vor ihr platzierten Teams in dieser Reihenfolge im Waldstadion empfangen zu dürfen: Alemannia Aachen, 1.FC Köln, SpVgg Greuther Fürth und MSV Duisburg. Um dafür gerüstet zu sein, wurde in der Winterpause mit Aleksandar Vasoski (für 200.000 Euro von Vardar Skopje) ein Abwehrspieler verpflichtet, der glänzend einschlug. Dennoch kam man zunächst nicht vom Fleck, da nach verdienten 1:0-Erfolgen gegen Aachen und Köln in Karlsruhe (0:3) und Dresden (1:2) gepatzt wurde. So kehrte auch noch Jermaine Jones auf Leihbasis aus Leverkusen zurück, der zunächst auf der linken Außenbahn für Dampf sorgen sollte und später als Abräumer vor der Abwehr ein-

Kapitän und Publikumsliebling Arie van Lent sorgte mit 16 Saisontreffern für den Grundstein zum Aufstieg. Hier mit Vasoski (links) nach dem 3:0 in Erfurt.

gesetzt wurde. Punkt für Punkt verringerte sich der Abstand auf die Spitze, und im März wurde nach Aachen auch die SpVgg Greuther Fürth (1:0) überholt. Zum schärfsten Konkurrenten hatte sich inzwischen der TSV München 1860 entwickelt, wo man unglücklich mit 1:2 verlor.

Fast wäre alles umsonst gewesen. Nach einem 2:3 beim Vorletzten LR Ahlen schien der Aufstieg jedenfalls endgültig in weite Ferne gerückt. Jetzt lag man wieder vier Punkte hinter den Fürthern, und erstmals war eine gewisse Nervosität zu spüren. Auf die Diskrepanz zwischen Heim- und Auswärtsspielen angesprochen, meinte Friedhelm Funkel: „Im Fußball ist nicht alles erklärbar; wenn es erklärbar wäre, dann könnten wir es auf Knopfdruck abstellen." („Frankfurter Rundschau" vom 6. April 2005)

Doch auch bei den anderen Mannschaften hatte die Saison Spuren hinterlassen, und nach einem 5:0 bei Erzgebirge Aue kletterte die Eintracht am 17. April erstmals auf einen Aufstiegsplatz. Allerdings erlitt Alexander Schur dabei ohne Einwirkung des Gegners einen Kreuzbandriss, der praktisch das vorzeitige Ende seiner Karriere bedeutete. Aber auch ohne ihren Kapitän ließ die Mannschaft jetzt nichts mehr anbrennen. Eng wurde es nur noch einmal nach der 0:1-Heimniederlage gegen den MSV Duisburg, wodurch der Vorsprung auf die Münchner „Löwen" wieder auf einen Punkt zusammenschmolz. Nach einem 3:0 bei Energie Cottbus war die Ausgangslage vor dem letzten Spiel gegen Wacker Burghausen klar: Mit einem Sieg war man durch. Köhler eröffnete nach 17 Minuten den Torreigen vor 42.772 Zuschauern. Meier (66.) und Beierle in der Schlussminute machten den dritten Wiederaufstieg nach 1998 und 2003 perfekt. Doch während zuvor jeweils zwei Jahre zur Rückkehr in die Bundesliga gebraucht wurden, war dies der erste direkte Wiederaufstieg. Friedhelm Funkel war seinem Ruf als Aufstiegstrainer einmal mehr gerecht geblieben. Während die Mannschaft kräftig feierte, behielt Heribert Bruchhagen einen kühlen Kopf. Andere Ziele als den Klassenerhalt zu formulieren, sei vermessen. „Und das tun wir auch nicht." („Frankfurter Rundschau" vom 24. Mai 2005)

2005/06 ■ Der Pokal überstrahlt alles

Unmittelbar nach der Aufstiegsfeier wurde mit den Planungen für die nächste Saison begonnen. Allen Beteiligten war klar, dass Verstärkungen her mussten, um nicht gleich wieder nach unten durchgereicht zu werden. Mit dem neuen Stadion im Rücken war die Eintracht allerdings finanziell weit besser gewappnet als beim letzten Aufstieg 2003. Zum Vergleich: Hatte der Bundesliga-Etat 2003/04 noch bei 24 Millionen Euro gelegen, wurde nun mit 37 Millionen kalkuliert. Auch der Zuspruch seitens der Fans war ungebrochen. Waren für das Zweitliga-Jahr schon über 9.000 Dauerkarten an den Fan gebracht worden, wurde diese Zahl jetzt noch einmal verdoppelt (18.461).

Auch in Sachen Spielerverpflichtungen lief alles reibungsloser ab als in den Jahren zuvor. Bereits Mitte Juni hatten Francisco Copado (ablösefrei von der SpVgg Unterhaching), der Schweizer Christoph Spycher (für 300.000 Euro von Grasshoppers Zürich), Christoph Preuß (für 500.000 Euro vom VfL Bochum) und Marko Rehmer (ablösefrei von Hertha BSC) unterschrieben. Die Leihverträge mit Jermaine Jones (ablösefrei von Bayer Leverkusen) und Alexander Meier (650.000 an den Hamburger SV) wurden in feste Kontrakte umgewandelt. Mit Benjamin Huggel (für 550.000 Euro vom FC Basel) wurde schließlich ein weiterer Wunschspieler verpflichtet. Verstärkung wurde außerdem noch für den Angriff gesucht, doch weder der Australier John Aloisi (CA Osasuna) noch der Mexikaner Jorge Borgetti (Atletico Pachuca), die beide beim Confederations Cup auf sich aufmerksam gemacht hatten, waren finanzierbar. Dafür konnte mit Ioannis Amanatidis Einigung über einen Vertrag ab 2006 erzielt werden. Dann wäre er ablösefrei gewesen. Doch Funkel und Bruchhagen wollten den Griechen sofort. Schließlich ließ ihn der 1.FC Kaiserslautern für rund zwei Millionen Euro Ablöse sofort gehen. „Heribert Bruchhagen hat vielleicht zu viel bezahlt, aber er ist zufrieden. Ich bin auf höchstem Niveau unzufrieden", sagte FCK-Vorstandschef René C. Jäggi, denn eigentlich hatte die Schmerzgrenze der Eintracht bei 1,5 Millionen Euro gelegen.

Den vielen Neuzugängen standen mit Beierle (SV Darmstadt 98), Hoffmann (zurück zum TSV München 1860), Dragusha (SC Paderborn 07) sowie Keller und Menger, die ihre Karriere beendeten, allerdings nur fünf Abgänge entgegen, so dass der Kader ziemlich aufgebläht war. Bei Betrachtung der Neuen fiel auf, dass Funkel viel Wert auf die Stärkung der Defensive gelegt hatte. Als Philosophie wollte er das allerdings nicht verstanden wissen: „Erfolg ist das Wichtigste. Klar, wir wollen auch attraktiven Fußball spielen. Ich erwarte, dass meine Mannschaft in jedem Spiel ihr Letztes gibt. Das müssen die Spieler den Zuschauern vermitteln. (...) So will ich meine Mannschaft sehen: Leidenschaftlich kämpfen, defensiv gut stehen, beherzt nach vorne spielen. Wenn man dann trotzdem verliert und die Mannschaft alles gegeben hat, muss man das akzeptieren." („Frankfurter Rundschau" vom 2. August 2005)

Mit dieser Einstellung ging man auch ins erste Saisonspiel gegen Bayer Leverkusen und wurde sogleich auf den Boden der Tatsachen zurückgeholt. Dabei hatte die Eintracht losgelegt wie die Feuerwehr. Schon nach sieben Minuten gelang Vasoski die Führung, und nach 20 Minuten hätte man klar führen können. Doch weil „das zweite Tor nicht fiel" (Jermaine Jones), traf der Ausgleich „aus dem Nichts" (Funkel) ins Mark. Nach dem Wechsel nutzte Bayer individuelle Fehler konsequent aus und zog zwischen der 48. und 59. Minute unaufholbar auf 4:1 davon. Die Eintracht steckte bereits mitten drin im Abstiegskampf.

In den nächsten Spielen zeigte sich oft das gleiche Bild. Aufwand und Ergebnis standen in krassem Missverhältnis. Spielerisch konnte man durchaus mithalten, doch wenn man vorne nicht trifft und hinten einen kassiert, ist das Resultat gleich null. In den ersten acht Saisonspielen blieb die Eintracht fünfmal ohne Tor und nur einmal (beim 1:0 gegen Nürnberg) ohne Gegentor. Das Resultat: vier Punkte und Platz 18. Doch von einer Krise wollte Heribert Bruchhagen nichts wissen: „Natürlich sind wir … überhaupt nicht zufrieden. (…) Wir werden die Ruhe bewahren und nicht in Hektik verfallen. (…) Diese Vorwürfe gab es vor genau einem Jahr in der zweiten Liga auch: Mannschaft falsch zusammengestellt, der Trainer findet keine erste Elf und so weiter. Wir aber haben Geduld bewiesen – und am Ende sind wir aufgestiegen. Wir haben die Situation also schon mal durchlebt. (…) Wir sind angespannt und müssen in den nächsten Spielen Farbe bekennen. Das ist unbestritten." („Frankfurter Rundschau" vom 4. Oktober 2005)

Beim nächsten Spiel in Duisburg wartete Friedhelm Funkel daher mit einer taktischen Variante auf. Mit Copado brachte er eine zweite Spitze. Und was acht Spiele so schwergefallen war, klappte nun wie am Schnürchen: In den restlichen neun Vorrundenspielen traf die Eintracht 21-mal ins Schwarze und holte damit 17 Punkte. Allein gegen den 1. FC Köln gelangen sechs Treffer (bei allerdings drei Gegentoren). Mit neun Punkten Vorsprung auf einen Abstiegsplatz ging die Eintracht mit 21 Punkten als Zehnter in die Winterpause.

Hinzu kamen bemerkenswerte Erfolge im DFB-Pokal. Sensationell war das 6:0 gegen den letztjährigen Finalisten und Champions-League-Teilnehmer FC Schalke 04. In der folgenden Runde setzte sich die Mannschaft im Elfmeterschießen gegen den 1.FC Nürnberg durch und stand erstmals seit 1992/93 wieder im Viertelfinale. Somit war das Jahr 2005 ein „Jahr der Eintracht" gewesen. Erst die sagenhafte Serie mit zehn

Heimsiegen in Folge (davon die letzten sieben sogar „zu null") – neuer Vereinrekord. Dann der kaum noch für möglich gehaltene Aufstieg. Schließlich der Zwischenspurt in der ersten Liga und als Sahnehäubchen die Siege im DFB-Pokalwettbewerb.

Ärgerlich war nur, dass in Mainz (2:2) und Mönchengladbach (3:4) zweimal ein 2:0-Vorsprung und eine noch bessere Ausgangsposition leichtfertig verspielt wurde. Wie wertvoll diese Punkte gewesen wären, sollte sich schnell zeigen. Nach einem 1:0-Sieg im dritten Rückrundenspiel beim 1. FC Nürnberg schien man bereits aus dem Gröbsten heraus, zumal man in den nächsten vier Spielen dreimal Heimrecht hatte. Doch der Schwung der Vorrunde war plötzlich wie weggeblasen. In den ersten acht Rückrundenspielen erzielte die Eintracht nur einmal mehr als ein Tor: beim 2:5 bei Bayern München. Und da aus den drei Heimspielen gegen Hannover 96 (0:1), den Hamburger SV (1:2) und den VfL Wolfsburg (1:1) nur ein Punkt eingefahren wurde, war der Acht-Punkte-Vorsprung nach einem 0:2 beim FC Schalke 04 am 12. März 2006 auf zwei Zähler zusammengeschrumpft. Erinnerungen an 1996, 2001 und 2004 wurden wach, denn auch damals wurden im März die entscheidenden Punkte verspielt.

Zudem häuften sich jetzt auch die Personalprobleme. Nachdem man in der Winterpause Huber (zur TSG Hoffenheim), Frommer (zur SpVgg Unterhaching), van Lent (zu Rot-Weiss Essen), Lenze (zu Erzgebirge Aue) und Husterer (zu Bayern München II) hatte gehen lassen, wurde es nach den Verletzungen von Jones (erst Bänderriss, dann Ermüdungsbruch im linken Schienbein), Preuß (Bandscheibenvorfall) und Chris (erst Knöchelprellung, dann Bandscheibenvorfall) eng. Selbst ein 5:2 gegen den MSV Duisburg brachte nur vorübergehend Entlastung. Es sollte der erste und einzige Heimsieg in der Rückrunde bleiben!

Grund zur Freude gab es dagegen weiterhin im DFB-Pokal, wo man nach Siegen beim TSV München 1860 (3:1) und gegen Arminia Bielefeld (1:0) das Endspiel erreicht hatte. Weil das Finale in diesem Jahr wegen der WM schon am 30. April ausgetragen wurde, also vor dem Ende der Bundesligasaison, sah man diesem Ereignis mit gemischten Gefühlen entgegen. Da der Gegner Bayern München hieß, war man auf jeden Fall für den UEFA-Pokal qualifiziert. Andererseits hatte der Klassenerhalt oberste Priorität, und der war noch keineswegs gesichert. Ein „big point" wurde am Ostersamstag zu Hause gegen den 1.FSV Mainz 05 vergeben (0:0). Da hätte man den Abstand auf Platz 16 wieder auf sechs Punkte ausbauen können. Selbst das 2:0 beim VfB Stuttgart brachte wenig Erleichterung, da die Konkurrenz aus Wolfsburg, Mainz und Kaiserslautern ebenfalls punktete. So fuhr man am 30. April mit der Hypothek nach Berlin, vier Tage später gegen die Pfälzer ein weitaus wichtigeres Spiel bestreiten zu müssen.

In keines der bisherigen fünf Pokal-Endspiele war die Eintracht als Außenseiter gegangen. Diesmal waren die Rollen dagegen ganz klar verteilt: Tabellenführer und Titelverteidiger FC Bayern gegen den Aufsteiger und Abstiegskandidaten Eintracht. Doch die Frankfurter konnten das Spiel in der ersten Halbzeit recht offen gestalten und sich auch Chancen erspielen. Erst nach der Halbzeit legten die Bayern einen Gang zu und kamen in der 59. Minute zum Tor des Tages. Nach einem Eckball von Zé

Kein Durchkommen: Christopher Reinhard (links) und Aleksandar Vasoski blocken erfolgreich den Stuttgarter Danijel Ljuboja ab. Die Eintracht gewann beim VfB mit 2:0.

Roberto flog der Ball durch den Frankfurter Strafraum, Pizarro sprang höher als Ochs und köpfte aus drei Metern ein. Nur fünf Minuten später der Aufreger des Tages: Köhler nahm Sagnol den Ball ab und lief allein auf Kahn zu, wurde an der Strafraumgrenze jedoch von dem Franzosen eingeholt und zu Fall gebracht. Während die Frankfurter Seite stürmisch Elfmeter und Rot für Sagnol forderte, ließ Schiedsrichter Fandel weiterspielen. Eine harte, aber vertretbare Entscheidung, die Friedhelm Funkel allerdings so in Rage brachte, dass er auf die Tribüne musste. Die letzte große Chance zum Ausgleich vereitelte drei Minuten vor Schluss Olli Kahn, der bei einem Gewaltschuss von Amanatidis aus 15 Metern mit einem tollen Reflex die Hände hochriss und zur Ecke klärte.

„15 starke Minuten reichen den Bayern zum Sieg", schrieb der „kicker" nach dem Finale. Der Eintracht und ihrem stimmgewaltigen Anhang war's egal. Ein Klassenunterschied, wie ihn viele befürchtet hatten, war nicht zu erkennen, und so durfte sich die Eintracht als „Pokalsieger des Herzens" fühlen. Der Wettstreit auf den Rängen ging

Trost von der Kanzlerin: Angela Merkel und Friedhelm Funkel nach dem Pokalfinale in Berlin.

sowieso klar an die Adler-Fans, die vor, während und nach dem Spiel für „Gänsehaut-atmosphäre im Oval" sorgten („Frankfurter Rundschau" vom 2. Mai 2006).

Die Qualifikation für den UEFA-Pokal war somit gesichert, doch das wichtigste Ziel blieb der Klassenerhalt. Mit einem Sieg gegen Kaiserslautern hätte man vier Tage nach dem Berliner Finale für klare Verhältnisse sorgen können. Doch in der ersten Halbzeit war von den Helden von Berlin so gut wie nichts zu sehen. Nach der Laute-rer Führung durch Reinert (16. Minute) konnte sich die Eintracht bei Halil Altintop bedanken, der drei Hochkaräter versiebte und so die Hoffnungen der Eintracht auf-rechthielt. Funkels Mannen kamen wie verwandelt aus der Kabine. Nach Köhlers Aus-gleich in der 50. Minute glückte Amanatidis 19 Minuten später die Führung. Das Sta-dion bebte. Doch acht Minuten vor dem Ende nutzte Ziemer eine Unachtsamkeit der Eintracht-Abwehr zum Ausgleich – das Zittern ging weiter. Allerdings war die Aus-gangslage bei vier Punkten Vorsprung und nur noch zwei Spielen unverändert. Ein 1:1 in Dortmund bedeutete am vorletzten Spieltag schließlich die endgültige Rettung. Die Heimschwäche hielt auch im letzten Saisonspiel an. Nach einem 0:2 gegen Borussia Mönchengladbach wurde die Saison auf Platz 14 beendet. Damit ging zwar rund eine Million Euro Fernsehgeld flöten, doch selbst Heribert Bruchhagen trug's mit Fassung. Denn nicht zuletzt durch die Pokal-Erfolge konnte ein Gewinn zwischen zwei und drei Millionen Euro erwirtschaftet werden.

Die „gud Stubb" im Stadion: das Eintracht-Museum

Als „Flatsch!" 1980 mit dem Vers „Was mer hat, des hat mer; und hat mers net, dann fehlt's ei'm" zumindest im Rhein-Main-Gebiet Kultstatus erlangte, konnte niemand ahnen, dass er 40 Jahre später während der Coronavirus-Pandemie den Gemütszustand vieler Menschen widerspiegelte. Auf einmal war nichts mehr wie vorher. Schulen, Kitas, Kneipen, Theater, Kinos und Museen waren von einem auf den anderen Tag geschlossen. Und auch der Fußball musste eine Zwangspause einlegen. Für Menschen, deren Kalender aus drei Jahreszeiten besteht (Hinrunde, Rückrunde, Sommerpause) schon schlimm genug. Schlimmer aber war, dass auch das Eintracht-Museum im Stadion nicht mehr zugänglich war. Für viele Fans ist es an Spieltagen der Ort, wo man Bekannte trifft, bei einem Bierchen über die aktuelle Situation rund um die Eintracht „babbelt" oder den Gästen auf der „Waldtribüne" lauscht. Darüber hinaus gehört das Museum als Teil der „BildungsArena Eintracht Frankfurt" zum Programm „Lernort Stadion", in dem Workshops für Schulklassen, Jugendgruppen und Fußball-Nachwuchsmannschaften angeboten werden. Während das Museum an Spieltagen die „gud Stubb" im Stadion ist, werden dort unter der Woche auch museumspädagogische Inhalte vermittelt.

Seit seiner Eröffnung am 27. November 2007 können Besucher auf 430 Quadratmetern Ausstellungsfläche die Geschichte der Eintracht von den Anfängen bis zur Gegenwart „hautnah" erleben. In Sonderausstellungen werden historische Ereignisse ausführlich gewürdigt. Regelmäßige Veranstaltungen locken außerdem zahlreiche Gäste ins Museum. „Wir bringen Erinnerungen zurück" haben die Initiatoren zur Eröffnung des Museums einst versprochen. Neben der Geschichte der Eintracht wird dabei auch die Sportgeschichte der Stadt Frankfurt nicht vergessen. So wurde vom 21. November 2014 bis 31. März 2015 mit der Ausstellung „Zwei Vereine – ein Krieg: Die Eintracht 1914-1918" dem Beginn des Ersten Weltkriegs vor 100 Jahren gedacht. Lutz Becht vom Institut für Stadtgeschichte schilderte in seinem Abschluss-

vortrag „Für Kaiser und Vaterland! Patriotismus und Kriegsbegeisterung 1914 am Beispiel Frankfurt am Main", dass es nach der anfänglichen Kriegsbegeisterung zunehmend auch kritische Stimmen in der Bevölkerung gab. Die Eintracht, oder besser: ihre beiden Vorgängervereine Frankfurter FV und Turngemeinde 1861, hatte zahlreiche Opfer zu beklagen, denen auf 105 Tafeln gedacht wurde. Unter ihnen Rudi Schlüter, der noch im Mai 1914 alle Tore beim 3:1 des FFV über die englische Berufsspielermannschaft Bradford City erzielt hatte.

Im Sommer 2015 wurde in Zusammenarbeit mit dem Sportkreis Frankfurt mitz einer Ausstellung zur Arbeiter-Olympiade 1925 an das 90-jährige Bestehen des Stadions erinnert. Sie war die erste internationale Bewährungsprobe für die gerade fertiggestellte Anlage. Für über 3.000 Arbeiter-Sportler aus zwölf Ländern und rund 450.000 Zuschauer war die Arbeiter-Olympiade sieben Jahre nach Kriegsende „die bemerkenswerte Selbstdarstellung eines Lebensgefühls, das viele Menschen nach dem Ersten Weltkrieg prägte und das verstehbar wird aus der Umsetzung erlebter Enttäuschung und Not in eine beispiellose Opferbereitschaft und Solidarität und einen heute fast fremdartigen Glauben an eine bessere Zukunft." (Bernd Ph. Schröder: Arbeitersport, Waldstadion und Arbeiter-Olympiade in Frankfurt am Main, in: Archiv für Frankfurts Geschichte und Kunst 57/1980, S. 217)

Am 28. November 2017 feierten rund 300 Gäste mit dem Präsidium des e. V. und dem Vorstand der AG im Foyer der Haupttribüne das 10-jährige Bestehen des Eintracht-Museums. Schauspieler Michael Quast sorgte für einen gelungenen Auftakt, indem er als Albert Pohlenk die Gründung des FFC Victoria am 8. März 1899 nachspielte. Als nach zwei Stunden ein Dudelsackpfeifer „Im Herzen von Europa" anstimmte und der komplette Saal mitsang, hatten nicht wenige die berühmte Gänsehaut oder die eine oder andere Träne im Auge. Inzwischen sind fast drei Jahre vergangen und das Team um Museumsleiter Matthias Thoma wird nicht müde, den Gästen des Eintracht-Museums interessante Themen zu präsentieren. So fand am 20. September 2019 bereits die 50. Veranstaltung der Reihe „Tradition zum Anfassen" statt. Neben Stadionführungen und Kindergeburtstagen gehört inzwischen auch „Sportgeschichte am Nachmittag" zum Programm. Damit werden vor allem ältere Fans angesprochen. Auch der Pokalsieg 2018 wurde groß gefeiert. Die Anzahl geschossener Fotos ist leider nicht bekannt.

Jüngster Höhepunkt war das Projekt „Frankfurt. Theresienstadt. Eine Spurensuche" mit fünf Themenabenden und einer abschließenden Exkursion im Oktober 2019, an der auch der heute 89-jährige Helmut Sonneberg, vielen besser als „Sonny" bekannt, als Zeitzeuge teilnahm. Im Gegensatz zu vielen anderen hat er Deportation

Von links Marc Papenburg, Ana Marinho, Pia Geiger, Lena Zimmermann, Axel Hoffmann, Steffen Ewald, Sebastian Lotz, Lucas Muschaweck, Frauke König, Matthias Thoma, Lukas Schmitt. Oben: Maj Lena Moberg, Frederic Post, Pauline Schwanke, Julian Feider, Nicole Hanke

und Entrechtung überlebt. Vizepräsident Stefan Minden und Matthias Thoma enthüllten vor Ort eine Gedenktafel an die Opfer des Nationalsozialismus. Im Museum erhältlich ist dazu das Buch „Fußball unterm gelben Stern" von Frantisek Steiner, das Eintracht-Fan Dr. Stefan Zwicker 2017 aus dem Tschechischen ins Deutsche übersetzt und neu kommentiert hat. Durch seine Aktivitäten ist das Eintracht-Frankfurt-Museum eine feste Institution in Frankfurt und als Gedächtnis des Vereins aus dem Stadion nicht mehr wegzudenken.

Der Weg dahin war jedoch mühsam und steinig. Als Ur-Vater des Museums gilt Heiner Stocke, der vor dem Krieg selbst am Riederwald kickte und nach 1945 geschäftsführendes Mitglied des Vorstands war, im Platzausschuss arbeitete, in der Satzungskommission saß und die jährlichen Ehrungen innerhalb des Vereins vorbereite. Feierte die Eintracht einen runden Geburtstag, saß er natürlich im Jubiläumsausschuss. „Niemand weiß besser über die 90jährige Geschichte von Eintracht Frankfurt Bescheid als Heiner Stocke, der ein großes Archiv führt", lobte das „Eintracht-Magazin" im Sommer 1989 anlässlich seines 75. Geburtstags. Nach seinem Tod wanderte seine Sammlung ins Frankfurter Sportmuseum, das der ehemalige Eintracht-Leichtathlet Heinz Ulzheimer in den 1990er Jahren in der Radrennbahn des alten Waldstadions aufgebaut hatte.

Zum 100. Geburtstag der Eintracht 1999 wurde der Historiker Dr. Thomas Bauer vom Historischen Museum Frankfurt mit der Recherche zur Frankfurter Fußballgeschichte beauftragt. Die daraus entstandene Sonderausstellung „Frankfurt am Ball" zeigte den Verantwortlichen der Eintracht, wie wichtig die Geschichtspflege in einem Sportverein ist. Ständig daran erinnert wurden sie von aktiven Fans wie Andreas Klünder und Mathias Scheurer, so dass Vizepräsident Lötzbeier ihnen schließlich einen Raum am Riederwald zur Verfügung stellte. So konnte Ende der 1990er Jahre das Vereinsarchiv seine Arbeit aufnehmen. Unter anderem gelang es, den Nachlass von Heiner Stocke an den Riederwald zu bringen, der auch die Gründungsurkunde der Victoria, des ältesten bekannten Vorgängervereins der Eintracht, beinhaltete.

In den folgenden Jahren wuchs das Vereinsarchiv kontinuierlich. Private Sammlungen, Vereinszeitungen, Festschriften und interne Protokolle, alte Sportgeräte, Trainingsbekleidung, Bälle und Auszeichnungen wanderten an den Riederwald, wo der

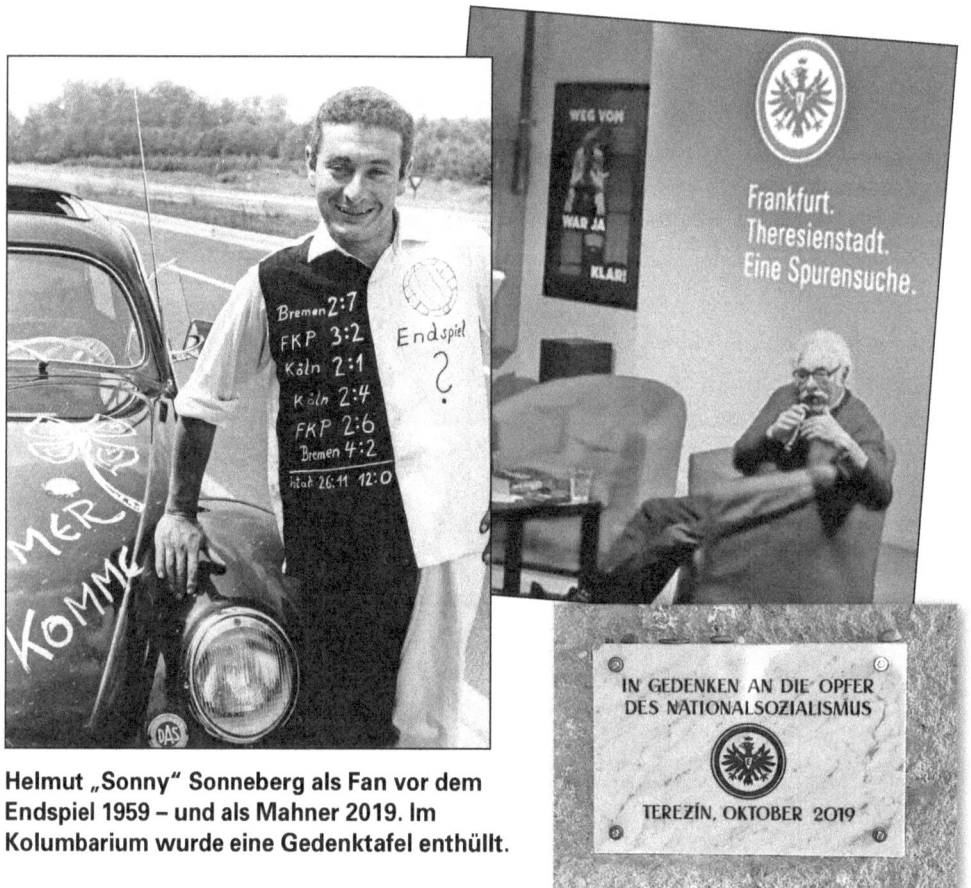

Helmut „Sonny" Sonneberg als Fan vor dem Endspiel 1959 – und als Mahner 2019. Im Kolumbarium wurde eine Gedenktafel enthüllt.

Schauspieler Michael Quast spielte 2017 zum Jubiläum des Museums als Albert Pohlenk die Gründung des FFC Victoria nach.

kleine Raum bald zu eng wurde und das Vereinsarchiv über ein ehemaliges Vorstands-büro in die alte Vereinsgaststätte wanderte. Parallel dazu wurden die Fans aktiv. 2004 sammelten sie in der Aktion „Meisterschale für Frankfurt" für ein Replikat der Meis-terschale von 1959, die zum 45. Jahrestag der Meisterschaft den Helden von Einst übergeben wurde. 2005 folgte der UEFA-Pokal und 2006 wurde die Sammlung mit dem DFB-Pokal vervollständigt. Zu dieser Zeit hatte Guido Derckum, der damalige Vorsitzende der Fan- und Förderabteilung, die Idee eines Vereinsmuseums längst vor-angetrieben und Gehör bei der Eintracht gefunden. Nach der WM 2006 standen dann auch die heutigen Räumlichkeiten zur Verfügung.

Aktiv beteiligt sich das Museum auch an der Verlegung von Stolpersteinen für ehemalige jüdische Sportler, Mitglieder, Freunde und Förderer der Eintracht. So am 25. April 2008 für Emil und Else Stelzer, am 7. Mai 2010 für Hans, Frieda und David Rosenbaum, am 3. Juni 2011 für Hugo, Jette und Moses Max Reiss, am 11. Mai 2012 für Julius und Max Lehmann, am 22. Juni 2013 für Alice und Bella Ries, am 23. Juni 2014 für Walter und Charlotte Neumann, am 18. Mai 2015 für Dr. Fritz und Katharina Cahen-Brach, am 19. Mai 2016 für Max, Salomon und Maria Girgulski, Berta Eichberg und Josef Hagel, am 23. Juli 2017 für Ludwig und Bella Isenburger, am 17. Mai 2018 für Dr. Paul Blüthenthal, am 25. Juli 2019 für Max Neumann und am 20. Juni 2020 für Max Behrens. Ludwig Isenburger war ein Pionier des Fußballsports in Frankfurt und bis 1933 Mitarbeiter des „Kicker". 1929 veröffentlichte er seine Erinnerungen „Aus der Steinzeit des Frankfurter Fußballs". Begleitet werden die Stolpersteinverlegungen durch das Rechercheprojekt „50 Eintrachtler: Jüdische Sportler, Funktionäre und Fans von Eintracht Frankfurt". Seit 2013 sind 29 Porträts in gedruckter Form erschienen.

Über alle Veranstaltungen und Themen informieren die seit 2012 erscheinenden Jahrbücher des Museums. Ansonsten kann man sich nur den Worten von Stadiondi-rektor Eduard Zeiss zur Einweihung des Stadions 1925 anschließen: „Hier ist Neuland, Ihr Dichter, Ihr Spieler, Ihr Tonkünstler! Kommt zu uns ins Stadion, wir haben auch Platz für Euch!"

2006/07 ■ Das einzig Beständige ist die Unbeständigkeit

Nach Erreichen des Klassenerhalts und der Qualifikation zum UEFA-Pokal fand das Konzept der Eintracht, sich mit jungen Spielern aus der Region weiter zu entwickeln, bundesweit Beachtung. Nach Ochs, Russ und Preuß wurde mit Albert Streit vom 1. FC Köln ein weiterer ehemaliger Spieler verpflichtet. Dennoch mussten die Verantwortlichen bei der Suche nach Verstärkungen feststellen, dass der Abstand zu den Etablierten der Liga weiterhin riesig war. Versuche, Nelson Valdez (Werder Bremen), Paolo Guerrero (Bayern München) oder Boubacar Sanogo (1. FC Kaiserslautern) an den Main zu holen, scheiterten an den Ablöseforderungen der abgebenden Vereine oder den Gehaltsvorstellungen der betreffenden Spieler. So musste der Wunsch von Trainer Funkel nach einem Abwehrspieler und einem Stürmer der höheren Kategorie vorerst auf Eis gelegt werden.

Zwar hatte sich die wirtschaftliche Situation der Eintracht seit dem Amtsantritt von Heribert Bruchhagen gebessert, war die Lizenz zum zweiten Mal in Folge ohne Bedingungen und Auflagen erteilt worden, nach der finanziellen wurde nun aber auch die sportliche Konsolidierung angestrebt, wie Bruchhagen 2006 in einem Interview im „Schlappekicker" sagte: „In den kommenden zwei bis drei Jahren gilt unverändert das Ziel, sich in der Bundesliga zu etablieren. Langfristig wollen wir ins obere Tabellendrittel zurück. Durch die Verteilung der internationalen Gelder sind wir weit zurückgeworfen worden, daher wird es ein langer und steiniger Weg."

Traumtor: Christoph Preuß erzielt das entscheidende 1:0 gegen die Bayern am 17.3.2007 per Fallrückzieher.

Ein steiniger Weg wurde auch die Verpflichtung von Michael Thurk, der noch einen bis 2008 gültigen Vertrag beim 1. FSV Mainz 05 hatte. So warfen die Mainzer der Eintracht schlechten Stil vor, als das Interesse der Eintracht an dem gebürtigen Frankfurter erstmals die Runde durch die regionale Presse machte. Denn nach den geltenden FIFA-Vorschriften war eine Kontaktaufnahme mit Spielern, die mindestens noch ein halbes Jahr vertraglich gebunden waren, untersagt. Aber Thurk wollte unbedingt aus Mainz weg, und ein Wechsel zur Eintracht wäre für ihn die Erfüllung eines Kindheitstraums gewesen. Nach einigem Hin und Her erhielt Thurk die Freigabe und wechselte für rund 1,5 Millionen Euro nach Frankfurt. Da mit Amanatidis, Takahara und Thurk nun nominell drei Stürmer zur Verfügung standen, durfte man hoffen, dass Funkels Zielsetzung „Vorne mehr Tore schießen als zuletzt und hinten weniger reinbekommen" („Frankfurter Neue Presse" vom 25. Juli 2006) umgesetzt werden könnte.

Zunächst schien die Rechnung auch aufzugehen, denn erst im neunten Bundesligaspiel gab es mit 0:2 bei Meister Bayern München die erste Niederlage. Außerdem hatte man mit einem 4:0 gegen Bröndby IF nach elfeinhalb Jahren Abstinenz ein glanzvolles Comeback auf der internationalen Bühne gefeiert. Zu denken gab allerdings die Tatsache, dass es in den ersten acht Spielen nur einen Sieg gegeben hatte, den aber eindrucksvoll mit 3:1 gegen Angstgegner Bayer Leverkusen. So kam man in der Tabelle nicht weiter. Nicht weiter kam man letztlich auch im UEFA-Pokal, wo in den Gruppenspielen reichlich Lehrgeld gezahlt wurde. Gegen US Palermo verlor man unglücklich mit 1:2, gegen Newcastle United (0:0) wurden die besten Chancen versiebt und bei Fenerbahce Istanbul reichte selbst eine 2:0-Führung nicht zum Weiterkommen. Semih Sentürks Ausgleich sieben Minuten vor Schluss brachte Fener und nicht die Eintracht in die Zwischenrunde.

Konnte man das Ausscheiden im UEFA-Pokal noch einigermaßen verschmerzen, so stimmte die Entwicklung in der Bundesliga eher nachdenklich. Das mit den „weniger Gegentoren" klappte immer seltener. Nach einem Zwischenhoch im November mit zwei Siegen in Folge und dem Vorstoß auf Platz sieben gab es zu Hause ein unerklärliches 0:3 gegen Arminia Bielefeld, dann ein 3:4 in Bochum (wo man nach fünf Minuten bereits mit 2:0 geführt hatte!) und im vorletzten Spiel daheim ein 2:6 gegen Werder Bremen. Die Eintracht war zurück in der Realität. „Man träumt ja gerne, was wäre, wenn, aber dann kommt die Bundesligarealität, und die war grausamst da", hatte Heribert Bruchhagen bereits nach der Niederlage gegen Bielefeld gesagt. Nach Abschluss der Hinrunde war die Eintracht Zehnter mit fünf Punkten Vorsprung auf den ersten Abstiegsplatz.

Auf diesem landete man in der Rückrunde schneller, als man es sich vorgestellt hatte. Nach nur drei Punkten aus den ersten sechs Spielen und einem 2:4 beim Hamburger SV war die Eintracht am 24. Februar Vorletzter. Und das drei Tage vor dem prestigeträchtigen Pokal-Derby auf dem Bieberer Berg. Trainer Funkel stand mächtig unter Druck. Sein 4-2-3-1-System wurde als „taktische Sackgasse" kritisiert („Frankfurter Rundschau" vom 26. Februar 2007). Also bot er in Offenbach neben Takahara mit Thurk einen zweiten Stürmer auf, der jedoch im Gegensatz zum Japaner, der zwei Tore zum ungefährdeten 3:0 beisteuerte, blass blieb. Danach lief es plötzlich auch in der Bundesliga wieder. Höhepunkt war der 1:0-Sieg gegen Bayern München, den Preuß mit einem fantastischen Fallrückzieher in der 78. Minute sicherstellte. Doch was in dieser Saison gegen die „Großen" klappte, ging einmal mehr gegen die vermeintlich „Kleinen" der Liga schief. Mit Heimsiegen gegen Energie Cottbus und den VfL Bochum hätte man sich aus dem Abstiegskampf verabschieden können. Beide Spiele gingen jedoch verloren, und nur ein dazwischenliegendes 4:2 bei Arminia Bielefeld verhinderte Schlimmeres. Dazu kam eine 0:4-Demontage im Pokal-Halbfinale beim 1. FC Nürnberg. Nach einem 0:2 bei den ebenfalls gefährdeten Dortmunder Borussen war die Lage ernst. Drei Spieltage vor Schluss lag die Eintracht nur noch einen Punkt vor Alemannia Aachen auf Platz 15.

Während in der Presse schon über die „Folgen eines Abstiegs" („Frankfurter Rundschau" vom 26. April 2007) spekuliert wurde und Friedhelm Funkel beklagte, dass der Teamgeist nicht mehr so ausgeprägt sei wie in den vorangegangenen zweieinhalb Jahren („Frankfurter Rundschau" vom 5. Mai 2007), raufte sich die Mannschaft zusammen und fegte Alemannia Aachen mit 4:0 aus dem Stadion. „Keeper Nicht und das Aluminium bewahren Aachen vor einer Demontage", schrieb der „Kicker" am 7. Mai. Aachens Mittelfeldspieler Sascha Rösler musste zugeben, dass „wir auch 0:8 oder 0:9 hätten verlieren können" („Frankfurter Rundschau" vom 7. Mai 2007). 31 Torschüsse hatte die Eintracht abgegeben und neben den vier Toren von Huggel, Vasoski, Takahara und Köhler noch sechsmal Pfosten oder Latte getroffen. Angesichts von vier Punkten Abstand auf die Abstiegsränge konnte man ohne Angst zum Meisterschaftskandidaten Werder Bremen fahren, wo mit einem sensationellen 2:1-Sieg nicht nur Revanche für die Hinrundenklatsche genommen wurde, sondern auch der Klassenerhalt gefeiert werden konnte. Wie im Vorjahr verspielte die Eintracht anschließend durch ein 1:2 gegen Hertha BSC erneut eine bessere Platzierung als Rang 14.

Vor der Saison wäre mit dieser Platzierung wohl niemand zufrieden gewesen. Der Saisonverlauf aber bewies einmal mehr, dass bei der Eintracht das einzig Beständige die Unbeständigkeit war. Querelen zwischen Trainer Funkel und Spielern wie Amanatidis und Streit sowie der unrühmliche Abgang von Jermaine Jones zum FC Schalke 04, zeigten, dass es noch einiges zu tun gab im Hause Eintracht. Trainer Funkel stand dennoch nicht zur Diskussion. „Wir alle waren aufgeregt und nervös im Abstiegskampf. Jeder geht damit anders um", sagte Bruchhagen am 21. Mai 2007 im „Kicker". „Wir sind in einer gemeinsamen Spur, ohne Wenn und Aber." Immerhin war das Saisonziel „40 Punkte" (vier mehr als im Vorjahr) erreicht worden, und finanziell stand die Eintracht so gut da wie schon lange nicht mehr. Was noch fehlte, war die eingangs angesprochene sportliche Konsolidierung.

Gelungener Einstand: Martin Fenin (links) freut sich mit Chris über seine drei Tore beim 3:0-Sieg der Eintracht in Berlin.

2007/08 ■ Angst vor der eigenen Courage

Der Verlauf der Saison 2006/07 hatte gezeigt, dass das Konzept mit jungen Spielern aus der Region die Eintracht trotz aller Anerkennung sportlich keinen Schritt vorangebracht hatte. Lediglich Ochs und Russ hatten es in die Stammformation geschafft. Huber war bereits im Januar 2007 zu Eintracht Braunschweig gewechselt, im Sommer folgten ihm Cimen, Reinhard und Jones. Besonders die Personalie Jermaine Jones hatte in der Rückrunde 2006/07 für viel Wirbel gesorgt. Nach einer neunmonatigen Pause wegen einer Schienbein-Operation hatte Jones kurz vor Weihnachten 2006 im Pokal gegen den 1. FC Köln ein vielversprechendes Comeback gegeben und gehörte in den ersten vier Rückrundenspielen zur Stammbesetzung des Teams. Hinter den Kulissen hatte er aber bereits seinen Abschied zum Sommer 2007 betrieben. Er und sein Berater Roger Wittmann „haben sich schon im vergangenen Mai für einen Weggang entschieden. Die Strategie ist nicht beweisbar, aber einsichtig", wurde Heribert Bruchhagen am

19. März 2007 im „Kicker" zitiert. Als sich Jones an einer Diskussion im Eintracht-Forum beteiligte und alles abstritt, platzte vielen Fans der Kragen: „Tue uns und dir einen Gefallen, laufe nicht mehr für die Eintracht auf." Seitdem ist Jones eine „Persona non grata" in Frankfurter Fankreisen.

Kompensiert wurden die Abgänge im Sommer 2007 einmal mehr mit der Verpflichtung ablösefreier, aber nicht unbedingt billiger Spieler. Das „Kicker"-Sonderheft prophezeite „unruhige Zeiten", wenn ein erneuter Abstiegskampf ins Haus stünde. Das Umfeld erwartete von Friedhelm Funkel eine „deutlich sichtbarere Weiterentwicklung als in der zurückliegenden Saison". Druck kam auch aus den eigenen Reihen, denn Herbert Becker, Vorsitzender des Aufsichtsrats, forderte einen einstelligen Tabellenplatz. Zur allgemeinen Überraschung nahm die Mannschaft tatsächlich sofort Kurs auf das obere Tabellendrittel und stand in der gesamten Saison 2007/08 nie schlechter als auf Platz 11.

Auf diesen Rang rutschte man das erste Mal am 26. Oktober nach einem 0:0 zu Hause gegen Hannover 96. Eine Woche zuvor hatte es ein deprimierendes 1:5 beim Pokalsieger 1. FC Nürnberg gegeben, der bis dahin aus vier Heimspielen lediglich einen Punkt geholt hatte. Kapitän Amanatidis, der die Eintracht in Führung gebracht hatte, nahm kein Blatt vor den Mund und sprach von „Arbeitsverweigerung" („Frankfurter Rundschau" vom 22. Oktober 2007). Nichts mehr war zu sehen von der Form, mit der zuvor u.a. der Hamburger SV und Bayer Leverkusen besiegt worden waren.

Die Talfahrt wurde ausgerechnet dort gestoppt, wo es niemand vermutet hätte: beim FC Bayern München. Turm in der Schlacht beim 0:0 war Oka Nikolov, der kurzfristig für den grippekranken Markus Pröll einspringen musste. Das Zwischenhoch dauerte aber nicht lange. Nach einem 1:4 gegen den Meister VfB Stuttgart herrschte wieder explosive Stimmung. Mit einem 1:0 in Duisburg wurde die Hinrunde immerhin auf einem einstelligen Tabellenplatz beendet, und auch punktemäßig lag man mit 23 Zählern auf Tuchfühlung zur angestrebten Marke „45 + X".

Nach dem zurückhaltenden Taktieren der letzten Jahre überraschte die Eintracht im Januar 2007 mit einer offensiven Transferpolitik. Mit dem in Ungnade gefallenen Albert Streit, Naohiro Takahara und Michael Thurk wurden drei Spieler abgegeben (Transfererlös: 4,2 Millionen Euro) und für 7,6 Millionen Euro Zugänge für die Offensivabteilung präsentiert. Der Brasilianer Caio war mit 3,8 Millionen Euro der teuerste Einkauf der Vereinsgeschichte. Martin Fenin vom FK Teplice glückte zum Rückrundenstart bei Hertha BSC ein Traumdebüt, als er die Berliner mit drei Toren im Alleingang abschoss (3:0). Zwar gab es die traditionellen Rückschläge (0:1 bei Hansa Rostock, 1:4 beim Hamburger SV), doch nach 26 Spielen rangierte die Eintracht als Siebter mit 42 Punkten nur zwei Zähler hinter einem UEFA-Pokal-Platz.

Als vor dem nächsten Heimspiel gegen den 1. FC Nürnberg der als Saisonziel und in diesem Spiel zu erreichende Punktestand „45" auf dem Videowürfel aufleuchtete, schien die Mannschaft jedoch Angst vor der eigenen Courage zu bekommen. Dabei gelang ein Traumstart. Nach nur drei Minuten traf Fink zum 1:0. Am Ende hieß es jedoch 1:3 gegen einen „Club", der vorher zehn Spiele sieglos geblieben war. Es war der Anfang vom Ende. „Zu dumm für Europa", titelte die „Frankfurter Neue Presse" am 14. April 2007 nach einem 1:2 in Hannover. Als in den nächsten fünf Spielen nur einmal gepunktet wurde (1:1 gegen Borussia Dortmund), war die Eintracht am vorletzten Spieltag mit 43 Punkten wieder auf Platz 11 zurückgefallen.

Zwar wurden durch ein 4:2 gegen den MSV Duisburg im Abschlussspiel doch noch die Saisonziele „einstelliger Tabellenplatz" (Neunter) und „45 + X" (46 Punkte) erreicht, doch Zufriedenheit sah anders aus. „Vom Musterschüler zum Schulabbrecher", bilanzierte die „Frankfurter Rundschau" in ihrem traditionellen „Abschlusszeugnis" am 20. Mai 2008 den Saisonverlauf. Den Wunsch des Umfeldes nach mehr Risikobereitschaft konterte Vorstandschef Heribert Bruchhagen: „Es wird meine Aufgabe in den kommenden Jahren sein, den Leuten in Frankfurt zu vermitteln, dass es ein Erfolg ist, wenn die Eintracht im Mittelfeld steht." Und Trainer Friedhelm Funkel ärgerte sich: „Außerhalb von Frankfurt wird unserer Entwicklung Respekt gezollt, in Frankfurt wird alles schlechtgemacht." („Kicker"-Sonderheft „Finale 2007/08"). In der Tat, unruhige Zeiten in Frankfurt.

2008/09 ■ Die Leiden des Friedhelm F.

Am 8. November 1976 musste bei der Eintracht mit Hans-Dieter Roos erstmals ein Bundesliga-Trainer wegen Erfolglosigkeit vorzeitig seinen Hut nehmen. In den 13 Jahren von 1963 bis 1976 hatte es nur fünf Trainer am Riederwald gegeben, danach gaben sich die Fußball-Lehrer die Klinke in die Hand. Nach Roos waren es bis 2002 in 36 Jahren immerhin 27, die Interimslösungen Mank/Grabowski und Lippert nicht einmal mitgezählt. In dieser Zeit war lediglich Lothar Buchmann (1980-82) zwei komplette Spielzeiten im Amt. Erst mit Willi Reimann und dann mit Friedhelm Funkel (ab 2004) kam wieder Ruhe ins Frankfurter Trainerkarussell. Funkel ging 2008/09 in seine fünfte Saison bei der Eintracht. Das hatte vorher nur Erich Ribbeck geschafft (1968-73). Aber ähnlich wie seinerzeit bei Ribbeck war die Zahl der Kritiker groß. Der neunte Platz in der abgelaufenen Saison wurde von vielen eher als Rück- denn als Fortschritt gesehen. Man durfte also gespannt sein, wann die Trainerfrage wieder aktuell würde.

Im Sommer 2008 wurde bei der Eintracht weiter aufgerüstet und 5,7 Millionen Euro für Neuzugänge lockergemacht. Nach einem respektablen 1:1 gegen Real Madrid schien die Mannschaft für den Heimstart gegen Hertha BSC gerüstet. Auch die Fans waren optimistisch und begrüßten die Spieler mit einem Transparent „Startschuss in eine glorreiche Saison". Doch gegen die Berliner gab es einen Rohrkrepierer (0:2), und von „Glorie" war in der gesamten Saison wenig zu sehen.

Auch in Köln schrammte man trotz eines 1:1 an einer weiteren Blamage vorbei, lieferte danach aber beim 2:2 in Wolfsburg eine ordentliche Leistung ab. Was noch keiner ahnen konnte: Es sollte der einzige (!) Heimpunktverlust des späteren Meisters in der ganzen Saison bleiben! Dann nahm das Unheil seinen Lauf. Das Heimspiel gegen

Abschied von Funkel: Obwohl er nach fünf Jahren bei vielen Fans umstritten war, wussten die meisten doch, was sie ihm zu verdanken hatten.

den Karlsruher SC musste abgesagt werden, weil der Rasen im Stadion nach einem Madonna-Konzert ramponiert war. Da aus den nächsten vier Spielen nur ein Punkt geholt wurde und man zudem zu Hause gegen den Zweitligisten Hansa Rostock aus dem Pokal geflogen war, stand die Eintracht vor dem Nachholspiel gegen die Badener am Tabellenende. Für Friedhelm Funkel ging es bereits um alles oder nichts. Am Ende eines niveaulosen Spiels, in dem nur die letzten zehn Minuten spannend waren, hatte die Eintracht einen Pyrrhus-Sieg eingefahren. Nach der Gästeführung durch Maik Franz (82. Minute) und dem Ausgleich durch Köhler zwei Minuten später war es der eingewechselte Amanatidis, dem in letzter Sekunde der vielumjubelte 2:1-Siegtreffer gelang. Allerdings musste der Grieche danach am Außenmeniskus operiert werden und fiel bis zum Ende der Saison aus. Immerhin drehte man auch eine Woche später in Cottbus noch einen 0:2-Rückstand und setzte sich mit einem 3:2-Sieg in Richtung Mittelfeld ab.

Spielerisch blieb vieles Stückwerk. Amanatidis fehlte an allen Ecken und Enden, Liberopoulos war eher eine hängende Spitze als ein klassischer Knipser und Fenin spielte mehr auf der Außenbahn als im Angriff. „Rumpelfußball" warfen die Kritiker Trainer Funkel vor, der selten vom 4-3-2-1 abrückte, das er selbst aber gerne als 4-3-3 mit hängenden Außen verteidigte. Und so mussten die Fans ein Wellental der Gefühle durchschreiten. 0:4 bei Borussia Dortmund, 4:0 gegen Hannover 96, 0:5 bei Werder Bremen, 4:0 gegen den VfL Bochum. Mit nur 19 Punkten ging man als Zwölfter und sechs Punkten Vorsprung auf den Relegations- und acht auf den ersten Abstiegsplatz in die Winterpause, in der noch einmal nachgerüstet wurde. Doch weder der Serbe Petkovic noch der mit viel Vorschusslorbeer aus der Slowakei geholte Kameruner Kweuke konnten der Abwehr zu mehr Stabilität und dem Sturm zu mehr Durchschlagskraft verhelfen.

So quälte sich die Eintracht durch die Rückrunde, in der es lediglich gegen Borussia Mönchengladbach etwas zu feiern gab. Nach dem 4:1 lag man sechs Spiele vor Schluss neun Punkte vor dem Drittletzten aus Gladbach und schien den entscheidenden Schritt Richtung Klassenerhalt gemacht zu haben. Allerdings hatte die Eintracht von ihren 32 Punkten 28 (!) gegen Mannschaften geholt, die hinter ihr platziert waren. Und daran sollte sich bis Saisonende nichts mehr ändern. Lediglich bei Hannover 96 konnte noch gepunktet werden (1:1), daheim war gegen Borussia Dortmund (0:2), Werder Bremen (0:5) und den Hamburger SV (2:3) kein Blumentopf zu gewinnen. Am Ende standen mickrige 33 Zähler auf der Habenseite, einer mehr als bei den Abstiegen 1996 und 2004 und zwei weniger als 2001.

Kein Wunder, dass die Stimmung in Frankfurt immer schlechter wurde. Als Erster gab Michael Fink im April seinen Weggang bekannt. Auch Friedhelm Funkel stand weiter unter Druck. Viele Fans nahmen ihm übel, dass er den von ihnen vergötterten Caio nicht oder nur als Einwechselspieler brachte. Dabei hatte der Brasilianer in anderthalb Jahren nur selten glänzen können. Doch Heribert Bruchhagen hielt zum Trainer – bis zur 0:2-Niederlage beim VfL Bochum, mit der (Ausdruck einer vollkommen verkorksten Saison) am vorletzten Spieltag der Klassenerhalt gesichert wurde! Die „Frankfurter Rundschau" präsentierte ihren Lesern danach den „Funkel-Film" in vier Varianten.

Variante 1: Alle raus oder „Spiel mir das Lied vom Tod", Wahrscheinlichkeit: 10 Prozent. – Variante 2: Funkel bleibt oder „Und täglich grüßt das Murmeltier", Wahrscheinlichkeit: 40 Prozent. – Variante 3: Funkel raus oder „Vom Winde verweht", Wahrscheinlichkeit: 45 Prozent. – Variante 4: Funkel raus, Scout raus, Sportchef rein oder „Der bewegte Mann", Wahrscheinlichkeit: 5 Prozent. („Frankfurter Rundschau" vom 19. Mai 2009.) Den Zuschlag erhielt Variante drei. Am Donnerstag, dem 21. Mai, zwei Tage vor dem abschließenden Heimspiel gegen den Hamburger SV, wurde die Trennung verkündet. „Ich habe am Montag mit Heribert Bruchhagen gesprochen und ihn gebeten, mein Vertragsverhältnis zum 30. Juni zu beenden", erklärte Funkel der „Frankfurter Rundschau". Der Kontrakt mit ihm war erst im Februar bis 2010 verlängert worden.

Das letzte Spiel gegen den HSV war ein Spiegelbild der gesamten Saison. Mit einer Energieleistung hatte man einen 0:2-Rückstand egalisiert, um dann in der Nachspielzeit doch noch zu verlieren. Immerhin wurde der scheidende Trainer nicht mit Pfiffen verabschiedet. Und auf die Zukunft der Eintracht angesprochen, meinte er: „Ich wünsche der Eintracht, dass sie stabil bleibt, dass sie mit Augenmaß weiterhin die Bundesliga schätzt. Dass man zufrieden ist, jede Saison 17 Heimspiele zu erleben, bei denen die Bayern, Schalke und die anderen Großen zu sehen sind. Ist man unzufrieden mit dieser Situation, dann steigt man schnell wieder ab. Wenn man sich Ziele setzt, die unerreichbar sind, dann entsteht ein unglaublicher Druck. Das war's. Tschüss zusammen" („Frankfurter Neue Presse" vom 25. Mai 2009). Eine fast hellseherische Aussage.

2009/10 ■ Auf zu neuen Ufern

Wegen der Trainersuche sagte Heribert Bruchhagen die Teilnahme an der Asienreise der Nationalmannschaft, der er als offizielles Mitglied der DFB-Delegation angehören sollte, ab. Viele Namen kursierten in der Trainer-Gerüchteküche: Michael Skibbe, Benno Möhlmann, Uwe Rapolder, Bruno Labbadia. Den Zuschlag bekam Skibbe, einst Nachwuchs- und Cheftrainer bei Borussia Dortmund, Assistent von Rudi Völler beim DFB, später Trainer bei Bayer Leverkusen und zuletzt bei Galatasaray Istanbul. Verkündet wurde die Entscheidung am 5. Juni, zwei Wochen nach der Trennung von Friedhelm Funkel. Für die Medien war der gebürtige Gelsenkirchener „der Mann für den Aufbruch" („FAZ.net"). „Aggressiven Fußball" versprach er den Fans. „Wir wollen unserem Publikum richtig gute Spiele bieten, um bei den Fans wieder Begeisterung und Feuer zu entfachen. Das ist mein Anspruch. Und daran werde ich mich auch messen lassen" („Frankfurter Rundschau" vom 6. Juni 2009).

Das musste er schneller, als ihm lieb war. Beim Trainingsauftakt am 29. Juni waren mit Torhüter Fährmann und Abwehrspieler Maik Franz gerade mal zwei neue Spieler dabei. Anfang Juli kam Selim Teber aus Hoffenheim dazu. Besonders stark machte sich Skibbe für Pirmin Schwegler aus Leverkusen. Doch noch blockte Vorstandschef Bruchhagen unter Hinweis auf die um 2,5 Millionen auf 23 Millionen Euro reduzierten Lizenzspielerkosten. Der Etat sei „vollständig ausgeschöpft". Kein Wunder, waren doch seit Januar 2008 14,85 Millionen Euro in neue Spieler investiert worden, denen Transfererlöse in Höhe von nur 5,15 Millionen gegenüberstanden. Ein Minus von 9,7 Millionen. Und sportlich stand die Eintracht im Mai 2009 schlechter da als im Sommer 2007. Als es dann im Trainingslager in Kärnten zwei 0:3-Niederlagen gegen NK Osijek (Kroatien) sowie den FC Timisoara (Rumänien) gab, war die Aufbruchstimmung verflogen. Dazu brach sich der neu verpflichtete Torhüter Ralf Fährmann die Hand. Immerhin gab es nun doch grünes Licht für die Verpflichtung von Schwegler.

Den nächsten Brandherd legte Skibbe selbst. Vier Tage vor dem prestigeträchtigen Pokalspiel bei den Offenbacher Kickers setzte er Ioannis Amanatidis als Kapitän ab und machte den Schweizer Christoph Spycher zu seinem verlängerten Arm auf dem Spielfeld. Der in seinem Stolz verletzte Grieche zog sich enttäuscht aus dem Mannschaftsrat zurück. Doch das Sommertheater war schnell vergessen. Souverän wurde mit einem 3:0 in Offenbach die nächste Pokal-Runde erreicht, und als ausgerechnet Amanatidis zum Saisonstart zwei Tore zum überraschenden 3:2-Sieg bei Werder Bremen beisteuerte, schien die Welt wieder in Ordnung. Im eigenen Stadion dauerte es

Erfolgreicher Youngster: Juvhel Tsoumou schießt das 1:1 gegen die Bayern, Hans-Jörg Butt ist machtlos.

jedoch bis zum 17. Oktober, ehe im fünften Anlauf beim 2:1 gegen Hannover der erste Heimsieg seit dem 4:1 am 18. April gegen Mönchengladbach gelang. Zu diesem Zeitpunkt hinkte die Eintracht mit drei Siegen, vier Unentschieden und zwei Niederlagen (13 Punkte) der Musik bereits hinterher. Die große Ernüchterung gab es im Pokal gegen Bayern München. Nur drei Tage, nachdem man dem Rekordmeister in der Allianz-Arena unglücklich mit 1:2 unterlegen war – der Siegtreffer durch Van Buyten fiel erst in der 88. Minute! –, zeigten die Münchner der Eintracht ihre Grenzen auf. Nach 29 Minuten hieß es 0:3, am Ende 0:4.

Auch bei Skibbe hatte sich Ernüchterung breitgemacht. Bereits im September hatte er versucht, den Brasilianer Lincoln von seinem Ex-Klub Galatasaray nach Frankfurt zu lotsen. Doch es sollte nicht sein. Als dann auch Amanatidis erneut am Knie operiert werden musste und bis zum Saisonende ausfiel und die Mannschaft beim 0:4 in Leverkusen eine erschreckend schwache Leistung ablieferte, kam es zum Knall: „Wenn das mit der Eintracht so weitergeht und wir nicht endlich einen Hebel ansetzen, dann werden wir durchgereicht bis ganz unten – zwar nicht in dieser Saison, aber wir werden schwächer und schwächer und schwächer. Der ganze Verein ist jetzt aufgerufen, die Ärmel aufzukrempeln und die Sachen besser zu machen. Jeder muss volle Pulle Vollgas geben. Wichtig ist, dass wir Konkurrenzfähigkeit anstreben" („Frankfurter Rundschau" vom 9. November 2009). Als „Bremser" hatte der Coach den Vorstandsvorsitzenden ausgemacht, der „nur noch die Gegenwart [verwalte] und das (finanzielle) Risiko zur Gestaltung der Zukunft [scheue]". Der angesprochene Bruchhagen blieb besonnen und rechnete den Rundumschlag seines Trainers der Enttäuschung nach der Niederlage zu: „Wir arbeiten doch seit sechs Jahren an dem gleichen Ziel: die Eintracht besser zu machen … Wir müssen uns dafür nicht rechtfertigen."

Aber auch Skibbe hatte Kredit verspielt. Vom versprochenen aggressiven Fußball war auch bei der 1:2-Heimniederlage gegen Borussia Mönchengladbach nichts zu sehen. Unverständlich zudem, dass er am überforderten Teber festhielt und dem Nachwuchs viel zu selten eine Chance gab. So kam es am 14. Spieltag in Berlin zum Duell des alten gegen den neuen Eintracht-Trainer. Friedhelm Funkel hatte beim hoffnungslos abgeschlagenen Schlusslicht Hertha BSC zwischenzeitlich die Aufgabe übernommen, das Unternehmen Klassenerhalt doch noch möglich zu machen. Im richtigen Moment fand die Eintracht endlich wieder in die Spur zurück, gewann erst in Berlin (3:1), danach gegen den 1. FSV Mainz 05 (2:0) und blieb bis zur Weihnachtspause ungeschlagen. Mit 24 Punkten wurde sogar das beste Hinrundenergebnis seit dem Wiederaufstieg 2005 eingefahren.

Doch hinter den Kulissen brodelte es weiter. Skibbe war angesäuert, weil nach Lincoln auch der Transfer von Theofanis Gekas (Bayer Leverkusen) nicht realisiert werden konnte. „Diese Spieler sind für uns nicht erschwinglich. Deshalb ist es schwer, die Qualität der Mannschaft zu erhöhen", sagte er am 16. Dezember 2009 in einem Interview mit der „Frankfurter Rundschau". Das sorgte für Irritationen auf der Führungsebene. „Der Trainer ist eine autarke Person, er hat das Recht, sich so zu äußern. Ob es klug ist, liegt im Auge des Betrachters", konterte Bruchhagen. Und legte noch einen drauf: Da sich die Suche nach adäquatem Ersatz für Amanatidis schwierig gestalte, sollten „halt Alvarez oder Tsoumou spielen. Andere Vereine setzen ja auch junge Spieler ein" („Frankfurter Rundschau" vom 17. Dezember 2009). Das Tischtuch schien zerrissen, zumal Skibbe nach einem blamablen 0:3 gegen den Karlsruher SC im Trainingslager in der Türkei nachlegte und mit seinem Rücktritt drohte: „Eintracht Frankfurt ist nicht in der Lage, sich weiterzuentwickeln" („Frankfurter Rundschau" vom 11. Januar 2010). Alles schien möglich. Sogar eine Trennung noch vor dem Rückrundenstart.

Doch irgendwie raufte man sich wieder zusammen und schaffte zum Rückrundenstart mit einem 1:0 über Werder Bremen den Sprung auf Platz 10. Diese Platzierung konnte die Eintracht trotz mancher Enttäuschung (1:2 gegen Köln, 1:4 gegen Schalke und 1:2 in Hannover) bis Mitte März halten. Mit Halil Altintop hatte Skibbe doch noch einen Stürmer bekommen, der allerdings in 15 Spielen nur dreimal traf und nur einmal (beim 2:1 gegen den SC Freiburg) zum Matchwinner wurde.

So lag die Eintracht vor dem Duell mit Bayern München im gesicherten Mittelfeld. Platz 10, 35 Punkte – acht hinter einem UEFA-Pokal-Platz und zwölf vor dem Relegationsplatz. Da Tsoumou (87.) und Fenin (89.) einen frühen Rückstand durch Klose (7.) noch in einen sensationellen 2:1-Erfolg über den Rekordmeister drehten, konnte neuer Mut geschöpft werden. In Bochum und gegen Leverkusen wurde nachgelegt, und plötzlich war Platz 5 nur noch vier Punkte entfernt. Das Restprogramm sprach für die Eintracht. Die 50-Punkte-Marke schien machbar. Doch wie 2008 stellte man sich selbst ein Bein. Mit nur zwei Punkten aus den letzten fünf Spielen wurden erneut 46 Punkte erreicht, der einstellige Tabellenplatz und eine Platzierung vor dem 1. FSV Mainz 05 jedoch leichtfertig verspielt. Aber immerhin hatte man endlich wieder einmal gegen die „Großen" der Liga bestehen können.

Der scheidende Kapitän Christoph Spycher fasste die Spielzeit wie folgt zusammen: „Die Leistung der Saison 2009/10 muss zur Regel werden. Um das Niveau zu halten, muss der Kader für die neue Spielzeit wirklich gut zusammengestellt werden." Wenn man die „momentane Basis hält" und „in einer Saison alles zusammenpasst", dann sei auch ein internationaler Platz erreichbar („Kicker"-Sonderheft „Finale 2009/10").

2010/11 ■ Von 7 auf 17 in fünf Monaten

Im Sommer wurde der Wunsch von Trainer Skibbe nach Theofanis Gekas erhört. Der Grieche, von Bayer Leverkusen an Hertha BSC ausgeliehen, kam für eine Million Euro. Ein zweiter Grieche, Georgios Tzavellas von Panionios Athen, sollte den Platz von Spycher auf der linken Abwehrseite einnehmen. Mehr war nicht drin, da man auf die Rückkehr von Amanatidis und Fenin setzte. Entsprechend wurde die Offensivabteilung der Eintracht im „Kicker"-Sonderheft als „überdurchschnittlich besetzt" beurteilt. Als größtes Manko galten die Leistungsschwankungen. In diesem Punkt sollte der „Kicker" richtig liegen, bei der Beurteilung des Angriffs leider nur zu 50 Prozent.

Die Parallelen zu zwei Abstiegen

Parallelen zur Vergangenheit: Bereits nach dem 0:3 gegen Bayer Leverkusen im Februar 2011 zog der „Kicker" den Vergleich mit den Abstiegen 1996 und 2001. Auch damals stürzte die Eintracht aus scheinbar sicheren Tabellenregionen ab.

Nach einer passablen Vorbereitung mit einem schönen Sieg gegen den englischen Meister FC Chelsea (2:1), der allerdings mit angezogener Handbremse spielte, und dem Überspringen der ersten Pokal-Hürde in Wilhelmshaven fuhr man selbstbewusst zum Saisonauftakt nach Hannover – und verlor mit 1:2. Gehadert wurde mit Schiedsrichter Aytekin, der bei einem Durchbruch von Ochs beim Stand von 0:0 fälschlicherweise Abseits pfiff und Ya Konans Handspiel im eigenen Strafraum beim Stand von 1:1 nicht ahndete. Ya Konan erzielte schließlich den Siegtreffer. Anschließend setzte sich die Heimschwäche fort, und nachdem die Eintracht sowohl gegen Freiburg (0:1) als auch in Leverkusen (1:2) erst in den Schlussminuten verlor, schaute man sich die Tabelle mit nur drei Punkten aus fünf Spielen vom vorletzten Platz aus an.

Der erste Heimsieg gegen den 1. FC Nürnberg (2:0) leitete den Umschwung und einen unerwarteten Höhenflug ein. Im Oktober gelangen drei Auswärtssiege in Folge, wurde im Pokal gegen den Hamburger SV (5:2) Revanche für die Bundesliga-Heimniederlage (1:3) genommen und Ex-Meister VfL Wolfsburg überzeugend 3:1 besiegt. Nach 16 Punkten aus sechs Spielen stand die Eintracht nunmehr auf Platz 4. Hätte Halil Altintop beim 0:0 gegen den FC Schalke 04 nicht das Kunststück fertiggebracht, aus kürzester Entfernung über das leere Tor zu schießen, hätten es sogar sechs Siege in Folge sein können.

Garant für den Aufschwung war Theofanis Gekas, der traf, wie er wollte, und mit elf Toren die Torschützenliste anführte. Doch Gekas war Alleinunterhalter im Eintracht-Angriff. Die übrigen neun Tore erzielten Mittelfeld- und Abwehrspieler, ein Trend, der sich fortsetzen sollte. Und kaum fing man in Frankfurt an zu träumen, gab es prompt die ersten Rückschläge. Gegen Hoffenheim sorgten katastrophale Abwehrschnitzer für ein ebenso katastrophales 0:4. Da konnte auch eine schwache Schiedsrichterleistung nicht trösten. Beim FC Bayern patzte dann Torhüter Nikolov beim Stand von 1:1 zweimal kurz hintereinander – am Ende hatte man wieder vier Gegentore gefangen. Dazu kamen Verletzungen, die Woche für Woche einen Umbau der Abwehr erforderten. Besonders der Ausfall von Chris, der an einer Nervenentzündung im Rücken litt, war schmerzlich, denn mit dem Brasilianer hatte es im Oktober die Siegesserie gegeben. Dennoch kämpfte sich die Eintracht durch und fügte dem souveränen Tabellenführer Borussia Dortmund am letzten Hinrundenspieltag durch ein Tor von Gekas vier Minuten vor Schluss die erste Auswärtsniederlage zu.

Mit 26 Punkten stand die Eintracht auf Platz 7, drei Punkte hinter Meister Bayern München, der nur Fünfter war. Es war die beste Hinrunden-Punktausbeute seit Einführung der Drei-Punkte-Wertung 1995, und Gekas hatte seine Trefferquote auf 14 hochgeschraubt. Weihnachten konnte kommen. Zuvor galt es jedoch, im Pokal auf dem Aachener Tivoli zu bestehen. Bei Dauerregen und tiefem Boden agierte die Eintracht glücklos. Schwegler sah schon nach einer Viertelstunde wegen einer Notbremse Rot, und selbst Gekas traf nicht. Symptomatisch die 32. Minute, als der Grieche eigentlich alles richtig gemacht hatte, der Ball statt ins leere Tor jedoch gegen den Innenpfosten rollte. So kam es, wie es kommen musste. Als Meier im Elfmeterschießen nicht traf, waren die Pokalträume vorbei.

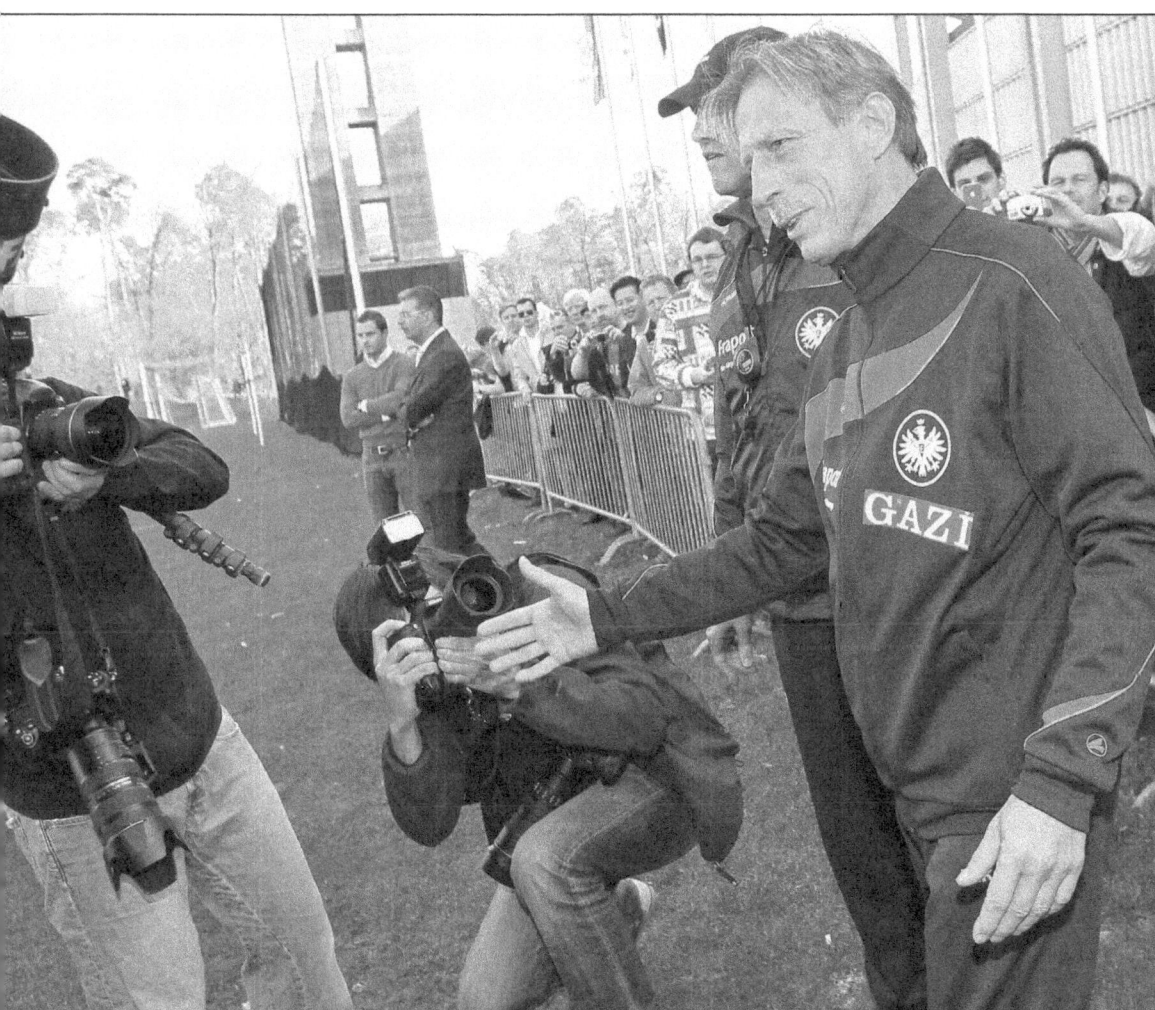

Riesen-Hype um Christoph Daum: Das erste Training wurde sogar live im Fernsehen übertragen.

Zu diesem Zeitpunkt wurde das noch wie ein Betriebsunfall angesehen. Personell nachgebessert werden konnte nicht, da bis Saisonende mit einem Minus von drei bis fünf Millionen Euro gerechnet werden musste. Also wurden stattdessen Spieler abgegeben. Neben Bellaid verließen die Edelreservisten Korkmaz, Petkovic und Steinhöfer den Klub. Erstaunlich, dass man trotz der Flaute im Sturm mit Tosun (11) und Alvarez (10) auch die beiden besten Torschützen des Regionalliga-Teams ziehen ließ.

Normalerweise wird bei Negativserien immer der Name Tasmania 1900 ins Spiel gebracht. Die Berliner sind das schlechteste Bundesliga-Team aller Zeiten, mit den wenigsten Punkten (8-60) und Toren (15) sowie den meisten Gegentoren (108). Sie halten aber beileibe nicht alle Negativrekorde. So verlor der 1. FC Nürnberg 1983/84 sämtliche 17 Auswärtsspiele, während der 1. FC Köln 2001/02 exakt 1.034 Minuten ohne eigenen Torerfolg blieb. Zumindest diesen Rekord zu brechen, schien sich die Eintracht 2010/11 auf die Fahnen geschrieben zu haben. Nach einem 0:3 zum Rückrunden-Auftakt gegen Hannover 96 blieb man acht Spiele ohne eigenes Tor. Die bisherige Negativmarke waren fünf Spiele in der Saison 1988/89 gewesen. Erst am 12. März traf Tzavellas mit einem Befreiungsschlag aus über 70 (!) Metern zum zwischenzeitlichen Ausgleich beim FC Schalke 04. Doch auch dieser erste Treffer nach 793 Minuten Flaute brachte nichts Zählbares, da Schalkes Trainer Felix Magath ein goldenes Händchen hatte, den vielgeschmähten Charisteas einwechselte und der mit seiner ersten Ballberührung den Siegtreffer erzielte. Damit war die Eintracht mit 28 Punkten als Viertletzter gleichauf mit dem FC St. Pauli, der als nächster Gegner in Frankfurt auftauchte.

Zwar gab es endlich den langersehnten Sieg durch zwei Gekas-Tore (2:1), womit man vier Punkte vor dem Relegationsplatz stand, dennoch wurde die Reißleine gezogen und Michael Skibbe entlassen. Der Zeitpunkt überraschte, doch angesichts der bevorstehenden Länderspielpause wollte man dem neuen Coach mehr Zeit für die Vorbereitung auf den nächsten Abstiegskrimi beim VfL Wolfsburg geben. Als „Feuerwehrmann" wurde kein Geringerer als Christoph Daum verpflichtet. Ein fataler Irrtum, wie sich herausstellen sollte. Bei seiner Vorstellung gab es einen Medienrummel erster Klasse, und das erste Training wurde sogar live im Hessen-Fernsehen übertragen. Von nun an wolle er 25 Stunden am Tag für die Eintracht da sein, erklärte der neue Mann euphorisch. Zumindest für die Fans klangen solche Worte allerdings gekünstelt. Und auf dem Platz war auch nur wenig Besserung zu erkennen. Obwohl unter Daum kein Spiel gewonnen wurde, konnte der Vier-Punkte-Abstand auf Platz 16 zunächst gewahrt werden. Und wer weiß, was passiert wäre, hätte Gekas am Ostersamstag in der 82. Minute frei vor dem Tor stehend das 2:0 gegen den FC Bayern erzielt … So aber glich Gomez in der 89. Minute per Foulelfmeter aus, und der Jammer war groß. Es folgte eine desaströse erste Halbzeit in Mainz (0:3) mit anschließenden Ausschreitungen der Fans am eigenen Stadion (!), nach denen das Sonntagstraining abgesagt werden musste und die Stimmung gegen null tendierte. Der Rest ist bekannt. 0:2 gegen Köln, erneut Ausschreitungen und zum Abschluss maximal zehn

Gekas trifft das Tor nicht mehr: Er befinde sich im „Denk-Gefängnis", analysierte Christoph Daum.

Minuten Hoffnung beim 1:3 in Dortmund. Eintracht Frankfurt war zum vierten Mal nach 1996, 2001 und 2004 abgestiegen.

Immerhin blieb es ihr erspart, einen Tasmania-Minusrekord zu unterbieten. Die Berliner hatten 1965/66 nämlich nur sieben Rückrundentore erzielt. Bis zu Rodes 1:0 beim 1:3 in Dortmund hatte die Eintracht gerade sechsmal getroffen. Die Rückrundenbilanz war erbärmlich. Lediglich acht Punkte waren eingefahren worden. Nur der SC Freiburg war 2004/05 mit sieben und der FC St. Pauli 1996/97 mit sechs Punkten schlechter gewesen. Erschreckend auch der Blick auf die interne Torschützenliste: Nach Gekas mit 16 Toren folgten fünf (!) Spieler mit je zwei Treffern. Einzig Martin Fenin steuerte ein Stürmertor bei. Nur 31 Tore (von denen Gekas über die Hälfte erzielt hatte) waren ebenfalls neuer Minusrekord bei der Eintracht.

Nicht im Herzen von Europa

Sie gehört zu jedem Heimspiel wie die Bratwurst und das Bier – die Eintracht-Hymne „Im Herzen von Europa". Doch wie kam es, dass ein Schunkelwalzer aus dem Jahr 1959, noch dazu gesungen vom Polizeichor Frankfurt, Kultstatus in der Eintracht-Fankurve erlangte? Heinz Böcher und Kurt Westphal, beide Mitglieder des Polizeichors, schrieben das Lied als „Huldigung an die Stadt Frankfurt". Einen Bezug zur Eintracht, die just in diesem Jahr Deutscher Meister wurde, gab es seinerzeit (noch) nicht. Das änderte sich nach einem Auftritt im Sachsenhäuser „Grauen Bock". 1972 erschien das Lied als Single, und als 1974 zum 75. Vereinsjubiläum die schönsten Eintracht-Lieder gesucht wurden, schrieben die beiden Komponisten einen neuen Text. Danach dauerte es noch mal ein Vierteljahrhundert, bevor es Einzug ins Stadion hielt. Die 1999 erschienene CD „100 Jahre Eintracht Frankfurt" machte das Lied auch in Fankreisen bekannt. Und seit der Fertigstellung der neuen Arena bekunden nun vor jedem Heimspiel Tausende von Eintracht-Fans ihre Verbundenheit zur Eintracht und der Stadt Frankfurt.

Doch nicht jeder hat das Glück, „in dieser schönen Stadt am Main" oder im schönsten Bundesland der Welt geboren zu sein oder dort zu leben. Aber selbst wer seinen Wohnsitz nicht im Herzen von Europa hat, kann Frankfurter sein. In Deutschland tragen drei weitere Orte den gleichen Namen: Frankfurt an der Oder sowie die Ortsteile des fränkischen Markt Taschendorf (auch bekannt als „Frankfurt an der Hecke") und von Wanzleben-Börde in Sachsen-Anhalt. Dieser nur 35 Einwohner zählende Ort geht auf einen 1825 erstmals erwähnten Gasthof „Zur Stadt Frankfurt" zurück. In Tschechien war ein Ortsteil von Dlouhe bis 1945 als Frankfurt (heute Jezkov) bekannt. Und im Nordpolarmeer heißt eine Halbinsel der zu Russland gehörenden Inselgruppe Franz-Josefs-Land „Kap Frankfurt".

populos clava

Außerhalb von Europa listet Wikipedia zwei Orte in Südafrika, einen in Surinam und 20 in den USA mit dem Namen „Frankfort" auf. Einer ist sogar Hauptstadt des Bundesstaates Kentucky und nach Stephen Frank benannt, der 1780 an einer Furt des Kentucky River von Indianern getötet wurde. In den USA gibt es sechs weitere Orte mit dem Namen „Frankford" sowie je einen in der kanadischen Provinz Ontario und auf der zu Australien gehörenden Insel Tasmanien. Aber warum nannte sich ein 1900 mit den Vereinsfarben Schwarz-Weiß (!) gegründeter Fußballklub aus Dublin „Frankfort FC"?

Im Herzen von Europa: Zehn Jahre lang war diese Wand fester Bestandteil des Eintracht-Museums. Leider fiel sie 2017 dem Umbau des Museums zum Opfer. Aber Frankfurt liegt natürlich weiterhin im Herzen von Europa!

Lodge Evans Morres (1747 – 1822) war von 1768 bis 1800 Mitglied des irischen Parlaments und wurde 1800 als „1st Baron Frankfort, of Galmoye in the County Kilkenny" in den Adelsstand erhoben. 1816 stieg er als „Viscount Frankfort de Montmorency" in der Adelshierarchie noch weiter auf. Nach ihm sind in der irischen Hauptstadt in der Nähe des Connolly-Bahnhofs die „Frankfort Cottages" benannt, wo der Klub seinen Ursprung hatte. 1916 unterlag Frankfort FC im Finale des irischen „Intermediate Cup" der Reserve des Glentoran FC aus Belfast. Als 1921 die Fußball-Liga des gerade von Großbritannien unabhängig gewordenen Freistaats gegründet wurde, war Frankfort FC einer von acht Dubliner Klubs in der Premierensaison, die man als Sechster beendete, sich danach aber aus finanziellen Gründen aus der „Free State League" zurückzog. Heute spielt der Klub noch in den unteren Ligen, die in etwa dem Niveau der A- und B-Klassen in Hessen entsprechen.

Die Zeiten höherklassigen Fußballs sind auch in Frankfurt an der Oder lange vorbei. Vor der Delegierung des sechsmaligen DDR-Meisters und zweimaligen FDGB-Pokalsiegers FC Vorwärts Berlin an die Oder gehörten der „Bezirk … und erst recht die Stadt selber … im Fußball zu den unterentwickelten Regionen". (Hanns Leske: „Vorwärts", S. 172) Dabei war bereits 1904 eine Viktoria und 1911 eine Eintracht gegründet

worden, die aber im Verband Brandenburgischer Ballspielvereine (VBB) keine große Rolle spielten. Auch nach 1945 änderte sich wenig am Mauerblümchendasein des Fußballs in der nun an der Grenze zu Polen gelegenen Stadt. Selbst der Versuch einer Leistungskonzentration durch Gründung des SC Frankfurt misslang, so dass Partei und Sportführung 1971 auf die „große" Lösung setzten. Da es in Ost-Berlin mit dem BFC Dynamo und dem 1. FC Union zwei weitere höherklassige Klubs gab, delegierte man den Armeeklub FC Vorwärts von der Hauptstadt in die „Provinz".

Nach dem Mauerfall ging es dann rapide bergab. Als Dienststelle der Bundeswehr befand sich der zunächst in FC Victoria, dann in Frankfurter FC Viktoria 91 umbenannte Klub „in der Auflösung", erklärte Geschäftsführer Frank Geyer im Sommer 1991. „Wir sind insgesamt nicht mehr lebensfähig und haben alle Spieler in Urlaub geschickt." Innerhalb von nur zwei Jahren rutschte man von der Erst- in die Viertklassigkeit ab (Hanns Leske: „Vorwärts", S. 238).

Zur gleichen Zeit wurde der SV Eintracht Frankfurt/Oder gegründet, der an die Tradition des ehemaligen „FFC Eintracht 1911" anknüpfen wollte. Am 27. Juni 1993 kam es im „Stadion der Freundschaft" zum Freundschaftsspiel Eintracht Frankfurt an der Oder gegen Eintracht Frankfurt am Main. Vor rund 5000 Zuschauern gewannen die Bundesliga-Profis gegen den Kreisligisten mit 15:0. Nach mehreren Fusionen ging die Eintracht 2012 im 1. FC Frankfurt (Oder) E. V. auf, wobei das „E. V." in diesem Fall für die beiden Vorgängervereine „Eintracht" und „Viktoria" steht. Aber auch der neue Fusionsklub konnte nicht an bessere Zeiten anknüpfen und spielt seit 2018 nur noch in der sechstklassigen Brandenburg-Liga.

Nicht im Herzen von Europa liegt auch New York, wo deutsche Einwanderer 1933

den „SC Eintracht" gründeten. Von 1943 bis 1946 wurde der Klub viermal in Folge Meister der „German-American Soccer League". Den fünften und letzten Titel gab es 1950. Außerdem gewann Eintracht New York 1944 den National Amateur Cup und 1955 den National Challenge Cup. ◼

2011/12 ■ Nur der Aufstieg zählt

Der Abstieg 2011 traf die Eintracht wie ein Hammer. Jahrelang hatte der Vorstand dafür gesorgt, „dass man mit den wirtschaftlichen Möglichkeiten verantwortungsvoll umgeht", wie der ehemalige DFB-Ligadirektor Wilfried Straub am 15. Mai 2006 im „Kicker" sagte. Als man den nächsten Schritt machen wollte und sich in der oberen Tabellenhälfte etablieren wollte, ging der Schuss nach hinten los. Von den Millionen-einkäufen seit dem Wiederaufstieg 2005 avancierte nur Ioannis Amanatidis zum Füh-rungsspieler, ehe ihn Verletzungen aus der Bahn warfen. Dabei hatte Heribert Bruch-hagen Großes mit ihm vorgehabt und wollte ihn nach dem Ende der aktiven Laufbahn ins Management einbinden. Doch der griechische Nationalspieler hatte sich mit sei-ner offenen Art und der Kritik an seiner Nichtberücksichtigung in der abgelaufenen Saison in die Nesseln gesetzt. Außerdem musste die Eintracht sparen, und so gab es trotz eines noch bis 2012 laufenden Vertrags einen „unrühmliche[n] Abgang" („Frank-furter Rundschau" vom 20. Juli 2011), der dem erst 29-Jährigen allerdings mit einer Abfindung von fast zwei Millionen Euro versüßt wurde. Die Enttäuschung beim Spieler saß dennoch tief: „Bei dieser bedauerlichen Sache gibt es keinen Sieger oder Verlierer" („Kicker" vom 21. Juli 2011).

Derweil wurde an der Mannschaft gebastelt, die die Mission Wiederaufstieg bewerkstelligen sollte. Bis zum Ende der ersten Transferperiode verließen 14 Spie-ler den Klub, dafür wurden zwölf neue verpflichtet. „Der VfL Wolfsburg der 2. Liga", schrieb der „Kicker" am 5. September 2011: „Die Eintracht legte auf dem Transfer-markt kräftig nach … und hat sich damit quasi neu erfunden." Nicht mehr Talente aus der Region waren gefragt, sondern erfahrene Spieler aus aller Welt. Von der Mann-schaft, die 2005 den Aufstieg geschafft hatte, waren nur noch Torhüter Nikolov, Köhler und Meier an Bord. Der neue Trainer Armin Veh stand vor der nicht einfachen Auf-gabe, möglichst schnell aus den verbliebenen und hinzugekommenen Spielern eine Einheit zu formen. Denn eines war klar: Der Aufstieg war Pflicht. „Etwas anderes ließe sich bei einem Verein wie Eintracht Frankfurt auch gar nicht vermitteln", erklärte Veh im „Kicker"-Sonderheft.

Die Erwartungen waren also immens. Sowohl beim Verein, der mit 35.000 Zuschauern kalkulierte, als auch bei den Fans, die erneut 26.000 Dauerkarten kauften. Und dass sich die Massen mobilisieren ließen, zeigte das Derby am 21. August gegen den FSV Frankfurt, zu dem 50.250 Zuschauer in die Commerzbank-Arena strömten. Zum Glück war es ein „Auswärtsspiel", auch wenn 95 % der Zuschauer Eintracht-Fans waren. Denn auswärts, da lief es in den ersten Spielen: 3:2 in Fürth, 3:0 in Braun-schweig, 4:0 „beim" FSV, 3:3 in Cottbus. Dem standen aus den ersten drei Heimspie-len allerdings nur drei Unentschieden gegenüber. Geduld war also gefragt. Auch beim VfB Stuttgart hatte man Veh zu Beginn seiner Amtszeit „regelrecht diffamiert" und als „Übergangslösung" gesehen („Kicker"-Sonderheft „Finale 2006/07"). Als sich der VfB aber gefunden hatte, war er in der Rückrunde nicht mehr zu bremsen und wurde

Meister. Darauf setzte man auch bei der Eintracht. Erfahrene Spieler gab es genug. Und auch noch ein paar junge aus der Region. Sebastian Jung zum Beispiel. Oder Sebastian Rode. Oder Sonny Kittel, der 2010 mit der B-Jugend der Eintracht Deutscher Meister geworden war.

Mit einem Etat von rund 19 Millionen Euro war die Eintracht der Topfavorit der Liga. 15 der 18 Zweitligatrainer waren vom Aufstieg überzeugt, ebenso 72,5 % der „Kicker"-Leser (Umfrage vom 14. Juli 2011). Und auch der neue Sportdirektor Bruno Hübner war optimistisch. „Die Saison ist … lang, … der Aufstieg wird im letzten Drittel der Saison entschieden und die Eintracht wird am Ende aufsteigen", sagte er am 28. Juli 2011 der „Frankfurter Rundschau". Er sollte Recht behalten. Allerdings hatte man einige Male das nötige Quäntchen Glück auf seiner Seite. Schon zum Auftakt beim späteren Meister SpVgg Greuther Fürth hieß es nach 0:2 zur Pause am Ende 3:2, in Cottbus nach 0:2 und 1:3 noch 3:3. In Ingolstadt gelang in der sechsten Minute der Nachspielzeit der Ausgleich. „Spätzünder Eintracht", merkte der „Kicker" am 10. November 2011 an, nachdem in Aue vier Minuten vor Schluss der Siegtreffer gelungen war. In der Schlussviertelstunde hatte die Eintracht bis dahin zwölf ihrer 34 Tore erzielt, in den letzten fünf Minuten sogar acht – beides Liga-Bestwerte. Außerdem hatte man nach der 75. Minute noch keinen Gegentreffer kassiert. Diese Bestmarke fiel zwar im nächsten Heimspiel gegen Alemannia Aachen, doch legte zunächst Hoffer zum 3:1 nach (81.), und in der 89. Minute gelang Matmour der viel umjubelte vierte Treffer – nachdem die Gäste zwischenzeitlich zum 3:3 egalisiert hatten.

Damit war die Eintracht nach 15 Spielen erstmals Tabellenführer! Dennoch verhießen die drei Gegentore nichts Gutes. „Gebetsmühlenartig sage ich Woche für Woche, dass man nichts geschenkt bekommt in der 2. Liga", so Trainer Veh im „Kicker" vom 21. November 2011. „Normalerweise müssten 35 Punkte nach 15 Spielen zu sechs oder sieben Zählern Vorsprung reichen. Diese Saison ist das nicht so." Mit der Eintracht (35 Punkte), der ebenfalls noch ungeschlagenen Düsseldorfer Fortuna (35), der SpVgg Greuther Fürth (33), dem FC St. Pauli (32) und dem SC Paderborn 07 (31) hatte sich eine Fünfergruppe abgesetzt. Da konnte jeder Patzer schlimme Folgen haben.

Und so kam es auch. Beim TSV München 1860 traf Anderson schon nach wenigen Sekunden ins eigene Tor, dann musste Torhüter Nikolov verletzt ausgewechselt werden. Zwar erspielte sich die Eintracht nach der Pause „Chancen im Minutentakt" („Kicker"), scheiterte aber immer wieder am großen Einsatzwillen der „Löwen" und an Torhüter Gabor Kiraly, der sich „im zweiten Abschnitt als unüberwindbares Hindernis" erwies und auch den entscheidenden Konter zum 2:0 nach 67 Minuten einleitete. Gekas' Tor in der 90. Minute kam zu spät – und die Eintracht war die Tabellenführung wieder los. Es sollte noch schlimmer kommen. Zum Rückrundenauftakt kam man zu Hause gegen die SpVgg Greuther Fürth über ein 0:0 nicht hinaus, und eine Woche vor Weihnachten fiel man nach einem 0:2 beim FC St. Pauli sogar auf den Relegationsrang 3 zurück, drei Punkte hinter Düsseldorf (42), einen hinter Fürth (40) und punktgleich mit St. Pauli und Paderborn. Trotz einer „Super-Hinrunde" (Sebastian Jung) sei zuletzt ein „Substanzverlust" (Heribert Bruchhagen) zu beobachten gewesen, weswegen man beim „wankenden Riesen" über Verstärkungen in der Winterpause nachdachte („Kicker" vom 22. Dezember 2011).

Besonders in der Abwehr sah man Handlungsbedarf und verpflichtete mit Amedick vom 1. FC Kaiserslautern und Burtscher vom SC Freiburg zwei bundesligaerfahrene Defensivleute. Dazu kam im Rahmen der Zusammenarbeit mit Manchester City das an Strömsgodset Drammen ausgeliehene ghanaische Nachwuchstalent Mohammed Abu, das aber bereits im März wieder nach Norwegen zurückkehrte. Dagegen platzte in letzter Sekunde der Wunschtransfer des Wolfsburgers Patrick Helmes an den Main, da VfL-Trainer-Manager Felix Magath sein Veto einlegte. Helmes hätte Torjäger Gekas ersetzen sollen, über dessen Verkauf bereits im Sommer nachgedacht worden war. Der Grieche hatte in seinen 19 Zweitligaspielen immerhin sieben Treffer erzielt und ging jetzt für 300.000 Euro zu Samsunspor in die Türkei. Den Verein verließen außerdem mit Bell (zurück nach Mainz) und Tzavellas (an Monaco ausgeliehen) zwei Akteure, die bisher kaum gespielt hatten.

Trotz aller Aktivitäten war die Stimmung Ende Januar nicht die beste, was Sportdirektor Bruno Hübner auch nicht leugnete: „Wir sind jetzt gefordert, wir müssen Glauben und Aufbruch vermitteln. Die Spieler sollen sich keine Gedanken machen, sie sollen nicht zweifeln oder grübeln. Sie sollen einfach ihren Fußball spielen … Wir haben Qualität, die aber von jedem immer wieder zu 100 Prozent abgerufen werden muss. 95 Prozent reichen nicht aus" („Frankfurter Rundschau" vom 26. Januar 2012). Seine Qualität unter Beweis stellte zunächst einmal mehr Alex Meier, der mit zwei Toren für einen gelungenen Auftakt gegen Eintracht Braunschweig sorgte (2:1). Viel Aufregung gab es eine Woche später beim Spiel in Düsseldorf, als der Fortuna erst in der Nachspielzeit durch einen strittigen Elfmeter der Ausgleich gelang, worauf die Emotionen hochkochten. Zum Glück glätteten sich die Wogen rasch wieder, und nach einem 6:1 im Derby gegen den FSV war die Eintracht wieder Spitzenreiter und schien „zurück in der Spur" („Kicker" vom 20. Februar 2012).

Aber wie gewonnen, so zerronnen. Beim 2:4 in Paderborn präsentierte sich die Eintracht „wie ein Schulerteam" (Armin Veh im „Kicker" vom 27. Februar 2012) und war den Platz an der Sonne wieder los. Dermaßen an der Ehre gepackt, riss sich die Mannschaft zusammen und eroberte sich mit fünf Siegen in Serie bei 16:1 Toren die Tabellenführung zurück. Dadurch betrug der Vorsprung nach 28 Spielen auf den Dritten Düsseldorf sieben, auf den Vierten St. Pauli sogar zehn Punkte. „Dank überragender Offensivqualitäten … strebt Eintracht Frankfurt unaufhaltsam der Bundesliga entgegen", schrieb der „Kicker" am 2. April 2012. Doch die Eintracht wäre nicht die Eintracht, wenn sie sich nicht ab und zu selbst ein Bein stellen würde. So gab es am Ostersamstag beim MSV Duisburg zwei faule Eier: 0:2 und eine nachträgliche Sperre für Constant Djakpa wegen eines von Schiedsrichter Steuer (Menden) nicht wahrgenommenen krass sportwidrigen Verhaltens. Und auch im kommenden Heimspiel gegen den FC Ingolstadt 04 kam die Eintracht trotz drückender Überlegenheit über ein 1:1 nicht hinaus, womit sie von der SpVgg Greuther Fürth wieder von der Spitze gedrängt wurde und der Vorsprung auf Düsseldorf auf fünf Punkte zusammengeschmolzen war. Doch schon nach der Niederlage in Duisburg gab sich Armin Veh kämpferisch: „Wir arbeiten das ganze Jahr auf dieses Ziel hin, da kannst du jetzt nicht nachlassen" („Kicker" vom 10. April 2012). Und da auch im Umfeld weiter Euphorie herrschte, kam keine Panik auf.

Am 31. Spieltag fand die Eintracht beim 4:0 gegen Erzgebirge Aue zurück in die Spur. Weil die Fortuna im Montagsspiel bei Dynamo Dresden patzte (1:2), war der Aufstieg auf einmal ganz nah. Ein Sieg noch – und die Eintracht wäre durch! Allerdings ging es zum Tabellenletzten nach Aachen, und in der Historie der Eintracht gibt es genug Beispiele für ein Versagen bei solch einer Konstellation. Doch diesmal wurden Nägel mit Köpfen gemacht. Zweimal Idrissou (45., 47.) und ein Eigentor von Olajengbesi (72.) machten den Wiederaufstieg perfekt und versetzten die 5.000 mitgereisten Fans auf dem Tivoli und Tausende in Frankfurt und Umgebung in Partystimmung. Zumal die Eintracht damit auch wieder an der Tabellenspitze stand, nachdem der FSV den Fürthern schon am Freitag zuvor ein 1:1 abgetrotzt hatte.

Mit dem Aufstieg war das Saisonziel erreicht, und allen fiel ein Riesenstein vom Herzen. Das Erreichen eines gesteckten Ziels bewirkt allerdings bisweilen auch ein Nachlassen bei Motivation und Konzentration. So endete die angedachte große Aufstiegsparty gegen den TSV München 1860 mit einer 0:2-Niederlage, einer Roten Karte gegen Abwehrspieler Djakpa, einem Platzsturm und Rangeleien mit der Polizei. Damit verspielte die Eintracht nicht nur die Tabellenführung, sondern verpasste es auch, erstmals seit 1973/74 (!) ohne Heimniederlage durch eine Saison zu kommen. So blieben nach dem abschließenden 0:1 beim Drittletzten Karlsruher SC eine Menge Fragen offen. Als erste wurde die Trainerfrage gelöst, denn Armin Veh verlängerte am 2. Mai, nur drei Tage nach dem letzten Spiel, für ein weiteres Jahr bei der Eintracht. Ihn mag die verpasste Meisterschaft am meisten gewurmt haben, schließlich war er vorher nicht nur Deutscher Meister (2007 mit dem VfB Stuttgart) geworden, sondern auch Bayernliga- (1994 mit dem FC Augsburg) und Regionalliga-Meister (2000 mit dem SSV Reutlingen). „Nur die Meisterschaft in der zweiten Liga fehlt mir noch", hatte er vor der Saison verraten. „Dann hätte ich in allen Klassen die Meisterschaft geholt. Das ist auch ein Ziel für mich. Das haben auch noch nicht viele geschafft" („Frankfurter Rundschau" vom 14. Juli 2011).

Doch das war Schnee von gestern. Der Blick ging nach vorne. Für die Bundesliga, da waren sich alle Experten einig, musste nachgerüstet werden. Eintracht-Ikone und Weltmeister Jürgen Grabowski sah Bedarf „in jedem Mannschaftsteil", denn „die Bundesliga ist eine andere Hausnummer … Es müssen nicht auf Teufel komm raus Schulden gemacht werden. Aber es muss investiert werden. In Frankfurt herrscht eine Aufbruchstimmung. Die Leute wollen sich nicht mit Platz 15 oder 16 begnügen" („Kicker" vom 30. April 2012). Doch woher das nötige Kleingeld nehmen? Der scheidende Finanzvorstand Thomas Pröckl bezifferte die Kosten des Abstiegs auf rund elf Millio-

Armin Veh und Bruno Hübner verabschieden sich nach dem triumphalen 3:0 in Aachen von den 5.000 mitgereisten Fans.

nen Euro – mehr als doppelt so viel wie vor der Zweitliga-Saison kalkuliert („Frankfurter Rundschau" vom 22. Mai 2012). Erschwerend kam hinzu, dass man nach dem Ausstieg des langjährigen Trikotsponsors Fraport noch keinen Nachfolger für die Saison 2012/13 gefunden hatte. Nach den bereits getätigten Transfers von Torhüter Kevin Trapp (für 1,5 Millionen Euro vom 1. FC Kaiserslautern), Stefano Celozzi (ablösefrei vom VfB Stuttgart) und Stefan Aigner (ablösefrei vom TSV München 1860) sollten noch sechs weitere Spieler geholt werden, wofür sechs Millionen Euro zur Verfügung standen („Frankfurter Rundschau" vom 12./13. Mai 2012). Weiteres Kapital sollte durch den Verkauf von Spielern generiert werden. Erste Kandidaten waren Rob Friend (für den durch den Aufstieg 1,5 Millionen Euro Ablöse an Hertha BSC fällig wurden!), Georgios Tzavellas, Constant Djakpa und der erst im Januar verpflichtete Martin Amedick. Außerdem bestand Gesprächsbedarf bezüglich der Leihspieler Bamba Anderson und Erwin Hoffer mit Borussia Mönchengladbach und dem SSC Neapel.

2012/13 ■ Durchmarsch nach Europa

Beim Trainingsauftakt Anfang Juli wurden den 2.000 Neugierigen mit dem Japaner Takashi Inui (für 1,2 Mio. Euro vom VfL Bochum) und dem Kanadier Olivier Occean (für 1,3 Mio. von der SpVgg Greuther Fürth) zwei Neuzugänge präsentiert. Allerdings mahnte Trainer Veh weitere Verstärkungen an, da Amedick wegen eines Burnout-Syndroms für längere Zeit ausfiel, der Poker um Bamba Anderson erst Ende des Monats gegen Zahlung von 800.000 Euro an Borussia Mönchengladbach gelöst werden konnte und Gordon Schildenfeld kurzfristig für 1,5 Millionen Euro an Dynamo Moskau abgegeben wurde. „Ich verlange nichts Utopisches, nur etwas Notwendiges", sagte Veh dem „Kicker" nach dem Test gegen den österreichischen Zweitligisten Blau-Weiß Linz (3:2), bei dem die Defensive keinen sattelfesten Eindruck machte.

Ins Trainingslager nach Österreich war die Eintracht mit neuen Trikots im 1950er-Jahre-Look, aber noch ohne neuen Trikotsponsor gereist. Diese Lücke füllte die Brauerei Krombacher, die sich das einjährige Engagement 5,5 Millionen Euro kosten ließ. Eine halbe Million davon wurde in den norwegischen Abwehrspieler Vadim Demidov (Real Sociedad San Sebastian) investiert. Abgegeben wurde Mohamadou Idrissou für 450.000 Euro an den 1. FC Kaiserslautern. Der Kameruner hatte zwar mit 14 Toren maßgeblich zum Aufstieg beigetragen, galt aber als schwieriger Charakter. Außerdem wurde der Kader mit dem Peruaner Carlos Zambrano (für 1,2 Mio. Euro vom FC St. Pauli) und dem Kameruner Dorge Kouemaha (für 300.000 Euro vom FC Brügge ausgeliehen) weiter verstärkt. Daher war Kapitän Pirmin Schwegler nach dem abschließenden Test gegen den FC Valencia (4:2) sehr optimistisch: „Wenn wir zusammenbleiben, ist das Potential enorm. Die Zukunft der Eintracht sieht relativ gut aus" („Kicker" vom 16. August 2012).

Drei Tage später war alles wieder in Frage gestellt, denn beim Zweitligisten Erzgebirge Aue flog man mit Pauken und Trompeten aus dem Pokal. Schon nach 19 Minuten lag die Eintracht 0:1 hinten, nachdem Trapp einen Elfmeter verursacht hatte und dafür Rot sah. Danach ging bei tropischen Temperaturen nichts mehr. Am Ende hieß es 0:3. Das war ernüchternd, zumal man an den ersten Bundesliga-Gegner Bayer Leverkusen keine guten Erinnerungen hatte. Schon bei den Aufstiegen 2003 und 2005 traf die Eintracht im ersten Heimspiel auf die Werkself und unterlag beide Male trotz couragiertem Auftritt und Führung mit 1:2 und 1:4. Zu den sportlichen Sorgen gesellte sich ein weiteres Problem. Nach den Vorkommnissen in den letzten drei Zweitligaspielen hatte der DFB einen Teilausschluss der Zuschauer für den Saisonauftakt verhängt. Immerhin erreichte die Eintracht, dass alle Dauerkartenbesucher dabeisein konnten. Auf die Unterstützung der Nordwestkurve musste allerdings verzichtet werden. Sie blieb geschlossen. Außerdem war eine Geldstrafe in Höhe von 100.000 Euro fällig.

Auch auf dem Platz lief es zunächst nicht gut für die Eintracht, da Schiedsrichter Kinhöfer aus Herne ein Tor von Aigner nicht anerkannte (23.) und beim harten Einsteigen von Torhüter Leno gegen Meier (39.) nicht auf Elfmeter entschied. So hieß es zur Pause 0:1. Doch die Mannschaft steckte nicht auf und belohnte sich für eine tolle Leistung, die ihr nur wenige zugetraut hatten. Nach Aigners Ausgleich (57.) versetzte Lanig die Eintracht-Fans unter den 27.950 Zuschauern acht Minuten vor Schluss in helle Begeisterung. Die Eintracht hatte ein Ausrufezeichen gesetzt. Was noch keiner ahnte: Es sollten weitere folgen!

Bei der TSG Hoffenheim gelang der zweite Streich. „Leicht und locker", beschrieb der „Kicker" das 4:0 der „neuen Eintracht". Auch der Hamburger SV bekam die „neue Frankfurter Schule" zu spüren (3:2). Mit einem 2:1 im Freitagsspiel beim 1. FC Nürnberg kletterte die Eintracht dann für 24 Stunden sogar an die Tabellenspitze. Außerdem wurde ein neuer Startrekord aufgestellt: Noch nie war die Eintracht mit vier Siegen in eine Bundesliga-Saison gestartet! Vor der „Meister-Prüfung" gegen Titelverteidiger Borussia Dortmund wollte es der „Kicker" wissen: „Wo landet Frankfurt?" 68,4 % erwarteten die Eintracht im Mittelfeld, 11,8 % trauten ihr die Europapokal-Qualifikation zu und 9,1 % sogar den Titel („Kicker" vom 24. und 27. September 2012).

Gegen den BVB riss zwar die Siegesserie, doch die 51.500 Zuschauer gingen begeistert nach Hause. Sie hatten ein „Spektakel pur" gesehen, „unglaubliches Tempo, rasante Umschaltaktionen, dramatische Strafraumszenen, tolle Tore. Fußball mit schnellen Ballwechseln wie im Tennis!" („Kicker" vom 27. September 2012). Ein 0:2 zur Pause hatten Aigner und Inui egalisiert (49., 51.). Zwar ging der BVB nochmals in Führung (54.), doch Anderson sorgte für ein leistungsgerechtes 3:3. Nach dem folgenden 2:1 gegen den SC Freiburg blieb man weiterhin erster Bayern-Verfolger. Der zweifache Torschütze Alex Meier hob allerdings mahnend den Finger und erinnerte an die „tasmanische Rückrunde" im Abstiegsjahr.

So gab es in Mönchengladbach mit 0:2 die erste Niederlage, doch noch konnten Auswärtsniederlagen mit Heimsiegen kompensiert werden, so dass die Eintracht nach einem 4:2 gegen den FC Augsburg nach zwölf Spielen mit 23 Punkten Dritter war. Ein 1:1 beim punktgleichen Zweiten FC Schalke 04 weckte Hoffnungen auf mehr. „Dass wir nach 13 Spieltagen so weit oben stehen, ist kein Zufall. Wir haben unsere Leistung über einen langen Zeitraum bestätigt", erklärte Armin Veh („Frankfurter Rundschau" vom 26. November 2012). Doch just vor dem prestigeträchtigen Heimspiel gegen Mainz gingen der Eintracht die Spieler aus. Anderson hatte sich in Gelsenkirchen eine Bauchmuskelverletzung zugezogen, Matmour Gelb-Rot gesehen und der eingewechselte Occean erneut eine bedenkliche Vorstellung abgeliefert. So gab es mit 1:3 die erst zweite Heimniederlage in der Ära Veh. Außerdem sahen Schwegler und Zambrano ihre fünfte Gelbe Karte und waren für das Spiel in Düsseldorf gesperrt. Als Matmour dort nach 34 Minuten erneut (!) Gelb-Rot sah, war es um die Eintracht geschehen. 0:4 hieß es am Ende beim Mitaufsteiger. Wieder gab es Rufe nach Verstärkungen. Heribert Bruchhagen appellierte daher auf der Jahreshauptversammlung des e. V., „das Delta zwischen Erwartungshaltung und Realität möglichst klein zu halten – auch wenn es in der Stadt der Hochhäuser und Banken schwer ist" („Frankfurter Rundschau" vom 4. Dezember 2012).

Schon nach dem 1:1 gegen Mitaufsteiger SpVgg Greuther Fürth hatte Sportdirektor Bruno Hübner erklärt, dass man auf hohem Niveau jammere („Frankfurter Rundschau" vom 6. November 2012), und auch jetzt sah Pirmin Schwegler „keinen, der an sich zweifelt" („FR"-Beilage „Heimspiel" vom 8./9. Dezember 2012). „Wir haben viel Kraft gelassen in den Spielen zuvor, da sind wir über unsere Grenzen gegangen und haben absoluten Powerfußball gespielt … Wir wollen ein tolles Jahr gut abschließen." Der Kapitän sollte Recht behalten. Beim 4:1 gegen Werder Bremen wurde wieder an die Leistungen des ersten Saisondrittels angeknüpft. Am „Ende einer herausragenden Hinserie" blieb die Eintracht beim VfL Wolfsburg erstmals seit dem zweiten Spieltag wieder ohne Gegentor (2:0), setzte „ein weiteres Glanzlicht" und spielte „wie aus einem Guss, der Ball zirkulierte mit einer Selbstverständlichkeit, die staunen machte" („Frankfurter Rundschau" vom 17. Dezember 2012). Mit 30 Punkten wurde auf Platz vier überwintert.

Spitze war die Eintracht auch in den traditionellen Rankings des „Kicker". So belegte man in der Einkaufstabelle der Bundesliga Platz 1 („Kicker" vom 20. Dezember 2012). Gleich viermal vergab das Fachblatt die Höchstpunktzahl 10 an Kevin Trapp, Takashi Inui, Stefan Aigner und Bastian Oczipka. Auch bei den Bundesligaprofis genoss die Eintracht große Wertschätzung. Armin Veh wurde mit 39,2 % zum „Gewinner unter den Trainern" gekürt, Sebastian Rode mit 19,5 % zum „Aufsteiger der Hinrunde" (vor Alexander Meier mit 15,4 %). Kevin Trapp landete mit 18,8 % auf Platz 2 bei den besten Torhütern, und 50 % sahen in Eintracht Frankfurt die „positive Überraschung der Hinrunde" („Kicker" vom 31. Dezember 2012 und 7. Januar 2013).

Auch das Saisonziel wurde nach oben korrigiert. Während Trainer Veh weiter von 40 Punkten und dem Klassenerhalt sprach, preschte Vorstandschef Heribert Bruchhagen vor: „52, 53 Punkte langen zu Platz sieben" („Kicker" vom 7. Januar 2013). Am Ende langten 51 Punkte zu Platz sechs. Tests im Trainingslager in Abu Dhabi gegen Al Jazira (4:5) und Borussia Mönchengladbach (2:3) offenbarten aber erneut Defizite in Abwehr und Angriff. Zwar verfügte die Eintracht über das torgefährlichste Mittelfeld der Liga (Meier 11, Aigner 6, Inui 5 Tore), doch nur drei der 33 Hinrundentore hatten Stürmer erzielt. Bevor der Kroate Srdjan Lakic für 300.000 Euro vom VfL Wolfsburg ausgeliehen werden konnte, gingen drei andere Angreifer von Bord: Rob Friend (an den TSV München 1860 verliehen), Erwin Hoffer (1. FC Kaiserslautern) und Dorge Kouemaha (Gaziantepspor). Auch der erst vor der Saison verpflichtete Vadim Demidov wurde für 100.000 Euro an Celta Vigo ausgeliehen. Wehmut kam beim Abschied von Benjamin Köhler auf, der seit 2004 alle Höhen und Tiefen mitgemacht hatte und in 258 Pflichtspielen (33 Tore) auf fast allen Positionen (außer Torhüter) eingesetzt worden war. Er wechselte für 300.000 Euro zum 1. FC Kaiserslautern. Dafür kehrte Marco Russ nach anderthalb Jahren in Wolfsburg an den Main zurück.

Der Rückrundenauftakt in Leverkusen endete desaströs. Schmerzlicher als die 1:3-Niederlage war der Auftritt eines Teils der mitgereisten Fans, die nach einer Viertel-

Die „Säulen der Eintracht" im Frankfurter Untergrund. Bei der Einweihung dabei waren „Charly" Körbel, Bum-kun Cha, Tony Yeboah, Bernd Hölzenbein und Uwe Bindewald.

stunde durch das Abbrennen von Feuerwerkskörpern für eine siebenminütige Unterbrechung sorgten. „Die Aktion war in jederlei Hinsicht kontraproduktiv, für das Spiel, die Debatte und das Ansehen der Eintracht-Fans", ärgerte sich Finanzvorstand Axel Hellmann („Kicker" vom 21. Januar 2013). Denn bis zur Unterbrechung hatte die Eintracht alles im Griff, verlor nach Wiederbeginn aber völlig den Faden.

Wehmütig erinnerte sich die Fangemeinde ein paar Tage später an die Größen vergangener Tage, als in der U-Bahn-Station Willy-Brandt-Platz die „Säulen der Eintracht" enthüllt wurden. Über 15.000 Fans hatten im Zusammenspiel mit der VGF folgendes Dream-Team gewählt: Oka Nikolov – Uwe Bindewald, Karl-Heinz Körbel, Bruno Pezzey – Jay-Jay Okocha, Alexander Schur, Jürgen Grabowski, Uwe Bein – Bernd Höl-

Die Fanorganisation Nordwestkurve widmete Oka Nikolov zum Abschied ein T-Shirt. Oka war 1991 von Darmstadt 98 an den Riederwald gewechselt und bestritt 415 Profispiele für die Eintracht. Im Sommer 2013 wechselte er zu Philadelphia Union in die USA.

zenbein, Anthony Yeboah, Bum-kun Cha – Trainer: Jörg Berger. Der Koreaner und der Ghanaer waren sogar eigens zur Ehrung nach Frankfurt gekommen. Und Yeboah war sich sicher: „Diese Mannschaft würde Champions League spielen" („Frankfurter Rundschau" vom 24. Januar 2013).

Doch zunächst ging es gegen die TSG Hoffenheim, wobei beim 2:1-Sieg erneut zwei Mittelfeldspieler (Lanig und Aigner) den Traum von Europa aufrechthielten. Beim Hamburger SV gab dann Lakic sein Debüt im Adler-Trikot. Und was für eines! Er kam, sah und traf zweimal beim 2:0 an der Waterkant. Es schien, als solle sich die Hinrunde wiederholen. Es schien aber nur so. Denn plötzlich traf die Eintracht nicht mehr. Selbst als Stefan Aigner die Torflaute nach 521 Minuten gegen den VfB Stuttgart beendete, nutzte es wenig,

denn die Schwaben gewannen 2:1. Zwar war man weiterhin Vierter, allerdings waren die Verfolger nach nur drei Pünktchen aus sechs Spielen bedenklich nahe gerückt.

Ausgerechnet in dieser Situation brach sich Torhüter Kevin Trapp bei einer PR-Veranstaltung des DFB die Hand und fiel für den Rest der Saison aus. Es sollte bis Ende Juli 2014 (!) dauern, bevor es zu einer Einigung mit dem Verband kam, der eine Entschädigung zwischen 500.000 („Kicker" vom 16. Mai 2013) und 700.000 Euro („Frankfurter Rundschau" vom 12. Dezember 2013) zahlte. So kehrte Oka Nikolov, der seit dem Pokalspiel in Aue nicht mehr gespielt hatte, ins Eintracht-Tor zurück. Durch ein glanzloses 3:2 bei Schlusslicht SpVgg Greuther Fürth wurde am Ostersonntag die 40-Punkte-Marke übersprungen, und jetzt war der Europapokal auch für Armin Veh ein Thema. Doch zwei Niederlagen gegen Bayern München (0:1) und in Vehs Geburtsstadt Augsburg (0:2) warfen das Team wieder zurück. Vor dem „Endspiel um Platz vier" gegen Schalke schien der Mannschaft plötzlich die Luft auszugehen („Kicker" vom 15. April 2013). Spät, aber gerade noch rechtzeitig, fand die Eintracht zurück in die Spur. Beim 1:0 gegen die Westdeutschen war Oka Nikolov der Matchwinner. Er parierte einen Handelfmeter von Bastos und hielt „mit Glanztaten in Serie den Sieg fest" („Kicker" vom 22. April 2013). Durch ein 0:0 in Mainz und ein 3:1 gegen Fortuna Düsseldorf stieß man die Tür nach Europa wieder ganz weit auf.

Bei Werder Bremen rettete Lakic einen Punkt (1:1). Da die Konkurrenz aber nicht schlief, war die Eintracht vor dem letzten Spiel gegen den VfL Wolfsburg mit 50 Punkten Sechster. Freiburg war mit 51 Punkten vorbeigezogen, und von hinten spürte man den heißen Atem des HSV, der mit 48 Punkten Siebter war. Platz vier war nur noch theoretisch möglich, da Schalke (52 Punkte) nach Freiburg musste und die bessere Tordifferenz hatte. Klar war, dass ein Punkt gegen Wolfsburg reichen würde. Allerdings hätte keiner erwartet, dass es ein Tanz auf der Rasierklinge werden würde. Die Eintracht wirkte wie gelähmt und lag nach 19 Minuten 0:2 zurück. Meier verkürzte vor der Pause per Foulelfmeter, aber selbst gegen zehn Wolfsburger (Hasebe hatte für die Notbremse gegen Inui Rot gesehen) wollte nichts gelingen. Nach 66 Minuten schied sogar Torhüter Nikolov verletzt aus und musste durch den Debütanten Aykut Özer ersetzt werden. Sollte das große Ziel in letzter Sekunde noch verpasst werden? Dann die 90. Minute. Es machte „bong", und auf dem Videowürfel wurde ein Treffer aus Hamburg gemeldet: 0:1 Kießling. Das Stadion glich einem Tollhaus. Und während die Fans auf den Tribünen noch jubelten, folgte der nächste Schlag: Einen weiten Ball von Pirmin Schwegler köpfte Rodriguez am herausstürzenden Torhüter Benaglio vorbei ins eigene Netz – 2:2. Schluss, aus, Ende. Die Eintracht war in der Europa League! Armin Veh fasste den Zustand der Mannschaft nach diesem Herzschlagfinale treffend zusammen: „Ich bin jetzt auch platt!" („Kicker" vom 21. Mai 2013).

2013/14 ■ Die Eintracht als Pendler zwischen den Welten

Der Einzug in die Europa League versetzte die ganze Region in einen kollektiven Fußball-Rausch. Als Erster mahnte Trainer Veh Besonnenheit an: „Wir müssen sachlich bleiben. Träumereien nutzen niemandem … Nächste Saison wieder um einen Europa-League-Platz mitzuspielen, ist normalerweise nicht drin. Zwingend ist, uns in der Breite zu verstärken. Wenn wir das nicht tun …, kann es in der neuen Saison gefährlich werden" („Kicker" vom 23. Mai 2013). Als Neuzugänge standen bereits Johannes Flum und Jan Rosenthal vom SC Freiburg fest. Zwei Mittelfeldspieler. Auch Kapitän Schwegler konnte trotz Ausstiegsklausel gehalten werden. Nach den Erfahrungen der letzten Saison lag der größte Nachholbedarf aber im Angriff. Hier sollte ein Total-Umbau erfolgen.

An den 1. FC Kaiserslautern abgegeben wurden Matmour und Occean. Dafür wurde der Spanier Joselu für 750.000 Euro von der TSG Hoffenheim ausgeliehen. Wesentlich schwieriger gestaltete sich die Suche nach einem weiteren Stürmer. Vaclav Kadlec stand mit Sparta Prag wie die Eintracht in der Europa-League-Qualifikation. Nach langem Tauziehen konnte der 21-jährige tschechische Nationalspieler jedoch im August für 3,5 Millionen Euro verpflichtet werden. Kurzzeitig hatte man auch mit Nicklas Bendtner vom FC Arsenal geliebäugelt, doch hätte der 25-jährige Däne den finanziellen Rahmen gesprengt, und außerdem schienen „Restzweifel über die sportliche Qualität und menschliche Integrität durchaus angebracht" („Frankfurter Rundschau" vom 12. Juli 2013).

Als neuer Trikotsponsor konnte Alfa Romeo für 6 Millionen Euro jährlich gewonnen werden. Außerdem war die „Bandenwerbung verkauft, die mehr als 2.100 Business-Seats ebenfalls, und auch 50 von 78 Logen" („Frankfurter Rundschau" vom 4. Juli 2013). Sehr gut lief auch der Vorverkauf für die Europa-League-Play-offs, obwohl weder der Gegner noch der Termin für das Heimspiel feststanden! Außerdem meldete sich Kevin Trapp beim 3:2 im Test gegen den österreichischen Zweit-

ligisten SKN St. Pölten wieder im Eintracht-Tor zurück. Sorgen bereitete aber der Spielplan, der der Eintracht in den ersten sechs Spielen vier Auswärtsspiele und in den beiden Heimspielen mit Bayern München und Borussia Dortmund die beiden Champions-League-Finalisten von Wembley bescherte. Selbst der alte Fuchs Bruchhagen war sprachlos: „Das muss jemand gemacht haben, der es nicht gut meint mit der Eintracht. Alles, was man sich nicht wünscht, ist eingetreten" („Frankfurter Neue Presse" vom 22. Juni 2013).

Ganz und gar nicht nach Wunsch verlief auch der Saisonstart. Mit 2:0 wurde zwar die erste Pokalhürde beim Regionalligisten FV Illertissen genommen, doch zum Bundesligaauftakt bei Hertha BSC gab es ein peinliches 1:6, die Rote Laterne und die bange Frage, ob man nur „einen rabenschwarzen Tag" erwischt hatte (Bruno Hübner) oder „ein schwarzer August" drohe. Trainer Veh beschönigte nichts: „Wenn wir so gegen die Bayern spielen, kriegen wir zehn Stück" („Kicker" vom 12. August 2013). Doch beim 0:1 gegen den Triple-Sieger zog sich die Eintracht achtbar aus der Affäre und haderte zudem mit Schiedsrichter Gagelmann, der in der 42. Minute ein Tor von Meier nicht anerkannte und in der Nachspielzeit nicht auf Elfmeter entschied, als Boateng Meier im Strafraum von hinten schubste und dies später sogar einräumte.

Dennoch fuhr die Eintracht moralisch gestärkt nach Baku zur Europa-League-Premiere gegen Qarabag Agdam. Dort traf man auf alte Bekannte, die beim aserbaidschanischen Verband tätig waren: Ex-Co-Trainer Bernhard Lippert als Sportdirektor und Uli Stein als Torwarttrainer der von Berti Vogts betreuten Nationalmannschaft.

Beeindruckende Choreographie der Eintracht-Fans vor dem Europa-League-Heimspiel gegen den FC Porto.

Alex Meier sicherte mit zwei Treffern (5., 75.) vor ausverkauftem Haus den Sieg. Mit einem 2:1 im Rückspiel zog die Eintracht in die Gruppenphase ein, für die man Girondins Bordeaux, APOEL Nikosia und Maccabi Tel Aviv zugelost bekam. Zwischendurch gelang bei Aufsteiger Eintracht Braunschweig auch der erste Bundesligasieg (2:0), mit dem man auf Platz 11 kletterte. Zu einer besseren Platzierung sollte es in der gesamten Saison nicht reichen. Fast prophetisch die Schlagzeile der „Frankfurter Rundschau" nach dem 2:0 in Baku: „Eintracht Frankfurt pendelt zwischen den Welten, zwischen Europapokal und Ligaalltag." Für Armin Veh war die Bundesliga dabei „das wichtigste Gut" („Frankfurter Rundschau" vom 24./25. August 2013). Die Fans allerdings genossen das Abenteuer Europa League. Bereits nach Baku hatten sich rund 800 von ihnen auf teilweise abenteuerlichen Wegen aufgemacht.

Bei der folgenden Heimniederlage gegen Borussia Dortmund (1:2) erzielte Debütant Vaclav Kadlec seinen ersten Treffer im Eintracht-Trikot, dem er beim 3:0 in Bremen zwei weitere folgen ließ. Und als gegen Girondins Bordeaux ein grandioser Start in die Gruppenphase der Europa League gelang (3:0), schienen die Startschwierigkeiten beseitigt. Doch während es international weiter hervorragend lief, blieb die Eintracht in der Bundesliga in den nächsten zehn (!) Spielen ohne Sieg und holte dabei nur fünf Punkte. Erst nach Abschluss der Gruppenphase der Europa League, aus der man sich als Gruppensieger für die Zwischenrunde qualifizierte, gelang bei Bayer Leverkusen ein überraschender Sieg (1:0). Mit einem 1:1 gegen den FC Augsburg beendete die Eintracht die Hinrunde ohne Heimsieg auf Platz 15.

Für das magere Abschneiden gab es mehrere Gründe. Mit Jung, Rosenthal, Oczipka, Aigner, Meier, Russ, Rode und Schwegler fielen wichtige Stammspieler zeitweise verletzt aus. Weiterhin nicht gelöst waren auch die Probleme im Angriff. Kadlec traf nach seinen drei Toren in den ersten beiden Spielen bis Weihnachten in der Bundesliga nur noch einmal, Lakic in acht Kurzeinsätzen überhaupt nicht und Joselu war nach der Katastrophe von Berlin von Trainer Veh nur noch selten berücksichtigt worden. Erst im Heimspiel gegen Schalke war er wieder von Beginn an dabei und erzielte prompt zwei Tore. Das größte Manko waren jedoch die vielen Gegentore in der Schlussphase. Insgesamt sechs Mal klingelte es in den letzten zehn Minuten im Eintracht-Gehäuse, was zehn Punkte kostete. Statt mit 25 Zählern auf Platz acht lag man nur einen Punkt vor dem Relegationsrang 16. Bemängelt wurde vor allem die zu geringe Laufleistung. Konditionstrainer Christian Kolodziej sah jedoch eher „mentale Ermüdung" statt „physischer Schwäche" als Grund für die späten Gegentore („Frankfurter Rundschau" vom 12. November 2013). Bestes Beispiel war das Heimspiel gegen Schalke, in dem die Eintracht 5,1 Kilometer mehr lief als der Gegner, aus einem 0:2 binnen zwölf Minuten ein 3:2 machte, um dann in der 86. Minute doch wieder den Ausgleich zu kassieren.

So führte kein Weg daran vorbei, dass die Eintracht tief im Abstiegskampf steckte. „Die Tabelle lügt nicht", sagte Alex Meier am 4. November 2013 im „Kicker". Die Mehrbelastung durch die Europa League sei man „nicht gewohnt. Sie darf [aber] auch kein Alibi sein" („Kicker" vom 12. Dezember 2013). Das Halbjahreszeugnis fiel diesmal schlechter aus als in den letzten beiden Jahren. Note 4, ausreichend, urteilte die „Frankfurter Rundschau" zu Weihnachten. Eine Parallele zur Abstiegssaison 2010/11 sah Vorstandschef Heribert Bruchhagen dennoch nicht. „Damals haben wir zu spät erkannt, wie prekär die Situation ist" („Frankfurter Rundschau" vom 9. Dezember 2013).

So wurde in der Winterpause mit dem vereinslosen Alexander Madlung (zuletzt VfL Wolfsburg) und Tobias Weis (für 100.000 Euro von der TSG Hoffenheim) die Defensive gestärkt. Den Klub verließen der erst zu Saisonbeginn von Borussia Dortmund verpflichtete Marvin Bakalorz (SC Paderborn 07) und Stürmer Srdjan Lakic (1. FC Kaiserslautern). Armin Veh jedenfalls sah die Eintracht gut gerüstet für die Rückrunde. Doch „auch im Sommer wähnte sich die Eintracht auf einem guten Weg – und kam dann in Berlin unter die Räder" („Frankfurter Rundschau" vom 24. Januar 2014). Großes Aufatmen daher nach dem 1:0 gegen Hertha BSC, dem ersten Heimsieg seit dem 3:1 gegen Fortuna Düsseldorf im Mai 2013 (!), und dem 3:0 gegen Eintracht Braunschweig. Dafür wurden die Auswärtsspiele in München (0:5) und Dortmund (0:4) abgehakt, da der Trainer auf gelbgefährdete Spieler verzichtet hatte. Gegen den BVB platzten auch die Träume vom Einzug ins Halbfinale des DFB-Pokals. Aubameyang erzielte in der 83. Minute das Tor des Tages.

Ganz unglücklich schied man in der Europa League gegen den FC Porto aus. Vor fast 7.000 mitgereisten Fans hatte die Eintracht beim portugiesischen Meister und Champions-League-Absteiger durch Joselu und ein Eigentor von Alex Sandro ein 0:2 egalisiert. Und als Aigner (37.) und Meier (52.) im Rückspiel ein 2:0 vorlegten, standen alle Zeichen auf Weiterkommen. Doch diesmal drehte Porto den Spieß um. Mangala (58., 71.) glich aus. Meier brachte die Eintracht zwar erneut in Führung (76.), doch vier Minuten vor Schluss beendete Ghilas mit dem 3:3 das Europapokal-Abenteuer. Von zehn Europa-League-Spielen hatte die Eintracht sieben gewonnen und nur eines verloren (2:4 in Tel Aviv). Aufgrund der Auswärtstorregel auszuscheiden, war bitter. Zudem zog sich Sebastian Rode in Porto einen Knorpelschaden im Knie zu und fiel für den Rest der Saison aus.

Dafür hatte die Eintracht im folgenden Heimspiel gegen den VfB Stuttgart endlich einmal Glück. Der VfB führte lange mit 1:0, doch nach Rosenthals Ausgleich (80.) erzielte Meier eine Minute vor Schluss das 2:1. Die Freude währte jedoch kurz, denn einen Tag später wurde publik, dass Trainer Veh seinen Vertrag bei der Eintracht nicht verlängern würde. Der Fakt an sich war weniger überraschend als der Zeitpunkt der Bekanntgabe. Seine Entscheidung habe Veh den Eintracht-Oberen schon im Trainingslager in Abu Dhabi mitgeteilt, hieß es. Hauptgrund war die fehlende sportliche Perspektive. „Die versuchen alles, geben alles. Ich kann ihnen überhaupt keinen Vorwurf machen. Aber es sind Grenzen da. Das sind nicht unbedingt meine Ziele" („Frankfurter Rundschau" vom 4. März 2014). So stand die Eintracht nach einem 1:1 beim HSV und einem ernüchterndes 1:4 gegen den SC Freiburg vor dem Spiel beim 1. FC Nürnberg wieder mit dem Rücken an der Wand.

Mit einem 5:2 beim „Club" und einem 1:0 gegen Borussia Mönchengladbach verschaffte sich die Eintracht ein Acht-Punkte-Polster auf die Abstiegsränge. Auch in Wolfsburg schien man auf der Siegesstraße, doch verweigerte Schiedsrichter Gagelmann (!) der Eintracht das 2:0 wegen angeblichem Abseits. So stand man am Ende mit leeren Händen da, da Naldo nach Olics Ausgleich (69.) kurz vor Schluss mit einem

Nach dem letzten Spiel in Augsburg wurder der scheidende Trainer Armin Veh von den Fans gefeiert.

Sonntagsschuss aus 35 Metern noch der Siegtreffer gelang. Da das Schlusstrio Hamburger SV, 1. FC Nürnberg und Eintracht Braunschweig in den letzten fünf Spielen nicht mehr punktete, bedeutete das 2:0 gegen Mainz am 29. Spieltag rückblickend bereits den Klassenerhalt.

Aber auch bei der Eintracht ging danach nicht mehr viel. Lediglich in Hoffenheim wurde noch gepunktet, womit die Klasse endgültig gesichert war. Das 0:0 rettete einmal mehr Torhüter Trapp, der in der 85. Minute einen Foulelfmeter von Roberto Firmino parierte. So beendete die Eintracht eine an Höhepunkten zwar nicht arme, in der Bundesliga aber doch eher enttäuschende Saison mit einem 1:2 in Augsburg auf Platz 13. Nach dem Spiel feierte Armin Veh die mitgereisten Fans – und diese ihn. In einer Beziehung hatte der scheidende Trainer Recht behalten: Die Eintracht war „kein dauerhafter Aspirant auf die Europa-League-Plätze". Nicht zuletzt auch deshalb, weil sie, „was das Budget anbelangt, in den nächsten Jahren nicht ansatzweise an acht, neun Klubs herankommen" könne („Kicker" vom 23. Mai 2013). Aus eben diesen Gründen musste man im Sommer 2014 nach Sebastian Rode (ablösefrei zu Bayern München) auch Sebastian Jung (für 3 Mio. Euro zum VfL Wolfsburg) und Pirmin Schwegler (für 1,2 Mio. zur TSG Hoffenheim) ziehen lassen. Erneut stand der Klub vor einem personellen Umbruch und einer ungewissen sportlichen Zukunft. Auch dies hatte Veh kommen gesehen: „Wir müssen in Momenten leben … Wenn dieses Jahr kein Spieler geht, passiert es vielleicht 2014. Das ist unser Los" („Kicker" vom 23. Mai 2013).

Der Abgang von drei Schlüsselspielern war auch nicht hilfreich bei der Suche nach einem neuen Coach. Kaum war Vehs Abschied verkündet, lief die Gerüchteküche heiß. Markus Babbel war der erste Name in der Verlosung. Charly Körbel brachte Thomas Schaaf ins Gespräch. Es folgten Roger Schmidt, Kosta Runjaic, Markus Weinzierl, Uwe Rösler, Thorsten Fink, doch „eine schnelle Lösung zeichnet sich indes nicht ab" (Bruno Hübner am 7. April 2014 im „Kicker"). Besonders bei Schmidt waren die Gespräche weit gediehen, doch der Trainer von RB Salzburg zog Bayer Leverkusen vor. Nach seiner Absage waren plötzlich auch Roberto Di Matteo, Bernd Schuster, André Breitenreiter, Frank Kramer sowie Murat Yakin Kandidaten. Auf jeden Fall waren eine „klare Linie und klare Philosophie" nicht zu erkennen („Kicker" vom 8. Mai 2014). Am 21. Mai konnte schließlich Vollzug gemeldet werden: Thomas Schaaf unterschrieb einen Zweijahresvertrag. „Ein leichtes Amt tritt Schaaf freilich nicht an", der „am Main mit einem deutlich höheren Medienaufkommen rechnen [muss] als an der Weser. Die Hauptlast wird jedoch der Umbau der Mannschaft sein, die gleich mehrere Leistungsträger verliert", urteilte der „Kicker" am 22. Mai 2014.

2014/15 ■ Thomas Schaaf: ein Trainer zwischen den Mühlsteinen

Mit großen Erwartungen trat Thomas Schaaf am 1. Juli 2014 sein Amt an. Immerhin hatte er 2004 mit Werder Bremen das Double geholt und konnte auf eine über 40-jährige erfolgreiche Karriere als Spieler und Trainer zurückblicken. Doch aller Anfang war schwer. Noch hatte die Eintracht mit Timothy Chandler, Makoto Hasebe (beide vom 1. FC Nürnberg) sowie Aleksandar Ignjovski (Werder Bremen) erst drei neue Spieler verpflichtet. Obwohl sieben Millionen Euro für Neuzugänge zur Verfügung standen, musste Heribert Bruchhagen konstatieren: „Die Qualität, die wir haben wollen, können wir im Augenblick nicht bezahlen" („Kicker" vom 10. Juli 2014). Aus diesem Grund musste man auch Joselu, den in der abgelaufenen Saison mit 14 Treffern nach Alex Meier (15) zweitbesten Torschützen, zu Hannover 96 ziehen lassen. Dann aber ging es Schlag auf Schlag. Vom FC Chelsea wurde der Brasilianer Lucas Piazon (zuletzt Vitesse Arnheim) ausgeliehen. Es folgten Schaafs ehemaliger Bremer Weggefährte Nelson Valdez und Haris Seferovic, der für 3,2 Mio. Euro von Real Sociedad San Sebastian kam und einen Drei-Jahres-Vertrag erhielt.

Der Schweizer WM-Stürmer ließ gleich aufhorchen, als er bei der Saisoneröffnung zwei Tore zum 3:1 gegen Inter Mailand beisteuerte, im Pokal beim Berliner Viertligisten Viktoria 89 erneut traf und zum Bundesligastart das goldene Tor gegen den SC Freiburg erzielte. Ein 0:1 im zweiten Heimspiel gegen den FC Augsburg sollte die einzige Niederlage in den ersten sieben Punktspielen bleiben, nach denen die Eintracht Anfang Oktober mit zwölf Punkten auf Platz fünf stand. Allerdings waren erneut einige Stammspieler im Krankenstand: Der Paraguayer Valdez schied in Wolfsburg (2:2) mit

Alex Meier mit der Torjägerkanone für den erfolgreichsten Torschützen der Saison 2014/15.

einem Kreuzbandriss aus, in Schalke (2:2) erwischte es Constant Djakpa ebenfalls am Kreuzband und beim 2:2 gegen Mainz zog sich Torhüter Trapp einen Syndesmoseriss im linken Sprunggelenk zu. Außerdem kam Carlos Zambrano mit einem Außenband-schaden vom Länderspiel Perus in Chile zurück.

Kein Wunder, dass es nach der Länderspielpause einen Einbruch gab. Beim Auf-steiger SC Paderborn 07 setzte es trotz Führung eine 1:3-Niederlage. Dann kam Ex-Trainer Armin Veh mit dem VfB Stuttgart ins Stadion, und 49.700 Zuschauer sahen einen Krimi ohne Happy End. Nach Madlungs Führungstreffer drehte der VfB das Spiel und erhöhte nach 51 Minuten auf 3:1. Zwar fightete die Eintracht zurück und ging durch Meier, Aigner und Madlung erneut in Führung, doch am Ende stand man mit leeren Händen da, als Stuttgart in den letzten zehn Minuten noch zweimal zum 5:4 traf. In Hannover (0:1) unterlief Madlung in der 88. Minute ein Eigentor, und eine Woche später erschoss Weltmeister Thomas Müller die Eintracht mit drei Toren fast im Allein-gang. Nach dem 0:4 gegen die Bayern war die Eintracht auf Platz 12 abgestürzt und nur noch zwei Punkte vom Relegationsrang entfernt. Außerdem verabschiedete man sich daheim gegen Borussia Mönchengladbach mit 1:2 aus dem Pokal.

Ausgerechnet in Gladbach gab es die Wende zum Besseren. Nach einem 0:1-Pau-senrückstand siegte die Eintracht durch Tore von Stendera, Meier und Inui verdient mit 3:1. Nach Heimsiegen gegen Borussia Dortmund (2:0) und Werder Bremen (5:2) war man wieder in Reichweite der Europa-League-Plätze. Ein weiteres Spektakel beka-men die Fans gegen Hertha BSC geboten. 3:0 führten die Berliner nach 37 Minuten. Nachdem Aigner und Seferovic verkürzt hatten, erhöhte Niemeyer zehn Minuten vor Schluss auf 4:2. Doch die Berliner hatten die Rechnung ohne Alexander Meier gemacht, dem in der 90. bzw. ersten Minute der Nachspielzeit noch zwei Tore zum 4:4 gelangen. In Leverkusen traf der „Fußballgott" mit seinem Saisontor Nr. 13 erneut, so dass die Eintracht mit ausgeglichener Bilanz (6-5-6 und 34:34 Tore) in die Winterpause ging. In der Offensive war nur der souveräne Spitzenreiter Bayern München besser (41), und seit 1991/92 hatte es in der Hinrunde nicht mehr so viele Stürmertore gegeben: Meier (12), Seferovic (7), Kadlec (1). Dafür stimmten die 34 Gegentore nachdenklich, denn nur Hertha BSC (35) und Werder Bremen (39) hatten mehr kassiert.

Immerhin standen zum Rückrundenauftakt mit Trapp und Zambrano zwei Lang-zeitverletzte wieder zur Verfügung. Auch Hasebe und Inui kehrten rechtzeitig vom Asien-Cup in Australien zurück, nachdem Japan bereits im Viertelfinale ausgeschieden war. Doch in Freiburg waren alle guten Vorsätze schnell vergessen. Russ hatte die Ein-tracht schon nach wenigen Sekunden in Führung gebracht, aber nach dem Ausgleich durch einen verwandelten Foulelfmeter (62.) brachen alle Dämme, und dem zur Halb-zeit eingewechselten Petersen glückte noch ein Hattrick. Dieses Szenario sollte sich wie ein roter Faden durch die Rückrunde ziehen. In Mainz und Stuttgart (jeweils 1:3) wurden weitere Führungen verspielt, in Köln (2:4) nach Meiers Ausgleich zum 1:1 drei Gegentore in zehn Minuten kassiert. Man kam sich vor wie in einer Endlosschleife. „Es ist auch eine Kopfsache", meinte Torhüter Trapp, denn nach dem ersten Gegentor „ren-

Auch Trainer Thomas Schaaf und Vorstandsboss Heribert Bruchhagen waren angesichts der Niederlagenserie in Auswärtsspielen ratlos.

nen wir blind drauflos, statt Ruhe und Ordnung zu bewahren" („Kicker" vom 23. März 2015). Daheim, da war alles anders. Seit dem 0:4 gegen die Bayern Anfang November war die Eintracht im Waldstadion unbesiegt und hatte zuletzt drei Heimsiege in Folge eingefahren.

Diese Serie riss gegen Hannover 96, als ein 2:0-Vorsprung verspielt wurde (2:2) und der Abstand auf die Europa-League-Plätze nicht entscheidend verkürzt werden konnte. 18-mal hatte die Eintracht in der laufenden Saison in Führung gelegen, dabei aber nur neun Spiele gewonnen und viermal unentschieden gespielt. 23 Punkte wurden so liegen gelassen. Schwerwiegender war aber der Ausfall von Alexander Meier, der an der Patellasehne operiert werden musste und für den Rest der Saison fehlen sollte. Kein Wunder, dass die Eintracht ohne den ligabesten Torschützen aus den nächsten vier Spielen nur einen Punkt holte und dabei torlos blieb. Damit war die Europa League endgültig passé. Zum Glück blieb das Waldstadion weiter eine Festung. Mit zwei Heimsiegen und einem Unentschieden bei Hertha BSC wurde die Saison als Neunter beendet. Der größte Jubel kam allerdings auf, als der verletzte Alexander Meier nach dem Sieg gegen Leverkusen (2:1) mit der Torjägerkanone des „Kicker" ausgezeichnet wurde. Obwohl der „Fußball-gott" (19 Tore) seit dem 4. April nicht mehr gespielt hatte, war es Robert Lewandowski (17) nicht gelungen, ihn von der Spitze der Torschützenliste zu verdrängen.

Während die Fans über Pfingsten noch grübelten, wie die abgelaufene Saison zu bewerten war, platzte am Wäldchestag die Bombe: Thomas Schaaf war als Trainer der

Eintracht zurückgetreten! Über die Gründe durfte nur spekuliert werden, da der Auf-
lösungsvertrag eine Verschwiegenheitsklausel enthielt, „die beiden Seiten nicht nur
Aussagen zu einer Abfindungshöhe untersagt, sondern auch verpflichtet, die tatsächlichen Gründe für die Trennung nicht zu nennen" („Fan geht vor" Nr. 236/237 vom
August/September 2015). Thomas Schaaf selbst erklärte: „Die in der Öffentlichkeit
getätigten Aussagen und die Darstellung meiner Person und meiner Arbeit, die sich
in unglaublichen und nicht nachvollziehbaren Unterstellungen in den Medien äußern,
kann und will ich nicht akzeptieren. Deshalb ist es zur Trennung gekommen" („Frankfurter Rundschau" vom 27. Mai 2015).

Schon seit längerem hielt sich das Gerücht, dass die Chemie zwischen dem Trainer
und der Mannschaft nicht stimme. „Die Zweifel an Schaaf waren intern schon lange
vorhanden, weil die Spieler, und zwar wichtige Stammkräfte, nicht die Reservisten, sich
über den Umgang des Trainers beschwerten, sie warfen ihm mangelnde Kommunikation und fehlende Empathie vor … Ohnehin gründete der kurze Höhenflug in der
Hinrunde auf einer sanften Rebellion der Mannschaft, die sich für eine andere, offen-
sivere Spielweise aussprach" („Frankfurter Rundschau" vom 27. Mai 2015). Vorwürfe,
die Finanzvorstand Axel Hellmann in einem Interview in „Fan geht vor" Nr. 236/237
indirekt bestätigte: „Die Presse hier in Frankfurt ist gut verdrahtet – bei den Spielern,
bei den Funktionären und mit dem gesamten Umfeld. D. h. die Kerntruppe von etwa
zehn Journalisten, die hier zu Hause ist, kriegt alles mit, was sich oberhalb und unter-
halb der Oberfläche tut. Ich habe aber grundsätzlich den Eindruck, dass die Presse
sehr sorgfältig überlegt, was sie veröffentlicht … Die Frage ist aber, wer ist schuld, der-
jenige, der die Informationen an die Zeitung gibt, oder die Zeitung, die sie dann der
Öffentlichkeit präsentiert." In dieser Gemengelage geriet Trainer Schaaf „zwischen die
Mühlsteine". Heribert Bruchhagen versäumte es, „die Kritiker aus der Mannschaft oder
dem Aufsichtsrat rechtzeitig in die Schranken zu weisen beziehungsweise die verschiedenen Strömungen zusammenzuführen". Dem Trainer wiederum gelang es nicht, „auf
seiner Mission alle mitzunehmen. Bruchhagen wollte es aussitzen, statt auszudiskutie-
ren. Und Sportdirektor Bruno Hübner … zog sich … immer mehr aus allen Themen
zurück, die über das Tagesgeschäft hinausgehen … So trug die Eintracht mit ihrer
Führungsschwäche zur Demontage von Schaaf bei. Das verkennt der Trainer, wenn
er die Medien in den Mittelpunkt seiner Rücktrittsbegründung stellt" („Kicker" vom
28. Mai 2015).

Anders als vor Jahresfrist wurde der Nachfolger schnell gefunden. Mit Armin
Veh war schon seit längerem spekuliert worden. Zwar hielt der „Kicker" „ein erneutes
Engagement des 54-Jährigen als Cheftrainer" für „unwahrscheinlich", konnte sich aber
vorstellen, „dass er in den Vorstand integriert wird und mittelfristig Heribert Bruch-
hagen ersetzt, dessen Vertrag zum 30. Juni 2016 endet" („Kicker" vom 11. Juni 2015).
Im ersten Punkt irrte das Fachblatt. Am 15. Juni wurde Armin Veh als neuer Eintracht-
Trainer präsentiert. Und auch sonst sollte alles ganz anders kommen.

2015/16 ■ Kovac macht das Unmögliche möglich

Die erneute Verpflichtung von Armin Veh löste nicht bei jedem Fan Begeisterung aus. Im Raum stand da noch immer sein lockerer Spruch bei seinem Abschied 2014: „Ich schüttele dem gegnerischen Trainer nicht so gerne die Hand, weil ich ein Spiel verloren habe" („Frankfurter Rundschau" vom 4. März 2014). Auch sein Engagement beim VfB Stuttgart und sein schneller Rücktritt dort hatten bei vielen Risse im Bild des Aufstiegs- und Europa-League-Trainers hinterlassen. Veh war nach Dietrich Weise, Karl-Heinz Körbel, Dragoslav Stepanovic, Jörg Berger und Friedel Rausch zu Bundesliga-Zeiten der sechste Trainer, der zur Eintracht zurückkehrte. Und bei allen war die zweite Amtszeit weniger erfolgreich als die erste. Oder sollte der große Wurf wie 1958 mit der Wiederverpflichtung von Paul Oßwald gelingen?

Zunächst stand erneut ein Umbau des Kaders an. Diesmal gab es eine Rundumerneuerung im Tor. Für Felix Wiedwald (zu Werder Bremen) wurde Heinz Lindner von Austria Wien geholt. Und als Paris Saint-Germain neun Millionen Euro für Kevin Trapp auf den Tisch blätterte, wurde kurz vor dem Bundesligastart Lukas Hradecky für zwei Millionen von Bröndby IF losgeeist. Die Abwehr wurde mit David Abraham (1,7 Mio., TSG Hoffenheim), das Mittelfeld mit Stefan Reinartz (ablösefrei, Bayer Leverkusen) sowie Mijat Gacinovic (1,5 Mio., Vojvodina Novi Sad über den Umweg Apollon Limassol) und der Angriff mit Luc Castaignos (2,5 Mio., FC Twente Enschede) verstärkt. Dafür verließen Madlung, Piazon, Rosenthal und Valdez den Klub. Auch den Japaner Inui ließ man im August für 500.000 Euro zu SD Eibar nach Spanien ziehen.

Klar formulierter Fanwille, der schließlich auch erfüllt wurde.

Obwohl Torjäger Alexander Meier nach seiner Knie-Operation weiter fehlte, zeigte sich Trainer Veh gelassen. 43 Punkte wie im Vorjahr seien ein realistisches Ziel, sagte er im Interview mit dem „Kicker" am 6. Juli 2015. Und gegenüber der „Frankfurter Rundschau" erklärte er am 8. August 2015 vor dem Pokalspiel beim Bremer SV (3:0): „Die ersten sechs Plätze sind weit weg. Aber ich möchte auch nicht, dass irgendwas zementiert ist. Wir dürfen ein bisschen träumen, aber wir dürfen das nicht als Ziel ausgeben. Es ist nicht realistisch, dass wir in den Uefa-Cup kommen." Damit sollte Veh Recht behalten – nicht nur, weil der Wettbewerb seit Jahren Europa League hieß. Denn der Start in die Meisterschaft war holprig. Beim individuell besser besetzten VfL Wolfsburg unterlag man mit 1:2, und gegen den FC Augsburg rettete Marco Russ vier Minuten vor dem Ende ein schmeichelhaftes 1:1.

Beim VfB Stuttgart streifte die Eintracht dann endlich den Fluch der vergangenen Saison ab. Nach früher Führung kassierte man zwar den Ausgleich, schlug aber noch vor der Pause durch Castaignos zurück und holte mit 4:1 den ersten Auswärtssieg nach zwölf Spielen. Gegen den 1. FC Köln feierte Alexander Meier ein berauschendes Comeback und erzielte beim 6:2 seinen ersten Dreierpack in der Bundesliga. Castaignos traf zweimal, Seferovic steuerte einen Treffer bei. „Doch taugt das neue System mit Meier, Castaignos und Seferovic auch auswärts? Trainer Veh glaubt: Ja" („Kicker" vom 17. September 2015).

Beim HSV (0:0) und auf Schalke (0:2) war aus dem Frankfurter Sturmwind jedoch ein laues Lüftchen geworden, und gegen Hertha BSC schenkte die Eintracht nach einem unerklärlichen Leistungseinbruch in der zweiten Halbzeit die Führung her. Das 1:1 war eine „gefühlte Niederlage" („Frankfurter Rundschau" vom 28. September 2015). So galt das Spiel beim Aufsteiger FC Ingolstadt 04 bereits als richtungsweisend. Erneut blieb die Eintracht alles schuldig und unterlag trotz 60 % Ballbesitz mit 0:2. Danach herrschte „dicke Luft", und Veh strich trotz Länderspielpause den trainingsfreien Tag, denn es drohte ein „stürmischer, ungemütlicher Herbst" („Kicker" vom 5. Oktober 2015). Doch alles half nichts. Auch gegen Borussia Mönchengladbach zeigte sich die Eintracht „völlig indisponiert" und litt nach einer 1:5-Klatsche an „Herbstdepressionen" („Kicker" vom 19. Oktober 2015). Es war die erste Heimniederlage seit dem 8. November 2014 (0:4 gegen Bayern München).

Ein 2:1 bei Hannover 96 erwies sich nur als Strohfeuer, denn im Pokal beim Drittligisten Erzgebirge Aue (0:1) verfiel die Mannschaft „erneut in Lethargie" und ließ „Kampfgeist und Einsatzwillen vermissen" („Kicker" vom 29. Oktober 2015). Nach der „Schande von Aue" steckte die Eintracht „tiefer denn je in der Krise, und das Schlimme daran: Sie [hat] keinen Plan, wie sie da wieder herauskommen soll" („Frankfurter Rundschau" vom 29. Oktober 2015). Ausgerechnet gegen den übermächtigen FC Bayern München packte die Eintracht alte Tugenden aus und erkämpfte ein 0:0. Dennoch propagierte Trainer Veh eine Kurskorrektur: „Wir kämpfen darum, drei Mannschaften hinter uns zu lassen" („Kicker" vom 2. November 2015). Auch in Hoffenheim gab es ein torloses Unentschieden, mit dem niemand richtig glücklich war. „Andere sind gefestigt, wir sind irgendwo zwischen Baum und Borke", fasste Heribert Bruchhagen die Stimmung zusammen („Kicker" vom 9. November 2015).

Noch lag man mit 14 Punkten aus zwölf Spielen als Zwölfter vier Punkte vor dem Relegationsrang. Das sollte sich aber ganz schnell ändern, denn nach dem kurzen „Zwischenhoch taumelt[e] die Eintracht wieder in Richtung Abstiegszone". Denn egal, was Armin Veh versuchte, „mit Raute oder Doppelsechs. Mit einem oder zwei Stürmern. Das eigene Spiel durchbringen oder die Defensive stärken … nichts führte langfristig zum Erfolg" („Kicker" vom 23. November 2015). Der blieb auch in den nächsten vier Spielen aus, und nach einem 0:1 gegen den SV Darmstadt 98 war im wahrsten Sinne des Wortes „Feuer unter dem Dach" („Frankfurter Rundschau" vom 7. Dezember 2015). „Ich will keine mündliche Reaktion mehr, ich will nichts hören, ich will nicht mehr diskutieren. Ich will Leistung sehen", sagte ein sichtlich angekratzter Trainer nach dem 1:4 in Dortmund („Kicker" vom 14. Dezember 2015). Erst am letzten Hinrundenspieltag konnte der Abwärtstrend mit einem 2:1 gegen Werder Bremen gestoppt werden. Die Eintracht überwinterte auf Platz 14, zwei Punkte vor den Bremern auf Relegationsrang 16.

In der sportlichen Führung war man mit der Situation höchst unzufrieden. „Der Abstiegskampf wird uns ganz lange, vielleicht bis zum Saisonende beschäftigen", sagte Heribert Bruchhagen der „Frankfurter Rundschau" am 22. Dezember 2015. Und wurde sechs Tage später im „Kicker" konkreter. „Für einen Verein wie die Eintracht [wird es] immer aussichtsloser", in den Kampf um die internationalen Plätze einzugreifen. „Ich prognostiziere, dass sich in fünf bis acht Jahren viele Traditionsvereine im Abstiegskampf befinden." Und auch wenn Sportdirektor Hübner überzeugt war, „dass die Mannschaft die Qualität hat, um da unten rauszukommen", musste er zugeben, dass ein erneuter Abstieg die Eintracht „in der Entwicklung unheimlich zurückwerfen [würde], allein mit Blick auf die TV-Gelder … Die Rücklagen könnten gar nicht groß genug sein, um den Worst Case aufzufangen" („Kicker" vom 7. Januar 2016). Um diesen zu vermeiden, wurden im Winter 4,3 Millionen Euro investiert und mit Ayhan (FC Schalke 04), Ben-Hatira, Regäsel (beide Hertha BSC), Huszti (Changchun Yatai) und Fabian (CD Guadalajara) fünf neue Spieler geholt. Auf der Haben-Seite konnten zwei Millionen für den Transfer von Kadlec zum FC Midtjylland verbucht werden.

Fast schien es, als könne sich die Mannschaft selbst aus dem Schlamassel befreien. Gegen den VfL Wolfsburg sorgte Alexander Meier mit drei Toren für einen glücklichen Last-Minute-Sieg, dem ein 0:0 in Augsburg folgte. Damit war es mit dem „neuen Schwung" auch schon wieder vorbei. Statt sich gegen den VfB Stuttgart von den Abstiegsrängen abzusetzen, zogen die Schwaben mit einem 4:2 an der Eintracht vorbei. In Köln (1:3) ging der Sinkflug weiter, und als in den nächsten drei Heimspielen gegen den HSV, Schalke (jeweils 0:0) und Ingolstadt (1:1) kein Sieg gelang und man auf den Relegationsrang abrutschte, waren die Tage von Armin Veh gezählt. „Eintracht Frankfurt ist kein Verein, der sich vom ersten Windstoß wegblasen lässt, aber wir waren einstimmig der Meinung und der Überzeugung, dass dieser Schritt notwendig ist", begründete Heribert Bruchhagen die Trennung in der „Frankfurter Rundschau" vom 7. März 2016.

Dennoch waren in einer „Kicker"-Umfrage am 10. März immerhin 58,1 % davon überzeugt, dass die Eintracht den Klassenerhalt schafft. Da hatte der Klub mit Niko Kovac aber schon den Mann verpflichtet, der den fünften Abstieg der Vereinsgeschichte verhindern sollte. „Wir müssen schnell lernen", erklärte der Kroate bei seiner Vorstellung am 8. März. So müsse die Balance zwischen Offensive und Defensive wieder stimmen und das Umschaltspiel verbessert werden. „Wir müssen gewisse Abläufe automatisieren und kompakt spielen. Das müssen die Jungs schnell intus kriegen. Wir haben nur zwei Monate" („Frankfurter Rundschau" vom 9. März 2016).

Genau darin lag das Problem. Denn von den ersten fünf Spielen unter Kovac gingen vier verloren. Vier Spieltage vor Schluss war die Eintracht Vorletzter. Vier Punkte hinter dem Relegationsrang und sechs hinter dem VfB Stuttgart auf Platz 15. Der „Kicker" listete am 18. April „das Grauen in Zahlen" auf – zehn Punkte, in denen die Eintracht ligaweit Letzter war! Besonders schwerwiegend: In den fünf Spielen unter Kovac wurde nur ein Tor erzielt (beim 1:0 gegen Hannover 96). Aus der Mannschaft kamen verzweifelte Durchhalteparolen: „Wir müssen es hinbiegen, dass wir am 34. Spieltag ein Endspiel bekommen" (Marco Russ im „Kicker" vom 18. April 2016); „1999 waren es auch vier Punkte" (Bastian Oczipka drei Tage später an gleicher Stelle); „Wir haben jetzt vier Endspiele. Von denen müssen wir drei gewinnen" (Niko Kovac in der „Frankfurter Rundschau" vom 18. April 2016).

Aber Totgesagte leben bekanntlich länger. Gegen Mainz, in Darmstadt (jeweils 2:1) und gegen Dortmund (1:0) gelangen die vom Trainer geforderten drei Siege. Damit kletterte die Eintracht ans rettende Ufer und konnte im letzten Spiel in Bremen aus eigener Kraft die Klasse halten. Werder brauchte seinerseits einen Sieg, um die Relegation zu vermeiden. Diese Konstellation prägte das Spiel, in dem Werder mehr in die Offensive investierte. Die Eintracht verteidigte mit Glück und Geschick – bis zur 88. Minute. Da segelte ein langer Freistoß an Freund und Feind vorbei in den Frankfurter Strafraum. Genau auf den Fuß des aufgerückten Verteidigers Djilobodji und von dort ins Tor. Bremen war gerettet, die Eintracht musste zum dritten Mal nach 1984 und 1989 in die Relegation. Noch auf dem Platz richtete Trainer Kovac die Mannschaft wieder auf. „Wir haben verloren, wir sind hingefallen, aber diejenigen, die aufstehen, das sind richtige Kerle. Wir müssen schnell die Köpfe hochnehmen" („Frankfurter Rundschau" vom 17. Mai 2016).

Das mit dem Aufstehen war nicht so einfach, denn einen Tag vor dem ersten Relegationsspiel gegen den 1. FC Nürnberg wurde bei Marco Russ Hodenkrebs diagnostiziert. Er spielte trotzdem – und wurde beinahe zur tragischen Figur. Erst fabrizierte er ein Eigentor (43.), dann sah er seine zehnte Gelbe Karte und war damit für das Rückspiel gesperrt. Gacinovic (66.) gelang gegen einen „Club", der sich nicht eine Chance erarbeitet hatte, der hochverdiente Ausgleich. Am Tag des Rückspiels wurde Marco Russ in Frankfurt operiert. Die Mannschaft zeigte Verbundenheit mit ihrem

Kameraden und lief zum Warm-machen komplett in Trikots mit der Nr. 4 auf. Auch das Rückspiel wurde eine zähe Angelegenheit. Zwar hatte FCN-Trainer René Weiler angekündigt, nicht auf 0:0 zu spielen – doch „dem Club fehlen die Mittel, das Spiel zu machen, Frankfurts Überlegenheit bringt zwar ein Chancenplus, aber mit gutem Fußball hat auch das recht wenig zu tun. Allerdings ist der an diesem Abend auch nicht gefragt, es geht nur ums sportliche Überleben in der Bundesliga" („Kicker"-Sonderheft „Die große Bilanz 2015/16"). Dieses sicherte Haris Seferovic nach 66 Minuten mit dem Tor des Tages.

Nicht nur die Tausende mitgereister Fans waren aus dem Häuschen. Selbst der sonst stets besonnene Heribert Bruchhagen stürmte auf den Platz, die Arme weit aufgerissen, als hätte er soeben das Tor zum Klassenerhalt erzielt. Für den nach zwölfeinhalb Jahren scheidenden Vorstandsvorsitzenden wäre es „fatal gewesen, wenn man einen Zweitligisten übergeben hätte ... Ich werde die Geschäfte in den nächsten Tagen an meinen Nachfolger übergeben ..., aber ich glaube, dass die Zukunft von Eintracht Frankfurt gefestigt ist ... Wir müssen die Saison natürlich analysieren, die nicht in unserem Sinne gelaufen ist, aber wir haben Ruhe bewahrt, wir haben Kontinuität bewahrt. Ich möchte mich bei unseren Mitarbeitern bedanken, es ist für alle ein tolles Erlebnis. Ich möchte mich bedanken bei Armin Veh, der konstruktiv erkannt hat, dass wir einen Wechsel

Kurz vor den Relegationsspielen gegen Nürnberg kam die schockierende Nachricht der Krebserkrankung von Marco Russ.

Nico Kovac und Bruno Hübner nach dem Schlusspfiff in Nürnberg.

Erleichterung: „Drin!"

vornehmen sollen. Ich möchte mich bedanken bei Bruno Hübner, der die Trainerverpflichtung Kovac stark durchgedrückt hat. Das war auch nicht so ganz einfach. Und ich möchte mich selbstverständlich bei den Spielern bedanken, die im letzten Augenblick noch die Kurve gekriegt haben" (Frankfurter Neue Presse vom 24. Mai 2016).

Einen Tag später wurde Fredi Bobic als neuer Sportvorstand vorgestellt. Die Entscheidung wurde mit viel Skepsis betrachtet. So trauten ihm in einer „Kicker"-Umfrage am 2. Juni 2016 nur 21 % zu, die Eintracht wieder nach oben zu bringen. Doch der Europameister von 1996, der mit Niko Kovac von 2003 bis 2005 zusammen bei Hertha BSC gespielt hatte, zeigte sich kämpferisch: „Wenn du in der Verantwortung bist, dann bist du nicht auf der Suche nach Liebe, die kriegst du zu Hause … Ich polarisiere, aber ich gehe immer meinen Weg und versuche, im Sinne des Vereins zu arbeiten" („Kicker" vom 2. Juni 2016).

„Mit dem Geld, das ich mit dem Fußball verdiente, konnte ich mein Studium finanzieren"

Heribert Bruchhagen wurde am 4. September 1948 in Düsseldorf geboren, wuchs aber im ostwestfälischen Harsewinkel auf. Fußball spielte er bei der örtlichen TSG und der DJK Gütersloh, für die er zwischen 1974 und 1976 insgesamt 48 Zweitligaspiele (sechs Tore) bestritt. Seine ersten sportlichen Meriten holte er aber als Leichtathlet: Anfang der 1960er Jahre wurde er B-Jugend-Westfalenmeister im Hochsprung. Von 1975 bis 1989 war er Gymnasiallehrer (Oberstudienrat für Sport und Geografie) in Halle i. W. und stellvertretender Schulleiter in Brackwede.

Als Trainer führte er den FC Gütersloh 1984 in die Aufstiegsrunde zur 2. Bundesliga. 1989 wechselte er als Marketing-Chef zum FC Schalke 04 und 1992 als Manager zum Hamburger SV, wo er jedoch am 21. Dezember 1994 nach Querelen mit Präsident Wulff entlassen wurde. Danach kehrte er als Medienberater zum FC Gütersloh zurück und war schließlich vom 1. Oktober 1998 bis 30. Juni 2001 Manager von Arminia Bielefeld. Vom 1. Juli 2001 bis Ende November 2003 war Heribert Bruchhagen Geschäftsführer der Deutschen Fußball-Liga (DFL). Als er am 1. Dezember 2003 den Posten als Vorstandsvorsitzender der Eintracht Frankfurt Fußball AG antrat, war er sich über den Zustand des gerade wieder in die Bundesliga aufgestiegenen Klubs sehr wohl bewusst.

Ich hatte das Geschehen rund um die Eintracht ja schon bei der DFL verfolgt. Mein Büro befand sich gerade 200 Meter vom Waldstadion entfernt, mit Kollegen war ich oft vor Ort und habe mir die Spiele angesehen. Ich will es mal so ausdrücken. Der Verein war damals sehr ungeordnet. Sowohl finanziell als auch in der Führung.

Nach dem dritten Abstieg 2004 hatte er mit der Verpflichtung von Trainer Friedhelm Funkel ein goldenes Händchen. Es gelang nicht nur der sofortige Wiederaufstieg, sondern mit dem Erreichen des Pokal-Endspiels 2006 (0:1 gegen Bayern München) der Durchmarsch in den Europapokal. In diesen Jahren konnte der Klub wirtschaftlich stabilisiert werden.

„Dafür hatten wir den Dr. Thomas Pröckl. Und mit Friedhelm Funkel gelangten wir auch sportlich wieder in ruhigeres Wasser."

Einen Grund für die ausgebliebene weitere sportliche Entwicklung sieht Bruchhagen in der Explosion der TV-Gelder.

Heute wird es immer schwieriger, in die Spitze vorzustoßen. Ich kannte ja noch die Zeiten, da bekamen alle das Gleiche. Ich habe immer dafür gekämpft, dass die Schere nicht noch weiter aufgeht, konnte mich aber nicht durchsetzen. Heute generieren die Champions-League-Vereine so viel Geld, da kommen die anderen Klubs gar nicht mehr mit. Gewiss schafft es hin und wieder mal einer in die Europa League wie die Eintracht 2013. Aber ganz nach oben wird schwer. So etwas wie Kaiserslautern 1997/98 wird sich wohl nicht mehr wiederholen. Dazu sind die Möglichkeiten der Bayern, von Dortmund, Leipzig, Hoffenheim, Wolfsburg und Leverkusen zu gut.

Inzwischen sind TV-Gelder, Ablösesummen und Spielergehälter weiter explodiert. Kein Vergleich zu 1968, als Bruchhagen zur DJK Gütersloh kam.

Unser Mannschaftsbetreuer hatte einen Koffer, da waren der Ball, Trikots, Hose und Stutzen drin. Für Schuhe und Trainingsanzug waren die Spieler selbst verantwortlich. Wir haben 1968/69 den Durchmarsch von der Landesliga in die Regionalliga – das war damals die zweithöchste Spielklasse nach der Bundesliga – geschafft und dabei den Lokalrivalen und Traditionsverein SV Arminia hinter uns gelassen. Da gab es dann 160 Mark im Monat und 75 Mark pro Punkt.

Dennoch ließen Sie sich 1970/71 reamateurisieren und kehrten nach Harsewinkel zurück.

Genau. Ich hatte das Studium begonnen, und das war mit der Regionalliga einfach nicht zu vereinbaren. Aber auch in Harsewinkel ließ es sich dank der Fa. Claas gut leben. Obwohl wir alle Amateure waren. (lacht) Aber nach meinem Examen kehrte ich 1973 zur DJK zurück, und 1974 schafften wir die Qualifikation für die neue 2. Liga Nord.

Also hatte die berufliche Zukunft für Sie Vorrang?

Absolut. Mit dem Geld, das ich mit dem Fußball verdiente, konnte ich mein Studium finanzieren.

Heute beklagt Bruchhagen vor allem, dass viele Jugendliche zu früh auf eine Profikarriere setzen und auf eine Ausbildung verzichten.

Das ist eine sehr problematische Entwicklung. Durch die Leistungszentren hat sich die Qualität der Spieler sehr verbessert. Doch nur ganz wenige schaffen es auch in die Spitze. Der Rest verdient dann in der 2., 3. oder Regionalliga ein paar tausend Euro im Monat. Aber was ist mit Anfang/Mitte 30? Das ist die Schattenseite des Fußballgeschäfts. Das geht schon in der C-Jugend los, wenn die Eltern kommen und zum Teil auch schon Berater mitbringen. 2009 wurde unsere U 15 Süddeutscher Meister. Mit Emre Can. In der Endrunde waren auch die Bayern dabei. Der Hermann Gerland hat ihn dann sozusagen gleich mitgenommen. Und ein Jahr später dann das Gleiche mit Niklas Süle, der über Darmstadt nach Hoffenheim ging. Andere Klubs hatten halt ganz andere finanzielle Möglichkeiten.

2016 nahm Bruchhagen nach zwölfeinhalb Jahren Abschied von der Eintracht. Nach dem Sieg in Nürnberg fiel ihm eine schwere Last von den Schultern und er ließ seiner Freude freien Lauf.

Es ist normalerweise nicht meine Art, auf den Platz zu rennen. Da habe ich nichts verloren. Aber Nürnberg war natürlich schon sehr emotional. Aber am meisten habe ich

Heribert Bruchhagen nach dem Sieg in Nürnberg, der den Klassenerhalt bedeutete.

mich 2015 gefreut, als Alexander Meier Bundesliga-Torschützenkönig wurde. Ich musste ihn ja oft nach außen in Schutz nehmen. Dabei war er intern nie umstritten und hat immer am meisten trainiert.

Am 14. Dezember 2016 übernahm Heribert Bruchhagen den Vorstandsvorsitz der HSV Fußball AG und erlebte ein Déjà-vu. Zwar konnte sich der „Dino der Bundesliga" 2017 in allerletzter Sekunde durch ein Tor des Ex-Eintrachtlers Luca Waldschmidt retten, musste aber 2018 erstmals absteigen. Da war Bruchhagen aber nicht mehr an Bord. Heute sieht man ihn wieder als Experten bei „Sky" – oder bei der Eintracht. Sowohl beim DFB-Pokal-Endspiel 2018 als auch in der Europa League in Rom und Mailand wurde er vom Schreiber dieser Zeilen gesichtet.

Die „Frankfurter Rundschau" nannte Bruchhagen einmal „wertkonservativ, seriös, loyal". Kritiker hielten ihm vor, den nächsten Schritt bei der Eintracht nicht gewagt zu haben. Dabei wurden zwischen 2004 und 2016 durchaus Millionen bewegt. Mit 29,15 Millionen Euro weist die Transferbilanz in diesem Zeitraum sogar rote Zahlen aus. Aber Geld alleine schießt bekanntlich keine Tore. Nach dem Fast-Lizenzentzug 2002 und den Turbulenzen 2003/04 brachte Heribert Bruchhagen Ruhe in den Verein und es konnte unter seiner Regie professionell gearbeitet werden. Als anerkannter Fachmann war er ein glaubhafter Ansprechpartner für Politik, Wirtschaft und Sponsoren. Sicherlich haben Fredi Bobic und Axel Hellmann seit 2016 viel bewegt, aber ohne das solide Wirtschaften von Heribert Bruchhagen wäre der Übergang sicherlich nicht so reibungslos verlaufen. Wie Fredi Bobic setzt auch er „Mittelfeld" nicht mit „Mittelmaß" gleich und teilt dessen Auffassung, „wenn du ein fester Bestandteil der Bundesliga bist, hast du etwas erreicht. Diese Demut muss man zeigen können, das ist keine Schande." („Kicker" vom 2. Juni 2016)

Hundertprozentig. Für einen Verein wie Eintracht Frankfurt muss es das erklärte Ziel sein, sich in einer der stärksten Ligen der Welt zu etablieren.

Selbst wenn sich die Eintracht heute „von dem schweren Schatten der Bruchhagen-Ära befreit hat und fest etabliertes Mitglied der Bundesliga ist" („Schwarz-auf-Weiß", Nr. 260, 29. August 2019), darf man nie vergessen, wo man hergekommen ist. Dass die Eintracht heute da steht, wo sie steht, hat sie auch Heribert Bruchhagen zu verdanken. ◼

Vor neuen Herausforderungen

2016/17 ■ Pokal-Endspiel als emotionaler Höhepunkt

Bereits in den letzten Spielen der abgelaufenen Saison hatten sich die Lauf- und Sprintwerte der Mannschaft beträchtlich verbessert. Trainer Kovac stellte hohe Anforderungen. „Ich kann nur offensiv spielen, wenn ich defensiv denke", lautete einer seiner Leitsätze. „Man darf gespannt sein, wie Kovac den Spagat zwischen Kampf und Kunst, zwischen defensiver Stabilität und mehr Schwung in der Offensive schafft. Sein Vorgänger

Momentaufnahme einer wechselhaften Saison.

Armin Veh scheiterte zuletzt an diesem Balanceakt, und unter Thomas Schaaf funktionierte 2014/15 nur das Angriffsspiel" („Kicker"-Sonderheft 2016/17).

Beim Umbau des Kaders mussten allerdings nicht nur die Qualität erhöht, sondern auch Transfergewinne erzielt werden. Auf etwa sechs Millionen Euro bezifferte Finanzvorstand Oliver Frankenbach die Summe. „Was immer verkannt wird: Wir haben außerordentlich hohe Transfererlöse erzielt, aber auch enorm viel investiert." Der scheidende Vorstandsvorsitzende Heribert Bruchhagen sprach sogar „von den höchsten Investitionen meiner Amtszeit." („Kicker" von 20. Juni 2016)

Bis zum Ende der Transferperiode I Ende August wurde dieser Betrag mit 5,65 Millionen Euro auch fast erreicht. Transferausgaben in Höhe von 2,9 Millionen standen Einnahmen in Höhe von 8,55 Millionen gegenüber. Allerdings waren fünf der neun neuen Spieler auf Leihbasis an den Main gekommen: Hector (FC Chelsea), Rebic (AC Florenz), Tarashaj (FC Everton), Vallejo (Real Madrid) und Varela (Manchester United). Gegen gutes Geld abgegeben wurden Aigner (2,5 Mio., TSV München 1860), Castaignos (2,5 Mio., Sporting Lissabon), Ignjovski (750.000, SC Freiburg), Waldschmidt (1,3 Mio., Hamburger SV) und Zambrano (1,5 Mio., Rubin Kasan).

5,5 Millionen Euro brachte der Wiedereinstieg der Brauerei „Krombacher" als Trikotsponsor. Dennoch erwarteten die Experten, dass die Eintracht erneut gegen den Abstieg spielen werde. „Ruhiger wird die neue Spielzeit nur dann, wenn viele der Neuzugänge einschlagen" („Kicker" vom 11. August 2016). Hoffnungen darauf machte der aus Gladbach geholte Schwede Branimir Hrgota, der im Test gegen den spanischen

Ruhe bewahren:
Fredi Bobic.

Europa-League-Starter Celta Vigo (3:1) zwei Treffer erzielte. Eine Woche vor dem Bundesligaauftakt präsentierte sich die Eintracht im Pokal beim 1. FC Magdeburg jedoch in bedenklicher Verfassung. Trotz früher Führung ließ sie sich vom Drittligisten den Schneid abkaufen und hatte es am Ende nur Torhüter Hradecky zu verdanken, im Elfmeterschießen eine Runde weiterzukommen.

Doch am 1. Spieltag gegen die favorisierten Schalker präsentierte sich dann eine „neue Eintracht", die „im Vergleich zum Pokal wie verwandelt spielt[e]" („Kicker" vom 29. August 2016). Der 1:0-Sieg war verdient und hätte sogar höher ausfallen können. Alexander Meier scheiterte mit einem Foulelfmeter allerdings an Ex-Eintracht-Keeper Fährmann. Zu denken gab, dass Innenverteidiger Hector wie schon eine Woche zuvor in Magdeburg erneut vom Platz flog. Genauso ärgerlich, dass man in Darmstadt trotz 78 % Ballbesitz am Ende mit leeren Händen dastand, als sich ein verunglückter Flankenball von Sirigu in der letzten Minute über Keeper Hradecky hinweg zum Tor des Tages ins Netz senkte. Nach Siegen gegen Bayer Leverkusen (2:1) und in Ingolstadt (2:0) rückte die Eintracht erstmals auf Platz vier vor, rutschte aber nach einem 3:3 gegen Hertha BSC und einem 0:1 in Freiburg wieder aus den Europapokalrängen. Als einige schon wieder einen „heißen Herbst" prognostizierten, mahnte Sportvorstand Bobic vor dem Heimspiel gegen Bayern München zur Ruhe: „Wir wissen, dass an einem ganz normalen Tag alles seinen ganz normalen Lauf nimmt. Aber wir müssen versuchen, den Tag zu einem außergewöhnlichen Tag zu machen" („Frankfurter Rundschau" vom 11. Oktober 2016).

Und es wurde ein außergewöhnlicher Tag und der Auftakt zu einem „goldenen Oktober". Der Rekordmeister ging zwar zweimal in Führung, präsentierte sich aber sonst „ohne Pep" und musste nach einem Platzverweis gegen Huszti gegen zehn Frankfurter noch das 2:2 durch Fabian hinnehmen. Ende November stand die Eintracht nach acht Spielen ohne Niederlage wieder auf dem vierten Platz. Elf erzielte Tore reichten,

Eine Szene, symptomatisch für die Rückrunde: Branimir Hrgota hat Manuel Neuer bereits umspielt und das leere Tor vor sich. Da spitzelt ihm Mats Hummels mit der „Grätsche des Jahres" den Ball vom Fuß und verhindert die Eintracht-Führung.

um 16 Punkte zu holen. Dabei trugen sich acht verschiedene Spieler in die Torschützenliste ein, dazu kam ein Eigentor des Hamburgers Holtby. Zum Glanzstück hatte sich die Abwehr mit Abraham und Vallejo im Zentrum, Chandler und Oczipka auf den Außenpositionen und Hasebe als Abräumer auf der „6" oder als dritter Mann im Abwehrzentrum entwickelt, die wenig bis gar nichts zuließen. Außerdem wurde im Pokal gegen den FC Ingolstadt 04 nach erneutem Elfmeterschießen das Achtelfinale erreicht. Zahlreiche Statistiken belegten, dass sich die Eintracht in fast allen Bereichen (Chancen, Torschüsse, Laufstrecke, Sprints, Passquote, Ballbesitz) verbessert hatte. Trainer Kovac warnte aber auch davor, dass sich der Spieß drehen könnte. „Der Druck steigt, weil wir jetzt eher gejagt werden." („Kicker" vom 1. Dezember 2016) Früher sei es einfacher gewesen, „da waren wir die Jäger." („Frankfurter Rundschau" vom 30. November 2016)

Die Serie riss nach bester Eintracht-Tradition beim VfL Wolfsburg (0:1), der aus seinen bisherigen sieben Heimspielen erst zwei Punkte geholt hatte. Den möglichen Ausgleich vergab Alexander Meier, als er einen Elfmeter übers Tor schoss. Ein 3:0 gegen Mainz 05 im letzten Heimspiel 2016 sorgte für festliche Stimmung in der Festung Waldstadion, wo die Eintracht seit zehn Heimspielen nicht mehr verloren hatte und selbst die ganz Großen wie den FC Bayern (2:2) und Borussia Dortmund (1:0 und 2:1) gehörig geärgert hatte. Mit zwölf Gegentoren aus 16 Spielen wurde außerdem die alte Bestmarke aus der Saison 1990/91 (13) unterboten. Nur Spitzenreiter Bayern München hatte weniger Tore kassiert. Angesichts von nur 22 eigenen Treffern wollte Trainer Kovac im Trainingslager in Abu Dhabi vor allem das Angriffsverhalten verbessern. „Behält Frankfurt seine Heimstärke bei, ist der Einzug in den Europacup durchaus realistisch", urteilte der „Kicker" am 19. Januar 2017 vor dem letzten Hinrundenspiel bei RB Leipzig.

Und tatsächlich schien sich die Erfolgsgeschichte trotz des 0:3 auch im neuen Jahr fortzusetzen. In Leipzig geriet man schon nach 125 Sekunden auf die Verliererstraße, nachdem Torhüter Hradecky beim Rauslaufen ins Stolpern gekommen war, den Ball außerhalb des Strafraums mit der Hand spielte und Rot sah. Aus dem folgenden Freistoß resultierte die Führung für RB. Nach einem 1:0 auf Schalke und einem 2:0 gegen Darmstadt kletterte die Eintracht mit 35 Punkten auf den dritten Platz und schaffte drei Tage später mit einem 2:1 bei Hannover 96 den Einzug ins Pokal-Viertelfinale. Dabei machte Hradecky seinen Blackout von Leipzig wieder gut, als er in der sechsten Minute der Nachspielzeit einen Elfmeter hielt.

Doch plötzlich riss der Faden. Fünf Niederlagen in Folge leiteten eine Serie von zehn Spielen ohne Sieg ein, in der man außerdem siebenmal ohne eigenes Tor blieb. Gegen Ingolstadt und Mönchengladbach konnten selbst Elfmeter nicht verwertet werden. Nach 487 Minuten wurde die Tordürre erst am 7. April 2017 beim 2:2 gegen Werder Bremen gestoppt. Da war die Eintracht nur noch Neunter. Es war die viertlängste Torflaute der Eintracht in der Bundesliga. Viele Niederlagen liefen nach dem gleichen Schema ab: Man spielte gefällig mit, ließ Chancen zur Führung aus und kassierte dann die Gegentore. So war es in Berlin (0:2), München (0:3) und Köln (0:1). Vom Glanz der ersten Saisonhälfte war nichts mehr zu sehen, auch weil Trainer Kovac aufgrund von Verletzungen und Sperren immer wieder gezwungen war, zu improvisieren. Selbst im Pokal zitterte man sich daheim gegen den Zweitligisten Arminia Bielefeld mit 1:0 ins Halbfinale. Emotionaler Höhepunkt des Spiels war das Comeback von Marco Russ, der nach 285 Tagen in der Nachspielzeit eingewechselt wurde.

Aus den letzten 15 Saisonspielen wurden nur noch sieben Punkte geholt. Das war einer weniger als im Abstiegsjahr 2010/11. Den einzigen Sieg gab es am 22. April 2017 gegen den FC Augsburg (3:1) – drei Tage vor dem Pokal-Halbfinale bei Borussia Mönchengladbach. Auch hier ging es wieder ins Elfmeterschießen, und erneut konnte sich die Mannschaft bei Lukas Hradecky bedanken, der zwei Strafstöße parierte und den Einzug ins Pokal-Endspiel sicherte. Damit hatte die Eintracht wieder zwei Eisen im Feuer, denn der Abstand auf die Plätze 5 und 6 betrug nur drei, der auf Rang 7 sogar nur einen Zähler. Doch der Substanzverlust der letzten Wochen war zu groß. In Hoffenheim fehlten verletzungsbedingt Meier (Fersenprobleme), Hasebe (Knie-Operation), Mascarell (Achillessehnenentzündung), Gacinovic (Zerrung), Vallejo (Sehnenriss), Wolf (Schulter-Operation), Tawatha (Bänderriss), Andersson Ordonez (Wadenprobleme) und Medojevic (Reha). Dennoch war man einem 0:0 ganz nah, als ausgerechnet der Sohn von Sportdirektor Hübner in der letzten Minute den Hoffenheimer Siegtreffer erzielte. Gegen den VfL Wolfsburg (0:2) gab es einen beschämenden Auftritt, und das zum „Charaktertest" hochstilisierte Spiel in Mainz ging nach einer 2:0-Führung mit 2:4 verloren. Immerhin gelang gegen Leipzig mit einem 2:2 noch ein einigermaßen versöhnlicher Abschluss.

Gründe für den Absturz von Platz drei auf elf gab es genug. Mit dem verletzungsbedingten Ausfall von Marco Fabian und dem Verkauf von Szabolcs Huszti, den man kurz vor Transferschluss Ende Januar für 150.000 Euro nach China hatte gehen lassen, lief das Mittelfeld nicht mehr rund. In der Offensive verschlechterte sich die ohnehin mittelmäßige Chancenverwertung von 29,1 % nach 19 Spieltagen auf 23,2 %. Bester Torschütze war der Mexikaner Fabian mit sieben Treffern. Den Stürmern fehlte die Durchschlagskraft, und Alexander Meier (fünf Tore) saß in der Rückrunde meist nur auf der Bank. Zunächst von Niko Kovac selten berücksichtigt, am Ende verletzungsbedingt. Die einst so stabile Abwehr wirkte manchmal löchrig wie ein Schweizer Käse und blieb nur noch zweimal ohne Gegentor. Außerdem war die Eintracht mit sechs Platzverweisen und 83 Gelben Karten Letzter im Fair-Play-Ranking. Auch bei den „Kicker"-Noten gab es einen Einbruch. Nach dem 19. Spieltag war man mit einem Schnitt von 3,31 fünftbestes Team der Liga, danach rutschte er auf 3,83. Nur der HSV war noch schlechter.

Natürlich gab es auch starke Momente. Aber eben nur phasenweise. So gegen Bremen und Leipzig (jeweils 2:2 nach 0:2-Rückständen), gegen den FC Augsburg, als Marco Fabian mit einer Energieleistung das Spiel mit einem Doppelpack drehte, oder im Pokal-Halbfinale in Mönchengladbach. In den meisten Spielen fehlte jedoch die

mannschaftliche Geschlossenheit. „Ich habe nicht die Bereitschaft gesehen, alles für den Nebenmann zu geben", kritisierte Trainer Kovac nach dem 0:2 gegen Wolfsburg. Stattdessen „habe ich zu viele Einzelkämpfer gesehen. Das ist nicht das, was uns stark gemacht hat" („Frankfurter Rundschau" vom 8. Mai 2017). Auch Bastian Oczipka fand deutliche Worte: „Wir sind eine Bundesligamannschaft, hatten eine lange Vorbereitung im Sommer, eine Wintervorbereitung, haben nur 34 Bundesliga- und ein paar Pokalspiele. Da muss man am Ende der Saison die Kraft haben." Für Lukas Hradecky waren auch die vielen Verletzten nur „eine Ausrede". „Alle müssen in den Spiegel gucken und sich fragen: Kann ich etwas besser machen?" („Kicker" vom 15. Mai 2017).

So fuhr die Eintracht als großer Außenseiter zum Pokal-Endspiel gegen den BVB nach Berlin. „Wir werden das letzte Atom Energie freisetzen", versprach Niko Kovac im „Kicker" vom 26. Mai.

In der Tat zeigte sich die Eintracht in Berlin „vor einem Millionenpublikum von ihrer Schokoladenseite … Das lag auch an Größen aus Politik (Joschka Fischer), Sport (John Degenkolb) oder Fußball (Jürgen Grabowski, Bernd Hölzenbein, Charly Körbel oder Uli Stein), die den Verein in die Kapitale begleiteten, aber auch am Klub selbst, der deutlich an Format und Niveau gewonnen hat. Und es lag

Hoffnungsmoment: In der 29. Minute erzielte Ante Rebic den Ausgleich.

Traurige Eintracht-Helden nach dem Schlusspfiff.

auch an den oft und oft genug (und gewiss oftmals auch zu Recht) gescholtenen Fans, die für eine imposante Stimmung und für eine Heimspielatmosphäre fernab der Heimat sorgten. Es zeugt von Größe und einigem Feingefühl, dass die Anhänger in der Kurve ihre unterlegene Mannschaft nach dem Abpfiff deutlich frenetischer feierten, als es die Dortmunder mit ihrem Gewinner-Team taten. Die Eintracht hat sich gezeigt" („Frankfurter Rundschau" vom 29. Mai 2017). Selbst die frühe Dortmunder Führung durch Dembele (8.) steckte die Mannschaft weg und hatte nach dem Ausgleich durch

Rebic (29.) die große Chance zur Führung, doch Seferovic traf in der 39. Minute nur den Außenpfosten. Ausgerechnet dem bisherigen Pokalhelden Lukas Hradecky unterlief dann ein folgenschwerer Fehler, der zum Elfmeter und Sieg für den BVB führte (67.). „So wurde das Spiel zum Spiegelbild der ganzen Saison: Beeindruckend gekämpft, mit sensationellen Zwischenergebnissen, aber ohne den großen Erfolg am Ende" („Frankfurter Allgemeine Sonntagszeitung" vom 28. Mai 2017).

Rivalitäten im Wandel der Zeit

Für die Generation(en) vor mir war der FSV der Erzrivale, für mich die Offenbacher Kickers, für die Fans von heute sind Mainz und Darmstadt das rote Tuch. Doch sind das wirklich noch Derbys? Und was ist eigentlich ein Derby? Über die Herkunft des Begriffs (korrekt „darbi" ausgesprochen und nicht „dörbi") gibt es zwei Erklärungen. So soll das traditionelle Fastnachts-Fußballspiel in der Stadt Derby zwischen den Kirchengemeinden St. Peter und All Saints dafür Pate gestanden haben. Dieses wurde aber schon 1847 verboten. Bis in die heutigen Tage überlebt hat das seit dem 12. Jahrhundert nachgewiesene jährliche Spiel in Ashbourne, Derbyshire. Allerdings hat diese Version keinen Eingang in das Oxford English Dictionary gefunden, da schließlich niemand von einem „Lokal-Ashbourne" spricht. So geht der Begriff wohl auf den 12. Earl of Derby zurück, der 1780 das berühmte Pferderennen in Epsom begründete. Bereits um 1840 wurde der Begriff „Derby" in England für jeden bedeutenden sportlichen Wettkampf verwendet, der viele Zuschauer anzog.

Nun zogen Fußballspiele an der Wende vom 19. zum 20. Jahrhundert weder in Frankfurt noch sonstwo in Deutschland große Zuschauermengen an, doch gab es selbstverständlich Spiele, die einen höheren Stellenwert besaßen als andere. Für die Frankfurter Victoria und Kickers waren das vor allem die Duelle gegen den alten Lehr-

Dieses Buch über das Endspiel von 1959 (erschienen im Agon-Sport-verlag) trägt der Stimmungslage im Frankfurter und Offenbacher Lager Rechnung. Die einen können's von vorn lesen, die anderen umdrehen und „von hinten" beginnen. Es sind zwei Bücher – und zwei Blickwinkel – in einem.

Zur Beachtung! Für das Ligaspiel am Sonntag sind die notwendigsten Maßregeln getroffen, um einen guten Verlauf dieser Schlacht zu gewährleisten. Wir richten dennoch an unsere Mitglieder die Bitte sich auf dem Platze der größt möglichen Ruhe zu befleißigen und die Platzordner auf die Anwesenheit ruhestörender Elemente aufmerksam zu machen. Es wird kein Unterschied gemacht, sondern jeder, der den Anordnungen Widerstand leistet, rücksichtslos vom Platze gewiesen.

Wie die Zeiten sich ändern: Derby gegen den FSV am 17. September 1911…

meister Germania 94, und Siege steigerten dementsprechend das Selbstwertgefühl. Victoria gelang der erste Sieg gegen die Germanen am 17. September 1899 (2:0), den Kickers in der FAB-Meisterschaft 1901/02 (2:1). Allerdings konnte sich Germania 94 nicht dauerhaft an der Spitze halten. Letztmals gab es in der Gauliga-Saison 1940/41 Punktspiele gegen die Eintracht.

Die Rolle des schärfsten Rivalen vor allem der Frankfurter Kickers hatte schon vor der Fusion 1911 der FSV eingenommen. Erstmals wurde das Meisterschaftsspiel der beiden Klubs im Oktober 1910 von der Presse als „Frankfurter Derby" tituliert und gleichzeitig an den FSV appelliert, „daß Ruhe und Ordnung auf seinem Platze herrscht und daß er der Begeisterung in ihren Ausartungen bei Freund und Feind gleichmäßig Einhalt gebiete" („Frankfurter Nachrichten" vom 7. Oktober 1910). Ein Jahr später sah sich der FFV genötigt, seine Mitglieder vor der „Schlacht" zur Zurückhaltung aufzufordern. Und am 30. September 1912 zweifelte ein auf der Durchreise befindlicher Fußballfreund aus dem thüringischen Lobeda in der Zeitschrift „Fußball und olympischer Sport", „ob man dieses abstoßende, rohe Treiben als Fußball,spiel' bezeichnen kann. Alles, was unsere Gegner über Fußball schreiben, hier konnte man es sehen." Nach Eröffnung des Frankfurter Stadions 1925 versetzte das Frankfurter Derby die ganze Stadt in Hysterie. Am 30. Oktober 1927 pilgerten rund 40.000 in den Stadtwald. Im Jahr davor artete ein Freundschaftsspiel (!) zur „Marneschlacht des Frankfurter Fußballsports" aus. Und am 18. Februar 1936 rügte der „Fußball", dass viele Bornheimer Anhänger „nicht Begeisterung antrieb, sondern Hass", als sie skandierten: „Hi, ha, ho, Eintracht ist k. o.!" Und das nach einem 1:1 der Eintracht gegen die Offenbacher Kickers.

1945 gehörten Eintracht, FSV und Kickers Offenbach zu den Gründungsmitgliedern der Oberliga Süd. Die Spiele gegeneinander hatten nichts von ihrem Reiz verloren, auch wenn der FSV mit den Jahren nicht mehr ganz vorne mitspielte. Eintracht gegen Sportverein war aber immer noch „das" Derby. Noch

Ein Spiel, das nie stattfand. Zur Jahreswende 1939/40 fielen alle Spiele dem schlechten Wetter zum Opfer.

… und am 21. August 2011.

1953 wurde ein Spiel der Eintracht bei den Offenbacher Kickers als „kleines Derby" bezeichnet. Der Abstieg des FSV aus der Oberliga bedeutete 1962 das Ende des traditionellen Stadt-Derbys (um Punkte). Ein Jahr später folgte durch die Nichtberücksichtigung der Offenbacher Kickers zur Bundesliga auch das Aus des zweiten Lokalschlagers. Zwar gab es zwischen 1968 und 1984 noch einmal 14 Derbys um Bundesliga-Punkte, in denen die Offenbacher oft die Nase vorne hatten. Gewann allerdings die Eintracht, mussten die Kickers absteigen: 1969, 1971, 1976 und 1984. Danach gingen sich beide Klubs so gut es ging aus dem Weg. Die Polarisierung der Fans trug auch dazu bei, dass das Derby aus dem Terminkalender verschwand. Versuche Anfang der 1990er Jahre, den finanziell nicht gerade auf Rosen gebetteten Kickers durch ein Benefiz-Derby zu helfen, stießen auf den offenen Widerstand des OFC-Anhangs. So pflegten beide Fan-Lager eine selbst gewählte Isolation. Man freute sich über Niederlagen der „anderen" Seite, ansonsten ignorierte man sich aber nicht einmal.

Nach dem Wiederaufstieg der Eintracht 2003 regte der Radio-Sender FFH ein Freundschaftsspiel zwischen der Eintracht und den Kickers an. Da es das Spiel seit fast 20 Jahren nicht mehr gegeben habe, so Pressesprecher Dominik Kuhn, sei die „Zeit reif … Wir wollen ein friedliches Derby, die Mauer in den Köpfen soll eingerissen werden." Bei den Fans stießen solcherlei Überlegungen auf wenig Gegenliebe: „Wir haben in mühevoller Kleinarbeit unsere Fans wieder unter Kontrolle bekommen", meinte der Eintracht-Fanbeauftragte Andreas Hornung, „mit einem solchen Spiel würden wir uns

DERBYSIEGER 1959 1971 1984....\

DFB-Pokal 2003 gegen Offenbach: Vor dem Spiel erinnert ein über dem Stadion kreisendes Flugzeug an die größten Eintracht-Erfolge über die Kickers.

den Ärger wieder zurückholen." Da herrschte Einigkeit mit dem OFC. „Ohne Not sollte man so etwas lassen", sagte Antje Hagel, Mitarbeiterin des Offenbacher Fan-Projekts, und sprach von einer „absurden Idee" („Frankfurter Neue Presse" vom 4. Juni 2003).

Doch kaum hatte sich die Aufregung gelegt, da wurde aus der absurden Idee Realität. Das Pokal-Los bescherte den Kickers am 1. September 2003 ein Heimspiel gegen die Eintracht. Innerhalb weniger Stunden wurde die OFC-Geschäftsstelle mit Bestellungen geradezu überflutet, obwohl aus Sicherheitsgründen nur 20.500 Plätze zur Verfügung standen. Wer nicht live vor Ort war, konnte das Spiel im 3. Programm des Hessischen Rundfunks sehen. Bis zu 1,36 Millionen Zuschauer sollen die Live-Übertragung des Spiels verfolgt haben. In der Spitze erreichte die Übertragung einen Marktanteil von 42,6 Prozent in Hessen und war damit eine der erfolgreichsten hr-Produktionen der letzten Jahre. Und auch für die Eintracht und ihre Fans war der Abend erfolgreich: Im Elfmeterschießen kam man eine Runde weiter. 2007 und 2009 folgten zwei weitere Pokalspiele auf dem Bieberer Berg, die beide Male von der Eintracht deutlich 3:0 gewonnen wurden. Damit stand fest: „Die Nummer 1 am Main sind wir!"

Während das Derby gegen die Offenbacher seitdem praktisch „eingeschlafen" ist, kam es nach dem Abstieg der Eintracht 2011 erstmals seit 1962 wieder zu einem Punktspiel gegen den FSV. Über 90.000 Zuschauer wohnten den beiden Spielen im Stadion bei, die die Eintracht mit 4:0 und 6:1 gewann. Auf den Rängen demonstrierten die Fans beider Klubs Einigkeit: „Zwei Herzen in einer Brust: Frankfurt am Main". In München

oder Hamburg undenkbar. 40.000 Fans pilgerten auch am 6. August 2017 zur Saisoneröffnung
der Eintracht in den Stadtwald, um das 180.
Derby gegen die „Bernemer" zu sehen. Diesmal stand das Spiel unter dem Motto „Wir sind
alle Frankfurter Jungs" und brachte dem sowohl
sportlich als auch finanziell arg gebeutelten FSV
eine Garantiesumme von 150.000 Euro ein.

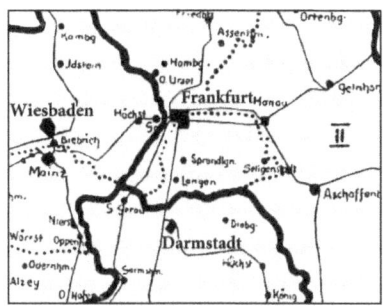

**Im 1923 gebildeten Mainbezirk
waren die Frankfurter, Offenbacher
und Hanauer Klubs weitgehend
unter sich. Selbst eine weitere
Spielklassenreform 1927 brachte
nur geringfügige Änderungen.
Mainz, das 1928 eingemeindete
Höchst und Darmstadt blieben
außen vor.**

Nimmt man Tradition als Gradmesser für
ein Derby, verblassen die Zahlen der Spiele der
Eintracht gegen den 1. FSV Mainz 05 und SV
Darmstadt 98. Beide kommen zusammen nur
auf 101 Spiele. Kein Vergleich zu den Begegnungen mit dem FSV (180) oder dem OFC (147).
Das ist natürlich auch eine Folge der Ligen-
einteilung vor 1933. Frankfurt und Offenbach
spielten im Mainbezirk, Darmstadt mit Mann-
heim-Ludwigshafen im Rheinbezirk und Mainz im Bezirk Rheinhessen-Saar, der sich
vom damals noch selbständigen Höchst bis nach Saarbrücken und Trier erstreckte.
Nach 1945, in der Zeit der Oberligen, gehörte Mainz dann zum Südwesten, Frankfurt
und Darmstadt zum Süden, doch waren die „Lilien" nur 1950/51 erstklassig. Danach
spielte man nur noch achtmal um (Bundesliga-) Punkte. Dafür kreuzten die „98er"
nach ihrem Abstieg aus der 2. Bundesliga 1993 bis 2011 in der Hessenliga und Regionalliga 18-mal die Klingen mit den Eintracht-Amateuren, wobei es auf den Rängen
nicht immer freundschaftlich zuging. Fünfmal blieb die Eintracht Sieger (alleine viermal im Zeitraum 2007 bis 2011), viermal trennte man sich unentschieden und neunmal siegten die „98er". Nach den Fan-Krawallen rund um den Abstieg 2011 sah sich
die Eintracht jedenfalls veranlasst, ein für den 6. Juli 2011 vereinbartes Testspiel am
Böllenfalltor wieder abzusagen. Zwar wurden Sicherheitsbedenken nicht offiziell als
Grund genannt, es gab aber wohl Hinweise, dass das Spiel auf beiden Seiten genug
Leute angezogen hätte, die mehr an der „dritten Halbzeit" als an den 90 Minuten interessiert gewesen wären.

Das zeigte sich dann in den Bundesliga-Spielen 2015/16. Beim Hinspiel, das die
„Lilien" überraschend mit 1:0 im Stadion gewannen, fielen Eintracht-Anhänger aus
der Rolle, als sie Darmstädter Fan-Utensilien am Zaun verbrannten, was der Eintracht
u. a. eine Fan-Sperre für das Rückspiel in Darmstadt einbrachte. Die Stadt Darmstadt
verhängte sogar ein 36-stündiges Aufenthaltsverbot für alle Eintracht-Fans im Innen-
stadtbereich, das aber vom Verwaltungsgericht Darmstadt gekippt wurde. Zu diesem
Zeitpunkt stand der Eintracht das Wasser bis zum Hals. Lukas Hradecky mit einem
gehaltenen Elfmeter, Makoto Hasebe und Stefan Aigner sicherten der Eintracht am
Ende ein im Abstiegskampf wertvolles 2:1. Zwar standen die „Lilien" in der Abschluss-

tabelle vor der Eintracht und waren somit beste hessische Mannschaft – das hatten zuletzt die Offenbacher Kickers 1972/73 geschafft! –, doch nach dem Darmstädter Abstieg 2017 ist die alte Ordnung zumindest in diesem Bereich wieder hergestellt.

Brisant ist auch das Verhältnis zum 1. FSV Mainz 05, gegen den es bis zum Abstieg 1996 nur 21 Spiele gegeben hatte. 1998 machte die Eintracht gegen die Rheinhessen den Wiederaufstieg perfekt und 2003 sorgte Alexander Schur dafür, dass die Eintracht am Ende eines dramatischen Aufstiegskampfes die Nase knapp vorne hatte. 2005/06 stand man sich dann erstmals auch in der Bundesliga gegenüber, wo sich die „05er" in den letzten Jahren zu einer Art Angstgegner der Eintracht entwickelt haben und die letzten drei Duelle für sich entscheiden konnten. Dafür leisteten sie am letzten Spieltag der Saison 2018/19 Schützenhilfe, dass die Eintracht in letzter Sekunde doch noch die Qualifikation für die Europa League schaffte.

Derby-Statistik

(Stand: 30.6.2020, ohne Hallenspiele und
Begegnungen bei „Blitzturnieren")

Das „Ur-Derby" **FFC Victoria – Frankfurter Kickers:** 28 Spiele, 16 Victoria-Siege, 3 Unentschieden, 9 Kickers-Siege, 89:53 Tore – Das erste Derby: 30.7.1899 5:0 für Victoria (gegen die „Spielgesellschaft"); der höchste Victoria-Sieg: 7:0 (20.8.1899 gegen die „Spielgesellschaft"); die höchsten Kickers-Siege: 6:2 (6.3.1904) und 5:1 (21.10.1906); das letzte Derby: 11.12.1910 (2:2).

Eintracht – FSV Frankfurt: 180 Spiele, 87 Eintracht-Siege, 47 Unentschieden, 46 Niederlagen, 386:262 Tore – Dazu kommen 25 Spiele des FFC Victoria (7 Victoria-Siege, 5 Unentschieden, 13 FSV-Siege, 49:73 Tore) und 25 der Frankfurter Kickers (1 FFC-1899-Sieg, 9 Kickers-Siege, 3 Unentschieden, 11 FSV-Siege, ein Ergebnis ist nicht bekannt, 59:57 Tore) – Das erste Derby: 29.6.1902 Victoria – FSV 5:2; der höchste Eintracht-Sieg: 16:0 (23.7.1991); die höchsten FSV-Siege: 6:0 (24.3.1918 und 9.12.1945); das letzte Derby: 6.8.2017 Eintracht – FSV 5:2.

Eintracht – Kickers Offenbach: 147 Spiele, 55 Eintracht-Siege, 36 Unentschieden, 56 OFC-Siege, 261:274 Tore – Dazu kommen 12 Spiele des FFC Victoria (6 Victoria-Siege, 1 Unentschieden, 5 OFC-Siege, 28:24 Tore) und 8 der Frankfurter Kickers (2 Kickers-Siege, 6 OFC-Siege, 18:18 Tore) – Das erste Derby: 12.10.1902 OFC Kickers – Victoria 0:3; der höchste Eintracht-Sieg: 6:0 (22.11.1925; die Frankfurter Kickers gewannen am 14.2.1904 mit 8:0); der höchste OFC-Sieg: 10:0 (21.5.1944); das letzte Derby: 2.8.2009 OFC Kickers – Eintracht 0:3.

Eintracht – 1. FSV Mainz 05: 56 Spiele, 25 Eintracht-Siege, 16 Unentschieden, 15 Mainzer Siege, 109:86 Tore – Das erste Spiel: 17.4.1926 Eintracht – 1. FSV Mainz 05 7:1; der höchste Eintracht-Sieg: 25.11.1973 1. FSV Mainz 05 – Eintracht 2:8; der höchste Mainzer Sieg: 18.2.1934 1. FSV Mainz 05 – Eintracht 7:3; das letzte Spiel: 6.6.2020 Eintracht – 1. FSV Mainz 05 0:2.

Eintracht – SV Darmstadt 98 (inkl. Vorgängervereine): 45 Spiele, 31 Eintracht-Siege, 7 Unentschieden, 7 „Lilien"-Siege, 127:53 Tore – Das erste Spiel: 17.9.1905 FFC Victoria – Olympia 1898 Darmstadt 4:1; der höchste Eintracht-Sieg: 4.7.1943 Eintracht – SV Darmstadt 98 8:1; der höchste „Lilien"-Sieg: 28.5.1911 FFV – Olympia 1898 Darmstadt 1:3; das letzte Spiel: 5.2.2017 Eintracht – SV Darmstadt 98 2:0.

2017/18 ■ Die Rückkehr des Pokals

Der Einzug ins Pokalendspiel machte Appetit auf mehr. Dennoch übte man sich bei der Eintracht bei der Formulierung der Saisonziele in Zurückhaltung, nachdem „in der Vorsaison viele Spieler […] den Europacup ausgerufen" hatten, „die eigenen Ansprüche dann aber nicht konstant" erfüllten. („kicker-Sonderheft 2017/18") Große Erwartungen ruhten auf Sebastien Haller, der für die neue Eintracht-Rekordablöse von sieben Millionen Euro vom FC Utrecht an den Main kam. Außerdem wurde der Kader immer internationaler. Haller war Franzose, Jetro Willems und Jonathan de Guzman Niederländer, Daichi Kamada Japaner, Carlos Salcedo Mexikaner, Gelson Fernandes Schweizer und der erst 19-jährige Luka Jovic Serbe. Doch Fredi Bobic verteidigte die Transferpolitik. „Jung und leistungsfähig! Uns ist nicht so wichtig, wo jemand herkommt." Für eine bunte und weltoffene Stadt wie Frankfurt schien das der richtige Weg.

Damit nicht genug. Zwei Tage vor dem Bundesligastart wurde überraschend die Verpflichtung von Kevin-Prince Boateng verkündet. Der gebürtige Berliner hatte schon in jungen Jahren eine gewisse Affinität zur Eintracht, feierte er doch in der Saison 2005/06 beim 0:2 in Berlin nicht nur sein Bundesliga-Debüt für Hertha BSC, sondern erzielte im Rückspiel in Frankfurt beim 1:1 auch sein erstes Tor. 2007 verließ er seine Heimatstadt, „um als flegelhafter Draufgänger die Fußballwelt zu erobern". Als er 2010 im FA Cup Final im Trikot des FC Portsmouth Michael Ballack schwer foulte, was diesen die WM-Teilnahme kostete, schien „das Klischee vom rüpelhaften Ghetto-Kid, das keine Manieren hat und um sich tritt" erfüllt. Doch Boateng ist auch ein „Geradeaus-Charakter. [. . .] Wenn Menschen diskriminiert oder beleidigt werden, tut ihm das mehr weh als jedes Foul." (Zitate aus der „Berliner Zeitung" vom 19. Mai 2018). So setzte er Anfang 2013 beim AC Mailand ein viel beachtetes Zeichen gegen Rassismus im Fußball, als ihm bei einem Freundschaftsspiel der Kragen platzte und er mit seinen Mitspielern nach 26 Minuten den Platz verließ. Niko Kovac jedenfalls war von ihm überzeugt. Mit einem Spieler, „der immer gewinnen will, egal ob im Training oder im Spiel", habe man „mehr Variabilität und Mentalität reinbekommen." („Frankfurter Rundschau" vom 19. August 2017) Das zeigte sich erstmals bei Borussia Mönchengladbach, wo der „Prinz" das Tor des Tages erzielte, nach 51 Minuten aber gegen Ante Rebic ausgewechselt wurde. Den Kroaten hatte man in letzter Sekunde für ein weiteres Jahr mit anschließender Kaufoption vom AC Florenz ausleihen können.

Nach holprigem Start mit zwei Heimniederlagen gegen den VfL Wolfsburg und den FC Augsburg fand sich die Multikulti-Truppe immer besser zurecht, blieb von Ende September bis Ende November sechs Spiele ungeschlagen und arbeitete sich auf Platz sieben vor. Weitere Heimniederlagen gegen Bayer Leverkusen und Bayern München verhinderten jedoch eine bessere Platzierung. Außerdem konnte zum Vorrundenabschluss gegen den FC Schalke 04 eine 2:0-Führung nicht über die Zeit gerettet werden. Niko Kovac war trotzdem zufrieden und sah seine Mannschaft auf ähnlichem Niveau wie vor Jahresfrist, räumte aber auch ein, dass „wir fußballerisch letztes Jahr

Ein neuer „Stand jetzt": Zwei Tage vor dem Spiel bei Bayer Leverkusen war der Wechsel von Niko Kovac zu Bayern München perfekt.

besser waren". („Frankfurter Rundschau" vom 18. Dezember 2017) Zum Abschluss des Jahres wurde beim Zweitlisten 1. FC Heidenheim der Einzug ins DFB-Pokal-Viertelfinale perfekt gemacht.

Auch der Rückrundenauftakt konnte sich sehen lassen. Durch ein 3:0 gegen Mainz 05 erreichte man erneut das Pokal-Halbfinale, und nach Heimsiegen gegen den 1. FC Köln sowie RB Leipzig lag man als Dritter klar auf Kurs Richtung Europapokal. Doch plötzlich lief es auswärts nicht mehr. Beim 0:1 in Stuttgart versagte die Mannschaft „im Kollektiv" („kicker" vom 18. Februar 2018), in Dortmund fehlte „vielleicht noch ein Schuss Cleverness" („Frankfurter Rundschau" vom 12. März 2018), um nach dem Ausgleich in der Nachspielzeit das 2:3 zu verhindern, und in Bremen patzte Keeper Hradecky nach einer Kopfballrückgabe von Abraham – 1:2. Dazu kam die ungewisse Zukunft von Niko Kovac, der bei Bayern München als Nachfolger von Jupp Heynckes ganz hoch im Kurs stand.

Für Irritationen sorgte der Trainer selbst, als er vor dem Heimspiel gegen Hoffenheim erklärte: „Es gibt keinen Grund, daran zu zweifeln, dass ich im nächsten Jahr hier noch Trainer bin. Punkt." Eine an sich klare Aussage, der er aber ein „Stand jetzt" hinzufügte. („Frankfurter Rundschau" vom 5. April 2018) Eine Woche später war die Katze aus dem Sack. Zwei Tage vor dem Auswärtsspiel beim unmittelbaren Konkurrenten Bayer Leverkusen war der Wechsel von Niko Kovac zum Rekordmeister perfekt. Während Fredi Bobic in diesem Sammelsurium von „Lügen und Halbwahrheiten" die Vorgehensweise der Münchner als „extrem bedenklich und respektlos" einstufte, wiesen diese solche Äußerungen als „unanständig" und „unverschämt" zurück („kicker" vom 16. April 2018). Selbst im TV-Sender „Sky" zeigte sich der Bayern-Präsident dünnhäutig. Auf die Frage nach dem ersten Kontakt mit Kovac antwortete Uli Hoeneß: „Wir sind hier nicht bei der Staatsanwaltschaft. Das geht sie einen ziemlichen Mist an." („Frankfurter Rundschau" vom 16. April 2018)

Der Eintracht half das natürlich nicht. Niko Kovac war nicht nur bei den Fans unten durch – auch auf dem Platz lief nicht mehr viel zusammen. Nach dem 1:4 in Leverkusen war der Traum von der Champions League passé. Vor dem Pokalspiel auf Schalke zeigte sich Kovac aber kämpferisch. „Wir wollen ins Finale, [ob] wir das mit Betonfußball schaffen oder bezaubernd, das ist mir egal. […] Wir müssen mental gewappnet sein. Das Spiel ist wichtig für mich und auch für den Klub." („Frankfurter Rundschau" vom 18. April 2018) „Zähe Frankfurter zermürbten Tedesco-Elf" bewertete der „kicker" das Spiel, das die Eintracht durch ein Tor von Luka Jovic mit 1:0 gewann. „Aufgrund des Chancenplus von Schalke ein glücklicher, aber nicht gänzlich unverdienter Sieg der Frankfurter", die die letzten zehn Minuten nach Rot für Fernandes zu zehnt spielten und Glück hatten, als Schiedsrichter Hartmann ein Tor von Di Santo wegen eines vermeintlichen Handspiels nicht anerkannte.

In der Bundesliga ging es jetzt nur noch darum, Platz sieben zu halten, der auf jeden Fall die Eintrittskarte für Europa bedeutete. Gegen Hertha BSC (0:3) waren aber die Nachwehen des Pokalfights unter der Woche zu spüren, und beim neuen Arbeitgeber von Niko Kovac reichte die Leistung nicht einmal gegen die C-Elf des Pokalfinalgegners (1:4). Im letzten Heimspiel gegen den Hamburger SV ging es für beide Teams um viel. Stuttgart (45 Punkte) und Gladbach (44) lauerten hinter der Eintracht (46), und für den HSV ging es um den Klassenerhalt. Am Ende verwandelte ein Mann das Stadion in einen „Tempel der Ekstase" („kicker" vom 7. Mai 2018), der verletzungsbedingt die ganze Saison noch nicht zum Einsatz gekommen war: Alex Meier. Nur vier Minuten nach seiner Einwechslung für Haller (87.) versenkte der „Fußballgott" eine Vorlage von Abraham volley zum 3:0. Da das letzte Spiel auf Schalke verloren wurde (0:1) und der VfB Stuttgart den Bayern in München die Meisterfeier verdarb (4:1), beendete die Eintracht die Saison als Achter. Europa League war also nur als Pokalsieger möglich.

Wie im Vorjahr war die Eintracht erneut Außenseiter, hatte aber zwei nicht zu unterschätzende Vorteile auf ihrer Seite. „Der Pokal ist ein Berliner" titelte die „Berliner Zeitung" am Tag des Endspiels. Nicht nur für Niko Kovac war es eine Rückkehr in die Heimatstadt. Auch für Kevin-Prince Boateng, der wie Niko Kovac aus dem Wedding kommt. „Als Niko als Trainer anfing, habe ich ihn angerufen und gesagt, dass ich irgendwann einmal unter ihm spielen werde." („Frankfurter Rundschau" vom 19. August 2017) Nun standen sie gemeinsam im Pokalendspiel, für das er seinen Teamkollegen riet: „Einfach keine Angst haben." Und an die jüngeren Spielern adressiert: „Es ist nur Fußball. Geht einfach raus und spielt wie im Park. Es schauen nur ein paar Leute mehr zu." („Berliner Zeitung" vom 19. Mai 2018)

Nun wissen wir nicht, ob die Mannschaft die „Berliner Zeitung" gelesen hatte, aber geführt von Boateng, der „als Sturmspitze Frankfurts erster Verteidiger und nahezu allseits anspielbar" war, ging die Eintracht durch Rebic früh in Führung (11.), überstand selbst nach dem Ausgleich durch Lewandowski (53.) die Feldüberlegenheit und das Chancenplus der Bayern und ging in der 82. Minute durch Rebic erneut in Führung. „Der Sieg war durch das Mehr an Leidenschaft, Einsatzwillen, taktischer Disziplin sowie Stärke im Abschluss verdient." Glück hatte man allerdings in der Nachspielzeit, als Schiedsrichter Zwayer nach Studium der Videoaufnahmen nicht auf Elfmeter für die Münchner entschied. Den abgewehrten Eckball nutzte dann Gacinovic mit einem Spurt auf das leere Bayern-Tor zum alles entscheidenden 3:1. Marco Russ fasste den „Wahnsinn" zusammen: „Wir waren mutig, und der Wille, die Leidenschaft und das Herz waren bei uns größer. […] Das musste Bayern spüren. Wir sind ein verrückter Haufen mit unterschiedlichen Charakteren, aber der Trainer hat es wieder geschafft, uns zusammenzuschweißen."

Der letzte Akt des „Fußballgotts" im Eintracht-Trikot. Alexander Meier trifft nach seiner Einwechslung zum 3:0 gegen den Hamburger SV.

Erfolgstrainer Kovac mit dem Pokal.

Bei den Fans hatte bereits das erneute Erreichen des Endspiels grenzenlose Euphorie ausgelöst. Was hatte man schon zu verlieren – außer dem Trainer, dessen Wechsel zu den Bayern schon lange feststand? Das Motto hieß: die tolle Atmosphäre aufsaugen und auf ein Wunder hoffen. Vor dem Spiel genossen wir in einer typischen Berliner Eckkneipe an der U-Bahn-Station „Neu-Westend" bei kühlen Bierchen den Vorbeimarsch der Fans Richtung Stadion. Das Spiel und die Stimmung waren unvergesslich. Nach dem 3:1 gab es auf den Rängen unbeschreibliche Szenen. Auf einmal stand Museumsleiter Matze Thoma neben mir und wir vollführten Freudentänze. 30 Jahre nach dem 1:0 gegen den VfL Bochum an gleicher Stätte kehrte der Pokal zurück nach Frankfurt!

Auch für Niko Kovac war es ein bewegender Abend. Aus der Fankurve wurde er mit Sprechchören gefeiert. Die Rückkehr der Mannschaft tags darauf nach Frankfurt war vergleichbar mit dem Triumphzug nach dem Endspiel 1959. Der Platz vor dem Römer war überfüllt und musste geschlossen werden. Da war die Mannschaft noch nicht einmal in Frankfurt gelandet. Der Autocorso vom Flughafen verlief schleppend. Auf dem Römer-Balkon toppte Boateng schließlich seine Leistung vom Vortag mit bemerkenswerten Worten: „Ich kenne den Niko ein bisschen länger als ihr. Das ist ein ganz emotionaler Mensch, der es nicht zeigt. In den zwei Jahren hier hat er überragende Arbeit geleistet. Ich weiß, ihr alle und auch wir haben gesagt: Was macht er? Geht zu Bayern. [...] Aber er hat uns den Pokal geschenkt und die zwei Jahre vergoldet.

Jetzt kann er auch zu den Bayern gehen. Riesenrespekt für diesen Trainer." („kicker" vom 22. Mai 2018)

Die Euphorie hielt wochenlang an und geistert auch jetzt noch durch unsere Köpfe. Fjörtofts Übersteiger 1999 war sicherlich das achte Weltwunder, aber wenn ich Gacinovic auf das leere Bayern-Tor zulaufen sehe, bekomme ich immer wieder Gänsehaut.

Ein Moment, auf den man 30 Jahre gewartet hatte. Der fünfte Pokalsieg 2018 wurde von der gesamten Mannschaft sowie dem Trainer- und Funktionsteam euphorisch gefeiert.

Kevin-Prince Boateng erklärt kurz und knapp die Taktik zum sensationellen Pokal-Cup.

2018/19 ■ Furore in Europa – Trostpflaster in der Liga

Bereits am Mittwoch vor dem Pokalendspiel wurde mit Adi Hütter der neue Trainer vorgestellt. Der 48-jährige Vorarlberger hatte zwischen 1988 und 2007 für den Grazer AK, den Linzer ASK, SC Rheindorf Altach, Austria Salzburg, den Kapfenberger SV und RB Salzburg Juniors 484 Ligaspiele in den obersten drei Spielklassen bestritten und dabei 68 Tore erzielt. Er absolvierte 13 Länderspiele (drei Tore) für Österreich und war mit Salzburg dreimal Meister und mit dem GAK 2002 Pokalsieger. Seine Trainerlaufbahn begann bei den RB Juniors und von 2009 bis 2012 beim SC Rheindorf Altach. Den SV Grödig führte er anschließend von der 2. Liga in die Europa League. Mit RB Salzburg gewann er 2014/15 das Double und ging dann in die Schweiz zu den Young Boys Bern, mit denen er 2018 nach 32 Jahren erstmals wieder den Titel holte und den Serienmeister FC Basel ablöste. In Frankfurt war er kein Unbekannter, denn 1993/94 hatte er mit Salzburg die Eintracht im UEFA-Pokal-Viertelfinale ausgeschaltet.

YB-Sportchef Christoph Spycher, von 2005 bis 2010 für die Eintracht am Ball, sah den Abgang des Meistertrainers mit einem lachenden und einem weinenden Auge. „Rational wusste ich: Wenn so ein Traditionsverein kommt, wird es sicherlich schwierig, ihn zu halten. Dass er jetzt zur Eintracht wechselt, ist auch für mich eine spezielle Geschichte. Es zeigt, dass wir hier einen guten Job machen, das habe ich auch Fredi Bobic gesagt. Und am Schluss muss ich sagen, dass es eine gute Wahl ist für Frankfurt." Das unterstrich auch der Eintracht-Sportvorstand: „Adi ist ein echter Fußballfachmann, der … nachhaltig bei mehreren Klubs bewiesen [hat], dass er mit harter Arbeit auch aus geringen Möglichkeiten das Optimum herausholen kann. Er passt daher perfekt zu unserem Klub. Er wird der Eintracht eine gewisse, eine andere Note geben." („Frankfurter Rundschau" vom 17. Mai 2018)

Denn es gab viel zu tun beim neuen Pokalsieger, da für einige Spieler die Feierlichkeiten nach dem 19. Mai Höhepunkt und Abschied zugleich waren. Der Abgang von Lukas Hradecky nach Leverkusen stand schon lange fest. Für ihn hatte man schon im April den dänischen Nationalkeeper Frederick Rönnow verpflichtet, der damit zum dritten Mal nach 2013 bei Esbjerg fB und 2015 bei Bröndby IF die Nachfolge von Hradecky antrat. Mit Boateng, Mascarell und Wolf verließen

Adi Hütter.

drei weitere Spieler aus der Siegermannschaft den Verein. „Fußballgott" Alex Meier bekam keinen neuen Vertrag und musste nach 14 Jahren bei der Eintracht gehen. Dieser „Adlerlass" („kicker-Sonderheft 2018/19") erschwerte natürlich die Arbeit des mit einem Dreijahresvertrag ausgestatteten neuen Trainers.

Die meisten Neuzugänge waren unbeschriebene Blätter. Lucas Torro und Evan Ndicka kamen von Zweitligisten aus Spanien und Frankreich. Stürmer Goncalo Paciencia vom FC Porto war seit 2015 viermal ausgeliehen gewesen. Nur Nicolai Müller, einst fünf Jahre in der Eintracht-Jugend, war von seiner Zeit in Mainz kein Unbekannter. So galt der Supercup am 12. August gegen Meister Bayern München als „erster vorsichtiger Gradmesser. Wo steht Eintracht Frankfurt nach dem neuerlichen personellen Umbruch?" Hütter selbst äußerte sich noch vorsichtig: „Ich möchte . . . ein Team sehen, das vom ersten Augenblick an Mentalität zeigt. Ich will das sehen, was wir trainiert haben." („Frankfurter Rundschau" vom 11. August 2018) Das Ergebnis war ernüchternd: 0:5, wobei Torhüter Rönnow und Abwehrchef Abraham einen rabenschwarzen Tag erwischt hatten. Eine Woche später war der Frust noch größer. Beim Regionalligisten SSV Ulm 1846 flog die Eintracht mit 1:2 aus dem Pokal.

Nach dem Hype vom Sommer war die Eintracht wieder in der Realität angekommen. Und natürlich wurde sofort die Transferpolitik kritisiert. Also wurde mit Filip Kostic noch vor dem Bundesligastart ein Mann für die Außenbahn verpflichtet. Kurz vor Transferschluss kehrte außerdem mit Kevin Trapp ein bekanntes Gesicht ins Eintracht-Tor zurück. Trotz eines Startsieges in Freiburg (2:0) und einem 2:1 im Geisterspiel zum Auftakt der Europa League bei Olympique Marseille hatte die Eintracht Ende September „viele Baustellen zu beackern" und war „gefangen im Nirgendwo". Jetro Willems brachte es auf den Punkt: „Wir schießen zu wenig Tore. Wir kriegen hinten zu leicht Tore." („Frankfurter Rundschau" vom 28. September 2018) Das 4:1 gegen Han-

Die „Büffelherde": Sebastien Haller, Ante Rebic und Luka Jovic sorgten national und international für Furore.

nover 96 war der Wendepunkt. Bis Ende November gewann die Eintracht von sechs Bundesliga- und vier Europa-League-Spielen neun bei einem Torverhältnis von 32:7. Höhepunkt war der Fünferpack von Luka Jovic beim 7:1 gegen Fortuna Düsseldorf. Das hatte in einem Punktspiel zuletzt Edmund Adamkiewicz am 15. Dezember 1946 in der Oberliga gegen den 1. FC Bamberg geschafft (6:0). Damit hatte sich die Eintracht in der Bundesliga auf Platz 2 vorgeschoben und in der Europa League vorzeitig die K.-o.-Runde erreicht. Immer wertvoller wurde Sebastien Haller. Schon Ex-Trainer Niko Kovac hatte große Stücke auf ihn gehalten. „[Er] gewinnt die Zweikämpfe in der Luft, ist am Boden ballsicher und kaum wegzustemmen." („kicker" vom 26. November 2018)

Natürlich konnte und sollte das nicht ewig so weitergehen. Zwar beendete die Eintracht mit einem 2:1 bei Lazio Rom als erstes deutsches Team eine Gruppenphase im Europapokal mit sechs Siegen, in der Bundesliga gab es in den letzten fünf Spielen aber nur noch vier Punkte. Die Hinrunde endete wie sie begonnen hatte: mit einer Heimniederlage gegen Bayern München (0:3). „Griffigkeit, Genauigkeit und Aggressivität haben nicht so gestimmt wie in vielen Spielen zuvor", zog Adi Hütter Bilanz, bedankte sich aber bei den Spielern „für den begeisternden Fußball, den sie über weite Strecken gespielt haben." („kicker" vom 24. Dezember 2018) Für das überaus erfolgreiche Abschneiden der Eintracht wurde Fredi Bobic zum „kicker-Mann des Jahres 2018" gekürt. Er habe „seine Zweifler widerlegt und Eintracht Frankfurt zum Vorzeigeklub entwickelt", schrieb das Fachblatt. Comedian Henni Nachtsheim zog einen Vergleich zur jüngeren Vergangenheit: „Als Heribert Bruchhagen zur Eintracht kam, hat er den Patienten Eintracht am offenen Herzen operiert und ihm damit das Leben gerettet. Fredi Bobic hat dem Klub einfach noch ein weiteres Herz eingepflanzt." („kicker" vom 24. Dezember 2018)

Festung Waldstadion: Kultstatus erlangten die Choreographien bei den Europa-League-Spielen. Gegen Inter Mailand wurde der 120. Geburtstag der Eintracht gefeiert.

Bitter: Nach toller Leistung entschied Eden Hazard im Elfmeterschießen zugunsten von Chelsea.

Für die Rückrunde wurde der Kader noch einmal verstärkt. Auf Leihbasis kamen Mittelfeldspieler Sebastian Rode von Borussia Dortmund und der beim FC Augsburg suspendierte Martin Hinteregger. Beide schlugen sofort ein und die Eintracht blieb bis Anfang April in 15 Spielen unbesiegt. Damit hatte man vier Punkte Vorsprung auf den Fünften Mönchengladbach und acht auf Hoffenheim auf Platz 7. Die Champions League schien plötzlich ein realistisches Ziel. Doch wie in den letzten Jahren hatte man die Rechnung ohne den Wirt gemacht. Gegen Benfica Lissabon schaffte man mit einer Energieleistung zwar den Einzug ins Europa-League-Halbfinale, doch danach ging (fast) nichts mehr. Vier Tage vor dem Rückspiel bei Chelsea setzte es in Leverkusen ein „historisches Debakel" (1:6), das schon nach 36 Minuten feststand. Noch nie hatte die Eintracht in der ersten Halbzeit sechs Gegentore kassiert! In London gab die Eintracht aber noch einmal alles und zog erst im Elfmeterschießen den Kürzeren. Dabei hatte man in diesem bereits mit 3:1 vorne gelegen, aber Hinteregger und Paciencia scheiterten an Kepa. Trotz des bitteren Endes feierten die Fans die Mannschaft. Während die Chelsea-Fans unmittelbar nach dem entscheidenden Elfmeter durch Hazard das Stadion verlassen hatten, trösteten sich Fans und Mannschaft gegenseitig und sangen „Im Herzen von Europa".

Damit waren die Akkus aber endgültig leer. Durch ein 0:2 gegen Mainz 05 rutschte die Eintracht erstmals seit dem 26. Spieltag aus den Champions-League-Rängen. Bereits ein Unentschieden hätte für Platz 6 gereicht. Und so kam es, wie es kommen musste. Anders als im Vorjahr gegen Stuttgart ließ sich Bayern München die Meisterschaftsfeier nicht verderben. Nur kurz nach der Pause keimte nach dem Ausgleich durch Haller kurz Hoffnung auf. Am Ende kam aber trotz eines 1:5 Erleichterung auf, weil ausgerechnet die ungeliebten Mainzer gegen Hoffenheim aus einem 0:2 noch ein 4:2 machten. Mit Ach und Krach erreichte die Eintracht als Siebter die Europa-League-Qualifikation. Trotz des holprigen Starts und des Absturzes am Ende zählt die Saison 2018/19 sicherlich zu den spektakulärsten in der Geschichte der Eintracht.

Dafür sorgten neben der „Büffelherde" Jovic, Haller und Rebic, die zusammen 57 der 91 Eintracht-Tore erzielten, vor allem die Fans, die erneut zur Höchstform aufliefen. So waren alle sieben Europa-League-Heimspiele restlos ausverkauft und auch bei den Auswärtsspielen waren Tausende dabei – außer in Marseille, wohin wegen einer von der UEFA verhängten Zuschauersperre und eines von der dortigen Präfektur angeordneten Aufenthaltsverbots für Eintracht-Anhänger nur ein paar Hundert fuhren. Die Fanszene reagierte mit einem Aufruf: „Bucht die Flieger nach Zypern leer und fahrt notfalls mit dem Rad nach Rom. Macht das Waldstadion bei den Heimspielen erneut zu einem Hexenkessel." Ob Rom, Mailand oder London – ob mit Bus oder Bahn, ob mit Flugzeug: scheißegal! Eintracht Frankfurt international! Ein Taxifahrer in Lissabon schüttelte nur den Kopf. „Ihr seid verrückt. Jeder fragt nach Eintrittskarten. Wie viele kommen denn?" Eng wurde es nur bei Chelsea. Aber irgendwie fanden auch dort neben dem offiziellen Kontingent einige Hundert mehr den Weg ins Stadion. Und auch Baku wäre sicherlich fest in Frankfurter Hand gewesen. Da es aber keine Ticketbörse gab, wussten viele Fans nicht wohin mit den bereits gekauften Tickets. So gingen über WhatsApp-Gruppen, das Eintracht-Forum, die Presse und mit Hilfe von Bernhard Lippert in kürzester Zeit zahlreiche Ticket-, Sach- und Geldspenden für das dortige SOS-Kinderdorf ein. Schließlich spielte sogar die UEFA mit und stellte gedruckte Karten zur Verfügung. Für Charlien Wolf war der schönste Moment, „als die Kinder tatsächlich im Stadion eintrafen und klar war, dass wirklich alles funktioniert hatte. Da floss mehr als nur eine Träne bei allen Beteiligten. Insgesamt wurden Karten an acht Organisationen gespendet."

Glückliche Kinder in Baku mit Endspieltickets.

2019/20 ■ Fußball wird zur Nebensache

Am Mittwoch, 4. März, zog die Eintracht durch ein 2:0 über Werder Bremen ins Halbfinale des DFB-Pokals ein. Zum ersten Mal war sie zu diesem Zeitpunkt noch in Bundesliga, DFB- und Europapokal dabei. Außerdem wurde zum vierten Mal hintereinander ein Halbfinale erreicht: 2017, 2018 und 2020 im DFB-Pokal, 2019 in der Europa League. Doch neun Tage später war nichts mehr wie vorher. Es begann am Samstag, 7. März, mit einer saft- und kraftlosen Vorstellung in der Bundesliga bei Bayer Leverkusen (0:4). Tags darauf bescherte das Pokallos ein Auswärtsspiel bei Bayern München. Und am 9. März geriet auch der Fußball in den Strudel der Coronavirus-Pandemie.

An jenem Montag untersagte die Kantonspolizei Basel-Stadt die Austragung des Europa-League-Rückspiels (!) der Eintracht beim FC Basel am 19. März. Am Mittwochnachmittag wurde auch das Hinspiel im Waldstadion zum „Geisterspiel", nachdem es noch am Vormittag so ausgesehen hatte, als ob es mit Zuschauern über die Bühne gehen könne. Am Freitag, 13. März, revidierte die DFL ihre Entscheidung, den kommenden Spieltag ohne Zuschauer durchzuführen und verordnete der Liga eine zweiwöchige Pause, die am 24. März bis Ende April verlängert wurde. Am gleichen Tag sagte die UEFA alle ausstehenden Europapokalspiele ab. Am 17. März wurde die EM-Endrunde, am 23. März die Olympischen Spiele in Tokio auf 2021 verschoben. Zwischen dem 9. und 23. März stieg die Zahl der Infizierten und Toten in Deutschland laut Robert-Koch-Institut (RKI) von 1.139 (2) auf 22.672 (86). Den Höhepunkt an Neuinfizierten pro Tag gab es am 28. März mit 6.294. Nachdem sich die Situation ab Mai zu beruhigen schien und die Zahl der Neuinfizierten zeitweise sogar unter 500 am Tag fiel, stiegen die Zahlen im August wieder an und lagen am 13. August mit 1.445 erstmals wieder höher als am 9. Mai (1.251). Laut RKI waren am 31. August in Deutschland 242.381 Krankheitsfälle und 9.298 Tote registriert.

Als das volle Ausmaß der Pandemie noch gar nicht absehbar war, schrieb Fredi Bobic am 16. März in einem Gastbeitrag im „kicker": „[Es] ist ein Punkt gekommen, an dem wir [...] Verantwortung übernehmen und Entscheidungen treffen müssen, bei denen es um die Gesundheit aller unserer Mitarbeiter, ja aller am Produkt Fußball Beteiligten geht." Die Entscheidung der DFL, „den Spielbetrieb mit sofortiger Wirkung auszusetzen" bezeichnete er als „völlig alternativlose[n] Beschluss. Denn es geht hier nicht um Sport. Nicht um eine Meisterschaft. Es geht um die Gesundheit aller. [...] Wir hoffen aber, dass die gesamte Gesellschaft und damit auch der Sport nach einer gewissen Zeit den Umgang mit einer auch dann noch schweren, unbeendeten Thematik gelernt hat, die uns – da muss man kein Hellseher sein – noch Monate beschäftigen wird. [...] Ob das alles die richtigen Entscheidungen waren und sind? Wir wissen es nicht. Es geht auch nicht um Recht, es geht um Vernunft. Keiner von uns hat mit diesem Thema Erfahrungen. [...] Wir haben eine Aufgabe zu bewältigen, die sich uns in dieser Größe noch nie gestellt hat. Deshalb ist Geschlossenheit so wichtig. Wir [...] stehen vor einer verdammt wichtigen und gleichsam schwierigen Zeit.

Es wird wirtschaftlich sicher empfindliche Einschnitte geben. Dessen sind wir uns bewusst. Keiner weiß, wie die Zukunft aussieht. Nur gemeinsam können wir diesen Gegner bezwingen."

Drei Tage später wurde bekannt, dass sich ein Spieler der Eintracht mit Covid-19 infiziert hatte. Innerhalb weniger Tage erhöhte sich die Zahl in der Mannschaft und dem Umfeld auf vier. Fußball war endgültig von der wichtigsten Nebensache der Welt zu einer reinen Nebensache geworden. Doch mit Einstellung des Spielbetriebs drohten einige Vereine in finanzielle Schieflage zu geraten. So berichtete „kicker online" am 3. April, dass „13 der 36 deutschen Profivereine nach aktuellem Stand noch in diesem Jahr die Insolvenz droht", wenn die „vierte und letzte Rate in Höhe von 304 Millionen Euro aus der Vermarktung der nationalen Medienrechte und die beiden letzten Raten in Höhe von 93,2 Millionen Euro aus der internationalen Vermarktung nicht gezahlt werden". („kicker" vom 6. April 2020) Während kontrovers über einen Abbruch der Saison oder eine Fortführung mit Geisterspielen diskutiert wurde, während uns aus Italien, Frankreich und Spanien schreckliche Bilder erreichten, argumentierte die DFL, dass „mehr auf dem Spiel [steht] als ein paar Fußballspiele, es geht ums Überleben." Geschäftsführer Christian Seifert wies auf einer Pressekonferenz am 16. März auch darauf hin, „dass hinter den Profis mehr als 56.000 Arbeitsplätze stehen." (s. Lars M. Vollmering: „Corona", S. 58/59). Das kam angesichts des totalen Shutdown im öffentlichen Leben in weiten Teilen der Bevölkerung nicht gut an. Auch bei der Eintracht war es ein Thema, wie Fredi Bobic am 22. März erklärte, „Wir werden alles dafür tun, die Arbeitsplätze im Klub und im Fußball insgesamt zu sichern. Wir eruieren das aber seriös und ohne Druck. Wichtig ist, dass Eintracht Frankfurt und die Klubs überleben. Wir arbeiten im Vorstand mit Augenmaß." (www.eintracht.de, Interview: „Zeiten der Zeit erkannt") Und ergänzte am 1. Mai im „kicker": „Wir wollen keine Sonderrolle, wir wollen das machen, was alle tun: den Laden wieder ins Laufen bringen."

Denn hinter den Kulissen wurde bereits an der Wiederaufnahme des Spielbetriebs gearbeitet. Bei der Präsentation des von der DFL erarbeiteten Sicherheit- und Hygienekonzepts am 23. April betonte Seifert, „dass der Starttermin nicht in der Hand des Fußballs liege. Man werde bereit sein, wenn die Politik die Freigabe erteilt. Ziel für die Beendigung der Saison sei weiter der 30. Juni." („kicker online" am 23. April 2020). Am 6. Mai gaben Bund und Länder grünes Licht für den Re-Start der Liga ab der zweiten Mai-Hälfte. Die Entscheidung löste auch international ein großes Echo aus. UEFA-Präsident Aleksander Ceferin sprach von einem „leuchtenden Beispiel". Der „Corriere della Sera" sah „die Lokomotive des europäischen Fußballs . . . wieder in Bewegung" und ein „Signal, auf das der gesamte europäische Fußball gewartet hatte." Während für „L'Equipe" die Bundesliga „die erste Liga [war], die sich aus der sanitären Krise erhebt", stellte sich für „Ouest France" die Frage „warum die Bundesliga grünes Licht erhält, wohingegen der Handball seine Saison abgebrochen hat." („kicker online" am 7. Mai 2020) Auch in Deutschland wurde der Re-Start kontrovers diskutiert. Laut ARD-Deutschlandtrend waren noch zwei Tage vor der Wiederaufnahme des Spiel-

Geisterspiel. Vor leeren Rängen schied die Eintracht am
6. August 2020 beim FC Basel aus der Europa League aus.

betriebs 56 % der Bundesbürger gegen Saisonfortsetzung. Unter reinen Fußballfans betrug der Grad der Zustimmung allerdings 61,1 %. (Lars M. Vollmering: „Corona", S. 122)

Auch Christian Seifert musste einräumen, dass die Fortsetzung der Bundesliga nur „ein absoluter Notbetrieb" sei. „Der Eindruck, . . . die Bundesliga wird jetzt wieder so sein wie vorher, das wird nicht so sein." (hr-text am 10. Mai 2020) Auch die Anhänger der Eintracht stellten sich die Frage, wie die Mannschaft nach der wochenlangen Pause wieder zurück ins „Tagesgeschäft Bundesliga" finden würde. Sportlich war diese Frage am 16. Mai bereits nach 38 Sekunden beantwortet, als Borussia Mönchengladbach die Schlafmützigkeit in der Eintracht-Defensive zum 0:1 nutzte. Nur sechs Minuten später stand es 0:2 – das Spiel war gelaufen. Am Ende hieß es 1:3. Erfolgreicher lief dagegen die neu aufgelegte „Auf jetzt!"-Kampagne. Gestern wurde bekannt, dass über eine Million zusammenkamen. „Wenn man berücksichtigt, dass es aus der Fanszene zudem noch zahlreiche eigene und sehr erfolgreiche Aktivitäten gibt, ist das ein Frankfurter Alleinstellungsmerkmal", erklärte Vorstand Axel Hellmann am 2. Juni auf der Vereinshomepage.

Bis zur Unterbrechung der Saison Mitte März war die Formkurve der Eintracht geprägt von Höhen und Tiefen. Die Erfolge in der Europa League 2018/19 hatten die internationale Konkurrenz auf den Plan gerufen. Besonders die „Büffelherde" stand hoch im Kurs. Luka Jovic wechselte bereits im Juni für 60 Millionen Euro zu Real Madrid. Als Nächster ging Sebastien Haller für 50 Millionen zu West Ham United. Und am letzten Tag der Transferperiode war auch Ante Rebic weg, für den im Tausch André Silva vom AC Mailand kam.

Zu diesem Zeitpunkt waren immerhin zwei Minimalziele erreicht. Bei Waldhof Mannheim (5:3) hatte Ante Rebic mit einem Hattrick für den Einzug in die 2. Pokal-Runde gesorgt und in der Europa League stand die Eintracht nach Erfolgen gegen Flora Tallinn, den FC Vaduz und Racing Straßburg erneut in der Gruppenphase. In der Bundesliga war zunächst Geduld angesagt, aber nach dem ersten Auswärtssieg bei Aufsteiger 1. FC Union Berlin (2:1) und überzeugenden Heimsiegen gegen Bayer Leverkusen (3:0) und Bayern München (5:1) schien der Knoten geplatzt zu sein. Aber weit gefehlt. Aus den folgenden sieben Meisterschaftsspielen wurde nur ein Punkt geholt, so dass auf Platz 13 überwintert wurde. Auch in der Europa League erinnerte nicht mehr viel an den Glanz der vorigen Saison. Nach misslungenem Auftakt gegen den FC Arsenal (0:3) hatte man mit Siegen bei Vitoria Guimaraes (1:0) und gegen Standard Lüttich (2:1) zurück in die Spur gefunden. In Lüttich hätte man den Einzug in die K.-o.-Runde schon perfekt machen können, wurde aber in der Nachspielzeit ausgekontert – 1:2. Der Traum schien vorbei, doch bei Arsenal raufte sich die Mannschaft zusammen und siegte durch zwei Treffer von Daichi Kamada mit 2:1. Im letzten Gruppenspiel gegen Guimaraes brachte die Eintracht ihre Anhänger dann aber nochmal an den Rand des Wahnsinns, als sie sich in den letzten fünf Minuten hypernervös präsentierte und eine 2:1-Führung verspielte – 2:3. Zum Glück brachte auch Standard Lüttich gegen Arse-

Höhepunkt und Knackpunkt: Nach dem 5:1 gegen Bayern München am 2. November 2019 lief bei der Eintracht nicht mehr viel zusammen.

Überraschungssieg in London: Das 2:1 bei Arsenal 20. November 2020 war erst der zweite Europapokalsieg der Eintracht auf englischem Boden. 1967 hatte es im Messepokal ein 2:1 beim FC Burnley gegeben.

Noch mit jubelndem Publikum: Das Team lässt sich nach dem 4:1 in der Europa League gegen RB Salzburg am 20. Februar 2020 von den Fans feiern.

nal eine Führung (2:0) nicht über die Zeit. Mit einem blauen Auge beendete man die Gruppenphase als Zweiter hinter Arsenal.

Gründe für die Krise zum Hinrundenende gab es viele. Schon zu Saisonbeginn war vor dem möglichen Mammutprogramm mit 31 Spielen bis Weihnachten gewarnt worden. Außerdem konnte die „Büffelherde" nicht adäquat ersetzt werden. Zwar erreichten die Transfereinnahmen mit 112,75 Mio. Euro eine neue Rekordmarke, doch wurden auch 52,5 Mio. in Verstärkungen investiert. Alleine 31,5 Mio. wurden zur Festverpflichtung bislang ausgeliehener Spieler aufgewendet. Während Kevin Trapp, Martin Hinteregger, Sebastian Rode und Filip Kostic aber die Erwartungen erfüllten, blieben andere Neuzugänge zu oft unter ihren Möglichkeiten. Dazu kamen Verletzungen und disziplinarische Probleme. Mit Trapp, Rönnow und Wiedwald musste Adi Hütter gleich auf drei Torhüter zurückgreifen. Zudem waren sechs Platzverweise zu beklagen: Rebic, Kohr (gleich zweimal), Fernandes, Abraham und Kostic. Unrühmlicher Höhepunkt war der Bodycheck von Abraham gegen Freiburgs Trainer Christian Streich, der dem Argentinier eine Sperre bis Jahresende einbrachte.

Angesichts der nach unten zeigenden Formkurve konnte einem für die Rückrunde schon Angst und Bange werden, doch mit drei Siegen und einem Unentschieden kletterte die Eintracht wieder in die obere Tabellenhälfte. Außerdem gelang das Kunststück, Herbstmeister RB Leipzig innerhalb weniger Tage gleich zweimal zu besiegen. 2:0 in der Bundesliga und 3:1 im Pokal. Auch in der Europa League wurde gegen RB Salzburg nach einer Glanzleistung im Hinspiel (4:1) trotz orkanbedingter Verlegung des Rückspiels um einen Tag (2:2) das Achtelfinale erreicht. Dafür setzte es in der Bundesliga erneut drei Niederlagen in Folge, womit die unteren Tabellenränge wieder näher kamen.

Zum Zeitpunkt des Re-Starts war die Eintracht das schlechteste Auswärtsteam der Liga. Während im leeren Waldstadion erst im vierten Versuch ein Dreier gelang (2:1 gegen den FC Schalke 04), brachte die Eintracht von ihren Reisen zehn Punkte mit. Nur bei den Bayern gab es zwei Niederlagen: 2:5 in der Liga, 1:2 im Pokal-Halbfinale. Am Ende beendete die Eintracht eine wechselhafte Saison auf Platz 9, was „sicherlich nicht die Traumvorstellung vor der Saison erfüllt, was im Gesamtkontext eines verlorenen Sturmertrios, einer Flut an Pflichtspielen und der damit einhergehenden Formschwankungen bei allerlei Spielern aber akzeptabel ist." („Frankfurter Rundschau" vom 24. Juni 2020) In der „ewigen" Tabelle wurde der 1. FC Köln überholt und im TV-Ranking Platz 7 erklommen. Damit bekommt die Eintracht in der kommenden Saison 60,45 Millionen aus der nationalen TV-Vermarktung. 2016/17 waren es noch rund 29 Millionen. Sogar vom Europapokal konnte weiter geträumt werden, da das im März unterbrochene Achtelfinale fortgesetzt wurde. Allerdings blieb das „Wunder von Basel" am 6. August aus. Ohne Zuschauer war die Eintracht im September 2018 in Marseille in das Abenteuer Europa League gestartet. Ohne Zuschauer verabschiedete sie sich 686 Tage später wieder. Nach dem 0:3 im Hinspiel unterlag sie auch in Basel mit 0:1.

Sicherlich wäre es schön gewesen, zum dritten Mal in Folge international zu spielen. Allerdings zeigten die Spiele gegen Basel auch, dass es ohne Zuschauer keine rechte

Freude bereitet. Was nützen die attraktivsten Gegner, wenn man sie nicht im Stadion sehen oder als Fan hinfahren kann? Bruno Hübner hält es sogar für einen Vorteil, im kommenden Jahr nicht in Europa dabei zu sein, da „wir nun Gelegenheit haben, uns in Ruhe auf die Bundesliga vorzubereiten und die Mannschaft gezielt weiterzuentwickeln, ohne dauerhaft auf Reisen zu sein." („Frankfurter Rundschau" vom 22. Juni 2020) Es passt zur Aussage von Axel Hellmann in der „Erfolgschronik": „Man kann auch mal Elfter oder Zwölfter werden, aber eben auch Sechster oder Siebter. Aber wir können nicht einfach mal die europäischen Plätze als klares Ziel raushauen. So weit sind wir noch nicht."

So bleiben am Ende viele offene Fragen. Wegen Corona wird die Bundesliga erst am 18. September in die Saison 2020/21 starten. Ohne Fans, wie es aussieht. Auch auf dem Transfermarkt geht es ruhig zu, denn das Transferfenster schließt erst am 5. Oktober. Bis Ende August konnten gerade zwei Neuzugänge vermeldet werden: Stürmer Ragnar Ache von Sparta Rotterdam und Mittelfeldspieler Steven Zuber von der TSG 1899 Hoffenheim. Außerdem kehren mit Barkok (Fortuna Düsseldorf), Falette (Fenerbahce Istanbul), Tuta (KV Kortrijk) und Willems (Newcastle United) ausgeliehene Spieler zurück. Ob alle eine Zukunft bei der Eintracht haben, ist fraglich. Joveljic wurde bereits an den Wolfsberger AC weiterverliehen. Prominentester Abgang ist Mijat Gacinovic. Torro kehrt zu CA Osasuna zurück. Der Vertrag mit de Guzman wurde nicht verlängert. Fernandes und Russ haben ihre aktive Laufbahn beendet. Fragezeichen gibt es weiterhin bei Keeper Frederik Rönnow, der mit seinem Platz im Schatten von Kevin Trapp unzufrieden ist, und Filip Kostic. Zwar hat der Serbe erklärt, „in Frankfurt glücklich zu sein", doch Fredi Bobic will auch nicht ausschließen, „sollte jemand um die Ecke kommen, an ihn denken und dementsprechend die Zahl dahinter stehen, . . . dass wir dazu bereit sind, ihn freizugeben." Nach dem Weggang der „Büffelherde" im Sommer 2019 ein weiterer schwer zu kompensierender Verlust.

Denn trotz der ertragreichen letzten Jahre wird auch die Eintracht sparen müssen. „Wenn wir davon ausgehen, dass in der Hinrunde die Heimspiele ohne Zuschauer oder nur einem Teil der Fans ausgetragen werden und es in der Rückrunde eine Vollauslastung gibt, werden wir voraussichtlich 140 Millionen Euro Umsatz erzielen." („kicker" vom 1. Juli 2020) Das wäre eine Halbierung des Umsatzes von 2019/20 und entspräche dem Stand beim Pokalsieg 2018. Der ausgeschiedene Aufsichtsratsvorsitzende Wolfgang Steubing blickt dennoch optimistisch nach vorne. „Die Corona-Pandemie trifft jeden. Jeder muss den Gürtel enger schnallen. Ich bin sehr froh, dass wir in den letzten fünf Jahren alles dafür getan haben, dass wir den Gürtel enger schnallen können. Es gibt Vereine, die haben gar keinen Gürtel mehr." („kicker" vom 3. August 2020) Mit weiteren Gehaltsverzichten der Spieler und einem Investitionsstopp in anderen Bereichen will Bobic den durch die Corona-Krise verursachten Einnahmeverlust von rund 20 Millionen Euro auffangen. Außerdem gibt es noch Forderungen an West Ham United, das mit den Ratenzahlungen für den Haller-Transfer in Verzug ist. Die Londoner „Times" sprach Anfang Juli von sechs, der „kicker" von 24 Millionen Euro.

Zeichen gegen Rassismus: Im Pokal-Halbfinale bei Bayern München spielte die Eintracht in Trikots mit dem Aufdruck #blacklivesmatter. Hier Evan N'Dicka.

Karriere beendet: Nach dem letzten Saisonspiel gegen Paderborn nahmen Gelson Fernandes und Marco Russ Abschied aus dem Kreis ihrer Mitspieler.

Auch wenn Fredi Bobic betont, „wenn das Geld nicht da ist, kannst du nicht einkaufen", ist allen klar, dass Verstärkungen notwendig sind. Nicht nur für die kommende Saison, sondern perspektivisch. David Abraham ist 34, Makoto Hasebe 36. Im Mittelfeld fehlt ein Mann mit zündenden Ideen wie Kevin-Prince Boateng oder der Übersicht eines Sebastien Haller. Auf der linken Seite ist Kostic meist Alleinunterhalter. Rechts konnte Danny da Costa nur selten an die Leistungen aus 2018/19 anknüpfen. Timothy Chandler bewies immerhin Torgefahr (fünf Treffer). Und vielleicht platzt bei Djibril Sow der Knoten wie bei Haller auch erst im zweiten Jahr. Außerdem hat Trainer Adi Hütter bewiesen, dass „er eine Bereicherung für den Klub ist" und „auch Krisen zu meistern in der Lage ist". Und er möchte „eine sportliche Perspektive sehen" und Ziele erreichen („Frankfurter Rundschau" vom 31. Juli 2020). Auch bei Young Boys Bern gelang ihm der ganz große Erfolg erst im dritten Jahr. Schweizermeister 2018.

Tradition: Ein schmaler Grat zwischen Anspruch und Realität

Heute präsentieren sich die meisten deutschen Profiklubs geschichts- und traditionsbewusst. Das ist prinzipiell zu begrüßen, aber auch mit dem positiven Nebeneffekt verbunden, dass sich damit über Merchandising so mancher Euro zusätzlich generieren lässt. Der Anstoß zum Umdenken kam aber meist nicht aus den Führungsetagen, sondern wurde von Fans und Faninitiativen auf den Weg gebracht. Besonders von den Ultras werden Vereine wie Bayer Leverkusen, der VfL Wolfsburg, die TSG 1899 Hoffenheim und RB Leipzig aber weiterhin abgelehnt, da sie als „Retortenklubs" ohne Tradition ihren sportlichen Aufstieg lediglich der finanziellen Unterstützung von „außen" verdanken. Auch Felix Magath begründete 2009 seinen Wechsel vom VfL Wolfsburg, den er gerade zur Deutschen Meisterschaft geführt hatte, zum FC Schalke 04 mit den Worten „Wolfsburg ist eine Kapitalgesellschaft, Schalke der größte noch existierende Verein überhaupt" (Hardy Grüne, „Glaube, Liebe, Schalke", S. 409). Doch was ist eigentlich ein Traditionsverein? Der Duden definiert Tradition als „etwas, was im Hinblick auf Verhaltensweisen, Ideen, Kultur o. Ä. in der Geschichte, von Generation zu Generation [innerhalb einer bestimmten Gruppe] entwickelt und weitergegeben wurde [und weiterhin Bestand hat]". Damit ist zumindest klar, dass RB Leipzig (noch) kein Traditionsverein ist, da es ihn erst seit 2009 gibt.

Aber schon 1920 wurde bedauert, dass ein „alter, angesehener und weit über unsere Landesgrenzen hinaus rühmlichst bekannter Verein wie der Frankfurter Fußball-Verein es über sich gebracht [hat], seinen Namen ... ohne weiteres aufzugeben und sich nach Verschmelzung mit einem Turnverein einen neuen neutralen Namen »Eintracht

Traditionsverbunden:
Das Fanzine „Fan geht vor"
produzierte 2011 ein
T-Shirt mit den Logos des
FFC Victoria, der Frankfurter Kickers und der
Eintracht.

61« beizulegen." („Fußball" vom 23. Juni 1920) Dennoch käme heute niemand auf die Idee, die Eintracht sei kein Traditionsverein, da ältere Traditionen im neuen Verein weiterlebten. Ein Phänomen, das bei vielen Vereinen zu beobachten ist. Doch wie sieht es mit der Tradition der eingangs erwähnten Vereine eigentlich aus?

Bayer Leverkusen wurde 1904 als „Turn- und Spielverein der Farbenfabrik vormals Friedrich Bayer Co. Leverkusen" gegründet. Da war „Leverkusen" nur der Name eine Siedlung, die Carl Leverkus 1861 bei der Errichtung seiner Ultramarinfabrik für die Arbeiter gegründet hatte und 1930 Teil der heutigen Stadt Leverkusen wurde. Von 1951 bis 1956 sowie 1962/63 spielte Bayer 04 in der Oberliga West und klopfte 1968 als Meister der Regionalliga West ans Tor der Bundesliga, deren fester Bestandteil die „Werkself" seit 1979 ist. Erst nachdem der Konzern 1995 Bayer Uerdingen seine Unterstützung entzog (seitdem heißt der Klub KFC Uerdingen 05), stieß Bayer Leverkusen dauerhaft in die Spitzengruppe der Bundesliga vor. Eine generationsübergreifende Tradition ist aber auf jeden Fall vorhanden.

Ähnlich verhält es sich mit dem VfL Wolfsburg. 1938 wurde die „Stadt des KdF-Wagens bei Fallersleben" gegründet. Für die im Volkswagenwerk beschäftigten Arbeiter gab es eine „Wettkampfgemeinschaft" (WKG) die ab 1943 sogar erstklassig spielte. Nach dem Krieg wurde der Name der Stadt nach einem Schloss in Fallersleben in „Wolfsburg" geändert. Der „Volkssport- und Kultuverein" spaltete sich Ende 1945 in den 1. FC und VfL Wolfsburg auf, der von 1954 bis 1959 erstklassig spielte und 1970 an der Aufstiegsrunde zur Bundesliga teilnahm. Wie die Bayer AG in Leverkusen ist die Volkswagen AG alleinige Gesellschafterin der „VfL Wolfsburg-Fußball AG".

Anders war die Entwicklung im nur etwas mehr als 3.000 Einwohner zählenden Hoffenheim, das seit 1972 zu Sinsheim gehört. Die örtliche TSG war 1945 durch den Zusammenschluss des Fußball-Vereins (gegründet 1921) mit dem Turnverein (1899) entstanden und wurde seit 1989 von Dietmar Hopp, in seiner Jugend selbst bei der TSG aktiv und als Unternehmer zu Reichtum gekommen, als Mäzen unterstützt. 2000/01 war die TSG erstmals viertklassig. Da der SV Sandhausen und der FC-Astoria Walldorf das Projekt Profifußball im Rhein-Neckar-Raum nicht mittragen wollten, zog es Hopp im Alleingang durch. 2008 war das Ziel Bundesliga erreicht. Schon seit 2007 nannte sich der Klub aus Marketinggründen „1899 Hoffenheim", da TSG „nicht zu Bundesliga-Fußball" passe, sondern „altbacken" klinge. Nach Protesten traditionsbewusster Mitglieder und Fans kehrte man 2015 aber zu „TSG" zurück. Seitdem hält Dietmar Hopp auch 96 % der Anteile an der Spielbetriebs GmbH, weshalb ihn die „Stuttgarter Zeitung" am 14. Februar 2015 den „King of Kraichgau" nannte.

Rücksicht auf Mitglieder braucht RB Leipzig nicht zu nehmen, hatte der Klub doch Ende 2019 lediglich 19 stimmberechtigte Mitglieder, von denen die meisten bei der RB Leipzig GmbH oder einem anderen Red-Bull-Unternehmen angestellt oder als Juristen für den Klub tätig sind. („RBLive" vom 13. Dezember 2019) Bereits 2016 hatte der damalige Sportdirektor Ralf Rangnick in der „Welt" erklärt, „die Zahl der Mitglieder eines Klubs ist irrelevant. Dieses Konzept ist meiner Meinung nach altmodisch und überholt." Auch Tradition sei für ihn, „wenn man nur die Asche der vergangenen Erfolge feiert – nichts." („RBLive" vom 13. Dezember 2016) Rangnick hatte zuvor bereits die TSG Hoffenheim in die Bundesliga geführt. Anders als die Badener fing RB aber nicht in der Kreisliga an, sondern nahm eine Abkürzung durch die Übernahme des Oberliga-Startrechts des SSV Markranstädt.

Das Konstrukt „RasenBallsport" war nicht der erste Versuch, in Leipzig einen Spitzenverein zu etalieren. Dabei ist Leipzig sozusagen die Wiege des deutschen Fußballs. Hier wurde 1900 der DFB gegründet und der VfB Leipzig war 1903 erster Deutscher Meister. Zwei weitere Titel 1906 und 1913 und der Pokalsieg 1936 machten den VfB vor dem Zweiten Weltkrieg zum erfolgreichsten Klub der Stadt. 1936 stieg aber ein ernstzunehmender Rivale in die Gauliga auf: Der 1932 vom Automatenfabrikanten Carl Schwarz gegründete SV TuRa hatte namhafte Spieler verpflichtet, darunter auch den Eintracht-Nationalspieler Willi Lindner, die „den halben Tag Registrierkassen im Automatenwerk bauten und für den Rest des Tages für das Training freigestellt wurden." Mit attraktiven Freundschaftsspielen zog man das Publikum an. Aufhorchen ließ der Noch-Zweitligist 1935 mit einem sensationellen 2:1 über den Deutschen Meister FC Schalke 04. Im gleichen Jahr folgte der Umzug ins Leutzscher Stadion, bis 1933 Heimat eines Rotsport-Vereins. Sachsenmeisterschaft und Teilnahme an der Endrunde zur Deutschen Meisterschaft waren die nächsten Ziele. „Als

Farbenwechsel: Das Logo von TuRa 1932 war rot-weiß, das von TuRa 1899 blau-gelb. Chemie dagegen spielt in grün-weiß.

bereits alles für das Gelingen dieses Vorhabens sprach, kam die Politik dazwischen: genau so wie das später Nachfolger Chemie Leipzig immer wieder passieren sollte."(Zitate nach: Jens Fuge: „Leutzscher Legenden", S. 8/9) Da TuRa als politisch unzuverlässig galt, musste sich der Klub 1938 mit dem Leipziger SV 1899 zu TuRa 1899 vereinigen. Das Firmenlogo verschwand aus dem neuen Vereinsemblem und Schwarz zog sich enttäuscht zurück. Mit dem Kriegsende 1945 verschwanden sowohl TuRa als auch der VfB von der Leipziger Fußball-Landkarte.

Der Fußball in der DDR im Allgemeinen und der in Leipzig im Besonderen war geprägt durch zahllose Umstrukturierungen. 1951 wurde die BSG Chemie Meister und ganz Leutzsch stand Kopf. 1954 übernahm der neue SC Lok die 1. Mannschaft von Chemie, dessen Reste als Fünftligist in Leutzsch zurückblieben. Außerdem entstand in Probstheida, der traditionellen Heimat des VfB, mit dem SC Rotation ein weiteres Leistungszentrum. Da aber die erhofften Erfolge ausblieben, zog man 1963 die besten Spieler beider Vereine im neuen SC Leipzig (seit 1966 1. FC Lok) zusammen. Der „Rest von Leipzig" kehrte als BSG Chemie nach Leutzsch zurück und wurde 1964 überraschend DDR-Meister. Nach der Wende versuchten beide Klubs, an erfolgreichere Zeiten anzuknüpfen – und scheiterten sowohl sportlich als auch finanziell. Da sich beide

Klubs an ihrer Rivalität zerrieben, hatte Red Bull leichtes Spiel, die verwaiste Mitte für sich zu reklamieren und das „neutrale" Publikum anzusprechen. „RB polarisiert: Manche sehen in RasenBallsport den Untergang aller Fußballtraditionen. Andere hoffen darauf, dass die Leipziger die Langeweile um Dauermeister Bayern München beenden können. Und in Leipzig freuen sich viele, endlich wieder hochklassigen Fußball zu sehen." (Ullrich Kroemer: „RB Leipzig", Rückentext)

Während es in Leipzig nicht gelang, dem Fußball aus eigener Kraft neue Perspektiven zu eröffnen, war man in Hamburg und Köln erfolgreicher – auch wenn dort Nebengeräusche nicht ausblieben. Der HSV führt zwar offiziell 1887 als Gründungsjahr, das Licht der Welt erblickte er allerdings erst 1919 durch den Zusammenschluss von Germania 1887, HFC (ab 1914 HSV) 1888 und FC Falke 06. In der norddeutschen Verbandsliga war allerdings 1913/14 keiner der drei dabei. Die Hamburger Topklubs jener Zeit waren Altona 93 und Victoria. Eine seit 1918 bestehende Kriegsspielgemeinschaft Victoria/HSV 1888 führte jedoch nicht zu einem dauerhaften Zusammenschluss, da dies von den Mitgliedern des HSV 1888 im März 1919 abgelehnt worden war. Stattdessen wurde am 2. Juni 1919 – einen Tag nach dem Gewinn der Norddeutschen Meisterschaft durch Victoria/HSV 1888 – der „neue" HSV aus der Taufe gehoben, der zwar viele Mitglieder, aber keine Ligamannschaft hatte. Also ging man auf „Einkaufstour", bei der „nicht gekleckert, sondern geklotzt" wurde. „Das Klotzige, Kommerzielle, Krakenhafte wurde dann sehr bald von der Konkurrenz kritisiert. Doch wer zu spät kam, den bestrafte schon damals der Tabellenstand. Nicht, dass die anderen es nicht auch versucht hätten. Aber der HSV kriegte die Leute, die er wollte, meistens tatsächlich." Zwar wurde das Fehlen einer „gesunden Tradition" bemängelt, doch der Erfolg wog alles auf: Bis 1933 wurde der HSV zweimal Deutscher und zehnmal Norddeutscher Meister. Gleichzeitig umwehte den Klub aber auch „zunehmend der Geruch des verkappten Profitums". (Zitate aus: Werner Skrentny, Hens R. Prüß: „Immer erste Klasse", S. 40/41 und 47)

Ähnlich verlief die Entwicklung in Köln. 1947 hatten von den vielen Stadtteilvereinen nur die beiden rechtsrheinischen Klubs VfR Köln 04 rrh. und Preußen Dellbrück

Geld regiert die Welt: Schon in den 1920er Jahren ging die Schere zwischen arm und reich auseinander wie diese Karikatur aus „Turnen, Spiel und Sport" zeigt. Der HSV macht Kasse und hat für andere Klubs nur Almosen übrig.

Vergängliche Tradition: Noch im November 1947 feierte Sülz 07 sein 40-jähriges Bestehen. Ein Vierteljahr später war der Klub im 1. FC Köln aufgegangen.

den Sprung in die neue Oberliga geschafft. Franz Kremer, Vorsitzender des nun nur noch drittklassigen Traditionsvereins KBC, wollte sich mit dem Niedergang der linksrheinischen Vereine aber nicht abfinden und strebte die Bildung eines gesamtstädtischen Vereins an, der mittelfristig im Konzert der Großen mitspielen konnte. „Wollen Sie mit mir Deutscher Meister werden?", lautete sein Wahlspruch, als er sich auf die Suche nach Fusionspartnern begab. Fündig wurde er schließlich bei der SpVgg Sülz 07, 1947 Vorletzter der Rheinbezirksliga. Bevor aber der „traditionelle Arbeiterverein aus Sülz [1948]… das Wagnis mit den »elitären« Klettenbergern" einging (Dirk Umschuld, Thomas Hardt: „Im Zeichen des Geißbocks", S. 57), musste viel Überzeugungsarbeit geleistet werden. Auch den neuen Vereinsnamen „1. FC Köln 01/07" fand manch anderer Fußballklub der Stadt anmaßend. Besonders in Sülz zeigte man sich sehr traditionsbewusst. Doch für Kremer machte „Tradition … nur dann Sinn, wenn der Wille zu noch größeren Taten vorhanden ist." Als Fritz Plate, Spielausschussobmann in Sülz, am Tag nach der Zustimmung zur Fusion zu seinem Geschäft für Sanitärbedarf kam, stand auf dem Firmentor „Hier wohnt der Mörder von Sülz 07". Letztlich ließen aber auch in Köln die Erfolge den Wehmut der Vergangenheit vergessen. 1962 konnte Franz Kremer sein Versprechen mit der Deutschen Meisterschaft einlösen. Er war auch eine treibende Kraft bei der Gründung der Bundesliga, deren erster Meister 1964 ebenfalls der 1. FC Köln war.

Dass Tradition aber nicht vor Abstieg und Niedergang schützt, musste inzwischen auch der „FC" schon mehrmals und 2018 erstmals auch Bundesliga-Dino HSV erfahren. Der FSV, die Offenbacher Kickers oder Hanau 93 in der näheren Umgebung, der viermalige Deutsche Meister 1. FC Kaiserslautern, der im Juni 2020 Insolvenz anmelden musste, oder ehemalige Meisterklubs wie der Freiburger FC (1907), Viktoria 89 Berlin (1908, 1911) und der Karlsruher FV (1910) können ein Lied davon singen. Denn wenn sich die historische Situation und die gesellschaftlichen Verhältnisse verändern, kann es zum sog. „Paradox der Tradition" kommen. „Der Versuch, eine Tradition authentisch zu bewahren, bedarf der Interpretation dieser Tradition, und genau dadurch verändert sie sich. Kern dieser symbolischen Konstruktion ist die Verwendung von Material aus der Vergangenheit, um Handlungen, Verhalten, Beziehungen und Artefakte in der Gegenwart zu verstehen." (https://de.wikipedia.org/wiki/Tradition) Das trifft besonders auf Vereine aus der ehemaligen DDR zu, bei denen 1945 Traditionslinien abgebrochen und nach der Wende zum Teil wieder neu aufgenommen wurden. Womit wir wieder in Leipzig beim 1. FC Lok, der BSG Chemie und RB wären.

Namen & Daten

Stichtag für alle statistischen Daten ist der 6. August 2020.

Eintracht Frankfurt international:
Die Abc von Abbé bis Zscherlich

Insgesamt 999 Spieler aus 60 Ländern sind seit dem ersten Spiel des FFC Victoria am 19. März 1899 bis zum Saisonende 2019/20 namentlich bekannt. Bis in die 1920er Jahre, während des 2. Weltkriegs sowie in der ersten Oberliga-Saison 1945/46 gibt es allerdings Lücken, die wohl nie geschlossen werden können. Damit dürften weit über 1000 Spieler für den FFC Victoria, die Frankfurter Kickers, den Frankfurter FV und die Eintracht aktiv gewesen sein. Bei den im nachfolgenden Spieler-Abc mit einem Sternchen (*) gekennzeichneten Akteuren stellen die angegebenen Zahlen deshalb nur Mindestwerte dar bzw. waren genaue Einsatzzahlen nicht zu ermitteln. Die Meisterschaftsspiele (Bundesliga, 2. Bundesliga, Oberliga, Gauliga, Ligaspiele vor 1933) sind getrennt aufgeführt, die Relegationsspiele 1984, 1989 und 2016 ebenso. Unter „Pokal" sind DFB- und Tschammer-Pokal sowie Spiele um den Süddeutschen Pokal zusammengefasst. Die Rubrik „Europapokal" umfasst Einsätze im Europapokal der Landesmeister und Pokalsieger, im Messepokal, UEFA-Pokal und der Europa League. Als „Endrunde" zählen Spiele um die Nordkreis-, Süddeutsche und Deutsche Meisterschaft. Einsätze in der Amateurmannschaft sind in dieser Aufstellung nicht berücksichtigt.

Die Abkürzungen unter „sonstige Einsätze" bedeuten: Alp = Alpenpokal, FGA = Spiele um den Wanderpokal des „Frankfurter General-Anzeiger", FL = Flutlicht-Pokal, IT = Internationale Totorunde, LP = Ligapokal, StR = Stadtrunde im 2. Weltkrieg, Sup = DFB-/DFL-Supercup, Toto = Oberliga-Vergleichsrunde/Totorunde, UI = UEFA-Intertoto-Cup.

Zur Bestimmung der Nationalität wurden bis auf Deutschland (D) die FIFA-Kürzel verwendet: ALB = Albanien, ALG = Algerien, ARG = Argentinien, AUS = Australien, AUT = Österreich, BIH = Bosnien-Herzegowina, BRA = Brasilien, BUL = Bulgarien, CAN = Kanada, CGO = Kongo, CHN = China, CIV = Elfenbeinküste, CMR = Kamerun, COD = DR Kongo, CRO = Kroatien, CZE = Tschechien, DEN = Dänemark, ECU = Ecuador, ENG = England, EQG = Äquatorialguinea, ESP = Spanien, FIN = Finnland, FRA = Frankreich, GEO = Georgien, GHA = Ghana, GRE = Griechenland, GUI = Guinea, HUN = Ungarn, IRN = Iran, ISR = Israel, ITA = Italien, JAM = Jamaika, JPN = Japan, KOR = Südkorea, LBR = Liberia, MAR = Marokko, MEX = Mexiko, MKD = Mazedonien (seit 2019 Nordmazedonien), MLI = Mali, NED = Niederlande, NGA = Nigeria, NOR = Norwegen, PAR = Paraguay, PER = Peru, PHI = Philippinen, POL = Polen, POR = Portugal, RSA = Südafrika, SRB = Serbien, SUD = Sudan, SUI = Schweiz, SVK = Slowakei, SWE = Schweden, TOG = Togo, TUN = Tunesien, TUR = Türkei, URU = Uruguay, YUG = Jugoslawien. USA erklärt sich von alleine. Bei Spielern mit Doppelstaatsbürgerschaft sind beide Nationalitäten angegeben. Wo die Staatsangehörigkeit nicht bekannt oder nicht eindeutig ist, wurde ein Fragenzeichen (?) verwendet.

Values in the statistics columns are given as Spiele/Tore (matches/goals).

Name, Vorname	Nation	geboren	gestorben	von - bis	gesamt	BL	Relegation	2. BL	Pokal	Europapokal	Oberliga	Gauliga	vor 1933	Endrunde	sonstige Einsätze
Abbé, Ernst	D	6/4/1948		1966 - 1969	30/11	13/3				8/3					IT 3/1; Alp 6/4
Abraham, David	ARG/ITA	15/7/1986		2015 - 2020	163/4	125/3	2/0		15/0	20/1					Sup 1/0
Abraham, Helmut *	D	20/10/1936	18/12/2001	1958 - 1959	1/0				1/0						
Ackermann	D	17/1/1926		1941 - 1943	11/2				6/2			5/0			
Ackermann *	D			1916 - 1918	3/0								3/0		
Adamczuk, Dariusz	POL	21/10/1969		1992 - 1993	5/0	5/0									
Adamkiewicz, Edmund	D	21/4/1920	4/4/1991	1938 - 1947	27/31				5/8		20/15				StR 2/8
Aigner, Stefan	D	20/8/1987		2012 - 2016	136/28	121/25	1/0		7/2	7/1					
Allan	BRA	3/3/1997		2018 - 2019	4/0	4/0									
Altenheim *	D			1900 - 1903	?/?										
Altintop, Halil	TUR	8/12/1982		2009 - 2011	52/5	49/3			3/2						
Alvarez, Marcos	D	30/9/1991		2009 - 2010	1/0	1/0									
Amanatidis, Ioannis	GRE	3/12/1981		2003 - 2011	158/49	140/42			13/7	5/0					
Ambrosius *	D			1906	?/?										
Amedick, Martin	D	6/9/1982		2011 - 2012	2/0			2/0							
Amstätter, Sascha	D	8/11/1977		1997 - 1999	5/0			3/0	2/0						
Andersen, Jörn	NOR	3/2/1963		1988 - 1994	115/38	98/33	2/1		6/4	8/0					Sup 1/0
Anderson	BRA	10/1/1988		2011 - 2015	107/1	65/1		30/0	5/0	7/0					
Andersson Ordonez	ECU	29/1/1994		2016 - 2017	4/0	4/0									
Andree, Hans-Joachim	D	6/7/1950		1973 - 1975	20/1	18/1			2/0						
Anicic, Michael	D	18/10/1974		1992 - 1996	40/6	35/5			1/0						UI 4/1
Anthes, Holger	D	9/8/1962		1981 - 1982	17/5	15/4			1/1	1/0					
Appel, P. *	D			1913 - 1921	4/0				1/0				1/0	2/0	
April, Wolfgang (Kwiecien, Bogdan)	POL/D	3/9/1959		1985 - 1986	7/0	6/0			1/0						
Arheiger, Emil *	D	15/4/1916	5/12/2000	1937 - 1946	62/41				5/1		17/15	33/20		6/3	StR 1/2

Name, Vorname	Nation	geboren	gestorben	von - bis	gesamt	BL	Relegation	2. BL	Pokal	Europapokal	Oberliga	Gauliga	vor 1933	Endrunde	sonstige Einsätze
Assendeft *	D			1903	? / ?										
Augustinus	NED			1942 - 1943	3 / 0							3 / 0			
Aust, Friedhelm	D	9/5/1951	14/6/2015	1971 - 1972	10 / 0	10 / 0									
Ayhan, Kaan	TUR/D	10/11/1994		2015 - 2016	2 / 0	2 / 0									
Baas, Heinz	D	13/4/1922	6/12/1994	1946 - 1949	74 / 27						74 / 27				
Bachmann *	D			1922 - 1923	2 / 0								2 / 0		
Bajramovic, Zlatan	BIH	12/8/1979		2008 - 2010	19 / 0	17 / 0			2 / 0						
Bakalorz, Dirk	D	22/8/1963		1988 - 1990	33 / 6	26 / 3			2 / 2	5 / 1					
Bakalorz, Marvin	D	13/9/1989		2013 - 2014	4 / 0	3 / 0				1 / 0					
Ballenberger *	D			1906 - 1907	1 / 0								1 / 0		
Ballerstedt	D			1942 - 1943	2 / 0				2 / 0						
Balles *	D			1900	? / ?										
Balzer, Karlheinz	D	5/2/1929		1946 - 1947	2 / 0						2 / 0				
Balzis, Ralf	D	31/7/1965		1987 - 1989	45 / 7	35 / 5	1 / 0		4 / 1	4 / 1					Sup 1/0
Band, Kuno *	D			1910 - 1911	14 / 11								14 / 11		
Barabas, Curt *	D			1904 - 1905	? / ?										
Bardenheimer, W. *	D			1900 - 1901	? / ?										
Bardorf, Otto	D	30/9/1922	9/9/1992	1947 - 1949	12 / 2						12 / 2				
Barkok, Aymen	D	21/5/1998		2016 - 2018	29 / 2	27 / 2			2 / 0						
Barnetta, Tranquillo	SUI	22/5/1985		2013 - 2014	31 / 1	22 / 1			2 / 0	7 / 0					
Bäuerle	D			1925 - 1926	13 / 0								11 / 0		
Baumgärtner, Max *	D			1906 - 1912	2 / ?								2 / 0		
Bäumler, Erich	D	6/1/1930	18/9/2003	1954 - 1960	138 / 58				10 / 8	3 / 2	110 / 41			1 / 0	Toto 10/6; FL 4/1
Bayer, Horst	D	5/5/1934		1952 - 1956	9 / 0				2 / 0		7 / 0				
Bechtold, Adolf	D	20/2/1926	8/9/2012	1942 - 1960	441 / 3				27 / 0	1 / 0	381 / 2	8 / 1		8 / 0	Toto 8/0; FL 8/0
Bechtold, Albrecht *	D	4/9/1924	14/7/1943	1941 - 1943	14 / 0				4 / 0			10 / 0			

Name, Vorname	Nation	geboren	gestorben	vom - bis	gesamt	BL	Relegation	2. BL	Pokal	Europa-pokal	Oberliga	Gauliga	vor 1933	Endrunde	sonstige Einsätze
Bechtold, Hans	D	4/10/1902	1967	1926 - 1929	22/0				4/0				11/0	7/0	
Bechtold, Horst	D	19/1/1934	5/6/1997	1955 - 1957	29/0				3/0		22/0				Toto 4/0
Bechtold, Walter	D	25/7/1947		1965 - 1969	93/38	74/33			4/1	9/2					IT 3/1; Alp 3/1
Becker, Fritz *	D	13.09.1888	19/2/1963	1906 - 1921	121/28				2/1				85/22	31/2	FGA 3/3
Becker, Karl	D	12/8/1915	6/12/1974	1937 - 1944	2/0							1/0		1/0	
Becker, Matthias	D	19/4/1974		1993 - 1997	75/9	37/4		28/5	3/0	4/0					UI 3/0
Beckmann, Walter *	D	12/9/1925		1945 - 1946	5/0						5/0				
Behning, Egon	D	2/11/1909		1932 - 1934	21/6							8/0	3/2	10/4	
Beierle, Markus	D	2/6/1972		2002 - 2005	52/13	20/4		30/9	2/0						
Bein, Uwe	D	26/9/1960		1989 - 1994	182/46	150/37			18/4	14/5					
Bell, Stefan	D	24/8/1991		2011 - 2012	2/0	0/0		2/0							
Bellaid, Habib	FRA/ALG	28/3/1986		2008 - 2012	25/0	22/0	2/0	1/0							
Bellut, Hermann-Dieter	D	4/5/1943		1967 - 1970	58/6	47/3			2/3	6/0					Alp 3/0
Bender, Arthur *	D			1906 - 1908	2/1								2/1		
Ben-Hatira, Änis	D/TUN	18/7/1988		2015 - 2016	11/1	9/1	2/0								
Benner *	D			1902 - 1903	?/?								?/?		
Bensemann, Walther *	D	13.01.1873	10/10/1934	1899	?/?										
Berger, Ernst (II)	D	15/8/1915	20/1/1978	1932 - 1944	23/4							15/2	3/2	5/0	
Berger, Heinz (I)	D	23/11/1912	1952	1931 - 1934	14/4							5/3	7/1	2/0	
Bergh, v.d. *	D			1907 - 1908	1/1								1/1		
Bergner, Heinrich *	D			1906 - 1911	31/?								20/0	8/0	FGA 3/?
Berk, Fritz	D			1906 - 1908	5/4								5/4		
Berntsen, Thomas	NOR	18/12/1973		2000 - 2001	3/0	3/0									
Berthold, Thomas	D	12/11/1964		1982 - 1987	121/18	111/17	2/0		8/1						
Bertrand, Louis Alfred Richard *	D	02.06.1884	5/9/1916	1906 - 1913	35/5								26/3	6/1	FGA 3/+1

Name, Vorname	Nation	geboren	gestorben	von - bis	gesamt		BL		Relegation		2. BL		Pokal		Europa-pokal		Oberliga		Gauliga		vor 1933		Endrunde		sonstige Einsätze
Besuschkow, Max	D	31/5/1997		2016 - 2017	4	0	3	0					1	0											UI 2/0
Beuchel, René	D	31/7/1973		1995 - 1997	30	0	7	0			19	0	2	0											
Beuttler, Kurt *	D	20/2/1904		1920 - 1925	14	2							5	2							9	0			
Beverungen, Klaus	D	24/9/1951		1973 - 1977	87	25	61	16					12	5	12	3									IT 2/1
Beyhl, Friedrich	D	2/10/1910		1934 - 1935	3	0													3	0					
Bianchi, Martin	D	11/12/1934	11/5/2017	1956 - 1957	2	0											2	0							
Biehler, Karl *	D	1905	8/12/1950	1926 - 1928	2	0															1	0	1	0	
Bierbrauer *	D			1902	?	?																			
Bierling, Willy	D	27/1/1906	†	1925 - 1927	3	0															3	0			
Biernat, Jaroslaw	POL/D	6/9/1960	20/4/2019	1986 - 1989	15	1	12	1					1	0	2	0									
Bihn, Egon	D	16/11/1954		1976 - 1978	18	6	12	2					4	4	2	0									
Billeter, Karl	SUI			1901	?	?																			
Bindewald, Uwe	D	13/8/1968		1988 - 2004	442	8	263	2			123	4	28	0	23	0									UI 5/2
Binz, Manfred	D	22/9/1965		1984 - 1996	411	38	336	26	2	1			36	8	31	1									Sup 1/0; UI 5/2
Bißwurm	D			1936 - 1937	2	0							1	0					1	0					
Blättel, Michael	D	29/9/1960		1979 - 1981	7	1	3	0					2	1	2	0									
Block, Adolf *	D			1915 - 1926	16	2							1	0							15	2			
Blum, Danny	D	7/1/1991		2016 - 2019	24	4	17	2					6	2											Sup 1/0
Blusch, Peter	D	11/6/1942		1964 - 1968	144	8	110	5					8	0	9	0									IT 12/1; Alp 5/2
Boateng, Kevin-Prince	D/GHA	6/3/1987		2017 - 2018	36	6	31	6					5	0											
Böhme, Jörg	D	22/1/1974		1995 - 1996	23	1	18	1					2	0											UI 3/0
Böhringer, Johann Friedrich	D	12/6/1926		1948 - 1949	7	0											7	0							
Bölp	D			1932 - 1933	1	0															1	0			
Bolten *	D			1943 - 1944	3	0													3	0					
Bommer, Rudi	D	19/8/1957		1992 - 1997	106	5	70	3			14	1	8	0	14	1									

Name, Vorname	Nation	geboren	gestorben	von - bis	gesamt	BL	Relegation	2.BL	Pokal	Europapokal	Oberliga	Gauliga	vor 1933	Endrunde	sonstige Einsätze
Borchers, Ronald	D	10/8/1957		1975 - 1984	209 / 33	169 / 24	2 / 0		17 / 6	20 / 3					IT 1/0
Borkenhagen, Dirk	D	16/1/1965		1983 - 1984	1 / 0	1 / 0									
Boßling	D			1934 - 1935	8 / 0							8 / 0			
Böttcher, John *	D	26.06.1890		1920 - 1923	32 / 7								24 / 6	8 / 1	
Bounoua, Mourad	FRA/MAR	30/7/1972		1998 - 1999	7 / 0	7 / 0									
Boy, Hans-Peter	D	10/2/1964		1984 - 1986	17 / 0	17 / 0									
Branco, Serge	CMR	11/10/1980		2000 - 2003	43 / 3	18 / 2		24 / 1	1 / 0						
Brandt, Paul *	D			1919 - 1921	25 / ?								16 / 0	9 / 0	
Braun, Alois *	D	1883	1914	1908 - 1914	32 / 1								20 / 1	12 / 0	
Braun, Fritz *	D	25.12.1897		1916 - 1925	5 / ?									5 / 0	
Brinkmann, Ansgar	D	5/7/1969		1997 - 1999	48 / 4	29 / 1		17 / 3	2 / 0						
Bronnert, Siegfried	D	6/9/1944		1966 - 1968	36 / 17	24 / 12			2 / 0	3 / 2					IT 4/3; Alp 3/0
Brossois *	?			1910 - 1911	1 / 0								1 / 0		
Buchanan, Neil	ENG?			1904	? / ?										
Buchenau	SUI?			1903 - 1904	? / ?										
Bühler, Uwe	D	3/2/1960		1985 - 1986	16 / 1	15 / 1			1 / 0						
Bulut, Erol	D	30/1/1975		1999 - 2001	9 / 0	7 / 0			2 / 0						
Bunzenthal, Oliver *	D	15/11/1972		1995 - 1997	17 / 0	12 / 0		5 / 0							
Bürckner *	D			1899 - 1909	2 / 1								2 / 1		
Bürger, Henning	D	16/12/1969		2002 - 2004	53 / 1	21 / 1		32 / 0							
Burkhardt, K. *	D			1912 - 1919	34 / 7								22 / 6	11 / 1	
Büscher *	D			1942 - 1944	13 / 0							12 / 0			
Butscher, Heiko	D	28/7/1980		2011 - 2013	16 / 0			12 / 0	1 / 0						
Büttner, Peter	D	13/5/1939		1961 - 1962	2 / 0				2 / 0						
Caesar, Wilhelm ("Schulze") *	D	10.08.1893	5/10/1980	1910 - 1919	28 / 4								25 / 4	3 / 0	

Name, Vorname	Nation	geboren	gestorben	von - bis	gesamt	BL	Relegation	2. BL	Pokal	Europa-pokal	Oberliga	Gauliga	vor 1933	Endrunde	sonstige Einsätze
Cahn, Arthur*	D	22.06.1883	14/2/1952	1902	?										
Caio	BRA	29/5/1986		2007 - 2012	95/11	80/8		8/0	7/3						
Carmal*	D			1915 - 1918	3/0								3/0		
Carmouche, Harold*	?			1905 - 1906	?										
Caspary, Alex	D	25/12/1961		1985 - 1986	12/0	12/0									
Castaignos, Luc	NED	27/9/1992		2015 - 2017	22/5	19/4	1/0		2/1						
Caster, Walter	D			1905	?										
Cavar, Marijan	BIH	2/2/1998		2017 - 2018	1/0	1/0									
Celozzi, Stefano	D	2/11/1988		2012 - 2014	44/0	38/0			1/0	5/0					
Cengiz, Hakan	TUR	3/10/1967		1997 - 1998	12/0			11/0	1/0						
Cha, Bum-kun	KOR	22/5/1953		1979 - 1983	156/58	122/46			12/6	22/6					
Cha, Du-Ri	KOR	25/7/1980		2003 - 2006	95/13	58/4		22/8	8/1	7/0					
Chaftar, Mounir	D	29/1/1986		2005 - 2008	11/0	9/0			2/0						
Chandler, Timothy	D/USA	29/3/1990		2014 - 2020	140/9	120/8	2/0		11/1	7/0					
Charbout-Mollard, Charles	FRA	1889/90		1910 - 1912	41/0								36/0	5/0	
Chris	BRA/ITA	25/8/1978		2003 - 2011	157/13	125/9		20/2	12/2						
Cimen, Daniyel	D	19/1/1985		2002 - 2007	32/1	16/0		13/1	3/0						
Cipi, Geri	ALB	28/2/1976		2003 - 2004	15/0	13/0			2/0						
Ciric, Sasa	MKD	11/1/1968		2000 - 2002	27/14	9/1		16/10	2/3						
Clark, Ricardo	USA	10/2/1983		2009 - 2012	16/0	14/0		1/0	1/0						
Claus, Dr. Friedrich*	D	18.03.1890	16/5/1962	1906 - 1914	80/1								62/1	18/0	
Clesle*	D			1900	?										
Conrad, Albert	D	13/12/1910	27/12/1985	1935 - 1936	18/0							18/0			
Conrad, Alexander	D	15/11/1966		1984 - 1991	16/0	16/0									
Copado, Francisco	ESP	19/7/1974		2005 - 2007	30/9	25/6			5/3						
Corrochano, Oscar	ESP	6/9/1976		1996 - 1997	1/0			1/0							

Name, Vorname	Na-tion	geboren	gestorben	von - bis	gesamt	BL	Relegation	2.BL	Pokal	Europa-pokal	Oberliga	Gauliga	vor 1933	Endrunde	sonstige Einsätze
Csakany, Eugen *	HUN/D	12/3/1923	9/11/2006	1945 - 1947	29 / 6						29 / 6				
da Costa, Danny	D	13/7/1993		2017 - 2020	108 / 7	70 / 4			9 / 1	28 / 2					Sup 1/0
da Silva, Alessandro Alvarez	BRA	7/11/1970		1992 - 1993	1 / 0	1 / 0									
da Silva, Antonio	BRA	13/6/1978		1997 - 1998	1 / 0				1 / 0						
Daßbach, Werner	D	9/6/1924		1947 - 1948	3 / 2						3 / 2				
de Guzman, Jonathan	NED	13/9/1987		2017 - 2020	68 / 4	52 / 3			4 / 0	11 / 1					Sup 1/0
De Jonge *	NED			1942 - 1944	16 / 1				5 / 0			11 / 1			
Debus *	D			1916 - 1920	2 / ?									2 / 0	
Deißenberger, Peter	D	1/12/1976		2000 - 2001	1 / 0	1 / 0									
Demidov, Vadim	NOR	10/10/1986		2012 - 2013	6 / 0	5 / 0			1 / 0						
Detari, Lajos	HUN	24/4/1963		1987 - 1988	39 / 14	33 / 11			6 / 3						
Diakité, Bakary	MLI	9/11/1980		2002 - 2003	16 / 3			16 / 3							
Dickhaut, Mirko	D	11/1/1971		1993 - 1997	141 / 13	89 / 7		31 / 2	5 / 1	13 / 2					UI 3/1
Diefenbach, Alfred	D			1933 - 1936	15 / 1				1 / 0			14 / 1			
Diehl, Manfred	D	26/3/1950		1971 - 1972	2 / 0				2 / 0						
Dietrich, J. *	D			1906 - 1917	1 / ?									1 / 0	
Dietrich, Walter	SUI	24/12/1902	27/11/1979	1925 - 1935	211 / 66				3 / 2			5 / 1	119 / 35	84 / 28	
Dill *	D			1920 - 1921	4 / 1				1 / 1				2 / 0	1 / 0	
Dillmann *	D			1904/05	? / ?										
Dirsch *	D			1923 - 1924	2 / 0				2 / 0						
Djakpa, Constant	CIV	17/10/1986		2011 - 2016	81 / 2	45 / 0	26 / 0		6 / 0	4 / 2					IT 1/0
Dohmen, Wilhelm	D	31/12/1940		1964 - 1965	1 / 0	1 / 0									
Dokter, Heinz	D	16/3/1921		1952 - 1953	22 / 5						22 / 5				
Doll, Thomas	D	9/4/1966		1993 - 1996	28 / 3	28 / 3									
Dombi, Tibor	HUN	11/11/1973		1999 - 2000	17 / 0	15 / 0			2 / 0						
Dönges, Heinrich *	D			1900 - 1904	? / ?										

Name, Vorname	Na-tion	geboren	gestorben	von - bis	gesamt	BL	Relegation	2.BL	Pokal	Europa-pokal	Oberliga	Gauliga	vor 1933	Endrunde	sonstige Einsätze
Döpfer, Karl	D		März 1959	1925 - 1930	96/57				3/2				68/46	25/9	
Dorn, Richard	D			1905	?/?										
Dornbusch, Friedl (Jakob) *	D	5.12.1887	Dez. 1978	1910 - 1921	76/27				1/0				59/23	16/4	
Dörr, Emil *	D			1906 - 1913	7/2								4/2	3/0	
Dörr, Rainer	D	4/6/1955		1976 - 1977	1/0	1/0									
Dosedzal, Franz	D	7/4/1913		1948 - 1949	11/4						11/4				
Dost, Bas	NED	31/5/1989		2019 - 2020	30/10	24/8			2/2	4/0					
Dragusha, Mehmet	ALB	9/10/1977		2003 - 2005	21/1	14/1		5/0	2/0						
Dudda, Julian	D	8/4/1993		2010 - 2011	1/0	1/0									
During, Ludwig *	D	11/8/1907		1925 - 1943	14/0							5/0	4/0	5/0	
Durm, Erik	D	12/5/1992		2019 - 2020	15/0	9/0			2/0	4/0					
Dworschak, Matthias	D	8/4/1974		1994 - 1997	22/1	8/1		11/0	2/0						UI 1/0
Dziwoki, Erich	D	11/8/1925	31/12/1984	1952 - 1955	60/29				1/0		52/28			8/1	
Ebeling, Erich	D	31/1/1922		1952 - 1954	41/12				1/0		34/12			6/0	
Eberlein *	D			1922 - 1925	30/0				5/0				25/0		
Eckstein, Dieter	D	12/3/1964		1988 - 1991	78/16	70/14	2/0		4/1	2/1					
Edinger *	D			1921 - 1922	2/0								2/0		
Egly, Friedel *	D	1898	1/1/1971	1921 - 1928	70/11				7/2				54/7	9/2	
Ehmer, Karl	D	25/11/1906	12/11/1978	1927 - 1938	215/228				5/1			26/11	97/129	87/87	
Ehrmantraut, Horst	D	11/12/1955		1979 - 1980	18/0	13/0			1/0	4/0					
Eigenbrodt, Hans-Walter	D	4/8/1935	29/3/1997	1955 - 1964	134/4	15/0			22/1	4/0	79/1			11/0	Toto 1/2; FL 2/0
Eisenhofer, Karl	D	4/9/1934	Jan. 2000	1963 - 1964	3/0	2/0			1/0						
Ekström, Johnny	SWE	5/3/1965		1995 - 1997	41/9	16/2		18/5	3/2						UI 4/0
Eisener, Rudolf	SUI	18/2/1953		1978 - 1979	39/9	33/6			6/3						
Emmel *	D			1915 - 1919	4/?				1/0				3/0		
Emmerich, Heinrich *	D			1906 - 1909	7/?								2/0	5/0	

Name, Vorname	Nation	geboren	gestorben	vor - bis	gesamt	BL	Relegation	2. BL	Pokal	Europapokal	Oberliga	Gauliga	vor 1933	Endrunde	sonstige Einsätze
Engelhardt, Toni	D			1942-1943	2/0							2/0			
Epp, Thomas	D	7/4/1968		1997-1999	45/5	9/1	32/4		4/0						
Ernst, Thomas	D	23/12/1967		1987-1994	6/0	5/0			1/0						
Eufinger, Bernd	D	11/10/1961		1981-1982	1/0	1/0									
Ewe, Fritz*	D			1919-1920	1/?								1/0		
Eymold, Günter	D	17/4/1959		1983-1984	3/0	2/0			1/0						
Fabian, Marco	MEX	21/7/1989		2015-2019	50/8	43/8	1/0		5/0						Sup 1/0
Fahrenkamp, Adolf*	D	1889	WK 1	1906-1909	5/0								5/0		
Fährmann, Ralf	D	27/9/1988		2009-2011	19/0	18/0			1/0						
Falette, Simon	FRA/GUI	19/2/1992		2017-2020	43/1	35/1			1/0	7/0					
Falk, Patrick	D	8/2/1980		1999-2000	14/0	13/0			1/0						
Falkenmayer, Ralf	D	11/2/1963		1980-1996	385/35	337/30	2/1		22/2	23/2					UI 1/0
Falow, Edmund*	D	12/5/1920		1943-1944	3/1							3/1			
Famewo, Stephen	NGA	30/12/1983		2001-2002	3/1			3/1							
Fanzet*	D			1907	1/?									1/0	
Farschon, Rudolf*	D	21/4/1921		1945-1948	37/1						37/1				
Fay, Ernst	D		1914	1906-1911	39/4								28/4	8/0	FGA 3/?
Fecht*	D			1900	?/?										
Feghelm, Siegbert	D	22/8/1942	20/9/1995	1966-1972	35/0	24/0			3/0	1/0					IT 2/0; Alp 5/0
Feick, Ernst	D	6/6/1921	21/1/1982	1939-1941	14/9				6/3			2/0			StR 6/6
Feigenspan, Ekkehard	D	13/5/1935		1955-1959	99/78				5/6		79/52			7/13	Toto 2/0; FL 6/7
Fels*	D			1901	?/?										
Fenin, Martin	CZE	16/4/1987		2007-2012	96/16	89/14		1/0	6/2						
Fernandes, Gelson	SUI	2/9/1986		2017-2020	81/1	58/1			5/0	18/0					
Feth, Werner*	D	20/11/1910		1942-1944	17/0				5/0			12/0			

Name, Vorname	Nation	geboren	gestorben	von - bis	gesamt		BL		Relegation		2. BL		Pokal		Europapokal		Oberliga		Gauliga		vor 1933		Endrunde		sonstige Einsätze
Fink, Michael	D	1/2/1982		2006 - 2009	100	9	87	8					7	1	6	0									
Firnrohr, Emil *	D	09.01.1881		1901 - 1902	?	?															1	0			
Fischer, Hans	D	8/2/1914	30/5/1983	1938 - 1947	79	1							15	0			14	1	42	0					StR 8/0
Fischer, Walfried	D	7/9/1928		1948 - 1950	13	0											13	0							
Fjörtoft, Jan-Aage	NOR	10/1/1967		1998 - 2001	54	17	52	14					2	3											
Flick, Thorsten	D	22/8/1976		1994 - 1999	39	1	12	0			24	1	2	0	2	0									UI 1/0
Flohr, Eugen	D	9/11/1913		1942 - 1943	5	3							5	3											
Flum, Johannes	D	14/12/1987		2013 - 2016	54	3	38	3					6	0	10	0									
Förster, Eugen *	D			1906 - 1907	1	?															1	0			
Fortura, Sebastian *	D	05.08.1894	1947	1911 - 1913	13	1															8	1	5	0	
Franke *	D			1943 - 1944	2	0													2	0					
Frantz, Maik	D	5/8/1981		2009 - 2011	54	6	50	6					4	0											
Frese	D			1941 - 1942	5	0							2	0					3	0					
Freund, Willy *	D	28.10.1892		1916 - 1917	?	?																			
Friedl, Jürgen	D	23/2/1959		1975 - 1979	5	0	3	0					2	0											
Friedmann *	D			1906 - 1907	2	?															2	0			
Friedrich, Jürgen	D	11/11/1943		1962 - 1968	124	21	78	12					5	2	12	1	7	3							IT 17/3; Alp 5/0
Friend, Rob	CAN	23/1/1981		2011 - 2012	14	1			1	0	13	1													
Friz, Holger	D	26/4/1965		1984 - 1988	45	8	42	8					3	0											
Frommer, Nico	D	8/4/1978		2003 - 2005	29	3	20	2			6	0	3	1											
Froneck, Karl	AUT			1945 - 1946	1	0											1	0							
Fruck, Norbert	D	28/12/1957		1983 - 1986	46	2	44	2	1	0			1	0											
Fuge	D			1939 - 1941	3	1													2	1					
Funk, Klaus	D	21/2/1954		1979 - 1981	50	0	34	0					4	0	12	0									StR 1/0
Fürbeth, Gottfried	D	17/10/1912	7/8/2004	1934 - 1939	58	0							7	0					49	0			2	0	
Furtok, Jan	POL	9/3/1962		1993 - 1995	71	21	53	9					3	4	14	7									UI 1/1

Name, Vorname	Nation	geboren	gestorben	von - bis	gesamt	BL	Relegation	2. BL	Pokal	Europa-pokal	Oberliga	Gauliga	vor 1933	Endrunde	sonstige Einsätze
Gacinovic, Mijat	SRB	8/2/1995		2015 - 2020	157 10	116 3	2 1		14 3	24 3					Sup 1/0
Galindo, Aaron	MEX	8/5/1982		2007 - 2009	33 0	32 0			1 0						
Ganzmann, Walter *	D	25/2/1918		1941 - 1943	14 5				1 0			13 5			
Gärtner, Heinrich	D	23/9/1918		1946 - 1949	71 3						71 3				
Gatzert, Ludwig	D			1899 - 1900	? ?										
Gaudino, Maurizio	D	12/12/1966		1993 - 1997	93 20	43 7		32 9	6 1	11 3					UI 1/0
Gebhardt	D			1941 - 1942	1 0							1 0			
Gebhardt, Ernst Friedrich *	D	1911	2002	1943 - 1944	8 0							8 0			
Gebhardt, Marco	D	7/10/1972		1997 - 2002	119 12	64 8		46 2	9 2						
Geier, Erich	D	23/10/1929		1951 - 1954	48 8				9 1		39 7				
Geiger, Helmut	D	22/10/1934	27/10/2006	1954 - 1958	104 40				4 0		79 32				Toto 16/6; FL 5/2
Gekas, Theofanis	GRE	23/5/1980		2010 - 2012	52 27	34 16		14 7	4 4						
Gemiti, Giuseppe	D	3/5/1981		2000 - 2002	16 0	3 0		12 0	1 0						
Gerezgiher, Joel	D	9/10/1995		2015 - 2016	4 0	3 0			1 0						
Gerhardt, Albert *	D	4.12.1872	Aug. 1953	1899	? ?										
Gerster, Frank	D	15/4/1976		1998 - 1999	1 0	1 0									
Gerth, Walter	D	21/11/1909	13/7/1979	1931 - 1936	8 0				3 0			4 0		1 0	
Giller, Walther	D	20/8/1922		1947 - 1951	50 0						50 0				
Glöckner, Patrick	D	18/11/1976		1996 - 1997	9 0			9 0							
Gmelin, Wilhelm *	D	14.04.1891	9/12/1978	1911 - 1922	57 2				1 0				35 2		
Göbel *	D			1916 - 1919	3 1								3 1		
Goldammer, Bruno *	D	12/11/1904	1968/69	1926 - 1933	119 9								71 6	48 3	
Goldberger, Dr. Paul von *	AUT/ HUN	14.01.1881	1941	1910 - 1912	28 7								23 7	5 0	
Gonschorek, Erich	D	24/5/1924		1953 - 1954	4 3						4 3				
Gorka, Fritz	D	24.04.1919	Okt. 1943	1936 - 1938	16 0				1 0			15 0		0	

Name, Vorname	Nation	geboren	gestorben	von - bis	gesamt	BL	Relegation	2. BL	Pokal	Europapokal	Oberliga	Gauliga	vor 1933	Endrunde	sonstige Einsätze
Görtz, Armin	D	30/8/1959		1981 - 1983	6 / 0	5 / 0			1 / 0						
Götze *	D			1899	? / ?										
Grabowski, Jürgen	D	7/7/1944		1965 - 1980	555 / 151	441 / 109			45 / 19	40 / 9					IT 10/3; Alp 9/4; LP 10/7
Gramlich, Rudolf *	D	6/6/1908	14/3/1988	1929 - 1944	208 / 16				5 / 0			89 / 7	51 / 7	62 / 2	StR 1/0
Grein, Willi	D	14/4/1917		1936 - 1938	7 / 0				2 / 0			5 / 0			
Greiner, Karlheinz	D	26/1/1929		1953 - 1954	1 / 0						1 / 0				
Grigutsch, Karl *	D			1945 - 1946	4 / 2						4 / 2				
Grimm, R. *	D			1903 - 1908	? / ?										
Grosch, Richard	D	25/1/1922	11/2/1943	1940 - 1941	2 / 0				1 / 0			1 / 0			
Groß, August	D			1938 - 1940	13 / 1				2 / 0			11 / 1			
Groß, Friedrich *	D	30/12/1913	19/9/1982	1935 - 1943	88 / 4				13 / 0			66 / 3		6 / 1	StR 3/0
Groß, Walter *	D			1942 - 1943	3 / 0				2 / 0			1 / 0			
Großmann, Willy *	D			1899 - 1908	? / ?										
Gruber, Rigobert	D	14/5/1961		1979 - 1981	26 / 1	21 / 1			3 / 0	2 / 0					
Gründel, Heinz	D	13/2/1957		1988 - 1992	111 / 11	91 / 9	2 / 0		10 / 1	7 / 1					Sup 1/0
Grünerwald, Michael	D	17.11.1399	Aug. 1974	1923 - 1926	22 / 5		0		3 / 1				19 / 4		
Guht, Michael	D	16/6/1973		1996 - 1997	21 / 1			21 / 1							
Guié-Mien, Rolf-Christel	CGO	28/10/1977		1999 - 2003	104 / 21	54 / 8		42 / 12	8 / 1						
Gulich, Helmut	D	16/1/1961		1981 - 1983	17 / 0	15 / 0			1 / 0	1 / 0					
Gundelach, Hans-Jürgen	D	29/11/1963		1984 - 1989	94 / 0	87 / 0			7 / 0						
Güntensperger, Urs	SUI	24/11/1967		1996 - 1998	47 / 13			44 / 11	3 / 2						
Günther, Sven	D	22/2/1974		2002 - 2004	40 / 0	25 / 0		14 / 0	1 / 0						
Gwinner, Max *	D		†	1905 - 1906	? / ?										
Häffner *	D			1906 - 1907	2 / ?								2 / 0		
Hagendorf, Fritz *	D			1904 - 1905	? / ?										
Hagner, Matthias	D	15/8/1974		1993 - 1996	35 / 10	31 / 10			2 / 0	2 / 0					

Name, Vorname	Nation	geboren	gestorben	von - bis	gesamt	BL	Relegation	2. BL	Pokal	Europapokal	Oberliga	Gauliga	vor 1933	Endrunde	sonstige Einsätze
Hahn, Erich	D	27/5/1937		1962 - 1963	9/4				3/1		6/3				
Halle, Paul *	D			1910 - 1911	6/1								6/1		
Haller, Sebastian	FRA	22/6/1994		2017 - 2019	77/33	60/24			6/4	10/5					Sup 1/0
Hamilton	ENG			1905	?/?										
Hammer, Herbert *	D	10/2/1924	30/5/1999	1941 - 1946	13/4						3/0	10/4			FL 2/0
Hanek, Janos	HUN	29/5/1937		1957 - 1958	6/0						2/0				
Hannah, Walter *	D			1904 - 1906	?/?										
Hartmann, August *	D			1905 - 1911	?/?										
Hartung *	D			1900	?/?										
Hasebe, Makoto	JPN	18/1/1984		2014 - 2020	208/2	162/2	2/0		16/0	27/0					Sup 1/0
Haub, Ralf	D	26/7/1964		1987 - 1988	6/0	5/0			1/0						
Hausmann	D			1929 - 1930	1/0									1/0	
Hector, Michael	ENG/JAM	19/7/1992		2016 - 2017	27/1	22/1			5/0						
Heese, Horst	D	31/12/1943		1969 - 1973	126/30	108/27			10/3	2/0					LP 6/0
Heidenreich, Maximilian	D	9/5/1967		1988 - 1989	17/0	13/0			2/0	1/0					Sup 1/0
Heider, Otto	D	22/5/1920	14/8/2003	1938 - 1941	46/0							21/0			StR 10/0
Heiderich *	D			1915 - 1916	1/1								1/1		
Heil, Ludwig *	D			1899 - 1907	1/?								1/0		
Heilig, Werner	D	20/10/1921	29/1/1987	1939 - 1957	399/59				31/3		308/29	45/25		8/1	StR 4/0; Toto 3/1
Heine *	D			1916 - 1917	?/?										
Heinemann, R. *	D			1911 - 1912	5/2								1/1	4/1	
Heinen, Dirk	D	3/12/1970		1999 - 2002	65/0	47/0		15/0	3/0						
Heinlein *	D			1902 - 1904	?/?										
Heitkamp, Dirk	D	14/2/1963		1987 - 1989	21/1	17/0			3/1	1/0					
Heitkamp, Werner	D	3/8/1930		1955 - 1956	14/6						9/1				
Heldt, Horst	D	9/12/1969		1999 - 2001	67/9	64/9			3/0						Toto 5/5

Name, Vorname	Nation	geboren	gestorben	von - bis	gesamt		BL		Relegation		2. BL		Pokal		Europapokal		Oberliga		Gauliga		vor 1933		Endrunde		sonstige Einsätze
Helfenbein, Franz	D	2/1/1917	20/8/1989	1938 - 1939	1	0													1	0					
Helfert	D			1942 - 1943	2	0													2	0					
Heltbach, Walter *	D			1903 - 1906	?	?																			
Heller, Marcel	D	12/2/1986		2006 - 2011	36	2	34	2					2	0											
Hemmerich, Anton	D	21/9/1910	1938	1936 - 1938	9	3							1	0					8	3					
Hemmerich, Stefan *	D		Jan. 1944	1932 - 1943	47	11							7	0					31	7	6	3	3	1	
Hendricks, Rowan	RSA	15/11/1979		1999 - 2000	1	0	1	0																	
Hengemühle, Franciel Rodrigo	BRA	17/2/1982		2002 - 2003	1	0					1	0													
Henig, Helmut *	D	12/8/1921	4/8/1996	1939 - 1959	269	0							14	0			228	0	16	0			8	0	StR 3/0
Henkel, Karl *	D			1942 - 1946	8	5											3	0	5	5					
Henkel, Otto *	D	07.08.1891	9/12/1970	1910 - 1913	20	0															14	0	6	0	
Hennig, Carsten	D	6/11/1976		1996 - 1997	3	0					3	0													
Herber, Karl *	D			1919 - 1924	4	2															3	1	1	1	
Herberger, Johannes	D	9/11/1919	13/6/2002	1939 - 1940	4	1													4	1					
Herbert, Willi	D	10/6/1938	10/11/2018	1959 - 1965	10	0	7	0					1	0	1	0	1	0							
Herbold *	D			1904 - 1905	?	?																			
Herrmann, Dr. Paul	D			1936 - 1937	9	0													9	0					
Hertzsch, Ingo	D	22/7/1977		2003 - 2004	15	1	15	1																	
Hess, Martin	D	6/2/1987		2007 - 2008	1	0	1	0																	
Hesse, Hermann	D	26/4/1930	Mai 1979	1951 - 1958	58	8							2	0			42	4					6	3	Toto 6/1; FL 2/0
Heyl, Georg	D	14/5/1915	2006	1934 - 1943	42	4							9	0					29	3					StR 4/1
Hildebrand, Timo	D	5/4/1979		2014 - 2015	3	0	3	0																	
Hinteregger, Martin	AUT	7/9/1992		2018 - 2020	70	11	45	9					5	0	20	2									
Hobday, Peter	ENG/D	9/4/1961		1988 - 1990	25	3	17	1					3	2	4	0									Sup 1/0

Name, Vorname	Na-tion	geboren	gestorben	von - bis	gesamt		BL		Relegation		2. BL		Pokal		Europa-pokal		Oberliga		Gauliga		vor 1933		Endrunde		sonstige Einsätze
Höfer, Hermann	D	19/7/1934	22/10/1996	1953 - 1966	383	21	68	2					38	0	10	0	224	17					19	0	Toto 12/0; FL 10/1; IT 2/1
Höfer, Karl	D			1939 - 1940	5	0													2	0					StR 3/0
Hoffer, Erwin	AUT	14/4/1987		2011 - 2013	37	10	6	1			30	9	1	0											
Hoffmann, Torben	D	27/10/1974		2004 - 2005	32	4					29	4	3	0											
Hofmeister, Josef	D	8/5/1946		1972 - 1973	17	3	10	1					2	0	1	0									LP 4/2
Höhl, Albert	D	14/8/1909		1928 - 1935	7	0							1	0					2	0	3	0	1	0	
Hohmann, Adolf *	D			1910 - 1911	8	7															8	7			
Hohmann, Philipp *	D			1910 - 1920	23	9															17	8	6	1	
Holtz, Willi *	D		7/3/1975	1942 - 1944	18	1													18	1					
Hölzenbein, Bernd	D	9/3/1946		1967 - 1981	532	215	420	160					53	23	38	18									Alp 8/5; LP 8/3; IT 5/6
Hommrich, Klaus	D	17/10/1950		1969 - 1970	8	0	8	0																	
Hönnscheidt, Norbert	D	3/11/1960		1980 - 1981	7	1	5	0					1	1	1	0									
Horn	D			1943 - 1944	1	0													1	0					
Horn, Alfred	D	7/9/1936	3/4/2018	1961 - 1964	75	16	20	3					7	2			46	11					2	0	
Horvat, Ivica	YUG	16/7/1926	27/8/2012	1957 - 1959	67	0							2	0			56	0					3	0	FL 6/0
Hößbacher, Hermann *	D			1900 - 1905	?	?																			
Hradecky, Lukas	FIN	24/11/1999		2015 - 2018	116	0	101	0	2	0			13	0											
Hrgota, Branimir	SWE	12/1/1993		2016 - 2019	39	6	35	5					4	1											
Huber *	D			1910 - 1911	1	1															1	1			
Huber, Alexander	D	25/2/1985		2004 - 2007	12	1	3	0			7	0	1	0	1	1									
Huberts, Willi	AUT	22/1/1938		1963 - 1970	272	95	213	67					16	7	18	6									IT 15/9; Alp 10/6
Hubtchev, Petr	BUL	26/2/1964		1996 - 2001	111	2	63	0			44	2	4	0											
Huggel, Benjamin	SUI	7/7/1977		2005 - 2007	68	3	53	1					10	2	5	0									

Name, Vorname	Nation	geboren	gestorben	von - bis	gesamt	BL	Relegation	2. BL	Pokal	Europapokal	Oberliga	Gauliga	vor 1933	Endrunde	sonstige Einsätze
Husterer, Markus	D	16/6/1983		2004 - 2005	20 / 0			17 / 0	3 / 0						
Huszti, Szabolcs	HUN	18/4/1983		2015 - 2017	34 / 3	30 / 3	2 / 0		2 / 0						
Hütter, Ernst	D	1921	†	1939 - 1943	21 / 4				4 / 1			15 / 3			StR 2/0
Idrissou, Mohamadou	CMR	8/3/1980		2011 - 2012	26 / 14			25 / 14	1 / 0						
Ignjovski, Aleksandar	SRB	27/1/1991		2014 - 2016	41 / 0	38 / 0	1 / 0		2 / 0						
Ilsanker, Stefan	AUT	18/5/1989		2019 - 2020	18 / 2	12 / 2			2 / 0	4 / 0					
Imke, Paul *	D	08.03.1892	3/4/1964	1919 - 1925	39 / 23				2 / 0				24 / 19	13 / 4	
Inamoto, Junichi	JPN	19/9/1979		2007 - 2009	46 / 0	43 / 0			3 / 0						
Inui, Takashi	JPN	2/6/1988		2012 - 2016	87 / 9	75 / 7			6 / 1	6 / 1					
Isenburger, Alfred	D			1900	? / ?										
Jäckel	D			1952 - 1953	1 / 0				1 / 0						
Jakob, Ernst *	D			1945 - 1946	3 / 0						3 / 0				
Jakobi, Willi	D	10/9/1927		1955 - 1956	1 / 0						1 / 0				
Janes, Paul	D	11/3/1912	12/6/1987	1945 - 1946	2 / 0						2 / 0				
Jänisch, Joachim	D	1/5/1929	2001	1951 - 1953	47 / 22				9 / 5		38 / 17				
Janßen, Olaf	D	8/10/1966		1996 - 2000	54 / 5	32 / 1		18 / 2	4 / 2						
Jessl, Reinhold	D	2/1/1962		1986 - 1987	5 / 2	4 / 1			1 / 1						
Jockel, Karl *	D	15.06.1889	15/4/1967	1907 - 1921	105 / 16				1 / 2				77 / 13	27 / 1	
John, Albert	D			1899	? / ?										
Jones, Jermaine	D/USA	3/11/1981		2000 - 2007	93 / 12	31 / 2		53 / 10	9 / 0						
Joselu	ESP	27/3/1990		2013 - 2014	33 / 14	24 / 9			2 / 4	7 / 1					
Joveljic, Dejan	SRB	7/8/1999		2019 - 2020	10 / 1	4 / 0			1 / 0	5 / 1					
Jovic, Luka	SRB	30/3/1994		2017 - 2019	75 / 36	54 / 25			6 / 1	14 / 10					Sup 1/0
Judisch, Hermann	D		1945	1926 - 1929	27 / 0				1 / 0				16 / 0	10 / 0	
Jung, Sebastian	D	22/6/1990		2008 - 2014	164 / 5	115 / 2		33 / 2	10 / 0	6 / 1					
Jüriens, Joachim	D	8/8/1958		1980 - 1984	33 / 0	30 / 0			2 / 0	1 / 0					

Name, Vorname	Nation	geboren	gestorben	vom - bis	gesamt	BL	Relegation	2.BL	Pokal	Europapokal	Oberliga	Gauliga	vor 1933	Endrunde	sonstige Einsätze
Jusufi, Fahrudin	YUG	8/12/1939	9/9/2019	1968 - 1970	133/2	111/2			5/0	9/0					IT 4/0; Alp 4/0
Jüttner, Heini	D			1935 - 1936	1/0				1/0						
Kaczor, Josef	D	23/3/1953		1982 - 1983	15/1	15/1									
Kadlec, Vaclav	CZE	20/5/1992		2013 - 2016	39/10	30/6			4/2	5/2					
Kahlhofen, Mike	D	1/10/1953		1982 - 1983	2/0	2/0									
Kaiser *	D			1921 - 1922	1/1								1/1		
Kalb, Jürgen	D	20/5/1948		1968 - 1975	216/28	185/26			22/1	9/1					Alp 4/0; LP 5/0
Kalkab *	D			1902 - 1903	0/0										
Kalkbrenner, Alfred *	D			1906 - 1909	10/4								3/2	7/2	
Kallab	D			1943 - 1944	1/1							1/1			FGA 3/?
Karnada, Daichi	JPN	5/8/1996		2017 - 2020	52/10	31/2			5/2	16/6					
Kampschmieder	D		WK 2	1930 - 1932	2/0								2/0	0	
Karger, Harald	D	14/10/1956		1979 - 1983	43/16	28/9			4/1	11/6					
Karoly, Jozsef	HUN			1925 - 1926	15/10				2/1				13/9		
Kaster, Heinz	D	23/2/1929	†	1949 - 1954	108/2				8/0		98/2				
Kaufmann	D			1926 - 1928	20/5				1/0				14/4	5/1	
Kaufmann, Oskar	D			1946 - 1947	2/0						2/0				
Kaufmann, Rudolf *	D			1911 - 1913	3/0								2/0	1/0	
Kaymak, Burhanettin	TUR	25/8/1973		1995 - 1999	18/0	10/0		7/0	1/0						
Keifler, Günter	D	30/9/1948		1967 - 1971	20/1	16/1			1/0	3/0					
Keller *	D			1859	0/0										
Keller *	D			1941 - 1942	2/0				2/0						
Keller, Jens	D	24/11/1970		2002 - 2005	53/3	2/0		48/3	3/0						
Kellerhoff, Bernhard	D	21/3/1900	22/10/1980	1926 - 1932	168/35				1/0				88/26	79/9	
Kempf, Marc Oliver	D	28/1/1995		2012 - 2014	6/0	5/0			1/0	1/0					
Kerzmann	D			1904	0/0										

Name, Vorname	Nation	geboren	gestorben	von - bis	gesamt	BL	Relegation	2. BL	Pokal	Europapokal	Oberliga	Gauliga	vor 1933	Endrunde	sonstige Einsätze
Kesper, Herbert	D	8/8/1919		1949 - 1952	45 / 0				2 / 0		43 / 0				
Kessler, Thomas	D	20/1/1986		2011 - 2012	4 / 0			4 / 0							
Kientz, Jochen	D	17/9/1972		1992 - 1993	1 / 0	1 / 0									
Kinsombi, David	D/COD	12/12/1995		2014 - 2016	4 / 0	4 / 0									
Kirchgarth *	D		vor 1914	1910 - 1911	4 / 5								4 / 5		
Kirchheim, Karlheinz	D	14/1/1925		1942 - 1953	29 / 8				8 / 4		5 / 0	16 / 4			
Kirchheim, Rudi *	D		17/10/1972	1920 - 1929	86 / 5				9 / 1				53 / 4	24 / 0	
Kirchhof, Hans-Günter	D	9/9/1936		1959 - 1960	4 / 0				1 / 0		3 / 0				
Kissinger, H.	D	1903/04		1927 - 1929	27 / 17								11 / 9	16 / 8	
Kittel, Sonny	D	6/1/1993		2010 - 2016	54 / 3	40 / 0		11 / 3	2 / 0	1 / 0					
Kitzmann, Dieter	D	11/7/1964		1985 - 1988	29 / 3	28 / 3			1 / 0						
Klaiber, Ludwig *	D			1942 - 1944	11 / 2				2 / 0			9 / 2			
Klar, Willy	D	9/7/1907	1994	1928 - 1929	1 / 0								1 / 0		
Klebe, H.	D			1911 - 1912	9 / 0								9 / 0		
Klein, Michael	D	22/2/1965		1989 - 1993	56 / 3	49 / 0			4 / 3	3 / 0					
Klemm, Edy *	D			1919 - 1924	26 / 10				3 / 0				19 / 10	4 / 0	LP 10/4
Klepper	D			1906 - 1911	0 / 0										
Klepper, Thomas	D	7/4/1965		1987 - 1990	62 / 2	52 / 2			7 / 0	3 / 0					
Kliemann, Uwe	D	30/6/1949		1972 - 1974	78 / 10	68 / 8			8 / 2	2 / 0					
Kloss, Thomas	D	26/3/1965		1983 - 1984	2 / 0	2 / 0									
Klüber	D			1942 - 1943	7 / 0							7 / 0			
Klumpp *	D			1917 - 1918	2 / 0								2 / 0		
Knapp, Dr. Franz	D	16/7/1912		1936 - 1938	11 / 0				2 / 0			9 / 0			
Knaus *	D			1921 - 1922	2 / 0								1 / 0	1 / 0	
Knörzer, Otto *	D	27.11.1899	1973/74	1916 - 1924	9 / 0								7 / 0	2 / 0	
Koch *	D			1943 - 1944	1 / 0							1 / 0			
Koch, Jean *	D			1921 - 1923	2 / 0								1 / 0	1 / 0	

Name, Vorname	Na-tion	geboren	gestorben	von - bis	gesamt	BL	Relegation	2.BL	Pokal	Europa-pokal	Oberliga	Gauliga	vor 1933	Endrunde	sonstige Einsätze
Koch, K.	D			1932 - 1936	10 / 0							10 / 0			
Koenemund, Friedrich *	D			1906 - 1907	1 / 0								1 / 0		
Köhler, André	D	28/2/1965		1991 - 1992	5 / 0	4 / 0									
Köhler, Benjamin	D	4/8/1980		2004 - 2013	258 / 33	168 / 16		61 / 16	23 / 0	1 / 0					StR 2/0
Köhler, Karl	D	1921	†	1939 - 1940	5 / 0							3 / 0			
Kohr, Dominik	D	31/1/1994		2019 - 2020	40 / 1	26 / 0			5 / 0	9 / 1					
Koitka, Heinz-Josef	D	12/2/1952		1975 - 1979	117 / 0	91 / 0			14 / 0	8 / 0					IT 4/0
Kolb *	D			1899	? / ?										
Kolb, Ludwig *	D	6/11/1919		1938 - 1951	124 / 0				8 / 0		82 / 0	30 / 0			StR 4/0
Köllisch, Karl (I)	D			1911 - 1912	1 / 0									1 / 0	
Köllisch, Otto (II) *	D	13.08.1892	2/1/1972	1911 - 1919	31 / 7				1 / 0				19 / 6	11 / 1	
Komljenovic, Slobodan	YUG	2/1/1971		1992 - 1997	160 / 6	107 / 4		27 / 1	9 / 0	12 / 0					UI 5/1
Konca, Ender	TUR	22/10/1947		1971 - 1973	44 / 10	36 / 7			3 / 1	2 / 0					LP 3/2
König, Albert	D	1920	†	1939 - 1941	2 / 0							1 / 0			StR 1/0
König, Michael	D	8/3/1974		1996 - 1997	2 / 0			2 / 0							
Köpke, Andreas	D	12/3/1962		1994 - 1996	81 / 0	66 / 0			3 / 0	8 / 0					UI 4/0
Körbel, Karl-Heinz	D	1/12/1954		1972 - 1991	731 / 51	602 / 45	2 / 0		70 / 3	48 / 3					LP 3/0; IT 5/0; Sup 1/0
Korkmaz, Ümit	AUT	17/9/1985		2008 - 2012	50 / 4	37 / 3		11 / 1	2 / 0						
Köster, J. *	D			1920 - 1922	19 / 2								12 / 0	7 / 2	
Kostic, Filip	SRB	1/11/1992		2018 - 2020	97 / 22	67 / 10			3 / 3	27 / 9					
Kostner, Michael	D	7/2/1969		1987 - 1989	19 / 0	14 / 0			3 / 0	2 / 0					
Kotsch, Max	D			1910 - 1911	8 / 0								8 / 0		
Kouemaha, Dorge Rostand	CMR	28/6/1983		2012 - 2013	2 / 0	2 / 0									
Kraaz, Armin	D	3/2/1965		1983 - 1988	133 / 3	123 / 3		2 / 0	8 / 0						
Kracht, Torsten	D	4/10/1967		1999 - 2001	67 / 3	64 / 2			3 / 1						

Name, Vorname	Na-tion	geboren	gestorben	von - bis	gesamt	BL	Relegation	2.BL	Pokal	Europa-pokal	Oberliga	Gauliga	vor 1933	Endrunde	sonstige Einsätze
Krafczyk, Dieter	D	23/9/1941		1966 - 1967	8 / 1	4 / 1			1 / 0	2 / 0					Alp 1/0
Kraft*	D			1921 - 1922	1 / ?									1 / 0	
Kraft*	D			1943 - 1944	4 / 4							4 / 4			
Kraft, Dieter	D	3/3/1940		1960 - 1963	6 / 1				1 / 1		5 / 0				
Krämer	D			1929 - 1930	1 / 0								1 / 0		
Krämer, Harald	D	13/2/1964		1983 - 1987	68 / 17	61 / 15	2 / 2		5 / 0						
Kratzenberg, Heinrich *	D			1905	? / ?										
Kraus, Alfred *	D	16/1/1924	17/3/2005	1940 - 1952	106 / 103				14 / 36		58 / 26	34 / 41			
Kraus, Helmut	D	16/11/1938		1963 - 1969	104 / 12	65 / 7			6 / 1	8 / 2					IT 15/1; Alp 10/1
Kraus, Karl *	D	6/9/1921	8/3/2013	1943 - 1944	2 / 0				1 / 0			1 / 0			
Kraus, Kevin	D	12/8/1992		2010 - 2011	1 / 0	1 / 0									
Kraus, Willi	D	3/12/1926	28/5/1993	1946 - 1951	101 / 43						101 / 43				
Kraus, Wolfgang	D	20/8/1953		1971 - 1987	234 / 45	189 / 30			25 / 9	13 / 5					LP 3/0; IT 4/1
Krauth, Raimund	D	27/12/1952	22/11/2012	1972 - 1974	36 / 5	23 / 1			4 / 1	1 / 0					LP 8/3
Kremer, Wilhelm	D			1906	? / ?										
Kreß, Richard	D	6/3/1925	30/3/1996	1953 - 1964	372 / 99	17 / 2			29 / 10	9 / 2	274 / 68			18 / 8	Toto 16/6; FL 9/3
Kreuz	D			1928 - 1929	6 / 1									6 / 1	
Kreuz, Ernst	D	29/9/1940		1960 - 1962	46 / 15				5 / 2		36 / 10			5 / 3	
Kreuz, Markus	D	29/4/1977		2003 - 2004	32 / 2	30 / 1			2 / 1						
Kreuzer, Hermann *	D			1906 - 1909	16 / 6								5 / 4	8 / 2	FGA 3/?
Kreuzer, Karl *	D			1906 - 1908	10 / 1								2 / 1	5 / 0	FGA 3/?
Kreuzer, Konrad *	D			1907	? / ?										
Kreuzer, Oskar *	D	14.06.1887	3/5/1968	1907 - 1908	1 / ?								1 / 0		
Krobbach, Peter	D	15/1/1954		1975 - 1978	37 / 1	26 / 0			3 / 0	6 / 1					IT 2/0
Krömmelbein, Artur *	D		†	1906 - 1912	15 / ?								5 / 0	7 / 0	FGA 3/?

Name, Vorname	Nation	geboren	gestorben	von – bis	gesamt	BL	Relegation	2. BL	Pokal	Europa-pokal	Oberliga	Gauliga	vor 1933	Endrunde	sonstige Einsätze
Krömmelbein, Carl *	D	09.03.1882	24/8/1954	1900 - 1911	? / ?										
Krömmelbein, Kurt	D	21/7/1922	Jan. 1998	1949 - 1955	98 / 8				9 / 0		81 / 8			6 / 0	Toto 2/0
Kron, Joseph	D	7/12/1906	Aug. 1966	1929 - 1934	57 / 2				4 / 0			4 / 0	29 / 2	20 / 0	
Kroth, Thomas	D	26/8/1959		1982 - 1985	78 / 13	74 / 13	2 / 0		2 / 0						
Krüger, Ernst	D			1940 - 1943	5 / 0				1 / 0			4 / 0			
Krük (verh. Dercho), Alexander	D	21/1/1987		2008 - 2009	1 / 0	1 / 0									
Kruse, Axel	D	28/9/1967		1990 - 1993	71 / 26	54 / 14			11 / 7	6 / 5					
Kryszalowicz, Pawel	POL	23/6/1974		2000 - 2003	75 / 26	18 / 7		53 / 19	4 / 0						
Kübert, Fritz (I)	D	16/2/1906	Sept. 1998	1925 - 1930	99 / 3				2 / 0				66 / 2	31 / 1	
Kübert, Fritz (II)	D	8/12/1939	Sept. 1997	1959 - 1965	5 / 0	1 / 0			4 / 0						
Kudrass, Ernst	D	17/9/1924	24/12/2019	1948 - 1957	262 / 4				13 / 0		231 / 4			8 / 0	Toto 10/0
Kühn, Georg	D			1905 - 1906	? / ?										
Künast, Michael	D	14/2/1961		1979 - 1983	25 / 8	22 / 8			1 / 0	2 / 0					
Kunter, Dr. Peter	D	28/4/1941		1965 - 1976	287 / 0	234 / 0			17 / 0	17 / 0					IT 8/0; Alp 3/0; LP 8/0
Kunz, Ernst *	AUT	23/2/1912	21/8/1944	1938 - 1944	26 / 7				2 / 0			18 / 3			StR 6/4
Kutschera, Alexander	D	21/3/1968		1996 - 2001	135 / 3	80 / 2		49 / 1	6 / 0						
Kweuke, Leonhard	CMR	12/7/1987		2008 - 2009	6 / 0	6 / 0			1 / 1	6 / 0					
Kyrgiakos, Sotirios	GRE	23/7/1979		2006 - 2008	62 / 9	51 / 8			5 / 1	7 / 2					
Lakic, Srdjan	CRO	2/10/1983		2012 - 2014	32 / 6	22 / 4			3 / 0						
Lampe, A. *	D			1911 - 1912	12 / 2								10 / 2	2 / 0	
Lampert *	D			1943 - 1944	1 / 0							1 / 0			
Landerer, Ludwig	D	31/5/1937		1961 - 1966	69 / 2	22 / 0			13 / 1	1 / 0	30 / 1				IT 3/0
Lange, Heinz	D	11/1/1929		1954 - 1957	5 / 0				1 / 0		1 / 0				IT 3/0
Langer, August *	D	7/1/1921	7/10/2000	1942 - 1944	4 / 0							3 / 0			StR 1/0
Lanig, Martin	D	11/7/1984		2012 - 2015	44 / 5	37 / 4			2 / 0	5 / 1					

Name, Vorname	Nation	geboren	gestorben	von - bis	gesamt	BL	Relegation	2.BL	Pokal	Europapokal	Oberliga	Gauliga	vor 1933	Endrunde	sonstige Einsätze
Lanz, Karl	D	Juli 1913	17/7/1972	1936 - 1937	5/0							5/0			
Larem, Ernst *	D			1922 - 1925	4/2								4/2		
Lasser, Thomas	D	25/10/1969		1988 - 1992	60/1	44/1	2/0		8/0	6/0					
Laux, Eduard *	D			1906 - 1907	2/?									2/0	
Lechner, Georg	D	18/8/1941		1964 - 1966	55/19	45/16			4/1						IT 6/2
Legat, Thorsten	D	7/11/1968		1994 - 1995	32/5	22/2			2/1	7/1					UI 1/1
Lehmann, Matthias	D	28/5/1983		2011 - 2012	28/0			26/0	2/0						
Lehmann, Otto *	D			1939 - 1946	58/0				16/0		5/0	30/0			StR 7/0
Leiber, Albert *	SUI			1915 - 1917	3/?								3/0		
Leis, Bernhard	D	8/9/1906	Nov. 1974	1929 - 1937	179/19				3/0			57/6	59/7	60/6	
Leising, K. *	D			1912 - 1913	20/4								14/4	6/0	
Lemke, Walter	D		1942	1920 - 1939	4/0				3/0						StR 1/0
Lemm, Paul	D	9/3/1921		1949 - 1950	28/6						28/6				
Lenze, Christian	D	26/4/1977		2004 - 2005	18/3			16/2	2/1						
Letsche *	D			1899	?/?										
Levy, Renato	D	29/9/1977		1997 - 1998	7/0			6/0	1/0						
Lexa, Stefan	D	1/11/1976		2003 - 2006	60/2	43/0		12/2	5/0						
Liberopoulos, Nikos	GRE	4/8/1975		2008 - 2010	55/13	50/10			5/3						
Lidin *	D			1943 - 1944	3/1							3/1			
Liesem, Hans *	D	8/11/1923		1945 - 1948	72/5						72/5				
Lindemann, Hans	D	4/9/1947		1969 - 1971	16/1	13/0			3/1						
Lindemann, Hermann *	D	29/10/1910	23/7/2002	1937 - 1946	88/2				4/1		26/0	49/1		6/0	StR 3/0
Lindner *	D			1921 - 1923	10/2								8/2	2/0	
Lindner, Dieter	D	11/6/1939		1956 - 1971	435/77	189/5			37/9	24/4	132/49			16/5	FL 9/5; IT 18/0; Alp 10/0
Lindner, Heinz	AUT	17/7/1990		2015 - 2017	3/0	2/0			1/0						
Lindner, Karlheinz	D	2/1/1936	28/3/2005	1957 - 1958	6/0	2/0			2/0						FL 4/0

Name, Vorname	Nation	geboren	gestorben	von - bis	gesamt	BL	Relegation	2. BL	Pokal	Europapokal	Oberliga	Gauliga	vor 1933	Endrunde	sonstige Einsätze
Lindner, Willi	D	27/6/1910	29/11/1943	1932 - 1943	76/42				4/0			51/27	2/0	18/14	StR 1/1
Linken, Fritz	D	20/12/1913	11/12/1992	1937 - 1949	70/20				6/3		27/5	28/10		6/1	StR 3/1
Ljubicic, Kreso	CRO	26/9/1988		2007 - 2009	6/0	6/0									
Löble, Otto	D	27.10.1888	29/5/1967	1913 - 1914	4/1								4/1		
Löffler, Franz *	D		WK 1	1906 - 1907	1/?								1/0		
Loos	D			1934 - 1935	1/0							1/0			
Lorant, Werner	D	21/11/1948		1978 - 1983	173/29	134/21			17/5	22/3					
Lorenz, Alexander	D	31/12/1978		1997 - 1998	2/0			1/0	1/0						
Lorenz, Bernd	D	24/12/1947	6/4/2005	1974 - 1976	43/17	30/13			8/3	5/1					
Lörinc, Tibor	HUN	30/8/1938		1957 - 1958	3/1						3/1				
Lösch, Markus	D	26/9/1971		2000 - 2001	16/0	15/0			1/0						
Lottermann, Dr. Stefan	D	5/3/1959		1979 - 1983	121/20	97/14			10/5	14/1					
Lotz, Oskar	D	23/4/1940		1965 - 1969	144/30	97/19			5/0	16/7					IT 12/2; Alp 14/2
Löw, Joachim	D	3/2/1960		1981 - 1982	29/5	24/5			2/0	3/0					
Loy, Egon	D	14/5/1931		1954 - 1967	349/0	69/0			33/0	10/0	209/0			17/0	FL 3/0; IT 8/0
Lutz, Friedel	D	21/1/1939		1957 - 1973	406/10	200/4			38/0	12/0	124/4			14/1	FL 4/0; IT 2/0; Alp 8/1; LP 4/0
Madlung, Alexander	D	11/7/1982		2013 - 2015	42/6	38/6			2/0	2/0					
Maeder, Rudolf *	D			1906 - 1907	4/1									1/0	
Mahdavikia, Mehdi	IRN	24/7/1977		2007 - 2009	35/0	32/0			3/0						FGA 3/1
Majkovic, Vladimir	CRO	14/8/1982		2000 - 2001	3/0	3/0									
Mantel, Hugo	D	14/5/1907	Feb. 1942	1928 - 1937	185/3				4/0			45/2	65/1	71/0	
Mantzios, Evangelos	GRE	22/4/1983		2007 - 2008	10/1	10/1									
Martin *	D			1913 - 1914	13/6								12/4	1/2	

Name, Vorname	Nation	geboren	gestorben	von - bis	gesamt	BL	Relegation	2. BL	Pokal	Europapokal	Oberliga	Gauliga	vor 1933	Endrunde	sonstige Einsätze
Martini, Edi	ALB	2/1/1975		1997 - 1998	1			1							
Mascarell, Omar	ESP/ EQG	2/2/1993		2016 - 2018	45	37			8						
Matmour, Karim	ALG	26/6/1985		2011 - 2013	54	24		28	2						
Mattern, Bodo	D	3/2/1958		1983 - 1985	12	12			0						
Mauruschat, Fritz	D	16/12/1901	1974/75	1927 - 1929	26								13	0	
Mayer	D			1932 - 1934	2							1	1	0	
Mechling, Walter	D	2/7/1908	1987/88	1936 - 1937	1							1		0	
Medojevic, Slobodan	SRB	20/10/1990		2014 - 2018	32	29			3						
Mehic, Sead	BIH	8/4/1975		1997 - 1998	19			16	3						
Mehlmann *	D			1906	?	?									
Meier, Alexander	D	17/1/1983		2004 - 2018	377	270		66	32	9					
Meier, Erich	D	30/3/1935	8/2/2010	1956 - 1962	75				9	6	43			8	FL 9/4
Meister	D			1942 - 1943	1							1			
Menze, Steffen	D	28/1/1969		1996 - 1997	12			10	2						
Menzerath, Hans	D	20/10/1921	20/3/2004	1939 - 1941	8				1			5			StR 2/0
Metzger, Georg	D	18.12.1884	19/9/1976	1900 - 1917	?								?		
Meyer	D			1934 - 1935	1							1		0	
Meyer, Karl *	SUI			1915 - 1916	1								1	1	
Meyerding *	D			1906	?										
Mihajlovic, Radmilo	YUG	19/11/1964		1993 - 1994	11	10			1	0					
Mitchell, David	AUS	13/6/1962		1985 - 1987	37	35			2						
Möbs, August	D	8/8/1908	4/2/1944	1930 - 1939	161				4			64	49	19	
Mohr, Jürgen	D	18/8/1958		1983 - 1985	44	41	2		3						
Mohrmann, Fritz	D	20/3/1915		1945 - 1946	1						1			0	
Mölders, H. *	D			1920 - 1924	27				2				24	1	
Möller, Andreas	D	2/9/1967		1985 - 2004	136	115			15	6					

Name, Vorname	Na-tion	geboren	gestorben	vor - bis	gesamt	BL	Relegation	2. BL	Pokal	Europa-pokal	Oberliga	Gauliga	vor 1933	Endrunde	sonstige Einsätze
Möller, Frank	D	**11/7/1967**		1991 - 1994	20 0	16 0				4 0					
Monteith, David W.	ENG			1910 - 1911	2 0								2 0		
Montero, David	ESP	16/1/1974		2002 - 2004	32 3	1 0		29 3	2 0						
Monz, Karl	D	26/2/1913	23/4/2000	1932 - 1937	51 18				2 1			42 16	4 1	3 0	
Moog, Alfons	D	14/2/1915	17/12/1999	1939 - 1941	24 0				5 0			19 0			
Moritz, Karl	D	27/5/1920	1985	1939 - 1940	5 0				2 0			3 0			
Mornar, Ivica	CRO	12/1/1974		1995 - 1996	19 2	19 2									
Mortensen, F. *	ENG			1906 - 1911	8 6									8 6	
Motsch, Rudolf	D	5/2/1920	1997	1946 - 1947	3 0						3 0				
Mrowka *	D			1943 - 1944	1 0							1 0			
Müller, Emil *	D			1899	? ?										
Müller, Helmut	D	22/4/1953	1/6/2011	1973 - 1980	180 6	139 3	2 0		17 2	22 1					IT 2/0
Müller, James	D			1924 - 1928	55 1				3 1				45 0	7 0	
Müller, Karl	D	1921	1993	1939 - 1943	10 8				5 3			3 1			StR 2/4
Müller, Nicolai	D	25/9/1987		2014 - 2017	12 2	7 2			1 0	4 0					
Müller, Uwe	D	16/10/1963		1982 - 1988	140 22	131 18	2 2		7 2						
Münn, Volker	D	10/1/1960		1986 - 1988	33 0	29 0			4 0						
Muth, Georg	D	30/10/1921		1946 - 1948	23 5						23 5				
Mutzel, Michael	D	27/9/1979		1999 - 2002	34 1	22 1		12 0							
Nachtweih, Norbert	D	4/6/1957		1977 - 1992	164 31	123 26			17 2	24 3					
Nascimento	BRA	14/3/1980		2003 - 2004	2 0	2 0									
Nauheimer, Werner	D	1/3/1930		1948 - 1949	1 1						1 1				
Ndicka, Evan	FRA	20/8/1999		2018 - 2020	69 3	49 2			4 0	16 1					
Nees, Heinz	D	12/1/1921	1998	1948 - 1950	24 0						24 0				
Nees, Theodor *	D	20.02.1892	12/9/1968	1916 - 1917	? ?										
Neff, Hans	D	27/8/1929		1948 - 1949	4 0						4 0				
Neidhardt	D			1910 - 1911	10 6								10 6		

Name, Vorname	Nation	geboren	gestorben	von - bis	gesamt	BL	Relegation	2. BL	Pokal	Europapokal	Oberliga	Gauliga	vor 1933	Endrunde	sonstige Einsätze
Nemeth, Peter	SVK	14/9/1972		2001 - 2002	15/0			13/0	2/0						
Neppach, Robert*	AUT	02.03.1890	18/8/1939	1911 - 1916	19/0								15/0	4/0	
Neuberger, Willi	D	15/4/1946		1974 - 1983	349/29	267/18			37/7	39/3					IT 6/1
Neumann, Ernst	D			1948 - 1949	1/0						1/0				
Neureuther, Ferdinand*	D	27.11.1892	1959	1913 - 1921	30/21								26/17	4/4	
Nichols, Cecil*	ENG			1899 - 1900	?/?										
Nickel, Bernd	D	15/3/1949		1967 - 1983	541/179	426/141			54/21	42/12					Alp 7/1; LP 6/3; IT 6/1
Niessen, Willy*	D			1906 - 1908	15/3								3/2	9/1	FGA 3/?
Nikolov, Oka	MKD/D	25/5/1974		1995 - 2013	415/0	229/0		150/0	34/0	1/0					UI 1/0
Nwosu, Henry Onyema	NGA	14/2/1980		1998 - 1999	4/0	4/0									
Obajdin, Josef	CZE	7/11/1970		1994 - 1995	3/0	3/0									
Obersberger	D			1907	?/?										
Occean, Olivier	CAN	23/10/1981		2012 - 2013	19/1	18/1			1/0						
Ochs, Patrick	D	14/5/1984		2004 - 2011	227/8	174/4		28/1	19/3	6/0					
Oczipka, Bastian	D	12/1/1989		2012 - 2017	167/2	146/2	2/0		11/0	8/0					
Oehler*	D			1906	?/?										
Okocha, Augustine	NGA	14/8/1973		1992 - 1996	116/25	90/18			8/2	14/2					UI 4/3
Opper, Heini	D	18/9/1911	†	1939 - 1940	5/4				1/0						StR 4/4
Örtülü, Yilmaz	TUR	30/3/1980		2001 - 2002	1/0			1/0							
Österling*	D			1923 - 1926	13/8								12/7		
Otto, Norbert	D	19/4/1957		1981 - 1982	6/0	3/0			1/0	2/0					
Otto, Theodor	D			1933 - 1934	11/0							11/0			
Özer, Aykut	TUR	1/1/1993		2012 - 2014	2/0	1/0			1/0						
Paciencia, Goncalo	POR	1/8/1994		2018 - 2020	61/15	34/10			5/1	22/4					
Pahl, Jürgen	D	17/3/1956		1978 - 1987	177/0	152/0	2/0		11/0	12/0					
Papies, Jürgen	D	22/4/1944		1969 - 1971	29/4	25/3			4/1						

Name, Vorname	Na-tion	geboren	gestorben	von - bis	gesamt	BL	Relegation	2.BL	Pokal	Europa-pokal	Oberliga	Gauliga	vor 1933	Endrunde	sonstige Einsätze
Parts, Thomas	AUT	7/10/1946		1971 - 1974	93 / 26	74 / 18			9 / 5	1 / 0					LP 9/3
Paulus *	D			1943 - 1944	3 / 3							3 / 3			
Pedersen, Tore	NOR	29/9/1969		1998 - 1999	20 / 1	20 / 1									
Peinze	D			1933 - 1934	2 / 0							2 / 0			
Pejovic, Zvezdan	CRO	28/10/1966		1996 - 1997	16 / 0			14 / 0							
Penksa, Marek	SVK	4/8/1973		1992 - 1995	25 / 0	23 / 0				2 / 0					
Peter	D			1920 - 1921	1 / 0										
Peter, Fritz	D			1923 - 1924	1 / 0				1 / 0				1 / 0		
Petersen, Georg	D			1304 - 1905	? / ?										
Petkovic, Nikola	SRB	28/3/1986		2008 - 2011	9 / 0	9 / 0									
Pettinger, Rudolf	D	25/4/1907	12/1/1970	1933 - 1935	14 / 6							14 / 6			
Peukert, Christian	D	21/2/1960		1979 - 1980	1 / 1	1 / 1									
Peuttler, Alois	D	1916		1937 - 1938	15 / 0							11 / 0		4 / 0	
Pezzey, Bruno	AUT	3/2/1955	31/12/1994	1978 - 1983	181 / 38	141 / 27			17 / 6	23 / 5					
Pfaff, Alfred	D	16/7/1926	27/12/2008	1949 - 1961	366 / 139				24 / 14	10 / 7	301 / 103			12 / 3	Toto 14/12; FL 5/0
Pfeiffer, Willi *	D	27.03.1895	12/3/1966	1912 - 1932	208 / 43				7 / 6				139 / 34	62 / 3	
Pfister	D			1931 - 1932	4 / 0									4 / 0	
Pflughoefft *	D			1942 - 1944	6 / 3				1 / 1			5 / 2			
Piazon, Lucas	BRA	20/1/1994		2014 - 2015	23 / 2	22 / 2			1 / 0						
Pickel, Karl *	D	1888		1906 - 1920	45 / 20								39 / 20	6 / 0	
Pickel, Michael *	D	01.08.1884	Dez. 1964	1902 - 1911	? / ?										
Pisont, Istvan	HUN	16/5/1970		1996 - 1999	19 / 1	17 / 0			2 / 1						
Pistauer, Björn	D	15/1/1968		1988 - 1989	2 / 0	2 / 0									
Plock *	D			1919	? / ?										
Pohl, Bruno	D	1914		1938 - 1939	2 / 0							2 / 0			
Pohlenk, Albert *	D	12.12.1875	4/9/1948	1899	? / ?										

Name, Vorname	Na-tion	geboren	gestorben	von - bis	gesamt		BL		Relegation		2. BL		Pokal		Europa-pokal		Oberliga		Gauliga		vor 1933		Endrunde		sonstige Einsätze
Poppe, Hans *	D			1902 - 1911	?	?																			
Post, Heinrich *	D			1907 - 1908	?	?																			
Preuß, Christoph	D	4/7/1981		2000 - 2010	141	10	97	6			31	4	13	0											
Pries, Friedrich	D	10/3/1918		1947 - 1949	8	0											8	0							
Pröll, Markus	D	28/8/1979		2003 - 2009	105	0	60	0			33	0	7	0			5	0							
Puljiz, Jurica	CRO	13/12/1979		2003 - 2004	15	1	15	1																	
Raab *	D			1915 - 1916	2	?															2	0			
Racky, Heiko	D	1/10/1946		1967 - 1969	25	1	16	1					1	0	4	0									Alp 4/0
Rada, Karel	CZE	2/3/1971		2000 - 2002	40	0	11	0			27	0	2	0											
Rahn, Uwe	D	21/5/1962		1992 - 1993	15	4	12	3					1	0	2	1									
Raps, Ralf	D	10/10/1960		1981 - 1982	1	0	1	0																	
Rasiejewski, Jens	D	1/1/1975		1999 - 2002	62	1	33	0			24	1	5	0											
Rauch, Jakob *	D	27.07.1897	16/1/1946	1915 - 1925	11	?							1	0							10	0			
Rauffmann, Rainer	D	26/2/1967		1995 - 1996	32	5	26	4					2	0											UI 4/1
Rebic, Ante	CRO	21/9/1993		2016 - 2020	100	25	78	17					8	7	13	1									Sup 1/0
Regäsel, Yanni	D	13/1/1996		2015 - 2017	11	0	10	0					1	0											
Reh	D			1920 - 1921	1	0	1	0																	
Rehmer, Marko	D	29/4/1972		2005 - 2007	45	2	37	2					3	0	5	0									
Reich, Hermann	D			1939 - 1940	4	0													4	0					
Reich, Karl *	D			1911 - 1912	22	6															18	6	4	0	
Reichel, Peter	D	30/1/1951		1969 - 1979	286	12	225	9					34	2	17	1									LP 5/0; IT 5/0
Reichenberger, Thomas	D	14/10/1974		1999 - 2002	47	7	41	7			5	0	1	0											
Reichert, Friedel	D	10/2/1926		1949 - 1954	69	18							6	2			63	16							
Reick, Albert	D			1899	?	?																			
Reinartz, Stefan	D	1/1/1989		2015 - 2016	17	1	15	1					2	0											
Reinhard, Christopher	D	19/5/1985		2004 - 2007	38	2	9	0			24	2	5	0											

Name, Vorname	Na-tion	geboren	gestorben	vor - bis	gesamt		BL		Relegation		2. BL		Pokal		Europa-pokal		Oberliga		Gauliga		vor 1933		Endrunde		sonstige Einsätze
Reis, Thomas	D	4/10/1973		1992 - 1995	19	2	16	2					1	0	1	0									UI 1/0
Reismann, Bruno	D	14/11/1935		1954 - 1955	2	0																			Toto 2/0
Remlein, Alfons	D	11/9/1925		1953 - 1956	79	6							2	0			69	6					2	0	Toto 6/0
Resch, Albert	D			1939 - 1940	7	3													7	3					
Reubold, Thomas	D	13/9/1966		1985 - 1986	2	0	2	0																	
Reuschling *	D			1907 - 1920	4	1															3	1	1	0	
Reußwig, Karl *	D			1919 - 1921	4	?															2	0	1	0	
Reußwig, Leopold *	D			1910 - 1919	10	?															9	0	1	0	
Reuter, Timo	D	17/7/1973		1994 - 1997	11	0	1	0			8	0	2	0											
Ribeiro, Antonio *	?			1910 - 1911	10	4															10	4			
Richardt	D			1940 - 1942	11	2							3	1					6	0					StR 2/1
Richter, Otto	D	11/1/1921		1939 - 1942	18	0							9	0					4	0					StR 5/0
Ricker, Hans	D	29/6/1921	1998	1945 - 1948	28	0											28	0							
Riedel, Heini	D	9/7/1922		1948 - 1949	2	0											2	0							
Riegel, Ingo	D			1924 - 1925	16	6															14	5	2	1	
Riese, Willy *	D		†	1899 - 1907	1	?															1	0			
Rieth, Dennis	D	10/9/1964		1983 - 1984	3	0	3	0																	
Riggenbach, Hans *	SUI			1907 - 1908	1	0															1	0			
Rinderknecht, Nico	D	11/10/1997		2015 - 2016	1	0	1	0																	
Rischlein *	D			1922 - 1923	1	?															1	0			
Rist, Paul	D	06.03.1891	5/2/1966	1910 - 1911	7	1															7	1			
Rockmann, H. *	D			1922 - 1924	7	3															6	1	1	2	
Rode, Sebastian	D	11/10/1990		2010 - 2020	162	9	93	5			33	2	10	1	26	1									
Rohrbach, Thomas	D	4/4/1949		1969 - 1975	163	20	134	16					19	4	5	0									LP 5/0
Röll, Karl *	D	16/7/1916	1968/69	1936 - 1946	89	47							14	8			8	2	59	30			5	5	StR 3/2
Rompel, Dietmar	D	2/2/1962		1983 - 1989	5	0	3	0					2	0	2	0									
Rönnow, Frederick	DEN	4/8/1992		2013 - 2020	21	0	11	0					2	0	7	0									Sup 1/0

Name, Vorname	Nation	geboren	gestorben	von - bis	gesamt	BL	Relegation	2. BL	Pokal	Europa-pokal	Oberliga	Gauliga	vor 1933	Endrunde	sonstige Einsätze
Rose	D			1942 - 1943	1/0							1/0			
Rosen, Alexander	D	10/4/1979		1998 - 2002	7/0	4/0		3/0							
Rosenthal, Jan	D	7/4/1986		2013 - 2014	24/2	18/2			3/0	3/0					
Roskoni, Gottfried	D			1939 - 1940	7/0							7/0			
Rossi, Marco	ITA	9/9/1964		1996 - 1997	15/0			14/0	1/0						Sup 1/0; UI 3/0
Roth, Dietmar	D	16/9/1963		1987 - 1997	325/5	237/5	2/0	27/0	31/0	24/0					
Roth, Heiner *	D			1915 - 1925	19/1				1/0				14/0	4/1	
Rothenberger	D			1941 - 1942	4/4				4/4						
Rothuber, Alexander	D	13/4/1931	23/10/2010	1951 - 1957	79/0				6/0		54/0				Toto 16/0; FL 3/0
Rübsam *	D			1903 - 1904	?/?								?/?		
Rudolf, Dieter	D	1/5/1952		1970 - 1973	2/0				1/0						LP 1/0
Russ, Marco	D	4/8/1985		2004 - 2020	328/24	280/23	1/0	4/0	28/0	15/1					
Säckinger *	D			1917 - 1919	2/?								2/0		
Sackmann *	D			1922 - 1923	8/0				1/0				7/0		
Salcedo, Carlos	MEX	29/9/1993		2017 - 2019	32/0	26/0			5/0						Sup 1/0
Salou, Bachirou	TOG	15/9/1970		1999 - 2001	36/8	34/8			2/0						
Sand, Franz *	D			1913 - 1914	16/0								13/0	3/0	
Sarroca, Josef	D	12/8/1960		1985 - 1987	36/4	33/4			3/0						
Savelsberg	D			1939 - 1943	9/0							8/0			StR 1/0
Sawieh, Jonathan	LBR	24/9/1975		1997 - 1998	7/0			7/0							
Sbordone, Domenico	D	3/9/1969		1995 - 1996	10/0	7/0			2/0						UI 1/0
Schädler, Erwin *	D	8/4/1917	9/10/1991	1940 - 1950	100/9				1/0		78/8	21/1			
Schaffner	D			1924 - 1925	1/0								1/0		
Schaller, Fritz	D	18/1/1902	26/5/1983	1925 - 1933	179/98				3/1				111/63	65/34	
Schallmeyer, Jakob	D	9/2/1924		1948 - 1949	18/0						18/0				

Name, Vorname	Na-tion	geboren	gestorben	vor - bis	gesamt	BL	Relegation	2.BL	Pokal	Europa-pokal	Oberliga	Gauliga	vor 1933	Endrunde	sonstige Einsätze
Schämer, Lothar	D	28/4/1940	27/12/2017	1960 - 1973	383/83	216/24			34/9	18/2	76/43			4/0	IT 14/0; Alp 14/4; LP 7/1
Schaub, Fred	D	28/8/1960	22/4/2003	1978 - 1981	27/4	21/3			4/0	2/1				4/1	
Scheiterle *	D			1899	?/?										
Schenk, Karl *	D			1923 - 1925	6/0				2/0				4/0		
Schieth, Hubert	D	26/1/1927	19/2/2013	1949 - 1953	107/46						103/45			4/1	
Schildenfeld, Gordon	CRO	18/3/1985		2011 - 2012	35/1			33/1	2/0						
Schildt, Gerhardt	D	23/2/1924		1949 - 1950	1/0						1/0				
Schindwein. Dieter	D	7/2/1961		1987 - 1989	42/1	32/1	1/0		6/0	2/0					Sup 1/0
Schlüter, Rudi *	D		1915	1913 - 1914	16/6								11/5	5/1	
Schmidt, A.	D			1900	?/?										
Schmidt, Adolf *	D	16/12/1919	21/3/1991	1938 - 1948	118/19				8/2		89/5	16/12		5/0	StR 5/0
Schmidt, Dominik	D	1/7/1987		2011 - 2012	1/0			1/0							
Schmidt, Heinrich *	D			1899 - 1907	?/?										
Schmidt, Paul *	D			1899 - 1900	?/?										
Schmidtkunz, Helmut	D	27/7/1941		1954 - 1965	1/0										IT 1/0
Schminke, Wolfram *	D	8/12/1921	1992	1939 - 1944	18/6				7/4			8/1			StR 3/1
Schmitt *	D			1906 - 1907	1/?								1/0		
Schmitt, Adam *	D	6/11/1914	1984	1935 - 1949	237/144				29/31		94/28	105/71		5/7	StR 4/7
Schmitt, Edgar	D	29/4/1963		1991 - 1993	41/14	30/10			7/3	4/1					
Schmitt, Ludwig	D	28/10/1910	†	1930 - 1938	151/0				6/0			41/0	52/0	52/0	
Schmitt, Ralf	D	21/1/1977		2000 - 2001	1/0	1/0									
Schmitt, Roland	D	20/12/1926		1950 - 1951	14/3						14/3				
Schmitt, Sven	D	27/12/1976		1996 - 2001	5/0	2/0		3/0							
Schneider, Bernd	D	17/11/1973		1999 - 1999	35/6	33/4			2/2						
Schneider, Emil *	D		†	1913 - 1925	76/4				8/1				52/3	16/0	
Schneider, Karl	D	1/11/1910		1934 - 1935	1/0							1/0			

Name, Vorname	Nation	geboren	gestorben	von - bis	gesamt	BL	Relegation	2. BL	Pokal	Europapokal	Oberliga	Gauliga	vor 1933	Endrunde	sonstige Einsätze
Schneider, Uwe	D	28/8/1971		1998 - 2000	16/0	16/0									
Schnitzler, Horst	D			1948 - 1949	6/1						6/1				
Schnug, Hans *	D			1899 - 1908	3/2								3/2		
Schönfeld, Karl *	D	29.09.1899	20/10/1954	1916 - 1927	65/10				7/2				44/8	14/0	
Schreiber, Horst	D	14/8/1929		1948 - 1950	9/1						9/1				
Schreiner, Karl	D	1/10/1914	3/11/1943	1934 - 1935	1/0				1/0						
Schreml, Uwe	D	7/2/1960		1982 - 1984	48/2	46/2			2/0						
Schröck, Stephan	D/PHI	21/8/1986		2013 - 2014	17/1	12/0			2/0	3/1					
Schué, E. *	D			1905 - 1911	?/?								?/?		
Schüler	D			1929 - 1930	4/0								1/0	3/0	
Schulz, Frank	D	18/2/1961		1987 - 1989	60/14	50/10	2/1		5/2	2/1					Sup 1/0
Schumacher *	D			1922 - 1923	4/1								4/1		
Schupp, Markus	D	7/1/1966		1995 - 1996	36/5	30/4			2/0	2/1					UI 4/1
Schur, Alexander	D	23/7/1971		1996 - 2006	251/23	113/11		124/12	14/0						
Schütz, Franz	D	6/12/1900	22/3/1955	1925 - 1934	220/4				3/0			10/0	119/3	88/1	
Schwab, Carl *	D			1900 - 1905	?/?								?/?		
Schwalbe, Edgar *	D			1900 - 1906	?/?								?/?		
Schwan, Egon	D	4/10/1930		1951 - 1953	11/4						9/3			2/1	
Schwarze, Max *	D			1912 - 1913	2/?								2/?		
Schwegler, Pirmin	SUI	9/3/1987		2009 - 2014	141/7	101/6		27/0	9/1	4/0					
Schweickert *	D			1910 - 1913	7/1								7/1		
Schwind, Jacob *	D		†	1915 - 1916	3/3								3/3		
Schymik, Eberhard	D	8/7/1934	8/9/1979	1955 - 1964	246/16				22/1	5/0	191/14			9/1	Toto 10/0; FL 9/0
Seehausen, Harald	D	3/8/1945		1964 - 1965	1/0				1/0						
Seemann, Hans	D	26/1/1930		1956 - 1957	5/0				1/0		4/0				
Seferovic, Haris	SUI	22/2/1992		2014 - 2017	96/20	86/16	2/1		8/3						IT 1/0

Name, Vorname	Na-tion	geboren	gestorben	von - bis	gesamt	BL	Relegation	2. BL	Pokal	Europa-pokal	Oberliga	Gauliga	vor 1933	Endrunde	sonstige Einsätze
Seibel *	D			1910 - 1912	31/?								31/0	0	
Seubert, W. C. *	D			1899	?/?										
Siebel	D			1934 - 1935	17/0				1/0			16/0			Sup 1/0
Sievers, Ralf	D	30/10/1961		1982 - 1991	230/12	205/9	4/0		16/1	4/2					
Sikorski *	D			1943 - 1944	1/0							1/0			
Silva, André	POR	6/11/1995		2019 - 2020	37/16	25/12			3/2	9/2					
Sim, Jae-Won	KOR	11/3/1977		2001 - 2002	21/0			19/0	2/0						
Simons, Gerd	D	20/10/1951		1974 - 1977	11/0	7/0			2/0	2/0					IT 1/0
Sippel, Heinrich *	D			1902 - 1906	0/0								0/0		
Sippel, Lothar	D	9/5/1965		1989 - 1992	79/20	69/18			5/2	5/0					
Skala, Lothar	D	2/5/1952	28/9/2008	1977 - 1979	18/1	10/0			3/0	5/1					IT 1/0
Skeib *	D			1942 - 1943	4/0				3/0			1/0			
Skela, Ervin	ALB/ITA	17/11/1976		2001 - 2004	99/28	30/8		62/18	7/2						
Skell	D			1904 - 1905	0/0								0/0		
Smolarek, Wlodzimierz	POL	16/7/1957	6/3/2012	1986 - 1988	72/16	63/13			9/3						
Sobanski, Franz	D	1908		1931 - 1933	9/0								2/0	7/0	
Sobotzik, Thomas	D	16/10/1974		1994 - 2001	103/26	66/12		32/10	4/4	1/0					
Sohn, Albert *	D			1902 - 1908	0/0								0/0		
Solf	D			1942 - 1943	2/0							2/0			
Solz, Wolfgang	D	12/2/1940	24/3/2017	1959 - 1968	220/77	113/46			24/10	9/3	69/17			5/1	IT 16/10; Alp 6/4
Sonnek, Wilhelm	AUT			1942 - 1943	3/0							3/0			
Sorger, Severin	D	7/4/1931		1959 - 1960	2/0						2/0				
Sow, Djibril	SUI	6/2/1997		2019 - 2020	40/1	29/1			2/0	9/0					
Speranza, Giovanni	ITA	6/3/1982		2001 - 2002	2/0			2/0							
Spycher, Christoph	SUI	30/3/1978		2005 - 2010	149/1	129/0			14/1	6/0					
Stahl, Klaus-Peter	D	28/5/1946	22/9/1982	1971 - 1972	5/0	4/0			1/0						

Name, Vorname	Nation	geboren	gestorben	von - bis	gesamt	BL	Relegation	2. BL	Pokal	Europa-pokal	Oberliga	Gauliga	vor 1933	Endrunde	sonstige Einsätze
Stamm, Heinrich	D	30/12/1908	Mai 1980	1927 - 1929	11/4								5/2	6/2	2
Stärkel	D			1917 - 1918	1/0								1/0		
Steiert *	D			1902	0/0										
Steiger, Robert *	D		1925	1920 - 1921	11/0								11/0		
Stein	D			1950 - 1951	1/0						1/0				
Stein, Erwin	D	10/6/1935		1959 - 1966	200/138	41/14			28/31	8/6	107/75			10/10	IT 6/2
Stein, Ulrich	D	23/10/1954		1987 - 1994	276/0	224/0	2/0		25/0	24/0					Sup 1/0
Steinbach, August *	D			1902 - 1905	?/?										
Steinhöfer, Markus	D	7/3/1986		2008 - 2011	44/3	41/3			3/0	4/0					
Stendera, Marc	D	10/12/1995		2012 - 2020	89/5	78/5	2/0		5/0	4/0					
Stepanovic, Dragoslav	YUG	30/8/1948		1976 - 1978	66/5	49/3			8/1	6/1					IT 3/0
Stephan, Fritz	D			1911 - 1912	4/0								4/0		
Stephan, Günther *	D	8/12/1912	15/4/1995	1943 - 1944	6/0							6/0			
Stinka, Dieter	D	10/8/1937		1958 - 1966	202/34	43/4			27/9	9/2	100/18			16/1	IT 7/0
Stojak, Damir	YUG	22/5/1975		1998 - 1999	9/1	9/1									
Stradt, Winfried	D	25/9/1956		1974 - 1977	10/0	7/0			1/0	2/0					
Streit, Albert	D	28/3/1980		2000 - 2008	107/8	44/4		49/2	9/1	5/1					
Streit, Theodor *	D			1900 - 1905	?/?										
Stroh *	D			1916 - 1917	?/?										
Stroh, Georg	D	26.05.1897	1987/88	1926 - 1928	19/7								15/7	4/0	
Stroh-Engel, Dominik	D	27/11/1985		2005 - 2006	3/0	3/0									
Stubb, Hans *	D	8/10/1906	19/3/1973	1929 - 1944	211/11				18/1			102/5	37/4	54/1	
Studer, Stefan	D	30/1/1964		1988 - 1993	160/10	128/9	2/0		16/0	13/1					Sup 1/0
Stumpf, Carl *	D	31.12.1883	21/2/1912	1910 - 1912	6/3								6/3		
Svensson, Jan	SWE	24/4/1956		1983 - 1986	101/18	96/16	1/1		4/1						
Szabo, Peter *	HUN	13.04.1899	21/9/1963	1920 - 1923	42/23								33/20	8/3	
Sziedat, Michael	D	22/8/1952		1980 - 1984	121/4	99/4			10/0	12/0					

Name, Vorname	Na-tion	geboren	gestorben	von - bis	gesamt		BL		Relegation		2. BL		Pokal		Europa-pokal		Oberliga		Gauliga		vor 1933		Endrunde		sonstige Einsätze
Sztani, Istvan	HUN/D	19/3/1937		1957 - 1968	88	39	21	3					5	4	3	0	36	20					7	7	FL 2/4; IT 8/1; Alp 6/0
Takahara, Naohiro	JPN	4/6/1979		2006 - 2008	49	18	38	12					6	4	5	2									
Tarashaj, Shani	ALB/ SUI	7/5/1995		2016 - 2017	15	1	13	1					2	0											
Tawatha, Taleb	ISR/ SUD	21/6/1992		2016 - 2019	40	2	30	0					7	2	3	0									
Teber, Selim	D	7/3/1981		2009 - 2010	32	2	29	1					3	1											
Tempel, Otto	D	29/6/1926		1951 - 1952	12	4							3	1			9	3							
ter Horst, Hendrik Willem *	NED	30.08.1880	19/9/1932	1910 - 1911	10	3															10	3			
Theiss, Klaus	D	9/7/1963		1985 - 1987	44	9	42	9					2	0											
Thélin, E. *	ENG			1911 - 1912	12	0															7	0	5	0	
Thönes *	D			1919 - 1920	2	?																	2	0	
Thurk, Michael	D	28/5/1976		2006 - 2008	47	7	36	4					6	0	5	3									
Tiefel, Willi	D	14/7/1911	23/9/1941	1932 - 1936	59	5													48	4	3	0	8	1	
Tikowski, Hans	D	12/7/1935	5/1/2020	1957 - 1969	55	0	40	0					3	0	6	0									Alp 6/0
Titsch Riveiro, Marcel	D	2/11/1989		2009 - 2011	2	0	2	0																	
Tobollik, Cezary	POL/D	22/10/1961		1983 - 1985	46	14	42	12	2	1			2	1											
Toppmöller, Dino	D	23/11/1980		2002 - 2003	16	3					16	3													
Torro, Lucas	ESP	19/7/1994		2018 - 2020	25	2	15	0	1	0			2	0	7	2									Sup 1/0
Toski, Faton	D	17/2/1987		2006 - 2009	28	3	27	3					1	0											
Tosun, Cenk	D/TUR	7/6/1991		2009 - 2010	1	0	1	0																	
Toure, Almamy	FRA	28/4/1996		2018 - 2020	37	1	26	1					3	0	8	0									
Trapp, Erich	D	14/2/1921		1945 - 1946	5	0											5	0							
Trapp, Karl *	D		†	1900	?	?																			
Trapp, Kevin	D	8/7/1990		2012 - 2020	175	0	137	0					9	0	29	0									

Name, Vorname	Na-tion	geboren	gestorben	von - bis	gesamt	BL	Relegation	2. BL	Pokal	Europa-pokal	Oberliga	Gauliga	vor 1933	Endrunde	sonstige Einsätze
Trapp, Oskar *	D		†	1900	?/?										
Trapp, Wolfgang	D	1/8/1957		1977 - 1982	71/1	50/0			7/1	12/0					IT 2/0
Trieb, Martin	D	23/9/1961		1982 - 1986	95/8	90/5	2/2		3/1						
Trimhold, Horst	D	4/2/1941		1963 - 1966	82/18	71/15			8/2	2/1					IT 1/0
Trinklein, Gert	D	19/6/1949	11/7/2017	1968 - 1978	275/12	230/10			27/2	7/0					LP 6/0; IT 5/0
Trolliett, Carl	D			1899	?/?										
Trumpler, Theodor	D	7/4/1907	16/1/1992	1929 - 1942	121/33				2/2			39/9	22/6	58/16	
Trumpp, Willy *	D	28/7/1904	1999	1923 - 1930	136/0				7/0				90/0	39/0	
Tsoumou, Juhvel	D	27/12/1990		2008 - 2010	10/1	10/1									
Tsoumou-Madza, Jean-Clotaire	CGO	31/1/1975		2002 - 2004	45/3	8/0		34/3	3/0						
Turek, Toni	D	18/1/1919	11/5/1984	1946 - 1947	22/0						22/0				
Turowski, Janusz	POL/D	7/2/1961		1986 - 1991	127/31	105/28	2/0		14/3	6/0					
Tutschek, Hans-Georg	AUT	18/9/1941		1964 - 1965	7/3	7/3									
Tzavellas, Georgios	GRE	26/11/1987		2010 - 2012	30/2	25/1		2/0	3/1						
Ungewitter, Dieter	D	3/1/1951		1971 - 1972	7/0	7/0									
Unkel, Eugen *	D			1906 - 1907	3/?										FGA 3/?
Valdez, Nelson	PAR	28/11/1983		2014 - 2015	11/1	10/1			1/0						
Vallejo, Jesus	ESP	5/1/1997		2016 - 2017	27/1	25/1			2/0						
van Lent, Arie	NED/D	31/8/1970		2004 - 2006	46/16	11/0		32/16	3/0						
van't Oever, Herman	NED	07.05.1885	17/4/1954	1910 - 1912	11/0								11/0		
Varela, Guillermo	URU/ITA	24/3/1993		2016 - 2017	10/0	7/0			3/0						
Vasoski, Aleksandar	MKD	21/11/1979		2004 - 2011	119/5	83/3		15/0	15/0	6/2					
Veith *	D			1907 - 1908	3/2								2/2	1/0	
Vesper *	D			1899	?/?										
Vesper, Heinrich	D	22.01.1896	1968/69	1928 - 1929	2/0								2/0		

Name, Vorname	Nation	geboren	gestorben	von - bis	gesamt	BL	Relegation	2. BL	Pokal	Europapokal	Oberliga	Gauliga	vor 1933	Endrunde	sonstige Einsätze
Vivian, Matheus Corradini	BRA	5/4/1982		2002 - 2003	2 0			2 0							
Vogel, Artur	D			1941 - 1942	12 6							12 6			
Vogel, Wilfried	D	21/2/1922	Aug. 1998	1949 - 1951	3 1						3 1				
Voigt *	D			1943 - 1944	4 2							4 2			
Voss *	D			1910 - 1911	1 1								1 1		
Wachsmann, Albert	D	28/6/1944		1969 - 1970	3 0	3 0									
Wacker, Hans-Dieter	D	28/12/1958	3/10/1993	1977 - 1979	3 0	1 0									IT 2/0
Wagner, David	D/USA	19/10/1971		1990 - 1991	1 0	1 0									
Wagner, Gerhard	D	25/8/1944		1969 - 1970	5 0	5 0									
Wagner, H. *	D			1907 - 1908	1 1								1 1		
Wagner, Michael-Walter	D	26/7/1949		1970 - 1971	11 0	11 0									
Waldschmidt, Luca	D	19/5/1996		2014 - 2016	17 1	15 0			2 1						
Walsch	D			1929 - 1930	1 0									1 0	
Weber	D			1912 - 1913	1 0								1 0		
Weber, Artur	D		14/8/1943	1942 - 1943	9 1				2 1			7 0			
Weber, Friedrich *	D	1901	Apr. 1950	1922 - 1927	58 14				9 2				45 11	4 1	
Weber, Joachim	D	3/7/1951		1970 - 1971	4 0	3 0			1 0						
Weber, Ralf	D	31/5/1969		1989 - 2000	262 33	182 19		32 10	23 2	21 2	9 0				UI 4/0
Weber, Richard	D	27/6/1938		1962 - 1966	48 2	29 0			3 2	2 0	9 0				IT 5/0
Wegmann, A. *	D			1899 - 1900	? ?										
Wehner, Hermann-Josef	D	6/9/1932		1956 - 1958	6 1						4 0				FL 2/1
Weicz, Frigyes (Fritz) *	HUN		19/5/1915	1912 - 1913	12 6								10 6	2 0	
Weidle, Roland	D	1/1/1949		1971 - 1978	262 29	198 17			32 9	18 0				0	LP 9/3; IT 5/0
Weigand, Josef	D			1935 - 1936	11 3							11 3			
Weigert, Uwe	D	9/6/1958		1978 - 1979	1 0	1 0									
Weil	D			1910 - 1911	2 2								2 2		

Name, Vorname	Nation	geboren	gestorben	von - bis	gesamt	BL	Relegation	2. BL	Pokal	Europa-pokal	Oberliga	Gauliga	vor 1933	Endrunde	sonstige Einsätze
Weilbächer, Hans	D	23/10/1933		1953 - 1963	319/69				30/11	8/1	241/48			17/2	Toto 13/6; FL 10/1
Weilbächer, Josef	D	29/12/1944		1963 - 1965	4/0	4/0									
Weis, Tobias	D	30/7/1985		2013 - 2014	5/0	4/0			1/0						
Weissenberger, Markus	AUT	8/3/1975		2004 - 2008	85/5	45/2		24/2	12/1	4/0					
Weißenfeldt, Lars	D	15/2/1980		2002 - 2004	11/0	1/0		10/0							
Wenzel, Michael	D	23/11/1977		2001 - 2003	7/0			6/0	1/0						
Wentz, Th. *	D			1906 - 1908	13/?								2/0		FGA 3/?
Wenzel, Rüdiger	D	3/6/1953		1975 - 1979	166/68	130/51			18/11	14/4				8/0	
Westerthaler, Christoph	AUT	11/1/1965	20/7/2018	1997 - 2000	50/10	31/3		16/5	3/2						IT 4/2
Whittle, S.	ENG			1900 - 1908	?/?										
Wiedener, Andree	D	14/3/1970		2001 - 2006	86/2	18/0		58/1	10/1						
Wiedwald, Felix	D	15/3/1990		2013 - 2015	19/0	14/0			1/0	4/0					
Wiegand, Heinrich	D	1923	1943	1940 - 1942	18/8				4/0			11/7			StR 3/1
Wieland, Franz	D	16/3/1925		1950 - 1951	1/0						1/0				
Wienhold, Günter	D	21/1/1948		1972 - 1977	93/0	69/0			14/0	6/0					LP 2/0; IT 2/0
Wiese	D			1939 - 1940	1/0							1/0			
Willems, Jetro	NED	30/3/1994		2017 - 2019	65/0	46/0			7/0	11/0					Sup 1/0
Williams *	ENG			1902	?/?										
Wimmer, Gerd	AUT	9/1/1977		2000 - 2002	55/1	23/1		29/0	3/0						
Winkler	D			1919	?/?										
Winkler	D			1935 - 1936	3/0							3/0			
Winter	D			1905	?/?										
Wirsching, Albert *	D	1/9/1920	21/8/1997	1936 - 1948	174/97				19/7		74/33	65/47		6/5	StR 10/5
Wirsching, William	D			1933 - 1934	1/0							1/0			

Name, Vorname	Nation	geboren	gestorben	vom - bis	gesamt	BL	Relegation	2. BL	Pokal	Europapokal	Oberliga	Gauliga	vor 1933	Endrunde	sonstige Einsätze
Wirth, Karl-Heinz	D	20/1/1944		1965 - 1973	180/1	138/0			11/0	13/0					IT 8/1; Alp 9/0; LP 1/0
Wirth, Manfred	D	5/8/1947		1969 - 1971	11/0	9/0			2/0						
Wismath *	D			1917 - 1918	1/?								1/0		
Wloka, Hans	D	8/3/1925	8/4/1976	1947 - 1957	224/6				12/3	2/0	191/2			7/1	Toto 12/0
Wohlfarth *	D	23/4/1925		1910 - 1918	4/4								4/4		
Wohnaut, Willi	D			1950 - 1951	1/0						1/0				
Wolf, Dirk	D	4/8/1972		1991 - 1998	74/4	34/0		26/3	7/0	7/1					
Wolf, Marius	D	27/5/1995		2016 - 2018	38/6	31/5			7/1						
Wolff, Philipp *	D			1899 - 1905	?/?										
Wunderlich, Artur	D	18/6/1925		1950 - 1951	1/0						1/0				
Würzburger, Frank	D	3/12/1968		1986 - 1987	1/0	1/0									
Wüst, Ph. *	D			1899 - 1902	?/?								2/0		
Yang, Chen	CHN	17/1/1974		1998 - 2002	99/23	65/16		29/5	5/2	16/12					
Yeboah, Anthony	GHA	6/6/1964		1990 - 1995	156/89	123/68			17/9	9/0					
Zahn *	D			1906 - 1907	2/?										
Zambrano, Carlos	PER	10/7/1989		2012 - 2016	117/0	101/0	1/0		6/0	9/0					
Zampach, Thomas	D	27/12/1969		1997 - 2000	70/3	31/2		33/1	6/0						
Zänger, Fritz	D	4/9/1920		1950 - 1951	14/0						14/0				
Zchadadse, Kachaber	GEO	7/9/1968		1992 - 1997	90/3	64/1		9/0	6/2	8/0					UI 3/0
Zech I	D			1943 - 1944	1/1				1/1						
Zech II	D			1943 - 1944	1/0				1/0						
Zelic, Nedjeljko	AUS	4/7/1971		1995 - 1996	17/1	17/1									
Zick, Claus-Peter	D	12/9/1958		1979 - 1981	2/0	2/0									
Zimmermann	D			1917 - 1918	1/?								1/0		
Zimmermann, Franz	D	24/9/1936		1955 - 1956	1/0						1/0				
Zimmermann, Jan	D	19/4/1985		2005 - 2010	5/0	5/0									

Name, Vorname	Na-tion	geboren	gestorben	von - bis	gesamt	BL	Relegation	2. BL	Pokal	Europa-pokal	Oberliga	Gauliga	vor 1933	Endrunde	sonstige Einsätze
Zindel *	D			1905	? ?										
Zinnow, Stefan	D	28/5/1980		1998 - 2001	3 0	3 0									
Zipp, Walter	D	8/11/1909	1985	1933 - 1939	50 0				4 0			43 0		3 0	
Zölls *	D			1941 - 1942	3 ?				1 0			2 0			
Zscherlich, Dr. Wolfgang	D	2/12/1938		1961 - 1962	2 0				2 0						

Zwei Titel, zwei Feiern.
Oben jubilieren Hans Weilbächer, Ekkehard Feigenspan
und Alfred Pfaff (von links)
nach dem Gewinn der Deut-
schen Meisterschaft 1959.
Links triumphiert Bernd Hölzenbein nach dem DFB-Pokalsieg 1981.

Die Eintracht in der Meisterschaft

Saison 1899/1900
Keine Meisterschaft in Frankfurt. Im März 1900 Gründung des „Frankfurter Associations-Bund" (FAB) durch 1. Bockenheimer FC 1899, Germania 94 und FFC Victoria. Keiner der drei Vereine nahm an den Spielen um die Süddeutsche Meisterschaft teil.

Saison 1900/01
FAB-Meisterschaft:

1. Germania 94 Frankfurt	4	5:3	5-3
2. **FFC VICTORIA**	4	6:2	5-3
3. 1. Bockenheimer FC 99	4	2:8	2-6

Entscheidungsspiel am 18.11.1900 in Bockenheim:
Germania 94 - FFC Victoria 1:0
Süddeutsche Meisterschaft:
FFC Victoria - Germania 94 1:0 abgebrochen
Darmstädter FC - FFC Victoria 5:1

Saison 1901/02
FAB-Meisterschaft:

1. **FFC VICTORIA**	6	6:1	12-0
2. **FFC 1899-KICKERS**	6	5:3	7-5
3. 1. Bockenheimer FC 99	6	5:5	3-9
4. Germania 94 Frankfurt	6	5:12	2-10

Süddeutsche Meisterschaft:
FC Hanau 93 - FFC Victoria 2:0
FFC 1899-Kickers - FC Hanau 93 1:5

Saison 1902/03
FAB-Meisterschaft:

1. **FFC VICTORIA**	8	26:7	12-4
2. Germania 94 Frankfurt	8	6:3	11-5
3. FSV Frankfurt	8	7:5	11-5
4. Hermannia Frankfurt	8	4:20	6-10
5. **FFC 1899-Kickers**	8	2:10	0-16

FFC 1899-Kickers trug nur vier Spiele aus. Gegen Victoria wurde mit 0:2 und 2:9 verloren. Ein 3:0 gegen Hermannia und das beim Stand von 2:2 abgebrochene Spiel gegen Germania wurden mit 0:0 Toren für den Gegner gewertet.
Süddeutsche Meisterschaft:
FFC Victoria – Kickers Offenbach 3:0
FFC 1899-Kickers – Germania Bockenheim 4:2
FFC Victoria – Viktoria 94 Hanau 2:0
FC Hanau 93 – FFC Victoria 3:2
FFC 1899-Kickers – Hermannia Frankfurt 3:0
Darmstädter FC – FFC 1899-Kickers 3:2

Saison 1903/04
Nordkreis, Westmaingau:

1. Germania 94 Frankfurt	11	71:10	20-2
2. **FFC 1899-KICKERS**	11	71:26	17-5
3. Hermannia Frankfurt	11	40:25	15-7
4. 1. FC Wiesbaden	11	40:29	15-7
5. FSV Frankfurt	11	56:24	13-9
6. Amicitia Bockenheim	11	40:23	11-11
7. Bockenheimer FVgg	11	30:39	11-11
8. Germania Bockenheim	11	27:39	11-11
9. **FFC VICTORIA**	11	29:29	9-13
10. Frankfurter FC 1902	11	18:36	6-16
11. Alemannia Griesheim	11	9:75	3-19
12. 1. FC Rödelheim 02	11	4:80	1-21

13. Helvetia Bockenheim		zurückgezogen	

FAB-Meisterschaft:

1. **FFC 1899-KICKERS**	3	*6:1*	6-0
2. **FFC VICTORIA**	3	8:2	4-2
Germania Bockenheim	2	*1:3*	*0-2*
FSV Frankfurt	2	*1:10*	*0-4*

Tor- und Punktverhältnisse in *Kursiv* sind anhand der bekannten Ergebnisse ermittelt. Es fehlen die Ergebnisse von zwei Spielen.

Saison 1904/05
Nordkreis, Westmaingau:

1. **FFC VICTORIA**	7	40:11	14-0
2. Germania 94 Frankfurt	7	34:6	12-2
3. **FRANKFURTER KICKERS**	7	23:14	10-4
4. Germania Bockenheim	7	21:24	6-8
5. 1. FC Wiesbaden	7	12:23	6-8
6. Amicitia Bockenheim	7	8:28	4-10
7. FSV Frankfurt	7	11:24	2-12
8. Bockenheimer FVgg	7	11:30	2-12

Hermannia Frankfurt disqualifiziert
Frankfurter FC 1902 disqualifiziert
Nordkreis, Endrunde:

1. FC Hanau 93	2	9:1	4-0
2. Union 97 Mannheim	2	4:4	2-2
3. **FFC VICTORIA**	2	1:9	0-4

FAB-Meisterschaft:

1. FSV Frankfurt	3	13:5	5-1
2. **FFC VICTORIA**	3	12:2	5-1
3. **FRANKFURTER KICKERS**	3	4:12	1-5
4. Germania Bockenheim	3	1:11	1-5

Lt. Frankfurter Nachrichten schied Germania Bockenheim wegen eines Satzungsverstoßes, die Frankfurter Kickers wegen Verzichts aus.
Entscheidungsspiel am 25.6.1905 in Hanau:
FSV Frankfurt – FFC Victoria n. V. 4:2

Saison 1905/06
Nordkreis, Westmaingau:

1. **FFC VICTORIA**	7	27:6	12-2
2. FSV Frankfurt	7	22:12	12-2
3. **FRANKFURTER KICKERS**	7	27:9	11-3
4. Germania 94 Frankfurt	7	16:19	8-6
5. Frankfurter FC 1902	7	15:23	6-8
6. Hermannia Frankfurt	7	13:13	5-9
7. Bockenheimer FVgg	7	14:35	2-12
8. Amicitia Bockenheim	7	10:27	0-14

Germania Bockenheim zurückgezogen
Nordkreis, Endrunde:

1. FC Hanau 93	3	10:1	6-0
2. SV Wiesbaden	3	5:3	3-3
3. Viktoria Mannheim	3	4:9	2-4
4. **FFC VICTORIA**	3	3:9	1-5
5. Pfalz Ludwigshafen zurückgezogen			

FAB-Meisterschaft:
Sieger lt. Chronik 80 Jahre FSV: FSV Frankfurt. Es ist aber unklar, ob überhaupt eine Meisterschaft ausgespielt wurde.

Saison 1906/07
Nordkreis, Südmaingau:

1.	**FRANKFURTER KICKERS**	6	26:14	8-4
2.	FSV Frankfurt	6	19:16	7-5
3.	**FFC VICTORIA**	6	12:17	5-7
4.	Germania 94 Frankfurt	6	11:21	4-8
5.	Hermannia Frankfurt		disqualifiziert	

Nordkreis, Endrunde:

1.	FC Hanau 93	10	66:13	18-2
2.	Mannheimer FG 96	10	31:21	14-6
2.	SV Wiesbaden	10	37:22	11-9
4.	FCF KICKERS	10	37:27	10-10
5.	Amicitia Bockenheim	10	20:61	6-14
6.	Pfalz Ludwigshafen	10	10:57	1-19

FAB-Meisterschaft:
Am 28. 3. 1907 meldete Sport im Wort, dass „der Frankfurter Associations-Bund einem sanften Ende entgegengeht." Es wurde vermutlich keine Meisterschaft ausgespielt.

Saison 1907/08
Nordkreis, Südmaingau:

1.	**FRANKFURTER KICKERS**	10	53:15	19-1
2.	SV Wiesbaden	10	48:20	17-3
3.	Germania 94 Frankfurt	10	27:26	8-12
4.	**FFC VICTORIA**	10	24:33	8-12
5.	Hermannia Frankfurt	10	18:24	6-14
6.	Germania Wiesbaden	10	9:61	2-18
	1. FC Wiesbaden		zurückgezogen	
	FSV Frankfurt		disqualifiziert	

Nordkreis, Endrunde:

1.	FC Hanau 93	6	39:10	10-2
2.	Viktoria Mannheim	6	38:11	10-2
3.	**FRANKFURTER KICKERS**	6	23:21	4-8
4.	Bockenheimer FVgg	6	2:60	0-12

FAB-Meisterschaft:

1.	Germania 94 Frankfurt	5	27:8	9-1
2.	Hermannia Frankfurt	5	12:7	8-2
3.	**FFC VICTORIA**	5	16:12	5-5
4.	Germania Bockenheim	5	9:14	4-6
5.	Frankfurter FC 1902	5	12:22	2-8
6.	Britannia Frankfurt	5	11:22	2-8

Die Bockenheimer FVgg wurde disqualifiziert, Helvetia Bockenheim schied nach nur einem Spiel aus und der FSV Frankfurt nahm nach der Disqualifikation in den Verbandsspielen nicht teil.

Saison 1908/09
Nordkreis, Bezirk I:

1.	FSV Frankfurt	12	49:12	23-1
2.	Viktoria 94 Hanau	12	39:17	18-6
3.	**FRANKFURTER KICKERS**	12	23:14	15-9
4.	Hermannia Frankfurt	12	17:32	8-16
5.	Germania 94 Frankfurt	12	20:35	8-16
6.	**FFC VICTORIA**	12	18:34	7-17
7.	Germania Bieber	12	10:32	5-19
8.	Germania Wiesbaden zurückgezogen			

Qualifikation zur A-Klasse: Bockenheimer FVgg – Germania 94 Frankfurt 5:4, Germania Bocken-heim – Hermannia Frankfurt 3:2, FFV Amicitia und 1902 – Germania Bieber 2:1, FFC Victoria – Viktoria Offenbach 5:3.
FAB-Meisterschaft:
Wurde ab jetzt im Rahmen des Pokals des Frankfurter General-Anzeigers ausgetragen.

Saison 1909/10
Nordkreis, A-Klasse:

1.	Viktoria 94 Hanau	22	69:25	37-7
2.	SV Wiesbaden	22	68:25	36-8
3.	FSV Frankfurt	22	69:40	32-12
4.	FC Hanau 93	22	87:30	28-16
5.	FFV Amicitia und 1902	22	55:57	25-19
6.	**FRANKFURTER KICKERS**	22	45:35	24-20
7.	Kickers Offenbach	22	47:37	22-22
8.	**FFC VICTORIA**	22	56:48	18-26
9.	Britannia Frankfurt	22	36:56	15-29
10.	Germania Bockenheim	22	32:58	15-29
11.	Germania Bieber	22	23:90	7-37
12.	Bockenheimer FVgg	22	23:109	5-39

Saison 1910/11
Nordkreis, A-Klasse:

1.	SV Wiesbaden	24	59:15	39-9
2.	FSV Frankfurt	24	83:41	35-13
3.	FC Hanau 93	24	59:40	31-17
4.	Kickers Offenbach	24	68:40	31-17
5.	Viktoria 94 Hanau	24	45:26	28-20
6.	**FRANKFURTER KICKERS**	24	62:41	28-20
7.	**FFC VICTORIA**	24	54:51	25-23
8.	Germania Bockenheim	24	52:69	22-26
9.	FFV Amicitia und 1902	24	54:65	21-27
10.	Germania Bieber	24	54:66	19-29
11.	Britannia Frankfurt	24	44:58	18-30
12.	Germania 94 Frankfurt	24	42:76	13-35
13.	Bockenheimer FVgg	24	27:115	2-46

Saison 1911/12
Nordkreis, A-Klasse:

1.	**FRANKFURTER FV**	22	50:26	35-9
2.	FC Hanau 93	22	86:33	31-13
3.	FSV Frankfurt	22	62:27	31-13
4.	Viktoria 94 Hanau	22	52:24	30-14
5.	Kickers Offenbach	22	50:36	28-16
6.	SC Bürgel	22	47:50	25-19
7.	SV Wiesbaden	22	53:35	23-21
8.	Britannia Frankfurt	22	54:69	17-27
9.	Germania Bockenheim	22	34:48	16-28
10.	Germania 94 Frankfurt	22	40:55	13-31
11.	Germania Bieber	22	38:64	13-31
12.	Bockenheimer FVgg	22	18:117	2-42
13.	FFV Amicitia und 1902		disqualifiziert	

Süddeutsche Meisterschaft:

FFV – SpVgg Fürth		0:1, 4:5
FFV – Phönix Mannheim		0:0, 1:1
Karlsruher FV – FFV		7:0, 7:0

1.	Karlsruher FV	6	31:6	11-1
2.	Phönix Mannheim	6	11:9	7-5
3.	SpVgg Fürth	6	11:22	4-8
4.	**FRANKFURTER FV**	6	5:21	2-10

Saison 1912/13
Nordkreis, Liga-Klasse:

1.	**FRANKFURTER FV**	14	45:12	24-4
2.	Viktoria 94 Hanau	14	31:18	20-8
3.	Kickers Offenbach	14	32:21	18-10
4.	FSV Frankfurt	14	30:28	15-13
5.	SV Wiesbaden	14	19:25	13-15
6.	FC Hanau 93	14	23:34	9-19
7.	SC Bürgel	14	19:38	7-21
8.	Germania 94 Frankfurt	14	17:40	6-22

Süddeutsche Meisterschaft:

VfR Mannheim – FFV		3:2, 1:1
FFV – Stuttgarter Kickers		1:0, 0:1
SpVgg Fürth – FFV		0:1, 0:0

1.	Stuttgarter Kickers	6	8:4	7-5
2.	**FRANKFURTER FV**	6	5:5	6-6
3.	VfR Mannheim	6	8:16	6-6
4.	SpVgg Fürth	6	9:5	5-7

Saison 1913/14
Nordkreis, Liga-Klasse:

1.	**FRANKFURTER FV**	14	35:13	24-4
2.	SV Wiesbaden	14	23:17	15-13
3.	FC Hanau 93	14	27:27	15-13
4.	Kickers Offenbach	14	21:25	14-14
5.	Viktoria 94 Hanau	14	25:32	12-16
6.	SC Bürgel	14	27:33	11-17
7.	FSV Frankfurt	14	28:28	11-17
8.	Germania Bieber	14	12:23	10-18

Süddeutsche Meisterschaft:

FFV – SpVgg Fürth		2:1, 1:5
VfR Mannheim – FFV		0:1, 1:3
Stuttgarter Kickers – FFV		1:0, 0:0

1.	SpVgg Fürth	6	18:8	10-2
2.	**FRANKFURTER FV**	6	7:8	7-5
3.	Stuttgarter Kickers	6	8:9	6-6
4.	VfR Mannheim	6	6:14	1-11

Saison 1914/15
Nach Kriegsausbruch zunächst Einstellung des gesamten Spielverkehrs. Der Frankfurter FV trug nur Wohltätigkeits- und Freundschaftsspiele aus.

Saison 1915/16
Nordkreis, Südmaingau Bezirk I (Herbstrunde):

1.	**FRANKFURTER FV**	8	29:4	16-0
2.	FSV Frankfurt	6	27:7	8-4
3.	Germania 94 Frankfurt	5	6:16	2-8
4.	FSV Bergen	3	0:11	0-6
5.	Amicitia 1911 Frankfurt	4	0:24	0-8
6.	SV Wiesbaden	zurückgezogen		

Punktstände und Torverhältnisse anh. der bekannten Ergebnisse. Endspiel um die Südmaingau-Meisterschaft am 6. 2. 1916:

FFV – Viktoria Neu-Isenburg	4:1

Nordkreis, Südmaingau
(Frühjahrsrunde um den „Eisernen Fußball"):

1.	**FRANKFURTER FV**	8	19:6	14-2
2.	FSV Frankfurt	8	18:10	12-4
3.	SV Wiesbaden	8	17:15	6-10
4.	Viktoria Neu-Isenburg	8	11:22	5-11
5.	Germania 94 Frankfurt	8	13:25	3-13

Nordkreis, Endrunde:

FC Hanau 93 – FFV Amicitia und 1902	n.V. 3:1
FC Hanau 93 – Frankfurter FV	3:1

Saison 1916/17
Nordkreis, Südmaingau (Herbstrunde):

1.	FSV Frankfurt	10	32:9	16-4
2.	SV Wiesbaden	10	26:15	14-6
3.	Viktoria Neu-Isenburg	10	22:16	13-7
4.	**FRANKFURTER FV**	10	14:15	9-11
5.	Germania 94 Frankfurt	10	13:27	7-13
6.	FV Neu-Isenburg	10	10:35	1-19

Nordkreis, Südmaingau (Frühjahrsrunde):

1.	FSV Frankfurt	6	26:6	11-1
2.	FV Neu-Isenburg	6	16:10	8-4
3.	**FRANKFURTER FV**	6	5:10	4-8
4.	Germania 94 Frankfurt	6	7:28	1-11
5.	SV Wiesbaden	zurückgezogen		

Laut *Wiesbadener Tagblatt* vom 13. 5. 1917 sah sich der SV Wiesbaden „durch das Verhalten der Frankfurter Vereine ... gezwungen, von den Frühjahrsverbandsspielen zurückzutreten".

Saison 1917/18
Nordkreis, Südmaingau (Herbstrunde):

1.	**FRANKFURTER FV**	6	21:7	9-3
2.	FSV Frankfurt	6	12:5	8-4

3.	Viktoria Neu-Isenburg	6	9:12	4-8
4.	FV Neu-Isenburg	6	4:21	3-9
5.	FV Biebrich 02	zurückgezogen		

Nordkreis, Endrunde:

1.	FFV Amicitia und 1902	4	14:4	7-1
2.	Kickers Offenbach	4	8:8	4-4
3.	**FRANKFURTER FV**	4	2:12	1-7

Nordkreis, Südmaingau (Frühjahrsrunde):

1.	FSV Frankfurt	8	42:8	15-1
2.	Viktoria Neu-Isenburg	8	25:21	8-8
3.	FV Sprendlingen	8	22:31	7-9
4.	FV Neu-Isenburg	8	13:24	6-10
5.	**FRANKFURTER FV**	8	17:35	4-10

Der SV Wiesbaden war vom SFV zu einer Geldstrafe verurteilt worden. Da der Klub die Strafe nicht bezahlte, blieb die Disqualifikation in Kraft.

Saison 1918/19
Nordkreis, Südmaingau (Herbstrunde):

1.	**FRANKFURTER FV**	12	31:3	22-2
2.	FSV Frankfurt	12	30:6	22-2
3.	Viktoria Neu-Isenburg	7	13:17	4-10
4.	SV Wiesbaden	6	11:16	3-9
5.	FV Neu-Isenburg	5	11:16	2-8
6.	FV Sprendlingen	7	8:32	2-12
7.	FC Langen	7	9:23	1-13

Nur vom FFV sind alle Ergebnisse bekannt. FFV und FSV waren punktgleich. Wie der „Fußball" am 5. März 1919 berichtete, konnte die Runde nicht ordentlich beendet werden, da Wiesbaden und Langen von den Siegermächten besetzt waren. Im gleichen Artikel steht, dass sich FFV und FSV auf ein Entscheidungsspiel geeinigt hatten.

Entscheidungsspiele am 2. und 9.3.1919:

FFV – FSV Frankfurt	n.V. 2:2 und n.V. 3:2

Nordkreis, Endrunde:

1.	FFV Amicitia und 1902	4	13:1	8-0
2.	**FRANKFURTER FV**	4	5:8	4-4
3.	SC Bürgel	4	2:11	0-8

Nordkreis, Liga (inoffizielle Frühjahrsrunde):

1.	Kickers Offenbach	12	28:15	16-8
2.	Viktoria 94 Hanau	12	27:15	16-8
3.	FSV Frankfurt	12	12:14	13-11
4.	Germania Bieber	12	16:21	13-11
5.	**FRANKFURTER FV**	12	12:13	10-14
6.	FC Hanau 93	12	13:19	8-16
7.	SC Bürgel	12	10:21	8-16

Saison 1919/20
Kreisliga Nordmain:

1.	**FRANKFURTER FV**	18	46:18	28-8
2.	FSV Frankfurt	18	33:19	26-10
3.	VfR 01 Frankfurt	18	42:27	25-11
4.	FFV Sportfreunde 04	18	30:25	22-14
5.	FC Hanau 93	18	23:28	18-18
6.	Helvetia Frankfurt	18	38:34	16-20
7.	Viktoria 94 Hanau	18	24:27	16-20
8.	Germania 94 Frankfurt	18	36:46	15-21
9.	FV Groß-Auheim	18	15:38	9-27
10.	FC Langendiebach	18	22:47	5-31

Süddeutsche Meisterschaft, Nordgruppe:

1. FC Nürnberg – FFV	4:0, 0:0
Kickers Offenbach – FFV	0:0, 1:3
Eintracht – SpTV 1877 Waldhof	3:4, 0:4

1.	1. FC Nürnberg	6	23:5	11-1
2.	TuSV 1877 Waldhof	6	15:18	6-6
3.	**EINTRACHT**	6	5:13	4-8
4.	Kickers Offenbach	6	7:14	3-9

Saison 1920/21
Kreisliga Nordmain:

1.	**EINTRACHT**	20	31:18	29-11
2.	Germania 94 Frankfurt	20	46:20	28-12
3.	Viktoria Aschaffenburg	20	30:22	24-16
4.	VfR 01 Frankfurt	20	29:24	24-16
5.	Helvetia Frankfurt	20	24:20	22-18
6.	Viktoria 94 Hanau	20	29:27	21-19
7.	Germania Rückingen	20	22:27	16-24
8.	FSV Frankfurt	20	20:26	16-24
9.	FC Hanau 93	20	28:32	15-25
10.	FFV Sportfreunde 04	20	24:30	15-25
11.	FG Seckbach 02	20	12:49	10-30

Süddeutsche Meisterschaft, Nordgruppe:
Eintracht – SpTV 1877 Waldhof 2:0, 0:2
1. FC Nürnberg – FFV 7:2, 1:0
Eintracht – Kickers Offenbach 4:0, 2:3

1.	1. FC Nürnberg	6	20:4	11-1
2.	TuSV 1877 Waldhof	6	11:9	7-5
3.	**EINTRACHT**	6	10:13	4-8
4.	Kickers Offenbach	6	6:21	2-10

Saison 1921/22
Mainbezirk, Kreisliga Nordmain, Abteilung I:

1.	**EINTRACHT**	14	43:12	26-2
2.	FSV Frankfurt	14	37:16	20-8
3.	FC Hanau 93	14	28:13	17-11
4.	VfR 01 Frankfurt	14	42:24	16-12
5.	VfB Groß-Auheim	14	14:42	11-17
6.	Borussia Frankfurt	14	26:36	8-20
7.	FG Seckbach 02	14	14:26	7-21
8.	VfB Friedberg	14	10:45	7-21

Endspiele um die Kreismeisterschaft am 29.1., 5.2. und 12.2.1922:
Germania 94 Frankfurt – Eintracht 2:2
Eintracht – Germania 94 Frankfurt 0:0 abgebrochen
Eintracht – Germania 94 Frankfurt 1:4

Saison 1922/23
Mainbezirk, Kreisliga Nordmain:

1.	FSV Frankfurt	14	28:12	21-7
2.	Helvetia Frankfurt	14	18:15	19-9
3.	**EINTRACHT**	14	29:23	17-11
4.	FC Hanau 93	14	20:20	14-14
5.	VfR 01 Frankfurt	14	21:22	13-15
6.	FFV Sportfreunde 04	14	16:21	10-18
7.	Germania 94 Frankfurt	14	24:31	10-18
8.	Viktoria 94 Hanau	14	21:33	8-20

Saison 1923/24
Bezirksliga Main:

1.	FSV Frankfurt	14	35:20	20-8
2.	**EINTRACHT**	14	27:21	16-12
3.	SC Bürgel	14	22:20	16-12
4.	Helvetia Frankfurt	14	32:35	15-13
5.	FC Hanau 93	14	31:30	15-13
6.	Kickers Offenbach	14	32:27	14-14
7.	Viktoria Aschaffenburg	14	22:27	11-17
8.	SV Offenbach 99	14	18:39	5-23

Saison 1924/25
Bezirksliga Main:

1.	FSV Frankfurt	14	39:10	25-3
2.	Kickers Offenbach	14	23:17	18-10
3.	Helvetia Frankfurt	14	24:15	17-11
4.	FC Hanau 93	14	29:22	16-12
5.	Union Niederrad	14	22:31	12-16
6.	**EINTRACHT**	14	15:20	12-16
7.	VfR 01 Frankfurt	14	15:25	10-18
8.	SC Bürgel	14	14:41	2-26

Saison 1925/26
Bezirksliga Main:

1.	FSV Frankfurt	14	41:10	22-6
2.	FC Hanau 93	14	37:19	22-6
3.	Kickers Offenbach	14	30:24	17-11
4.	**EINTRACHT**	14	40:28	15-13
5.	Union Niederrad	14	33:47	12-16
6.	Germania 94 Frankfurt	14	18:27	12-16
7.	Viktoria Aschaffenburg	14	31:38	11-17
8.	Helvetia Frankfurt	14	7:44	1-27

Entscheidungsspiel um die Mainbezirksmeisterschaft am 28.2.1926 in Mannheim:
FSV Frankfurt – FC Hanau 93 2:1

Saison 1926/27
Bezirksliga Main:

1.	FSV Frankfurt	18	62:18	31-5
2.	**EINTRACHT**	18	41:19	28-8
3.	Kickers Offenbach	18	29:26	20-16
4.	Rot-Weiss Frankfurt	18	29:22	19-17
5.	VfL Neu-Isenburg	18	34:31	18-18
6.	FC Hanau 93	18	26:31	16-20
7.	Germania 94 Frankfurt	18	25:32	15-21
8.	Union Niederrad	18	46:48	14-22
9.	Viktoria Aschaffenburg	18	31:58	11-25
10.	Viktoria 94 Hanau	18	13:51	8-28

Süddeutsche Meisterschaft („Runde der Zweiten"):
SV München 1860 – Eintracht 3:1, 1:2
Eintracht – FV Saarbrücken 1:1, 3:1
Karlsruher FV – Eintracht 2:2, 2:2
Eintracht – VfR Mannheim 2:2, 1:2

1.	SV München 1860	8	20:8	11-5
2.	Karlsruher FV	8	15:12	10-6
3.	**EINTRACHT**	8	14:14	8-8
4.	VfR Mannheim	8	16:20	7-9
5.	FV Saarbrücken	8	9:20	4-12

Saison 1927/28
Bezirksliga Main-Hessen, Gruppe Main:

1.	**EINTRACHT**	22	93:13	41-3
2.	FSV Frankfurt	22	87:25	36-8
3.	Rot-Weiss Frankfurt	22	53:29	30-14
4.	Union Niederrad	22	55:40	26-18
5.	FC Hanau 93	22	48:46	22-22
6.	Viktoria Aschaffenburg	22	53:57	21-23
7.	Kickers Offenbach	22	32:42	20-24
8.	SpVgg Fechenheim	22	60:82	20-24
9.	Sport 1860 Hanau	22	41:80	17-27
10.	Viktoria 94 Hanau	22	37:74	12-32
11.	VfR Offenbach	22	29:81	10-34
12.	Germania 94 Frankfurt	22	41:60	9-35

Süddeutsche Meisterschaft:
Eintracht – Bayern München 0:2, 2:2
Stuttgarter Kickers – Eintracht 1:1, 0:0
Eintracht – Karlsruher FV 4:1, 2:1
Eintracht – FV Saarbrücken 5:1, 4:2
SV Waldhof – Eintracht 2:7, 4:5
SpVgg Fürth – Eintracht 1:2, 3:2
Eintracht – Wormatia Worms 4:3, 1:0

1.	Bayern München	14	41:17	24-4
2.	**EINTRACHT**	14	39:23	21-7
3.	SpVgg Fürth	14	37:15	20-8
4.	Karlsruher FV	14	34:29	12-16
5.	Stuttgarter Kickers	14	25:30	11-17
6.	Wormatia Worms	14	28:37	11-17
7.	SV Waldhof	14	33:42	9-19
8.	FV Saarbrücken	14	19:63	4-24

Deutsche Meisterschaft:
R1 SpVgg Sülz 07 – Eintracht 3:1

Saison 1928/29

Bezirksliga Main-Hessen, Gruppe Main:

1.	**EINTRACHT**	18	56:29	27-9
2.	FSV Frankfurt	18	72:25	25-11
3.	Union Niederrad	18	52:26	25-11
4.	Kickers Offenbach	18	34:30	23-13
5.	FC Hanau 93	18	42:32	22-14
6.	Germania Bieber	18	37:27	19-17
7.	Rot-Weiss Frankfurt	18	34:26	19-17
8.	SpVgg Fechenheim	18	26:68	10-26
9.	Viktoria Aschaffenburg	18	19:62	5-31
10.	SpVgg 60/94 Hanau	18	18:67	5-31

Süddeutsche Meisterschaft:

Eintracht – Germania Brötzingen		4:0, 2:2
Eintracht – 1. FC Nürnberg		1:2, 0:2
Bayern München – Eintracht		3:1, 5:1
Wormatia Worms – Eintracht		3:1, 2:3
Eintracht – VfL Neckarau		2:4, 2:1
Borussia Neunkirchen – Eintracht		0:1, 0:3
Karlsruher FV – Eintracht		0:3, 2:3

1.	1. FC Nürnberg	14	52:7	25-3
2.	Bayern München	14	47:28	20-8
3.	VfL Neckarau	14	30:28	15-13
4.	**EINTRACHT**	14	27:26	15-13
5.	Karlsruher FV	14	24:25	13-15
6.	Germania Brötzingen	14	17:29	11-17
7.	Wormatia Worms	14	18:37	10-18
8.	Borussia Neunkirchen	14	10:45	3-25

Saison 1929/30

Bezirksliga Main-Hessen, Gruppe Main:

1.	**EINTRACHT**	14	33:12	23-5
2.	Rot-Weiss Frankfurt	14	26:17	16-12
3.	FSV Frankfurt	14	29:22	16-12
4.	Union Niederrad	14	35:26	16-12
5.	Kickers Offenbach	14	30:26	15-13
6.	Germania Bieber	14	23:25	13-15
7.	FC Hanau 93	14	27:40	9-19
8.	SpVgg 02 Griesheim	14	20:55	4-24

Entscheidungsspiele um Platz 2 am 22. und 29.12.1929:

FSV – Rot-Weiss	n.V. 1:1, 0:2

Entscheidungsspiel um Platz 3 am 1.1.1930:

FSV Frankfurt – Union Niederrad	4:3

Süddeutsche Meisterschaft:

Freiburger FC – Eintracht	2:3, 1:4
Eintracht – SpVgg Fürth	2:1, 1:1
FK Pirmasens – Eintracht	4:4, 2:7
Bayern München – Eintracht	5:1, 2:3
Eintracht – Wormatia Worms	5:3, 2:1
SV Waldhof – Eintracht	1:3, 0:2
Eintracht – VfB Stuttgart	5:2, 3:1

1.	**EINTRACHT**	14	45:26	24-4
2.	SpVgg Fürth	14	45:20	17-11
3.	Bayern München	14	55:30	16-12
4.	FK Pirmasens	14	35:44	16-12
5.	VfB Stuttgart	14	42:39	14-14
6.	SV Waldhof	14	31:38	10-18
7.	Wormatia Worms	14	23:39	10-18
8.	Freiburger FC	14	29:69	5-23

Deutsche Meisterschaft:

R1	Eintracht – VfL Benrath	1:0
VF	Holstein Kiel – Eintracht (in Berlin)	4:2

Saison 1930/31

Bezirksliga Main-Hessen, Gruppe Main:

1.	**EINTRACHT**	14	41:13	23-5
2.	Rot-Weiss Frankfurt	14	26:17	18-10
3.	Union Niederrad	14	41:22	17-11

4.	Kickers Offenbach	14	29:21	16-12
5.	FSV Frankfurt	14	19:16	14-14
6.	FC Hanau 93	14	21:35	11-17
7.	Germania Bieber	14	14:34	11-17
8.	SpVgg Fechenheim	14	14:58	2-26

Süddeutsche Meisterschaft:

Union Böckingen – Eintracht	2:3, 1:4
SpVgg Fürth – Eintracht	2:1, 0:0
Eintracht – Karlsruher FV	4:1, 0:0
Wormatia Worms – Eintracht	2:3, 1:2
FK Pirmasens – Eintracht	3:6, 3:4
SV Waldhof – Eintracht	2:1, 0:1
Bayern München – Eintracht	2:1, 1:2

1.	SpVgg Fürth	14	36:17	21-7
2.	**EINTRACHT**	14	32:20	20-8
3.	Bayern München	14	44:25	19-9
4.	SV Waldhof	14	33:31	13-15
5.	Karlsruher FV	14	26:29	13-15
6.	FK Pirmasens	14	30:42	10-18
7.	Wormatia Worms	14	32:41	9-19
8.	Union Böckingen	14	25:53	7-21

Deutsche Meisterschaft:

R1	Fortuna Düsseldorf – Eintracht	n.V. 2:3
VF	Hamburger SV – Eintracht (in Altona)	2:0

Saison 1931/32

Bezirksliga Main-Hessen, Gruppe Main:

1.	**EINTRACHT**	20	81:18	35-5
2.	FSV Frankfurt	20	50:30	28-12
3.	Rot-Weiss Frankfurt	20	58:30	25-15
4.	Union Niederrad	20	69:39	25-15
5.	Kickers Offenbach	20	40:31	25-15
6.	VfL Neu-Isenburg	20	42:46	18-22
7.	Germania Bieber	20	36:52	16-24
8.	FC Hanau 93	20	35:56	16-24
9.	FSV Heusenstamm	20	23:51	14-26
10.	SpVgg 02 Griesheim	20	33:59	12-28
11.	Germania 94 Frankfurt	20	25:80	6-34

Süddeutsche Meisterschaft, Gruppe Nord-West:

1. FSV Mainz 05 – Eintracht	1:4, 1:2
Eintracht – SV Waldhof	3:0, 3:2
Eintracht – FV Saarbrücken	3:3, 0:0
FK Pirmasens – Eintracht	1:2, 0:1
Eintracht – Wormatia Worms	4:2, 3:5
VfL Neckarau – Eintracht	2:0, 1:3
Eintracht – FSV Frankfurt	1:0, 0:2

1.	**EINTRACHT**	14	29:20	20-8
2.	FSV Frankfurt	14	31:17	19-9
3.	Wormatia Worms	14	36:25	17-11
4.	VfL Neckarau	14	28:26	16-12
5.	FV Saarbrücken	14	28:34	12-16
6.	FK Pirmasens	14	23:34	10-18
7.	SV Waldhof	14	27:31	9-19
8.	1. FSV Mainz 05	14	20:35	9-19

Endspiel am 1. 5. 1932 in Stuttgart:

Eintracht – Bayern München	2:0

Deutsche Meisterschaft:

R1	Hindenburg Allenstein – Eintracht (in Königsberg)	0:6
VF	Tennis Borussia Berlin – Eintracht	1:3
HF	Eintracht – FC Schalke 04 (in Dresden)	2:1
E	Bayern München – Eintracht (in Nürnberg)	2:0

Saison 1932/33

Bezirksliga Main-Hessen, Gruppe Main:

1.	FSV Frankfurt	18	49:16	31-5
2.	**EINTRACHT**	18	45:16	29-7
3.	Kickers Offenbach	18	52:24	26-10
4.	Union Niederrad	18	39:37	20-16

5.	VfL Neu-Isenburg	18	36:33	17-19
6.	Germania Bieber	18	29:32	15-21
7.	Rot-Weiss Frankfurt	18	42:44	14-22
8.	FFV Sportfreunde 04	18	28:52	13-23
9.	FC Hanau 93	18	19:40	8-28
10.	VfB Friedberg	18	21:66	7-29

Süddeutsche Meisterschaft, Gruppe Nord-Süd:

Union Böckingen – Eintracht		2:0, 0:5
Eintracht – 1. FSV Mainz 05		2:1, 2.1
Stuttgarter Kickers – Eintracht		3:2, 0:4
Eintracht – Karlsruher FV		1:1, 3.2
Eintracht – Wormatia Worms		4:2, 1:3
FSV Frankfurt – Eintracht		1:3, 0:0
Eintracht – Phönix Karlsruhe		1:0, 3:1

1.	FSV Frankfurt	14	33:17	21-7
2.	EINTRACHT	14	31:17	20-8
3.	Wormatia Worms	14	36:37	17-11
4.	Stuttgarter Kickers	14	35:27	15-13
5.	Karlsruher FV	14	24:29	13-15
6.	Phönix Karlsruhe	14	28:29	12-16
7.	1. FSV Mainz 05	14	35:38	8-20
8.	Union Böckingen	14	24:52	6-22

Entscheidungsspiele um den dritten Südvertreter in der Deutschen Meisterschaft am 23. und 30.3.1933:

Eintracht – VfB Stuttgart	2:0
Eintracht – SpVgg Fürth (in Saarbrücken)	1:0

Deutsche Meisterschaft:

R1	Hamburger SV – Eintracht	1:4
VF	Eintracht – Hindenburg Allenstein	12:2
HF	Fortuna Düsseldorf – Eintracht (in Berlin)	4:0

Saison 1933/34
Gauliga Südwest:

1.	Kickers Offenbach	22	46:31	30-14
2.	FK Pirmasens	22	59:32	27-17
3.	Wormatia Worms	22	43:41	27-17
4.	EINTRACHT	22	53:40	25-19
5.	Borussia Neunkirchen	22	46:49	22-22
6.	FSV Frankfurt	22	43:48	21-23
7.	1. FC Kaiserslautern	22	46:53	21-23
8.	Sportfreunde Saarbrücken	22	40:38	20-24
9.	Phönix Ludwigshafen	22	39:44	20-24
10.	SV Wiesbaden	22	37:43	20-24
11.	1. FSV Mainz 05	22	44:53	19-25
12.	Alemannia-Olympia Worms	22	29:53	12-32

Saicon 1934/35
Gauliga Südwest:

1.	Phönix Ludwigshafen	20	43:25	28-12
2.	FK Pirmasens	20	49:32	25-15
3.	Kickers Offenbach	20	52:37	23-17
4.	FSV Frankfurt	20	43:42	23-17
5.	Wormatia Worms	20	45:39	22-18
6.	Union Niederrad	20	34:41	22-18
7.	EINTRACHT	20	30:29	21-19
8.	Borussia Neunkirchen	20	35:38	18-22
9.	Sportfreunde Saarbrücken	20	41:42	16-24
10.	1. FC Kaiserslautern	20	28:42	12-28
11.	Saar 05 Saarbrücken	20	27:60	10-30

Saison 1935/36
Gauliga Südwest:

1.	Wormatia Worms	18	49:22	26-10
2.	FK Pirmasens	18	46:24	26-10
3.	EINTRACHT	18	32:19	25-11
4.	Borussia Neunkirchen	18	27:26	23-13
5.	FSV Frankfurt	18	37:30	19-17
6.	Kickers Offenbach	18	26:33	17-19

7.	FV Saarbrücken	18	28:37	15-21
8.	Union Niederrad	18	19:38	13-23
9.	Opel Rüsselsheim	18	31:49	8-28
10.	Phönix Ludwigshafen	18	17:44	8-28

Saison 1936/37
Gauliga Südwest:

1.	Wormatia Worms	18	48:23	26-10
2.	EINTRACHT	18	48:31	26-10
3.	Kickers Offenbach	18	37:31	21-15
4.	Borussia Neunkirchen	18	37:32	19-17
5.	FSV Frankfurt	18	37:31	18-18
6.	FV Saarbrücken	18	30:38	17-19
7.	FK Pirmasens	18	26:36	15-21
8.	SV Wiesbaden	18	24:37	14-22
9.	Union Niederrad	18	32:45	13-23
10.	Sportfreunde Saarbrücken	18	28:44	11-25

Saison 1937/38
Gauliga Südwest:

1.	EINTRACHT	18	58:25	28-8
2.	Borussia Neunkirchen	18	40:19	27-9
3.	Wormatia Worms	18	41:32	22-14
4.	Kickers Offenbach	18	47:27	21-15
5.	FSV Frankfurt	18	33:33	17-19
6.	FK Pirmasens	18	27:28	16-20
7.	SV Wiesbaden	18	30:37	16-20
8.	FV Saarbrücken	18	33:48	12-24
9.	1. FC Kaiserslautern	18	24:49	12-24
10.	Opel Rüsselsheim	18	16:51	9-27

Deutsche Meisterschaft, Gruppe I:

Yorck Boyen Insterburg – Eintracht		1:5, 0:5
Stettiner SC – Eintracht		5:6, 0:5
Hamburger SV – Eintracht		5:0, 2:3

1.	Hamburger SV	6	21:5	10-2
2.	EINTRACHT	6	24:13	10-2
3.	Stettiner SC	6	12:18	4-8
4.	Yorck Boyen Insterburg	6	4:25	0-12

Saison 1938/39
Gauliga Südwest:

1.	Rb.-Wormatia Worms	18	34:20	26-10
2.	FSV Frankfurt	18	38:27	23-13
3.	EINTRACHT	18	49:34	22-14
4.	Kickers Offenbach	18	40:30	19-17
5.	SV Wiesbaden	18	23:26	18-18
6.	Borussia Neunkirchen	18	30:27	15-21
7.	TSG Ludwigshafen	18	30:40	16-21
8.	FV Saarbrücken	18	31:45	14-22
9.	Rb.-Rot-Weiss Frankfurt	18	24:35	14-22
10.	FK Pirmasens	18	23:38	14-22

Saison 1939/40
Gauliga Südwest, Gruppe Mainhessen:

1.	Kickers Offenbach	12	41:9	21-3
2.	EINTRACHT	12	28:17	19-5
3.	FSV Frankfurt	12	33:27	14-10
4.	SV Wiesbaden	12	22:28	9-15
5.	Union Niederrad	12	23:39	8-16
6.	Rb.-Rot-Weiss Frankfurt	12	15:37	7-17
7.	Opel Rüsselsheim	12	23:28	6-18

Saison 1940/41
Bereichsklasse Südwest, Gruppe Mainhessen:

1.	Kickers Offenbach	14	54:12	27-1
2.	Rb.-Rot-Weiss Frankfurt	14	35:15	20-8
3.	EINTRACHT	14	34:22	17-11
4.	Rb.-Wormatia Worms	14	34:32	12-16

5.	FSV Frankfurt	14	24:33	12-16
6.	Union Niederrad	14	24:33	11-17
7.	SV (KSG) Wiesbaden	14	20:41	8-20
8.	Germania 94 Frankfurt	14	17:54	5-23

Saison 1941/42
Bereichsklasse Hessen-Nassau, Gruppe 1:

1.	Kickers Offenbach	12	50:13	23-1
2.	**EINTRACHT**	12	46:20	17-7
3.	FSV Frankfurt	12	34:21	16-8
4.	FC Hanau 93	12	43:29	11-13
5.	KSG Wiesbaden	12	21:30	9-15
6.	TSV 1860 Hanau	12	10:45	5-19
7.	SV Wetzlar 05	12	11:57	3-21

Saison 1942/43
Gauliga Hessen-Nassau:

1.	Kickers Offenbach	18	70:20	30-6
2.	FSV Frankfurt	18	65:24	29-7
3.	Rb.-Rot-Weiss Frankfurt	18	38:23	27-9
4.	FC Hanau 93	18	38:32	20-16
5.	**EINTRACHT**	18	33:38	16-20
6.	SpVgg Neu-Isenburg	18	25:32	16-20
7.	Union Niederrad	18	38:55	12-24
8.	Opel Rüsselsheim	18	25:44	12-24
9.	Rb.-Wormatia Worms	18	36:52	10-26
10.	SV Darmstadt 98	18	26:64	8-28

Saison 1943/44
Gauliga Hessen-Nassau:

1.	Kickers Offenbach	18	74:20	31-5
2.	FC Hanau 93	18	67:28	26-10
3.	FSV Frankfurt	18	78:39	23-13
4.	**EINTRACHT**	18	53:33	23-13
5.	SpVgg Neu-Isenburg	18	38:52	23-13
6.	Opel Rüsselsheim	18	32:37	13-23
7.	VfL Rödelheim	18	30:51	13-23
8.	Rb.-Rot-Weiss Frankfurt	18	21:61	13-23
9.	VfB Offenbach	18	23:42	11-25
10.	Union Niederrad	18	15:68	4-32

Saison 1944/45
Gauliga Hessen-Nassau, Staffel 3:

1.	FFC Olympia 07	5	11:5	9-1
2.	**KSG FSV/EINTRACHT**	5	32:4	6-4
3.	Viktoria Eckenheim	5	3:23	5-5
4.	KSG Rödelheim/Rot-Weiss	5	0:0	4-6
5.	VDM Heddernheim	4	3:16	2-6
6.	SpVgg Ostend 07	2	1:2	0-4

Über Weihnachten 1944 prüfte die Sportbehörde eine ganze Anzahl von Spielausfällen. Dabei verlor die KSG FSV/Eintracht zunächst zwei Punkte an Rödelheim/Rot-Weiss „wegen unvollständigen Nichtantretens". Am 27. Dezember 1944 veröffentlichte der Frankfurter Anzeiger die korrigierten Tabellen. Am 20./21. Januar 1945 wurde gemeldet, dass das Spiel neu angesetzt worden sei, vermutlich aber nicht mehr ausgetragen würde, da Rödelheim/Rot-Weiss aus der Runde ausgeschieden sei. Am 22. Januar schrieb die Rhein-Mainische Zeitung, dass Heddernheim und Rödelheim/Rot-Weiss wegen des Spielausfalls am 7. Januar mit je zwei Minuspunkten bestraft wurden. Diese sind in der obigen Tabelle nicht berücksichtigt.

Saison 1945/46
Oberliga Süd:

1.	VfB Stuttgart	30	91:34	46-14
2.	1. FC Nürnberg	30	86:44	45-15
3.	Stuttgarter Kickers	30	88:51	42-18
4.	SV Waldhof	30	55:36	39-21
5.	Schwaben Augsburg	30	68:45	39-21
6.	Bayern München	30	67:48	34-26
7.	1. FC Schweinfurt 05	30	55:40	33-27
8.	BC Augsburg	30	49:64	28-32
9.	TSV München 1860	30	52:44	27-33
10.	FSV Frankfurt	30	44:62	26-34
11.	**EINTRACHT**	30	71:75	25-35
12.	Kickers Offenbach	30	60:72	24-36
13.	SpVgg Fürth	30	46:69	22-38
14.	VfR Mannheim	30	41:74	19-41
15.	Phönix Karlsruhe	30	54:90	18-42
16.	Karlsruher FV	30	33:112	13-47

Saison 1946/47
Oberliga Süd:

1.	1. FC Nürnberg	38	108:31	62-14
2.	SV Waldhof	38	74:54	49-27
3.	**EINTRACHT**	38	72:50	46-30
4.	TSV München 1860	38	67:50	44-32
5.	Kickers Offenbach	38	76:58	43-33
6.	VfB Stuttgart	38	64:58	43-33
7.	Stuttgarter Kickers	38	90:56	42-34
8.	Schwaben Augsburg	38	75:51	41-35
9.	1. FC Schweinfurt 05	38	56:46	40-36
10.	SpVgg Fürth	38	56:57	38-38
11.	Bayern München	38	75:56	36-40
12.	VfR Mannheim	38	50:62	35-41
13.	TSG Ulm 1846	38	56:80	34-42
14.	FSV Frankfurt	38	35:50	33-43
15.	Viktoria Aschaffenburg	38	68:111	33-43
16.	VfL Neckarau	38	74:83	32-44
17.	BC Augsburg	38	62:89	30-46
18.	1. FC Bamberg	38	44:75	28-48
19.	Karlsruher FV	38	48:84	27-49
20.	Phönix Karlsruhe	38	46:95	24-52

Saison 1947/48
Oberliga Süd:

1.	1. FC Nürnberg	38	88:37	60-16
2.	TSV München 1860	38	77:63	52-24
3.	Stuttgarter Kickers	38	113:58	50-26
4.	Bayern München	38	72:38	50-26
5.	VfB Stuttgart	38	96:60	45-31
6.	SV Waldhof	38	77:59	45-31
7.	FSV Frankfurt	38	66:50	43-33
8.	VfR Mannheim	38	66:55	43-33
9.	Kickers Offenbach	38	75:55	42-34
10.	**EINTRACHT**	38	64:56	41-35
11.	Schwaben Augsburg	38	66:59	41-35
12.	TSG Ulm 1846	38	60:60	38-38
13.	1. FC Schweinfurt 05	38	49:53	34-42
14.	VfB Mühlburg	38	53:59	33-43
15.	SpVgg Fürth	38	68:86	31-45
16.	VfL Neckarau	38	48:81	30-46
17.	Viktoria Aschaffenburg	38	46:88	25-51
18.	Rot-Weiss Frankfurt	38	50:99	22-54
19.	Wacker München	38	41:89	21-55
20.	Sportfreunde Stuttgart	38	30:100	14-62

Entscheidungsspiel um Platz 3 am 11. 7. 1949 in Stuttgart: Stuttgarter Kickers – Bayern München   5:1

Saison 1948/49
Oberliga Süd:

1.	Kickers Offenbach	30	79:29	49-11
2.	VfR Mannheim	30	51:42	38-22
3.	Bayern München	30	61:42	35-25
4.	TSV München 1860	30	61:41	34-26
5.	SV Waldhof	30	54:45	34-26

6.	VfB Stuttgart	30	56:51	31-29
7.	Schwaben Augsburg	30	49:50	30-30
8.	Stuttgarter Kickers	30	53:65	30-30
9.	VfB Mühlburg	30	51:45	29-31
10.	1. FC Schweinfurt 05	30	46:56	29-31
11.	1. FC Nürnberg	30	49:55	27-33
12.	FSV Frankfurt	30	40:53	27-33
13.	**EINTRACHT**	30	28:41	26-34
14.	BC Augsburg	30	46:66	22-38
15.	TSG Ulm 1846	30	43:53	22-38
16.	1. FC Rödelheim 02	30	40:73	17-43

Entscheidungsspiel um Platz 14 am 29. 5. 1949 in Frankfurt: BC Augsburg – TSG Ulm 1846 1:0

Saison 1949/50
Oberliga Süd:

1.	SpVgg Fürth	30	77:39	43-17
2.	VfB Stuttgart	30	50:39	38-22
3.	Kickers Offenbach	30	62:48	37-23
4.	VfR Mannheim	30	57:41	34-26
5.	FSV Frankfurt	30	45:38	34-26
6.	SV Waldhof	30	51:53	33-27
7.	VfB Mühlburg	30	44:42	32-28
8.	1. FC Nürnberg	30	52:40	31-29
9.	TSV München 1860	30	46:42	31-29
10.	BC Augsburg	30	50:74	26-34
11.	Schwaben Augsburg	30	39:60	26-34
12.	1. FC Schweinfurt 05	30	38:38	25-35
13.	Bayern München	30	56:70	25-35
14.	**EINTRACHT**	30	45:52	24-36
15.	Jahn Regensburg	30	49:66	22-38
16.	Stuttgarter Kickers	30	45:64	19-41

Saison 1950/51
Oberliga Süd:

1.	1. FC Nürnberg	34	93:46	47-21
2.	SpVgg Fürth	34	86:43	45-23
3.	VfB Mühlburg	34	94:55	44-24
4.	VfB Stuttgart	34	82:55	43-25
5.	FSV Frankfurt	34	71:52	43-25
6.	TSV München 1860	34	97:67	42-26
7.	1. FC Schweinfurt 05	34	69:57	36-32
8.	**EINTRACHT**	34	56:64	34-34
9.	Bayern München	34	64:53	33-35
10.	Kickers Offenbach	34	69:64	32-36
11.	VfL Neckarau	34	74:94	32-36
12.	VfR Mannheim	34	72:72	31-37
13.	Schwaben Augsburg	34	46:67	29-39
14.	SV Waldhof	34	54:67	28-40
15.	SV Darmstadt 98	34	54:86	25-43
16.	BC Augsburg	34	59:82	24-44
17.	FC Singen 04	34	56:112	22-46
18.	SSV Reutlingen	34	49:109	22-46

Saison 1951/52
Oberliga Süd:

1.	VfB Stuttgart	30	60:24	44-16
2.	1. FC Nürnberg	30	72:33	43-17
3.	Kickers Offenbach	30	75:41	40-20
4.	**EINTRACHT**	30	52:43	34-26
5.	VfR Mannheim	30	64:60	32-28
6.	SpVgg Fürth	30	46:42	30-30
7.	FSV Frankfurt	30	45:58	30-30
8.	Bayern München	30	53:54	29-31
9.	VfB Mühlburg	30	67:47	28-32
10.	SV Waldhof	30	49:61	28-32
11.	Viktoria Aschaffenburg	30	45:70	28-32

12.	Stuttgarter Kickers	30	61:63	27-33
13.	TSV München 1860	30	46:54	27-33
14.	1. FC Schweinfurt 05	30	32:56	24-36
15.	Schwaben Augsburg	30	41:62	19-41
16.	VfL Neckarau	30	46:86	17-43

Saison 1952/53
Oberliga Süd:

1.	**EINTRACHT**	30	62:49	39-21
2.	VfB Stuttgart	30	69:33	38-22
3.	SpVgg Fürth	30	65:45	35-25
4.	KSC Mühlburg-Phönix	30	68:52	34-26
5.	1. FC Schweinfurt 05	30	40:51	32-28
6.	Kickers Offenbach	30	61:53	30-30
7.	Bayern München	30	59:56	30-30
8.	1. FC Nürnberg	30	67:61	29-31
9.	SV Waldhof	30	56:62	29-31
10.	BC Augsburg	30	59:61	28-32
11.	FSV Frankfurt	30	38:44	28-32
12.	Viktoria Aschaffenburg	30	59:74	28-32
13.	VfR Mannheim	30	46:59	27-33
14.	Stuttgarter Kickers	30	65:69	26-34
15.	TSV München 1860	30	46:58	24-36
16.	TSG Ulm 1846	30	41:74	21-39

Das Spiel SV Waldhof – Kickers Offenbach wurde mit 0:0 Toren für beide Klubs als verloren gewertet.
Deutsche Meisterschaft, Gruppe 1:

Eintracht – 1. FC Köln		2:0, 0:0
Holstein Kiel – Eintracht		0:1, 1:4
Eintracht – 1. FC Kaiserslautern		0:1, 1:5

1.	1. FC Kaiserslautern	6	16:7	11-1
2.	**EINTRACHT**	6	8:7	7-5
3.	1. FC Köln	6	8:10	5-7
4.	Holstein Kiel	6	8:16	1-11

Saison 1953/54
Oberliga Süd:

1.	VfB Stuttgart	30	64:39	43-17
2.	**EINTRACHT**	30	70:31	42-18
3.	Kickers Offenbach	30	70:38	41-19
4.	1. FC Nürnberg	30	71:44	38-22
5.	Karlsruher SC	30	61:53	35-25
6.	Jahn Regensburg	30	42:48	33-27
7.	FSV Frankfurt	30	60:56	30-30
8.	1. FC Schweinfurt 05	30	53:50	28-32
9.	Bayern München	30	42:46	28-32
10.	VfR Mannheim	30	62:71	27-33
11.	SpVgg Fürth	30	42:54	26-34
12.	BC Augsburg	30	52:66	25-35
13.	Hessen Kassel	30	54:74	23-37
14.	Stuttgarter Kickers	30	63:79	21-39
15.	SV Waldhof	30	47:66	21-39
16.	Viktoria Aschaffenburg	30	44:82	19-41

Das Spiel SV Waldhof – Viktoria Aschaffenburg (2:2) wurde mit X:0 für Waldhof gewertet.
Deutsche Meisterschaft, Gruppe 2:

| 1. FC Kaiserslautern – Eintracht (in Köln) | | 1:0 |
| 1. FC Köln – Eintracht (in Ludwigshafen) | | 3:2 |

1.	1. FC Kaiserslautern	2	5:3	4-0
2.	1. FC Köln	2	6:6	2-2
3.	**EINTRACHT**	2	2:4	0-4

Saison 1954/55
Oberliga Süd:

1.	Kickers Offenbach	30	67:38	39-21
2.	SSV Reutlingen	30	62:44	37-23
3.	1. FC Schweinfurt 05	30	52:44	37-23

4.	**EINTRACHT**	30	56:36	36-24
5.	Karlsruher SC	30	69:51	35-25
6.	FSV Frankfurt	30	55:49	33-27
7.	BC Augsburg	30	72:60	32-28
8.	Schwaben Augsburg	30	46:45	32-28
9.	1. FC Nürnberg	30	64:51	29-31
10.	VfR Mannheim	30	77:79	29-31
11.	SpVgg Fürth	30	56:67	29-31
12.	Stuttgarter Kickers	30	48:56	27-33
13.	VfB Stuttgart	30	58:60	26-34
14.	Jahn Regensburg	30	47:85	26-34
15.	Hessen Kassel	30	37:67	18-42
16.	Bayern München	30	42:76	15-45

Saison 1955/56
Oberliga Süd:

1.	Karlsruher SC	30	63:38	41-19
2.	VfB Stuttgart	30	52:29	38-22
3.	VfR Mannheim	30	73:45	36-24
4.	Kickers Offenbach	30	66:51	36-24
5.	Viktoria Aschaffenburg	30	61:45	35-25
6.	**EINTRACHT**	30	56:49	31-29
7.	1. FC Nürnberg	30	42:41	31-29
8.	1. FC Schweinfurt 05	30	53:53	30-30
9.	FSV Frankfurt	30	51:43	29-31
10.	Jahn Regensburg	30	41:51	28-32
11.	BC Augsburg	30	48:53	26-34
12.	Schwaben Augsburg	30	43:57	26-34
13.	SpVgg Fürth	30	48:69	26-34
14.	Stuttgarter Kickers	30	33:43	24-36
15.	SSV Reutlingen	30	49:81	24-36
16.	TSV München 1860	30	43:74	19-41

Saison 1956/57
Oberliga Süd:

1.	1. FC Nürnberg	30	76:33	47-13
2.	Kickers Offenbach	30	81:35	43-17
3.	Karlsruher SC	30	74:41	41-19
4.	VfB Stuttgart	30	69:44	39-21
5.	**EINTRACHT**	30	60:42	35-25
6.	SpVgg Fürth	30	61:57	29-31
7.	VfR Mannheim	30	51:54	29-31
8.	Viktoria Aschaffenburg	30	44:54	27-33
9.	Jahn Regensburg	30	46:73	27-33
10.	Bayern München	30	52:62	26-34
11.	FSV Frankfurt	30	41:60	26-34
12.	1. FC Schweinfurt 05	30	41:68	24-36
13.	BC Augsburg	30	49:66	23-37
14.	Stuttgarter Kickers	30	46:50	22-38
15.	Schwaben Augsburg	30	35:64	22-38
16.	Freiburger FC	30	43:66	20-40

Saison 1957/58
Oberliga Süd:

1.	Karlsruher SC	30	60:38	42-18
2.	1. FC Nürnberg	30	74:45	41-19
3.	**EINTRACHT**	30	58:32	39-21
4.	SpVgg Fürth	30	54:33	39-21
5.	Kickers Offenbach	30	68:45	37-23
6.	TSV München 1860	30	50:48	36-24
7.	Bayern München	30	66:56	30-30
8.	1. FC Schweinfurt 05	30	51:48	29-31
9.	VfB Stuttgart	30	55:46	28-32
10.	VfR Mannheim	30	43:57	27-33
11.	Viktoria Aschaffenburg	30	51:54	26-34
12.	BC Augsburg	30	45:66	26-34
13.	FSV Frankfurt	30	33:46	25-35

14.	SSV Reutlingen	30	41:55	23-37
15.	Jahn Regensburg	30	29:79	17-43
16.	Stuttgarter Kickers	30	31:61	15-45

Das Spiel Stuttgarter Kickers – FSV Frankfurt wurde wegen einer Platzsperre nicht ausgetragen und mit X:0 für den FSV gewertet.

Saison 1958/59
Oberliga Süd:

1.	**EINTRACHT**	30	71:25	49-11
2.	Kickers Offenbach	30	73:31	47-13
3.	1. FC Nürnberg	30	80:38	43-17
4.	Bayern München	30	79:49	39-21
5.	VfB Stuttgart	30	61:49	30-30
6.	TSV München 1860	30	61:47	30-30
7.	SpVgg Fürth	30	47:45	30-30
8.	VfR Mannheim	30	65:71	29-31
9.	Karlsruher SC	30	73:69	28-32
10.	1. FC Schweinfurt 05	30	47:59	25-35
11.	FSV Frankfurt	30	49:69	24-36
12.	SSV Reutlingen	30	44:71	24-36
13.	TSG Ulm 1846	30	39:57	22-38
14.	Viktoria Aschaffenburg	30	43:69	22-38
15.	BC Augsburg	30	53:85	20-40
16.	SV Waldhof	30	43:84	18-42

Deutsche Meisterschaft, Gruppe 1:

Werder Bremen – Eintracht			2:7, 2:4
Eintracht – FK Pirmasens			3:2, 6:2
Eintracht – 1. FC Köln			2:1, 4:2

1.	**EINTRACHT**	6	26:11	12-0
2.	1. FC Köln	6	10:14	5-7
3.	FK Pirmasens	6	16:18	4-8
4.	Werder Bremen	6	12:21	3-9

Endspiel am 28.6.1959 in Berlin:
Eintracht – Kickers Offenbach   n.V. 5:3
Loy – Eigenbrodt, Höfer – Stinka, Lutz, H. Weilbächer – Kreß, Sztani (2), Feigenspan (3), D. Lindner, Pfaff – Trainer: Oßwald – SR: Asmussen (Flensburg) – Zuschauer: 75 000.

Saison 1959/60
Oberliga Süd:

1.	Karlsruher SC	30	78:39	45-15
2.	Kickers Offenbach	30	75:45	39-21
3.	**EINTRACHT**	30	81:57	37-23
4.	TSV München 1860	30	65:56	35-25
5.	Bayern München	30	81:55	34-26
6.	1. FC Nürnberg	30	73:54	34-26
7.	VfB Stuttgart	30	66:57	33-27
8.	SSV Reutlingen	30	55:57	31-29
9.	FSV Frankfurt	30	59:53	28-32
10.	VfR Mannheim	30	55:52	27-33
11.	SpVgg Fürth	30	48:59	26-34
12.	1. FC Schweinfurt 05	30	48:64	25-35
13.	Bayern Hof	30	45:84	25-35
14.	TSG Ulm 1846	30	39:64	21-39
15.	Viktoria Aschaffenburg	30	43:73	21-39
16.	Stuttgarter Kickers	30	38:80	15-45

Bayern München wurden wegen „Überbezahlung" seiner Spieler in der Saison 1957/58 vier Punkte abgezogen.

Saison 1960/61
Oberliga Süd:

1.	1. FC Nürnberg	30	96:30	48-12
2.	**EINTRACHT**	30	78:38	41-19
3.	Karlsruher SC	30	75:51	38-22
4.	Kickers Offenbach	30	57:46	36-24
5.	SSV Reutlingen	30	65:55	32-28

6. TSV München 1860	30	61:66	32-28
7. VfB Stuttgart	30	57:53	30-30
8. Bayern München	30	57:54	30-30
9. VfR Mannheim	30	53:51	29-31
10. Bayern Hof	30	41:60	27-33
11. SpVgg Fürth	30	40:47	26-34
12. FSV Frankfurt	30	45:59	26-34
13. SV Waldhof	30	47:56	25-35
14. 1. FC Schweinfurt 05	30	42:54	25-35
15. TSG Ulm 1846	30	48:62	24-36
16. Jahn Regensburg	30	27:107	11-49

Deutsche Meisterschaft
Qualifikation am 6. 5. 1961 in Ludwigshafen:

Eintracht – Borussia Neunkirchen	5:0

Gruppenspiele, Gruppe 1:

Eintracht – 1. FC Saarbrücken	1:1, 5:2
Borussia Dortmund – Eintracht	0:1, 2:1
Hamburger SV – Eintracht	2:1, 2:4

1. Borussia Dortmund	6	19:12	7-5
2. **EINTRACHT**	6	13:9	7-5
3. Hamburger SV	6	14:19	6-6
4. 1. FC Saarbrücken	6	11:17	4-8

Saison 1961/62
Oberliga Süd:

1. 1. FC Nürnberg	30	70:30	43-17
2. **EINTRACHT**	30	81:37	43-17
3. Bayern München	30	67:55	40-20
4. Kickers Offenbach	30	65:50	37-23
5. VfB Stuttgart	30	66:53	34-26
6. Bayern Hof	30	55:56	32-28
7. TSV München 1860	30	64:57	30-30
8. SSV Reutlingen	30	57:51	29-31
9. Karlsruher SC	30	47:44	28-32
10. VfR Mannheim	30	47:59	28-32
11. BC Augsburg	30	55:63	26-34
12. SpVgg Fürth	30	31:39	24-36
13. Schwaben Augsburg	30	43:78	23-37
14. 1. FC Schweinfurt 05	30	39:63	22-38
15. FSV Frankfurt	30	35:65	21-39
16. SV Waldhof	30	39:61	20-40

Deutsche Meisterschaft, Gruppe 2:

Eintracht – 1. FC Köln	1:3
Eintracht – FK Pirmasens (in Stuttgart)	8:1
Hamburger SV – Eintracht	1:2

1. 1. FC Köln	3	14:1	6-0
2. **EINTRACHT**	3	11:5	4-2
3. Hamburger SV	3	7:6	2-4
4. FK Pirmasens	3	4:24	0-6

Saison 1962/63
Oberliga Süd:

1. TSV München 1860	30	72:38	44-16
2. 1. FC Nürnberg	30	87:41	41-19
3. Bayern München	30	67:52	40-20
4. **EINTRACHT**	30	56:32	39-21
5. Karlsruher SC	30	59:48	34-26
6. VfB Stuttgart	30	49:40	32-28
7. Kickers Offenbach	30	57:49	32-28
8. TSG Ulm 1846	30	64:58	30-30
9. SpVgg Fürth	30	49:48	29-31
10. Hessen Kassel	30	49:57	29-31
11. 1. FC Schweinfurt 05	30	43:53	26-34
12. VfR Mannheim	30	49:62	26-34
13. Bayern Hof	30	40:62	21-39
14. SSV Reutlingen	30	48:75	21-39
15. Schwaben Augsburg	30	49:73	19-41
16. BC Augsburg	30	38:88	17-43

Saison 1963/64
Bundesliga:

1. 1. FC Köln	30	78:40	45-15
2. Meidericher SV	30	60:36	39-21
3. **EINTRACHT**	30	65:41	39-21
4. Borussia Dortmund	30	73:57	33-27
5. VfB Stuttgart	30	48:40	33-27
6. Hamburger SV	30	69:60	32-28
7. TSV München 1860	30	66:50	31-29
8. FC Schalke 04	30	51:53	29-31
9. 1. FC Nürnberg	30	45:56	29-31
10. Werder Bremen	30	53:62	28-32
11. Eintracht Braunschweig	30	36:49	28-32
12. 1. FC Kaiserslautern	30	48:69	26-34
13. Karlsruher SC	30	42:55	24-36
14. Hertha BSC	30	45:65	24-36
15. Preußen Münster	30	34:52	23-37
16. 1. FC Saarbrücken	30	44:72	17-43

Saison 1964/65
Bundesliga:

1. Werder Bremen	30	54:29	41-19
2. 1. FC Köln	30	66:45	38-22
3. Borussia Dortmund	30	67:48	36-24
4. TSV München 1860	30	70:50	35-25
5. Hannover 96	30	48:42	33-27
6. 1. FC Nürnberg	30	44:38	32-28
7. Meidericher SV	30	46:48	32-28
8. **EINTRACHT**	30	50:58	29-31
9. Eintracht. Braunschweig	30	42:47	28-32
10. Borussia Neunkirchen	30	44:48	27-33
11. Hamburger SV	30	46:56	27-33
12. VfB Stuttgart	30	46:50	26-34
13. 1. FC Kaiserslautern	30	41:53	25-35
14. Hertha BSC	30	40:62	25-35
15. Karlsruher SC	30	47:62	24-36
16. FC Schalke 04	30	45:60	22-38

Hertha BSC wurde die Lizenz entzogen, der Abstieg ausgesetzt und die Bundesliga auf 18 Vereine aufgestockt.

Saison 1965/66
Bundesliga:

1. TSV München 1860	34	80:40	50-18
2. Borussia Dortmund	34	70:36	47-21
3. Bayern München	34	71:38	47-21
4. Werder Bremen	34	76:40	45-23
5. 1. FC Köln	34	74:41	44-24
6. 1. FC Nürnberg	34	54:43	30-29
7. **EINTRACHT**	34	64:46	38-30
8. Meidericher SV	34	70:48	36-32
9. Hamburger SV	34	64:52	34-34
10. Eintracht Braunschweig	34	49:49	34-34
11. VfB Stuttgart	34	42:48	32-36
12. Hannover 96	34	59:57	30-38
13. Bor. Mönchengladbach	34	57:68	29-39
14. FC Schalke 04	34	33:55	27-41
15. 1. FC Kaiserslautern	34	42:65	26-42
16. Karlsruher SC	34	35:71	24-44
17. Borussia Neunkirchen	34	32:82	22-46
18. Tasmania 1900 Berlin	34	15:108	8-60

Saison 1966/67
Bundesliga:

1. Eintracht Braunschweig	34	49:27	43-25
2. TSV München 1860	34	60:47	41-27
3. Borussia Dortmund	34	70:41	39-29
4. **EINTRACHT**	34	66:49	39-29
5. 1. FC Kaiserslautern	34	43:42	38-30

6.	Bayern München	34	62:47	37-31
7.	1. FC Köln	34	48:48	37-31
8.	Bor. Mönchengladbach	34	70:49	34-34
9.	Hannover 96	34	40:46	34-34
10.	1. FC Nürnberg	34	43:50	34-34
11.	MSV Duisburg	34	40:42	33-35
12.	VfB Stuttgart	34	48:54	33-35
13.	Karlsruher SC	34	54:62	31-37
14.	Hamburger SV	34	37:53	30-38
15.	FC Schalke 04	34	37:63	30-38
16.	Werder Bremen	34	49:56	29-39
17.	Fortuna Düsseldorf	34	44:66	25-43
18.	Rot-Weiss Essen	34	35:53	25-43

Saison 1967/68
Bundesliga:

1.	1. FC Nürnberg	34	71:37	47-21
2.	Werder Bremen	34	68:51	44-24
3.	Bor. Mönchengladbach	34	77:45	42-26
4.	1. FC Köln	34	68:52	38-30
5.	Bayern München	34	68:58	38-30
6.	**EINTRACHT**	34	58:51	38-30
7.	MSV Duisburg	34	69:58	36-32
8.	VfB Stuttgart	34	65:54	35-33
9.	Eintracht Braunschweig	34	37:39	35-33
10.	Hannover 96	34	48:52	34-34
11.	Alemannia Aachen	34	52:66	34-34
12.	TSV München 1860	34	55:39	33-35
13.	Hamburger SV	34	51:54	33-35
14.	Borussia Dortmund	34	60:59	31-37
15.	FC Schalke 04	34	42:48	30-38
16.	1. FC Kaiserslautern	34	39:67	28-40
17.	Borussia Neunkirchen	34	33:93	19-49
18.	Karlsruher SC	34	32:70	17-51

Saison 1968/69
Bundesliga:

1.	Bayern München	34	61:31	46-22
2.	Alemannia Aachen	34	57:51	38-30
3.	Bor. Mönchengladbach	34	61:46	37-31
4.	Eintracht Braunschweig	34	46:43	37-31
5.	VfB Stuttgart	34	60:54	36-32
6.	Hamburger SV	34	55:55	36-32
7.	FC Schalke 04	34	45:40	35-33
8.	**EINTRACHT**	34	46:43	34-34
9.	Werder Bremen	34	59:59	34-34
10.	TSV München 1860	34	44:59	34-34
11.	Hannover 96	34	47:45	32-36
12.	MSV Duisburg	34	33:37	32-36
13.	1. FC Köln	34	47:56	32-36
14.	Hertha BSC	34	31:39	32-36
15.	1. FC Kaiserslautern	34	45:47	30-38
16.	Borussia Dortmund	34	49:54	30-38
17.	1. FC Nürnberg	34	45:55	29-39
18.	Kickers Offenbach	34	42:59	28-40

Saison 1969/70
Bundesliga:

1.	Bor. Mönchengladbach	34	71:29	51-17
2.	Bayern München	34	88:37	47-21
3.	Hertha BSC	34	67:41	45-23
4.	1. FC Köln	34	83:38	43-25
5.	Borussia Dortmund	34	60:67	36-32
6.	Hamburger SV	34	57:54	35-33
7.	VfB Stuttgart	34	59:62	35-33
8.	**EINTRACHT**	34	54:54	34-34
9.	FC Schalke 04	34	43:54	34-34
10.	1. FC Kaiserslautern	34	44:55	32-36

11.	Werder Bremen	34	38:47	31-37
12.	Rot-Weiss Essen	34	41:54	31-37
13.	Hannover 96	34	49:61	30-38
14.	Rot-Weiß Oberhausen	34	50:62	29-39
15.	MSV Duisburg	34	35:48	29-39
16.	Eintracht Braunschweig	34	40:49	28-40
17.	TSV München 1860	34	41:56	25-43
18.	Alemannia Aachen	34	31:83	17-51

Saison 1970/71
Bundesliga:

1.	Bor. Mönchengladbach	34	77:35	50-18
2.	Bayern München	34	74:36	48-20
3.	Hertha BSC	34	61:43	41-27
4.	Eintracht Braunschweig	34	52:40	39-29
5.	Hamburger SV	34	54:63	37-31
6.	FC Schalke 04	34	44:40	36-32
7.	MSV Duisburg	34	43:47	35-33
8.	1. FC Kaiserslautern	34	54:57	34-34
9.	Hannover 96	34	53:49	33-35
10.	Werder Bremen	34	41:40	33-35
11.	1. FC Köln	34	46:56	33-35
12.	VfB Stuttgart	34	49:49	30-38
13.	Borussia Dortmund	34	54:60	29-39
14.	Arminia Bielefeld	34	34:53	29-39
15.	**EINTRACHT**	34	39:56	28-40
16.	Rot-Weiß Oberhausen	34	54:69	27-41
17.	Kickers Offenbach	34	49:65	27-41
18.	Rot-Weiss Essen	34	48:68	23-45

Saison 1971/72
Bundesliga:

1.	Bayern München	34	101:38	55-13
2.	FC Schalke 04	34	76:35	52-16
3.	Bor. Mönchengladbach	34	82:40	43-25
4.	1. FC Köln	34	64:44	43-25
5.	**EINTRACHT**	34	71:61	39-29
6.	Hertha BSC	34	46:55	37-31
7.	1. FC Kaiserslautern	34	59:53	35-33
8.	VfB Stuttgart	34	52:56	35-33
9.	VfL Bochum	34	59:69	34-34
10.	Hamburger SV	34	52:52	33-35
11.	Werder Bremen	34	63:58	31-37
12.	Eintracht Braunschweig	34	43:48	31-37
13.	Fortuna Düsseldorf	34	40:53	30-38
14.	MSV Duisburg	34	36:51	27-41
15.	Rot-Weiß Oberhausen	34	33:66	25-43
16.	Hannover 96	34	54:69	23-45
17.	Borussia Dortmund	34	34:83	20-48
18.	Arminia Bielefeld	34	0:0	0-0

Lizenzentzug für Arminia Bielefeld: Alle Spiele wurden nur für den
Gegner gewertet. (41:75 Tore, 19-49 Punkte).

Saison 1972/73
Bundesliga:

1.	Bayern München	34	93:29	54-14
2.	1. FC Köln	34	66:51	43-25
3.	Fortuna Düsseldorf	34	62:45	42-26
4.	Wuppertaler SV	34	62:49	40-28
5.	Bor. Mönchengladbach	34	82:61	39-29
6.	VfB Stuttgart	34	71:65	37-31
7.	Kickers Offenbach	34	61:60	35-33
8.	**EINTRACHT**	34	58:54	34-34
9.	1. FC Kaiserslautern	34	58:68	34-34
10.	MSV Duisburg	34	53:54	33-35
11.	Werder Bremen	34	50:52	31-37
12.	VfL Bochum	34	50:68	31-37
13.	Hertha BSC	34	53:64	30-38

14.	Hamburger SV	34	53:59	28-40
15.	FC Schalke 04	34	46:61	28-40
16.	Hannover 96	34	49:65	26-42
17.	Eintracht Braunschweig	34	33:56	25-43
18.	Rot-Weiß Oberhausen	34	45:84	22-46

Saison 1973/74
Bundesliga:

1.	Bayern München	34	95:53	49-19
2.	Bor. Mönchengladbach	34	93:52	48-20
3.	Fortuna Düsseldorf	34	61:47	41-27
4.	**EINTRACHT**	34	63:50	41-27
5.	1. FC Köln	34	69:56	39-29
6.	1. FC Kaiserslautern	34	80:69	38-30
7.	FC Schalke 04	34	72:68	37-31
8.	Hertha BSC	34	56:60	33-35
9.	VfB Stuttgart	34	58:57	31-37
10.	Kickers Offenbach	34	56:62	31-37
11.	Werder Bremen	34	48:56	31-37
12.	Hamburger SV	34	53:62	31-37
13.	Rot-Weiss Essen	34	56:70	31-37
14.	VfL Bochum	34	45:57	30-38
15.	MSV Duisburg	34	42:56	29-39
16.	Wuppertaler SV	34	42:65	25-43
17.	Fortuna Köln	34	46:79	25-43
18.	Hannover 96	34	50:66	22-46

Saison 1974/75
Bundesliga:

1.	Bor. Mönchengladbach	34	86:40	50-18
2.	Hertha BSC	34	61:43	44-24
3.	**EINTRACHT**	34	89:49	43-25
4.	Hamburger SV	34	55:38	43-25
5.	1. FC Köln	34	77:51	41-27
6.	Fortuna Düsseldorf	34	66:55	41-27
7.	FC Schalke 04	34	52:37	39-29
8.	Kickers Offenbach	34	72:62	38-30
9.	Eintracht Braunschweig	34	52:42	36-32
10.	Bayern München	34	57:63	34-34
11.	VfL Bochum	34	53:53	33-35
12.	Rot-Weiss Essen	34	56:68	32-36
13.	1. FC Kaiserslautern	34	56:55	31-37
14.	MSV Duisburg	34	59:77	30-38
15.	Werder Bremen	34	45:69	25-43
16.	VfB Stuttgart	34	50:79	24-44
17.	Tennis Borussia Berlin	34	38:89	16-52
18	Wuppertaler SV	34	32:86	12-56

Saison 1975/76
Bundesliga:

1.	Bor. Mönchengladbach	34	66:37	45-23
2.	Hamburger SV	34	59:32	41-27
3.	Bayern München	34	72:50	40-28
4.	1. FC Köln	34	62:45	39-29
5.	Eintracht Braunschweig	34	52:48	39-29
6.	FC Schalke 04	34	76:55	37-31
7.	1. FC Kaiserslautern	34	66:60	37-31
8.	Rot-Weiss Essen	34	61:67	37-31
9.	**EINTRACHT**	34	79:58	36-32
10.	MSV Duisburg	34	55:62	33-35
11.	Hertha BSC	34	59:61	32-36
12.	Fortuna Düsseldorf	34	47:57	30-38
13.	Werder Bremen	34	44:55	30-38
14.	VfL Bochum	34	49:62	30-38
15.	Karlsruher SC	34	46:59	30-38
16.	Hannover 96	34	48:60	27-41
17.	Kickers Offenbach	34	40:72	27-41
18.	Bayer Uerdingen	34	28:69	22-46

Saison 1976/77
Bundesliga:

1.	Bor. Mönchengladbach	34	58:34	44-24
2.	FC Schalke 04	34	77:52	43-25
3.	Eintracht Braunschweig	34	56:38	43-25
4.	**EINTRACHT**	34	86:57	42-26
5.	1. FC Köln	34	83:61	40-28
6.	Hamburger SV	34	67:56	38-30
7.	Bayern München	34	74:65	37-31
8.	Borussia Dortmund	34	73:64	34-34
9.	MSV Duisburg	34	60:51	34-34
10.	Hertha BSC	34	55:54	34-34
11.	Werder Bremen	34	51:59	33-35
12.	Fortuna Düsseldorf	34	52:54	31-37
13.	1. FC Kaiserslautern	34	53:59	29-39
14.	1. FC Saarbrücken	34	43:55	29-39
15.	VfL Bochum	34	47:62	29-39
16.	Karlsruher SC	34	53:75	28-40
17.	Tennis Borussia Berlin	34	47:85	22-46
18.	Rot-Weiss Essen	34	49:103	22-46

Saison 1977/78
Bundesliga:

1.	1. FC Köln	34	86:41	48-20
2.	Bor. Mönchengladbach	34	86:44	48-20
3.	Hertha BSC	34	59:48	40-28
4.	VfB Stuttgart	34	58:40	39-29
5.	Fortuna Düsseldorf	34	49:36	39-29
6.	MSV Duisburg	34	62:59	37-31
7.	**EINTRACHT**	34	59:52	36-32
8.	1. FC Kaiserslautern	34	64:63	36-32
9.	FC Schalke 04	34	47:52	34-34
10.	Hamburger SV	34	61:67	34-34
11.	Borussia Dortmund	34	57:71	33-35
12.	Bayern München	34	62:64	32-36
13.	Eintracht Braunschweig	34	43:53	32-36
14.	VfL Bochum	34	49:51	31-37
15.	Werder Bremen	34	48:57	31-37
16.	TSV München 1860	34	41:60	22-46
17.	1. FC Saarbrücken	34	39:70	22-46
18.	FC St. Pauli	34	44:86	18-50

Saison 1978/79
Bundesliga:

1.	Hamburger SV	34	78:32	49-19
2.	VfB Stuttgart	34	73:34	48-20
3.	1. FC Kaiserslautern	34	62:47	43-25
4.	Bayern München	34	69:46	40-28
5.	**EINTRACHT**	34	50:49	39-29
6.	1. FC Köln	34	55:47	38-30
7.	Fortuna Düsseldorf	34	70:59	37-31
8.	VfL Bochum	34	47:46	33-35
9.	Eintracht Braunschweig	34	50:55	33-35
10.	Bor. Mönchengladbach	34	50:53	32-36
11.	Werder Bremen	34	48:60	31-37
12.	Borussia Dortmund	34	54:70	31-37
13.	MSV Duisburg	34	43:56	30-38
14.	Hertha BSC	34	40:50	29-39
15.	FC Schalke 04	34	55:61	28-40
16.	Arminia Bielefeld	34	43:56	26-42
17.	1. FC Nürnberg	34	36:67	24-44
18.	SV Darmstadt 98	34	40:75	21-47

Saison 1979/80
Bundesliga:

1.	Bayern München	34	84:33	50-18
2.	Hamburger SV	34	86:35	48-20
3.	VfB Stuttgart	34	75:53	41-27

1. FC Kaiserslautern	34	75:53	41-27
5. 1. FC Köln	34	72:55	37-21
6. Borussia Dortmund	34	64:56	36-32
7. Bor. Mönchengladbach	34	61:60	36-32
8. FC Schalke 04	34	40:51	33-35
9. **EINTRACHT**	34	65:61	32-36
10. VfL Bochum	34	41:44	32-36
11. Fortuna Düsseldorf	34	62:72	32-36
12. Bayer Leverkusen	34	45:61	32-36
13. TSV München 1860	34	42:53	30-38
14. MSV Duisburg	34	43:57	29-39
15. Bayer Uerdingen	34	43:61	29-39
16. Hertha BSC	34	41:61	29-39
17. Werder Bremen	34	52:93	25-43
18. Eintracht Braunschweig	34	32:64	20-48

Saison 1980/81
Bundesliga:

1. Bayern München	34	89:41	53-15
2. Hamburger SV	34	73:43	49-19
3. VfB Stuttgart	34	70:44	46-22
4. 1. FC Kaiserslautern	34	60:37	44-24
5. **EINTRACHT**	34	61:57	38-30
6. Bor. Mönchengladbach	34	68:64	37-31
7. Borussia Dortmund	34	69:59	35-33
8. 1. FC Köln	34	54:55	34-34
9. VfL Bochum	34	53:45	33-35
10. Karlsruher SC	34	56:63	32-36
11. Bayer Leverkusen	34	52:53	30-38
12. MSV Duisburg	34	45:58	29-39
13. Fortuna Düsseldorf	34	57:64	28-40
14. 1. FC Nürnberg	34	47:57	28-40
15. Arminia Bielefeld	34	46:65	26-42
16. TSV München 1860	34	49:67	25-43
17. FC Schalke 04	34	43:88	23-45
18. Bayer Uerdingen	34	47:79	22-46

Saison 1981/82
Bundesliga:

1. Hamburger SV	34	95:45	48-20
2. 1. FC Köln	34	72:38	45-23
3. Bayern München	34	77:56	43-25
4. 1. FC Kaiserslautern	34	70:61	42-26
5. Werder Bremen	34	61:52	42-26
6. Borussia Dortmund	34	59:40	41-27
7. Bor. Mönchengladbach	34	61:51	40-28
8. **EINTRACHT**	34	83:72	37-31
9. VfB Stuttgart	34	62:55	35-33
10. VfL Bochum	34	52:51	32-36
11. Eintracht Braunschweig	34	61:66	32-36
12. Arminia Bielefeld	34	46:50	30-38
13. 1. FC Nürnberg	34	53:72	28-40
14. Karlsruher SC	34	50:68	27-41
15. Fortuna Düsseldorf	34	48:73	25-43
16. Bayer Leverkusen	34	45:72	25-43
17. SV Darmstadt 98	34	46:82	21-47
18. MSV Duisburg	34	40:77	19-49
Relegation:			
Kickers Offenbach – Bayer Leverkusen		0:1, 1:2	

Saison 1982/83
Bundesliga:

1. Hamburger SV	34	79:33	52-16
2. Werder Bremen	34	76:38	52-16
3. VfB Stuttgart	34	80:47	48-20
4. Bayern München	34	74:33	44-24
5. 1. FC Köln	34	69:42	43-25
6. 1. FC Kaiserslautern	34	57:44	41-27

7. Borussia Dortmund	34	78:62	39-29
8. Arminia Bielefeld	34	46:71	31-37
9. Fortuna Düsseldorf	34	63:75	30-38
10. **EINTRACHT**	34	48:57	29-39
11. Bayer Leverkusen	34	43:66	29-39
12. Bor. Mönchengladbach	34	64:63	28-40
13. VfL Bochum	34	43:49	28-40
14. 1. FC Nürnberg	34	44:70	28-40
15. Eintracht Braunschweig	34	42:65	27-41
16. FC Schalke 04	34	48:68	22-46
17. Karlsruher SC	34	39:86	21-47
18. Hertha BSC	34	43:67	20-48
Relegation:			
Bayer Uerdingen – FC Schalke 04		3:1, 1:1	

Saison 1983/84
Bundesliga:

1. VfB Stuttgart	34	79:33	48-20
2. Hamburger SV	34	75:36	48-20
3. Bor. Mönchengladbach	34	81:48	48-20
4. Bayern München	34	84:41	47-21
5. Werder Bremen	34	79:46	45-23
6. 1. FC Köln	34	70:57	38-30
7. Bayer Leverkusen	34	50:50	34-34
8. Arminia Bielefeld	34	40:49	33-35
9. Eintracht Braunschweig	34	54:69	32-36
10. Bayer Uerdingen	34	66:79	31-37
11. SV Waldhof Mannheim	34	45:58	31-37
12. 1. FC Kaiserslautern	34	68:69	30-38
13. Borussia Dortmund	34	54:65	30-38
14. Fortuna Düsseldorf	34	63:75	29-39
15. VfL Bochum	34	58:70	28-40
16. **EINTRACHT**	34	45:61	27-41
17. Kickers Offenbach	34	48:106	19-49
18. 1. FC Nürnberg	34	38:85	14-54
Relegation:			
MSV Duisburg – Eintracht		0:5, 1:1	

Saison 1984/85
Bundesliga:

1. Bayern München	34	79:38	50-18
2. Werder Bremen	34	87:51	46-22
3. 1. FC Köln	34	69:66	40-28
4. Bor. Mönchengladbach	34	77:53	39-29
5. Hamburger SV	34	58:49	37-31
6. SV Waldhof Mannheim	34	47:50	37-31
7. Bayer Uerdingen	34	57:52	36-32
8. FC Schalke 04	34	63:62	34-34
9. VfL Bochum	34	52:54	34-34
10. VfB Stuttgart	34	79:59	33-35
11. 1. FC Kaiserslautern	34	56:60	33-35
12. **EINTRACHT**	34	62:67	32-36
13. Bayer Leverkusen	34	52:54	31-37
14. Borussia Dortmund	34	51:65	30-38
15. Fortuna Düsseldorf	34	53:66	29-39
16. Arminia Bielefeld	34	46:61	29-39
17. Karlsruher SC	34	47:88	22-46
18. Eintracht Braunschweig	34	39:79	20-48
Relegation:			
1. FC Saarbrücken – Arminia Bielefeld		2:0, 1:1	

Saison 1985/86
Bundesliga:

1. Bayern München	34	82:31	49-19
2. Werder Bremen	34	83:41	49-19
3. Bayer Uerdingen	34	63:60	45-23
4. Bor. Mönchengladbach	34	65:51	42-26
5. VfB Stuttgart	34	69:45	41-27

6.	Bayer Leverkusen	34	63:51	40-28
7.	Hamburger SV	34	52:35	39-29
8.	SV Waldhof Mannheim	34	41:44	33-35
9.	VfL Bochum	34	55:57	32-36
10.	FC Schalke 04	34	53:58	30-38
11.	1. FC Kaiserslautern	34	49:54	30-38
12.	1. FC Nürnberg	34	51:54	29-39
13.	1. FC Köln	34	46:59	29-39
14.	Fortuna Düsseldorf	34	54:78	29-39
15.	**EINTRACHT**	34	35:49	28-40
16.	Borussia Dortmund	34	49:65	28-40
17.	1. FC Saarbrücken	34	39:68	21-47
18.	Hannover 96	34	43:92	18-50

Relegation:
Fortuna Köln – Borussia Dortmund   2:0, 1:3, 0:8

Saison 1986/87
Bundesliga:

1.	Bayern München	34	67:31	53-15
2.	Hamburger SV	34	69:37	47-21
3.	Bor. Mönchengladbach	34	74:44	43-25
4.	Borussia Dortmund	34	70:50	40-28
5.	Werder Bremen	34	65:54	40-28
6.	Bayer Leverkusen	34	56:38	39-29
7.	1. FC Kaiserslautern	34	64:51	37-31
8.	Bayer Uerdingen	34	51:49	35-33
9.	1. FC Nürnberg	34	62:62	35-33
10.	1. FC Köln	34	50:53	35-33
11.	VfL Bochum	34	52:44	32-36
12.	VfB Stuttgart	34	55:49	32-36
13.	FC Schalke 04	34	50:58	32-36
14.	SV Waldhof Mannheim	34	52:71	28-40
15.	**EINTRACHT**	34	33:79	25-43
16.	FC Homburg	34	33:79	21-47
17.	Fortuna Düsseldorf	34	42:91	20-48
18.	Blau-Weiß 90 Berlin	34	36:76	18-50

Relegation:
FC Homburg – FC St. Pauli   3:1, 1:2

Saison 1987/88
Bundesliga:

1.	Werder Bremen	34	61:22	52-16
2.	Bayern München	34	83:45	48-20
3.	1. FC Köln	34	57:28	48-20
4.	VfB Stuttgart	34	69:49	40-28
5.	1. FC Nürnberg	34	44:40	37-31
6.	Hamburger SV	34	63:68	37-31
7.	Bor. Mönchengladbach	34	55:53	33-35
8.	Bayer Leverkusen	34	53:60	32-36
9.	**EINTRACHT**	34	51:50	31-37
10.	Hannover 96	34	59:60	31-37
11.	Bayer Uerdingen	34	59:61	31-37
12.	VfL Bochum	34	47:51	30-38
13.	Borussia Dortmund	34	51:54	29-39
14.	1. FC Kaiserslautern	34	53:62	29-39
15.	Karlsruher SC	34	37:55	29-39
16.	SV Waldhof Mannheim	34	35:50	28-40
17.	FC Homburg	34	37:70	24-44
18.	FC Schalke 04	34	48:84	23-45

Relegation:
SV Darmstadt 98 – SV Waldhof Mannheim   3:2, 1:2
              n.V. 0:0, Elfmeterschießen 4:5

Saison 1988/89
Bundesliga:

1.	Bayern München	34	67:26	50-18
2.	1. FC Köln	34	58:30	45-23
3.	Werder Bremen	34	55:32	44-24

4.	Hamburger SV	34	60:36	43-25
5.	VfB Stuttgart	34	58:49	39-29
6.	Bor. Mönchengladbach	34	44:43	38-30
7.	Borussia Dortmund	34	56:40	37-31
8.	Bayer Leverkusen	34	45:44	34-34
9.	1. FC Kaiserslautern	34	47:44	33-35
10.	FC St. Pauli	34	41:42	32-36
11.	Karlsruher SC	34	48:51	32-36
12.	SV Waldhof Mannheim	34	43:52	31-37
13.	Bayer Uerdingen	34	50:60	31-37
14.	1. FC Nürnberg	34	36:54	26-42
15.	VfL Bochum	34	37:57	26-42
16.	**EINTRACHT**	34	30:53	26-42
17.	Stuttgarter Kickers	34	41:68	26-42
18.	Hannover 96	34	36:71	19-49

Relegation:
Eintracht – 1. FC Saarbrücken   2:0, 1:2

Saison 1989/90
Bundesliga:

1.	Bayern München	34	64:28	49-19
2.	1. FC Köln	34	54:44	43-25
3.	**EINTRACHT**	34	61:40	41-27
4.	Borussia Dortmund	34	51:35	41-27
5.	Bayer Leverkusen	34	40:32	39-29
6.	VfB Stuttgart	34	53:47	36-32
7.	Werder Bremen	34	49:41	34-34
8.	1. FC Nürnberg	34	42:46	33-35
9.	Fortuna Düsseldorf	34	41:41	32-36
10.	Karlsruher SC	34	32:39	32-36
11.	Hamburger SV	34	39:46	31-37
12.	1. FC Kaiserslautern	34	42:55	31-37
13.	FC St. Pauli	34	31:46	31-37
14.	Bayer Uerdingen	34	41:48	30-38
15.	Bor. Mönchengladbach	34	37:45	30-38
16.	VfL Bochum	34	44:53	29-39
17.	SV Waldhof Mannheim	34	36:53	26-42
18.	FC Homburg	34	33:51	24-44

Relegation:
1. FC Saarbrücken – VfL Bochum   0:1, 1:1

Saison 1990/91
Bundesliga:

1.	1. FC Kaiserslautern	34	72:45	48-20
2.	Bayern München	34	74:41	45-23
3.	Werder Bremen	34	46:29	42-26
4.	**EINTRACHT**	34	63:40	40-28
5.	Hamburger SV	34	60:38	40-28
6.	VfB Stuttgart	34	47:44	38-30
7.	1. FC Köln	34	50:43	37-31
8.	Bayer Leverkusen	34	47:46	35-33
9.	Bor. Mönchengladbach	34	49:54	35-33
10.	Borussia Dortmund	34	46:57	34-34
11.	SG Wattenscheid 09	34	42:51	33-35
12.	Fortuna Düsseldorf	34	40:49	32-36
13.	Karlsruher SC	34	46:52	31-37
14.	VfL Bochum	34	50:52	29-39
15.	1. FC Nürnberg	34	40:54	29-39
16.	FC St. Pauli	34	33:53	27-41
17.	Bayer Uerdingen	34	34:54	23-45
18.	Hertha BSC	34	37:84	14-54

Relegation:
FC St. Pauli – Stuttgarter Kickers   1:1, 1:1, 1:3

Saison 1991/92
Bundesliga:

1.	VfB Stuttgart	38	62:32	52-24
2.	Borussia Dortmund	38	66:47	52-24

3.	**EINTRACHT**	38	76:41	50-26
4.	1. FC Köln	38	58:41	44-32
5.	1. FC Kaiserslautern	38	58:42	44-32
6.	Bayer Leverkusen	38	53:39	43-33
7.	1. FC Nürnberg	38	54:51	43-33
8.	Karlsruher SC	38	48:50	41-35
9.	Werder Bremen	38	44:45	38-38
10.	Bayern München	38	59:61	36-40
11.	FC Schalke 04	38	45:45	34-42
12.	Hamburger SV	38	32:43	34-42
13.	Bor. Mönchengladbach	38	37:49	34-42
14.	Dynamo Dresden	38	34:50	34-42
15.	VfL Bochum	38	38:55	33-43
16.	SG Wattenscheid 09	38	50:60	32-44
17.	Stuttgarter Kickers	38	53:64	31-45
18.	Hansa Rostock	38	43:55	31-45
19.	MSV Duisburg	38	43:55	30-46
20.	Fortuna Düsseldorf	38	41:69	24-52

Saison 1992/93
Bundesliga:

1.	Werder Bremen	34	63:30	48-20
2.	Bayern München	34	74:45	47-21
3.	**EINTRACHT**	34	56:39	42-26
4.	Borussia Dortmund	34	61:43	41-27
5.	Bayer Leverkusen	34	64:45	40-28
6.	Karlsruher SC	34	60:54	39-29
7.	VfB Stuttgart	34	56:50	36-32
8.	1. FC Kaiserslautern	34	50:40	35-33
9.	Bor. Mönchengladbach	34	59:59	35-33
10.	FC Schalke 04	34	42:43	34-34
11.	Hamburger SV	34	42:44	31-37
12.	1. FC Köln	34	41:51	28-40
13.	1. FC Nürnberg	34	30:47	28-40
14.	SG Wattenscheid 09	34	46:67	28-40
15.	Dynamo Dresden	34	32:59	27-41
16.	VfL Bochum	34	45:52	26-42
17.	Bayer Uerdingen	34	35:64	24-44
18.	1. FC Saarbrücken	34	37:71	23-45

Das Spiel Bayer Uerdingen – Eintracht (2:5) wurde mit 2:0 Toren und 2-0 Punkten für Uerdingen gewertet, da die Eintracht unerlaubterweise vier Ausländer gleichzeitig eingesetzt hatte. Die fünf Tore sind jedoch in der Torstatistik berücsichtigt.

Saison 1993/94
Bundesliga:

1.	Bayern München	34	68:37	44-24
2.	1. FC Kaiserslautern	34	64:36	43-25
3.	Bayer Leverkusen	34	60:47	39-29
4.	Borussia Dortmund	34	49:45	39-29
5.	**EINTRACHT**	34	57:41	38-30
6.	Karlsruher SC	34	46:43	38-30
7.	VfB Stuttgart	34	51:43	37-31
8.	Werder Bremen	34	51:44	36-32
9.	MSV Duisburg	34	41:52	36-32
10.	Bor. Mönchengladbach	34	65:59	35-33
11.	1. FC Köln	34	49:51	34-34
12.	Hamburger SV	34	48:52	34-34
13.	Dynamo Dresden	34	34:44	30-34
14.	FC Schalke 04	34	38:50	29-39
15.	SC Freiburg	34	54:57	28-40
16.	1. FC Nürnberg	34	41:55	28-40
17.	SG Wattenscheid 09	34	48:70	23-45
18.	VfB Leipzig	34	32:69	17-51

Dynamo Dresden wurden wegen Verstoßes gegen Lizenzierungs-auflagen vier Pluspunkte abgezogen.

Saison 1994/95
Bundesliga:

1.	Borussia Dortmund	34	67:33	49-19
2.	Werder Bremen	34	70:39	48-20
3.	SC Freiburg	34	66:44	46-22
4.	1. FC Kaiserslautern	34	58:41	46-22
5.	Bor. Mönchengladbach	34	66:41	43-25
6.	Bayern München	34	55:41	43-25
7.	Bayer Leverkusen	34	62:51	36-32
8.	Karlsruher SC	34	51:47	36-32
9.	**EINTRACHT**	34	41:49	33-35
10.	1. FC Köln	34	54:54	32-36
11.	FC Schalke 04	34	48:54	31-37
12.	VfB Stuttgart	34	52:66	30-38
13.	Hamburger SV	34	43:50	29-39
14.	TSV München 1860	34	41:57	27-41
15.	Bayer Uerdingen	34	37:52	25-43
16.	VfL Bochum	34	43:67	22-46
17.	MSV Duisburg	34	31:64	20-48
18.	Dynamo Dresden	34	33:68	16-52

Das Spiel Eintracht – Bayern München (2:5) wurde mit 2:0 Toren und 2-0 Punkten für die Eintracht gewertet, da Bayern unerlaubter-weise vier Amateure eingesetzt hatte. Die beiden Tore sind jedoch in der Torstatistik berücsichtigt.

Saison 1995/96
Bundesliga:
(Ab dieser Saison gibt es drei Punkte für den Sieg.)

1.	Borussia Dortmund	34	76:38	68
2.	Bayern München	34	66:46	62
3.	FC Schalke 04	34	45:36	56
4.	Bor. Mönchengladbach	34	52:51	53
5.	Hamburger SV	34	52:47	50
6.	Hansa Rostock	34	47:43	49
7.	Karlsruher SC	34	53:47	48
8.	TSV München 1860	34	52:46	45
9.	Werder Bremen	34	39:42	44
10.	VfB Stuttgart	34	59:62	43
11.	SC Freiburg	34	30:41	42
12.	1. FC Köln	34	33:35	40
13.	Fortuna Düsseldorf	34	40:47	40
14.	Bayer Leverkusen	34	37:38	38
15.	FC St. Pauli	34	43:51	38
16.	1. FC Kaiserslautern	34	31:37	36
17.	**EINTRACHT**	34	43:68	32
18.	KFC Uerdingen 05	34	33:56	26

Saison 1996/97
2. Bundesliga:

1.	1. FC Kaiserslautern	34	74:28	68
2.	VfL Wolfsburg	34	52:29	58
3.	Hertha BSC	34	57:38	58
4.	1. FSV Mainz 05	34	50:34	54
5.	Stuttgarter Kickers	34	38:27	53
6.	SpVgg Unterhaching	34	35:29	49
7.	**EINTRACHT**	34	43:46	48
8.	VfB Leipzig	34	53:54	46
9.	KFC Uerdingen 05	34	46:44	44
10.	SV Meppen	34	44:48	44
11.	Fortuna Köln	34	52:47	42
12.	Carl Zeiss Jena	34	44:49	42
13.	FC Gütersloh	34	43:51	42
14.	FSV Zwickau	34	34:48	42
15.	SV Waldhof Mannheim	34	45:56	40
16.	VfB Lübeck	34	32:53	36
17.	Rot-Weiß Essen	34	47:74	29
18.	VfB Oldenburg	34	33:67	27

Dem FC Gütersloh wurden wegen eines Verstoßes im Lizenzie-rungsverfahren drei Punkte abgezogen.

Saison 1997/98
2. Bundesliga:

1.	**EINTRACHT**	34	50:32	64
2.	SC Freiburg	34	57:36	61
3.	1. FC Nürnberg	34	52:35	59
4.	FC St. Pauli	34	43:31	56
5.	FC Gütersloh	34	43:26	55
6.	Fortuna Köln	34	53:53	46
7.	Fortuna Düsseldorf	34	52:54	46
8.	Energie Cottbus	34	38:36	45
9.	SpVgg Greuther Fürth	34	32:32	45
10.	1. FSV Mainz 05	34	55:48	44
11.	SpVgg Unterhaching	34	41:35	44
12.	Stuttgarter Kickers	34	44:47	44
13.	KFC Uerdingen 05	34	36:40	43
14.	SG Wattenscheid 09	34	41:41	40
15.	VfB Leipzig	34	31:51	39
16.	Carl Zeiss Jena	34	39:61	33
17.	FSV Zwickau	34	32:55	28
18.	SV Meppen	34	35:61	27

Saison 1998/99
Bundesliga:

1.	Bayern München	34	76:28	78
2.	Bayer Leverkusen	34	61:30	63
3.	Hertha BSC	34	59:32	62
4.	Borussia Dortmund	34	48:34	57
5.	1. FC Kaiserslautern	34	51:47	57
6.	VfL Wolfsburg	34	54:49	55
7.	Hamburger SV	34	47:46	50
8.	MSV Duisburg	34	48:45	49
9.	TSV München 1860	34	49:56	41
10.	FC Schalke 04	34	41:54	41
11.	VfB Stuttgart	34	41:48	39
12.	SC Freiburg	34	36:44	39
13.	Werder Bremen	34	41:47	38
14.	Hansa Rostock	34	49:58	38
15.	**EINTRACHT**	34	44:54	37
16.	1. FC Nürnberg	34	40:50	37
17.	VfL Bochum	34	40:65	29
18.	Bor. Mönchengladbach	34	41:79	21

Saison 1999/2000
Bundesliga:

1.	Bayern München	34	73:28	73
2.	Bayer Leverkusen	34	74:36	73
3.	Hamburger SV	34	63:39	59
4.	TSV München 1860	34	55:48	53
5.	1. FC Kaiserslautern	34	54:59	50
6.	Hertha BSC	34	39:46	50
7.	VfL Wolfsburg	34	51:58	49
8.	VfB Stuttgart	34	44:47	48
9.	Werder Bremen	34	65:52	47
10.	SpVgg Unterhaching	34	40:42	44
11.	Borussia Dortmund	34	41:38	40
12.	SC Freiburg	34	45:50	40
13.	FC Schalke 04	34	42:44	39
14.	**EINTRACHT**	34	42:44	39
15.	Hansa Rostock	34	44:60	38
16.	SSV Ulm 1846	34	36:62	35
17.	Arminia Bielefeld	34	40:61	30
18.	MSV Duisburg	34	37:71	22

Der Eintracht wurden wegen Lizenzverstößen in der laufenden Saison zwei Punkte abgezogen.

Saison 2000/01
Bundesliga:

1.	Bayern München	34	62:37	63
2.	FC Schalke 04	34	65:35	62
3.	Borussia Dortmund	34	62:42	58
4.	Bayer Leverkusen	34	54:40	57
5.	Hertha BSC	34	58:52	56
6.	SC Freiburg	34	54:37	55
7.	Werder Bremen	34	53:48	53
8.	1. FC Kaiserslautern	34	49:54	50
9.	VfL Wolfsburg	34	60:45	47
10.	1. FC Köln	34	59:52	46
11.	TSV München 1860	34	43:55	44
12.	Hansa Rostock	34	34:47	43
13.	Hamburger SV	34	58:58	41
14.	Energie Cottbus	34	38:52	39
15.	VfB Stuttgart	34	42:49	38
16.	SpVgg Unterhaching	34	35:59	35
17.	**EINTRACHT**	34	41:68	35
18.	VfL Bochum	34	30:67	27

Saison 2001/02
2. Bundesliga:

1.	Hannover 96	34	93:37	75
2.	Arminia Bielefeld	34	68:38	65
3.	VfL Bochum	34	69:49	65
4.	1. FSV Mainz 05	34	66:38	64
5.	SpVgg Greuther Fürth	34	62:41	59
6.	1. FC Union Berlin	34	61:41	56
7.	**EINTRACHT**	34	52:44	54
8.	LR Ahlen	34	60:70	48
9.	SV Waldhof Mannheim	34	42:48	45
10.	SSV Reutlingen	34	53:67	44
11.	MSV Duisburg	34	56:57	43
12.	Rot-Weiß Oberhausen	34	55:49	42
13.	Karlsruher SC	34	45:51	41
14.	Alemannia Aachen	34	41:67	40
15.	SpVgg Unterhaching	34	40:49	38
16.	1. FC Saarbrücken	34	30:74	25
17.	1. FC Schweinfurt 05	34	30:70	24
18.	SV Babelsberg 03	34	39:82	18

Saison 2002/03
2. Bundesliga:

1.	SC Freiburg	34	58:32	67
2.	1. FC Köln	34	63:45	65
3.	**EINTRACHT**	34	59:33	62
4.	1. FSV Mainz 05	34	64:39	62
5.	SpVgg Greuther Fürth	34	55:35	57
6.	Alemannia Aachen	34	57:48	51
7.	Eintracht Trier	34	53:46	48
8.	MSV Duisburg	34	42:47	46
9.	1. FC Union Berlin	34	36:48	45
10.	Wacker Burghausen	34	48:41	44
11.	VfB Lübeck	34	51:50	44
12.	LR Ahlen	34	48:60	40
13.	Karlsruher SC	34	35:47	39
14.	Rot-Weiß Oberhausen	34	38:48	37
15.	Eintracht Braunschweig	34	33:53	34
16.	SSV Reutlingen	34	43:53	33
17.	FC St. Pauli	34	48:67	31
18.	SV Waldhof Mannheim	34	32:71	25

Dem SSV Reutlingen wurden wegen Verstößen im Lizenzierungsverfahren sechs Punkte abgezogen.

Saison 2003/04
Bundesliga:

1.	Werder Bremen	34	79:38	74
2.	Bayern München	34	70:39	68
3.	Bayer Leverkusen	34	73:39	65
4.	VfB Stuttgart	34	52:24	64
5.	VfL Bochum	34	57:39	56
6.	Borussia Dortmund	34	59:48	55
7.	FC Schalke 04	34	49:42	50
8.	Hamburger SV	34	47:60	49
9.	Hansa Rostock	34	55:54	44
10.	VfL Wolfsburg	34	56:61	42
11.	Bor. Mönchengladbach	34	40:49	39
12.	Hertha BSC	34	42:59	39
13.	SC Freiburg	34	42:67	38
14.	Hannover 96	34	49:63	37
15.	1. FC Kaiserslautern	34	39:62	36
16.	**EINTRACHT**	34	36:53	32
17.	TSV München 1860	34	32:55	32
18.	1. FC Köln	34	32:57	23

Dem 1. FC Kaiserslautern wurden wegen Verstößen gegen Lizenzierungsauflagen drei Punkte abgezogen.

Saison 2004/05
2. Bundesliga:

1.	1. FC Köln	34	62:33	67
2.	MSV Duisburg	34	50:37	62
3.	**EINTRACHT**	34	65:39	61
4.	TSV München 1860	34	52:39	57
5.	SpVgg Greuther Fürth	34	51:42	56
6.	Alemannia Aachen	34	60:40	54
7.	Erzgebirge Aue	34	49:40	51
8.	Dynamo Dresden	34	48:53	49
9.	Wacker Burghausen	34	48:55	48
10.	SpVgg Unterhaching	34	40:43	45
11.	Karlsruher SC	34	46:47	43
12.	1. FC Saarbrücken	34	44:50	40
13.	LR Ahlen	34	43:49	39
14.	Energie Cottbus	34	35:48	39
15.	Eintracht Trier	34	39:53	39
16.	Rot-Weiß Oberhausen	34	40:62	34
17.	Rot-Weiss Essen	34	35:51	33
18.	Rot-Weiß Erfurt	34	34:60	30

Saison 2005/06
Bundesliga:

1.	Bayern München	34	67:32	75
2.	Werder Bremen	34	79:37	70
3.	Hamburger SV	34	53:30	68
4.	FC Schalke 04	34	47:31	61
5.	Bayer Leverkusen	34	64:49	52
6.	Hertha BSC	34	52:48	48
7.	Borussia Dortmund	34	45:42	46
8.	1. FC Nürnberg	34	49:51	44
9.	VfB Stuttgart	34	37:39	43
10.	Bor. Mönchengladbach	34	42:50	42
11.	1. FSV Mainz 05	34	46:47	38
12.	Hannover 96	34	43:47	38
13.	Arminia Bielefeld	34	32:47	37
14.	**EINTRACHT**	34	42:51	36
15.	VfL Wolfsburg	34	33:55	34
16.	1. FC Kaiserslautern	34	47:71	33
17.	1. FC Köln	34	49:71	30
18.	MSV Duisburg	34	34:63	27

Saison 2006/07
Bundesliga:

1.	VfB Stuttgart	34	61:37	70
2.	FC Schalke 04	34	53:32	68
3.	Werder Bremen	34	76:40	66
4.	Bayern München	34	55:40	60
5.	Bayer Leverkusen	34	54:49	51
6.	1. FC Nürnberg	34	43:32	48
7.	Hamburger SV	34	43:37	45
8.	VfL Bochum	34	49:50	45
9.	Borussia Dortmund	34	41:43	44
10.	Hertha BSC	34	50:55	44
11.	Hannover 96	34	41:50	44
12.	Arminia Bielefeld	34	47:49	42
13.	Energie Cottbus	34	38:49	41
14.	**EINTRACHT**	34	46:58	40
15.	VfL Wolfsburg	34	37:45	37
16.	1. FSV Mainz 05	34	34:57	34
17.	Alemannia Aachen	34	46:70	34
18.	Bor. Möchengladbach	34	23:44	26

Saison 2007/08
Bundesliga:

1.	Bayern München	34	68:21	76
2.	Werder Bremen	34	75:45	66
3.	FC Schalke 04	34	55:32	64
4.	Hamburger SV	34	47:26	54
5.	VfL Wolfsburg	34	58:46	54
6.	VfB Stuttgart	34	57:57	52
7.	Bayer Leverkusen	34	57:40	51
8.	Hannover 96	34	54:56	49
9.	**EINTRACHT**	34	43:50	46
10.	Hertha BSC	34	39:44	44
11.	Karlsruher SC	34	38:53	43
12.	VfL Bochum	34	48:54	41
13.	Borussia Dortmund	34	50:62	40
14.	Energie Cottbus	34	35:56	36
15.	Arminia Bielefeld	34	35:60	34
16.	1. FC Nürnberg	34	35:51	31
17.	Hansa Rostock	34	30:52	30
18.	MSV Duisburg	34	36:55	29

Saison 2008/09
Bundesliga:

1.	VfL Wolfsburg	34	80:41	69
2.	Bayern München	34	71:42	67
3.	VfB Stuttgart	34	63:43	64
4.	Hertha BSC	34	48:41	63
5.	Hamburger SV	34	49:47	61
6.	Borussia Dortmund	34	60:37	59
7.	TSG 1899 Hoffenheim	34	63:49	55
8.	FC Schalke 04	34	47:35	50
9.	Bayer Leverkusen	34	59:46	49
10.	Werder Bremen	34	64:50	45
11.	Hannover 96	34	49:69	40
12.	1. FC Köln	34	35:50	39
13.	**EINTRACHT**	34	39:60	33
14.	VfL Bochum	34	39:55	32
15.	Bor. Mönchengladbach	34	39:62	31
16.	Energie Cottbus	34	30:57	30
17.	Karlsruher SC	34	30:54	29
18.	Arminia Bielefeld	34	29:56	28

Relegation:
Energie Cottbus – 1. FC Nürnberg   0:3, 0:2

Saison 2009/10

Bundesliga:

1.	Bayern München	34	72:31	70
2.	FC Schalke 04	34	53:31	65
3.	Werder Bremen	34	71:40	61
4.	Bayer Leverkusen	34	65:38	59
5.	Borussia Dortmund	34	54:42	57
6.	VfB Stuttgart	34	51:41	55
7.	Hamburger SV	34	56:41	52
8.	VfL Wolfsburg	34	64:58	50
9.	1. FSV Mainz 05	34	36:42	47
10.	**EINTRACHT**	34	47:54	46
11.	TSG 1899 Hoffenheim	34	44:42	42
12.	Bor. Mönchengladbach	34	43:60	39
13.	1. FC Köln	34	33:42	38
14.	SC Freiburg	34	35:59	35
15.	Hannover 96	34	43:67	33
16.	1. FC Nürnberg	34	32:58	31
17.	VfL Bochum	34	33:64	28
18.	Hertha BSC	34	34:56	24

Relegation:
1. FC Nürnberg – FC Augsburg   1:0, 2:0

Saison 2010/11

Bundesliga:

1.	Borussia Dortmund	34	67:22	75
2.	Bayer Leverkusen	34	64:44	68
3.	Bayern München	34	81:40	65
4.	Hannover 96	34	49:45	60
5.	1. FSV Mainz 05	34	52:39	58
6.	1. FC Nürnberg	34	47:45	47
7.	1. FC Kaiserslautern	34	48:51	46
8.	Hamburger SV	34	46:52	45
9.	SC Freiburg	34	41:50	44
10.	1. FC Köln	34	47:62	44
11.	TSG 1899 Hoffenheim	34	50:50	43
12.	VfB Stuttgart	34	60:59	42
13.	Werder Bremen	34	47:61	41
14.	FC Schalke 04	34	38:44	40
15.	VfL Wolfsburg	34	43:48	38
16.	Bor. Mönchengladbach	34	48:65	36
17.	**EINTRACHT**	34	31:49	34
18.	FC St. Pauli	34	35:68	29

Relegation:
Bor. Mönchengladbach – VfL Bochum   1:0, 1:1

Saison 2011/12

2. Bundesliga:

1	SpVgg Greuther Fürth	34	73:27	70
2.	**EINTRACHT**	34	76:33	68
3.	Fortuna Düsseldorf	34	64:35	62
4.	FC St. Pauli	34	59:34	62
5.	SC Paderborn 07	34	51:42	61
6.	TSV München 1860	34	62:46	57
7.	1. FC Union Berlin	34	55:58	48
8.	Eintracht Braunschweig	34	37:35	45
9.	Dynamo Dresden	34	50:52	45
10.	MSV Duisburg	34	42:47	39
11.	VfL Bochum	34	41:55	37
12.	FC Ingolstadt 04	34	43:58	37
13.	FSV Frankfurt	34	43:59	35
14.	Energie Cottbus	34	30:49	35
15.	Erzgebirge Aue	34	31:55	35
16.	Karlsruher SC	34	34:60	33
17.	Alemannia Aachen	34	30:47	31
18.	Hansa Rostock	34	34:63	27

Bundesliga-Relegation:
Hertha BSC – Fortuna Düsseldorf   1:2, 2:2
Zweitliga-Relegation:
Jahn Regensburg – Karlsruher SC   1:1, 2:2

Saison 2012/13

Bundesliga:

1.	Bayern München	34	98:18	91
2.	Borussia Dortmund	34	81:42	66
3.	Bayer Leverkusen	34	65:39	65
4.	FC Schalke 04	34	58:50	55
5.	SC Freiburg	34	45:40	51
6.	**EINTRACHT**	34	49:46	51
7.	Hamburger SV	34	42:53	48
8.	Bor. Mönchengladbach	34	45:49	47
9.	Hannover 96	34	60:62	45
10.	1. FC Nürnberg	34	39:47	44
11.	VfL Wolfsburg	34	47:52	43
12.	VfB Stuttgart	34	37:55	43
13.	1. FSV Mainz 05	34	42:44	42
14.	Werder Bremen	34	50:66	34
15.	FC Augsburg	34	33:51	33
16.	TSG 1899 Hoffenheim	34	42:67	31
17.	Fortuna Düsseldorf	34	39:57	30
18.	SpVgg Greuther Fürth	34	26:60	21

Relegation:
TSG 1899 Hoffenheim – 1. FC Kaiserslautern   3:1, 2:1

Saison 2013/14

Bundesliga:

1.	Bayern München	34	94:23	90
2.	Borussia Dortmund	34	80:38	71
3.	FC Schalke 04	34	63:43	64
4.	Bayer Leverkusen	34	60:41	61
5.	VfL Wolfsburg	34	63:50	60
6.	Bor. Mönchengladbach	34	59:43	55
7.	1. FSV Mainz 05	34	52:54	53
8.	FC Augsburg	34	47:47	52
9.	TSG 1899 Hoffenheim	34	72:70	44
10.	Hannover 96	34	46:59	42
11.	Hertha BSC	34	40:48	41
12.	Werder Bremen	34	42:66	39
13.	**EINTRACHT**	34	40:57	36
14.	SC Freiburg	34	43:61	36
15.	VfB Stuttgart	34	49:62	32
16.	Hamburger SV	34	51:75	27
17.	1. FC Nürnberg	34	37:70	26
18.	Eintracht Braunschweig	34	29:60	25

Relegation:
Hamburger SV – SpVgg Greuther Fürth   0:0, 1:1

Saison 2014/15

Bundesliga:

1.	Bayern München	34	80:18	79
2.	VfL Wolfsburg	34	72:38	69
3.	Bor. Mönchengladbach	34	53:26	66
4.	Bayer Leverkusen	34	62:37	61
5.	FC Augsburg	34	43:43	49
6.	FC Schalke 04	34	42:40	48
7.	Borussia Dortmund	34	47:42	46
8.	TSG 1899 Hoffenheim	34	49:55	44
9.	**EINTRACHT**	34	56:62	43
10.	Werder Bremen	34	50:65	43
11.	1. FSV Mainz 05	34	45:47	40
12.	1. FC Köln	34	34:40	40
13.	Hannover 96	34	40:56	37
14.	VfB Stuttgart	34	42:60	36
15.	Hertha BSC	34	36:52	35
16.	Hamburger SV	34	25:50	35
17.	SC Freiburg	34	36:47	34
18.	SC Paderborn 07	34	31:65	31

Relegation:
Hamburger SV – Karlsruher SC   1:1, n. V. 2:1

Saison 2015/16
Bundesliga:

1.	Bayern München	34	80:17	88
2.	Borussia Dortmund	34	82:34	78
3.	Bayer Leverkusen	34	56:40	60
4.	Bor. Mönchengladbach	34	67:50	55
5.	FC Schalke 04	34	51:49	52
6.	1. FSV Mainz 05	34	46:42	50
7.	Hertha BSC	34	42:42	50
8.	VfL Wolfsburg	34	47:49	45
9.	1. FC Köln	34	38:42	43
10.	Hamburger SV	34	40:46	41
11.	FC Ingolstadt 04	34	33:42	40
12.	FC Augsburg	34	42:52	38
13.	Werder Bremen	34	50:65	38
14.	SV Darmstadt 98	34	38:53	38
15.	TSG 1899 Hoffenheim	34	39:54	37
16.	**EINTRACHT**	34	34:52	36
17.	VfB Stuttgart	34	50:75	33
18.	Hannover 96	34	31:62	31

Relegation:
Eintracht – 1. FC Nürnberg   1:1, 1:0

Saison 2016/17
Bundesliga:

1.	Bayern München	34	89:22	82
2.	RB Leipzig	34	66:39	67
3.	Borussia Dortmund	34	72:40	64
4.	TSG 1899 Hoffenheim	34	64:37	62
5.	1. FC Köln	34	51:42	49
6.	Hertha BSC	34	43:47	49
7.	SC Freiburg	34	42:60	48
8.	Werder Bremen	34	61:64	45
9.	Bor. Mönchengladbach	34	45:49	45
10.	FC Schalke 04	34	45:40	43
11.	**EINTRACHT**	34	36:43	42
12.	Bayer Leverkusen	34	53:55	41
13.	FC Augsburg	34	35:51	38
14.	Hamburger SV	34	33:61	38
15.	1. FSV Mainz 05	34	44:55	37
16.	VfL Wolfsburg	34	34:52	37
17.	FC Ingolstadt 04	34	36:57	32
18.	SV Darmstadt 98	34	28:63	25

Relegation:
VfL Wolfsburg – Eintracht Braunschweig   1:0, 1:0

Saison 2017/18
Bundesliga:

1.	Bayern München (M)	34	92:28	84
2.	FC Schalke 04	34	53:37	63
3.	TSG 1899 Hoffenheim	34	66:48	55
4.	Borussia Dortmund (P)	34	64:47	55
5.	Bayer Leverkusen	34	58:44	55
6.	RB Leipzig	34	57:53	53
7.	VfB Stuttgart (N)	34	36:36	51
8.	**EINTRACHT**	34	45:45	49
9.	Bor. Mönchengladbach	34	47:52	47
10.	Hertha BSC	34	43:46	43
11.	Werder Bremen	34	37:40	42
12.	FC Augsburg	34	43:46	41
13.	Hannover 96 (N)	34	44:54	39
14.	1. FSV Mainz 05	34	38:52	36
15.	SC Freiburg	34	32:56	36
16.	VfL Wolfsburg	34	36:48	33
17.	Hamburger SV	34	29:53	31
18.	1. FC Köln	34	35:70	22

Relegation:
VfL Wolfsburg – Holstein Kiel   3:1, 1:0

Saison 2018/19
Bundesliga:

1.	Bayern München (M)	34	88:32	78
2.	Borussia Dortmund	34	81:44	76
3.	RB Leipzig	34	63:29	66
4.	Bayer Leverkusen	34	69:52	58
5.	Borussia Mönchengladbach	34	55:42	55
6.	VfL Wolfsburg	34	62:50	55
7.	**EINTRACHT** (P)	34	60:48	54
8.	Werder Bremen	34	58:49	54
9.	TSG 1899 Hoffenheim	34	70:52	51
10.	Fortuna Düsseldorf (N)	34	49:65	44
11.	Hertha BSC	34	49:57	43
12.	1. FSV Mainz 05	34	46:57	43
13.	SC Freiburg	34	46:61	36
14.	FC Schalke 04	34	37:55	33
15.	FC Augsburg	34	51:71	32
16.	VfB Stuttgart	34	32:70	28
17.	Hannover 96	34	31:71	21
18.	1. FC Nürnberg (N)	34	26:68	19

Relegation:
VfB Stuttgart – 1. FC Union Berlin   2:2, 0:0

Saison 2019/20
Bundesliga:

1.	Bayern München (M, P)	34	100:32	82
2.	Borussia Dortmund	34	84:41	68
3.	RB Leipzig	34	81:37	66
4.	Borussia Mönchengladbach	34	66:40	65
5.	Bayer Leverkusen	34	61:44	63
6.	TSG 1899 Hoffenheim	34	53:53	52
7.	VfL Wolfsburg	34	48:46	49
8.	SC Freiburg	34	48:47	48
9.	Eintracht	34	59:60	45
10.	Hertha BSC	34	48:59	41
11.	1. FC Union Berlin (N)	34	41:58	41
12.	FC Schalke 04	34	38:58	39
13.	1. FSV Mainz 05	34	44:65	37
14.	1. FC Köln (N)	34	51:69	36
15.	FC Augsburg	34	45:63	36
16.	Werder Bremen	34	42:69	31
17.	Fortuna Düsseldorf	34	36:67	30
18.	SC Paderborn 07 (N)	34	37:74	20

Relegation:
Werder Bremen – 1. FC Heidenheim   0:0, 2:2

Süddeutscher, Tschammer- und DFB-Pokal

Saison 1917/18
Süddeutscher Pokal, Nordkreis:
In dieser Saison erstmals ausgetragen. Der Frankfurter FV hatte in der 1. Runde beim FV Neu-Isenburg anzutreten. Da die Mannschaft aber zu spät eintraf, wurde Neu-Isenburg zum Sieger erklärt. Das anschließende Freundschaftsspiel gewann der FFV mit 1:0. Kreis-Pokalsieger wurde der FSV Frankfurt (5:0 gegen TV Offenbach).

Saison 1918/19
Süddeutscher Pokal, Nordkreis:

VF	FFV - Viktoria 94 Hanau	n.V. 1:0
HF	Viktoria Neu-Isenburg - FFV	0:3
E	FFV - Britannia Frankfurt	2:3

Saison 1919/20
Süddeutscher Pokal, Nordkreis:

1	ohne FFV	
2	Viktoria Neu-Isenburg – FFV	0:3

Über die weitere Teilnahme des FFV ist nichts bekannt. Mit dem Ablauf der Spiele waren auch die Verantwortlichen nicht zufrieden. So schreibt der „Fußball" am 16. Juni 1920: „Die ganze Pokalserie leidet an Unübersichtlichkeit. Es wäre vorteilhaft, dass die festgesetzten Spielsonntage prompt eingehalten würden und eine Zentralstelle (Sp. A.) jederzeit über den Stand Auskunft zu geben in der Lage wäre, dass aber namentlich die Resultate der unteren Instanz an die obere gesammelt weitergegeben würden, wenn ihre Spiele erledigt sind. Wir bitten diese einzige Gelegenheit, wo sich alle Klassen als gleichberechtigte gegenüberstehen und die Spieltüchtigkeit der unteren erprobt werden kann, mit der Bedeutung zu behandeln, die ihrem Werte entspricht. Der Pokal ist die demokratischste aller unserer sportlichen Veranstaltungen und infolgedessen mit diejenige, die alle gleich interessiert." Kreispokalsieger wurde der VfR 01 Frankfurt (1:0 gegen Viktoria Aschaffenburg).

Saison 1920/21
Süddeutscher Pokal, Mainkreis:

1	Kickers-Viktoria Mühlheim – Eintracht	3:1

Da die 1. Mannschaft ein Ligaspiel gegen Helvetia Frankfurt bestritt, trat die Eintracht zum Pokalspiel mit der Liga-Reserve an. Dazu der „Kicker" vom 22.2.1920: „Es ist überhaupt ein Zeichen der Zeit, daß die Ligavereine die Spiele um den süddeutschen Pokal gegen die A-Mannschaften viel zu leicht nehmen." Kreispokalsieger wurde der VfR 01 Frankfurt (1:0 gegen Union Niederrad).

Saison 1921/22
Süddeutscher Pokal, Mainkreis:

1	Germania Mörfelden – Eintracht	2:1

Obwohl der SFV Freundschaftsspiele der 1. und 2. Mannschaften untersagt hatte, schonte die Eintracht ihre Liga-Mannschaft. Da die 2., 3. und 4. Mannschaften Punktspiele zu bestreiten hatten, bestritt die sog. „Schupo-Mannschaft" das Pokalspiel.

Saison 1922/23
Süddeutscher Pokal, Mainbezirk:

1	Kickers Offenbach - Eintracht	6:5

Saison 1923/24
Süddeutscher Pokal:
Ab dieser Saison durfte der Süddeutsche Pokalsieger an der Endrunde um die Süddeutsche Meisterschaft teilnehmen.

1	Eintracht - Kickers-Viktoria Mühlheim	5:2
2	Eintracht - Germania 94 Frankfurt	2:0
3	Viktoria Aschaffenburg - Eintracht	1:2
AF	Eintracht - SV Darmstadt 98	3:2
VF	Eintracht - Stuttgarter Kickers	3:4

Saison 1924/25
Süddeutscher Pokal:

1	Eintracht - Homburger SV 05	3:0
2	Germania 94 Frankfurt - Eintracht	2:0

Saison 1925/26
Süddeutscher Pokal:

1	Eintracht - SpVgg 1911 Bürgel	6:2
2	FSV Frankfurt - Eintracht	2:1

Saison 1926/27
Süddeutscher Pokal:

3	FC Pirmasens - Eintracht	3:2

1927 bis 1931 keine Pokalspiele. 1931/32 und 1932/33 ermittelten die Dritt- bis Achtplazierten der Bezirksligen in einer einfachen Runde die Bezirkspokalsieger, die dann den Süddeutschen Pokalsieger ausspielten. Dieser nahm an der Qualifikation für den dritten Südvertreter an der Deutschen Meisterschaft teil. Die Eintracht nahm in beiden Jahren als Mainmeister bzw. Zweiter nicht an den Pokalspielen teil.

Pokal-Saison 1935
In diesem Jahr wurde erstmals ein nationaler deutscher Pokalsieger ermittelt. Zu Ehren des Pokal-Stifters, Reichssportführer Hans von Tschammer und Osten, hieß der Wettbewerb „Tschammer-Pokal". Im Anschluss an die Meisterschaft wurden zunächst auf Gaubebene 64 Mannschaften ermittelt, die dann nach der Sommerpause auf Reichsebene den deutschen Pokalsieger ermittelten.
Tschammer-Pokal, Gauebene:

1	Eintracht - Opel Rüsselsheim	1:3

Pokal-Saison 1936
Tschammer-Pokal, Gauebene:

1	FC Egelsbach - Eintracht	1:2
2	Eintracht - Schwarz-Weiß Worms	5:1
3	Eintracht - SV Flörsheim	1:2

Pokal-Saison 1937
Tschammer-Pokal, Gauebene:

1	Eintracht - Germania Schwanheim	4:1
2	Eintracht - Rb.-RW Frankfurt	n.V. 4:3
3	VfL Neckarau - Eintracht	1:3

Tschammer-Pokal, Reichsebene:

1	SpVgg Sülz 07 - Eintracht	2:0

Pokal-Saison 1938
Tschammer-Pokal, Gauebene:
Als Gaumeister direkt für die Schlussrunden auf Reichsebene qualifiziert.
Tschammer-Pokal, Reichsebene:

1	Eintracht - TSV München 1860	1:2

Pokal-Saison 1939
Tschammer-Pokal, Gauebene:

1	MSV Darmstadt - Eintracht	3:8
2	Eintracht - Viktoria Walldorf	3:0
3	Kickers Obertshausen - Eintracht	n.V. 2:2
3	Eintracht - Kickers Obertshausen	4:1

Tschammer-Pokal, Reichsebene:

1	SV Beuel 06 - Eintracht	0:5
2	Eintracht - SV Waldhof Mannheim	n.V. 0:1

Pokal-Saison 1940
Tschammer-Pokal, Gauebene:

V	Viktoria Eckenheim - Eintracht	1:5
1	SV Steinheim - Eintracht	1:4
2	Eintracht - Rb.-SG 05 Bad Homburg	8:0
3	Germania 94 Frankfurt - Eintracht	1:4

Tschammer-Pokal, Reichsebene:

1	Eintracht - Westfalia Herne	3:2
2	Rot-Weiss Essen - Eintracht	0:2
AF	Eintracht - Fortuna Düsseldorf	2:3

Pokal-Saison 1941
Tschammer-Pokal, Bereichsebene:

1	GfL Darmstadt - Eintracht	1:5
2	Eintracht - FSV Frankfurt	2:0
3	FFV Sportfreunde 04 - Eintracht	1:3
4	Eintracht - SV Waldhof Mannheim	1:6

Pokal-Saison 1942
Tschammer-Pokal, Bereichsebene:

V1	SV Bonames - Eintracht	0:7
V2	Eintracht - Post SV Frankfurt	4:3
1	Teut. Watzenborn-Steinberg - Eintracht	2:5
2	Eintracht - Union Niederrad	kampflos

(Niederrad bekam keine Mannschaft zusammen.)

3	SV Niederlahnstein - Eintracht	0:3

Tschammer-Pokal, Reichsebene:

1	Eintracht - SpVgg Fürth	4:1
2	FC Schalke 04 - Eintracht (in Kassel)	6:0

Pokal-Saison 1943
Tschammer-Pokal, Gauebene:

1	TSG Bensheim - Eintracht	0:14	
2	1. FSV Schierstein 08 - Eintracht	2:4	
AF	Eintracht - FC Hanau 93	3:2	
VF	SV Darmstadt 98 - Eintracht	2:5	
HF	SpVgg Weisenau - Eintracht	2:7	
E	Kickers Offenbach - Eintracht	2:1	(im Stadion)

Pokal-Saison 1944
Tschammer-Pokal, Gauebene:

1	KSG Wiesbaden - Eintracht	4:2

Nachdem alle Gau-Pokalsieger ermittelt waren, sollten am 6.8.1944 Qualifikationsspiele für die 1. Schlussrunde auf Reichsebene stattfinden. Am 4.8. meldete die gemeinsame Kriegsausgabe des „Kicker/Fußball": „Die Reichsmeisterschaften im deutschen Sport werden eingestellt. Dadurch entfallen auch die Ausscheidungsspiele im Tschammer-Pokal."

Saison 1951/52
Nach Ende der Oberliga-Saison wurden im Süden erstmals wieder Pokalspiele ausgetragen. Ähnlich wie von 1931 bis 1933 wurden dazu sechs Gruppen gebildet, deren Sieger sich für den ab August ausgespielten DFB-Vereinspokal 1952/53 qualifizierten.
Süddeutscher Pokal, Gruppe 1:

Eintracht – Hessen Kassel		1:1, 3:0
FSV Frankfurt – Eintracht		1:0, 1:2
SV Darmstadt 98 – Eintracht		2:1, 0:2
Eintracht – SpVgg Bad Homburg		1:0, 8:2
Kickers Offenbach – Eintracht		2:0, 2:2

1. Kickers Offenbach	10	26:11	16-4
2. **EINTRACHT**	10	20:11	12-8
3. FSV Frankfurt	10	17:15	10-10
4. Hessen Kassel	10	20:20	8-12
5. SV Darmstadt 98	10	18:25	7-13
6. SpVgg Bad Homburg	10	14:33	5-15

Saison 1952/53
Süddeutscher Pokal:
Als Teilnehmer an der Endrunde um die Deutsche Meisterschaft war die Eintracht von den ersten Runden befreit.

VF	Stuttgarter Kickers - Eintracht	3:0

Saison 1953/54
Die Spiele um den Süddeutschen Pokal entfielen. Für die 1. Hauptrunde des DFB-Pokals 1954/55 qualifizierten sich die ersten acht Mannschaften der Oberliga Süd 1953/54.

Saison 1954/55
DFB-Pokal:

1	Eintracht - FK Pirmasens	1:0
AF	Altonaer FC 93 - Eintracht	2:1

Saison 1955/56
Wegen Terminschwierigkeiten wurden im Süden keine Pokalspiele ausgetragen. Für die Endrunde auf Bundesebene wurde der Süddeutsche Pokalsieger 1955 und Süddeutsche Meister 1956, der Karlsruher SC, gemeldet.

Saison 1956/57
Süddeutscher Pokal:

Q	1. FC Pforzheim - Eintracht	0:6
1	FC Hanau 93 - Eintracht	0:3
AF	Eintracht - FSV Frankfurt	3:4

Saison 1957/58
Süddeutscher Pokal:

1	Würzburger Kickers - Eintracht	2:4
2	ASV Cham - Eintracht	1:0

Saison 1958/59
Süddeutscher Pokal:

1	VfL Marburg - Eintracht	1:8
2	Hessen Kassel - Eintracht	2:3
AF	Karlsruher SC - Eintracht	0:8
VF	Kickers Offenbach - Eintracht (im Stadion)	1:3
HF	VfB Stuttgart - Eintracht	n.V. 2:2
HF	Eintracht - VfB Stuttgart	5:0
E	VfR Mannheim - Eintracht (in Karlsruhe)	1:0

Saison 1959/60
Süddeutscher Pokal:

1	FC Rödelheim 02 - Eintracht	0:8
2	SV Darmstadt 98 - Eintracht	2:3
AF	Freiburger FC - Eintracht	2:3
VF	Eintracht - SpVgg Fürth	4:1
HF	FSV Frankfurt - Eintracht	2:4
E	Karlsruher SC - Eintracht (in Mannheim)	2:1

Saison 1960/61

Ab dieser Saison wurde der Süddeutsche Pokal nur noch bis zum Viertelfinale ausgespielt. Die letzten Vier qualifizierten sich für die Schlussrunden des DFB-Pokals, der zu Beginn der folgenden Saison ausgetragen wurde.

Süddeutscher Pokal:

1	VfB Friedberg - Eintracht	0:6
2	SV Hünfeld - Eintracht	0:6
AF	Hessen Kassel - Eintracht	n.V. 0:1
VF	Eintracht - 1. FC Pforzheim	4:0

DFB-Pokal 1961:

AF	Eintracht - 1. FC Köln	n.V. 2:3

Saison 1961/62

Süddeutscher Pokal:

1	VfR 07 Limburg - Eintracht	n.V. 3:5
2	SV Wiesbaden - Eintracht	0:5
AF	Eintracht - SpVgg Neu-Isenburg	3:2
VF	Eintracht - SV Waldhof Mannheim	2:0

DFB-Pokal 1962:

AF	Eintracht - Tasmania 1900 Berlin	1:0
VF	1. FC Köln - Eintracht	n.V. 1:2
HF	1. FC Nürnberg - Eintracht	4:2

Saison 1962/63

Süddeutscher Pokal:

1	Eintracht Wetzlar - Eintracht	0:6
2	FSV Frankfurt - Eintracht	1:2
AF	VfR Heilbronn - Eintracht	0:7
VF	Hessen Kassel - Eintracht	2:1

Saison 1963/64

Neuordnung des Pokal-Wettbewerbs. Die Bundesligaklubs sind automatisch für die 1. Hauptrunde des DFB-Pokals qualifiziert.

DFB-Pokal:

1	VfL Wolfsburg - Eintracht	0:2
AF	Eintracht - Hessen Kassel	6:1
VF	Eintracht - FC Schalke 04	2:1
HF	Eintracht - Hertha BSC	3:1
E	TSV München 1860 - Eintracht (in Stuttgart)	2:0

Saison 1964/65

DFB-Pokal:

1	Eintracht - Borussia Neunkirchen	2:1
AF	Eintracht - FC Schalke 04	1:2

Saison 1965/66

DFB-Pokal:

1	Eintracht - SV Alsenborn	2:1
AF	1. FC Nürnberg - Eintracht	2:1

Saison 1966/67

DFB-Pokal:

Q	Hessen Kassel - Eintracht	6:2

Saison 1967/68

DFB-Pokal:

1	1. FC Schweinfurt 05 - Eintracht	n.V. 1:2
AF	1. FC Köln - Eintracht	n.V. 1:1
AF	Eintracht - 1. FC Köln	0:1

Saison 1968/69

DFB-Pokal:

1	Eintracht - Borussia Dortmund	6:2
AF	1. FC Kaiserslautern - Eintracht	1:0

Saison 1969/70

DFB-Pokal:

1	VfL Osnabrück - Eintracht	n.V. 1:2
AF	Eintracht - Hamburger SV	2:0
VF	Eintracht - Kickers Offenbach	0:3

Saison 1970/71

DFB-Pokal:

1	FC St. Pauli - Eintracht	n.V. 2:3
AF	Eintracht - 1. FC Köln	1:4

Saison 1971/72

1971/72 und 1972/73 wurden die Pokalspiele mit Hin- und Rückspiel ausgetragen.

DFB-Pokal:

1	1. FC Schweinfurt 05 - Eintracht	1:0, 1:6
AF	Bor. Mönchengladbach - Eintracht	4:2, 2:3

Saison 1972/73

DFB-Pokal:

1	Hannover 96 - Eintracht	1:0, 2:4
AF	Eintracht Braunschweig - Eintracht	1:0, 2:2

Saison 1973/74

DFB-Pokal:

1	Tennis Borussia Berlin - Eintracht	1:8
AF	Hessen Kassel - Eintracht	2:3
VF	Eintracht - 1. FC Köln	n.V. 4:3
HF	Eintracht - Bayern München	3:2

Endspiel am 17.8.1974 in Düsseldorf:

Eintracht - Hamburger SV		n.V. 3:1

Dr. Kunter - Reichel (106. H. Müller), Trinklein (1), Körbel, Kalb - Beverungen, Weidle (74. W. Kraus (1)), Nickel - Grabowski, Hölzenbein (1), Rohrbach - Trainer: Weise - SR: Weyland (Oberhausen) - Zuschauer: 52.800.

Saison 1974/75

Ab dieser Saison sind auch alle Zweitligisten automatisch für die 1. Runde qualifiziert.

DFB-Pokal:

1	Arminia Bielefeld - Eintracht	1:3
2	Union Solingen - Eintracht	n.V. 1:2
3	1. FC Mülheim - Eintracht	0:3
AF	Eintracht - VfL Bochum	1:0
VF	Eintracht - Fortuna Köln	4:2
HF	Eintracht - Rot-Weiss Essen	n.V. 3:1

Endspiel am 21.6.1975 in Hannover:

Eintracht - MSV Duisburg		1:0

Wienhold - Reichel, Trinklein, Körbel (1), Neuberger - Weidle, Beverungen, Nickel - Grabowski, Hölzenbein, B. Lorenz - Trainer: Weise - SR: Horstmann (Groß-Escherde) - Zuschauer: 43.000.

Saison 1975/76

DFB-Pokal:

1	Eintracht - Viktoria Köln	6:0
2	Offenburger FV - Eintracht	1:5
3	Eintracht - VfL Osnabrück	3:0
AF	Hertha BSC - Eintracht	n.V. 1:0

Saison 1976/77

DFB-Pokal:

1	Saar 05 Saarbrücken - Eintracht	1:6
2	Eintracht - Hertha Zehlendorf	10:2
3	Röchling Völklingen - Eintracht	2:3
AF	FC Schalke 04 - Eintracht	n.V. 2:2

AF Eintracht - FC Schalke 04   4:3
VF Bayer Uerdingen - Eintracht   n.V. 6:3

Saison 1977/78
DFB-Pokal:
1   FC Konstanz - Eintracht   1:6
2   TuS Schloß-Neuhaus - Eintracht   n.V. 2:2
2   Eintracht - TuS Schloß-Neuhaus   4:0
3   FC Schalke 04 - Eintracht   1:0

Saison 1978/79
DFB-Pokal:
1   SpVgg Bad Pyrmont - Eintracht   1:2
2   Werder Bremen - Eintracht   2:3
3   Eintracht - KSV Baunatal   4:1
AF Borussia Dortmund - Eintracht   1:3
VF Eintracht - Rot-Weiß Oberhausen   2:1
HF Hertha BSC - Eintracht   2:1

Saison 1979/80
DFB-Pokal:
1   Eintracht - Olympia Neugablonz   6:1
2   Freiburger FC - Eintracht   1:4
3   Eintracht - SV Waldhof Mannheim   2:0
AF VfB Stuttgart - Eintracht   3:2

Saison 1980/81
DFB-Pokal:
1   VfB Gaggenau - Eintracht   0:3
2   Eintracht - VfB Friedrichshafen   6:0
3   Eintracht - SSV Ulm 1846   3:0
AF VfB Oldenburg - Eintracht   4:5
VF Eintracht - VfB Stuttgart   2:1
HF Eintracht - Hertha BSC   1:0
Endspiel am 2.5.1981 in Stuttgart:
Eintracht - 1. FC Kaiserslautern   3:1
Pahl - Sziedat, Pezzey, Körbel, Neuberger (1) - Lorant, Nachtweih,
Borchers (1), Nickel - Hölzenbein, Cha (1) - Trainer: Buchmann - SR:
Joos (Stuttgart) - Zuschauer: 71.000.

Saison 1981/82
DFB-Pokal:
1   Eintracht - BSC Brunsbüttel   6:1
2   Fortuna Düsseldorf - Eintracht   3:1

Saison 1982/83
Ab dieser Saison haben Amateurvereine automatisch Heimrecht.
DFB-Pokal:
1   SV Waldhof Mannheim - Eintracht   2:0

Saison 1983/84
DFB-Pokal:
1   1. SC Göttingen 05 - Eintracht   4:2

Saison 1984/85
DFB-Pokal:
1   Eintracht Braunschweig - Eintracht   1:3
2   Bor. Mönchengladbach - Eintracht   n.V. 4:2

Saison 1985/86
DFB-Pokal:
1   1. FC Kaiserslautern - Eintracht   3:1

Saison 1986/87
DFB-Pokal:
1   Eintracht - Eintracht Braunschweig   3:1
2   1. FSV Mainz 05 - Eintracht   n.V. 0:1
AF SG Wattenscheid 09 - Eintracht   1:3
VF Stuttgarter Kickers - Eintracht   3:1

Saison 1987/88
DFB-Pokal:
1   Eintracht - FC Schalke 04   3:2
2   Eintracht - SSV Ulm 1846   3:0
AF Fortuna Düsseldorf - Eintracht   0:1
VF Eintracht - Bayer Uerdingen   4:2
HF Werder Bremen - Eintracht   0:1
Endspiel am 28.5.1988 in Berlin:
Eintracht - VfL Bochum   1:0
U. Stein - Binz - Schlindwein, Körbel - Kostner (71. Klepper), Sie-
vers, Schulz, Detari (1), Roth - Friz (78. Turowski), Smolarek - Trai-
ner: Feldkamp - SR: Heitmann (Drentwede) - Zuschauer: 76.000.

Saison 1988/89
DFB-Pokal:
1   VfL Wolfsburg - Eintracht   n.V. 1:1
1   Eintracht - VfL Wolfsburg   6:1
2   Bayer Uerdingen - Eintracht   n.V. 5:4

Saison 1989/90
DFB-Pokal:
1   Eintracht - Bayern München   0:1

Saison 1990/91
Ab dieser Saison wird jedem Amateurverein in der 1. Runde auto-
matisch ein Profiklub zugelost.
DFB-Pokal:
1   ASC Schöppingen - Eintracht   1:2
2   Eintracht - 1. FC Nürnberg   n.V. 0:0
2   1. FC Nürnberg - Eintracht   n.V. 0:2
AF 1. FC Saarbrücken - Eintracht   n.V. 0:0
AF Eintracht - 1. FC Saarbrücken   n.V. 3:2
VF Eintracht - SG Wattenscheid 09   3:1
HF Eintracht - Werder Bremen   n.V. 2:2
HF Werder Bremen - Eintracht   6:3

Saison 1991/92
Ab dieser Saison entfallen die Wiederholungsspiele. Bei unent-
schiedenem Spielstand nach 120 Minuten gibt es sofort Elfmeterschießen.
DFB-Pokal:
1   Freilos
2   SpVgg Ludwigsburg - Eintracht   1:6
3   Eintracht - Karlsruher SC   0:1

Saison 1992/93
DFB-Pokal:
1   SV Wehen - Eintracht (in Wiesbaden)   2:3
2   SC 08 Bamberg - Eintracht   1:3
3   Eintracht - SV Waldhof Mannheim   n.V. 4:1
AF Eintracht - VfL Osnabrück   3:1
VF Karlsruher SC - Eintracht   n.V. 1:1 (E. 3:5)
HF Eintracht - Bayer Leverkusen   0:3

Saison 1993/94
DFB-Pokal:
1   Freilos
2   Fortuna Düsseldorf - Eintracht   0:2
3   SC Freiburg - Eintracht   n.V. 5:3

Saison 1994/95
DFB-Pokal:
1	1. SC Göttingen 05 - Eintracht	0:6
2	Eintracht - VfL Wolfsburg	n.V. 0:0 (E. 3:4)

Saison 1995/96
DFB-Pokal:
1	1. FC Saarbrücken - Eintracht	n.V. 1:2
2	TSV München 1860 - Eintracht	5:1

Saison 1996/97
DFB-Pokal:
1	Holstein Kiel - Eintracht	2:4
2	SV Meppen - Eintracht	6:1

Saison 1997/98
DFB-Pokal:
1	VfL Halle 96 - Eintracht	0:4
2	Eintracht - Werder Bremen	3:0
AF	MSV Duisburg - Eintracht	1:0

Saison 1998/99
DFB-Pokal:
1	Rot-Weiß Erfurt - Eintracht	1:6
2	VfB Stuttgart - Eintracht	3:2

Saison 1999/2000
In dieser Saison wurde die 1. Runde ohne Bundesligisten gespielt. Die Teilnehmer an UI-Cup und Europapokal griffen erst in der 3. Runde in den Wettbewerb ein.
DFB-Pokal:
1	Freilos	
2	SC Verl - Eintracht	0:4
3	1. FC Köln - Eintracht	2:1

Saison 2000/01
Rückkehr zum bis 1999 gültigen Modus.
DFB-Pokal:
1	VfB Stuttgart Am. - Eintracht	6:1

Saison 2001/02
DFB-Pokal:
1	FC St. Pauli Am. - Eintracht	n.V. 0:1
2	Werder Bremen Am. - Eintracht	n.V. 3:3 (E. 2:4)
AF	Eintracht - Hertha BSC	n.V. 1:2

Saison 2002/03
DFB-Pokal:
1	Rot-Weiß Erfurt - Eintracht	n.V. 2:3
2	Hansa Rostock - Eintracht	1:0

Saison 2003/04
DFB-Pokal:
1	Kickers Offenbach – Eintracht	n.V. 1:1 (E. 3:4)
2	Eintracht – MSV Duisburg	n.V. 1:2

Saison 2004/05
DFB-Pokal:
1	Rot-Weiß Erfurt – Eintracht	0:1
2	Eintracht – SpVgg Greuther Fürth	n.V. 4:2
AF	Eintracht – FC Schalke 04	0:2

Saison 2005/06
DFB-Pokal:
1	Rot-Weiß Oberhausen – Eintracht	1:2
2	Eintracht – FC Schalke 04	6:0
AF	Eintracht – 1. FC Nürnberg	n.V. 1:1 (E. 4:1)
VF	TSV München 1860 – Eintracht	1:3
HF	Eintracht – Arminia Bielefeld	1:0
E	Bayern München – Eintracht (in Berlin)	1:0

Saison 2006/07
DFB-Pokal:
1	Sportfreunde Siegen – Eintracht	0:2
2	Rot-Weiss Essen – Eintracht	1:2
AF	Eintracht – 1. FC Köln	n.V. 3:1
VF	Kickers Offenbach – Eintracht	0:3
HF	1. FC Nürnberg – Eintracht	4:0

Saison 2007/08
DFB-Pokal:
1	1. FC Union Berlin – Eintracht	1:4
2	Borussia Dortmund – Eintracht	2:1

Saison 2008/09
DFB-Pokal:
1	SC Pfullendorf – Eintracht	0:3
2	Eintracht – Hansa Rostock	n.V. 1:2

Saison 2009/10
DFB-Pokal:
1	Kickers Offenbach – Eintracht	0:3
2	Eintracht – Alemannia Aachen	6:4
AF	Eintracht – Bayern München	0:4

Saison 2010/11
DFB-Pokal:
1	SV Wilhelmshaven – Eintracht	0:4
2	Eintracht – Hamburger SV	5:2
AF	Alemannia Aachen – Eintracht	n.V. 1:1 (E. 5:3)

Saison 2011/12
DFB-Pokal:
1	Hallescher FC – Eintracht	0:2
2	Eintracht – 1. FC Kaiserslautern	n.V. 0:1

Saison 2012/13
DFB-Pokal:
1	Erzgebirge Aue – Eintracht	3:0

Saison 2013/14
DFB-Pokal:
1	FV Illertissen – Eintracht (in Augsburg)	0:2
2	Eintracht – VfL Bochum	2:0
AF	Eintracht – SV Sandhausen	4:2
VF	Eintracht – Borussia Dortmund	0:1

Saison 2014/15
DFB-Pokal:
1	Viktoria 1889 Berlin – Eintracht	0:2
2	Eintracht – Bor. Mönchengladbach	1:2

Saison 2015/16
DFB-Pokal:
1	Bremer SV – Eintracht	0:3
2	Erzgebirge Aue – Eintracht	1:0

Saison 2017/18
DFB-Pokal:

1	TuS Erndtebrück – Eintracht (in Siegen)	0:3
2	1. FC Schweinfurt 05 – Eintracht	0:4
AF	1. FC Heidenheim – Eintracht	n. V. 1:2
VF	Eintracht – 1. FSV Mainz 05	3:0
HF	FC Schalke 04 – Eintracht	0:1
E	Eintracht – Bayern München (in Berlin)	3:1

Hradecky – da Costa, Abraham, Salcedo, Willems – Hasebe – Mascarell, de Guzman (74. Russ) – Wolf (60. Gacinovic (1)), Rebic (2) (89. Haller) – Boateng – Trainer: Kovac – SR: Zwayer (Berlin) – Zuschauer: 74.322.

Saison 2018/19
DFB-Pokal:

1	SSV Ulm 1846 – Eintracht	2:1

Saison 2019/20
DFB-Pokal:

1	SV Waldhof Mannheim – Eintracht	3:5
2	FC St. Pauli – Eintracht	1:2
AF	Eintracht – RB Leipzig	3:1
VF	Eintracht – Werder Bremen	2:0
HF	Bayern München – Eintracht	2:1

Alle Pokalsieger der Eintracht auf einen Blick:
Viermal Pokalsieger: Körbel (1974, 1975, 1981, 1988).
Dreimal Pokalsieger: Hölzenbein (1974, 1975, 1981), Nickel (1974, 1975, 1981).
Zweimal Pokalsieger: Beverungen (1974, 1975), Grabowski (1974, 1975), Neuberger (1975, 1981), Reichel (1974, 1975), Trinklein (1974, 1975), Weidle (1974, 1975).
Einmal Pokalsieger: Abraham (2018), Binz (1988), Boateng (2018), Borchers (1981), Cha (1981), da Costa (2018), de Guzman (2018), Detari (1988), Friz (1988), Gacinovic (2018), Haller (2018), Hasebe (2018), Hradecky (2018), Kalb (1974), Klepper (1988), Kostner (1988), W. Kraus (1974), Dr. Kunter (1974), Lorant (1981), Lorenz (1975), Mascarell (2018), H. Müller (1974), Nachtweih (1981), Pahl (1981), Pezzey (1981), Rebic (2018), Rohrbach (1974), Roth (1988), Russ (2018), Salcedo (2018), Schlindwein (1988), Schulz (1988), Sievers (1988), Smolarek (1988), U. Stein (1988), Sziedat (1981), Turowski (1988), Wienhold (1975), Willems (2018), Wolf (2018).

Weitere deutsche Pokal-Wettbewerbe

Saison 1908/09
Pokal des Frankfurter General-Anzeiger:

FFC Victoria – Helvetia Bockenheim	10:0
Frankfurter Kickers – FFG Union 06	8:1
FFC Victoria – Frankfurter FC 1902	8:1
Frankfurter Kickers – FSV Frankfurt	2:0
(vom FSV kurz vor Halbzeit abgebrochen)	
FFC Britannia – Frankfurter Kickers	2:0
FFC Hermannia – FFC Victoria	1:3
Helvetia Bockenheim – Frankfurter Kickers	1:10
FFC Britannia – FFC Victoria	2:0
FFC Victoria – Amicitia Bockenheim	0:1
FFC Victoria – Germania 94 Frankfurt	2:4
FFC Victoria – Germania Bockenheim	3:2

Von ursprünglich 24 gemeldeten Mannschaften hatte sich bis Mitte März „die Anzahl der spielberechtigten Mannschaften ganz bedeutend gelichtet" und es waren „nur noch zehn spielberechtigt" („General-Anzeiger" vom 22. März 1909). Zu den ausgeschiedenen Mannschaften gehörten auch die Frankfurter Kickers. Anfang Mai fanden die letzten Spiele statt: „Amicitia Bockenheim hat für dieses Jahr den Wanderpreis errungen und gilt auch als Meister der ersten Klasse des Frankfurter Assoziationsbundes." („General-Anzeiger" vom 3. Mai 1909).

Herbst 1939
Frankfurter Stadtrunde:
Nach Kriegsausbruch von September bis November 1939 ausgespielt. Da Ende November die Kriegsmeisterschaft begann, wurde die Eintracht zum Sieger erklärt.

BSG IG Farben – Eintracht	1:10
FFV Sportfreunde 04 – Eintracht	0:3
Eintracht – FSV Frankfurt	1:1
Eintracht – Rb.-Rot-Weiß Frankfurt	3:2
Union Niederrad – Eintracht	2:4
Eintracht – SpVgg Griesheim 02	4:0

1.	**EINTRACHT**	6	25:6	11-1
2.	Germania 94 Frankfurt	8	16:9	11-5
3.	Union Niederrad	9	21:14	10-8
4.	FSV Frankfurt	6	27:8	9-3
5.	Rb.-Rot-Weiß Frankfurt	7	12:12	8-6
6.	FFV Sportfreunde 04	9	8:25	8-10
7.	VfL Rödelheim	7	18:19	7-7
8.	VfL Neu-Isenburg	8	17:18	7-9
9.	SpVgg 02 Griesheim	8	15:21	6-10
10.	Germania Schwanheim	7	12:23	3-11
11.	BSG IG Farben	7	15:31	2-12

Fortsetzung der Runde im Sommer 1940:

Eintracht – VfL Neu-Isenburg	5:0
Eintracht – VfL Rödelheim	7:0

Im Sommer 1941 weitere Fortsetzung:

Viktoria Eckenheim – Eintracht	4:4
SV Heddernheim – Eintracht	3:2
SG 01 Höchst – Eintracht	3:2
Germania 94 Frankfurt – Eintracht	1:1
SpVgg 02 Griesheim – Eintracht	1:4
SpVgg Fechenheim – Eintracht	1:8
Eintracht – FFV Sportfreunde 04	1:1
Reichsbahn-Rot-Weiß Frankfurt – Eintracht	2:0
Eintracht – BSG Adlerwerke	4:2
FSV Frankfurt – Eintracht	2:1

Ende September 1941 abgebrochen, Eintracht belegte mit 64:26 Toren und 24-12 Punkten Platz 4 der „Gesamttabelle".

Saison 1942/43
Kriegserinnerungspokal Hessen-Nassau:
Von April 1942 bis Mai 1943 ausgespielt. Die noch ausstehenden Spiele wurden vermutlich nicht mehr ausgetragen.

Eintracht – Kickers Offenbach		0:0	
Rb.-Rot-Weiß Frankfurt – Eintracht		2:3, 2:2	
KSG Wiesbaden – Eintracht		2:0, 1:2	
Union Niederrad – Eintracht		0:7, 4:3	
FSV Frankfurt – Eintracht		4:1, 4:1	
SV Darmstadt 98 – Eintracht		6:9	
1. FSV Frankfurt	15	59:23	24-6
2. Rb.-Rot-Weiß Frankfurt	13	52:19	17-9
3. Kickers Offenbach	8	26:16	10-6
4. FC Hanau 93	9	44:20	10-8
5. **EINTRACHT**	10	28:25	10-10
6. KSG Wiesbaden	10	17:30	8-12
7. Union Niederrad	14	35:76	8-20
8. SV Darmstadt 98	11	16:70	3-19

Sommer 1943
Rhein-Main-Preis, Gruppe 1:
Von Mai bis September 1943 ausgespielt. Tabelle auf Grund der vorliegenden Ergebnisse.

Eintracht – Rb.-Rot-Weiß Frankfurt		0:1, 7:1	
Union Niederrad – Eintracht		0:6, 0:7	
Kickers Offenbach – Eintracht		4:1, 0:0	
Eintracht – SV Darmstadt 98		8:1, 0:X	
1. Kickers Offenbach	7	43:8	13-1
2. FC Hanau 93	8	26:9	14-2
2. **EINTRACHT**	8	29:7	9-7
3. SV Darmstadt 98	7	13:28	6-8
4. Rb.-Rot-Weiß Frankfurt	5	13:19	5-5
5. Union Niederrad	7	6:42	1-13

Entscheidungsspiele:
FC Hanau 93 – Kickers Offenbach 1:3, 0:9

Sommer 1955
Oberliga-Vergleichsrunde (Totorunde), Gr. 3:
Im Mai/Juni 1955 ausgespielt.

Eintracht – Hannover 96		2:0, 0:0	
Fortuna Düsseldorf – Eintracht		2:1, 3:5	
Eintracht – Phönix Ludwigshafen		4:1, 2:2	
1. Hannover 96	6	12:5	9-3
2. **EINTRACHT**	6	14:8	8-4
3. Fortuna Düsseldorf	6	8:12	4-8
4. Phönix Ludwigshafen	6	14:20	3-9

Sommer 1956
Oberliga-Vergleichsrunde (Totorunde), Gr. 1:
Von Mai bis August 1956 ausgespielt.

Alemannia Aachen – Eintracht		3:1, 2:8	
Eintracht – TuS Neuendorf		5:2, 1:0	
Arminia Hannover		1:1, 4:1	
FK Pirmasens – Eintracht		2:1, 0:8	
Viktoria Aschaffenburg – Eintracht		3:0, 0:2	
1. **EINTRACHT**	10	31:14	13-7
2. Arminia Hannover	10	18:13	13-7
3. Alemannia Aachen	10	26:25	11-9
4. FK Pirmasens	10	15:27	10-10
5. Viktoria Aschaffenburg	10	22:19	9-11
6. TuS Neuendorf	10	12:25	4-16

Sommer 1958
Flutlicht-Pokal, Gruppe 3:
Im Mai/Juni 1958 ausgetragen.

Eintracht – Eintracht Braunschweig		1:2, 3:0	
Eintracht – Viktoria 89 Berlin		6:3, 3:4	
1. Eintracht Braunschweig	4	9:8	6-2
2. **EINTRACHT**	4	13:9	4-4
3. Viktoria 89 Berlin	4	11:16	2-6

Saison 1972/73
Ligapokal, Gruppe 7:
Gruppenspiele von Juli bis September 1972, Endrunde bis Juni 1973.

Borussia Neunkirchen – Eintracht		3:1, 0:7	
1. FSV Mainz 05 – Eintracht		2:5, 1:4	
1. FC Kaiserslautern – Eintracht		1:3, 2:3	
1. **EINTRACHT**	6	23:9	10-2
2. Borussia Neunkirchen	6	14:18	6-6
3. 1. FC Kaiserslautern	6	11:12	5-7
4. 1. FSV Mainz 05	6	8:17	3-9
VF Fortuna Köln – Eintracht		2:3, 3:3	
HF Bor. Mönchengladbach – Eintracht		3:1, 0:1	

Sommer 2018
DFL-Supercup:
Eintracht – Bayern München (in Frankfurt) 0:5

Europapokal

Messe-Pokal 1955-58
Am ersten Wettbewerb nahm Frankfurt mit einer Stadtauswahl teil, in der neben Spielern der Eintracht auch Akteure des FSV Frankfurt, von Kickers Offenbach und der SpVgg Neu-Isenburg eingesetzt wurden.
Vorrunde, Gruppe 1:

London – Frankfurt		3:2, 0:1	
Frankfurt – Basel		5:1, 2:6	
1. London	4	9:3	6-2
2. **Frankfurt**	4	10:10	4-4
3. Basel	4	7:13	2-6

Saison 1959/60
Europapokal der Landesmeister:

1	Kuopio PS verzichtet.	
AF	Young Boys Bern – Eintracht	1:4, 1:1
VF	Eintracht – Wiener SC	2:1, 1:1
HF	Eintracht – Glasgow Rangers	6:1, 6:3

Endspiel am 18. 5. 1960 in Glasgow:
Real Madrid – Eintracht　7:3
Loy – Lutz, Höfer, H. Weilbächer, Eigenbrodt, Stinka – Kreß (1), D. Lindner, E. Stein (2), Pfaff, Meier – Trainer: Oßwald – SR: Mowat (Schottland) – Zuschauer: 127 621.

Saison 1964/65
Messe-Pokal:

1	Eintracht – FC Kilmarnock	3:0, 1:5

Saison 1966/67
Messe-Pokal:

1	Drumcondra Dublin – Eintracht	0:2, 1:6
2	Eintracht – Hvidovre Kopenhagen	5:1, 2:2
AF	Ferencvaros Budapest – Eintracht	2:1, 1:4
VF	Eintracht – FC Burnley	1:1, 2:1
HF	Eintracht – Dinamo Zagreb	3:0, n.V. 0:4

Saison 1967/68
Messe-Pokal:

1	Eintracht – Nottingham Forest	0:1, 0:4

Saison 1968/69
Messe-Pokal:

1	Wacker Innsbruck – Eintracht	2:2, 0:3
2	Juventus Turin – Eintracht	0:0, n.V. 0:1
AF	Atletico Bilbao – Eintracht	1:0, 1:1

Saison 1972/73
UEFA-Pokal:

1	FC Liverpool – Eintracht	2:0, 0:0

Saison 1974/75
Europapokal der Pokalsieger:

1	Eintracht – AS Monaco	3:0, 2:2
AF	Eintracht – Dynamo Kiew	2:3, 1:2

Saison 1975/76
Europapokal der Pokalsieger:

1	Eintracht – FC Coleraine	5:1, 6:2
AF	Atletico Madrid – Eintracht	1:2, 0:1
VF	Sturm Graz – Eintracht	0:2, 0:1
HF	Eintracht – West Ham United	2:1, 1:3

Saison 1977/78
UEFA-Pokal:

1	Eintracht – Sliema Wanderers	5:0, 0:0

2	FC Zürich – Eintracht	0:3, 3:4
AF	Eintracht – Bayern München	4:0, 2:1
VF	Eintracht – Grasshopper-Club Zürich	3:2, 0:1

Saison 1979/80
UEFA-Pokal:

1	FC Aberdeen – Eintracht	1:1, 0:1
2	Dinamo Bukarest – Eintracht	2:0, n.V. 0:3
AF	Eintracht – Feyenoord Rotterdam	4:1, 0:1
VF	Eintracht – Zbrojovka Brünn	4:1, 2:3
HF	Bayern München – Eintracht	2:0, n.V. 1:5

1. Endspiel am 7. 5. 1980 in Mönchengladbach:
Borussia Mönchengladbach – Eintracht　3:2
Pahl – Neuberger, Pezzey, Körbel, Ehrmantraut – Lorant, Nickel, Hölzenbein (1) (79. Nachtweih) – Karger (1) (81. Trapp), Cha – Trainer: Rausch – SR: Guruceta y Muro (Spanien) – Zuschauer: 25 000.
2. Endspiel am 21. 5. 1980 in Frankfurt:
Eintracht – Borussia Mönchengladbach　1:0
Pahl – Neuberger, Pezzey, Körbel, Ehrmantraut – Lorant, Nickel, Nachtweih (79. Schaub (1)) – Hölzenbein, Cha – Trainer: Lorant – SR: Ponnet (Belgien) – Zuschauer: 59 000.

Saison 1980/81
UEFA-Pokal:

1	Schachtjor Donezk – Eintracht	1:0, 0:3
2	FC Utrecht – Eintracht	2:1, 1:3
AF	Eintracht – FC Sochaux	4:2, 0:2

Saison 1981/82
Europapokal der Pokalsieger:

1	Eintracht – PAOK Saloniki	2:0, n.V. 0:2
	Elfmeterschießen 5:4	
AF	SKA Rostow – Eintracht	1:0, 0:2
VF	Tottenham Hotspur – Eintracht	2:0, 1:2

Saison 1988/89
Europapokal der Pokalsieger:

1	Grasshopper-Club Zürich – Eintracht	0:0, 0:1
	(Hinspiel in Basel)	
AF	Eintracht – Sakaryaspor	3:1, 3:0
VF	Eintracht – KV Mechelen	0:0, 0:1

Saison 1990/91
UEFA-Pokal:

1	Bröndby IF – Eintracht	5:0, 1:4

Saison 1991/92
UEFA-Pokal:

1	Eintracht – Spora Luxemburg	6:1, 5:0
2	KAA Gent – Eintracht	0:0, 1:0

Saison 1992/93
UEFA-Pokal:

1	Widzew Lodz – Eintracht	2:2, 0:9
2	Eintracht – Galatasaray Istanbul	0:0, 0:1

Saison 1993/94
UEFA-Pokal:

1	Dynamo Moskau – Eintracht	0:6, 2:1
2	Eintracht – Dnjepr Dnjepropetrowsk	2:0, 0:1
AF	Eintracht – Deportivo La Coruña	1:0, 1:0
VF	Austria Salzburg – Eintracht	1:0, n.V. 0:1
	Elfmeterschießen 5:4	
	(Hinspiel in Wien)	

Saison 1994/95
UEFA-Pokal:

1	Olimpija Ljubljana – Eintracht	1:1, 0:2	
2	Rapid Bukarest – Eintracht	2:1, 0:5	
AF	Eintracht – SSC Neapel	1:0, 1:0	
VF	Eintracht – Juventus Turin	1:1, 0:3	

Saison 2006/07
UEFA-Pokal:

1	Eintracht – Bröndby IF	4:0, 2:2		

Gruppenphase, Gruppe H:

Eintracht – US Citta di Palermo	1:2		
Celta Vigo – Eintracht	1:1		
Eintracht – Newcastle United	0:0		
Fenerbahce Istanbul – Eintracht	2:2		
1. Newcastle United	4	4:1	10
2. Celta Vigo	4	4:4	5
3. Fenerbahce Istanbul	4	5:4	4
4. US Citta di Palermo	4	3:6	4
5. **EINTRACHT**	4	4:5	3

Saison 2013/14
Europa League:

PO	Qarabag Agdam – Eintracht	0:2, 1:2	

Gruppenphase, Gruppe F:

Eintracht – Girondins Bordeaux	3:0, 1:0		
APOEL Nikosia – Eintracht	0:3, 0:2		
Eintracht – Maccabi Tel Aviv	2:0, 2:4		
1. **EINTRACHT**	6	13:4	15
2. Maccabi Tel Aviv	6	7:5	11
3. APOEL Nikosia	6	3:8	5
4. Girondins Bordeaux	6	4:10	3
ZR FC Porto – Eintracht	2:2, 3:3		

Saison 2018/19
Europa League:
Gruppenphase, Gruppe H:

Olympique Marseille – Eintracht	1:2, 0:4		
Eintracht – Lazio Rom	4:1, 2:1		
Eintracht – Apollon Limassol	2:0, 3:2		
(Auswärtsspiel in Nikosia)			
1. **EINTRACHT**	6	17:5	18
2. Lazio Rom	6	9:11	9
3. Apollon Limassol	6	10:10	7
4. Olypique Marseille	6	6:16	1
ZR Schachtar Donzek – Eintracht	2:2, 1:4		
(Hinspiel in Charkiw)			
AF Eintracht – Inter Mailand	0:0, 1:0		
VF Benfica Lissabon – Eintracht	4:2, 0:2		
HF Eintracht – FC Chelsea	1:1, n. V. 1:1		
Elfmeterschießen 3:4			

Saison 2019/20
Europa League:

Q2	Flora Tallinn – Eintracht	1:2, 1:2	
Q3	FC Vaduz – Eintracht	0:5, 0:1	
PO	Racing Straßburg – Eintracht	1:0, 0:3	

Gruppenphase, Gruppe F:

Eintracht – FC Arsenal	0:3, 2:1		
Vitoria Guimaraes – Eintracht	0:1, 3:2		
Eintracht – Standard Lüttich	2:1, 1:2		
1. FC Arsenal	6	14:7	11
2. **EINTRACHT**	6	8:10	9
3. Standard Lüttich	6	8:10	8
4. Vitoria Guimaraes	6	7:10	5
ZR Eintracht – RB Salzburg	4:1, 2:2		
AF Eintracht – FC Basel	0:3, 0:1		

Weitere internationale Pokal-Wettbewerbe

Sommer 1960
„Trofeo Ramon de Carranza"
Im August 1960 in Cadiz ausgespielt.

HF	Atletico Bilbao – Eintracht	2:1
P3	Stade Reims – Eintracht	4:1

Sommer 1965
Intertoto-Runde, Gruppe 3:
Gruppenspiele im Juni/Juli 1965.

FC La Chaux-de-Fonds – Eintracht	3:2, 0:4		
Eintracht – IFK Norrköping	1:2, 0:1		
PSV Eindhoven – Eintracht	3:0, 2:4		
1. IFK Norrköping	6	16:7	9-3
2. PSV Eindhoven	6	15:12	8-4
3. **EINTRACHT**	6	11:11	4-8
4. FC La Chaux-de-Fonds	6	8:20	3-9

Saison 1966/67
Intertoto-Runde, Gruppe A1:
Gruppenspiele im Juni/Juli 1966, Endrunde bis Juni 1967.

Eintracht – FC La Chaux-de-Fonds	3:1, 4:2		
Feyenoord Rotterdam – Eintracht	1:4, 0:2		
Lanerossi Vicenza – Eintracht	0:1, 5:1		
1. **EINTRACHT**	6	15:9	10-2
2. Lanerossi Vicenza	6	10:11	5-7
3. FC La Chaux-de-Fonds	6	12:15	5-7
4. Feyenoord Rotterdam	6	9:11	4-8
VF IFK Norrköping – Eintracht	2:1, 1:3		
HF Zaglebie Sosnowitz – Eintracht	4:1, 1:6		
E Inter Bratislava – Eintracht	2:3, n.V. 1:1		

Sommer 1967
Alpenpokal:
Von Juni bis August 1967 ausgespielt.

Eintracht – AC Turin (in Wiesbaden)	0:0 abgebrochen
FC Zürich – Eintracht	2:5
Eintracht – AC Mailand	1:0
Eintracht – AS Rom (in Ludwigshafen)	4:2
FC Basel – Eintracht	1:2

1. **EINTRACHT**	5	12:5	9-1
2. TSV München 1860	5	11:8	7-3
3. AS Rom	5	12:10	6-4
4. AC Turin	5	3:3	5-5
5. Servette Genf	5	5:7	5-5
6. AC Mailand	5	3:3	4-6
7. FC Zürich	5	6:9	3-7
8. FC Basel	5	5:12	1-9

Sommer 1968
Alpenpokal, Gruppe 2:
Im Juni 1968 ausgespielt.

Eintracht – FC Schalke 04 (in Wiesbaden)	1:1
Young Boys Bern – Eintracht	2:2
Eintracht – Juventus Turin	2:1
FC Luzern – Eintracht	4:9
Eintracht – US Cagliari	2:2

1. FC Schalke 04	5	13:4	8-2
2. US Cagliari	5	12:7	8-2
3. **EINTRACHT**	5	16:10	7-3
4. Young Boys Bern	5	10:11	3-7

5. Juventus Turin	5	8:11	2-8	
6. FC Luzern	5	9:25	0-10	

Sommer 1969
Alpenpokal, Gruppe 2:
Im Juni 1969 ausgespielt.

FC Biel-Bienne – Eintracht	1:3	
Eintracht – SSC Neapel	2:1	
FC Basel – Eintracht	3:2	
Eintracht – Sampdoria Genua (in Rüsselsheim) 0:4		

1. FC Basel	4	12:6	6-2
2. SSC Neapel	4	8:6	5-3
3. KSV Waregem	4	9:8	4-4
4. **EINTRACHT**	4	7:9	4-4
5. Sampdoria Genua	4	7:10	3-5
6. FC Biel	4	4:8	2-6

Sommer 1976
„Copa Juan Gamper"
Im August 1976 in Barcelona ausgespielt.

HF Eintracht – ZSKA Moskau	5:3	
E FC Barcelona – Eintracht	2:0	

Sommer 1977
Intertotorunde, Gruppe 3:
Gruppenspiele im Juni/Juli 1977.

Eintracht – Inter Bratislava	2:2, 5:2	
Wacker Innsbruck – Eintracht	1:1, 1:1	
Eintracht – FC Zürich	4:1, 0:1	

1. Inter Bratislava	6	18:11	9-3
2. **EINTRACHT**	6	13:8	7-5
3. Wacker Innsbruck	6	10:10	6-6
4. FC Zürich	6	4:17	2-10

Sommer 1995
UEFA-Intertoto-Cup, Gruppe 12:
Im Juni/Juli 1995 ausgespielt.

Spartak Plovdiv – Eintracht	0:4	
Eintracht – Iraklis Saloniki	5:1	
Panerys Vilnius – Eintracht	0:4	
Eintracht – Vorwärts Steyr	1:2	

1. Vorwärts Steyr	4	8:2	10
2. **EINTRACHT**	4	14:3	9
3. Spartak Plovdiv	4	3:6	4
4. Iraklis Saloniki	4	4:9	4
5. Panerys Vilnius	4	2:11	1
AF Girondins Bordeaux – Eintracht	3:0		

Die Vorsitzenden und Präsidenten

Frankfurter Fußball-Club Victoria:
(Protokollbücher liegen vor vom 8. März 1899 bis zum
31. August 1906)

1899 – 1903	Albert Pohlenk
1903 – 1904	Emil Müller
11. – 18.3.1904	Albert Pohlenk
1904 –	Carl Schwab
	Michael Pickel

Fußball-Club Frankfurter Kickers:
(Protokollbuch liegt vor vom 10. April 1904 bis zum 21. April 1908)

1900 – 1901	Karl Trapp
	Friedrich Hamburger
	Hermann Hößbacher
1901 – 1903	Ludwig Gatzert
1903 – 1905	Theodor Streit
1905	Philipp Wolff
1905 – 1906	Ludwig Gatzert
1906 – 1908	Heinrich Duntze
1908 – 1911	Arthur Cahn
	Rudolf Hetebrügge
	Dr. Paul von Goldberger

Frankfurter Fußball-Verein (FFV):

1911 – 1913	Rudolf Hetebrügge
1913 – 1915	Emil Flasbarth
1915 – 1920	Rudolf Hetebrügge

Frankfurter Turn- und Sportgemeinde Eintracht (FFV):

1920 – 1926	Dr. Wilhelm Schöndube

Frankfurter Sportgemeinde Eintracht (FFV):

– 1927	Fritz Steffan
	Heinrich Berger
1927	Dr. Horst Rebenschütz
1927 – 1933	Egon Graf von Beroldingen
1933 – 1939	Hans Söhngen („Vereinsführer")
1939 – 1942	Rudi Gramlich
	Adolf Metzner
1942 – 1945	Anton Gentil (kommissarisch)
1945 – 1946	Christian Kiefer (kommissarisch)
1946	Günther Reis
1946 – 1949	Robert Brubacher
1949 – 1955	Dr. Anton Keller
1955 – 1969	Rudi Gramlich (ab 1966 Präsident)

Eintracht Frankfurt e.V.:

1969 – 1970	Rudi Gramlich
1970 – 1973	Albert Zellekens
1973 – 1981	Achaz von Thümen
1981 – 1983	Axel Schander
1983 – 1988	Dr. Klaus Gramlich
14. – 22.11.1988	Dr. Joseph Wolf
1988 – 1996	Matthias Ohms
Mai – Okt. 1996	Dieter Lindner (kommissarisch)
2.10. – 5.11.96	Hans-Joachim Otto
11.11.1996 – 31.1.2000	Rolf Heller
seit 26.7.2000	Peter Fischer

Die stellvertretenden Vorsitzenden und Vizepräsidenten seit 1945

1945 – 1946	Carl Dimpfl
1946	Carl Dimpfl
	Christian Kiefer
1946 – 1947	Carl Dimpfl
	Emanuel Rothschild
15. – 17.11.1947	Karl Zimmer
	Walter Kunkel
24.11.47 – 1949	Christian Kiefer
	Walter Kunkel
1949 – 1950	Dr. Willi Jacobi
	Ernst Geerling
1950 – 1955	Ernst Geerling
	Christian Kiefer
1955 – 1956	Rudi Gramlich (29.6. – 1.9.)
	Christian Kiefer
	Ernst Geerling
1956 – 1957	Christian Kiefer
	Ernst Geerling
	Dr. John A. Block
1957 – 1958	Erich Gabler
	Dr. John A. Block
	Ernst Geerling
1958 – 1965	Erich Gabler
	Ernst Geerling
	Dr. John A. Block
1965 – 1966	Dr. Hans-Eberhard Amend
	Maximilian Riedel
	Jürgen Gerhardt
1966 – 1969	Dr. Hans-Eberhard Amend
	(stellvertretender Präsident)
1969 – 1970	Kurt Jöst
	Albert Zellekens
1970 – 1973	Kurt Jöst
1973 – 1977	Ernst Berger
1977 – 1979	Dr. Peter Kunter
1979 – 1980	Kurt Krömmelbein
1980 – 1981	Dieter Lindner
1981 – 1982	Hermann Höfer
1982 – 1983	Wolfgang Zenker
1983 – 1985	Dr. Harald Böhm
1985 – 1988	Klaus Mank
1988 – 1994	Bernd Hölzenbein
1994 – 3.9.1996	Peter Röder
2.10.96 – April 2002	Hans-Joachim Schroeder
2.10. – 11.11.96	Rolf Heller
22.11. 1996 – 30.6.2001	Dr. Peter Lämmerhirdt
27.9. – 20.10.99	Gaetano Patella
9.5. – 2.8.2000	Bernd Ehinger
	Dr. Joseph Wolf
2.8.2000 – 25.1.2015	Klaus Lötzbeier (Fußball)
21.8.2001 – 31.5.2012	Axel Hellmann
26.11.2002 – 20.3.2013	Fred Moske (Finanzen)
seit 26.11.2002	Hans-Dieter Burkert
	(Amateure und Jugend)
seit 25.4.2013	Thomas Förster (Finanzen)
seit 7.1.2014	Stefan Minden (juristische Angelegen-heiten, Fan-Betreuung und Betreuung Fan- und Förderabteilung)
Seit 1.9.2019	Michael Otto (Operativer Geschäftsführer)

Schatzmeister seit 1945

1945 – 1947	Jost Deeg
1947 – 1949	Finanzausschuss:
	Bernhardt Levi
	Fritz Ewe
	Karl Meyer
1949 – 1950	Edi Kempf
1950 – 1951	Fritz Ewe
1951 – 1965	Karl Hohmann
1965 – 1971	Dr. Hartmut Knöpke
1971 – 1979	Gerhard Jakobi
1979 – 1981	Joachim Erbs
1981	Dieter Bartl
Okt. 1981 – 1982	Peter Heinz
1982 – 1994	Wolfgang Knispel
1994 – 1996	Joachim Erbs
Mai – Okt. 1996	Wolfgang Knispel (kommissarisch)
20.10. – 5.11.96	Bernd Thate
8.12.1996 – 27.9.1999	Gaetano Patella
21.10.1999 – 6.5.2000	Rainer Leben
2.8.2000 – 10.11.2002	Dr. Joseph Wolf

Seit dem 26.11.2002 hat der Schatzmeister den Status eines Vizepräsidenten für den Aufgabenbereich Finanzen.

Spielausschuss-Vorsitzende, Manager und Sportliche Leiter 1945 bis 2000

1945 – 1946	Emanuel Rothschild
1946 – 1947	Fritz Becker
1947 – 1949	Hans Bechtold
1949 – 1950	Rudi Gramlich
1950 – 1955	Willi Balles
1955 – 1965	Ernst Berger
1965 – 1968	Ludwig Kolb (ab 1966 Leiter der Lizenzspielerabteilung)
1977 – 1978	Dr. Joseph Wolf (Hauptgeschäftsführer)
1978 – 1981	Udo Klug (Manager)
Juni 82 – Jan. 83	Jürgen Tresselt (Hauptgeschäftsführer)
1986 – 1988	Wolfgang Kraus (Manager)
1988 – 1989	Jürgen Friedrich (Manager)
1990 – 1992	Klaus Gerster (Manager)
1994 – 1996	Bernd Hölzenbein (Sportlicher Leiter)
Aug. 1997 – 30.6.2018	Rainer Falkenhain (Leiter der Lizenzspielerabteilung)
1.10.1998 – 20.4.1999	Gernot Rohr (Technischer Direktor, zugleich Mitglied des Präsidiums)

„Eintracht Frankfurt Fußball AG"

Vorstandsvorsitzende:

1.7.2000 – 1.1.2002	Steven Jedlicki
bis 13.8.2000	mit Bernd Ehinger
5. – 31.5.2002	Gabor Varszegi
25.9.2002 – 30.6.2003	Volker Sparmann
8. – 28.8.2003	Dr. Peter Schuster
1.12.2003 – 30.6.2016	Heribert Bruchhagen

Finanz-Vorstände:

1.10.2000 – 31.5.2012	Dr. Thomas Pröckl
1.6.2012 – 31.8.2015	Axel Hellmann

Ehemalige Vorstandsmitglieder:

8.8.2003 – 30.6.2008	Heiko Beeck
1.7.2008 – 30.6.2012	Klaus Lötzbeier

Ab 1.9.2015 neue Geschäftsverteilung:

Geschäftsbereich Sport:

1.9.2015 – 30.6.2016	Heribert Bruchhagen
seit 1.6.2016	Fredi Bobic

Geschäftsbereiche Medien/Kommunikation, Marketing/Vertrieb, Zuschauerservice, Recht/Fanbetreuung/Sicherheit:

seit 1.9.2015	Axel Hellmann
	(auch Vorstandssprecher)

Geschäftsbereich Rechnungswesen/IT/Personal:

seit 1.9.2015	Oliver Frankenbach

Ehemalige Sport-Vorstände:

18.5 – 3.7.2001	Dr. Dieter Ehrich (kommissarisch)
3.7.01 – 31.5.02	Anthony Woodcock

Manager und Sportliche Leiter:

3.7.2000 – 18.5.2001	Rolf Dohmen (Sportdirektor)
20.5. – 3.7.2001	Friedel Rausch (Team-Manager)
seit 25.5.2011	Bruno Hübner (Sportdirektor)

Aufsichtsratsvorsitzende:

13.8.2000 – 19.11.2001	Reinhard Gödel
20.12.2001 – 25.9.2002	Volker Sparmann
25.9. – 12.11.02	Dr. Robin Fritz
11.12.2002 – 7.8.2003	Jürgen Neppe
8.8.2003 – 30.6.2010	Herbert Becker
1.7.2010 – 8.6.2015	Prof. Dr. Wilhelm Bender
8.6.2015 – 28.7.2020	Wolfgang Steubing
seit 28.7.2020	Philipp Holzer

Die Trainer

1919	Albert Sohn ("übernahm die Leitung")
1921/22	Dori Kürschner
März 1925 – Jan. 1926	Maurice Parry
1926/27	Fritz Egly/Walter Dietrich (Spielertrainer)
Okt. 1927 – 1928	Gustav Wieser
1928 – 30.8.1933	Paul Oßwald
1 9.1933 – 1935	Willi Spreng
1935 – 1938	Paul Oßwald
Aug. – Dez. 1938	ohne Trainer
Januar 1939	Otto Boer
1939 – 31.5.1941	Peter Szabo
Juli 1941	Willi Lindner
März 1942	Peter Szabo ("leitet das Frankfurter Gemeinschafts-Training")
Sept. 1942	Willi Balles ("stellt die Mannschaft auf")
Nov./Dez. 1945	Willy Pfeiffer
Dez. 45/Jan. 46	Sepp Herberger
Jan. 46 – 1.6.47	Emil Melcher
2.6.47 – 30.1.48	Willi Treml
1.2. – 31.12.48	Bernhard Kellerhoff
1.1.1949 – 1950	Walter Hollstein
1950 – 1956	Kurt Windmann
1956 – 1958	Adolf Patek
1958 – 16.1.65	Paul Oßwald
17.1.65 – 1965	Ivica Horvath (Vertretung für den erkrankten Oßwald, hatte diesen bereits 1963/64 mehrmals vertreten)
1965 – 1968	Elek Schwartz
1968 – 1973	Erich Ribbeck
1973 – 1976	Dietrich Weise
1.7. – 8.11.1976	Hans-Dieter Roos
9.11.1976 – 30.11.1977	Gyula Lorant
9.12.77 – 1978	Dettmar Cramer
1.7. – 9.12.1978	Otto Knefler
8.1.1979 – 1980	Friedel Rausch
1980 – 1982	Lothar Buchmann
1.7. – 17.9.1982	Helmut Senekowitsch
19.9.1982 – 17.10.1983	Branko Zebec
18. – 29.10.1983	Klaus Mank / Jürgen Grabowski (Interim)
30.10.1983 – 3.12.1986	Dietrich Weise
4.12.1986 – 1987	Hans-Dieter Zahnleiter
1987 – 13.9.1988	Karl-Heinz Feldkamp
14.9. – 12.12.1988	Pal Csernai
2.1.1989 – 13.4.1991	Jörg Berger
14.4.1991 – 30.3.1993	Dragoslav Stepanovic
31.3. – 30.6.1993	Horst Heese
1993 – 10.4.1994	Klaus Toppmöller
10.4. – 30.6.94	Karl-Heinz Körbel
1994 – 2.4.1995	Jupp Heynckes
3.4.95 – 30.3.96	Karl-Heinz Körbel
1.4. – 7.12.96	Dragoslav Stepanovic
18.12.1996 – 8.12.1998	Horst Ehrmantraut
8. – 19.12.1998	Bernhard Lippert (Interim)
22.12.1998 – 18.4.1999	Reinhold Fanz
19.4. – 19.12.99	Jörg Berger
27.12.1999 – 29.1.2001	Felix Magath
29.1. – 3.4.01	Rolf Dohmen
3.4. – 19.5.01	Friedel Rausch
18.6.2001 – 8.3.2002	Martin Andermatt
8.3. – 27.5.2002	Armin Kraaz
1.7.2002 – 27.5.2004	Willi Reimann (vom 27.3. bis 24.4.2004 gesperrt; auf der Bank von Co-Trainer Jan Kocian vertreten)
2004 – 2009	Friedhelm Funkel
2009 – 22.3.2011	Michael Skibbe
23.3. – 16.5.2011	Christoph Daum
2011 – 2014	Armin Veh
2014 – 2015	Thomas Schaaf
2015 – 6.3.2016	Armin Veh
8.3.2016 – 2018	Niko Kovac
seit 2018	Adi Hutter

Die Nationalspieler

A-Nationalspieler

44 **Jürgen Grabowski** (1966 – 1974, 5 Tore)
40 **Bernd Hölzenbein** (1973 – 1978, 5 Tore)
25 **Andreas Köpke** (1994 – 1996, dazu kommen 14 für den 1. FC Nürnberg und 20 für Olympique Marseille)
22 **Rudolf Gramlich** † (1931 – 1936)
21 **Thomas Berthold** (1985 – 1986, 1 Tor, dazu kommen 10 für Hellas Verona, 18 für den AS Rom und 13 für den VfB Stuttgart)
17 **Uwe Bein** (1989 – 1993, 3 Tore)
14 **Manfred Binz** (1990 – 1992, 1 Tor)
12 **Friedel Lutz** (1960 – 1966)
12 **Andreas Möller** (1990 – 1992, 1 Tor, dazu kommen 53 für Borussia Dortmund und 20 für Juventus Turin)
11 **Franz Schütz** † (1929 – 1932)
10 **Hans Stubb** † (1930 – 1934, 1 Tor)
9 **Richard Kreß** † (1954 – 1961, 2 Tore)
9 **Ralf Weber** (1994 – 1995)
7 **Alfred Pfaff** † (1953 – 1956, 2 Tore)
7 **Willi Tiefel** † (1935 – 1936)
6 **Ronald Borchers** (1978 – 1981)
6 **Karl-Heinz Körbel** (1974 – 1975)
5 **Maurizio Gaudino** (1993 – 1994, 1 Tor)
4 **Ralf Falkenmayer** (1984 – 1986)
4 **Hugo Mantel** † (1930 – 1933, dazu kommt 1 f. den Dresdner SC)
2 **Peter Reichel** (1975 – 1976)
2 **Wolfgang Solz** † (1962 – 1964)
1 **Erich Bäumler** † (1956, 1 Tor)
1 **Fritz Becker** (FCF Kickers) † (1908, 2 Tore)
1 **Horst Heldt** (1999, dazu kommt 1 für den TSV München 1860)
1 **Sebastian Jung** (2014)
1 **Thomas Kroth** (1985)
1 **Willi Lindner** † (1933)
1 **Bernd Nickel** (1974)
1 **Hans Weilbächer** (1955)

B-Nationalspieler

10 **Karl-Heinz Körbel** (1974 – 1979)
7 **Peter Reichel** (1976 – 1977)
5 **Bernd Nickel** (1974 – 1976, 3 Tore)
5 **Rüdiger Wenzel** (1977 – 1979, 1 Tor)
4 **Ronald Borchers** (1978 – 1980)
3 **Richard Kreß** † (1954 – 1958)
2 **Erich Bäumler** †(1956, 1 Tor)
2 **Wolfgang Kraus** (1977)
2 **Alfred Pfaff** † (1953 – 1954, 3 Tore)
2 **Hans Weilbächer** (1957 – 1958)
1 **Peter Blusch** (1965)
1 **Helmut Henig** † (1953)
1 **Bernd Hölzenbein** (1972)
1 **Heinz-Josef Koitka** (1977, dazu kommen 2 für den Hamb. SV)
1 **Dieter Lindner** (1959)
1 **Friedel Lutz** (1959)
1 **Thomas Rohrbach** (1972)
1 **Ralf Sievers** (1986)
1 **Dieter Stinka** (1959)
1 **Gert Trinklein** † (1974)

A2-Nationalspieler

3 **Marco Gebhardt** (2000 – 2001)
3 **Thomas Reichenberger** (2000, 1 Tor, dazu kommen 2 für Bayer Leverkusen)
2 **Jens Rasiejewski** (2000)
2 **Bernd Schneider** (1999, 1 Tor, dazu kommen 3 für Bayer Leverkusen)
1 **Thomas Sobotzik** (1999)

„Team 2006"-Nationalspieler

1 **Daniyel Cimen** (2005)
1 **Nico Frommer** (2003, dazu kommt 1 für den SSV Reutlingen)
1 **Alexander Huber** (2005)
1 **Alexander Meier** (2005, dazu kommt 1 für den FC St. Pauli)
1 **Christoph Preuß** (2005, dazu kommt je 1 für Bayer Leverkusen und den VfL Bochum)
1 **Albert Streit** (2003, dazu kommen 3 für den 1. FC Köln)

Olympia-Auswahlspieler

3 **Thomas Lasser** (1990)
2 **Ralf Sievers** (1987 – 1988)
1 **Dirk Bakalorz** (1988, dazu kommen 2 für Borussia Mönchengladbach)
1 **Ralf Falkenmayer** (1984)
1 **Frank Schulz** (1987)

Amateur-Nationalspieler

48 **Jürgen Kalb** (1969 – 1975, 6 Tore)
41 **Bernd Nickel** (1968 – 1972, 18 Tore)
12 **Günther Wienhold** (1972 – 1974, dazu kommen 3 für den FC Singen 04)
10 **Wolfgang Kraus** (1972 – 1975)
9 **Heinz-Josef Koitka** (1976 – 1978, dazu kommen 5 für die SG Wattenscheid 09)
6 **Hermann Höfer** † (1954 – 1957)
5 **Karl-Heinz Körbel** (1973 – 1974, 1 Tor)
4 **Ronald Borchers** (1978, 1 Tor)
3 **Klaus Hommrich** (1969 – 1970, 1 Tor)
3 **Günter Keifler** (1967 – 1968, 1 Tor, dazu kommt 1 für den VfL Marburg)
3 **Helmut Müller** † (1974)
2 **Wolfgang Mühlschwein** (1965)
2 **Winfried Stradt** (1976, 1 Tor, dazu kommen 5 für Tennis Borussia Berlin und 1 für Alemannia Aachen)
2 **Hans Weilbächer** (1953 – 1954)
1 **Wolfgang Trapp** (1978)

U23-Nationalspieler

2 **Bernd Hölzenbein** (1969)
1 **Jürgen Friedrich** (1966)
1 **Jürgen Grabowski** (1967)
1 **Hermann Höfer** † (1957)
1 **Bernd Nickel** (1971)

U21-Nationalspieler

19 **Sebastian Jung** (2010 – 2013)
16 **Ralf Falkenmayer** (1982 – 1986)
15 **Christoph Preuß** (2002 – 2004, dazu kommen 8 für Bayer Leverkusen)
9 **Manfred Binz** (1987 – 1990)
9 **Patrick Ochs** (2005 – 2006)
8 **Marcel Heller** (2007 – 2008, 3 Tore, dazu kommen 3 für den MSV Duisburg)
8 **Jermaine Jones** (2002 – 2003, 3 Tore)
7 **Sebastian Rode** (2011 – 2013)
6 **Armin Kraaz** (1984 – 1985)
6 **Uwe Müller** (1984 – 1985)
6 **Alexander Rosen** (1999 – 2000, dazu kommt 1 für den FC Augsburg)
5 **Thomas Berthold** (1984 – 1986)
5 **Matthias Hagner** (1994 – 1996, 1 Tor)
5 **Stefan Zinnow** (1999 – 2000, 1 Tor)
4 **René Beuchel** (1995 – 1996, dazu kommen 7 für Dynamo Dresden)
4 **Patrick Falk** (1999 – 2000, 1 Tor)
4 **Giuseppe Gemiti** (2002, dazu kommen 11 für Udinese Calcio, 5 für Genua CFC 1893)
4 **Martin Trieb** (1983)
3 **Stefan Bell** (2011, 1 Tor, dazu kommen 3 für den TSV München 1860)
3 **Rigobert Gruber** (1979 – 1980, 1 Tor, dazu kommen 4 für Werder Bremen)
3 **Thomas Lasser** (1989 – 1990)
3 **Thomas Reis** (1993 – 1994)
2 **Hans-Jürgen Gundelach** (1985)
2 **Alexander Meier** (2006)
2 **Markus Steinhöfer** (2008, dazu kommt 1 für RB Salzburg)
2 **Marc Stendera** (2015)
2 **Klaus Theiss** (1985 – 1986)
2 **Dirk Wolf** (1992)
1 **Aymen Barkok** (2017)
1 **Mounir Chaftar** (2007)
1 **Alexander Conrad** (1987)
1 **Thorsten Flick** (1996)
1 **Norbert Hönnscheidt** (1980)
1 **Harald Krämer** (1985)
1 **Thomas Kroth** (1984, dazu kommen 12 für den 1. FC Köln)
1 **Thomas Sobotzik** (1993)
1 **Cenk Tosun** (2010, 1 Tor, dazu kommt 1 für Gaziantepspor)
1 **Kevin Trapp** (2013, dazu kommen 10 für den 1. FC Kaiserslautern)
1 **Ralf Weber** (1989)

Die Eintracht bei internationalen Turnieren

Olympische Spiele 1928 in Amsterdam:
Walter Dietrich (1 Einsatz für die Schweiz)

Weltmeisterschaft 1934 in Italien:
Rudolf Gramlich (1 Einsatz)

Olympische Spiele 1936 in Berlin:
Rudolf Gramlich (1 Einsatz)

Weltmeisterschaft 1954 in der Schweiz:
Alfred Pfaff (1 Einsatz/1 Tor)

Olympische Spiele 1956 in Melbourne:
Hermann Höfer (1 Einsatz)

Weltmeisterschaft 1966 in England:
Friedel Lutz (1 Einsatz)
Jürgen Grabowski (kein Einsatz)

Weltmeisterschaft 1970 in Mexiko:
Jürgen Grabowski (5 Einsätze)

Europameisterschaft 1972 in Belgien:
Jürgen Grabowski (1 Einsatz)

Olympische Spiele 1972 in München:
Jürgen Kalb (6 Einsätze/1 Tor)
Bernd Nickel (6 Einsätze/6 Tore)
Günter Wienhold (5 Einsätze)

Weltmeisterschaft 1974 in Deutschland:
Jürgen Grabowski (6 Einsätze/1 Tor)
Bernd Hölzenbein (6 Einsätze)

Europameisterschaft 1976 in Jugoslawien:
Bernd Hölzenbein (2 Einsätze/1 Tor)

Weltmeisterschaft 1978 in Argentinien:
Bernd Hölzenbein (3 Einsätze/1 Tor)

Weltmeisterschaft 1982 in Spanien:
Bruno Pezzey (5 Einsätze/1 Tor für Österreich)

Europameisterschaft 1984 in Frankreich:
Ralf Falkenmayer (kein Einsatz)

Weltmeisterschaft 1986 in Mexiko:
Thomas Berthold (6 Einsätze)

Olympische Spiele 1988 in Seoul:
Ralf Sievers (1 Einsatz)

Weltmeisterschaft 1990 in Italien:
Uwe Bein (4 Einsätze/1 Tor)

Afrikameisterschaft 1992 im Senegal:
Anthony Yeboah (5 Einsätze/2 Tore für Ghana)

Europameisterschaft 1992 in Schweden:
Manfred Binz (3 Einsätze)
Andreas Möller (3 Einsätze)

Afrikameisterschaft 1994 in Tunesien:
Augustine Okocha (4 Einsätze für Nigeria)
Anthony Yeboah (2 Einsätze für Ghana)

Weltmeisterschaft 1994 in den USA:
Maurizio Gaudino (kein Einsatz)
Augustine Okocha (3 Einsätze für Nigeria)

Europameisterschaft 1996 in England:
Andreas Köpke (6 Einsätze)

FIFA Confederations Cup 1999 in Mexiko:
Horst Heldt (1 Einsatz)

Afrikameisterschaft 2000 in Ghana und Nigeria:
Rolf-Christel Guié-Mien (2 Einsätze für Kongo)

Asienmeisterschaft 2000 im Libanon:
Yang Chen (6 Einsätze/3 Tore für China)

Weltmeisterschaft 2002 in Japan/Südkorea:
Pawel Kryszalowicz (3 Einsätze/1 Tor für Polen)
Yang Chen (2 Einsätze für China)

Asienmeisterschaft 2004 in China:
Du-Ri Cha (4 Einsätze/1 Tor für Südkorea)

Weltmeisterschaft 2006 in Deutschland:
Christoph Spycher (1 Einsatz für die Schweiz)

Asienmeisterschaft 2007 in Indonesien, Malaysia, Thailand und Vietnam:
Naohiro Takahara (6 Einsätze/4 Tore für Japan)

Europameisterschaft 2008 in Österreich und der Schweiz:
Ioannis Amanatidis (3 Einsätze für Griechenland)
Sotirios Kyrgiakos (3 Einsätze für Griechenland)
Christoph Spycher (kein Einsatz für die Schweiz)

Weltmeisterschaft 2010 in Südafrika:
Ricardo Clark (2 Einsätze für die USA)
Pirmin Schwegler (kein Einsatz für die Schweiz)

FIFA Confederations Cup 2013 in Brasilien:
Takashi Inui (1 Einsatz für Japan)

Weltmeisterschaft 2014 in Brasilien:
Constant Djakpa (1 Einsatz für die Elfenbeinküste)
Tranquilo Barnetta (kein Einsatz für die Schweiz)

Asienmeisterschaft 2015 in Australien:
Makoto Hasebe (4 Einsätze für Japan)
Takashi Inui (4 Einsätze für Japan)

Südamerikameisterschaft 2015 in Chile:
Nelson Valdez (5 Einsätze/1 Tor für Paraguay)
Carlos Zambrano (5 Einsätze für Peru)

CONCACAF Gold Cup 2015 in den USA:
Timothy Chandler (4 Einsätze für die USA)

Europameisterschaft 2016 in Frankreich:
Heinz Lindner (kein Einsatz für Österreich)
Haris Seferovic (4 Einsätze für die Schweiz)

FIFA Confederations Cup 2017 in Russland:
Marco Fabian (3 Einsätze für Mexiko, 1 Tor)

Weltmeisterschaft 2018 in Russland:
Ante Rebic (6 Einsätze für Kroatien, 1 Tor)
Makoto Hasebe (4 Einsätze für Japan)
Carlos Salcedo (4 Einsätze für Mexiko)
Marco Fabian (1 Einsatz für Mexiko)
Luka Jovic (1 Einsatz für Serbien)
Gelson Fernandes (kein Einsatz für die Schweiz)

Afrikameisterschaft 2019 in Ägypten:
Simon Falette (4 Einsätze für Guinea)

Die Eintracht-Amateure

Am 24. Mai 2014 versetzten Christos Albanis (16.), Sven Hassler (42.) und Andre Fliess (49., 85.) rund 500 mitgereiste Fans unter den 1898 Zuschauern zum letzten Mal in Ekstase. Mit einem 4:0 bei der TuS Koblenz beendete die von Eintracht-Legende Alexander Schur betreute 2. Mannschaft die Regionalliga-Saison auf Platz 12. Bereits eine Woche zuvor hatten 1050 Zuschauer am Bornheimer Hang beim 2:2 gegen den SC Pfullendorf Abschied von den „Amas" genommen. Trotz der Freude über die Punkte überwog am Ende aber doch Wehmut, denn es wurde ein Kapitel geschlossen, das 1953 in der B-Klasse Frankfurt begonnen hatte

Für den Rückzug der Mannschaft vom Spielbetrieb wurden offiziell rein sportliche Gründe genannt. Vorstand und Sportdirektor der AG, das Präsidium des e. V. und die Leitung des Leistungszentrums waren nach einer Analyse der letzten zehn Jahre zu dem Ergebnis gekommen, dass die U 23 der Eintracht zu wenig Spieler für die Profimannschaft geliefert habe. Gute Spieler würden den Sprung aus der Jugend in den Profibereich immer häufiger direkt schaffen, wurde argumentiert. „In der Regionalliga werden sie nicht besser", sagte Sportdirektor Bruno Hübner. Das Niveau dort sei zu niedrig. „Das ist keine Motivation, sondern hat genau einen gegenteiligen Effekt. [...] Das macht keinen Sinn mehr." Die 2. Mannschaft koste pro Saison 900 000 Euro „und bringt nichts". („Frankfurter Rundschau" vom 7. April 2014) Selbst Alexander Schur räumte ein, dass „das System der U 23 . . . nicht mehr in unsere Zeit" passe. Michael Gabriel, in den 1980er Jahren selbst bei den Amateuren aktiv, sprach dagegen von einem „Schnellschuss mit langfristigen Folgen". („Fan geht vor", November 2014)

Inzwischen sind sechs Jahre vergangen – und kein Spieler aus dem eigenen Nachwuchs hat den Sprung in die Bundesliga geschafft. Karl-Heinz Körbel hatte schon 2017 ein Umdenken gefordert. „Für U-19-Spieler aus der Junioren-Bundesliga ist es unheimlich schwierig, sofort den Sprung zu den Profis zu schaffen. Er ist kaum zu bewältigen. Deshalb braucht ein Verein eine sportliche Zwischenstation. Sicherlich hat man bei der Eintracht damals mehr ans Geld gedacht.... Aber heute ist der Trend wieder gegenläufig.... Dinge werden überdacht... . Daran muss sich auch die Eintracht orientieren." („FAZ-Online" vom 21. Juni 2017) Aus diesem Grund ging die Eintracht 2017 eine Kooperation mit dem SC Hessen Dreieich ein, in der Sportvorstand Fredi Bobic „eine Chance für unsere Jugendlichen" sah. „Für uns ist vor allem wichtig, dass die vielen Talente dieser Region auch in der Region bleiben und hier ausgebildet werden." (Eintracht-Presseerklärung vom 19. Juni 2017). Doch Dreieich stieg 2019 nach einer desaströsen Saison aus der Regionalliga ab. Noch vor Saisonende traten das Trainerduo Rudi Bommer und Ralf Weber und Vizepräsident Karl-Heinz Körbel zurück.

Auch U-21-Bundestrainer Stefan Kuntz hält es für „kontraproduktiv, wenn U23-Mannschaften abgemeldet werden. […] Uns gehen Talente verloren, weil die Förderung nach der U19 nicht mehr optimal ist." („Frankfurter Rundschau" vom 11. Januar 2020) Das zeigt sich auch bei der Eintracht, wo im Sommer 2020 mit Sahverdi Cetin (19), Patrick Finger (18) und Max Hinke (18) erneut drei talentierte Youngster gehen mussten. Sportdirektor Bruno Hübner begründet dies mit der fehlenden Spielpraxis, die „gerade in diesem Alter … für diese zweifels-frei begabten Jungs entscheidend [sei], um in ihrer Entwicklung voranzukommen. Angesichts der aktuellen Konkurrenzsituation auf ihren Positionen können wir ihnen trotz engagierter Trainingseindrücke keine regelmäßigen Einsätze garantieren, weswegen wir einvernehmlich von den Vertragsverlängerungen abgesehen haben." (Eintracht-Presseerklärung vom 28. Juni 2020)

Dabei war Anfang 2020 noch über ein Comeback der U 23 nachgedacht worden. Doch um in der fünftklassigen Hessenliga und nicht in der Kreisoberliga starten zu dürfen, hätte es einer Satzungsänderung beim Hessischen Fußball-Verband bedurft. Dazu kam die Coronavirus-Krise. Fredi Bobic sprach denn auch von „großen Hürden. Vom Verband aus, aus wirtschaftlicher Sicht und so weiter. Das ist ein Prozess. Vielleicht wird es irgendwann klappen, derzeit ist das aber nicht realistisch." („Frankfurter Neue Presse" vom 4. Juli 2020)

Vom Eintracht-Talent zum Nationalspieler hat es dagegen Luca Waldschmidt gebracht – allerdings über den Umweg Hamburger SV und SC Freiburg. Ein aktuelles Beispiel, dass es früher auch anders ging. Bernd Nickel und Bernd Hölzenbein feierten in der Saison 1967/68 ihr Bundesliga-Debüt, als die Amateure noch in der viertklassigen Gruppenliga spielten. Spätere Nationalspieler wie Thomas Berthold, Manfred Binz, Ronald Borchers, Jermaine Jones, Sebastian Jung, Karl-Heinz Körbel, Slobodan Komljenovic, Andreas Möller und Jay-Jay Okocha machten ihre ersten Gehversuche bei den Amateuren. Gestandene Bundesligaspieler wie Uwe Bindewald, Timothy Chandler, Hans-Jürgen Gundelach, Armin Kraaz, Harald Krämer, Wolfgang Kraus, Helmut und Uwe Müller, Oka Nikolov, Patrick Ochs, Christoph Preuß, Marco Russ, Alexander Schur, Thomas Sobotzik, Gert Trinklein und Thomas Zampach auch. Fred Schaub, der die Eintracht 1980 zum UEFA-Pokal-Sieg schoss, spielte ebenfalls zunächst bei den Amateuren. Die 1976 aus der DDR geflüchteten Jürgen Pahl und Norbert Nachtweih konnten während ihrer FIFA-Sperre bei den Amateuren Spielpraxis sammeln. Ein Sonderfall ist Peter Reichel, der von 1978 bis 1982 nach erfolgreicher Profi-Karriere, zwei A-Länderspielen und zwei Pokalsiegen bei den Amateuren weitere 117 Spiele bestritt. Für ihn Ausgleich zum Studium und der Vorbereitung auf seine spätere berufliche Karriere als Lehrer. Man erkennt aber an den Namen, dass es ganz andere Spielergenerationen waren. Ein Jürgen Grabowski, der 1965 als fast 21-Jähriger vom Amateurligisten FV Biebrich 02 an den Riederwald kam und binnen Jahresfrist zum Nationalspieler und WM-Teilnehmer wurde, würde heute vermutlich durch den Rost fallen.

Wie das Beispiel Peter Reichel zeigt, boten die Amateure die Möglichkeit, auf hohem sportlichem Niveau ohne den Leistungsdruck des Profifußballs zu spielen. Das trifft auch für Michael Gabriel zu, der 1980 mit der B- und 1982 mit der A-Jugend der Eintracht Deutscher Meister war und 1983 zusammen mit den späteren Bundesliga-Profis mit Franz Wohlfahrt und Toni Polster für Österreich an der U-20-WM in Mexiko teilnahm. Michael Gabriel blieb bis auf ein Jahr bei Rot-Weiss Frankfurt der Eintracht treu. Als er 1987 zurückkehrte, wollte der damalige Coach Hubert Neu einen erfahrenen Spieler in seinen Reihen wissen, der den jungen Hüpfern als Orientierung diente. Neben etlichen Spielern aus der A-Jugend stieß auch ein 20-jähriges Talent zu den Amateuren, das beim 1. FC Pforzheim seine ersten Erfahrungen in der Oberliga Baden-Württemberg gemacht hatte: Jürgen Klopp.

Michel Gabriel erinnert sich: „Was sofort auffiel, war seine freundliche und offene Art und seine ungemein positive Ausstrahlung. Natürlich war er extrem ehrgeizig, aber trotzdem immer sozial eingestellt, was unserem Mannschaftsgefüge ziemlich gut tat. Sein positives Gemüt brachte er auch bei der Feierabteilung intensiv ein. Sportlich lief es für ihn aber alles andere als rund. Kompensiert wurde seine sportliche Talsohle bei den Amateuren jedoch durch ein äußerst lehrreiches Jahr als mein Co-Trainer der C2-Jugend der Eintracht, von dem er offensichtlich noch heute profitiert." Nach nur einem Jahr verließ Klopp die Eintracht wieder und landete 1990 beim Zweitligisten 1. FSV Mainz 05. Alles Weitere ist Geschichte: Das Double mit Borussia Dortmund 2012, der Champions-League-Sieg 2019 und die Meisterschaft 2020 mit dem FC Liverpool sind die Höhepunkte seiner Karriere. Michael Gabriel (56) arbeitet heute bei der Koordinationsstelle Fanprojekte (KOS).

Eine „Weltkarriere" der etwas anderen Art erlebte Helmut Schmidkunz. 1941 in Annathal im Sudetenland geboren, verschlug es seine Familie nach dem Krieg nach Wörsdorf im Taunus. Als Student an der Fachholschule Frankfurt schloss er sich 1963 der Eintracht an und wurde 29-mal in die Hessenauswahl berufen. Nach Abschluss des Studiums ging er zunächst als Ingenieur nach Südafrika und nahm später ein Angebot zum Ausbau des TV-Marktes in Singapur an, wo er bis zum Erreichen des Rentenalters 2006 blieb. Selbstverständlich jagte er auf allen Auslandsstationen auch dem runden Leder nach.

Heute gibt es weder eine Amateurmannschaft bei der Eintracht noch eine Hessenauswahl im Erwachsenenbereich. Natürlich lässt sich die Zeit nicht zurückdrehen. Geschichten wie die von Michael Gabriel, Jürgen Klopp und Helmut Schmidkunz hört man aber trotzdem immer wieder gerne.

Alle Platzierungen der Eintracht-Amateure:

Saison	Liga	Platz	Spiele	Tore	Punkte
1953/54	B-Kl	1.	26	123:18	49-3
1954/55	A-Kl	1.	30	72:21	46-14
	AR	1.	8	25:10	13-3
1955/56	2. AL	2.	28	62:37	37-19
1956/57	2. AL	10.	30	53:50	27-33
1957/58	2. AL	12.	30	45:52	26-34
1958/59	2. AL	13.	30	43:58	23-37
1959/60	2. AL	11.	28	61:56	25-31
1960/61	2. AL	4.	30	80:56	36-24
1961/62	2. AL	10.	32	63:62	29-35
1962/63	2. AL	3.	32	71:43	41-23
1963/64	2. AL	2.	32	78:36	42-22
1964/65	2. AL	3.	32	71:33	41-23

1965/66	GrL	3.	34	87:47	45-23
1966/67	GrL	4.	32	70:33	41-23
1967/68	GrL	6.	32	60:40	36-28
1968/69	GrL	1.	32	76:26	50-14
1969/70	HL	1.	34	65:41	49-19
1970/71	HL	5.	34	43:30	41-27
1971/72	HL	13.	36	64:45	46-26
1972/73	HL	5.	34	68:54	42-26
1973/74	HL	8.	34	52:51	35-33
1974/75	HL	13.	36	49:54	27-45
1975/76	HL	5.	34	53:44	38-30
1976/77	HL	5.	34	53:33	36-32
1977/78	HL	2.	34	78:34	49-19
1978/79	OL	5.	34	71:47	42-26
1979/80	OL	5.	34	73:56	41-27
1980/81	OL	5.	34	52:49	37-21
1981/82	OL	3.	36	95:39	50-22
1982/83	OL	2.	32	87:37	46-18
1983/84	OL	5.	34	67:46	41-27
1984/85	OL	3.	36	80:46	46-26
1985/86	OL	7.	34	78:63	37-31
1986/87	OL	11.	32	56:68	30-34
1987/88	OL	11.	34	38:42	30-38
1988/89	OL	8.	30	45:55	28-32
1989/90	OL	10.	34	39:47	32-36
1990/91	OL	8.	34	44:52	35-33
1991/92	OL	9.	32	39:45	28-36
1992/93	OL	12.	32	42:54	28-36
1993/94	OL	10.	34	42:42	32-36
1994/95	OL	2.	30	57:25	44-16

ES um Platz 1: 0:4 SC Neukirchen (in Gießen)
AR: 3:1 VfR Pforzheim (in Sandhausen)

1995/96	RL	17.	34	33:61	30
1996/97	OL	8.	34	75:68	48
1997/98	OL	6.	30	55:45	46
1998/99	OL	4.	28	49:35	51
1999/00	OL	4.	34	63:39	57
2000/01	OL	4.	34	73:58	56
2001/02	OL	1.	34	72:35	74
2002/03	RL	18.	36	36:64	32
2003/04	OL	9.	34	63:75	42
2004/05	OL	12.	34	59:71	42
2005/06	OL	11.	34	47:41	42
2006/07	OL	9.	34	66:46	49 *
2007/08	OL	4.	34	74:43	58
2008/09	RLS	3.	34	61:35	66
2009/10	RLS	8.	34	57:41	48
2010/11	RLS	6.	30	56:48	46
2011/12	RLS	3.	34	69:41	67
2012/13	RLSW	15.	36	48:54	40
2013/14	RLSW	12.	34	52:55	43

Erklärung: B-Kl = B-Klasse Frankfurt, Gruppe 2; A-Kl = A-Klasse Frankfurt; 2. AL = 2. Amateurliga Frankfurt-West; GrL = Gruppenliga Süd (ab 1965 zweithöchste Amateurspielklasse, heute Verbandsliga), HL = Hessenliga (ab 1978 OL = [Amateur-] Oberliga Hessen, bis 1994 höchste Amateurspielklasse), RLS = Regionalliga Süd, RLSW = Regionalliga Südwest – seit 2005/06 werden die Amateur-Mannschaften der Profiklubs als 2. Mannschaft („II") oder „U 23" bezeichnet. – *) = 2006/07 fünf Punkte Abzug wegen Fan-Ausschreitungen im Kreispokal-Endspiel.

Spiele im Hessenpokal:

1969	VF	Borussia Fulda (A)		1:0
	HF	Hermannia Kassel (in Nidda)		3:2
	E	SV Hermannstein (in Wetzlar)	n.V.	3:2
1997	AF	Hessen Kassel (in Stadtallendorf)		0:3
2002	AF	SV 07 Raunheim (A)		5:0
	VF	SV Darmstadt 98 (A)		1:0
	HF	SC Neukirchen (H)		1:2
2004	AF	Kickers Offenbach (A)		1:4

Spiele im Süddeutschen Pokal:

1969	1. R.	Karlsruher SC (H)		1:0
	AF	Kickers Offenbach (H)		0:4

Spiele in der Deutschen Amateurmeisterschaft:

1970	1. R.	Victoria Hamburg		2:0, 1:2
	VF	Eintracht Braunschweig Am.		0:1, 0:1
1978	1. R.	HSV Barmbek-Uhlenhorst		3:1, 2:3
	VF	Eintracht Bad Kreuznach		1:0, 1:1
	HF	ESV Ingolstadt	n.V.	1:2, 1:1
1983	VF	Offenburger FV		5:1, 1:6

Die Spieler mit den meisten Einsätzen für die Amateure 1969 bis 2014

204 Detlef Lange (1974–1982)
202 Jens Paetzold (1999–2006)
177 Sven Schmitt (1995–2003)
167 Rudi Doppel (1973–1979)
159 Michael Gabriel (1981–1986 und 1987–1990)

Die Spieler mit den meisten Toren für die Amateure 1969 bis 2014

73 Christian Peukert (1978–1983)
54 Ali Talib (1997–2001)
42 Harald Krämer (1981–1984)
36 Martin Hess (2007–2010)
36 Thomas Lauf (1985–1987 und 1991/92)

Die Trainer der Amateure

Ernst Kudrass (bis 30.04.1966)
Udo Klug (1966 bis 1971)
Hermann Höfer (1971 bis 1975)
Hans-Dieter Roos (1975/76)
Heinz Bewersdorf (1976 bis 1978)
Dieter Stinka (1978 bis 1983)
Herbert Dörenberg (1983/84)
Hans-Dieter Zahnleiter (1984 bis 03.12.1986)
Hubert Neu (4.12.1986 bis 1988)
Jürgen Sparwasser (1988 bis 1990)
Hubert Neu (1990/91)
Ramon Berndroth (1991 bis 1994)
Rudi Bommer (1994 bis 21.8.1995)
Bernhard Lippert (22.8.1995 bis 1997)
Dietmar Rompel (1997/98)
Reinhard Stumpf (1998/99)
René Müller (1999/2000)
Bernhard Lippert (2000 bis 11.11.2005)
Armin Kraaz (12.11. bis 17.12.2005)
Petr Hubtchev (1.1.2006 bis 13.12.2007)
Frank Leicht (1.1.2008 bis 25.2.2010)
Oscar Coorochano (25.2.2010 bis 2012)
Alexander Schur (2012 bis 2014)

Die Eintracht-Reserve

1945 schloss sich die Reservemannschaft der Eintracht dem Frankfurter TV von 1860 an und bildete den Grundstock für dessen Fußball-Abteilung, die bis 1952 bestand. Sowohl 1946 und 1947 wurde die Mannschaft Meister der Kreisklasse Nordmain 1, scheiterte aber beide Male in den Aufstiegsspielen. 1946/47 nahm außerdem die Reserve der Eintracht „außer Konkurrenz" an den Spielen der Kreisklasse teil. 1948/49 gewann die Eintracht eine Reserverunde, an der außerdem noch teilnahmen: Kickers Offenbach, FSV Frankfurt, Rot-Weiss Frankfurt, 1. FC Rödelheim 02, SV Wiesbaden, SV Darmstadt 98, Union Niederrad und Germania Bieber. Ab 1949/50 beteiligte sich die Vertragsspieler-Reserve an der Reserverunde der Oberliga Süd. Nach Einführung der Bundesliga spielten die fünf süddeutschen Bundesligisten 1963/64 eine Vierfach-Runde aus, an der auch der 1. FC Kaiserslautern teilnahm. Von 1964 bis 1968 gab es eine so genannte „gemischte" Reserverunde der süddeutschen Bundes- und Regionalligisten. An dieser Runde nahm die Eintracht-Reserve 1964/65 und 1966/67 teil. 1965/66 spielte sie außer Konkurrenz in der Hessenliga mit. 1969/70 organisierte die Eintracht zusammen mit Kickers Offenbach, Opel Rüsselsheim, dem Karlsruher SC, 1. FC Kaiserslautern, Wormatia Worms, Borussia Neunkirchen und dem 1. FC Saarbrücken eine private Nachwuchsrunde. Nach der Vorrunde führte die Eintracht die Tabelle punktgleich mit Kickers Offenbach an. Da es in der Rückrunde wegen des strengen Winters Terminprobleme gab, wurde die Runde wahrscheinlich nicht beendet. In der Presse fanden sich jedenfalls keine Meldungen mehr dazu. Von 1978/79 bis 1985/86 gab es eine Bundesliga-Nachwuchsrunde (ab 1984/85 Adi-Daßler-Pokal), von 1994/95 bis 1996/97 eine Bundesliga-Reserverunde, jeweils in regionalen Gruppen.

Alle Platzierungen der Eintracht-Reserve:

Saison	Liga	Platz	Spiele	Tore	Punkte
1946/47	KrKl	a. K.	18	59:33	24-12
1948/49	Res-R.	1.	nicht bekannt		
1949/50	OL, Gr. II	2.	12	31:21	14-10
1950/51	OL	8.	30	63:52	32-28
1951/52	OL	7.	18	29:41	15-21
1952/53	OL	6.	18	47:53	16-20
1953/54	OL	5.	30	92:66	34-26
1954/55	OL	8.	30	87:70	34-26
1955/56	OL	5.	28	83:64	35-21
1956/57	OL	8.	26	38:35	25-27
1957/58	OL	7.	26	52:40	24-28
1958/59	OL (-2)	3.	28	76:53	36-20
1959/60	OL (-3)	4.	27	72:59	34-20
1960/61	OL (-1)	1.	27	96:34	45-9
1961/62	OL (-2)	1.	28	92:38	48-8
1962/63	OL (-9)	8.	21	41:37	25-17
1963/64	BLS (-1)	1.	19	55:19	32-6
1964/65	Süd	6.	26	53:48	27-25
1965/66	HL (-3)	a. K.	29	112:32	49-9
1966/67	Süd (-1)	3.	31	105:64	45-17
1969/70	NWR	1.	7	22:14	10-4
1978/79	BLN	3.	8	27:15	9-7
1979/80	BLN	1.	10	40:12	16-4
	VF 1. FC Kaiserslautern			0:0, 0:5	
1980/81	BLN	2.	10	35:9	14-6
1981/82	BLN	2.	10	33:23	12-8
1982/83	BLN	1.	8	26:8	14-2
	VF VfB Stuttgart			5:2, 2:4	
	HF Fortuna Köln			4:1, 1:1	
	EBor. Mönchengladbach			2:5 A	
1984/85	BLN (-1)	1.	9	22:16	14-4
	VF Werder Bremen			5:2 H	
	HF Borussia Dortmund			1:4 A	
1985/86	BLN	2.	6	(12:8)	6-6
	(Ein Ergebnis ist nicht bekannt.)				
1994/95	BLR	1.	14	29:17	19-9
	HF Bayer Leverkusen			1:4 A	
1995/96	BLR	6.	10	11:16	7
1996/97	BLR	nicht teilgenommen			

Erklärung: KrKl = Kreisklasse Nordmain 1, Res-R. = Reserverunde, OL = Reserverunde Oberliga Süd, BLS = Reserverunde Bundesliga Süd/Südwest, Süd = Reserverunde Süd, HL = Hessenliga, NWR = Nachwuchsrunde, BLN = Bundesliga-Nachwuchsunde, BLR = Bundesliga-Reserverunde – Zahlen in Klammern = Anzahl der nicht ausgetragenen Spiele, a. K. = außer Konkurrenz.

Die Eintracht-Jugend

Nicht nur ich war von der Nachricht bestürzt, dass Klaus Mank am Karfreitag 2020 im Alter von 75 Jahren verstorben war. Noch im Januar hatte ich ihn bei der Präsentation der „Erfolgschronik" im Eintracht-Museum aktiv wie immer erlebt. Er war Eintrachtler durch und durch, von 1985 bis 1988 Vizepräsident und im Herbst 1983 zusammen mit Jürgen Grabowski sogar zweimal Interimscoach der Bundesliga-Mannschaft. Seine größten Erfolge feierte er jedoch im Nachwuchsbereich. 1980 wurde er mit der B-Jugend Deutscher Meister, 1982 und 1983 mit der A-Jugend, in deren Reihen spätere Bundesligaprofis wie Hans Gundelach, Thomas Berthold, Harald Krämer, Uwe Müller, Armin Kraaz und Manfred Binz standen. Doch in den letzten Jahren war es ruhig geworden um den Nachwuchs der Eintracht. Lediglich die von Alexander Schur trainierten B-Junioren holten 2010 noch einen Titel. Mit der Verpflichtung von Andreas Möller als neuem Chef des Nachwuchsleistungszentrums im Oktober 2019 soll daher eine „strukturelle Neuausrichtung des Leistungszentrums" und „eine breitere personelle Aufstellung" erreicht werden, für die Möller „als einer der erfolgreichsten Offensivspieler Deutschlands" die richtigen Qualitätsmerkmale mitbringe. Vor allem bei den Ultras löste die Personalie aber auch heftigen Widerstand aus. Inzwischen wurden mit Ervin Skela und Alexander Meier ehemalige Profis ins Trainerteam geholt. Und sollten in Zukunft wieder eigene Talente dauerhaft den Sprung in den Profikader schaffen, wird man Andreas Möller vielleicht sogar seine Aussage von 2017 verzeihen: „Zur Eintracht habe ich keine Verbindung, mit Frankfurt habe ich nichts zu tun."

A-Junioren (U18; ab 2001/02 U19)
Deutscher Meister: 1982, 1983, 1985 (Finalist 1987)
Süddeutscher Meister: 1970
Hessenmeister: 1964, 1965, 1968, 1970, 1976, 1978, 1981, 1982, 1983, 1985, 1986, 1987, 1988, 1990, 1992, 1993, 1994, 1996, 2007
DFB-jugendkicker-Pokal: Finalist 1998
Hessenpokalsieger: 1992, 1996, 1997, 1998, 2001, 2002, 2003, 2007, 2008, 2009, 2010, 2011, 2012, 2013, 2014, 2017
Gaumeister Hessen-Nassau: 1943

Die Platzierungen in der Junioren-Regionalliga Süd:

1996/97	5.	26	52:42	45
1997/98	6.	26	52:45	41
1998/99	4.	26	67:37	52
1999/2000	4.	26	60:28	47
2000/01	4.	22	48:29	43
2001/02	3.	22	49:32	42
2002/03	7.	22	35:39	30

Die Platzierungen in der Junioren-Bundesliga Süd/Südwest:

2003/04	6.	26	42:41	44
2004/05	9.	26	29:40	32
2005/06	12.	26	37:44	27
2006/07	in der Oberliga Hessen			
2007/08	4.	26	48:35	42
2008/09	9.	26	47:50	33
2009/10	10.	26	54:62	31
2010/11	8.	26	34:41	34
2011/12	5.	26	47:40	39
2012/13	11.	26	45:57	28
2013/14	7.	26	42:32	39
2014/15	8.	26	44:51	34
2015/16	10.	26	43:52	33
2016/17	6.	26	42:37	36
2017/18	11.	26	34:59	27
2018/19	10.	26	37:44	31
2019/20 *	6.	20	43:28	38

B-Junioren (U16; ab 2001/02 U17)
Deutscher Meister: 1977, 1980, 1991, 2010 (Finalist 1981, 1982)
Meister B-Junioren-Bundesliga Süd/Südwest: 2010
Süddeutscher Meister: 1977
Hessenmeister: 1977, 1980, 1981, 1982, 1984, 1986, 1987, 1988, 1989, 1991, 1993, 1995, 1996, 1997, 1998, 1999, 2000, 2001 (B2), 2004 (B2), 2007 (B2)

Hessenpokalsieger: 1992, 1996, 1997, 1998, 2002, 2003, 2005, 2011, 2012, 2013, 2015, 2017, 2018

Die Platzierungen in der Junioren-Regionalliga Süd:

2000/01	4.	22	53:32	35
2001/02	2.	22	51:25	45
2002/03	4.	22	45:23	44
2003/04	2.	22	52:28	50
2004/05	6.	22	54:41	35
2005/06	8.	22	35:36	29
2006/07	2.	22	59:36	47

Die Platzierungen in der Junioren-Bundesliga Süd/Südwest:

2007/08	4.	26	59:42	44
2008/09	10.	26	32:39	30
2009/10	1.	26	57:11	62
2010/11	3.	26	65:25	52
2011/12	3.	26	55:25	50
2012/13	9.	26	38:36	37
2013/14	11.	26	42:60	28
2014/15	11.	26	30:39	28
2015/16	7.	26	41:43	35
2016/17	5.	26	74:46	44
2017/18	5.	26	56:51	41
2018/19	3.	26	53:25	56
2019/20 *	6.	21	37:41	30

C-Junioren (U14; ab 2001/02 U15)
Süddeutscher Meister: 1980, 1989, 1995, 2005, 2009, 2014
Hessenmeister: 1976, 1977, 1978, 1979, 1980, 1983, 1985, 1986, 1989, 1990, 1993, 1995, 1997, 1998, 1999, 2001, 2002, 2003, 2004, 2005, 2007, 2008, 2009, 2010

Die Platzierungen in der Junioren-Regionalliga Süd:

2010/11	2.	22	56:27	40
2011/12	4.	22	53:38	37
2012/13	2.	22	54:33	46
2013/14	1.	26	75:39	56
2014/15	2.	26	55:19	58
2015/16	3.	26	77:33	44
2016/17	4.	26	70:32	54
2017/18	2.	22	50:18	50
2018/19	3.	20	55:31	43
2019/20 *	7.	10	16:15	10

*) = Saison-Abbruch wegen der Coronavirus-Pandemie

Die Eintracht-Frauen

Am 16. Juni 2020 wurde im Frankfurter Frauenfußball Geschichte geschrieben. 90 Jahre nach Gründung des „1. Deutschen Damen-Fußballklub Frankfurt" durch die Metzgerstochter Lotte Specht (1911–2002), 50 Jahre nach Aufhebung des 1955 verhängten DFB-Verbots für Frauenfußball und 30 Jahre nach Gründung der Frauen-Bundesliga unterzeichneten Peter Fischer, Siegfried Dietrich und Fredi Bobic den Fusionsvertrag zwischen der Eintracht und dem 1. FFC Frankfurt.

Mit viel Selbstvertrauen hatten Lotte Specht und ihre Mitstreiterinnen 1930 den Kampf gegen bestehende Vorurteile aufgenommen. „Was Männer können, können wir auch", war ihre Devise. „Wir waren keine Revoluzzerinnen, sondern hatten einfach Spaß am Fußball." Unterstützung bekamen sie von der Journalistin Helli Knoll, der späteren Pressereferentin der Stadt Frankfurt. „Wir Frauen treiben den Sport, den wir wollen, und nicht den, der uns gnädigst von den Männern erlaubt wird." Auf Dauer waren die jungen Frauen den Anfeindungen aber nicht gewachsen. Elterliche Verbote kamen dazu und „nach einem Jahr, tja, da war er aus, der Traum." (Zitate aus der „Frankfurter Rundschau" vom 31. Mai 2011) Heute ist im Frankfurter Gallusviertel ein Park nach der Pionierin des Frankfurter Frauenfußballs benannt.

40 Jahre später war die Niederräder Schützengesellschaft „Oberst Schiel" 1902 eine Top-Adresse im deutschen Frauenfußball. Von 1972 bis 1979 war sie die Nr. 1 am Main und nahm viermal an der seit 1974 ausgetragenen Endrunde um die Deutsche Meisterschaft teil. 1977 wurde sogar das Endspiel erreicht, wo man aber nach einem 0:0 bei der SSG Bergisch Gladbach im Rückspiel vor über 3.000 Zuschauern auf den Sandhöfer Wiesen mit 0:1 unterlag. 1980 verschwand „Oberst Schiel" von der Bildfläche. Da es Probleme mit der Nachwuchsförderung gab, schloss sich das Team der SKG Frankfurt an. Die Lücke schloss der FSV, der bis 1990 elfmal in Folge Hessenmeister wurde und 1986 die erste Deutsche Meisterschaft nach Frankfurt holte. Zwei weitere Titel folgten 1995 und 1998, der letzte war zugleich der erste in der nun eingleisigen Bundesliga. Vizemeister wurde die SG Praunheim, die aus der Mannschaft der Deutschen Bundesbank hervorgegangen war, sich am 1. Januar 1999 in 1. FFC Frankfurt umbenannte und im gleichen Jahr erstmals Meister wurde. Mit dem Abstieg 2006 wurde das Kapitel Frauenfußball beim FSV, der auch fünfmal den Pokal gewann, nach 36 Jahren geschlossen.

Bis 2015 wurde der 1. FFC Frankfurt siebenmal Deutscher Meister, neunmal Pokalsieger und gewann viermal den UEFA Women's Cup bzw. die Champions League. In den letzten Jahren war jedoch ein verstärktes Engagement finanzkräftiger Profiklubs auch im Frauenbereich zu beobachten. 2019/20 waren nur noch fünf der zwölf Bundesligisten „traditionelle" Frauen-Klubs. 2020/21 werden es mit der SGS Essen und dem SC Sand nur noch zwei sein, da Turbine Potsdam eine Kooperation mit Hertha BSC eingegangen ist und die Eintracht den Platz des 1. FFC Frankfurt übernehmen wird. Die Eintracht ist seit 2004 im Frauenfußball dabei und kann auf eine rasante Entwicklung zurückblicken. Nach dem Verzicht der 2. Mannschaft des SC Freiburg hätten die Eintracht-Frauen 2020 eigentlich als Vizemeister der Regionalliga in die 2. Bundesliga aufrücken können. Doch da spielt bereits die „Zweite" von Fusionspartner 1. FFC.

Eintracht-Sportvorstand Fredi Bobic sieht im Zusammenschluss „ein tolles Zeichen für den Fußballstandort Frankfurt, den wir als Eintracht auf diese Weise gezielt weiterentwickeln möchten." Finanzvorstand Axel Hellmann ergänzt: „Der 1. FFC Frankfurt hat die Geschichte des deutschen Frauenfußballs … geprägt wie kein anderer Klub und Frankfurt zu einem herausragenden Standort für den nationalen und internationalen Frauenfußball werden lassen. Dies in einem veränderten Wettbewerbsumfeld zu erhalten, sehen wir für Frankfurt und Hessen, aber auch für den deutschen Spitzenfußball der Frauen als wichtige Aufgabe an." Und FFC-Manager Siegfried Dietrich zeigte sich „glücklich und dankbar, … genau zum richtigen Zeitpunkt unser Know-how, aber auch die Mitarbeiter, Mitglieder und unsere Fans in das Fahrwasser der großen Eintracht-Familie und damit in ein starkes, neues Zuhause mitnehmen zu dürfen." Zwar herrsche „auch ein wenig Wehmut … , aber die Vorfreude auf neue Ziele und ein neues Zeitalter des Frankfurter Frauenfußballs überwiegen deutlich!"

Die Platzierungen der Eintracht-Frauen:

Saison	Liga	Platz	Spiele	Tore	Punkte
2004/05	BezL 2	2.	14	55:5	3
2005/06	BOL	3.	16	29:21	31
2006/07	BOL	3.	18	50:14	39
2007/08	BOL	2.	18	81:17	50
	AR VL	1.	3	8:3	6
2008/09	VL	1.	24	107:24	66
2009/10	HL	5.	22	42:31	37
2010/11	HL	6.	22	32:37	26
2011/12	HL	1.	22	66:23	47
2012/13	RL	10.	22	32:44	22
2013/14	RL	7.	22	25:38	29
2014/15	RL	10.	22	25:42	23
2015/16	RL	12.	22	19:63	6
2016/17	HL	1.	22	93:14	57
2017/18	RL	1.	26	64:34	57
	AR 2. BL	3.	3	8:7	3
2018/19	RL	4.	26	68:47	48
2019/20 *	RL	2.	17	54:20	38

*) = Saison-Abbruch wegen der Coronavirus-Pandemie

Kreispokalsieger 2004, 2006, 2008, 2009
Bezirkspokalsieger 2006, 2007
Regionalpokalsieger 2009, 2010, 2011, 2012, 2016
Hessenpokalsieger 2013, 2019

Erklärung: BezL 2 = Bezirksliga Frankfurt, Gruppe 2; BOL = Bezirksoberliga Frankfurt; AR = Aufstiegsrunde; VL = Verbandsliga Süd; HL = Hessenliga; RL = Regionalliga Süd; 2. BL = 2. Bundesliga

Die Trainer*innen der Frauen:
Tamara Varga (2004 bis 6. 4. 2006)
Klaus Krost (6. 4. 2006 bis 2010)
Christof Reimann (2010 bis 31. 12. 2012)
Heiko Rosenfelder (1. 1. 2013 bis 28. 3. 2016)
Christian Yarussi (29. 3. 2016 bis 17. 4. 2018)
Tina Wunderlich (17. 4. 2018 bis 2018)
Stefan von Martinez (2018 bis 14. 10. 2018)
Christian Yarussi (21. 10. 2018 bis 2020)

Frankfurter Fußball-Club Victoria von 2012

2012 gründeten einige Eintracht-Fans ihren „eigenen" Klub, den sie in Anlehnung an den ältesten Eintracht-Vorgänger „Frankfurter Fußball-Club Victoria von 2012" nannten. Heimisch ist man inzwischen in Niederrad als Nachbar der Union geworden. Obwohl man stets bemüht ist, den eigenen Spielplan dem der Eintracht anzupassen, gibt es manchmal auch Überschneidungen, die nicht selten mit einer 0:3-Wertung am „grünen Tisch" endeten. So auch am Sonntag, 28. Mai 2017, als man auf die Punkte beim SV Mosaik verzichtete, da die Eintracht tags zuvor in Berlin das Pokal-Endspiel gegen Borussia Dortmund bestritt. Da war der Victoria der zweite Platz aber nicht mehr zu nehmen und zehn Tage später wurde der Aufstieg durch ein 5:2 bei Viktoria Preußen II perfekt gemacht. Der Erfolg wurde von den „Gästefans", die den Großteil der 200 Zuschauer ausmachten, gebührend gefeiert. 2018 hatte Victoria mehr Glück, denn am Wochenende des Endspielsiegs gegen Bayer München war man spielfrei. Da die Saison 2019/20 abgebrochen wurde, geht der Klub im Herbst 2020 in seine vierte Spielzeit in der A-Klasse, in der inzwischen auch Frankfurts ältester Fußballklub VfL Germania 94 zu Hause ist. Leider erfüllten sich die Hoffnungen nicht, „eine bessere Platzierung als im Vorjahr" zu erreichen. Mit nur zwei Siegen und einem Unentschieden lag man abgeschlagen am Tabellenende. Immerhin wird es 2020/21 vermutlich keine „erneute enorme Belastung durch Bundesliga, DFB-Pokal, Europa League, Kreisliga A und Kreispokal" geben. Ob sich der bereits in den letzten Jahren oft geäußerte Wunsch, „dass uns die anderen Wettbewerbsteilnehmer bei anfallenden Spielverlegungen keine Steine in den Weg legen", erfüllen lässt, kann wegen der Coronavirus-Pandemie aktuell wohl nicht beantwortet werden. „Schließlich wollen die meisten Frankfurter Buben auch zur Eintracht." Die Frage ist halt: wann? (Zitate aus der FNP-Beilage „Fußball total 2019/20").

Die Platzierungen des FFC Victoria von 2012:

2013/14	B-Klasse, Gr. 1	11.	32	53:83	44	Kreispokal: 1. Runde
2014/15	B-Klasse, Gr. 1	8.	30	64:80	38	Kreispokal: 1. Runde
2015/16	B-Klasse, Gr. 1	8.	30	67:59	51	Kreispokal: 1. Runde
2016/17	B-Klasse, Gr. 1	2.	32	142:39	79	Kreispokal: 2. Runde
2017/18	A-Klasse, Gr. Südost	9.	32	81:92	40	Kreispokal: 1. Runde
2018/19	A-Klasse, Gr. 2	12.	32	63:104	31	Kreispokal: 1. Runde
2019/20 *	A-Klasse, Gr. 2	15.	22	30:102	7	Kreispokal: 2. Runde

*) = Saison-Abbruch wegen der Coronavirus-Pandemie

Das Eintracht-Futsal-Team

Nur eine kurze, aber überaus erfolgreiche Geschichte hatte das Eintracht-Futsal-Team, das 2005/06 auf Anhieb regional und überregional für Furore sorgte. Im Gegensatz zum Hallenfußball, bei dem es von 1987 bis 2001 einen offiziellen DFB-Wettbewerb (DFB-Hallenpokal) gab, wird Futsal ohne Bande gespielt. In Südamerika wurde Futsal schon seit den 1950er Jahren gespielt wird. In Europa ist es vor allem in Süd- und Osteuropa sehr populär. Seit 2016 gibt es eine offizielle DFB-Futsal-Nationalmannschaft, die inzwischen 34 Länderspiele ausgetragen hat (9 Siege, 8 Unentschieden, 17 Niederlagen).

2014 wurde die Futsal-Mannschaft der Eintracht aufgelöst und die meisten Spieler schlossen sich Cosmos Hoechst an, das auch den Platz der Eintracht in der Hessenliga übernahm. 2015 gehörten die Höchster als Hessenmeister zu den Gründungsmitgliedern der Futsal-Regionalliga Süd, stiegen 2017 aber als Tabellenletzter ab. In der wegen der Coronavirus-Pandemie abgebrochenen Spielzeit 2019/20 waren „GO Rhein-Main Futsal" aus Ober-Roden und der SV Pars Neu-Isenburg die einzigen hessischen Teams in der höchsten (süd-) deutschen Futsal-Spielklasse.

Die Erfolge Eintracht-Futsal-Teams:
Süddeutscher Meister: 2006
Hessenmeister: 2006, 2007, 2008, 2009, 2010, 2011, 2013
Hessenpokalsieger: 2009

Zuschauer-Statistik seit 1920

Aus der Vorkriegszeit sind nicht alle Zuschauerzahlen überliefert. In diesen Fällen ist nur die Summe der bekannten Zahlen mit einem entsprechenden Hinweis angegeben (z.B. „3 von 10", d.h. nur von drei der zehn Heimspiele sind Zuschauerzahlen bekannt). Auf die Angabe eines Zuschauerschnitts wurde verzichtet (mit einem Sternchen [*] markiert), wenn nicht mindestens 80 Prozent der Zuschauerzahlen bekannt sind. Eine Ausnahme wurde in der Saison 1945/46 gemacht, da wegen des beschränkten Fassungsvermögens an der Roseggerstraße über den gesamten Saisonverlauf keine großen Schwankungen möglich waren. Wegen der Coronavirus-Pandemie fanden 2019/20 die letzten fünf Heimspiele ohne Zuschauer statt.

Saison	Heimspiele	Gesamt	Schnitt	Saison	Heimspiele	Gesamt	Schnitt
Süddeutsche Kreis- und Bezirksliga				**Oberliga Süd**			
1920/21	3 von 10	22.500	*	1945/46	11 von 15	79.500	7.227
Süddt. Meist.	3	33.000	11.000	1946/47	19	233.000	12.263
1921/22	3 von 7	13.000	*	1947/48	19	225.000	11.842
Kreismeist.	1	unbekannt		1948/49	15	173.000	11.533
1922/23	5 von 7	34.000	*	1949/50	15	195.000	13.000
1923/24	1 von 7	10.000	*	1950/51	17	178.000	10.471
1924/25	2 von 7	10.500	*	1951/52	15	174.500	11.633
1925/26	7	25.500	3.643	1952/53	15	246.000	16.400
1926/27	9	50.000	5.556	DM-Endrunde	3	124.033	41.389
Trostrunde	4	25.000	6.250	1953/54	15	266.000	17.733
1927/28	11	58.500	5.318	1954/55	15	233.000	15.533
Süddt. Meist.	7	117.000	16.714	1955/56	15	135.000	9.000
DM-Endrunde	kein Heimspiel			1956/57	15	157.500	10.500
1928/29	9	57.000	6.333	1957/58	15	204.000	13.633
Süddt. Meist.	7	100.000	14.286	1958/59	15	265.500	17.700
1929/30	3 von 7	40.000	*	DM-Endrunde	3	150.665	50.222
Süddt. Meist.	7	93.000	13.286	1959/60	15	222.000	14.800
DM-Endrunde	1	15.000	15.000	1960/61	15	174.000	11.600
1930/31	7	53.000	7.571	DM-Endrunde	3	187.510	62.503
Süddt. Meist.	7	108.000	15.428	1961/62	15	284.000	18.933
DM-Endrunde	kein Heimspiel			DM-Endrunde	1	47.100	47.100
1931/32	10	55.000	5.500	1962/63	15	202.380	13.492
Süddt. Meist.	7	55.500	7.928				
DM-Endrunde	1	22.000	22.000	**Bundesliga**			
1932/33	9	43.000	4.778	1963/64	15	398.425	26.561
Süddt. Meist.	8	53.500	6.687	1964/65	15	338.416	22.561
DM-Endrunde	1	12.000	12.000	1965/66	17	491.412	28.906
				1966/67	17	472.096	27.770
Gauliga Südwest und Hessen-Nassau				1967/68	17	355.719	20.924
1933/34	10 von 11	49.000	4.900	1968/69	17	371.983	21.881
1934/35	9 von 10	48.500	5.338	1969/70	17	308.574	18.151
1935/36	9	73.000	8.111	1970/71	17	392.283	23.075
1936/37	8 von 9	67.000	8.375	1971/72	17	372.304	21.900
1937/38	9	62.000	6.889	1972/73	17	233.138	13.714
DM-Endrunde	3	18.000	6.000	1973/74	17	429.031	25.237
1938/39	9	74.000	8.222	1974/75	17	399.689	23.511
1939/40	5 von 6	25.800	5.160	1975/76	17	350.529	20.619
1940/41	7	18.000	2.571	1976/77	17	383.664	22.568
1941/42	2 von 6	9.000	*	1977/78	17	405.489	23.852
1942/43	5 von 9	17.000	*	1978/79	17	398.499	23.441
1943/44	9		unbekannt	1979/80	17	348.797	20.517
1944/45			unbekannt	1980/81	17	354.672	20.863

Saison	Heimspiele	Gesamt	Schnitt	Saison	Heimspiele	Gesamt	Schnitt
1981/82	17	344.685	20.276	**Bundesliga**			
1982/83	17	338.763	19.927	2003/04	17	419 856	24.697
1983/84	17	352.895	20.759				
1984/85	17	378.643	22.273	**2. Bundesliga**			
1985/86	17	267.651	15.744	2004/05	17	390 167	22.951
1986/87	17	299.845	17.638				
1987/88	17	337.320	19.842	**Bundesliga**			
1988/89	17	255.266	15.016	2005/06	17	696.806	40.989
1989/90	17	425.776	25.046	2006/07	17	781.737	45.985
1990/91	17	400.266	23.545	2007/08	17	820.562	48.268
1991/92	19	551.494	29.026	2008/09	17	802.473	47.204
1992/93	17	416.616	24.507	2009/10	17	803.548	47.268
1993/94	17	524.305	30.841	2010/11	17	806.368	47.433
1994/95	17	480.360	28.256				
1995/96	17	465.592	27.388	**2. Bundesliga**			
				2011/12	17	640.637	37 685
2. Bundesliga							
1996/97	17	245.785	14.458	**Bundesliga**			
1997/98	17	370.436	21.790	2012/13	17	817.171	48.069
				2013/14	17	800.082	47.064
Bundesliga				2014/15	17	809.921	47.642
1998/99	17	531.979	31.293	2015/16	17	793.054	46.650
1999/2000	17	570.267	33.545	2016/17	17	831.982	48.940
2000/01	17	482.152	28.362	2017/18	17	830 636	48 861
				2018/19	17	840 815	49 460
2. Bundesliga				2019/20	12	593.878	49 490
2001/02	17	227.603	13.388				
2002/03	17	257.090	15.123				

Zahlreiche Fans begleiten 1960 ihre Eintracht zum Europapokal-Finale in Glasgow gegen Real Madrid (3:7).

Daten zum Verein

Eintracht Frankfurt Fußball AG
Mörfelder Landstraße 362
60528 Frankfurt am Main
Telefon: (08 00) 743-1899 (SGE-1899)
Internet: www.eintracht.de
E-Mail: info@eintrachtfrankfurt.de

Gegründet: 8. März 1899
(seit 1. Juli 2000 Eintracht Frankfurt Fußball AG)

Erfolge:
Deutscher Meister 1959
Deutscher Pokalsieger 1974, 1975, 1981, 1988, 2018
UEFA-Pokal-Sieger 1980
Rappan-Cup-Sieger (Intertoto-Runde) 1967
Alpenpokal-Sieger 1967
Deutscher Flutlichtpokal-Sieger 1957
Süddeutscher Meister 1930, 1932, 1953, 1959
Gaumeister Südwest 1938
Meister des Frankfurter Associations-Bundes 1902, 1903 (Victoria), 1904 (1899-Kickers)
Westmaingaumeister 1905, 1906 (Victoria)
Südmaingaumeister 1907, 1908 (Kickers), Herbst 1915, Frühjahr 1916, Herbst 1917, Herbst 1918 (FFV)
Nordkreismeister 1912, 1913, 1914 (FFV)
Nordmainmeister 1920 (FFV), 1921
Mainbezirksmeister 1928, 1929, 1930, 1931, 1932
Meister der 2. Bundesliga 1998
Hessenmeister (Amateure) 1969, 2002
Hessenpokalsieger 1946, Amateure 1970
Deutscher A-Junioren-Meister 1982, 1983, 1985
Deutscher B-Junioren-Meister 1977, 1980, 1991, 2010
Vorstand: Fredi Bobic (Sport), Oliver Frankenbach (Finanzen), Axel Hellmann (Marketing und Medien)
Aufsichtsrat: Philip Holzer (Vorsitzender), Peter Fischer (Stellvertreter), Hans-Dieter Brenner, Dieter Burkert, Thomas Förster, Claudio Montanini, Stephen Orenstein – Ehrenvorsitzender: Wolfgang Steubing
Sportdirektor: Bruno Hübner
Direktor Frauenfußball: Siegfried Dietrich
Chefscout und Kaderplanung: Ben Manga
Technischer Direktor: Marco Pezzaiuoli
Teammanagement: Christoph Preuß, Thomas Westphal
Trainer: Adi Hütter
Co-Trainer: Christian Peintinger, Armin Reutershahn
Torwart-Trainer: Jan Zimmermann
Athletik, Prävention und Rehabilitation: Andreas Beck (Leitung), Andreas Biritz, Markus Murrer, Martin Spohrer
Spielanalyse: Sebastian Zelichowski (Leitung), Steffen Haas, Gabor Ruhr, Marco Russ, Marco Schuster,
Zeugwarte: Franco Lionti, Igor Simonov
Leiter Medien und Kommunikation: Jan-Martin Strasheim
Pressesprecher: Marc Hindelang, Sarah da Costa
Medienorganisation: Carsten Knoop
Medizinische Betreuung: Prof. Dr. Florian Pfab MBA, Christian Haser M.Sc MBA (Mannschaftsärzte), Benjamin Sommer, Patrick Kux, Koichi Kurokawa (Physiotherapeuten)
Leiter Fußballschule: Karl-Heinz Körbel

Vereinsfarben: Rot-Schwarz-Weiß
Spielkleidung: Rot-schwarz längsgestreiftes Hemd, schwarze Hose, schwarze Stutzen mit roten Querstreifen oder weißes Hemd, weiße Hose, weiße Stutzen

Eintracht Frankfurt e. V.
Sportplatz am Riederwald
Alfred-Pfaff-Straße 1
60386 Frankfurt am Main
Telefon: (069) 42 09 70-0.
Internet: www.eintracht.de
E-Mail: info@eintracht-frankfurt.de.
Präsidium: Peter Fischer (Präsident), Dieter Burkert (Amateur- und Jugendbereich), Thomas Förster (Finanzen), Stefan Minden (juristische Angelegenheiten, Fan- und Förderabteilung), Michael Otto (operativer Geschäftsführer)
Leiter Leistungszentrum Fußball: Andreas Möller
Leiter Sportinternat: Anton Schumacher
Nachwuchskoordinator: Holger Müller
Abteilungsleiter Fußball: Ottmar Ullrich
Trainer Leistungsteams: Jürgen Kramny (Cheftrainer U19), Andreas Ibertsberger (Co-Trainer); Sandro Stuppia (Cheftrainer U17), Ervin Skela, Kai Hesse (Co-Trainer); Helge Rasche (Cheftrainer U16), Alexander Meier, Dennis Merten (Co-Trainer); Thomas Broich (Cheftrainer U15), Jerome Polenz, Dominik Reichardt (Co-Trainer)
Mitglieder: 90.552 (Stand: 15. 7. 2020) – Abteilungen: Basketball (seit 1954), Boxen (seit 1919), Eishockey (seit 1959/2002), Eissport (seit 1959), Fan- und Förderabteilung (seit 2000), Fechten (1864–1971, wieder seit 2017), Fußball (seit 1899, seit 2016 auch mit Tischfußball und seit 2019 mit eSports), Handball (seit 1921), Hockey (seit 1906), Leichtathletik (seit 1899), Rugby (seit 1923), Tennis (seit 1920), Tischtennis (seit 1924/1947), Triathlon (seit 2008), Turnen (seit 1861, dazu gehört auch die 2006 gegründete Dart-Sparte), Ultimate Frisbee (seit 2015), Volleyball (seit 1961)

Fanbetreuung:
Marc Francis (Leiter), Nadine Krämer, André Roth, Clemens Schäfer, Julian Schneider – https://fans.eintracht.de/fans/fanbetreuung/
Leiter Fan- und Förderabteilung: Stefan Ungänz, https://fans.eintracht.de/fans/fan-und-foerderabteilung/fanabteilung/

Eintracht Frankfurt Museum und Vereinsarchiv:
Matthias Thoma (Leiter), Mörfelder Landstraße 362, 60528 Frankfurt, Tel. (069) 95 503-275, https://museum.eintracht.de/, E-Mail: museum@eintrachtfrankfurt.de

Stand: 20. August 2020

Literaturverzeichnis

1. Originalquellen

Protokoll-Buch für den F. F. C. „Victoria", 8. März 1899 bis 12. Januar 1900

Spiel-Berichte des F. F. C. „Victoria" 1899, 19. März 1899 bis 7. April 1907

Fußballclub Frankfurter Kickers, Protokollbuch, 10. April 1905 bis 21. April 1908

Michael Pickel, *Aus den Gründungsjahren 1899–1911* und *Aus den Jahren 1911–1920: Der Frankfurter Fussball-Verein*, zwei Schreibmaschinen-Manuskripte zum 25jährigen Vereinsjubiläum 1924

Liebe Eintracht-Jugend!, hektografiertes Rundschreiben des Stellvertretenden Vorsitzenden und Jugendleiters Wilhelm Ewald, 23. Mai 1933

Erich Wick, *Frankfurts Radrennbahnen*, Schreibmaschinen-Manuskript, in:

Erich Wick, H. P. Tillenburg, Wollenberg (Hg.), Aus der Geschichte des Frankfurter Sports, Frankfurt 1939/1949, S. 119–123

Jürgen Gerhardt, *Eintracht-Vorstände leisteten Pionierarbeit beim Wiederaufbau des Vereins nach dem 2. Weltkrieg*, Schreibmaschinen-Manuskript 1959

Heiner Stocke, *Dokumentation über die Vereinsgeschichte von „Eintracht Frankfurt e. V." nach Ende des letzten Krieges*, abgeschlossen im Mai 1988

2. Vereinspublikationen

2.1. Festschriften, Vereinschroniken und Jahrbücher

Frankfurter Fußball-Verein (Kickers-Victoria-Turnsportverein) e. V., Satzungen, Druckerei Enz & Rudolph, Frankfurt 1914

Kriegsjahre und Zukunft, Frankfurter Fußball-Verein 1919

Festschrift zur Einweihung des neuen Sport- und Spielplatzes „Am Riederwald" der Frankfurter Turn- und Sportgemeinde „Eintracht von 1861", 5. September 1920

Programm zum 25jährigen Jubiläum der Sportgemeinde „Eintracht" Frankfurt a. M., 30. August bis 7. September 1924

Vereins-Nachrichten der Frankfurter Sportgemeinde Eintracht e. V. (F. F. V.), Jubiläums-Ausgabe Mai-Juni 1929

Offizielles Programm zur Tribünen-Weihe, Fortuna Düsseldorf – Eintracht Frankfurt, 5. September 1937

Eintracht kämpfte in aller Welt, 40 Jahre Erziehungsarbeit im deutschen Sport, Sonderausgabe der Vereins-Nachrichten zum 40jährigen Jubiläum, Juli/August 1939

Es war nicht nur ein Name …, 50 Jahre Eintracht 1899–1949

Eintracht Frankfurt gegen Ägypten, Offizielles Sportprogramm zur Einweihung des Sportplatzes am Riederwald, 17. August 1952

Eintracht in aller Welt, 60 Jahre Eintracht 1899–1959

Eintracht Frankfurt 75 Jahre, Der Eintracht-Report, Dokumentation 1899–1974

Eintracht Report ,78, 15 Jahre Bundesliga, Verlag Birkholz u. Schnell, Frankfurt 1978

Eintracht Frankfurt, Jahrbuch 1995/96

Eintracht Frankfurt, Saison-Journal, Alle Informationen zur Bundesliga 1998/99

Eintracht Frankfurt, Saison-Journal 1999/2000, Jubiläumsausgabe: Alle Spieler – alle Daten, Das historische Tor

Eintracht Frankfurt, Saison-Journal 2000/2001

Eintracht Frankfurt, Saison-Journal 2001/2002

Eintracht Frankfurt, Saison-Journal 2002/03

Eintracht Frankfurt, Jahrbuch Bundesliga-Saison 2003/04

Eintracht Frankfurt, Jahrbuch Saison 2004/05

Unsere Eintracht, Offizielles Jahrbuch 2005/06 der Eintracht Frankfurt Fußball AG

Unsere Eintracht, Offizielles Jahrbuch 2006/07 der Eintracht Frankfurt Fußball AG

Unsere Eintracht, Eintracht Frankfurt Fußball AG Jahrbuch Saison 2007/08

Eintracht Frankfurt, Offizielles Jahrbuch 2008/09 der Eintracht Frankfurt Fußball AG

Eintracht Frankfurt, Alles zur neuen und alten Saison, Offizielles Jahrbuch 2009/10 der Eintracht Frankfurt Fußball AG

Eintracht Frankfurt, Alles zur neuen und über die alte Saison, Offizielles Jahrbuch 2010/11 der Eintracht Frankfurt Fußball AG

Eintracht Frankfurt, Alles zur neuen und alten Saison, Offizielles Jahrbuch 2011/12 der Eintracht Frankfurt Fußball AG

Eintracht Frankfurt, So ging's nach oben, so geht's weiter, Offizielles Jahrbuch 2012/13 der Eintracht Frankfurt Fußball AG

Eintracht Frankfurt, So ging's nach Europa, so geht's weiter – Eintracht International, Offizielles Jahrbuch 2013/14 der Eintracht Frankfurt Fußball AG

Eintracht Frankfurt, Wir sagen DANKE! Eintracht INTERNATIO-NAAAAAAL!, Offizielles Jahrbuch 2014/15 der Eintracht Frankfurt Fußball AG

Eintracht Frankfurt, Wir sind Torschützenkönig!, Offizielles Jahrbuch 2015/16 der Eintracht Frankfurt Fußball AG

Von 2016 bis 2018 erschien kein Jahrbuch der Eintracht Frankfurt Fußball AG.

Adler im Anflug; Eintracht Frankfurt, DFB-Pokalfinale 2017, hg. von der Eintracht Frankfurt Fußball AG, 2018 (mit DVD)

Die Rückkehr des Pokals, Eintracht Frankfurt, DFB-Pokalsieger 2018, hg. von der Eintracht Frankfurt Fußball AG, 2018

Building Bridges, Where we spread our spirit in 2018, hg. von der Eintracht Frankfurt Fußball AG, 2018

Seit 1899: 120 Jahre, Eine Zeitreise durch die Geschichte des Vereins, Begleitheft zur 120-Jahr-Feier von Eintracht Frankfurt am 29. Juni 2019, hg. von Eintracht Frankfurt e. V., 2019

Klaus Veit, *Ein Jahr zum Verlieben, Das offizielle Saisonbuch 2018/19 von Eintracht Frankfurt*, hg. von der Eintracht Frankfurt Fußball AG, 2019

Warum die Eintracht Eintracht heißt, Artikel zum Zusammenschluss der Frankfurter Turngemeinde von 1861 und des Frankfurter Fußball-Verein am 8. Mai 1920, https://www.eintracht.de/news/artikel/warum-die-eintracht-eintracht-heisst-79771/, 8. Mai 2020

2.2. Vereinszeitungen/-Magazine, Fanzeitungen

Clubzeitung des F. C. Frankfurter Kickers, 15. Februar 1905 bis März 1907, 28 Ausgaben (drei fehlen) plus Extra-Ausgabe Ostern 1905

Vereinszeitung der Frankfurter Kickers, 1. September 1910 bis 1. Mai 1911, 16 Ausgaben (eine fehlt)

Vereins-Zeitung des Frankfurter Fußball Vereins, 15. Mai 1911 bis 15. Juli 1914, insgesamt 76 Ausgaben

Rundschreiben an die Mitglieder während des 1. Weltkrieges, 8. Dezember 1914, April, Juni und Dezember (Liebe F. F. Ver!) 1915, 1. Mai 1916, 1. Dezember 1916 und August 1917

Mitteilungen der Frankfurter Turn- und Sportgemeinde Eintracht, Dezember 1920 bis Juni 1923, Mai 1924 bis März 1927, insgesamt 60 Ausgaben

Vereins-Nachrichten der Frankfurter Sportgemeinde Eintracht e. V. (F. F. V.), Juni 1927 bis Mai 1941, insgesamt 225 Ausgaben

Feldpostbriefe der Frankfurter Sportgemeinde „Eintracht" (FFV) e. V., Frankfurt am Main: „Brücke von der Front zur Heimat", Nr. 1 (Dezember 1941) und Nr. 2 (Mai 1942)

Eintracht Hefte, Mitteilungen der Sportgemeinde Eintracht (F. F. V.) e. V., April 1950 bis Oktober/Dezember 1967, insgesamt 176 Ausgaben

Eintracht Frankfurt, Vereinszeitung und Stadionprogramm, erstmals am 17. August 1968 erschienen, seit November 1980 reines Stadionprogramm, pro Saison erschienen bis zu 20 und mehr Hefte je nach Spielprogramm (Bundesliga, DFB-Pokal, Europapokal), bis 1988 Zeitungsformat, 1988/89 bis 2015/16 farbig im Format DIN A4, 2016/17 unter dem Titel *Eintracht vom Main. Das offizielle Stadionmagazin der Eintracht Frankfurt Fußball AG*

Eintracht-Magazin, erstmals zum Abschiedsspiel von Jürgen Grabowski am 12. November 1980 erschienen, bis Januar 2017 insgesamt 85 Ausgaben (Die letzte Ausgabe Winter 2016/17 digital unter www.eintracht-frankfurt.de/verein/eintracht-magazin/aktuelleausgabe.html)

Fan geht vor, 1. Frankfurter Allgemeine Fanzeitung, erstmals im Oktober 1991 erschienen, bis April 2020 insgesamt 277 gedruckte Ausgaben und 8 Sonderausgaben (zuletzt Juli 2020: Europareise 2018–2020, Zwei besondere Jahre aus Sicht der Fankurve), Mai bis Juli 2020 3 Online-Sonderveröffentlichungen (www.fan-geht-vor.de)

Youngster (seit März 2003 *Youngster Magazin*), ca. 1992 bis 2000 Jugendzeitschrift von Eintracht Frankfurt (25 Ausgaben), seit der Saison 2001/02 Zeitschrift der Amateur- und Jugendabteilung Fußball, bis Juni 2008 insgesamt 52 Ausgaben; 2010/11 abgelöst durch *Anpfiff – Jahresmagazin des Leistungszentrums von Eintracht Frankfurt*, bisher 10 Ausgaben (Stand: Dezember 2019)

Die Kurve, Infos zur Fanszene der Eintracht, April 2003 bis November 2006 insgesamt 10 Ausgaben

Zico, Frankfurter Fußball Magazin, Nullnummer August 2005, bis März 2008 insgesamt 12 Ausgaben

Schwarz auf weiß, Offizielles Organ der Ultras Frankfurt 1997, ab Saison 2005/06, bis März 2020 insgesamt 276 Ausgaben (www.ultras-frankfurt.de)

Diva vom Main, Das offizielle Fußballmagazin von Eintracht Frankfurt e. V. (Fußball- und Fan- und Förderabteilung), Mai 2010 bis Dezember 2016 insgesamt 26 Ausgaben

Pressemappe für die Besichtigung des neuen Sportleistungszentrums am Riederwald, Frankfurt, 18. November 2010

Stöffche, Rundbrief an Freunde und Bekannte der Frankfurter Nordwestkurve, seit März 2011, bis Januar 2019 insgesamt 7 Ausgaben (8 Hefte)

Die ersten fünf Jahre: Jahrbuch 2007–2012 des Eintracht Frankfurt Museums, hg. vom Eintracht Frankfurt Museum, 2012

50 Eintrachtler: Jüdische Sportler, Funktionäre und Fans von Eintracht Frankfurt. Ein Rechercheprojekt, hg. vom Eintracht Frankfurt Museum, seit 2013 sind 29 Porträts erschienen

Auf Achse, Jahrbuch 2013 des Eintracht Frankfurt Museums, hg. vom Eintracht Frankfurt Museum, 2014

Spielzeit, Monatsmagazin des Leistungszentrums von Eintracht Frankfurt, von September 2014 bis Juli 2017 insgesamt 35 Ausgaben, online unter www.eintracht-frankfurt.de/sportarten/fussball/spielzeit/aktuelle-ausgabe.html

Eintracht Frankfurt international, Jahrbuch 2014 des Eintracht Frankfurt Museums, hg. vom Eintracht Frankfurt Museum, 2015

Holder Friede, süße Eintracht, Jahrbuch 2015 des Eintracht Frankfurt Museums, hg. vom Eintracht Frankfurt Museum, 2016

Eintracht vom Main. Das offizielle Stadionmagazin der Eintracht Frankfurt Fußball AG, Saison 2016/17, seit 2017/18 mit dem Untertitel „Das offizielle Klubmagazin von Eintracht Frankfurt", bis Juli 2020 insgesamt 36 Ausgaben; außerdem: *Unsere 50. Saison*, Sonderausgabe zum Saisonstart 2018/19 sowie weitere 15 Ausgaben zu den Europa-League-Heimspielen 2018/19 und 2019/20

DFB-Pokal 2016/17: Berlin 2017, hg. vom Eintracht Frankfurt Museum, 2017

Schwarz und weiß, Jahrbuch 2016 des Eintracht Frankfurt Museums, hg. vom Eintracht Frankfurt Museum, 2017

Zuerst Pyrokaos, dann Kneipenterror: UF97, Gehasst, vergöttert, Sonderausgabe der Ultras Frankfurt, 2017

Zehn Jahre Museum, Jahrbuch 2017 des Eintracht Frankfurt Museums, hg. vom Eintracht Frankfurt Museum, 2017

Bravo, ein Starschnitt! 2018 (Der Pokal), hg. vom Eintracht Frankfurt Museum, 2018

Berlin – Pott – Party, Jahrbuch 2018 des Eintracht Frankfurt Museums, hg. vom Eintracht Frankfurt Museum, 2018

Rom – Mailand – London, Jahrbuch 2019 des Eintracht Frankfurt Museums, hg. vom Eintracht Frankfurt Museum, 2020

3. Stadionprogramme

Der Sport-Expreß, Hg. Rolf Knötzele, Frankfurt ca. 1928 bis 1960

D. F. B. Meisterschaft 1932 in Nürnberg, Eintracht Frankfurt – Bayern München, Deutscher Sport-, Werbe- und Nachrichten-Verlag, Frankfurt 1932

Das Programm, Illustrierter Sonntags-Sportspiegel, Verlag M. Imke, Frankfurt 1937 bis 1944 und 1950 bis 1967

Fußball-Expreß, Programm für die Spiele der Süddeutschen Oberliga, Verlag E. Wilhelm, Frankfurt 1948/49

Der Neue Sport, Programm mit Mannschaftsaufstellung, Verlag M. Imke/Verlag Der Neue Sport, Frankfurt 1949/50

Der Sportfreund, Das Sportprogramm der Woche, Verlag Th. Hartwig, Oberstedten 1953

Offizielles Programm, Verlag unbekannt, ca. 1956 bis 1974

Endspiel um die Deutsche Fußballmeisterschaft Eintracht Frankfurt – Kickers Offenbach, Amtliches Programm, hg. vom DFB, Union-Sportverlag, Berlin 1959

European Cup Final, Eintracht Frankfurt v. Real Madrid, Official Programme, Glasgow 1960

Eintracht Fußball, Stadionprogramm der Frankfurter Sportgemeinde Eintracht (F. F. V.) e. V., 1965 bis 1968

Eintracht Frankfurt, Vereinszeitung und Stadionprogramm, 1968 bis 2016 (siehe 2.2.)

DFB-Pokalendspiel Hamburger SV – Eintracht Frankfurt, Amtliches Programm, Hg. im Auftrag des DFB: Verlag Jürgen Abel, Kettwig 1974

DFB aktuell: DFB-Pokalendspiel Eintracht Frankfurt – MSV Duisburg, Amtliches Programm, Hg. im Auftrag des DFB: Verlag Jürgen Abel, Kettwig 1975

Deutsches Pokalendspiel 1975 MSV Duisburg – Eintracht Frankfurt, Sport-Druck-Verlag Karl Schaper, Springe 1975

Endspiel DFB-Vereinspokal Eintracht Frankfurt – 1. FC Kaiserslautern, Offizielles Programm, Hg. im Auftrag des DFB: Pressebüro Jürgen Abel, Essen 1981

DFB aktuell: 45. Deutsches Pokalendspiel Eintracht Frankfurt – VfL Bochum, Offizielles Programm, Hg. im Auftrag des DFB: CWL-Werbung, Kreuzlingen 1988

DFB aktuell: DFB-Pokalspiele 29. April 2006 Olympiastadion Berlin, Eintracht Frankfurt – FC Bayern München, 1. FFC Turbine Potsdam – 1. FFC Frankfurt, Hg. vom DFB, Frankfurt 2006

Eintracht vom Main. Das offizielle Stadionmagazin der Eintracht Frankfurt Fußball AG, Saison 2016/17 (siehe 2.2.), ab der Saison 2017/18 erscheint nur noch ein Flyer mit den wichtigsten Informationen zum Spiel. Zu den 5 Bundesliga-Geisterspielen im Mai/Juni 2020 erschien kein Flyer.

DFB-Pokal. Das offizielle Stadionmagazin des Deutschen Fußball-Bundes – DFB-Pokalfinale 2017 Eintracht Frankfurt – Borussia Dortmund, hg. vom DFB, Frankfurt 2017

DFB-Pokal. Das offizielle Stadionmagazin des Deutschen Fußball-Bundes – DFB-Pokalfinale 2018 Bayern München – Eintracht Frankfurt, hg. vom DFB, Frankfurt 2018

Supercup 2018. Eintracht Frankfurt – Bayern München, hg. von der DFL, Frankfurt 2018

4. Broschüren, Hefte, Dias, Schallplatten, Filme, Videos, CDs

Eintracht Frankfurt, Serie: Fußball-Sportbildhefte, Stalling-Verlag, Bad Soden, Saison 1950/51

Das Sportliche Ereignis, Deutsche Fußball-Meisterschaft 1959 Eintracht Frankfurt – Kickers Offenbach, Single-Schallplatte, Ariola 1959

Traumenspiel um die Deutsche Fußball-Meisterschaft, Vorderseite: Der Meister heißt „Eintracht" aus Frankfurt, Rückseite: Schuß und Tor ruft Offenbach im Chor, Single-Schallplatte, Bella Musica 1959

Endspiel Europa-Cup 1960, Eintracht Frankfurt – Real Madrid, Single-Schallplatte, Ariola 1960

Kurt Schauppmeier, *Eintracht Frankfurt*, Sport Report Serie A Band 9, Walhalla und Praetoria Verlag, Regensburg 1965

Eintracht Frankfurt, Serie: Stars im Stadion, Ehapa-Verlag, Stuttgart, Saison 1965/66 und 1966/67

Eintracht Frankfurt, Serie: Am Ball, Bundesliga-Sportarchiv in Bildern, J. Bauer-Verlag München, Saison 1968/69

Eintracht Frankfurt, Revue Dia-Serien Deutscher Bundesliga-Mannschaften, 1968/69

Der Frankfurter Studio Chor, *Im Wald, da spielt die Eintracht*, Single, CBS 1974, Institut für Stadtgeschichte Frankfurt

Eintracht, Eintracht über alles, Langspielplatte, Univers 1977

Eintracht Frankfurt, Serie: Merky-Pocket, Verlag E. Klett, Stuttgart 1979

Eintracht Frankfurt, Hg. Deutscher Sportclub für Fußballstatistiken, DSFS-Magazin Dezember 1983

Mach ihn rein, meine Diva vom Main, Single, Glashaus Edition 1991

Stepi und die Strassenjungs, Eintracht, CD, Tritt Record 1992

Wo der Adler fliegt, wo die Eintracht siegt …, CD, Jopro & Show Service Rhein-Main 1993

Eintracht Frankfurt, Die Fußball-Zauberer vom Main, Video, ran-Fußball Bundesliga, Saison 1993/94

Eintracht Power Hits, CD, Jopro & Show Service Rhein-Main 1994

Jay Jay Okocha, I I am am JJ, CD, Kult Film GmB/Intercord Ton GmbH 1994

Frankfurter Erzählcafé, Bert Merz: In vielen Sportstätten zu Hause und Richard Kreß: Fußballstar ohne Allüren, Video 12. November 1994, Institut für Stadtgeschichte Frankfurt

Dragoslach Stepanowitz singt: Läbbe geht waider, Hit Radio FFH 1997

We love you Frankfurt, Der offizielle Eintracht-Song, CD, Intergroove 1997

Herbert & The Heroes, Eintrachten, Fan-Initiative: 1,- DM für Eintracht Frankfurt, CD, 1997

Die Zweitkläßler, Eintracht Frankfurt lernt, was absteigen heißt, ein Film von Jörg Rheinländer und Rudi Schmalz-Goebels, hr-Fernsehen, 11. Juni 1997

Eintracht Frankfurt: Himmel und Hölle, CD, Bellaphon 1997

Eintracht Frankfurt: Mein Verein, Der offizielle Eintracht-Song, CD, Minotaurus Records 1998

Tore & die Chef Kolter Band, Wenn die Sonne scheint, 1 Mark für das Vereins-Archiv, CD, Racker Records 1998

Eine Diva wird 99. „Eintracht Frankfurt" und 99 Jahre Fußball, ein Film von Holger Avenarius, hr-Fernsehen, 21. August 1998

100 Jahre Eintracht Frankfurt 1899–1999, Hymne – Fansongs – Liveaufnahmen, CD, 1999

Die ARD-Schaltkonferenz vom Finale der Bundesliga-Saison 98/99, Live-Mitschnitt vom WDR2, CD, hg. von der ARD-Werbung Sales & Services GmbH (1999)

Sounds of Frankfurt, CD, hg. von Fan geht vor (1999)

Das Frankfurter Waldstadion: gestern – heute – morgen, ein Film von Silke Klose-Klatte, hr-Fernsehen, 28. Februar 2001

Goundwarriors, Treu bis in den Tod, Ultras Frankfurt, CD, eastwest records 2001

Gestrauchelt, Gestolpert, Gescheitert: Eintracht Frankfurts Abstieg besiegelt?, hr-Fernsehen, extra, 19. Juni 2002

Lizenz für Eintracht Frankfurt?, hr-Fernsehen, extra, 3. Juli 2002

Spiele zur Endrunde um den Deutsche Fußballmeisterschaft 1932, hg. vom Sportantiquariat Kopp-Wittner, Würzburg 2002

Mundstuhl, Adler auf der Brust und Adler auf der Brust. Geschafft-Version, 2 CDs, Sony 2003

Das Herzschlag-Finale in Frankfurt. Nie mehr 2. Liga! Live-Mitschnitt der ARD-Konferenzschaltung vom Finale der Zweiten Fußball-Bundesliga am 25. 5. 2003

Die Familienkollerei Possmann präsentiert: Ehtracht, nur dich woll'n wir lieben, CD, Double U. P. Productions 2003

Eine Diva wird 100. 100 Jahre Fußball Eintracht Frankfurt, ein Film von Holger Avenarius (1999), hr-Fernsehen, 2. August 2003

100 Jahre Eintracht Frankfurt – eine Diva mit vielen Gesichtern, ein Film von Holger Avenarius (1999), hr-Fernsehen, 2. August 2003

Solo Ultra, ein Film von Erik Winter, DVD, fantasticweb new media GmbH 2003; 3sat 6. Juni 2004

Sing along with the Bembelbar, Kultlieder der Eintracht Fans, Vol. 1, CD, Fan geht vor & Bembelbar 2005

Madhouse Flowers: Auf geht's Eintracht, CD, Cream Music Studio Frankfurt 2005

Andreas Berger: Wir sind wieder da!, CD, Innowave Ltd. 2005

12 – Die Eintracht CD von Fans für Fans, Soccer Records 2005

Tankard, Schwarz-Weiß wie Schnee, CD, Afm (Soulfood Music) 2006

Pete, Kleiner Adler, CD, Al Dente Recordz 2007

Scharfe Kurven, heiße Rhythmen: Kultlieder der Eintracht-Fans, Vol. 2, CD, Fan geht vor & Bembelbar 2007

Eintracht Frankfurt – Geschichte erleben, Ein Hörbuch von Jörg Heinisch, Selbstverlag 2008

Henni Nachtsheim, Herz rotschwarz gestreift, CD, Soccer Records 2008

Die Eintracht CD von Fans für Fans, 12 Vol. 2, Soccer Records, 2008

Maineid, Eintracht – Die Macht vom Main, CD, Eigenproduktion 2008

Hanks Fußballbilder: Deutscher Meister 1959 Eintracht Frankfurt, 18 Tradingcards von Michael „Hank" Becker, 2008, www.fussball-malerei.de

Der größte Augenblick aller Zeiten, 50 Jahre Deutscher Meister 1959–2009, DVD, Digitally Remastered, Fanprojekt 2009

Deutscher Meister 1959 – Eintracht Frankfurt, DVD, Beilage zur Fan-Zeitung „Fan geht vor" Nr. 176, August 2009

Träume in schwarz und weiß – Der Film, DVD, Eintracht Frankfurt 2009

Hanks Fußballbilder: UEFA-Pokalsieger 1980 Eintracht Frankfurt, 20 Tradingcards von Michael „Hank" Becker, 2010, www.fussball-malerei.de

Europapokal: Glasgow 1960 – Eintracht Frankfurt, DVD, Beilage zu „Fan geht vor" Nr. 187, August/September 2010

Main Eid – Songs für Frankfurt am Main, DVD, Musiklabel Areal Artist, Frankfurt Juli 2011

UEFA-Pokalsieger 1980 – Eintracht Frankfurt, DVD, Beilage zu „Fan geht vor" Nr. 197, August/September 2011

Von Fans für Fans, 12 Vol. 3, CD, Soccer Records, 2011

Eintracht-Fanfilme Teil 1: Choreographien – Stadionstimmung – Oslo-Tour – Fan-TV – Musikvideo – u. a., DVD, Beilage zu „Fan geht vor" Nr. 206/207, August/September 2012

Recken der Eintracht, hg. von Dr. Othmar Hermann und Michael „Hank" Becker (Grafik), Sammelbilder, seit April 2013 sind erschienen: (1) Bernd Hölzenbein/Jürgen Grabowski/Bernd Nickel; (2) Istvan Sztani; (3) Alex Meier; (4) Anthony Yeboah; (5) Bum-Kun Cha; (6) Bruno Pezzey (alle 14,8 x 21 cm, ab Nr. 7: 10,5 x 14,8); (7) Dr. Peter Kunter; (8) Augustine „Jay-Jay" Okocha; (9) Erwin Stein; (10) Uwe Bein; (11) Ronald Borchers (www.heimat-malerei.de/recken-der-eintracht)

Eintracht-Fanfilme Teil 2: Choreographie – Stadionstimmung – Museums-Tour – Fan-TV – Historie – u. a., DVD, Beilage zu „Fan geht vor" Nr. 216/217, August/September 2013

Eintracht Frankfurt: Alle zusammen, Best of 1959–2013, Die beliebtesten Fansongs der Eintracht, DVD, Soccer Records/footballmusic, 2013

Europacuuuup! In diesem Jahr, Eine Hinrunde mit unserer Eintracht, DVD, Eintracht Frankfurt TV, 2013

Jürgen Grabowski – Ein Leben für Eintracht Frankfurt, DVD anlässlich seines 70. Geburtstags am 7. Juli 2014, zusammengestellt von Olaf Deiters und Rainer E. Kaufmann, 2014

Eintracht-Fanfilme Teil 3: Choreographie – Stadionstimmung – Rafting mit der Mannschaft – Fan-TV – u. a., DVD, Beilage zu „Fan geht vor" Nr. 226/227, August/September 2014

Eintracht-Fanfilme Teil 4: Choreographien 2013-2015 in guter Qualität – Nächtliche Stadionführung, DVD, Beilage zu „Fan geht vor" Nr. 236/237, August/September 2015

Helden der Eintracht. Das Finale ,59, DVD, Beilage zu „Meine Geschichte – meine Region. Das Zeitzeugen Magazin", Frankfurter Societäts-Medien GmbH, Nr. 2/2016

Deutscher Pokalsieger 1974: Eintracht Frankfurt. Das komplette Finale gegen den HSV inklusive Verlängerung in der Original-TV-Aufzeichnung, DVD, Beilage zu „Fan geht vor" Nr. 246/247, August/September 2016

Sport1, Finale 1932 FC Bayern als multimedialer Spielbericht, unterlegt mit der Stimme des Radio-Moderators Günther Koch, http://www.sport1.de/fussball/2016/11/finale-1932-fc-bayern-frankfurt-als-multimedialer-spielbericht, 2016

Aus der Liebe zu Dir! Von Fans für Fans, 12 Vol. 4, CD, Soccer Records, 2017

Eintracht Frankfurt, Kleben im Herzen von Europa, REWE-Sammelalbum, hg. von Stickerstars, Berlin 2019

Die Rückkehr des Pokals – Der Film, DVD und Blueray, Universum-Film in Kooperation mit Warner Bros., produziert von Eintracht Frankfurt, Mediatools und Warner Bros. International Television Production Germany, 2019

Grabowski – Die Eintracht-Legende, ein Film von Florian Naß und Heiko Neumann, hr-Fernsehen, 29. Juni und 6. Juli 2019

5. Bücher und Aufsätze über die Eintracht

Gerd Lobin, *Mittelstürmer Thomas Bruckner*, Franz Schneider Verlag, München 1965

Herbert Neumann, *Eintracht Frankfurt, Die Geschichte eines berühmten Sportvereins*, Droste Verlag, Düsseldorf 1974, [2]1977

Rainer Franzke und Wolfgang Tobien, *Die Eintracht, 80 Jahre Fußball-Zauber*, Dasbach Verlag, Taunusstein 1979

Hartmut Scherzer, *Jürgen Grabowski*, Copress Verlag, München o. J. (1980)

Rainer Franzke und Wolfgang Tobien, *Eintracht Frankfurt, Immer oben dabei*, Dasbach Verlag, Taunusstein 1981, [2]1992

Dieter Bott, Gerold Hartmann, *„Wir sind alle Frankfurter Jungs"*, *Die Fans er SGE*, Hessische Sportjugend/Fußballfanprojekt, Frankfurt 1985, [2]1986

Dieter Bott, Gerold Hartmann, *Die Fans aus der Kurve, „Let's go, Eintracht, let's go!"*, *Aus der Welt der Fußballfans*, Brandes & Apsel, Frankfurt 1986

Hartmut Scherzer und Peppi Schmitt, *Der treue Charly, Karl-Heinz Körbel und die Eintracht*, Hg. K.-H. Körbel 1986

Uli Stein, *Halbzeit, Eine Bilanz ohne Deckung*, Simander Verlag, Frankfurt 1993

Thomas Kilchenstein, *Olé, Olé, SGE!, Eintracht Frankfurt, 343 trickreiche Fragen für echte Fans der Riederwälder*, Eichborn Verlag, Frankfurt 1994

Deutschlands große Fußballmannschaften, Teil 7: Eintracht Frankfurt, zusammengestellt von Matthias Kropp, Agon-Sportverlag, Kassel 1995

Steffen Gerth, *Der mit dem Ball tanzt. Jay Jay Best in Soccer*, Hg. Eintracht Frankfurt 1996

Ulrich Matheja, *Eintracht Frankfurt – Schlappekicker und Himmelsstürmer*, Verlag Die Werkstatt, Göttingen 1998, [2]2003, [3]2006, [4]2017

Eintracht Frankfurt, 100 Jahre Fußball und mehr, hg. von Stephan Kuß, Societäts-Verlag, Frankfurt 1998

Jörg Heinisch und Matthias Thoma, *Main-Derby in Berlin – Deutsche Meisterschaft 1959: Eintracht Frankfurt gegen Kickers Offenbach*, Agon-Sportverlag, Kassel 1999

Matthias Thoma, Michael Gabriel, *Das Rostock-Trauma, Geschichte einer Fußballkatastrophe*, Fuldaer Verlagsanstalt 2002

Klaus Veit, Christian Klein, *Eintracht Frankfurt – Die Bruchlandung, Saison 2001/2002*, Societäts-Verlag, Frankfurt 2002

Matthias Thoma, *Kindheit und Jugend im Sportverein während des Nationalsozialismus am Beispiel Eintracht Frankfurt*, Diplomarbeit, Fachhochschule Frankfurt 2003

Werner Skrentny (Hg.), *Frankfurter Eintracht und FSV: 1933 endet eine »gute Ära«*, in: Dietrich Schulze-Marmeling (Hg.), *Davidstern und Lederball, Die Geschichte der Juden im deutschen und internationalen Fußball*, Verlag Die Werkstatt, Göttingen 2003, S. 131–152

Jörg Heinisch, *Das Jahrhundertspiel – Eintracht Frankfurt und Real Madrid im Europapokal der Meister 1960*, Agon-Sportverlag, Kassel 2004

Jörg Heinisch, *Der große Triumph – Eintracht Frankfurt im Europapokal 1980*, Agon-Sportverlag, Kassel 2005

Jörg Heinisch, *Frankfurter Fußballwunder – Die Klassenkämpfe von Eintracht Frankfurt*, Agon-Sportverlag, Kassel 2005

Die Eintracht, Von Titelträumen und Triumphen, von Abstiegsangst und Aufstiegslust, hg. von Brigitte Heinrich, Heinrich & Hahn Verlagsgesellschaft, Frankfurt 2006

Jörg Heinisch, *Würstchen, Bomben, Fußballzauber – Eintracht Frankfurt in aller Welt*, Agon-Sportverlag, Kassel 2006

Jörg Heinisch, *Helden in Schwarz-Weiß – Eintracht Frankfurt im Vereinspokal*, Agon-Sportverlag, Kassel 2006

Frank Gotta, Dr. Othmar Hermann, *Im Herzen von Europa, Die Geschichte eines der bekanntesten Fußballvereine in Bildern*, Agon-Sportverlag, Kassel 2006 (www.im-herzen-von-europa.de)

Matthias Thoma, *„Wir waren die Juddebube" – Eintracht Frankfurt in der NS-Zeit*, Verlag Die Werkstatt, Göttingen 2007

Otto A. Böhmer, *Wenn die Eintracht spielt*, Roman, Weidle Verlag, Bonn 2007

Jörg Heinisch, *Eintracht intim – Anekdoten und Kuriositäten aus der Geschichte von Eintracht Frankfurt*, Agon-Sportverlag, Kassel 2007

Rudolf Oswald, *Fußballkultur und soziale Milieus im Frankfurt der Zwischenkriegszeit*, Vortrag am 18. Oktober 2007 in der Stadtbücherei Frankfurt am Main (Frankfurt in Bewegung – Beiträge zur Frankfurter Sportgeschichte 1)

Manfred Leunig, *Die „Ruggers" der Eintracht – Front und Frankfurt im Spiegel der Feldpost 1939-1946*, Books on Demand GmbH, Norderstedt 2007

Matthias Thoma, *Spiele in der „Sahara" – aber nur mit Stempel. Das Zusammenspiel von Hitlerjugend und Vereinen am Beispiel Eintracht Frankfurt*, in: Markwart Herzog, Rainer Jehl (Hg.), *Fußball zur Zeit des Nationalsozialismus, Alltag – Medien – Künste – Stars*, Verlag W. Kohlhammer, Stuttgart 2008 (Irseer Dialoge Band 13), S. 39–49

Thomas Bauer, *Der Frankfurter Fußball 1933 bis 1945: „Von Tschammer und Osten, dein Pokal soll verrosten!"*, in: Lorenz Peiffer, Dietrich Schulze-Marmeling (Hg.), *Hakenkreuz und rundes Leder, Fußball im Nationalsozialismus*, Verlag Die Werkstatt, Göttingen 2008, S. 386–395

Andreas Wolf, *Der Adler blickt zurück … auf die Saison 2007/08, Ein Fotoalbum der Eintracht Frankfurt*, Monobuch Verlag, Rüsselsheim 2008

Den Schal enger schnallen und in die Ohren spucken, Die Eintracht Frankfurt Kolumnen von Hendrik Nachtsheim, Societäts-Verlag, Frankfurt 2008

Rudolf Oswald, *Schlappeschneider – Schlappekicker. Ein Schülerprojekt in Frankfurt widmet sich der Geschichte der Hausschuhfabrik J. & C. A. Schneider – einem frühen Sponsor der Frankfurter Eintracht*, in: SportZeiten – Sport in Geschichte, Kultur und Gesellschaft Heft 3 (2008), hg. vom Verlag Die Werkstatt, Göttingen, S. 115–117

Kid Klappergass (Rüdiger Schulz), *(Flut)Licht und Schatten, Geschichte/n) eines Eintrachtfans*, Books on Demand GmbH, Norderstedt 2008

Daniel Meuren, *602 – Ein Rekord für die Ewigkeit, Die Karriere des Charly Körbel*, Agon Sportverlag Fußballlegenden, Kassel 2009

Die 59 Meister – Ein Triumph und seine Gesichter, hg. vom Eintracht Frankfurt Museum, Frankfurt 2009

Adler im Herzen – Die schönsten Geschichten der Fans von Eintracht Frankfurt, hg. von Jörg Heinisch, Agon Sportverlag, Kassel 2009

David Brenner, *Neues aus der Fankurve – Wie Ultras und andere Fangruppierungen die Fankultur verändern*, Tectum Verlag, Marburg 2009

Michael Löffler, Erich Fischer (Hg.), *Aus dem Waldstadion – Richard Kirn und die Frankfurter Eintracht*, Societäts-Verlag, Frankfurt 2009

Fußball-Künstler, Begleitheft zur Ausstellung im Eintracht-Museum 29. Januar bis 2. April 2010, Frankfurt 2010

Rudolf Oswald, *„Hi, ha, ho, die Eintracht ist k. o": Die Geschichte der Fußball-Rivalität zwischen Offenbach und Frankfurt*, Vortrag am 31. Mai 2010 im Haus der Stadtgeschichte in Offenbach)

Sebastian Knecht, *Die Auswirkungen des Ersten Weltkrieges auf das Vereinsleben von Eintracht Frankfurt*, Magisterarbeit, Johann Wolfgang Goethe-Universität Frankfurt 2010

Jörg Heinisch, Dr. Othmar Hermann, *Adler auf der Brust – Die großen Spieler von Eintracht Frankfurt und andere Geschichten des hessischen Traditionsklubs*, Agon-Sportverlag, Kassel 2010

Hendrik Nachtsheim, *Mein Eintracht-Tagebuch – Gras wächst auch nicht schneller, wenn man dran zieht …*, Societäts-Verlag, Frankfurt 2011

Matthias Thoma, *Riederwald – Heimat der Eintracht seit 1920*, hg. von Eintracht Frankfurt e. V., Farnkfurt 2011

Ansgar Brinkmann, *Der weiße Brasilianer*, aufgezeichnet von Bastian Henrichs, Delius Klasing Verlag, Bielefeld 2011

Jörg Heinisch, *Mehr als nur der 12. Mann – Ein Streifzug durch die Fanszene von Eintracht Frankfurt*, Agon-Sportverlag, Kassel 2011

Olaf Deiters, *Eintracht Frankfurt. Deutscher Meister 1959*, Eigenverlag, Frankfurt 2011

Ulrich Matheja, *Unsere Eintracht – Eintracht Frankfurt. Die Chronik*, Verlag Die Werkstatt, Göttingen 2011

Kid Klappergass (Rüdiger Schmidt), *Der lange Abschied. Saison 2010/11*, Books on Demand GmbH, Norderstedt 2012

Klaus Veit, Christian Heimrich, Markus Katzenbach, *Comeback Eintracht – Aufstieg mit Ansage*, Societäts-Verlag, Frankfurt 2012

Olaf Deiters, Rainer E. Kaufmann, *Jürgen Grabowski – Ein Leben für Eintracht Frankfurt*, Eigenverlag, Frankfurt 2012

Kid Klappergass (Rüdiger Schulz), *Lamento und Euphorie. Saison 2011/12*, Books on Demand GmbH, Norderstedt 2012

Bruno Hübner: Der bodenständiger Arbeiter, in: Anstoss Rhein-Main. Fußball fürs Leben!, Nr. 2/März 2013, S. 20–24

Matthias Thoma, *„Wer mit dem Adler fliegt – der auch den Tod besiegt", Die Gedenk- und Trauerkultur bei Eintracht Frankfurt*, in: Markwart Herzog (Hg.), *Memorialkultur im Fußballsport. Medien, Rituale und Praktiken des Erinnerns, Gedenkens und Vergessens*, Verlag W. Kohlhammer, Stuttgart 2013 (= Irseer Dialoge, Kultur und Wissenschaft interdisziplinär, Band 17), S. 91–112

Matthias Thoma, *Ein Museum für die Eintracht, Planung – Konzept – Exponate – Veranstaltungen*, in Markwart Herzog, Memorialkultur, S. 327–334

Peter C. Moschinski, Martin Thein, *»Lebbe geht weider« – Das Leben des Dragoslav Stepanovic*, Verlag Die Werkstatt, Göttingen 2013

Jörg Heinisch, Dr. Othmar Hermann, *Sternstunden – Die großen Spiele von Eintracht Frankfurt und andere Geschichten des hessischen Traditionsklubs*, Agon-Sportverlag, Kassel 2013

Gunther Burghagen, *111 Gründe, Eintracht Frankfurt zu lieben – Eine Liebeserklärung an den großartigsten Fußballverein der Welt*, Verlag Schwarzkopf & Schwarzkopf, Berlin 2013

Näht auf, wenn ihr Adler seid! Fanclub-Aufnäher der Frankfurter Eintracht, hg. von Till Adam, Christian Hahn und Harald Pridgar, Weissbooks GmbH, Frankfurt 2013

Peter Fischer: Ich bin ein stolzer Präsident, in: Anstoss Rhein-Main. Fußball fürs Leben!, Nr. 7/November 2013

Olaf Deiters, Rainer E. Kaufmann, *70. Geburtstag von Jürgen Grabowski*, Eigenverlag, Frankfurt 2014

Thorsten Legat, *Wenn das Leben foul spielt*, Verlag Die Werkstatt, Göttingen 2014

Ben Redelings, *Eintracht-Album. Unvergessliche Sprüche, Fotos, Anekdoten rund um Eintracht Frankfurt*, Verlag Die Werkstatt, Göttingen 2014

Clemens Zavarsky et al., *Bruno Pezzey. Eine Hommage*, in: ballesterer, Nr. 98 Januar/Februar 2015, S. 16–31

Jörg Heinisch, *Das große Eintracht-Quiz. Ein unterhaltsames Rateerlebnis rund um Eintracht Frankfurt*, Verlag die Werkstatt, Göttingen 2015

Henni Nachtsheim, Michael Apitz, *Adlerträger. Lilli Pfaff und die Geschichte von Eintracht Frankfurt*, Societäts-Verlag, Frankfurt 2015

Stefan Zwicker, *Frankfurts Bester: Jürgen Grabowski im Interview*, in: ballesterer, Nr. 106/November 2015, S. 62–64

Wir sind Eintracht. Warum wir diesen Verein lieben – in guten wie in schlechten Tagen, in: Meine Geschichte – meine Region. Das Zeitzeugen-Magazin, Frankfurter Societäts-Medien GmbH, Nr. 2/2016, S. 14–34

Jörg Heinisch, *Im Dienst der Fanszene von Eintracht Frankfurt. 25 Jahre Fan geht vor – 1. Frankfurter Allgemeine Fanzeitung*, Selbstverlag, Flörsheim 2016

Oliver Zils, Alex Schur. 24. *Vom Fan zum Kapitän – Geschichte einer Eintracht-Legende*, Societäts-Verlag, Frankfurt 2016

Michael Apitz, *Im Herzen von Europa. Eintracht Frankfurt-Comics*, Societäts-Verlag, Frankfurt 2016

50 Games That Changed Scottish Football. Highlights. Lowlights, Triumphs and Tragedies, No. 1: Real Madrid 7, Eintracht Frankfurt 3, European Cup Final, Hampden, May 18, 1960, Beilage der Sunday Mail, Glasgow, 4. September 2016, S. 18/19

Jörg Heinisch (Hg.), *Ob Rom, Mailand oder London … Europapokal-Erlebnisberichte von Eintracht Frankfurt seit 1959*, Selbstverlag, Flörsheim 2016

Thorsten Siegmund, *Axel Hellmann: Früher nur Eintracht-Fan, heute hält er die Fäden in den Händen*, in: Anstoss. Fußball fürs Leben!, Nr. 30/November/Dezember 2016, S. 24–28

Gerd Fischer, *Einzige Liebe. Frankfurter Fußball-Krimi, Der achte Fall für Kommissar Rauscher*, mainbook Verlag, Frankfurt 2017

Christopher Michel, *Launische Diva, Warum wir Eintracht Frankfurt lieben*, riva Verlag, München 2018

Holger Sà, *DFB-Pokalsieger 2018*, Katalog zur Ausstellung in der Leica Galerie Frankfurt, August 2018

Jörg Heinisch, *Das Pokalsieger-Fotoalbum, Ausgewählte Motive im Großformat*, Fan geht vor, Flörsheim ⁴2018

Eintracht. Wie geht das? J. P. Bachem Verlag, Köln 15. 10. 2018, in Zusammenarbeit mit Eintracht Frankfurt

Holger Sà, *Eintracht Frankfurt – Eine neue Ära*, Katalog zur Ausstellung in der Leica Galerie Frankfurt, Februar/März 2019

Holger Sà, *Eintracht Frankfurt – Zuhause in Europa Backstage*, Leica Galerie, Frankfurt 2019

Ulrich Matheja, *Eintracht Frankfurt – Die Erfolgschronik seit 2011*, Verlag Die Werkstatt, Göttingen 2019

Mario Sonnberger et al., *Martin Hinteregger*, in: ballesterer, Nr. 148/Januar/Februar 2020, S. 16–33

Dominik Bardow, *Eintracht Frankfurt Fußballfibel*, hg. Von Frank Willmann, Culturcon Medien, Berlin 2020

Jörg Heinisch, *90 Minuten Eintracht Frankfurt*, Verlag Die Werkstatt, Göttingen 2020

Maximilian Aigner, *»Vereinsführer«. Biographische Skizzen über Funktionäre von Eintracht Frankfurt im Nationalsozialismus*, Studien zur Geschichte und Wirkung des Holocaust, Band 4, Wallstein-Verlag, Göttingen (in Vorbereitung)

6. Jubiläumsschriften anderer Vereine

SpVgg 03 Fechenheim:

Chronik 50 Jahre SpVgg 03 Fechenheim, stand auf www.fechenheim03.de, Archiv/Historie, mit Links zu *60 Jahre* und *75 Jahre SpVgg 03 Fechenheim*

FSV Frankfurt:

Festschrift zum 25jährigen Jubiläum, Druck Enz & Rudolph, Frankfurt 1924

FSV Frankfurt 1899 – traditionsbewußt, 1989 zukunftsnah, Denkschrift von Karl Seeger, Sportschul-Verlag, Fritzlar/Graphische Werkstatt, Kassel 1989

Ein Jahrhundert FSV Frankfurt 1899 e.V. Die Geschichte eines traditionsreichen Frankfurter Sportvereins, von Harald Schock und Christian Hinkel, Druckerei Scheufler, Frankfurt 1999

Franziska Blendin, *FSV Frankfurt Fußballfibel*, hg. Von Frank Willmann, Culturcon Medien, Berlin 2020

VfL Germania 94 Frankfurt:

80 Jahre VfL Germania 94 Frankfurt/Main, Kunz & Gabel, Frankfurt 1974

100 Jahre VfL Germania 1894 e.V., Image Grafikatelier, Frankfurt 1994

SG Rot-Weiss Frankfurt 01:

25 Jahre VfR 1901–1926, Festschrift zum 25-jähr. Jubiläum des Verein für Rasensport 01. e.V. Frankfurt am Main, Frankfurt 1926

Im Wandel der Zeiten, Unsere Chronik von 1901–1961, Frankfurt 1961

100 Jahre Rot-Weiss Frankfurt, Frankfurt 2001

FRG Borussia 1896:

90 Jahre Frankfurter Rudergesellschaft „Borussia" 1896 e.V., Offenbach 1986

SC Frankfurt 1880:

75 Jahre Sport-Club Frankfurt 1880 e.V., Brönner-Verlag, Frankfurt 1955

Chronik des Sport-Club „Frankfurt 1880", Brönners Dr. Breidenstein GmbH, Frankfurt 1980

Jürgen Brundert, *Sport-Club „Frankfurt 1880", Eine Frankfurter Jahrhundertgeschichte*, Verlag Waldemar Kramer, Frankfurt 2002

FFV Sportfreunde 04:

50 Jahre Frankfurter Fußball-Verein Sportfreunde 04 e.V., Maindruck, Frankfurt 1954

Frankfurter Fußballverein Sportfreunde 04 e.V. – 75jähriges Bestehen, Frankfurt 1979

Frankfurter Fußballverein Sportfreunde 04 e.V. – 80 Jahre, Druckereiauftragsbüro R. Eisenkrätzer, Frankfurt 1984

90 Jahre F.F.V. Sportfreunde 04, Frankfurt 1994

100 Jahre F.F.V. Sportfreunde 04, Frankfurt 2004

F.F.V. Sportfreunde 04, Einmal Speuzer immer Speuzer, REWE-Sammelalbum in Zusammenarbeit mit Stickerstars, Frankfurt 2020

SpVgg Griesheim 02:

50 Jahre Fußball in Frankfurt/M.-Griesheim, Frankfurt 1952

1. Hanauer FC 93:

Ernst Gödde, *Das große 93er Fußballbuch 1893–1973, Der Pionier und Altmeister auf Höhenflügen, Tal- und Wechselfahrten*, Fitz-Druck, Rodenbach 1974

125 Jahre Tradition, hg. vom 1. Hanauer FC 93, Hanau 2018

SG 01 Hoechst:
Fünfzig Jahre Sportgemeinschaft Ffm.-Höchst – Festschrift zum 50jäh-
rigen Bestehen der Fußball-Abteilung, Frankfurt 1951
100 Jahre SG 01 Hoechst, Druck Frankfurter Societät, Frankfurt 2001
EFC Kronberg 1910:
100 Jahre E. F. C. Kronberg 1910, Kronberg 2010
FC Union 07 Niederrad:
50 Jahre FC Union 07 Niederrad, Druckerei Jestädt, Frankfurt 1957
1. Rödelheimer FC 02:
Festschrift zum 25-jährigen Stiftungsfest des 1. Rödelheimer Fußball-
Club 1902, Frankfurt 1927
70 Jahre Fußball, Frankfurt 1972
100 Jahre 1. Rödelheimer Fußballclub 1902 e.V., Reisdruck Medien-
service, Frankfurt 2002
SV Viktoria Preussen 07 Frankfurt:
90 Jahre SV Viktoria Preussen 07 e. V. Frankfurt/M., in: Sport-Echo Nr.
2/1997 (Vereinszeitung), Frankfurt 1997
Offenbacher FC Kickers 1901:
Kickers Offenbach – die ersten hundert Jahre, Offenbach 2001 (Druck
und Verarbeitung: Ingra, Hanau)
FG Seckbach 02:
75 Jahre FGS 02, Frankfurt 1977
SV Wiesbaden:
Ein halbes Jahrhundert SVW 1899–1949, Festschrift aus Anlaß der Ju-
biläumswochen, Wiesbaden 1949

7. Tageszeitungen

7.1. Frankfurter Tageszeitungen
Frankfurter Nachrichten und Intelligenz-Blatt (begründet 1722 als
Wöchentliche Franckfurter Frag- und Anzeigungs-Nachrichten),
11. Oktober 1910 bis 30. April 1934
Frankfurter Zeitung und Handelsblatt, Druck und Verlag: Frankfur-
ter Societäts-Druckerei, 16. November 1866 bis 31. August 1943
General-Anzeiger der Stadt Frankfurt, Druck und Verlag: H. & G.
Horstmann, 26. Mai 1876 bis 31. März 1943
Kleine Presse, Stadtanzeiger und Fremdenblatt, 1. April 1885 bis
31. März 1922 (ab 1. Januar 1919 unter dem Titel *Mittagsblatt*)
Rhein-Mainische Volkszeitung, Unabhängige Katholische Tageszeitung,
1923 bis 30. September 1943
Frankfurter Volksblatt, Amtliches Organ der NSDAP für den Gau Hes-
sen-Nassau (bis 1933 *Frankfurter Beobachter,* Nationalsozialis-
tische Tageszeitung, 1. Oktober 1943 bis 21. März 1945 *Rhein-*
Mainische Zeitung)
Frankfurter Anzeiger, Druck und Verlag: Frankfurter Societäts-
Druckerei, 1. April 1943 bis 2. März 1945
Frankfurter Presse, Alliiertes Nachrichtenblatt der amerikanischen
12. Heeresgruppe für die deutsche Zivilbevölkerung, 21. April bis
5. Juli 1945
Frankfurt Rundschau, Druck- und Verlagshaus Frankfurt am Main,
seit 1. August 1945
Frankfurter Neue Presse, Druck und Verlag: Frankfurter Societäts-
Druckerei, seit 15. April 1946
Frankfurter Allgemeine Zeitung, Zeitung für Deutschland, seit 1. No-
vember 1949

7.2. auswärtige Tageszeitungen
Alithia (Nikosia), 9. November 2018
20 minutes Bordeaux-Aquitaine, 29. November 2013
Aschaffenburger Zeitung, 12. und 14. April 1924
Badische Neueste Nachrichten (Karlsruhe), 1. und 5. März, 22. und
25. Juni 1946
Beobachter vom Main (Aschaffenburg), 14. April 1924
Berliner Zeitung, 19. Mai 2018
Bild (Frankfurt), 4. und 5. Juni 2018
Bild am Sonntag (Frankfurt), 25. Mai 1969
A Bola (Lissabon), 21. Februar 2014, 11. und 12. April 2019
B. Z. (Berlin), 17. Mai 1990
City A. M. (London), 10. Mai 2019
The Courier and Advertiser (Dundee), 23. April 1983
Darmstädter Tagblatt, 24. und 27. Mai 1913, 31. Dezember 1915,
4. Januar 1916
Daily Mirror (London), 10. Mai 2019
The Daily Telegraph (London), 10. Mai 2019
Direct Matin Bordeaux7, 29. November 2013

L'Equipe, Le Quotidien du Sport et de l'Automobile (Paris), 29. No-
vember 2013, 10. Mai 2019
The Evening Herald (Dublin), 19. September 1921 und 25. April 1922
Evening Standard (London), 9. und 10. Mai 2019
Fränkischer Kurier (Nürnberg), 13. und 23. März 1920
Fuldaer Zeitung, 21. November 1960
Futbol plus (Baku), 30./31. Mai 2019
La Gazzetta dello Sport (Mailand), 14. Dezember 2018 und 15. März
2019
General-Anzeiger für Hamburg-Altona, 17. Juni 1914
The Guardian (London), 10. Mai 2019
Hamburger Zeitung, 30. Dezember 1946
Hanauer Anzeiger, 30. April und 16. Oktober 1900
Hanauer Zeitung, 16. Oktober 1900
Hessische Landeszeitung (Darmstadt), 20. Juni und 14. August 1943
Hessisch Niedersächsische Allgemeine (Kassel), 20. März 1997
Jornal de Noticias (Porto), 21. Februar 2014
Kinzig-Wacht (Hanau), 31. Mai 1943
Koblenzer General-Anzeiger, 19., 20./21. und 22. Juni 1942
Kronen Zeitung (Ausgabe Salzburg), 29. Februar 2020
Main-Spitze (Rüsselsheim), 13. Mai 1935
Mainzer Anzeiger, 12. Juli 1943
Mannheimer General-Anzeiger, 31. Mai 1920
Mannheimer Morgen, 8. Oktober 1946
Il Messaggero (Rom), 14. Dezember 2018
Mitteilungsblatt der Militär-Regierung (Schweinfurt), 16. November
1945
Neue Mannheimer Zeitung, 7. Juni 1937
Neu-Isenburger Anzeigeblatt, Jahrgänge 1916 bis 1918
The Newcastle Daily Chronicle, 6., 8. und 10. Mai 1907
Het Nieuwsblad van het Noorden (Groningen), 7. September 1943
Noordhollands Dagblad (Alkmaar)
Nordbayerische Zeitung (Nürnberg), 4. April 1907 und 15. April 1912
Nordwest-Zeitung (Ostfriesen-Zeitung) (Leer), 21., 25. und 28. Juni
1949
Nürnberger Nachrichten, 10. und 14. November, 29. Dezember 1945,
3. Januar, 9. und 13. März, 4. und 8. Mai 1946, 25. Mai 2016
Oberhessische Presse (Marburg), 20. März 1997
Offenbacher Zeitung, 20./21. und 22. Mai 1944
Pirmasenser Zeitung, 2. Mai 1927
Provinciale Overijsselsche en Zwolsche Courant, 19. März 1943
RBLIve, Nachrichten-Portal der Mitteldeutschen Zeitung (Halle
(Saale)), 13. Dezember 2016 und 13. Dezember 2019
Rhein-Neckar-Zeitung (Mannheim), 5. Dezember 1945, 6. und
13. Februar, 10. April und 14. Mai 1946
Rheinische Post (Düsseldorf), 1. Juni 1957
Rhein-Zeitung (Koblenz), 19. Mai 1948
Saarbrücker Zeitung, 28. September und 30. November 1936
Salzburger Nachrichten, 29. Februar 2020
Schwäbische Landeszeitung (Augsburg), 23. Dezember 1945, 27. Ja-
nuar, 2. Juni und 7. Juli 1946
Sprendlinger Anzeiger, Jahrgänge 1918 und 1919
Der Standard (Wien), 19. Februar 2020
Der Start, Das Forum der Jugend für politischen und geistigen Auf-
bau, Hg. Miltärregierung Landkreis Karlsruhe, 13. Februar und
6. März 1946
Stuttgarter Zeitung, 23. November 1945, 23. Januar, 2. April und
28. Mai 1946, 14. Februar 2015
Süddeutsche Zeitung (München), 11. Dezember 1945, 15. Januar,
24. April und 21. Mai 1946
Sud Ouest (Bordeaux), 28. und 29. November 2013
Sunday Mail (Glasgow), 4. September 2016
Utrechtsche Courant, 1. Februar 1943
Het Vaderland (Den Haag), 12. April 1943
Warschauer Zeitung, November 1939 bis Oktober 1940
Die Welt (Berlin), 14. Dezember 2016
Welt am Sonntag (Berlin), 20./21. Mai 2018
Weser-Kurier (Bremen), 11. Mai 2016
Wiesbadener Tagblatt, Jahrgänge 1903 bis 1918
Wiesbadener Zeitung, 27./28./29. und 30. Mai 1944
Wilhelmshavener Zeitung, 20. Juni 1949
Wormser Volkszeitung, 20. Juli 1914

8. Sport- und Fußball-Zeitschriften, Jahrbücher

Sport im Wort, allgemeine Sport-Zeitung, ursprünglich Beilage der Zeitschrift *Sport im Bild,* später (ca. 1901/02) darin aufgegangen *Spiel und Sport,* Deutscher Sport-Verlag, Berlin 1899–(1915)

Jahrbuch für Volks- und Jugendspiele, begründet von E. von Schenckendorff und Dr. med. F. A. Schmidt, 9.–12. Jahrgang, R. Voigtländers Verlag, Leipzig 1900–1903; 15.–17. sowie 24.–27. Jahrgang, Verlag B. G. Teubner, Leipzig 1906–1908, 1915–1918

Süddeutsche Sportzeitung, Illustrierte Zeitschrift für alle Sportzweige: Fußball, Lawn-Tennis, Athletik, Hockey, etc. etc., Alleiniges amtliches Organ des Verbandes Süddeutscher Fußballvereine, Offizielles Organ des Deutschen Fußball-Bundes, Münchner Fußball-Bundes, Frankf. Association-Bundes, Deutschen Rugby-Verbandes und der Deutschen Sportbehärde für Athletik, Karlsruhe, Jahrgänge 1907 (= 3. Jahrgang), 1908, 1911, 1912, 1913

Illustrierte Sportzeitung zur Hebung der Volkskraft, Verlag der Sportzeitung, München 1911 bis 1914 (vorher *Illustrierte Amateur-Athleten-Zeitung, Illustrierte Athletiksportzeitung* und *Illustrierte Sportzeitung für Athletik, Gymnastik und Verwandtes: Wochenschrift für gesunde schönheitliche Körper-Ausbildung*)

Fußball, Illustrierte Sportzeitung, begründet von Eugen Seybold, München 1911 bis 1943

Fußball und olympischer Sport, aktuelles u. vornehmstes Spezialorgan für Rasenspiele; alleiniges amtl. Organ des Verbandes Süddeutscher Fußball-Vereine, Verlag des Fußballs, München 1913 und 1914

F.-N.-Sport, Zeitung für das gesamte Gebiet des Sports und des deutschen Turnens, Organ des Deutschen Reichsausschußes für Leibesübungen, Ortsgruppe Frankfurt, Frankfurt 1919 bis 1932

Mittelrheinische Sportzeitung, Beilage der Wormser Volkszeitung, Worms 1920 bis 1925, tudigit.ulb.tu-darmstadt.de/show/Za-138d

(Der) Kicker, begründet von Walther Bensemann, Konstanz 1920/21, Stuttgart 1921 bis 1925, Nürnberg 1925 bis 1943, ab 1. Dezember 1951 Verlag Th. Martens & Co., München (ab 5. Juli 1954 Druck in Köln, ab 24. August 1964 in Frankfurt), 4. Juli 1966 bis 30. September 1968 Verlag Axel Springer & Sohn, Hamburg (Druck in Frankfurt)

Sport-Echo aus dem Maingebiet, Nachrichtenblatt für das gesamte Turn-, Sport- und Spielwesen, Seibold'sche Buchdr. W. Dohany, Offenbach 1920 bis 1937

Deutsche Fußball-Zeitung, Albert Kürzl Verlag, München 1924/25

Deutscher Fußball-Sport, alleiniges amtliches Organ des Fachamtes für Fußball im Deutschen Reichsbund für Leibesübungen (Deutscher Fußball-Bund e. V.), Berlin Januar 1933 bis April 1936

Deutsche Sport-Illustrierte, Verlag Deutsche Sport-Illustrierte, Stuttgart 6. September 1933 bis 9. März 1943

Der Kicker-Fußball, Gemeinsame Kriegsausgabe, 13. April 1943 bis 26. September 1944

Die Sportwelt, Wochenprogramm für die Nürnberg-Fürther Sportfreunde, Verlag Nürnberger Presse, Zirndorf ab 4. November 1945 (später Olympia-Verlag, Nürnberg; ab 12. Juni 1949: *1.0-Sportexpreß für alle*)

Der neue Sport, Frankfurter Wochenschrift für Sport und Jugend, Frankfurt 2. Dezember 1946 bis 10. August 1964

Sportmagazin, später als *Sport,* Olympia-Verlag, Nürnberg 6. November 1946 bis 3. Oktober 1968

Die neue Fußball-Woche, Sportverlag, Berlin (Ost), 11. Oktober 1949 bis 28. Dezember 1992 (4. Januar bis 15. Februar 1993 als *FuWo-kicker,* Olympia-Verlag, Nürnberg)

kicker-Almanach, zusammengestellt und bearbeitet von Karl-Heinz Heimann, Karl-Heinz Jens u. a., Copress-Verlag, München seit 1958

kicker-sportmagazin, Olympia-Verlag, Nürnberg seit 7. Oktober 1968

Europapokal 1980. Alle Ergebnisse im Cup der Meister, im Europapokal der Cupsieger, im UEFA-Pokal, im Weltpokal und im Supercup, Hg. Dr. Friedebert Becker, Copress-Verlag, München 1980

Jahrbuch des Fußballs (seit 1991: *Fußball-Jahrbuch*), Copress-Verlag, München, in Zusammenarbeit mit der Redaktion von kicker-sportmagazin, 1980–2019

ballesterer, Magazin zur offensiven Erweiterung des Fußballhorizonts, Wien, seit 2000

Zeitspiel, Magazin für Fußball-Zeitgeschichte, hg. von Hardy Grüne und Frank Willig, Hannover, seit 2015

Jupp Heynckes. Als Spieler und als Trainer in der Weltklasse, kicker Legenden & Idole IV, Olympia-Verlag, Nürnberg 2017

Sport-Bild, Axel Springer Verlag, Hamburg, Ausgaben vom 23. Mai 2018, 6. und 20. März 2019

9. Sonstige Literatur

Die Fußball-Clubs in Frankfurt, von Wilhelm Kohl jun., in: *Allgemeine Sport-Zeitung,* 9. Februar 1882

Karl Planck, *Fusslümmelei. Über Stauchballspiel und englische Krankheit,* Verlag W. Kohlhammer, Stuttgart 1898 (Nachdruck mit einem Nachwort von Henning Eichberg und Wilhelm Hopf, *Fußball zwischen deutschem Turnen und englischem Sport,* Lit-Verlag, Münster 1982)

Heinrich Wolf, *Frankfurter Jahrbuch 1899,* Verlag der Druckerei Katzen, Frankfurt 1899

Frankfurter Sport-Almanach 1910, Illustriertes Jahrbuch des Frankfurter Sportes für das Jahr 1910, Frankfurter Sport-Verlag, Frankfurt 1910

Internationale Ausstellung für Sport und Spiel, Frankfurt a. M. 15. Mai bis 15. Juli 1910 (Programm)

Festschrift 17. Vertretertag des Verbandes Süddeutscher Fußball-Vereine e. V., Frankfurt 9. bis 11. August 1913

Fest-Schrift aus Anlaß des Austrags der deutschen Fußballmeisterschaft in Frankfurt a. M. am 13. Juni 1920, Überreicht vom Bürgerausschuß, Abteilung für Turnen, Sport und Spiel

Festbuch zur Stadionweihe Frankfurt a. M. 21. Mai 1925, Römerverlag, Frankfurt 1925

Frankfurter Sport-Almanach 1925/26, hg. vom Deutschen Reichsausschuß für Leibesübungen E. V., Ortsgruppe Frankfurt a. M., Druck und Verlag Wilh. Hemp, Frankfurt 1925

Frankfurt – Das Buch der Stadt, Hg. Dr. Otto Ruppersberg, Verlag Frankfurter Verlagsanstalt A. Schulze & Co., Frankfurt 1927

Aus der Steinzeit des Frankfurter Fußballs, Erinnerungen von Ludwig Isenburger, Druck und Verlag: Otto E. Schröder, Frankfurt 1929

Neue Ausgrabungen aus der Steinzeit des Frankfurter Fußballs, Erinnerungen von Phil. Wolf, Selbstverlag des Herausgebers, Frankfurt 1930

H. Heimpel, *Frankfurter Sport um die Jahrhundertwende,* in: *Frankfurter Wochenschau,* 16. August 1936

Denkschrift über die Notwendigkeit einer Bereinigung der Verhältnisse im deutschen Fußballsport durch Trennung von Amateur- und Berufs-Sport, hg. von der Interessengemeinschaft Deutscher Berufsfußballclubs, o. O. 1947

Hessisches Fußball-Jahrbuch 1954, Von der Oberliga bis zur A-Klasse, bearbeitet von Fritz Röhn und Rudolf Lamers, Marburg 1954

Geschichte des deutschen Fußballsports, hg. in Zusammenarbeit mit dem Deutschen Fußball-Bund, bearbeitet von Carl Koppehel, Limpert-Verlag, Frankfurt 1954

Die Sportstadt Frankfurt am Main, Neue Hauptkampfbahn im Stadion, W. Limpert-Verlag, Frankfurt 1955

Sechzig Jahre Süddeutscher Fußball Verband 1897–1957, hg. vom SFV, Druck F. Willmy, Nürnberg 1957

Frankfurt – so wie es war, ein Bildband von Richard Kirn, Droste Verlag, Düsseldorf 1967

Hajo Bernett, *Sportpolitik im Dritten Reich, Aus den Akten der Reichskanzlei,* Schorndorf 1971

Das Frankfurter Waldstadion, Hg. Dezernat Soziales und Freizeit, Sport- und Badeamt, Stadion GmbH, Frankfurt ca. 1974

Günther Vogt, *Mit Armbrust und Degen, Frankfurter Sport begann mit Waffengeklirre,* in: *Frankfurt, Lebendige Stadt, Vierteljahresheft für Kultur, Wirtschaft und Verkehr,* Heft 1, März 1975

Frankfurt Chronik, herausgegeben und verlegt von Waldemar Kramer, Frankfurt 1977

Ludwig Dotzert, Bert Merz (Hg.), *Die hunnert lustigste Schlappekicker,* Sachsenhäuser Verlag, Frankfurt 1980

Erich Beyer, *Sport in der Weimarer Republik,* in: *Geschichte der Leibesübungen,* Hg. Horst Ueberhorst, Band 3/2: *Leibesübungen und Sport in Deutschland vom Ersten Weltkrieg bis zur Gegenwart,* Berlin 1982

Hajo Bernett, *Der Weg des Sports in die NS-Diktatur,* Schorndorf 1983

Armin Schmid, *Frankfurt im Feuersturm, Die Geschichte der Stadt im Zweiten Weltkrieg,* Societäts-Verlag, Frankfurt Neuauflage 1984

Wolfgang Klötzer, *Sport in Frankfurt, Historische Tendenzen*, in: *Archiv für Frankfurts Geschichte und Kunst*, Band 60, Verlag Waldemar Kramer, Frankfurt 1985

Bert Merz, *Neues vom Schlappekicker*, Nest Verlag, Frankfurt 1987

Roland Binz, *»Borussia ist stärker«, Zur Alltagsbedeutung des Fußballvereins, gestern und heute*, Dissertation Eberhard-Karls-Universität Tübingen (1987), Verlag Peter Lang, Frankfurt 1988

Ludolf Hyll, *Süddeutschlands Fußballgeschichte in Tabellenform*, ruf-Druck, Karlsruhe 1988

Raphael Keppel, *Die deutsche Pokalgeschichte 1935–1988*, Sport- und Spielverlag, Rotenburg/Fulda 1988

Martin Lothar Müller, *Sozialgeschichte des Fußballsports im Raum Frankfurt am Main 1890–1933*, Magisterarbeit Johann Wolfgang Goethe-Universität Frankfurt 1989

Raphael Keppel, *Die deutsche Fußball-Oberliga 1946–1963*, Band 2: Südwest, Süd, Sport- und Spielverlag, Rotenburg/Fulda 1989

Hans-Dieter Baroth, *Anpfiff in Ruinen, Fußball in der Nachkriegszeit und die ersten Jahre der Oberligen Süd, Südwest, West, Nord und Berlin*, Klartext-Verlag, Essen 1990

Thomas Gehrmann, *Fußballrandale. Hooligans in Deutschland*, Klartext-Verlag, Essen 1990

Josef (Peppi) Schmitt, *Eintracht Frankfurt, Spiele, Siege, Sensationen*, in: *Fußball-Magazin*, Oktober 1990

Dieter Rebentisch, *Frankfurt am Main in der Weimarer Republik und im Dritten Reich 1918–1945*, in: *Frankfurt am Main, Die Geschichte der Stadt*, J. Thorbecke Verlag, Sigmaringen 1991

Jens Fuge, *Leutzscher Legende. Von Britannia 1899 zum FC Sachsen*, Sachsenbuch, Leipzig 1992

Hardy Grüne, *Who's Who des Deutschen Fußballs, Deutsche Vereine von 1903–1992*, Kasseler Sportverlag (Agon), Kassel 1992, ²1995; Neuauflagen 2001: *Vereinslexikon* (= Enzyklopädie des deutschen Ligafußballs, Band 7), 2009 mit Christian Kern: *Das große Buch der deutschen Fußballvereine*

Hans Grebe, *Jugend in Frankfurt*, in: *Archiv für Frankfurts Geschichte und Kunst*, Band 62, Verlag Waldemar Kramer, Frankfurt 1993, hier Passagen über die Eintracht (S. 346 und 354–357)

Ereignisse – Sport in der Region, hg. von Peter Rhein et al., Verlag Waldemar Kramer, Frankfurt 1993

Martin Lothar Müller, *Turnen und Sport im sozialen Wandel, Körperkultur in Frankfurt am Main während des Kaiserreichs und der Weimarer Republik*, in: *Archiv für Sozialgeschichte*, 33. Band, Verlag J. H. W. Dietz Nachf., Bonn 1993

Martin Lothar Müller, *Vom Schülersport zum Massenspektakel, Sozialgeschichtliche Anmerkungen zum Frankfurter Fußballsport im Kaiserreichs und in der Weimarer Republik*, in: *Archiv für Frankfurts Geschichte und Kunst*, Band 62, Verlag Waldemar Kramer, Frankfurt 1993

Werner Skrentny (Hg.), *Als Morlock noch den Mondschein traf, Die Geschichte der Oberliga Süd 1945–1963*, Klartext-Verlag, Essen 1993

Ralf Grengel, *Das deutsche Wembley, 60 Jahre Vereinspokal 1935–1994*, Bonifatius Verlag, Paderborn 1994

Hardy Grüne, *Vom Kronprinzen bis zur Bundesliga 1890 bis 1963, Deutsche Meisterschaft, Gauliga, Oberliga*, Agon-Sportverlag, Kassel 1996 (= Enzyklopädie des deutschen Ligafußballs, Band 1)

Gundi Mohr, *Die fiskalische Ausbeutung der Juden im Dritten Reich, Ein Beitrag zur Rolle der Finanzverwaltung 1933–1945*, Frankfurt 1996

50 Jahre Hessischer Fußball-Verband, Dokumentation, hg. vom HFV, Frankfurt 1996

Sport aus den Trümmern, Frankfurter Sportgeschichte der Nachkriegszeit 1945–1948, Faltblatt zur Ausstellung im Historischen Museum Frankfurt am Main, 23. Mai bis 30. Juni 1996

Skydome. Mehr erleben!, Faltblatt der Projektgruppe Weltstadion, Frankfurt 1996

100 Jahre Süddeutscher Fußball-Verband, hg. vom SFV, Vindelica Verlag, Gersthofen 1997

Peter Gay, *My German Question, Growing Up in Nazi Berlin*, Yale University Press, New Haven und London 1998

Frankfurt am Ball, Eintracht und FSV – 100 Jahre Fußballgeschichte, Begleitbuch zur Ausstellung des Frankfurter Sportmuseums der Stadion GmbH in Zusammenarbeit mit dem Historischen Museum Frankfurt, 4. März bis 19. September 1999

Gerhard Fischer und Ulrich Lindner, *Stürmer für Hitler, Vom Zusammenspiel zwischen Fußball und Nationalsozialismus*, Verlag Die Werkstatt, Göttingen 1999

Horst Müller, *Süddeutsche Fußball-Meisterschaften 1898–1904, Zum 102. Geburtstag oder Dinner für die Urväter*, W9-Selbstverlag, Berlin 1999

100 Jahre DFB, Die Geschichte des Deutschen Fußball-Bundes, hg. vom DFB, Sportverlag, Berlin 1999

Fritz Koch, „Die Artillerie des Nationalsozialismus“, *Die NS-Gau-Presse vom „Frankfurter Beobachter“ zur „Rhein-Mainischen Zeitung“ 1927–1945*, in: *Archiv für Frankfurts Geschichte und Kunst*, Band 65, Verlag Waldemar Kramer, Frankfurt 1999

Arthur Heinrich, *Der Deutsche Fußballbund, Eine politische Geschichte*, PapyRossa, Köln 2000

Matthias Weinrich, *25 Jahre 2. Liga, Der Zweitliga-Almanach: Alle Spieler, alle Vereine, alle Ergebnisse*, Agon-Sportverlag, Kassel 2000, ²2001

Der Ball ist rund. Katalog zur Fußballausstellung im Gasometer Oberhausen im CentrO. anlässlich des 100-jährigen Bestehens des Deutschen Fußball-Bundes 12. Mai bis 15. Oktober 2000, Feuer & Flamme Ausstellungsgesellschaft, hg. von Franz-Josef Brüggemeier, Ulrich Borsdorf und Jürg Steinerm, Klartext-Verlag, Essen 2000

Thomas Bauer, *Frankfurter Waldstadion, 75 Jahre Sportgeschichte*, Hg. Stadion GmbH Frankfurt am Main, Nest Verlag, Frankfurt 2000

Matthias Weinrich, Hardy Grüne, *Deutsche Pokalgeschichte seit 1935, Bilder, Statistiken, Geschichten, Aufstellungen*, Agon-Sportverlag, Kassel 2000

Karl-Heinz Schwarz-Pich, *Der DFB im Dritten Reich, Einer Legende auf der Spur*, Agon-Sportverlag, Kassel 2000

Werner Skrentny (Hg.), *Das große Buch der deutschen Fußball-Stadien*, Verlag Die Werkstatt, Göttingen 2001, ²2001, ³2010; darin die Beiträge von Ulrich Matheja zur Commerzbank Arena/Waldstadion und von Matthias Thoma zum Riederwald/Rosegger-Sportplatz, S. 122–127

Erik Eggers, *Fußball in der Weimarer Republik*, Agon-Sportverlag, Kassel 2001; Neuauflage Verlag Eriks Buchregal, Kellinghusen 2018

Tobias Picard, *Willi Klar, Fotograf der Nachkriegs- und Wiederaufbaujahre in Frankfurt am Main*, in: *Archiv für Frankfurts Geschichte und Kunst*, Band 67, Verlag Waldemar Kramer, Frankfurt 2001

Horst Müller, *Süddeutsche Fußball-Meisterschaften 1903–1906, Zum 104. Geburtstag oder Younger than ever!*, W9-Selbstverlag, Berlin 2001

Markwart Herzog (Hg.), *Fußball als Kulturphänomen: Kunst – Kult – Kommerz*, Verlag W. Kohlhammer, Stuttgart 2002

Bernd-M. Beyer, *Der Mann, der den Fußball nach Deutschland brachte, Das Leben des Walther Bensemann, Ein biografischer Roman*, Verlag Die Werkstatt, Göttingen 2003, ²2014

Peter Fischer, *Siegen aus Leidenschaft. Was wir von Champions lernen können*, FinanzBuch Verlag, München 2003

Klaus Leger, *So wie einst Real Madrid …, Der Fußball-Europapokal 1955–1964*, Agon-Sportverlag, Kassel o. J. (2003)

Horst Müller, *Süddeutsche Fußball-Meisterschaften 1906–1910, Zum 107. Geburtstag oder I declare this bazar opened!*, W9-Selbstverlag, Berlin 2004

The First 100 Years of Hampden. The Official Centenary Book – A story in words and pictures, von Forrest Robertson und David Ross, First Press Publishing, Glasgow 2003

Matthias Alexander, Falk Orth, *Faszination des Ovals. Vom Waldstadion zur Commerzbank-Arena*, Societäts-Verlag, Frankfurt 2005

Nils Havemann, *Fußball unterm Hakenkreuz, Der DFB zwischen Sport, Politik und Kommerz*, Campus Verlag, Frankfurt 2005

Peter Cardorff, Conny Böttger, *Der letzte Pass, Fußballballzauber in Friedhofswelten – Zuschauer erwünscht*, Verlag Die Werkstatt, Göttingen 2005

Faszination Fankurve, Ein Streifzug durch Europas Stadien, hg. von Stadionwelt.de, Brühl 2005

Hardy Grüne, *Legendäre Fußballvereine: Hessen – Zwischen FC Alsbach, Eintracht Frankfurt und Tuspo Ziegenhain*, Agon-Sportverlag, Kassel 2005

Fußball im Nationalsozialismus: Kultur – Künste – Medien, Tagungsbericht von Dr. Markwart Herzog zur Veranstaltung am 17.-19. Februar 2006 an der Schwabenakademie Irsee, in: H-Soz-u-Kult, 31. März 2006 (http://hsozkult.geschichte.hu-berlin.de/tagungsberichte/id=1085)

Helden – Heilige – Himmelsstürmer, Katalog zur Ausstellung im Ikonenmuseum Frankfurt 16. Mai bis 10. September 2006

Michael Krüger, *Fußball im Prozess der Zivilisierung und Nationalisierung des Sports und der Deutschen*, in: Dieter H. Jütting (Hg.), *Die lokal-globale Fußballkultur – wissenschaftlich beobachtet*, Waxmann Verlag, Münster 2004; hier: Zusammenfassung für die Bundeszentrale für politische Bildung (M 04.21)

Ronald Reng, *Fußball in Europa – Vielfältig bekloppt*, in: Süddeutsche Zeitung vom 3. November 2007

Jörg Berger, *Meine zwei Halbzeiten, Ein Leben in Ost und West*, Rowohlt Verlag, Reinbek 2008

»Der König aller Sports« – Walther Bensemanns Fußball-Glossen, Hg. Bernd-M. Beyer, Verlag Die Werkstatt, Göttingen 2008

Dirk Unschuld, Thomas Hardt, *Im Zeichen des Geißbocks. Die Geschichte des 1. FC Köln*, Verlag Die Werkstatt, Göttingen 2008

Rudolf Oswald, *»Fußball-Volksgemeinschaft«, Ideologie, Politik und Fanatismus im deutschen Fußball 1919–1964*, Campus Verlag, Frankfurt 2008, insbesondere die Abschnitte „Gralsburg deutscher Volksgesundheit: Die Sportpolitik des Frankfurter Oberbürgermeisters Krebs, 1933–1943", S. 160-165, und „Vergemeinschaftung »von unten«: Fußballsubkulturen in Deutschland, 1920–1960, S. 211-299

Dr. Thomas Bauer, *100 Jahre unter einer Kuppel – Die Geschichte der Festhalle Frankfurt 1909–2009*, Hg. Messe Frankfurt, Verlag Messe Frankfurt Medien und Service GmbH, Frankfurt 2009

Markus Kutscher, *Chronik der Stadt Frankfurt am Main – Von der Eiszeit bis zur Europäischen Zentralbank*, Wartberg Verlag, Gudensberg 2009

Hanns Leske, *Vorwärts – Armee. Fußball im DDR-Sozialismus, Aufstieg und Fall des ASK/FC Vorwärts Leipzig/Berlin/Frankfurt*, Verlag Die Werkstatt, Göttingen 2009

Hardy Grüne, *Glaube, Liebe, Schalke. Die komplette Geschichte des FC Schalke 04*, Verlag Die Werkstatt, Göttingen 2009

Steffen L. Herberger, *Johann Herberger – Ein Leben für den Fußball*, PDF 2010 (http://www.karlsruher-fv1891.de/JHerberger_Biographie(gesamt).pdf)

Gerhard Nestler, *Adolf Metzner – eine deutsche Biographie*, in: Frankenthal einst und jetzt, Jahrgang 2010, S. 28–36; online unter http://juden-in-frankenthal.de/frankenthal-in-der-ns-zeit/ss-mann-adolf-metzner/; Dort auch weitere Texte und Dokumente zu Dr. Adolf Metzner zu finden.

Makoto Hasebe, *Die Seele ordnen – Die 56 Gewohnheiten, um den Sieg zu erlangen*, Gentosha-Verlag, Tokio 2011

Werner Skrentny, Jens R. Prüß, *Immer erste Klasse. Die Geschichte des Hamburger SV*, Verlag Die Werkstatt, Göttingen 2011

Thomas Urban, *Schwarze Adler, weiße Adler – Deutsche und polnische Fußballer im Räderwerk der Politik*, Verlag Die Werkstatt, Göttingen 2011

Rudolf Oswald, *»Der Sport ist ihnen nichts, der Verein dagegen alles«, Fanatismus im Hanauer Fußball der Zwischenkriegszeit, 1920–1940*, in: Neues Magazin für Hanauische Geschichte (Mitteilungen des Hanauer Geschichtsverein 1844 e.V., Jahrgang 2012, S. 189–201

50 Jahre Bundesliga. 50 Jahre pure Emotion. Der kicker präsentiert das Buch zum Jubiläum, Olympia-Verlag, Nürnberg 2013

Verlorene Helden, Von Gottfried Fuchs bis Walther Bensemann – Die Vertreibung der Juden aus dem deutschen Fußball nach 1933, Beilage zu 11FREUNDE Nr. 148/März 2014

Eugen Eckert, *Der Heilige Geist ist keine Schwalbe. Gott, Fußball und andere wichtige Dinge*, Kösel-Verlag, München 2014

Matthias Thoma, *Alarmschüsse bedeuten Gefahr, Zwei Vereine – ein Krieg: Die „Eintracht" in den Jahren 1914–1918*, in: Sport in Hessen, Magazin des Landessportbundes Hessen, Nr. 24/29. November 2014

Stephan Reich, *Das Ewige Spiel*, in: 11FREUNDE Spezial Königsklasse, März 2015, S. 118–121

Helga Roos, *Schlappeschneider – Schlappekicker. Stolpersteine erinnern*, Die Geschichtswerkstatt Gallus berichtet, Ausgabe 28/April 2015

Peter Dippold, *Frankfurt Lindenstraße. Der Fußballspieler mit dem gelben Stern*, FuB Verlag Peter Dippold, Butzbach 2015

Werner Skrentny (Hg.), *Ein war einmal ein Stadion. Verschwundene Kultstätten des Fußballs*, Verlag Die Werkstatt, Göttingen 2015; darin der Beitrag von Matthias Thoma zum Riederwald, S. 43–45

ZOV Sportverräter. Spitzenathleten auf der Flucht. Begleitbuch zur Ausstellung des Zentrums deutsche Sportgeschichte Berlin-Brandenburg e.V. (ZdS), 2011 (Die Ausstellung war vom 14. August bis 15. Oktober 2015 im Eintracht-Museum zu sehen.)

Rückblick: Das erste Spiel unter Flutlicht in Deutschland, in: 96-Matchplan. Stadionmagazin von Hannover 96, Teil I: 23. September 2015, Teil II: 6. November 2015

Ullrich Kroemer, *RB Leipzig – Aufstieg ohne Grenzen*, Verlag Die Werkstatt, Göttingen 2016

Udo Luy, *Fußball in Süddeutschland 1889–1908*, Eigenverlag, Kleinrinderfeld 2016

Ulrich von Berg, *Vergessene Siege. Hessens Fußballer im Kampf um den Länderpokal 1949–1994*, Verlag Die Werkstatt, Göttingen 2017

Robert Claus, *Hooligans, Eine Welt zwischen Fußball, Gewalt und Politik*, Verlag Die Werkstatt, Göttingen 2017

1927–2017 Verein Frankfurter Sportpresse, 90 Jahre Sport und Journalismus in der Region, geschrieben und beschrieben, hg. vom Verein Frankfurter Sportpresse, Sulzbach 2017

Laura Stina Maciejczyk, *Geld regiert die Welt*, in: Dieter Frey (Hg.), *Psychologie der Sprichwörter*, Springer-Verlag, Berlin 2017, S. 51–57

Stefan Appenowitz, *Bundesliga-Trikots 1963 bis heute*, GeraMond Verlag, München 2018

Christoph Ruf, *Kurvenrebellen, Die Ultras – Einblicke in eine widersprüchliche Szene*, Verlag Die Werkstatt, Göttingen ⁴2018

Hardy Grüne, *Fußballwappen*, Verlag Die Werkstatt, Göttingen 2018

Werner Raupp, *Toni Turek – „Fußballgott", Eine Biographie*, Arete-Verlag, Hildesheim 2018

Mariusz Kowoll, *Futbol ponad wszystko, Historia piłki kopanej na Górnym Śląsku 1939–1945* (Fußball über alles, Geschichte des Fußballs in Oberschlesien 1939–1945), fusbal-mk, Gliwice (Gleiwitz) 2019

Jörg Zeyringer, Adi Hütter, *Teamgeist. Wie man ein Meisterteam entwickelt*, Springer-Verlag, Berlin 2019

Daniel Cohn-Bendit, *Unter dem Stollen der Strand. Fußball und Politik – mein Leben*, aus dem Französischen von Frank Sievers, Kiepenheuer & Witsch, Köln 2020

Ronny Blaschke, *Machtspieler. Fußball in Propaganda, Krieg und Revolution*, Verlag Die Werkstatt, Göttingen 2020

FanQ Am Puls der Fans, *Anstoß-Studie zu Geisterspielen während der Corona-Krise*, in Kooperation mit Intelligent Research in Sponsoring, Köln 2020 (https://www.fanq-app.com/wp-content/uploads/2020/04/fanq-iris-studie-geisterspiele.pdf)

Deutscher Fußball-Bund/Deutsche Fußball-Liga, *Task Force Sportmedizin/Sonderspielbetrieb im Profifußball, Version 2.1, Studien, Trainingsstätten, Hotels, häusliche Hygiene*, 12. Mai 2020 (https://media.dfl.de/sites/2/2020/05/2020-05-12-Task-Force-Sportmedizin_Sonderspielbetrieb_Version-2.1.pdf)

Lars M. Vollmering, *»Wir stellen fest, was wirklich zählt«. Wie Corona unseren Fußball verändert*, Verlag Die Werkstatt, Göttingen 2020

Markwart Herzog, Peter Fassl (Hg.), *Sportler jüdischer Herkunft in Süddeutschland*, Verlag W. Kohlhammer, Stuttgart (in Vorbereitung) (Irseer Dialoge Band 22), darin: Markwart Herzog, „Goldene Jahre" am Bornheimer Hang: Die Professionalisierung des FSV Frankfurt unter der Leitung von Unternehmern jüdischer Herkunft in den Jahren der Weimarer Republik, sowie: Markwart Herzog: Antisemitismus in der „Stuttgarter Erklärung" vom 9. April 1933 und dessen Verwirklichung im Alltag süddeutscher Fußballclubs

Der Autor

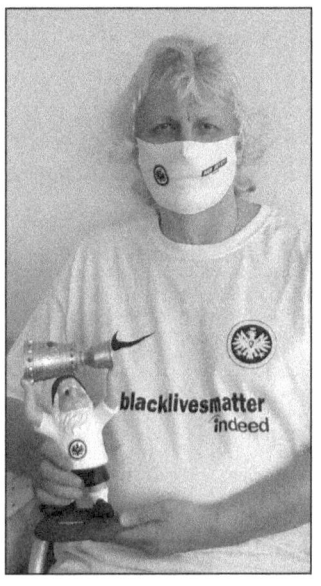

Ulrich Matheja wurde am 23. Juli 1956 in Frankfurt geboren. Nach Abitur, kaufmännischer Lehre und Zivildienst studierte er von 1979 bis 1985 in Frankfurt und Newcastle upon Tyne (England) Englisch und Geschichte für das Lehramt an Gymnasien. Eintracht-Fan seit 1966, machte er 1987 nach einem Referendariat an der Musterschule in Frankfurt aus seinem Hobby einen Beruf und arbeitet seitdem beim „kicker-sportmagazin" in Nürnberg, zuerst in der Dokumentation und seit 2004 in der Datenredaktion. Neben der Eintracht engagiert sich Matheja mit historischen Beiträgen am „Hessen-Almanach" des „Deutschen Sportclubs für Fußballstatistiken" (www.dsfs.de) und im „Paderborner Kreis", der sich der Geschichte des Arbeiterfußballs in der Weimarer Republik widmet (www.arbeiterfussball.de).

Fotonachweis

Mehrens-Pressebild: 79, 150, 155, 161 (o), 164, 185, 189, 197, 210, 230, 259, 289, 292

Alte Publikationen / Archiv Eintracht Frankfurt: 16, 17, 27, 36, 37, 39, 46, 103, 110, 111, 114, 117 (u), 128, 244

Archiv Dr. Hermann: 49, 54, 93, 111, 118, 134, 247, 248

Archiv Der Kicker / kicker-sportmagazin: 13, 56, 62, 65, 77, 80, 88, 89, 90, 115, 123, 125, 129, 145, 159

Fotoagentur Bongarts: 243 (o), 255, 264, 282, 307, 309, 312, 315, 317, 319, 349 (2)

Imago: 9, 70, 265, 267, 272, 339, 341, 344, 347, 351, 353, 361, 365 (2), 368, 371, 373, 375, 377, 381, 382 (o), 385, 389, 390, 393, 394, 397, 398, 402, 404, 405, 406, 407, 409, 410–411, 412, 416–417, 419 (o), 420, 423, 423

Fotoagentur Horst Müller: 72, 221, 225 (o), 239, 256, 271 (u), 277, 283, 353

picture alliance / dpa: 73, 272/273, 332, 329, 327, 331

Staatsarchiv München (105, Spk A-K_545_Gramlich_Rudolf)

Weitere Bildquellen

100 Jahre FSV: 61; 100 Jahre Kickers Offenbach: 117 (o), 139; Archiv Agon Verlag: 180; Michael Apitz: 382 (u); Baader: 243; Baumann: 201; Berlin-Bild: 177, 178; Manfred Birkholz: 245; Camera 4: 281; Eintracht Museum: 334, 336 (2), 355, 388, 400; Fan geht vor: 174; Gayer: 194, 205; Frank Gotta: 96, 356; Harder: 297, 300, 303, 305; Hartung: 261; Archiv August Langer: 131; Eintracht Frankfurt Leistungszentrum: 147; Maibohm: 143; Sammlung Ulrich Matheja: 106, 333, 339, 350, 354, 366, 393, 396, 408 (2), 413 (2), 419 (u); Moenkebild: 278, Nordbild: 207; Rauchensteiner: 240; Reilaender 161 (u); Helga Roos: 337; Andy Sanders: 270, 271; Schirner: 11, 152; Schmidtpeter: 191; Sven Simon: 215, 285; Stephan: 274, 291; Joachim Storch: 332; Sammlung Matthias Thoma: 130, Sammlung Verlag die Werkstatt: 98, 104, 269, 273, 274, 320, 399; Wende: 280; Werek: 225 (u), 246; Andreas Wolf: 268.

Cover-Collage: Dominik Dresel und Mathias Weinfurter (mit Bildmaterial von Eintracht Frankfurt sowie den Agenturen Foto Huebner, Foto Klein und picture alliance)

Noch mehr Eintracht

Jörg Heinisch
Das große Eintracht-Quiz
Ein unterhaltsames
Rateerlebnis rund um
Eintracht Frankfurt
192 S., Paperback, Fotos
ISBN 978-3-7307-0173-7
€ 16,90

Ben Redelings
Eintracht-Album
Unvergessliche Sprüche,
Fotos, Anekdoten rund um
Eintracht Frankfurt
160 S., Paperback, Fotos,
durchgehend farbig
ISBN 978-3-7307-0104-1
€ 9,99

Jörg Heinisch
90 Minuten Eintracht Frankfurt
144 S., Hardcover, Fotos
ISBN 978-3-7307-0505-6
€ 16,90

Ulrich Matheja
Eintracht Frankfurt
Die Erfolgschronik
seit 2011
144 S., Hardcover, Fotos
ISBN 978-3-7307-0483-7
€ 19,90

VERLAG DIE WERKSTATT

Die ganze Geschichte des Fußballs in Deutschland

Hardy Grüne / Dietrich Schulze-Marmeling
Das goldene Buch des deutschen Fußballs
500 S., Großformat, Hardcover, Fotos
ISBN 978-3-7307-0314-4
€ 39,90

*„Nicht weniger als eine quasi
lückenlose Gesamtschau."*
(11Freunde)

VERLAG DIE WERKSTATT